CORPVS CHRISTIANORVM

Continuatio Mediaeualis

LXXVI

CORPVS CHRISTIANORVM

Continuatio Mediaevalis

LXXVI

RAIMVNDI LVLLI
OPERA LATINA

TOMVS XV

TVRNHOLTI

TYPOGRAPHI BREPOLS EDITORES PONTIFICII

MCMLXXXVII

RAIMVNDI LVLLI
OPERA LATINA

201-207

SVMMA SERMONVM
IN CIVITATE MAIORICENSI
ANNIS MCCCXII-MCCCXIII
COMPOSITA

EDIDERVNT

FERNANDO DOMÍNGUEZ REBOIRAS

ET

ABRAHAM SORIA FLORES (†)

TVRNHOLTI
TYPOGRAPHI BREPOLS EDITORES PONTIFICII
MCMLXXXVII

Svmptibvs svppeditante
Svpremo Belgarvm Magistratv
Pvblicae Institvtioni
atqve Optimis Artibvs Praeposito
editvm

A

MARTÍ DE RIQUER,

PER LA SEVA EXEMPLAR TASCA
D'ESTUDIÓS DE LES ANTIGUES
LLETRES CATALANES,
DEDICA AQUEST VOLUM
L'EDITOR

VORWORT

Dieser Band der Raimundi Lulli Opera latina (ROL XV) enthält die Opera 201-207, die Lull zwischen Oktober 1312 und Februar 1313 in Mallorca verfaßt hat. Alle diese sieben Werke sind bisher unediert und der Forschung praktisch unbekannt geblieben. Zusammen bilden sie eine Art Summa oder Corpus von 182 Predigten, wovon allein der *Liber de uirtutibus et peccatis* (op. 205) 136 Sermones umfaßt.

Die 23 lateinischen Werke, die Lull zwischen seinem letzten Pariser Aufenthalt und seiner Abreise von Mallorca nach Sizilien im Mai 1313 verfaßt hat, umfassen drei Bände der Gesamtausgabe. Der Band ROL XVI, der von Antoni Oliver und Michel Senellart herausgegeben wird, liegt im Manuskript vor; er enthält elf Traktate (op. 190-200), die Lull zwischen September 1311 und September 1312 in Vienne, Montpellier und Mallorca abfaßte. Der vorliegende Band ROL XV umfaßt die Summa sermonum Lulls. (Der Band ROL XVII wird Werke aus einer anderen Epoche seines Lebens enthalten.) Der Band ROL XVIII, den Fernando Domínguez und Michel Senellart ediert haben, wird fünf Traktate (op. 208-212) umfassen, die Lull zwischen Februar und April 1313 in Mallorca schrieb; er schließt mit dem Testament Lulls, das er am 26. April 1313 niederschreiben ließ. Mit dem Erscheinen von ROL XVIII wird unsere Ausgabe lückenlos alle Werke umfassen, die Lull zwischen seiner Ankunft in Paris im Jahre 1309 und seinem Tode im Jahre 1316 fertiggestellt hat.

Im vorliegenden Band der Raimundi Lulli opera latina muß an Professor Dr. Abraham Soria Flores erinnert werden, der die Arbeit an diesem Band einleitete und als Mitherausgeber desselbigen aufgeführt ist. Er verstarb am 22. Januar 1984 in Heredia (Costa Rica), wo er als Professor an der Escuela Ecuménica de Ciencias de la Religión der Universidad Nacional tätig war.

Abraham Soria Flores wurde am 20. Juni 1928 in San Cristóbal (Guatemala) geboren. Nachdem er in den Franziskanerorden eingetreten war, studierte er Theologie in Spanien, zunächst an der Hochschule des Ordens in Orihuela und dann an der Universidad Pontificia de Comillas. 1955 schloß er sich – als einer der ersten Mitarbeiter Friedrich Stegmüllers bei der Vorbereitung der Ausgabe der lateinischen Werke Lulls – dem Raimundus-Lullus-Institut an. 1960 promovierte er in Theologie an der Universität Freiburg i. Br. 1961-1963 erschien seine Edition des umfangreichen *Liber de praedicatione* Lulls (ROL III-IV). 1964 beauftragte ihn Stegmüller mit der Edition von Lulls Corpus sermonum aus den Jahren 1312-1313, einer Arbeit, der er sich auch als Professor für Dogmatische Theologie an der Theologischen Hochschule des Franziskanerordens in Orihuela widmete.

Diese Vorarbeiten mußte Pater Abraham jedoch 1967 aufgeben, als er nach mehr als 20-jähriger Abwesenheit in seine zentralamerikanische Heimat zurückkehrte. Dort war er mehrere Jahre lang Pfarrer als von San Francisco de Managua (Nicaragua) tätig. 1970 wurde er zum Guardian des für mehrere Provinzen zuständigen Noviziats von San Antonio in San José (Costa Rica) ernannt. 1973 nahm er an dem Generalkapitel des Ordens in Madrid teil. 1974 berief ihn die Universidad Nacional de Heredia (Costa Rica) als Professor und Organisator der dort neugegründeten Escuela Ecuménica de Ciencias de la Religión. 1978 trat er aus dem Franziskanerorden aus und ließ sich in die Diözese von Alajuela einschreiben, wo er sich bis zu seinem Tode völlig seiner Lehrtätigkeit widmete. Den Mitgliedern des Raimundus-Lullus-Instituts wird er als unermüdlich schaffender und gleichzeitig kommunikativer Mensch stets in Erinnerung bleiben.

Das Erscheinen dieses Bandes ROL XV fällt mit der Feier des 30-jährigen Bestehens des Raimundus-Lullus-Instituts an der Universität Freiburg i. Br. zusammen. Das Institut hat seine Arbeit immer als "teamwork" verstanden. Nach dem Ausscheiden von Soria Flores wurde die Arbeit an Band XV von dem langjährigen Mitarbeiter am Institut, Fernando Domínguez, aufgenommen. Trotz der sehr fehlerhaften handschriftlichen Tradition gelang es ihm, den Text entscheidend zu verbessern, vor allem durch die Entdeckung des katalanischen Textes des *Liber de uirtutibus et peccatis* (op. 205) und zwei weiterer lateinischen Handschriften, sowie durch ausführliche Untersuchungen zur Literaturgattung der Predigten.

Bei der Fertigstellung dieses Bandes haben sich Frau Professor Lola Badia und Amador Vega i Esquerra (Barcelona), die bei Fragen hinsichtlich des katalanischen Originals geholfen haben, sowie Frau Gerlinde Danzeisen, die einen großen Teil der Texte ins Reine schrieb, sehr verdient gemacht. Für ihre Mitarbeit möchten wir uns ganz herzlich bedanken.

Raimundus-Lullus-Institut   HELMUT RIEDLINGER
der Universität Freiburg i. Br.   ALOIS MADRE
                                           CHARLES LOHR
                                      FERNANDO DOMÍNGUEZ

INTRODUCCIÓN

Este volumen de las *Raimundi Lulli Opera latina* contiene siete obras escritas por Ramon Llull en la isla de Mallorca en los meses de octubre de 1312 a febrero de 1313. Durante la redacción de estas obras cumplía Llull sus ochenta años de edad.

Las siete obras, todas ellas inéditas y practicamente desconocidas, forman el núcleo principal de su producción literaria entre la clausura del Concilio de Vienne y la redacción de su Testamento el 26 de abril de 1313, un mes antes de emprender viaje a Sicilia. Se contienen en ellas 182 sermones repartidos de una manera muy desigual: una de las obras *Liber de uirtutibus et peccatis*, es de grandes dimensiones y abarca por sí sola ciento treinta y seis sermones; los otros seis opúsculos todos ellos de similar reducida extensión contienen el resto de los sermones, es decir, cuarenta y seis.

La catalogación y caracterización de estas obras dentro del corpus lullianum presentó y presenta ciertas dificultades. Todo parece indicar que se trata de una continuación de la producción homilética luliana. En efecto, el subtítulo, *Ars maior praedicationis*, que lleva el *Liber de virtutibus et peccatis* parece confirmarlo así. También la obra que cronologicamente sigue a las aquí publicadas, que lleva el título de *Ars breuis de praedicatione*, no pretende ser otra cosa que un compendio o brevículo de las siete obras reunidas en este volumen. No se trata aquí, sin embargo, de una mera compilación de sermones ni de un nuevo modo de predicar. Lo que Llull se propone, como veremos, no es sólo una nueva normativa homilética; al escribir esta *Summa* en vistas a su inminente viaje a Sicilia, la concibe como un tratado de doctrina cristiana con fines catequéticos. En el contexto medieval estas dos tareas, a saber: predicación y catequesis, no se excluyen sino que forman parte de una misma tarea pastoral. Es, sin embargo, importante separarlas para comprender la novedad de este sermonario frente al *Liber de praedicatione*([1]) compuesto por Llull ocho años antes.

Esta obra ha de ser comprendida dentro de una tradición medieval de tratados de educación cristiana popular para uso de predicadores y clero encargado de acción pastoral y ha de ser incluida dentro de un movimiento en pro de la instrucción del pueblo cristiano que protagonizaban sobre todo las órdenes mendicantes.

Esta *Summa* o compendio, aunque ha de comprenderse dentro de esta tradición catéquetica medieval, lleva el sello peculiar de toda la obra luliana, que va recogiendo estructuras y formas

---

(1) ROL III y IV, op. 118, ed. A. Soria Flores.

literarias ya existentes para cambiarlas a su gusto. Esta *Summa* pretende suministrar un amplio material (*multiplicatio materiae*) para que los encargados de la educación del pueblo cristiano puedan llevar a cabo su cometido. Una *missio ad intra*, que Llull, sobre todo al fin de su vida, se plantea como capítulo preparatorio e indispensable para su *missio ad extra, i. e. ad infideles*, que es, como bien se sabe, el programa fundamental y razón de ser de toda la vida y obra luliana.

En la primera parte de esta introducción queremos presentar brevemente el contexto histórico-literario de estas obras. En primer lugar se buscan las razones que movieron a Llull a plantearse un nuevo estilo literario después de las profundas controversias filosófico-teológicas que mantuvo en París contra los Averroistas y antes de emprender viaje a Sicilia. Creemos que Llull se embarcó en esa aventura siciliana siguiendo los deseos de un grupo de clérigos y laicos imbuídos de espíritu arnaldiano que rodeaban al rey de la isla y que reclamaban su presencia para llevar a cabo un programa misional de reforma que, iniciado por el entonces ya difunto Arnaldo de Vilanova, coincidía en términos generales con las ideas lulianas. Para ellos ensaya Llull un programa de acción misional de cara a la formación religiosa del pueblo cristiano adoptando unos esquemas y estructuras literarias que, a pesar de su impronta personal, respondían a módulos ya existentes en la cristiandad, a los que él, como es norma, da una nueva y original hechura.

A continuación haremos primeramente una breve referencia a los módulos de predicación catequética utilizados en los tiempos de Llull para ver hasta que punto Llull recoge una tradición ya existente, la crítica y la reforma. Una segunda reflexión se centra en las características de la obra homilética luliana y la importancia de la temática de virtudes y vicios.

Los últimos capítulos de esta introducción estudian las cuestiones de crítica textual inherentes a una edición de este tipo. Primero se habla de esta *Summa* en general y luego de cada una de las obras en particular. Por último se trata de las características del original catalán y las peculiaridades de la traducción latina.

I

Contexto histórico-literario

I. LA ACTIVIDAD LITERARIA LULIANA DESDE SU ÚLTIMA ESTANCIA EN PARÍS HASTA SU MARCHA A SICILIA [2]

La primera de las obras de este período, la *Disputatio Petri et Raymundi* (ROL XVI, op. 190), se engarza perfectamente con la obra anterior, la *Vita coaetanea* (ROL VIII, op. 189), que, como bien se sabe, es una obra concebida por Llull como un medio de propaganda en apoyo de sus propuestas al Concilio [3]. Llull presenta sus planes a los padres conciliares como coronación y remate de todos sus afanes en pro de la conversión de los infieles, que él había hecho razón de ser de su existencia. La *Disputatio Petri et Raimundi* es un complemento de la *Vita*, pues en ella Llull, también de cara al Concilio, expone su visión personal de la verdadera actitud del cristiano frente a la raquítica visión del clérigo [4].

Las tres siguientes (ROL XVI, opp. 191-193) son probablemente obras que no tuvo tiempo de rematar en París y, muy a su estilo, las va terminando tal y como se lo permiten sus ocupaciones. Por ello no es extraño que aunque escritas en Vienne no se refieran para nada a lo que está ocurriendo a su alrededor.

La primera de ellas, *Liber de ente reali et rationis* (op. 191), ha de considerarse como continuación de su producción antiaverroista, es relativamente extensa y toca de lleno un tema central de la lucha contra los "falsi philosophi", a saber, la noción del ser real y ser de razón.

El op. 192, *Liber de diuina habentia*, es una obra de temática y estructura "artística" y puede ser considerada como aclaración o desdoblamiento del *Liber correlatiuorum innatorum* que J. GAYÀ acertadamente vino a llamar "Ars correlatiua" [5]. El "haber" como el "ser" tiene también sus correlativos (*habere, habens, habitum*) [6].

---

(2) Sobre este período de la vida y producción literaria luliana, cf. PLA II, 66-72 y HILLGARTH, 129-132.

(3) Cf. Introd. a VC en ROL VIII, pág. 261; M. RUFFINI, *Il ritmo prosaico nella "Vita beati Raymundi Lulli"*, en: EL 5 (1961) 5-60, v. pág. 60 y CH. LOHR, Introducción a la versión francesa de la VC en: R. IMBACH y M.-H. MÉLÉARD (éd.), *Philosophes médiévaux des XIIIe. et XIVe. siècles*, Paris 1986, págs. 209-222.

(4) Cf. L. BADIA, *Estudi del* Phantasticus *de Ramon Llull*, en: EL 26 (1986) 5-22.

(5) J. GAYÀ, *La teoría luliana de los correlativos*, Palma de Mallorca 1979, pág. 190.

(6) Cf. H. RIEDLINGER, *Ein wiedergefundenes Werk Raimund Lulls aus der Zeit des Viennenser Konzils: De divina habentia*, en: EL 7 (1963) 181-187.

El op. 193, *De ente simpliciter absoluto*, es un desarrollo del tema de la "formalitas", tratado por Llull en su *Liber de forma Dei* (op. 179)(⁷), con una terminología algo diferente. Llull propone seis condiciones que deben considerarse en el ser absoluto divino: (1) quod sit per se ipsum, (2) propter se ipsum, (3) in se ipso, (4) de se ipso, (5) cum se ipso, (6) quod extra se nullam indigentiam habeat, seu habere possit. Partiendo de la constatación de la primera condición, que comporta la *productio* – seguimos aún enzarzados en la temática correlativa – se siguen por deducción necesaria todas las restantes.

Después de la clausura del Concilio (6 de mayo de 1312) Llull se dirige a Montpellier. Allí escribe el *Liber de locutione angelorum* (ROL XVI, op. 194). (⁸) En esta obra, de título y contenido a primera vista un tanto extraño y a pesar de una interesante referencia en el prólogo a su experiencia conciliar, sigue Llull ensimismado en la polémica antiaverroista. Bajo la ficción de una conversación entre dos ángeles defiende aquella ciencia, que él viene propugnando y a la que dedicará unos meses más tarde un corto opúsculo (*De nouo modo demonstrandi*, op. 199). Es la suya una ciencia angélica (scientia causatiua intelligendo) en contraposición a una ciencia humana (scientia positiua credendo)(⁹). En la dist. III interviene Ramon interrumpiendo la conversación angélica para dejar en claro, como aquella ciencia que él propone es similar a la angélica mientras que la ciencia *per sensum et imaginationem* que proponen los averroistas es la ciencia de los demonios. La dura diatriba continúa en la dist. IV donde claramente afirma que los Averroistas y Sarracenos hablan con los "angeles maligni, parui" y que los demonios encuentran en ellos sus interlocutores, al contrario de Ramon que habla con y como los ángeles buenos. En toda la obra late una afirmación fundamental de ejemplarismo luliano según la cual, la relación ejemplar no sólo existe entre el creador y la criatura racional sino también entre todos los sujetos de la escala luliana.

La primera obra que escribe al volver a Mallorca, *Liber de participatione christianorum et saracenorum* (ROL XVI, op. 195), es la propuesta de un intercambio científico entre tunecinos y sicilianos como natural complemento de las relaciones políticas y comerciales existentes ya entre los dos reinos(¹⁰). Aqui se deja entrever alguna de las razones por las que Llull inicia un

---

(7) ROL VIII, págs. 33-101.

(8) Ed. por J. PERARNAU en: ATCA 2 (1983) 104-121.

(9) Vid. *Llibre dels Proverbis* (ORL XIV, 301: CCLXXVI, 2; MOG, Int. VI, 121). Cf. CH. LOHR, *Lección inaugural de la investidura de Magister de la Schola Lullistica Maioricensis*, en: EL 17 (1973) 113-123.

(10) Cf. HILLGARTH, 129s.

acercamiento al rey de Sicilia. La viabilidad de ese experimento la deja Llull patente discutiendo dos opiniones de Mahoma y probando los dogmas cristianos de la Trinidad y la Encarnación. Estas pruebas se hacen utilizando el esquema luliano usual, es decir, partiendo de las dignidades y de sus actos correlativos, aspecto, este último, en el que insiste Llull especialmente.

Este para Llull tan importante tema de los correlativos es el contenido de la obra que sigue, *Liber differentiae correlatiuorum innatorum* (ROL XVI, op. 196). Esta obra pretende aclarar una dificultad fundamental de la teoría correlativa en su aplicación a la Trinidad: la distinción real personal de los tres términos de la correlación.

En el *Liber de quinque principiis* (ROL XVI, op. 197) vuelve Llull al tema del op. 193, *De ente simpliciter absoluto*, reduciendo a cinco las seis condiciones allí mencionadas. Con ayuda de esas cinco condiciones o principios (quare est, per quod est, in quo est, de quo est et cum quo est) se estudian los nueve sujetos del Arte. El capítulo de quaestiones hace hincapié en la teoría de los correlativos.

El op. 198, *Liber de secretis sacratissimae trinitatis et incarnationis*, es una obra de caracter circunstancial escrita en árabe ya años antes, probablemente en 1300, y traducida al catalán en setiembre de 1312 ([11]).

En el *Liber de nouo modo demonstrandi* (op. 199) dedica Llull finalmente una obra a la demostración *per hypothesim* que juntamente con la demostración *per aequiparantiam* forman los dos nuevos metodos de demostración que Llull propone en contrapartida a las pruebas aristotélicas *per quia* y *propter quid* ([12]). Se trata de un tema fundamental del ideario luliano, que había de enfrentarse con la oposición de los téologos cristianos que no admitían la demostrabilidad racional de la fe cristiana. Esa demostrabilidad de la fe cristiana a través de razones necesarias es por otra parte uno de los pilares del Arte luliana. Llull argumenta que esa, para los teólogos de París, axiomática indemostrabilidad de las verdades de la fe tiene su origen en el hecho de que ellos no admiten más pruebas que las propuestas por los "antiqui philosophi" y de ésas, en verdad, incluso para Llull, la una "non habet locum in diuinis" y la otra "non est potissima in diuinis" ([13]). No es de extrañar que toda la actividad luliana antes, en y después de su última estancia en París se centre en buscar y probar un nuevo modo de

---

(11) Cf. ROL XVI, incipit y explicit de la obra.

(12) Cf. *Epistola Raimundi* en *Liber de experientia realitatis Artis generalis* (ROL XI, op. 138, págs. 220s.); Sobre la demostración en Llull véase CH. LOHR Prol. a *Liber de fallaciis nouis* (ROL XI, op. 135, págs. 1-6).

(13) Cf. *Epistola Raimundi*, loc. cit., lin. 107-116.

demostración que permita convertir un silogismo dialéctico en uno demostrativo ([14]), es decir, convertir una verdad admitida por la fe en una verdad demostrada por el entendimiento, o, mejor dicho, intentar abastecer con razones lo que se acepta por creencia u opinión. Este metodo demostrativo tuvo una larga evolución en la mente de Llull y es rematada definitivamente en este opúsculo.

A través de la sumaria exposición del contenido de estas diez obras se deja observar una concatenación lógica de las materias tratadas en ellas que quizá no es fácil descubrir a primera vista. Se puede afirmar que todas ellas son como un apéndice de la producción luliana anterior pues va desarrollando aquellos temas que ocupaban su mente durante la última estancia en París en un intento de aclarar, ampliar y completar sus ideas ([15]). Esto refleja perfectamente el estilo literario luliano. Llull, en efecto, vuelve una y otra vez a los mismos temas con el fín de aclararlos y completarlos.

Con el *Liber, qui continet confessionem* (op. 200) hay un cambio radical en la temática. Se trata de una obra que hay que situar dentro de la tradición de manuales de confesores y penitentes. La obra es muy breve y no parece estar muy claro a quien va dirigida. Como ya hizo notar J. PERARNAU se hechan en falta los temas introductorios comunes a este tipo de literatura ([16]). Llull va directamente al grano, es decir, a la materia de la confesión (pecados y virtudes) desde el punto de vista del penitente o receptor del sacramento sin pararse en exhortaciones a la penitencia, preparación a la confesión y aceptación de los actos satisfactorios. Después de ofrecer un esquema de la materia de la confesión centra la temática del opúsculo en la exposición de los diez instrumentos (*uiae uirtutum et uitiorum*) a través de los cuales el hombre peca: Los seis sentidos corporales (los cinco clásicos más el *affatus* luliano), la imaginación y las tres potencias del alma.

Esta obra puede considerarse como una introducción o guión a la *Summa sermonum* (opp. 201-207):

"Cum ita sit, quod quisque potest delinquere contra quattuordecim fidei articulos catholicae et septem sanctae matris Ecclesiae sacramenta et decem Dei praecepta et aduersus octo uirtutes et octo mortalia uitia,

---

(14) *Liber de conuersione syllogismi opinatiui in demonstratiuum cum uicesima fallacia*: ROL XI, op. 140.

(15) Sobre la última estancia de Llull en París, cf. H. RIEDLINGER, introducción a ROL V. Las obras escritas en ese periódo estan editadas en ROL V, VI, VII, y VIII.

(16) Cf. la ed. de este autor en ATCA 4 (1985) 152-158 y la correspondiente introducción, esp. pág. 82.

ideo dicimus, quod omnia haec praedicta sunt materia, per quam debent perquiri uitia et scrutari cum forma, quae confessio nominatur" ([17]).

Las obras que Llull escribe a continuación de este opúsculo tratan pues, si hemos de dar crédito a estas frases, de la materia de la confesión. Son pues, ni más ni menos, que un examen de conciencia cristiana para uso del pueblo penitente, un tratado de moral para medir el grado de culpabilidad del cristiano a la hora de acercarse al sacramento de la penitencia ([18]).

En el mes de octubre comienza Llull su programa con cuatro opúsculos que tratan de los diez mandamientos (op. 201), los siete sacramentos (op. 202), el Padrenuestro (op. 203) y el Avemaría (op. 204). Una serie de observaciones en estas obras ponen de manifiesto que en la mente de Llull estaba como fin primordial el tratar sistemáticamente los vicios y pecados, una idea que, como veremos, ya había formulado en el *Blaquerna* ([19]). El *Liber de uirtutibus et peccatis* (op. 205) se convirtió así en la obra más importante de los últimos años de su vida, no sólo por su volumen sino por su contenido. Vino a ser un compendio de moral, una "scientia moralis de uirtutibus et uitiis" ([20]). La redacción del libro le ocupó tres meses.

Con dos opúsculos más completa el septenario. En ellos tratará sobre los siete dones del Espíritu Santo (op. 206) y las obras de misericordia (op. 207). Cada uno de los capítulos de este tratado de moral es un sermón predicable al pueblo. Así reunió una colección de 182 sermones o unidades didácticas al que parece que él mismo dió el nombre de *Summa*.

La obra que sigue cronologicamente a la *Summa* luliana, el *Ars abbreuiata de praedicatione* (ROL XVIII, op. 208), es un intento de recopilación y sistematización de los principios homilético-catequéticos contenidos en la *Summa*.

---

(17) Cf. ed. cit. en la nota precedente, lin. 20-24.

(18) Según esa enumeración es de extrañar, sin embargo, el hecho de que no empiece tratando los artículos de la fe, cosa que era de esperar no sólo según el enunciado anterior sino por la repetición constante de los artículos de la fe como parte fundamental y primera a tratar en la predicación. Sólo se puede apuntar que Llull probablemente prescindió de tratar una vez más los artículos de la fe, porque había ya compuesto, muchos opúsculos sobre el tema, y especialmente uno para predicadores en vulgar, que fue por él traducido al latín "non de verbo ad verbum, sed ad sensum". Nos referimos aquí al *Tractatus compendiosus de articulis fidei catholicae* (PLA 102) que es una traducción libre del *Coment del Dictat* (PLA 98) ed. ORL XIX, 275-324. Sobre esta obra y su contexto puede consultarse F. DOMÍNGUEZ REBOIRAS, *El "Coment del Dictat" de Ramon Llull. Una traducción castellana de principios del siglo XV*, en: *Studia in honorem M. de Riquer*, vol. IV, de próxima aparición.

(19) Cf. infra, págs. XLIIs.

(20) Cf. *Ars infusa* (op. 210) al final. Ed. S. GALMÉS, en: *Studia Monographica et Recensiones*, Fasc. VII-VIII, Palma de Mallorca 1952, 41-54, pág. 53.

El plan de popularización de su ideario continúa en el *Liber, per quem poterit cognosci, quae lex sit magis bona, magis magna et magis uera* (ROL XVIII, op. 209), un opúsculo que Llull escribe para "los cristianos laicos comerciantes que van a las tierras de sarracenos" en la que pretende dar una serie de argumentos para disputar con el infiel, no tanto para convencerlo sino para defenderse de sus objecciones. Las razones que pone a disposición de los mercaderes son tipicamente lulianas: la mayor verdad de la religión cristiana se fundamenta en su mayor bondad y grandeza.

En el op. 210 (ROL XVIII), *Ars infusa*, ofrece un catecismo del Arte, un resumen de su Ars, un Ars brevissima. Con suma brevedad y lograda concisión se dan los elementos fundamentales del Ars lulliana. Esta obra, extrañamente poco conocida, se integra perfectamente en su programa de divulgación.

La última obra escrita por Llull en Mallorca antes de formular su *Testamento* (ROL XVIII, op. 212) y dirigirse a Sicilia es el *Liber de uirtute ueniali atque uitali* (ROL XVIII, op. 211)[21]. En esta obra desarrolla frente a la clásica división de pecado mortal y venial el concepto de virtud vital y venial según el grado de intención y deliberación. Se trata del desarrollo de un tema formulado ya en *Liber de uirtutibus et peccatis*. Allí habla Llull a menudo de una "uirtus morosa", una no muy lograda traducción del extraño término catalán "virtut morayga"[22]. Sólo esa virtud vital vence la fuerza del pecado, ya sea éste mortal o venial, consecuentemente el pecado mortal sólo puede habitar en un alma que unicamente posee virtudes veniales. Sólo la virtud probada, es decir a prueba de valor, puede con el pecado. Este opúsculo, dedicado al rey Sancho de Mallorca, puede considerarse como un interesante resumen de las ideas fundamentales de la moral luliana.

La producción luliana entre París y Sicilia se presenta así en un lógico y ordenado desarrollo. Un primer grupo de obras (hasta el op. 199 incl.) son expresión del programa parisino de cara al planteamiento y demostración de sus postulados lógico-teológicos, a excepción hecha quizá del op. 195, *Liber de participatione christianorum et saracenorum*, que tiene además un concreto trasfondo político. A partir del op. 200 hay un cambio profundo en la intención y estructura de la actividad literaria de Ramon, que se propone ofrecer una "sciencia moralis de uitiis et uirtutibus", un serie de obras escritas pensando en otro auditorio muy distinto al mundo universitario parisino, en ellas se combina la tradición de las *Summae de casibus conscientiae*, *Summae de uitiis et uirtutibus* y los *Septenarii* de carácter

---

(21) Ed. por J. PERARNAU, en: ATCA 4 (1985) 159-172.
(22) Vid. **205**, XXXVIII, lin. 48; LXXXII, 49/50, 51, 65, 71, 74.

catequético. En el centro y como eje de toda esa producción está la *Summa sermonum* que aquí por primera vez editamos.

Este cambio de motivación y temática tiene lugar al poco tiempo de su llegada a Mallorca. En toda esa actividad literaria juega un papel decisivo su planeado viaje a Sicilia, sus interlocutores no son ya los graves maestros de París sino los grupos reformistas y espiritualistas que rodean al monarca siciliano y que pretendían un programa misional de cara a la instrucción del pueblo cristiano. Estos grupos esperan de Llull un material homilético de instrucción elemental para hacer al pueblo más virtuoso y cristiano. Estas obras tienen por ello dentro del corpus luliano un carácter único, peculiar y distintivo.

2. Sicilia en los planes de Llull. Federico iii y el arzobispo Arnaldo de Reixac.

El hecho más relevante y hasta cierto punto sorprendente en la biografía de Ramon Llull posterior al concilio de Vienne es su entusiasmo por el rey Federico III de Sicilia. A la vuelta del concilio da testimonio de una admiración fervorosa hacia el monarca aragonés. Lo ve como un dechado de virtudes y como aquella persona capaz de apoyar sus proyectos. Llull que había sufrido ya tantas decepciones a lo largo de su vida vuelve a entusiasmarse con la idea de que algún detentador de poder ponga en práctica sus planes de misión.

Importante es considerar que ese rey, a quien Llull colma de alabanzas, estaba en aquel momento enfrentado de una manera abierta con aquellos que marcaban la pauta en el Concilio, es decir, el papa y el rey de Francia. Éstos apoyaban los intereses del angevino rey de Nápoles, enemigo declarado del rey siciliano. Incluso por aquellas fechas no estaba el rey Federico en buenas relaciones con su hermano Jaime de Aragón. A pesar de eso cree Llull que aquel rey, reñido con todo el mundo, es la persona capaz de promover y llevar adelante sus planes.

Llull sabía también que por aquellas fechas Federico III se estaba ganando nuevas antipatías a causa de su decidido apoyo a la política italiana del emperador Enrique VII que se dirigía a Roma para hacerse coronar y de paso poner en orden sus intereses en Italia([23]). El conflicto abierto entre el emperador y la casa de Anjou era secundado incondicionalmente por el

(23) Cf. G. Irmer, *Die Romfahrt Kaiser Heinrichs VII. in Bildercyclus des Codex Balduini Trevirensis*, Berlin 1881; W.M. Bowsky, *Henry VII in Italy*, Lincoln/Nebraska 1960; *Kaiser Heinrichs Romfahrt. Die Bilderchronik von Kaiser Heinrich VII. und Kurfürst Balduin von Luxemburg 1308-1313*. Mit einer Einleitung und Erläuterung, hrsg. von F.J. Heyen, Boppard 1965, ed. de bolsillo dtv: München 1978.

siciliano, quien por aquellas fechas se disponía a atacar al
napolitano por el flanco sur contra la decidida oposición del
papa. Las iras de éste se habían de acrecentar aún más a causa
del decidido apoyo del rey Federico al movimiento de los
espirituales, que fueron a buscar refugio a Sicilia y fueron bien
recibidos por el rey y sus consejeros.

No es pues aventurado suponer que detrás de este acercamiento decidido de Llull al conflictivo rey de Sicilia se pueda
esconder una decepción hacia todo el tinglado político eclesiástico tal y como se manifestó en el Concilio y hacia sus prota-
gonistas Clemente V y Felipe el Hermoso. De hecho Llull
abandona para siempre la esfera de influencia del rey francés
y se dirige hacia una nueva y periférica región. Llull tuvo que
quedar decepcionado de aquel rey que estuvo tanteando a la
sombra sus posibilidades de acción en Vienne para llegar luego
al final del Concilio con un imponente séquito civil y militar a
imponer sus criterios por las buenas o por las malas. Nada se
hacía en Vienne sin el visto bueno del rey Felipe [24]. La debilidad del papa sometido a los intereses del poder civil no
pudieron ser del agrado de Llull. Tampoco se ha de olvidar que
dos temas anunciados por el papa en la convocatoria, la cruzada
y la reforma del clero, se resolvieron en el Concilio de una
manera muy vaga y sin resultados concretos. La financiación
de la cruzada y el control de los bienes eclesiásticos, temas que
tanto preocuparon a Llull, quedaron también sin resolver. [25]

A pesar del optimismo que manifiesta Llull en el prólogo al
Liber de locutione angelorum en relación a los resultados de la
asamblea ecuménica, ésta fue sin duda una decepción más de
las muchas que el mallorquín tuvo que soportar a lo largo de
su vida. Fue, sin embargo, una experiencia única e impresionante. Entre la mucha gente que se movía en Vienne pudo
Ramon Llull entablar los más variados contactos y discutir sus
propuestas con gran número de personalidades de la vida civil
y religiosa de la cristiandad. Llull no conocía personalmente al
rey siciliano, hermano del rey Jaime de Aragón. Seguramente
fue durante el Concilio donde él se enteró de su austera vida y
de su decidida voluntad de reforma [26]. En los grupos progre-
sistas presentes en Vienne disfrutaba Federico de grandes y no
escondidas simpatías. En el colofón del *Liber de locutione an-*

---

(24) Cf. E. MÜLLER, *Das Konzil von Vienne (1311-1312)*, Münster 1934, págs. 175ss.

(25) Vid. MÜLLER, *op. cit.*, V. Abschnitt, pág. 387.

(26) Llull dice expresamente que aquello que sabe del rey Federico es de
oídas: "... ipse audiverat loqui de quodam illustrissimo principe vocato Frederico,
rege Trinacriae". (*Liber de quinque principiis*, ROL XVI, op. 197, Prol., lin. 30/
31). Sobre anteriores relaciones epistolares o intentos de contactar con el rey
de Sicilia por parte de Llull cf. ROL I, pág. II, not. 20.

gelorum ([27]), en el prólogo del *Liber de participatione christianorum et saracenorum* ([28]), y en el explicit de *Liber differentiae
correlatiuorum diuinarum dignitatum* ([29]) y *Liber de novo modo
demonstrandi* ([30]), pero sobre todo en la recomendación del prólogo del *Liber de quinque principiis* ([31]) donde se puede ver como
Llull ve en Federico un ejemplo singular de virtudes. El es la
representación viva de aquel ideal moral que Llull expresaría
en su *Liber de uirtutibus et peccatis*. En la visión luliana de la
sociedad juega un papel decisivo el principe virtuoso que como
tal puede llegar a hacer virtuoso a todo un pueblo. Llull se dejó
convencer pues de la existencia de ese principe virtuoso y busca
la manera de trasladarse a aquel país que posee un tal monarca.

La cuestión a plantearse es: ¿quién o quiénes fueron aquellos
que convencieron a Llull de las virtudes de Federico y lo
movieron a plantearse el viaje a Sicilia? La única indicación
que nos da Llull en este sentido es la referencia al arzobispo
de Monreale Arnaldo de Reixac ([32]). Siguiéndole la pista a este
importante jerarca siciliano de estirpe aragonesa, quizá incluso

---

(27) "Et quia altissime et profunde de uirtutibus habituatus est, omnia uitia
euitando et tali uirtuosa ordinatione quam habent intime suum regnum totaliter
ordinauit, propter hoc Raimundus, in ipso confidens, uadit ad ipsum presentatum
istum librum..." (ed. cit. supra en not. 10, pág. 121).

(28) "Dum sic Raimundus considerabat, proposuit uenire ad nobilissimum
uirtuosissimum dominum Fredericum, regem Trinacriae, ut ipse, cum sit fons
deuotionis, ordinet ..." (ROL XVI, op. 195, Prol., lin. 16/18).

(29) "Iste liber fit ad honorem Dei, et indiget magno domino ut ipsum
promoueat et multiplicet; alto domino dico, in alta deuotione et scientia et
potestate et nobilitate. Quem ita altum uoco uenerabilem dominum Fredericum
regem Trinacriae". (ROL XVI, op. 196, lin. 325/328).

(30) "Praeterea supplicat Raimundus illustrissimo domino Frederico magnifico,
discreto, liberali pariter et fideli Dei gratia regi Siciliae... (ROL XVI, op. 199,
lin. 1035/1037).

(31) "Ipse [Raimundus] audiuerat loqui de quodam illustrissimo principe uocato
Frederico, rege Trinacriae, qui altus deuotione, quam habet in multiplicando
sanctam fidem catholicam aduersus paganos, altus est in scientia et ordine, quia
ordinauit et regulauit totam suam patriam ad Deum cognoscendum et diligendum;
et in hoc conatur totis suis uiribus, quia frequenter reminiscitur iussum, quod
Deus hominibus fecit, cum dixit: *Diliges Dominum Deum tuum ex toto corde tuo et
ex tota anima et ex tota mente tua et totis uiribus tuis.* Et ideo illustris rex se tenet
obligatum propter praeceptum, quod ei a Domino datum est, quod de toto se
ipso corporaliter et spiritualiter et cum tota sua patria facit totum posse suum,
quod Deus ueneretur, cognoscere et cognosci, amando amari, memorando
memorari; et tantum ipsi seruiuit et eum timuit, quantum exigit praeceptum,
quod ei Deus fecit". (ROL XVI, op. 197, Prol., lin. 30/45).

(32) Llull dedica el *Liber de nouo modo demonstrandi* al rey Federico y a este
arzobispo: "Et etiam discreto domino, prouido et maturo, uirtutibus insignito
domino Arnaldo de Rexa, Dei gratia archiepiscopo Montis Regalis..." (ROL
XVI, op. 199, lin. 1037/39); de lo cual puede deducirse que fue éste uno de
los sicilianos a quien Llull conocía.

mallorquina (³³), se puede encontrar una explicación plausible. Admitiendo la estancia de este arzobispo en Vienne, sería fácil suponer un contacto con Llull en la ciudad conciliar y podría verse a este personaje como el instigador de la aventura siciliana de Ramon. Consta que el arzobispo de Monreale fue invitado al Concilio pero las escasas fuentes no lo citan por ningún lado (³⁴).

Aún suponiendo que Llull no contactó personalmente con el Arzobispo o con alguno de sus íntimos colaboradores, las posibilidades de tratar con representantes del rey de Sicilia o con fieles seguidores de su ideales religiosos hubieron de ser numerosas. Es de suponer que los embajadores del siciliano y los prelados en cuyo nombramiento él intervino sería gente elegida en el sentido formulado por Arnaldo de Vilanova: "ministres e officials conformables o acordants al vostre enteniment" (³⁵). Es además seguro que entre la numerosa representación de espirituales franciscanos había entusiastas seguidores y simpatizantes del rey Federico (³⁶).

Las actividades de Arnaldo de Vilanova en Sicilia habían creado un clima espiritual en la corte de un rey, ya de por sí, propenso a esas tendencias (³⁷). Arnaldo logró convencer al rey de que él estaba predestinado por Dios para realizar la propagación del cristianismo (³⁸). Su ejemplo sería un pilar indis-

(33) Cf. F. de B. MOLL, *Els llinatges catalans*, Palma de Mallorca 1982, págs. 71s. Pertenecía Arnaldo de Reixac al baronaje catalán afincado en la isla despues de la llegada de la dinastía aragonesa. Tanto él como su hermano Guillem pertenecían al grupo de consejeros más allegados al monarca. La sede arzobispal de Monreale era una de las más importantes prebendas eclesiásticas de la isla. La designación de Reixac para este puesto es un exponente de la influencia aragonesa en la provisión de cargos (cf. V. D'ALESSANDRO, *Politica e società nella Sicilia aragonese*, Palermo s.a., pág. 174). Arnaldo de Reixac tuvo que solicitar del papa la absolución de excomunión y otras sentencias canónicas antes de ocupar la sede de Monreale en 1305 (cf. *Regestum Clementis papae V*, annus primus, n. 220), penas que había contraido como clérigo de la casa de Federico, quien había recibido varias veces la excomunión romana.

(34) Cf. *Regestum Clementis papae V*, n. 6293. Consta con seguridad la presencia en Vienne del obispo de Agrigento, como legado del rey de Sicilia (H. FINKE, *Acta Aragonensia* II, Berlin/Leipzig 1908, pág. 239). Existe además de una vaga indicación sobre los "praelati Sicilie" (cf. MÜLLER, op. cit., pág. 169, 174).

(35) Cf. *Informació espiritual al rei Frederic*, en: *Arnau de Vilanova, Obres catalanes*, vol. I: Escrits religiosos, ed. M. BATLLORI, Barcelona 1947, pág. 238.

(36) Angelo Clareno, p. e., veía en Federico el único rey capaz de llevar a cabo la ansiada cruzada. Cf. E. BENZ, *Ecclesia spiritualis*, Stuttgart 1934, págs. 365s.

(37) Cf. CA I, págs 199-232; P. DIEPGEN, *Arnold von Vilanova als Politiker und Laientheologe*, Berlin/Leipzig 1909; M. VAN HEUCKELUM, *Spiritualistische Strömungen an den Höfen von Aragon und Anjou während der Höhe des Armutsstreites*, Berlin/Leipzig 1912, págs 6-25.

(38) "Senyor: vos sots tengut de fer algunes coses propriament en quant sots

pensable en los planes divinos de propagación del cristianismo en su reino y en todo el mundo. De esta divina misión estaba Federico plenamente convencido como lo muestra una carta escrita a su hermano Jaime II [39]. Una manifestación palpable de que las exhortaciones de Arnaldo no cayeron en saco roto lo demuestran las leyes de carácter religioso moralizante que ordenó promulgar en su reino en 1310 [40] y que confirman hasta que punto Federico había aceptado hacerse portador de los proyectos arnaldianos. Arnaldo podía además gloriarse en su *Raonament d'Avinyó* de haber introducido en la familia real siciliana una austeridad sorprendente [41].

Un rey espiritual en la frontera de la cristiandad tenía que entusiasmar a Llull, que durante el Concilio tuvo oportunidad de enterarse del contenido de las leyes de carácter espiritual promulgadas por Federico. En el prólogo al *Liber de locutione angelorum* hace sin duda referencia a esas leyes cuando dice de Federico que ordenó todo su reino virtuosamente [42]. Llull tendría oportunidad también de conocer todos los proyectos reformistas del siciliano, sobre todo quedaría convencido de las posibilidades de divulgación de sus libros que podría ofrecer un joven rey con aquellas ideas [43]. Aunque no podamos precisar con detalle quien o quienes influyeron en el entusiasmo luliano por Federico y su decisión de pasar el fin de su vida en Sicilia, está claro que Llull creía encontrar en Sicilia las condiciones ideales para seguir trabajando en sus proyectos de misión.

Al lado de un interés creciente de Llull por el rey de Sicilia hay que admitir también un interés por parte de la gente que rodeaba a Federico por atraer hacia la isla un personaje como Ramon Llull que podía llenar el vacío dejado por Arnaldo. De hecho Llull y Arnaldo coincidían en muchos puntos de su

---

rey, e algunes propriament en quant sots rey crestia..." *Informació...*, loc. cit., pág. 223. Este opúsculo desenvuelve con precisión la imagen del monarca cristiano y al mismo tiempo un modelo de vida para Federico, quien trató de cumplirlo a rajatabla. De esta convicción se hace eco Ramon Llull en el prólogo al *Liber de quinque principiis*, vid. supra not. 31.

(39) Ed. por M. MENÉNDEZ PELAYO, *Historia de los heterodoxos españoles*, t. III, Madrid 1917, Apéndices, págs. CXX-CXXII. Cf. J. M. POU Y MARTÍ, *Visionarios, beguinos y fraticelos catalanes*, Vich 1930, pág. 97.

(40) Son las llamadas Leyes de Messina cuya formulación se conservan en una carta de Federico III a su hermano el rey de Aragón (Arxiu de la Corona d'Aragó, Cancelleria Jaume II, Cartas reyals, CRD n. 3792). Cf. H. FINKE, *Acta aragonensia* II, Berlin/Leipzig 1908, págs. 695-699; F. SANTI, *Arnau de Vilanova i la seva obra espiritual*, València 1987.

(41) Cf. *Obres catalanes*, vol. I, págs. 218s.

(42) Cf. supra not. 27.

(43) Llull se pudo enterar también de la fundación por parte de Federico de un scriptorium para reproducir y divulgar las obras de Arnaldo. Cf. J. PERARNAU, L'"*Alia informatio beginorum*" d'Arnau de Vilanova, Barcelona 1978, pág. 122, not. 40.

programa y podía ser el hombre indicado para continuar la labor iniciada por el vilanovano.

Es muy probable que Llull se dirigió a Mallorca con la intención de abandonar para siempre su patria e integrarse de lleno al apostolado en Sicilia. En su inquebrantable optimismo no se le pasó por la cabeza que Sicilia le traería una nueva desilusión ([44]).

En todo caso una observación detenida de su obra a partir del *Liber, qui continet confessionem* parece indicar que la producción mallorquina de esa época está en función de su proyectado viaje a Sicilia. Se reclama la presencia de Llull con el fin de reactivar un programa de instrucción popular que estaba ya en la mente de Arnaldo y que el rey y sus espirituales seguidores estaban dispuestos a realizar ([45]). Llull se dirige a aquella esquina de la cristiandad, donde se vive un fervor reformista y misionero; al final de su vida quiere participar en un nuevo y gran proyecto de reforma.

En las obras que escribe Llull de cara a su acción siciliana no cambia para nada sus presupuestos fundamentales. Lo que de verdad cambia es el lenguaje porque cambia también el destinatario de estos escritos: probablemente aquel grupo de clérigos y laicos ilustrados con tendencias espiritualistas que soñaban con un programa de educación popular. Llull pretende aportar un manual de instrucción básica ordenando y seleccionando un material didáctico para uso de aquellas personas dedicadas a la labor pastoral. Este tipo de ayudas las reclamaban insistentemente prelados y otras personas con responsabilidad pastoral o dedicadas a la educación de frailes y clérigos predicadores. No era, por supuesto, un programa nuevo. Las órdenes mendicantes desde su fundación se plantearon este tipo de programas o guiones según la acción pastoral a realizar: confesión, predicación o instrucción catequética. Así surgen las *Summae confessionis*, las *Artes praedicandi* y una larga serie de escritos de carácter divulgativo que se extendieron de una manera hasta entonces desconocida a través de toda Europa. Estos esquemas no son rígidos; un manual de confesión reúne también material útil para predicar y viceversa, todos ellos se complementan mutuamente y cubren una necesidad de instrucción pastoral cada vez más extendida.

La novedad del programa siciliano radica, por así decirlo, en el hecho de ser promovido sistematicamente por laicos apoyados

---

(44) Cf. HILLGARTH, 130ss.

(45) El carácter espiritualista y divulgador de estas obras lulianas ya lo hizo notar J. PERARNAU en su introducción a L'"*Alia informatio beginorum*" *d'Arnau de Vilanova*, Barcelona 1978, pág. 130.

por estructuras de poder y por eclesiásticos no ligados a las órdenes mendicantes.

Llull, que había intentado sin gran éxito en París convencer al estamento académico de las ventajas de su método, intenta ahora introducir su ideario a través de ese nuevo genero literario que podía garantizarle una más amplia divulgación. Esta producción luliana prescinde casi totalmente del esquema artístico aunque conserva todos sus presupuestos ideológicos. No es extraño tampoco que Llull en estas obras vuelva a su lengua materna y abandone el latín de sus obras parisinas. Así pues el cambio de temática y destinatario lleva consigo un cambio de idioma.

Los escritos que Llull prepara responden a este planteamiento de enseñanza coram populo. Llull recoge estructuras catequéticas y homiléticas del momento para darles una nueva forma de acuerdo con los postulados de su Arte. Los intereses del arzobispo de Monreale o de aquellos que pedían la presencia de Llull en Sicilia se dirigían fundamentalmente a la promoción de la cura animarum, movilización del clero diocesano y regular en pro de una educación cristiana del pueblo a través de la predicación. La *Summa* luliana responde sin duda a este deseo.

3. La instrucción del cristiano a principios del siglo XIV. La *Svmma sermonvm* en este contexto.

Cuando el bautismo dejó de ser administrado a los adultos y se generalizó la práctica del mismo a los recién nacidos se perdió definitivamente la institutión del catecumenado, es decir la instrucción cristiana antes del bautismo. A lo largo de la Alta Edad Media la instrucción del cristiano, si se puede hablar de tal cosa, se realizaba en el seno de la familia y la sociedad. La única posibilidad de instrucción la ofrecía la predicación y la asistencia a los actos litúrgicos. La ignorancia general dentro de la cristiandad era entonces fundamentalmente una consecuencia de la ignorancia del clero rural teoricamente encargado de la instrucción general del pueblo cristiano. Los esfuerzos en pro de una educación cristiana se desarrollaron durante siglos de cara a conseguir la instrucción, al menos elemental, del sacerdote encargado de la predicación y la administración de los sacramentos. Muy esporadicamente se siente la preocupación de instruir a los niños y adultos recién convertidos. Las conversiones en masa de tribus y naciones enteras sin haber recibido la menor instrucción en los dogmas de la fe cristiana preocupó también a algún que otro jerarca consciente de las consecuencias de tal ignorancia.

Aunque nunca faltaron catecismos y manuales de instrucción cristiana, hubo que esperar a las órdenes mendicantes para que se generalizaran e impusieran unos programas de instrucción popular. Los frailes, al contrario de los monjes, abandonaron los muros de sus monasterios y se mezclaron con el pueblo, sobre todo en las ciudades. Cuanto más se institucionalizó y generalizó la instrucción dentro de las órdenes, más se percataron los frailes mendicantes de la falta de formación del pueblo en materia religiosa. Los frailes pedían a gritos ayudas, manuales y otros medios útiles para poder explicar con cierto sistema y eficacia los fundamentos de la fe cristiana. Los manuales universitarios, las sumas y comentarios daban una doctrina difícilmente predicable y asequible a la instrucción popular. La necesidad de poseer ayudas de este tipo fue tan grande, que hasta los grandes maestros universitarios tuvieron que intentar, con más o menos éxito, ofrecer sumarios de doctrina cristiana para el pueblo más o menos instruido.

Ramon Llull, cuyo programa fundamental consistía en la conversión de los infieles, comprendió claramente que la aceptación de la fe para ser efectiva y duradera debía ir acompañada de la instrucción en los artículos de la fe cristiana. Su programa no consistía por ello en el cambio de una fe por otra sino, como magistralmente y hasta la saciedad formuló, en el cambio de una fe voluntariamente aceptada por una fe entendida y aceptada por la razón. De ahí su desasosiego ante la ignorancia del pueblo cristiano sobre las verdades de su religión que impedía el progreso del cristianismo, para él más facilmente inteligible que un axioma matemático. Su programa dirigido a convencer a los infieles tropezaba pues con el desconocimiento que tenían los cristianos de los dogmas más fundamentales de su religión. Los cristianos creen, pero no entienden lo que creen. Así no se diferencian de los moros o judíos que también creen sin entender. La diferencia es que la fe del cristiano es razonable y no sólo creible. El programa formulado en el *Ars lulliana* va dirigido a convencer a los infieles de la verdad de la fe cristiana y también a los fieles cristianos para que no sólo crean sino que entiendan su fe.

El Arte de Ramon se convierte por ello basicamente en un programa de instrucción cristiana o, en otras palabras, un programa catequético que pretendía destruir la ignorancia en el pueblo cristiano y en los infieles. En los cristianos produciría una sociedad mejor y en los infieles necesariamente la conversión.

La conversión de fieles e infieles se funde en un único programa. La de los infieles es, según Llull, cosa fácil, si se logra convencer a los cristianos de vivir y actuar como tales. Su Arte permanecerá ineficaz e inútil si los cristianos no ayudan a propagarla. Esta conversión de la cristiandad a los ideales del cristianismo consiste sencillamente en convencerlos de las consecuencias prácticas de su fe. La comprensión exhaustiva de la fe cristiana a través de los principios del Arte, exige por necesidad un cambio de vida, un cambio total de la escala de valores en la cristiandad de la cabeza a los pies. Comprender lo que es ser cristiano, exige para Llull necesariamente actuar como tal, y actuar como tal exige luchar por que "Dios, el amado, sea conocido, amado y servido". La constante lamentación luliana que "apenas hay hombre alguno que haga aquello para lo que ha sido creado" expresa el convencimiento de que todos los males de la humanidad nacen de la ignorancia del fin fundamental para que esa humanidad fue creada ([46]).

La necesidad de convencer, de instruir, de convertir a todo hombre de la única e inapelable verdad explica la vida y la obra de Llull. Explica también ese afán infatigable de comunicarse, de dar a conocer lo que para él es claramente inteligible para toda persona que haga uso normal de su razón.

3.1. Modelos contemporáneos de distribución de la materia catequética

La necesidad de clasificar en la praxis catequética correspondía a la exigencia de reducir la fe cristiana a unas verdades esenciales memorizables. A través de la historia de la Iglesia, a pesar de la diversidad de planes y métodos, se ha impuesto un sistema que consiste en agrupar las materias bajo tres grupos: Las verdades que se han de creer, es decir, los artículos del símbolo de la fe; los preceptos que se han de observar, es decir, los mandamientos de Dios y de la Iglesia; y por último, los medios de santificación, que son la oración y los sacramentos.

La catequesis primitiva seguía ya ese esquema y los intentos de instrucción cristiana elemental hasta el siglo XIII se adaptaron más o menos al mismo sistema. Los sacerdotes dedicados a la cura de almas, como exigencia mínima, habían de aprender de memoria el símbolo de los apóstoles y la oración dominical. Una larga lista de recomendaciones conciliares y escritos catequéticos muestran la precaria situación de la cultura media del clero secular y el poco cuidado que se ponía en la instrucción cristiana. Esas recomendaciones se centran fundamentalmente en el conocimiento y comentario al símbolo *Quicumque*, explicaciones del Padrenuestro y reglas de carácter moral para preparar a la recepción de los sacramentos. El éxito de tales esporádicos esfuerzos fue muy diferente según la época y el país donde se realizaron dependiendo casi siempre de la ilusión de un prelado concreto, lo cual era más bien una excepción que una regla.

En el siglo XII aparecen dos nuevos métodos que llegaron a

---

(46) Prólogo al *Libre de meravelles*, OE I, 319.

adquirir un desarrollo extraordinario: El *Elucidarium* de Ho-
NORIO AUGUSTODONENSIS y el *De septenariis* de HUGO DE SAN
VICTOR.

El primero (⁴⁷) divide la materia catequética en tres partes:
La explicación del símbolo de los apóstoles, el sacramento de
la Eucaristía y un tratado sobre el mal moral y físico. Esta
obra fue traducida a diferentes lenguas vernáculas teniendo
además, como todas estas obras de carácter divulgativo, un
gran éxito en los primeros años de la imprenta.

El segundo, más breve, titulado *De quinque septenis seu
septenariis* (⁴⁸) consiste en una exposición del dogma y de la
moral propuesta en siete partes a la que se oponen o comparan
otras siete: Las siete peticiones del Padrenuestro corresponden
a siete bienaventuranzas y siete dones del Espíritu Santo; los
siete vicios o pecados capitales se oponen a las siete virtudes
principales y a las siete obras de misericordia. Aquí se entreven
ya los elementos materiales de la *Summa* luliana.

La estructura del *De septenariis*, que tiene su origen en SAN
AGUSTÍN (⁴⁹), tuvo de hecho una influencia considerable hasta
nuestros días. En casi todo los catecismos o escritos similares
no es difícil encontrar huellas de este sistema. Exposiciones
similares a los Septenarios de HUGO DE SAN VICTOR se encuentran en el tratado *De septem septenis* de JOHANNES DE SALIS-
BURY (⁵⁰) y en la obra de HUGO DE AMIENS *Super fide catholica
et oratione dominica* (⁵¹). SAN EDMUNDO DE ABINGDON († 1240)
dejó escrito para uso de su clero unos tratados sobre el decálogo,
los sacramentos y los pecados capitales; en los capítulos 8-18
de su *Speculum Ecclesiae* se encuentra una exposición del
septenario (⁵²).

La aplicación más conocida de este método son los cuatro
opúsculos de SANTO TOMÁS DE AQUINO, que reproducen unos
sermones catequéticos cuaresmales compuestos el año 1273 en

---

(47) PL 172, col. 1109-1176. Cf. Y. LEFÈVRE, *L'Elucidarium et les Lucidaires.
Contribution par l'histoire d'un texte à l'histoire des croyances religieuses en France au Moyen
Âge*, Paris 1954.

(48) PL 175, col. 405-415. Cf. D. VAN DEN EYNDE, *Essai sur la succession et la
date des écrits de Hugues de Saint-Victor*, Roma 1960, págs. 143-157. Véase también
BN Paris, nat. franç. 9220, fol. IIv: "Haec rota continet septem conferencias,
unam ab alia dependentes" (cit. por CH. LANGLOIS, *La vie en France au Moyen
Âge du XIIᵉ au milieu du XIVᵉ siècle*, tom. IV, Paris 1928, pág. 134.

(49) Cf. *De sermone Domini in monte*, PL 34, 1285-1286.

(50) PL 199, col. 943-964.

(51) PL 192, núms 10 y 23, cls. 1334, 1345-1346.

(52) *Mirour de seinte Eglyse (St. Edmund of Abingdon's Speculum Ecclesiae)*, ed. A. D.
WILSHERE, London 1982; C.H. LAWRENCE, *St. Edmund of Abingdon*, Oxford 1982;
H. P. FORSHAN, *Saint Edmund's Speculum: a Classic of Victorine Spirituality*, en:
AHDLMA 39 (1972) 7-40.

Nápoles: *In duo praecepta caritatis et in decem legis praecepta
expositio*; *In symbolum apostolorum, scilicet "Credo in Deum"
expositio*; *In orationem dominicam, uidelicet "Pater noster" expositio*; *In salutationem angelicam, uulgo "Aue Maria" expositio*(53). En este sentido, y complementario a éstos, se ha de
anotar el tratado del mismo STO. TOMÁS, *De articulis fidei et
ecclesiae sacramentis*(54) que compuso "compendiose pro me-
moriali" a instancias del arzobispo de Palermo.

Una de las razones del éxito creciente de este sistema de
distribución del material catequético fueron, sin duda alguna,
las disposiciones sinodales para favorecer la instrucción religiosa
que concretizaban sus exigencias en este sentido proponiendo
la materia catequética tal y como se expone en estos tratados.
La más importante, aunque no la única, formulación oficial de
una lista de materias en este sentido se contiene en las Constituciones del Concilio de Lambeth de octubre de 1281 convocado
por el franciscano arzobispo de Canterbury JOHANNES PECKHAM.
Allí se prescribe expresamente "ut quilibet sacerdos plebi prae-
sidens, quater in anno, hoc est, semel in qualibet quarta anni,
die uno solemni uel pluribus, per se uel per alium exponat
populo uulgariter, absque cujuslibet subtilitatis textura fantas-
tica, quatuordecim fidei articulos; decem mandata decalogi, duo
praecepta euangelii scilicet, geminae charitatis; septem opera
misericordiae; septem peccata capitalia, cum sua progenie; septem uirtutes principales; ac septem gratiae sacramenta"(55).
Aquí se da el canon de una instrucción religiosa para laicos en
lengua vernácula. Llull sigue al pie de la letra esta normativa.

Así pues Llull, aunque utiliza la estructura básica de esta
metodología prescinde sistematicamente de todo el tinglado de
comparaciones y combinaciones del septenario. No fue él el
único en rechazarlo, ya que no todos habían aceptado esa
sistematización de buen grado, como lo muestra p. e. JOSCELIN
DE SOISSONS en su *Expositio de oratione dominica*: "Nituntur
quidam his septem petitionibus (del Padrenuestro), septem dona
Spiritus sancti et octo beatitudines applicare; sed, quoniam ad
eruditionem simplicium non multum prodesse uidetur, scienter
praeteriuimus"(56).

(53) *Opuscula Theologica* II, ed. Marietti, Torino 1954, 191-271. Cf. M. GRABMANN,
Die Werke des Hl. Thomas von Aquin, Münster 1949, 316-320 y P. MANDONNET, *Le
carême de S. Thomas d'Aquin à Naples (1273)*, en: S. Tommaso d'Aquino. Miscellanea
storico-artistica, Roma 1924, 195-212.

(54) *Opuscula theologica* I, ed. Marietti, Torino 1954, 139-151. Cf. GRABMANN,
op. cit., 321 y FR. SLADECZEK, *Wann ist der Traktat des hl. Thomas "De articulis fidei
et ecclesiae sacramentis" entstanden?*, en: Scholastik 2 (1957) 413-415.

(55) D. WILKINS, *Concilia Magnae Britanniae et Hiberniae*, II, London 1737, pág.
54.

(56) PL 186, col. 1496.

Llull desde el comienzo de su actividad literaria aceptó muy pronto estos esquemas. En lo que pudieramos llamar su primer catecismo, a saber, *Doctrina pueril* ([57]), distribuye la materia según dichos módulos clásicos. Lo mismo puede decirse de otras obras como *Hores de sancta Maria* (ORL X, 231-288), *Hores de nostra dona sancta Maria* (ORL XIX, 173-198), *Liber de clerecia* (ORL I, 295-386), etc.

3.2. *La* Somme le Roi *como ejemplo de literatura parenética. Posible modelo de la* Summa *luliana*

Una de las obras que mejor se adaptó a las exigencias sinodales de predicación e instrucción catequética en lengua vernácula fue la *Somme le Roi* del fraile dominico LAURENT D'ORLEANS, conocida también bajo el título de *Summa de uitiis et uirtutibus* ([58]).

El fraile Laurent era confesor del rey de Francia Felipe III el Valeroso, y como tal preceptor de su hijo el futuro Felipe IV el Hermoso. Fue compuesta a instancias del rey mismo en el año 1279 y tuvo éxito extraordinario, debido en parte, sin duda, al carácter oficial que le dió el patronazgo del rey, quien la puso de moda entre los círculos de la corte y la alta sociedad laica. Con todo, sobre esta obra es aún hoy valido el juicio de LANGLOIS en 1928 cuando dice que es "plus célèbre que connu" ([59]).

El texto de esta *Somme* se contiene en más de un centenar de manuscritos franceses más un número respetable de versiones provenzales, catalanas, italianas, inglesas, alemanas, castellanas etc. ([60]) La relación estrecha de esta obra con la casa real francesa

---

(57) Ed. de G. SCHIB, Barcelona 1972.

(58) Sobre esta obra existe una abundante literatura a pesar de que falta hasta ahora una edición crítica completa. Los lugares clásicos para informarse sobre Laurent de Orleans son QUÉTIF-ECHARD, *Scriptores Ordinis Praedicatorum* I, Paris 1719, 386-388, HLF XIX (1838) 397-8, y TH. KAEPPELI, *Scriptores Ordinis Praedicatorum Medii Aevi*, III Roma 1980, págs 63-64. Además las ediciones de traducciones medievales citadas en la not. sig. que ofrecen abundante literatura. El estudio más exhaustivo con abundantes extractos lo ofrece CH. V. LANGLOIS, *La vie en France au Moyen Âge du XIIe au milieu du XIVe siècle*, tom. IV: La vie spirituelle. Enseignements, méditations et controverses d'apres des écrits en français à l'usage des laïcs, Paris 1928, págs 123-198.

(59) Op. cit., pág. 123.

(60) Cf. C. BOSER, *Le remaniement provençal de la "Somme le Roi" et ses dérivés*, en: Romania 24 (1895) 56-85; D. C. TINBERGEN, *Des Coninx Summe*, 2 vols. Leiden 1900-1907; *The Book of Vices and Virtues. A Fourteenth-Century English Translation of the Somme le Roi of Lorens d'Orleans*, ed. W. NELSON FRANCIS, London 1942; *Libru di li vitii et di li virtuti*, 3 vols, ed. F. BRUNI, Palermo 1973; véase de este editor *Per la tradizione manoscritta della versione della "Somme le roi" di Zucchero Bencivenni*, en: Medioevo Romanzo 2 (1973) 273-276, donde habla de la difusión de este texto en Sicilia.

y la enorme difusión de la misma obligan a admitir que la *Somme le Roi*, conocida sin duda alguna por Ramon Llull, hubo de influir necesariamente en aquella colección de opúsculos al que el mismo Llull dió probablemente el título de *Summa*.

La *Somme le Roi* comprende cinco tratados sobre los diez mandamientos, los artículos de la fe, los siete pecados capitales, las siete virtudes, las siete peticiones del Padrenuestro y los siete dones del Espíritu Santo. Esta división no corresponde a todos los manuscritos pero puede considerarse como la más común. La tradición manuscrita es múltiple y las redacciones diversas. Los elementos materiales corresponden, como muestra el mismo enunciado, a la distribución con sus divisiones y subdivisiones tradicionales. La influencia de los septenarios se muestra en la concordancia que establece entre las peticiones del Padrenuestro, los dones y las bienaventuranzas. Confusa es la cuestión del origen y fuentes de la misma, así como la relación con otra obra similar titulada *Miroir du monde*, que aunque menos difundida ha de considerarse como la base de la *Somme*, que viene a ser así una edición abreviada y compilación al gusto del fraile Laurent de los elementos del *Miroir* [61].

La *Somme* es una obra parenética pero es, sobre todo, un tratado de moral para uso de los laicos destinado a facilitar el examen de conciencia de los penitentes al momento de la confesión y animarlos a la práctica de la vida cristiana por el conocimiento de los vicios que se han de evitar y las virtudes a cultivar.

El éxito extraordinario de esta obra no se deja explicar solamente con el patronazgo real. El fraile Laurent no ha inventado nada, se ha limitado a reunir y expresar en lengua vulgar lo que ya estaba escrito y que él juzgó relevante en su experiencia de predicador y confesor. El éxito radica probablemente en el hecho de que esta obra viene a ser una amalgama de dos sumas dominicanas bien conocidas, la una para confesores y la otra para predicadores: La *Summa casuum conscientiae* de Ramon de Penyafort y la *Summa uitiorum et uirtutum* de Guillaume de Peyraut [62].

Este carácter híbrido de la *Somme le Roi* y su autor como sistematizador de unos elementos teóricos partiendo de la praxis marcan las posibles relaciones con la *Summa* luliana. Llull, efectivamente, no pretende otra cosa que el fraile Laurent. Llull también va reuniendo en su *Summa* los elementos materiales ya existentes y los va engarzando según las necesidades prác-

---

(61) Cf. E. Brayer, *Contenu, structure et combinaisons du Miroir du monde et de la Somme le roi*, en: Romania 87 (1958) 1-38; 433-470.

(62) Cf. Langlois, loc. cit., pág. 132. Sobre estas obras véanse las indicaciones que se hacen más adelante, págs. xxx y ss.

ticas lulianas que se diferencian respetablemente de aquellas preocupaciones del confesor y tutor real dedicado a la predicación oral y al ministerio de la confesión sacramental. Hay una serie de interesantes coincidencias y similitudes entre las dos obras, pero es difícil, como siempre en la Edad Media, determinar hasta que punto Llull se deja influenciar por el fraile Laurent o ambos beben de una misma fuente. Un análisis exhaustivo de estas coincidencias había de ser objeto de un estudio aparte. La *Somme le Roi* utiliza, por ejemplo, proverbios, máximas o sentencias en fórmulas rítmicas y versificadas como introducción a un texto en prosa. Se trata de un procedimiento típico del predicador medieval [63], pero no deja de ser relevante el hecho que Llull lo utilice en su primera obra dedicada a la predicación popular, a saber, el *Dictat de Ramon* y su *Coment*, compuesto después de su larga estancia en París (1299) [64]. Interesante es, también, encontrar formuladas en la *Somme* expresiones profusamente utilizadas por Llull en la *Summa* como es, por ejemplo, el término "bens de gracia" en contraposición con "bens de natura". El nombre mismo de *Summa* aplicado a una obra con los elementos casi idénticos a la *Somme* y con la misma intención es también significativo. Sin querer apurar esas coincidencias, se trata aquí unicamente de hacer notar como este tipo de literatura, en la que hay que integrar la *Summa* luliana, respondía a unos módulos concretos y muy conocidos en el entorno luliano.

3.3. Las "Summae de poenitentia"

Durante el siglo XII la confesión deja de ser un acontecimiento raro en la vida del cristiano y se convierte en un acto regularmente ejercido por obligación que se inserta en el ritmo de la existencia cristiana y constituye uno de sus elementos esenciales. En el programa de recristianización popular iniciado por las órdenes medicantes al siglo siguiente jugaba la promoción de la confesión frecuente un papel de primer orden, intentando a la vez fundamentarla teologicamente [65].

La imposición de esta práctica sacramental se refleja en numerosas constituciones sinodales. Esta legislación crea pro-

---

(63) Cf. E. BRAYER, op. cit. (not. 61), pág. 9; Langlois, loc. cit., pág. 153.

(64) Cf. supra pág. XV, not. 18.

(65) Cf. A. AMANN, art. "Penitence", en: DThC XII/1, cols. 918ss; B. POSCHMANN, *Busse und letzte Ölung* (Handbuch der Dogmengeschichte IV, 3), Freiburg 1951; P. BROWE, *Die Beichtunterricht in Mittelalter*, en: Theologie und Glaube 26 (1934) 422-442; ID., *Die Pflichtbeichte in Mittelalter*, en: Zeitschrift für katholische Theologie 54 (1933) 325-383. R. RUSCONI, *De la prédication à la confession: Transmission et contrôle des modèles de comportement au XIIIe siècle*, en: Faire croire; École française de Rome 1981, págs. 67-85.

blemas serios al clero secular con débil formación intelectual limitado a la celebración de la misa y a la administración material de los sacramentos que no estaba preparado para dialogar con el penitente en materia de moral cristiana y sobre todo en la ya complicada legislación del derecho penal eclesiástico. Aún en caso de disponer de una formación adecuada no disponían en general de los medios para adquirir los voluminosos tratados teológicos y de disciplina eclesiástica que trataban exhaustivamente toda la materia penitencial.

Para subsanar esta situación surge un nuevo género de literatura teológico-canónica motivada por el afán de poner a disposición de aquellos eclesiásticos dedicados a la cura pastoral unos breves manuales de normativa elemental para la correcta administración del sacramento de la penitencia y las disposiciones necesarias para recibirlo correctamente[66]. Los autores de estas obras se contentaban con la repetición de la doctrina de teólogos y canonistas. Estas sumas se pueden considerar por ello como un puente entre el aula universitaria y la casa rectoral[67] y son, salvo raras excepciones, manuales de orientación esencialmente práctica. Existen naturalmente grandes diferencias entre ellas, las hay de gran extensión pero también hay tratados que se reducen a unas hojas sueltas, extractos, muchas veces, de obras más amplias.

Este tipo de literatura ocupa un lugar importante en la historia de la moral y de la pastoral catequética cristiana. El punto álgido de su divulgación es precisamente alrededor del año 1300. Se encuadra en una zona fronteriza en que se mezcla literatura y normativa homilética de un lado y enseñanza canónico teológica universitaria de otro[68]. Estas obras tuvieron una difusión extraordinaria y no hay biblioteca que no posea una obra de este tipo.

La obra más importante en este genero literario es, sin lugar a dudas, la *Summa de poenitentia* de RAMON DE PENYAFORT[69]. Ejerció una influencia considerable en todas las obras poste-

---

(66) Cf. J.G. ZIEGLER, *Die Ehelehre der Pönitentialsummen von 1200-1350*, Regensburg 1956, I. Allgemeine Charakteristik der Pönitential-Summen, págs. 3-18; P. MICHAUD-QUANTIN, *Sommes de casuistique et manuels de confession au moyen âge*, Louvain-Lille-Montréal 1962.

(67) Cf. ZIEGLER, op. cit., pág. 4.

(68) Cf. M. MÜLLER, *Ethik und Recht in der Lehre von der Verantwortlichkeit. Ein Längschnitt durch die Geschichte der katholischen Moraltheologie*, Regensburg 1932, pág. 121; J.-C. PAYEN, *La pénitence dans le contexte culturel des XIIᵉ et XIIIᵉ siècles*, en: RevScPhTh 61 (1977) 399-428.

(69) Ed. de X. OCHOA y L. DÍEZ, en: *Uniuersa Bibliotheca Iuris*, vol. 1, Roma 1976.

riores, por lo que se puede decir que es Penyafort el fundador de todas las *Summae poenitentiae* ([70]).

Ramon Llull no le tuvo mucha simpatía a estas *Summae poenitentiales* ([71]). Lo cual no es óbice para que la *Summa* luliana pueda ser considerada en el mismo contexto pastoral que esta literatura para confesores. A pesar de las particularidades de método y mentalidad responde esta obra luliana a la misma tendencia y necesidades que dieron lugar a este tipo de escritos. Llull necesitaba meter en estos moldes de práctica penitencial todo su ideario artístico, pues él estaba convencido de ser su Arte panacea de todas la ciencias y solución definitiva de todos los problemas y, por supuesto, punto de partida ideal para una pedagogía de moral cristiana.

En el *Liber, qui continet confessionem*, que, como ya indicamos, se puede considerar como una introducción a la *Summa* redactada a continuación, ya se nota que Llull no pretende dar una normativa casuística sino un tratado sobre el pecado – materia de la confesión – y las distintas formas de conocer y prevenir la transgresión de la norma divina. Su tratado de confesión está dirigido directamente al penitente pero también aprovechará sin duda al sacerdote ministrante que deberá "mostrar al pueblo" la ciencia sobre las causas y formas del pecado. Esta ciencia sobre el pecado exige un conocimiento de la ley de Dios y sus mandamientos, a los que el pecado se opone. El tratado de vicios y virtudes sería consecuentemente la explicación de los caminos por donde se alcanza o se aleja del pecado. Los sacramentos y la oración son los medios sobrenaturales para llevar a buen término una vida de virtudes y corregir los vicios.

3.4. La Summa de uitiis et uirtutibus *de* GILLAUME DE PEYRAUT

Bajo el título de *Liber, Summa* o *Tractatus de uitiis et uirtutibus*, es decir, el mismo o parecido título que Llull escogería para su sermonario, aparecieron en el siglo XII y XIII una inmensa cantidad de obras con características e intenciones similares a este tratado luliano. Todas ellas se pueden catalogar como obras de carácter extra-académico con el fin de proporcionar material didáctico pastoral ([72]).

Entre las muchas obras que se podrían alegar ninguna tuvo la importancia de la *Summa de uitiis et uirtutibus* del fraile

---

(70) Cf. M. MÜLLER, op. cit., pág. III.

(71) Cf. infra pág. XL.

(72) La obra fundamental y repertorio básico para este tipo de literatura es BLOOMFIELD (véase ref. completa en la lista de abreviaturas).

dominico GUILLAUME DE PEYRAUT (PERALDUS)[73]. El exito de
esta obra fue impresionante. Pocas obras en la Edad Media han
conocido una difusión tan enorme y constante. Los manuscritos
se cuentan a centenares y las ediciones incunables, así como las
posteriores a 1500, son numerosísimas[74]. Innumerables son
también los resumenes, extractos, tablas memorizables, fragmentos, traducciones, etc. del mismo.

Guillaume Peyraut era, por decirlo así, un teólogo y moralista
extra-escolar. Era natural de Peyraud, pueblo situado al lado
del Ródano, a la orilla opuesta de Vienne. Vivió toda su vida
en el convento de Lyon y ejerció su oficio de predicador en los
alrededores de esa ciudad en la segunda mitad del siglo XIII.
La obra responde perfectamente a las necesidades y deseos de
la práctica pastoral de aquel tiempo. Por ello penetró y cuajó
en todos los ambientes religiosos. Ese carácter utilitario, a la
vez clave y razón de su éxito, ya fue reconocido por sus
contemporáneos. La *Summa* de Peraldus es, en efecto, un verdadero arsenal de todo lo necesario para la predicación y la
exhortación espiritual. Toda la temática está sumamente ordenada con excelente documentación escriturística y una argumentación racional sencilla y asequible a todos los ambientes
religiosos más o menos cultos sin grandes concesiones a la
especulación académica. Los ejemplos son breves y se adaptan
perfectamente al temario. El autor buscaba evidentemente lograr una enciclopedia pastoral pues en los más antiguos manuscritos se encuentra la materia ordenada en sumarios y tablas
memorizables para su fácil manejo y consulta.

Una relación directa entre esta *Summa* y la *Summa* luliana
no se deja constatar, a pesar de curiosas coincidencias, como p.
e. el orden de los siete pecados capitales (*glaasii*) que se corresponde con el propuesto por Llull en sus primeros años y la
importancia de los *peccata linguae* en Peyraut que guardan
cierto paralelo con los sermones lulianos sobre la mentira. Llama
también la atención sin duda la afinidad en el título y algunos
aspectos en la exposición y ordenación del material.

Más importante que estas posibles similitudes es la coinci-
dencia en la intención y estructura de ambas obras. No cabe la
menor duda que Llull conocía la obra de Peyraut y que con su
Summa Llull pretende ofrecer lo mismo partiendo, claro está,
de otros postulados ideológicos. En todo caso, y por encima de
cualquier forzada hipótesis, se ha de considerar la presencia de

(73) El estudio más amplio y documentado de este autor y su obra es de A.
DONDAINE, *Guillaume Peyraut, vie et œuvres*, en: A Fr Praedicatorum 18 (1948) 162-
236; TH. KAEPPELI, *Scriptores Ordinis Praedicatorum Medii Aeui* II, Roma 1975 págs.
133-152.
(74) Cf. BLOOMFIELD 1628; DONDAINE, loc. cit., págs. 189, 193-197.

esa literatura de virtudes y vicios como un elemento ambiental importante para la consideración y estudio de la obra luliana que aquí se edita. Sirva esta obra de Peyraut como ejemplo ilustrativo y posible modelo para Llull, aunque pudieran citarse otras obras de carácter similar, que Llull sin duda alguna conocía (⁷⁵).

---

(75) Interesante y digna de ser estudiada es la muy divulgada obra *De oculo morali* del maestro parisino Pierre de Limoges († 1306), amigo y simpatizante del ideario luliano. Cf. HILLGARTH, 158; H. SPETTMANN, *Das Schriftchen "De oculo morali" und sein Verfasser*, en: A Fr Praedicatorum 16 (1923) 309-322.

II

La "praedicatio per moralem philosophiam"

Llull sabe bien que según las reglas de la predicación medieval "cuicumque sermoni applicatur thema sacrae Scripturae" (op. 205, Prol., 158). Sin embargo los sermones que aquí presentamos estan elaborados fuera de la clásica estructura medieval del sermón. Llull sabe muy bien hasta que punto él rompe con unas reglas establecidas, por eso en el prólogo del *Liber de uirtutibus* dedica un apartado al *thema* de los sermones (II. De thematibus sermonum, lin. 157-172) en el que afirma que todos los sermones contenidos en este libro tienen un único *thema* general, a saber: el mandamiento general dado por Dios a Moisés: *Dilige Dominum Deum tuum toto corde tuo, et tota anima tua* .... Este mandamiento por ser general contiene en sí todos los preceptos particulares, por ello este *thema* general dado al comienzo del libro hace supérflua una enumeración de *themata* particulares para cada sermón. Por otro lado, aclara Llull, a los sermones sin *thema* aquí contenidos "possunt applicari omnes alii sermones et themata, quae sunt a sancta Scriptura collecta et habita" (op. cit. lin. 166/8). En otras palabras, Llull al presentar un nuevo tipo de sermón no pretende descalificar todo el programa homilético en boga sino ofrecer una nueva sistemática, un nuevo tipo de organización del material homilético. El sermón *per authoritates* depende de un texto bíblico mientras que el sermón *per moralem philosophiam*, que Llull propone puede, e incluso debe, ser ilustrado con autoridades. Se le ofrece al predicador como un sistema bien ordenado de enseñanza moral para cristianos y también para no cristianos, que, como bien sabe Llull, "non stant ad authoritates"[1]. El sermón que Llull propugna está pues en consonancia con toda su filosofía: "determinare et procedere per intelligibile, non per credibile"[2]. La moral que propugna en sus sermones se basa en la convicción profunda que el cristiano que cree y entiende su fe puede ser más virtuoso que aquel que sólo cree sin entender[3].

Así como en el pensamiento luliano creer y entender no se excluyen, sino todo lo contrario – el quehacer luliano se reduce

---

(1) "Infideles non stant ad authoritates fidelium et tamen stant ad rationes". *Liber de demonstratione per aequiparantiam*, lin. 116/7 (ROL IX, pág. 121).

(2) *Liber de modo naturali intelligendi*, Prol. (ROL VI, pág. 188).

(3) "Hom, qui creu e no enten, no es tan be aparellat a fugir a temptacios e peccats, ne pot tan be pregar ni amar Deu com aquell que creu e enten Deu e les sues obres". *Libre de consolació d'ermitá*, ed. de M. SPONNER, en: EF 47 (1935) 35-56, pág. 46.

a la búsqueda de una fórmula para distinguir sin separar estos dos términos-, tampoco en la predicación luliana un tipo de predicación excluye al otro, sino que se complementan. En el *Art abreujada de predicació* muestra Llull como todo tema tomado de la Sagrada Escritura puede servir para construir un sermón fundado en la moral filosofía luliana (⁴). El modo luliano de hacer sermones está fundamentado en los postulados de su Arte.

1. Los postulados de la predicación luliana

¿En qué consiste ese nuevo modo de hacer sermones que Llull se propone enseñar?

Tomando al pie de la letra las afirmaciones de la *Vita coaetanea* (ROL VIII, pág. 276), en sus comienzos el Ars lulliana no tiene nada que ver con el plan de cristianización popular propugnado por los mendicantes, especialmente dominicos, a base de un doble programa de instrucción: dirigida a la colectivad, consistente en una intensa predicación, y otra, dirigida al indivíduo, a través de la propagación de la confesión frecuente. Llull aprende árabe no para ir a predicar a las plazas, sino para argumentar con letrados árabes. Desde el comienzo hasta el final de su vida Llull está convencido que muchos intelectuales árabes tenían grandes dudas en la doctrina de Mahoma, por ello con una bien llevada argumentación filosófica sería fácil convencerlos de la falsedad de su religión y de la verdad de la cristiana. Después de convencidos estos letrados sería muy fácil la conversión de las masas árabes a la religión cristiana. En esta convicción se funda el Arte, a través de la cual él cree poder convencer con razones necesarias a todo intelectual árabe, que seriamente quiera discutir con él. Muchos infieles se convertirían si algún cristiano les mostrase racionalmente la verdad de la fe cristiana. Por ello los predicadores árabes cristianos que Llull se propone formar en Miramar no tienen como función primordial la predicación a los "illiterati" árabes, sino a los "literati sapientes", árabes cultos e influyentes (⁵) que han de ser convertidos por razones y no por autoridades. De hecho, al principio de su carrera apostólica, la sangrante realidad de una cristiandad ignorante de las verdades de la fe, que fue la razón fundamental del programa homilético mendicante, no había

---

(4) Cf. Ramon Llull, *Art abreujada de predicació*, ed. C. Wittlin, Barcelona 1982: De la segona part del mesclament, pág. 38.

(5) "Saraceni bene literati" les llama en el *Liber de participatione christianorum et saracenorum* (ROL XVI, op. 195), Prol., lin. 21.

entrado en el horizonte de Ramon Llull para quien los ignorantes en materia de fe eran los infieles y no los cristianos.

La toma de conciencia de la ignorancia de los cristianos en relación a lo que han de creer y cómo han de obrar fue una segunda y dolorosa experiencia. Efectivamente cuando Llull decide dedicarse a servir a Cristo de todo corazón y plenamente ("corde et integre") empezó a pensar qué servicio le sería más grato a Dios. Llegó pronto a la conclusión que el mejor servicio era convertir a los sarracenos al culto y servicio de Cristo, esos sarracenos que en tan gran número rodean a los cristianos ("qui sua multitudine christianos undique circuncingunt", ROL VIII, pág. 275). El que Ramon vea esa conversión como la mayor necesidad de la cristiandad se funda naturalmente en su circunstancia como habitante de la isla de Mallorca. Allí, en la periferia de la cristiandad, en la diáspora, se experimenta un hecho que a la mayoría de los cristianos les pasa desapercibido: Llull sabe bien por experiencia que por cada cristiano hay cien infieles, mientras el cristiano, por Europa adelante, vive pensando que en este mundo no hay más que cristianos. La cristiandad vive así de espaldas al mandamiento de Jesús: "Salid a predicar la buena noticia a todo el mundo en el nombre del Padre, del Hijo y del Espiritu Santo" (Mt. 28, 19). Llull sufre intensamente el hecho de que esa obligación de anunciar la Trinidad y la Encarnación por todo el mundo no se cumple.

Con cierta ingenuidad pensó que todos los príncipes y jerarcas de la cristiandad estaban convencidos de esa necesidad. Lo único que necesitaba era convencerlos de las ventajas de su método para lograr de ellos el apoyo financiero necesario para la divulgación del Arte y la formación de misioneros sabedores de la lengua árabe que habían de comunicarlo a los infieles. El desengaño de Ramon en este sentido fue enorme. Cuanto más se aleja de Mallorca tanto más recibe el impacto de una cristiandad mirándose al ombligo. Con la ilusión y optimismo del converso se había hecho una imagen de la cristiandad totalmente falsa. Ese encuentro de Llull con la cristiandad ignorante, según él, de las verdades de su fe está lleno de dramatismo, y tiene en el *Desconhort* (PLA 76) su mejor expresión.

Con el tiempo se da cuenta que su Arte es ineficaz porque falta el entusiasmo de los cristianos. Obsesionado por la difusión de su obra, que él continuamente perfecciona, se encuentra sin el apoyo de sus correligionarios que logicamente deberían ayudarle en su empresa. Sus escritos son fantasmas de trabajos, agonías y luchas angustiosas llevadas a cabo al unísono con su experiencia. Son obras que maduran al atravesar áridos trances de incomprensión y horas de negación contra toda esperanza. Presentan una prosa extensa y desértica, desnuda de relumbres, propia de quien se hunde en una tensa y torturada llegada a los límites de su comprensión y muy poco se cuida del brillo

literario, despreciando por ello los halagos verbales. Su mono-
corde y llano estilo vuelve a lo dicho, lo repite, lo extiende
martilleando el lenguaje y haciendo transparente casi evapo-
rando el sentido genuino del mismo. Llull busca convencer
porque se siente incomprendido. Todo lo entiende menos la
sinrazón del rechazo de su obra que ve nítida y clara como el
agua.

Llull hubo de llegar pronto a la conclusión que "por culpa de
la Iglesia los infieles permanecen en el error" (propter defectum
ecclesiae infideles permanent in errore) (6). Este defecto fundamental de la Iglesia que se despreocupa de su función primordial
la recuerda Ramon Llull constantemente. A esta tarea de con-
cienzar a los cristianos la llama él expresamente: "facere
conscientiam de errore infidelium" (7) y es por eso porque se da
a sí mismo el título de "procurador dels infeels".

Llull empieza a considerar la predicación (8) como punto
fundamental de su tarea publicitaria cuando inicia sus contactos
con las órdenes mendicantes. Así pues se empieza a ocupar de
este tema en los primeros años de su acción apostólica al
relacionarse intensamente con los franciscanos y dominicos
asistiendo a numerosos capítulos generales y discutiendo con
ellos su programa de misión.

La *Doctrina pueril*, *Blaquerna*, y *Felix* pueden considerarse
fruto maduro de esos contactos con el movimiento mendicante.
Estas obras podrían ser la aportación de Llull a aquel programa
de ayudas al predicador en lengua vulgar que exigía constantemente la práctica catequética y sermoneadora. La primera de
estas obras, *Doctrina pueril* podría ser un primer intento de
catecismo popular en el que Llull, atándose a las estructuras
catequéticas tradicionales, expone de una manera popular sus
ideas fundamentales de práctica cristiana. Las dos restantes
serían entonces una serie ordenada de temas para la predicación
expuestos en forma de novela. Este genero literario sería así
también un recurso para facilitar la ordenación del material y
con ello también la memorización, uno de los problemas fundamentales de estos tratados que no podían ser siempre trans-
portados de un lugar a otro, por lo cual se recomendaban
técnicas de aprendizaje de memoria. La forma argumental y
numericamente ordenada facilitaría sin duda esa tarea. El

---

(6) *Liber de consilio*, ROL X, p. 197, lin. 436.

(7) Ibidem, pág. 198, lin. 485.

(8) Nos referimos aquí naturalmente a la predicación ad intra. La predicación
a los infieles fue para Llull siempre una parte fundamental de su programa y
de la fe misma: "Fides catholica incepit cum praedicatione und multiplicata
fuit cum sanctitate, sanguine et labore" *Liber de fine*, lin. 116/7 (ROL IX, pág.
254).

contexto mendicante explica también las numerosas alusiones
y críticas a las costumbres y prácticas de la sociedad cristiana
y su clerecía (⁹).

En el capítulo 90 del *Blaquerna* (ORL IX, 352) nos cuenta
Llull como se presentó él en Montpellier al capítulo general de
los frailes predicadores, en donde había muchos obispos y otros
prelados y frailes de toda la cristiandad. En el momento en
que leían las listas de los frailes muertos en aquel año, se
levanta "un home lec e precurador dels infeels" protestando que
los dominicos se acuerdan de las almas de los frailes muertos,
que seguramente estarán en la gloria, pero nadie se acuerda de
las muchas almas que mueren diariamente en la ignorancia.

La crítica de Llull al programa mendicante es allí muy
concreta. Así leemos en el mismo libro (cap. 18) un episodio
curioso que nos muestra el escepticismo luliano frente al doble
programa de predicación y confesión de los frailes. Después de
explicar cómo Evast y Aloma con su ejemplo lograban convertir
a muchos cristianos a una vida de virtud nos cuenta Llull cómo
un religioso después de haber predicado en una solemne fiesta
se deja alabar por todos los intelectuales asistentes a la misma.
En eso encuentra a una mujer de mala vida que había intentado
en vano volver al buen camino por medio de confesión y
predicación, cosa que habían logrado Evast y Aloma con su
ejemplo:

"Com lo frare la viu, ell remembrà que longament de temps havía
punyat com aquella dona que d'ell se confessava, gitàs de peccat, e que
son preicar ni son confessar no y havía tant valgut com lo bon exempli
de Evast e Aloma" (ORL IX, 69).

El buen ejemplo de unos laicos penitentes había hecho más
que confesión y predicación de un fraile. Seguramente este
episodio ha de ser interpretado también en el contexto de la
discusión sobre la forma genuina de la regla franciscana y su
diferenciación con la dominica. Por eso a continuación pregunta
ingenuamente un religioso lego al clérigo:

"Sènyer! De qual sermó ix major fruyt, o de sermó de paraules o de
sermó de bones obres e de bo exempli?" (IB., 69/70).

El fraile respondió sabiamente que así como obrar importa
más virtud y mayor trabajo que el hablar y enseñar como se
deba obrar bien, así es mayor el fruto que el hombre saca con

---

(9) Véase W. SCHLEICHER, *Ramon Lulls, Libre de Evast e Blanquerna. Eine Untersuchung
über den Einfluß der franziskanisch-dominikanischen Predigt auf die Prosawerke des katalanischen
Dichters*, Genève / Paris 1958, sobre todo el cap. 4, págs. 51-150.

el buen ejemplo que con las palabras, y no hace mucho, dice, que Evast y Aloma con buenos ejemplos convirtieron a una mujer a castidad que él no había podido aprovechar *"ni per preïcar ni per paraules"*. Aquí, en la primera fase de acción misional luliana, podemos ver un cierto escepticismo hacia el programa de educación popular de los mendicantes en el que él parece ver mucho ruído y pocos resultados.

No termina aquí la crítica de Llull al celo predicador y al fervor de los frailes por el confesonario. En el *Felix* crítica abiertamente las sumas penitenciales, aquellos tratados que se escribían para ayudar a los frailes en sus tareas de confesión y que estaban escritas, en su mayoría, por canonistas. Allí se daban instrucciones sobre derecho penal eclesiástico y se resolvían, entre otras cosas, problemas de restitución de bienes robados y similares cuestiones de derecho canónico penitencial.

En el cáp. CIII nos cuenta Llull lo siguiente:

> "Era un clergue qui havia una gran parròquia. Aquell havia après de dret, per tal que en les confessions sabés aconsellar aquells que ab ell se confessaven; mas de filosofia, ne de teologia no havia res après; e per açò aquell clergue no sabia donar consell com hom sabés en sa ànima vivificar virtuts ne mortificar vicis. Mas sabia hom aconsellar de los béns temporals, en qual manera ne devia hom fer satisfacció. Esdevenc-se una vegada que un hom se confessava a ell de pecat de luxúria e demanà-li consell com en sa ànima pogués per natura fortificar castedat e mortificar luxúria. Après li dix que lo enluminàs de la fe, car moltes vegades hi dubtava. Lo clergue anc neguna raó necessària no li sabé dir a açò que li demanava; e l'hom se meravellà fortment com aital hom era comanada confessió". (OE I, 479).

Hay aquí una clara e inusual crítica a la literatura canónica sobre el sacramento de la penitencia. En este texto vemos ya una cosa importante en relación al *Liber de uirtutibus et peccatis*: El ermitaño por boca de Llull define la labor del religioso confesor como una fundamentación racional de las virtudes y los vicios, por la cual el penitente podrá salir de sus pecados. Esta afirmación la completa Llull unas lineas más abajo contraponiendo el ejemplo de un sabio religioso que mucho sabía de teología y filosofía y que era confesor de un rey. De éste dice que después de haberle confesado el rey un pecado donde se desenvolvían graves problemas de restitución canónica, el santo religioso

> "... considerà longament en los pecats que lo rei feits havia. Com longament hac considerat, ell per sa gran saviesa entès lo començament del pecat, en qual poder de l'anima començava, ne per qual manera lo venc a fer. E per açò lo sant prevere sabé confessar lo rei, *car mostrà-li per viva raó natural, com comença lo pecat, ne com per lo pecat degués*

fer satisfacció. E tan declaradament mostrà al rei l'obra del pecat, que lo rei n'hac gran plaser; e totes les vegades que havia temptació a pecat, sabia conèixer los començaments e l'art e la manera per què tantost aquell pecat se destrouïa e mortificava" (IB. pág. 480)

Esta abierta crítica luliana al programa de cristianización propugnado por el movimiento mendicante, que era al fin y al cabo el programa oficial del estamento clerical en su conjunto, nos ayuda a comprender lo que Llull pretende. En primer lugar critica Llull la falta de horizonte universal en ese plan de acción rechazando un mero ordenamiento intrínseco sin ordenamiento extrínseco, es decir una reforma de la sociedad cristiana que olvida a los infieles y la obligación de Jesús de extender la fe a todos los pueblos. Llull quiere además una reforma más allá del horizonte clerical limitada al amparo de las almas de los cristianos y sus fieles difuntos. En segundo lugar pretende una clerecía que predique con el ejemplo y razone con los fieles las normas morales de conducta. Llull da vueltas, pues, a la idea de una nueva forma de predicar y de educar al cristiano.

La puesta en practica de este nuevo programa hay que situarla en el año 1299, cuando Llull después de casi veinte años de ausencia se propone volver a Mallorca. En Barcelona solicita del rey Jaime II de Aragón un permiso para predicar en sinagogas y mezquitas. Camino de Barcelona volviendo de París compone la primera obra estrictamente homilética: el *Dictat de Ramon* (ORL XIX, 261-274). Se trata de un guión de sermones para instrucción de

"Preycadors, frares Menors / e atressí li grans senyors / qui han enteniment levat ... / mostrarem tot clar / que nostra fe es veritat / e quels infaels són errat" (pág. 273).

Lo escribe en catalán y la seca temática argumentativa la va desarrollando en versos pareados. Se trata de un predicación a los infieles por argumentos racionales. Todo el *Dictat* es un ejercicio en verso vernáculo de la *demonstratio per aequiparantiam*, que formulará científicamente en la *Logica noua* [10] y a la que más tarde le dedicará expresamente un libro [11]. El *Dictat* está hecho para aquellos "... qui dihen que provar / hom no pot la fe, ni donar / null necesari argument" (pág. 263).

A partir de este libro la teoría y la práctica de la predicación son tema constante de la actividad literaria luliana. En las obras de 1300 sobre todo el *Liber de homine* (PLA 105) se muestra esa preocupacion por la técnica predicatoria, preocu-

---

(10) Dist. V, cap. 3, ed. de CH. LOHR, Hamburg 1985, pág. 198.
(11) *Liber de demonstratione per aequiparantiam*, ROL IX, págs. 201-231.

pación que pudo ser fruto de la práctica de la misma en Mallorca. Durante su precipitado viaje a Chipre y Armenia (1301-1302) compone obras de catequesis y predicación([12]), la más importante es la fundamentación teórica de su *Rhetorica noua*.

En 1304 en Montpellier termina el *Liber de praedicatione*([13]). En él observa Llull celosamente una serie de reglas comunes a las *Artes praedicandi* medievales, aunque prescinde ya abiertamente de otras. La estructura fundamental determinada por la posición central del *thema* bíblico como fuente y origen de la división y distribución del sermón sigue en pie, como era norma inamovible en la predicación medieval. La distribución del sermonario y sus *themata* partiendo del año litúrgico y del santoral es también norma en el *Liber de praedicatione*, que puede considerarse como un intento de dar los elementos del Arte en forma de *Ars praedicandi* medieval, quizá de cara a las exigencias de popularización de la ciencia teológica. Llull había de aceptar la estructura corriente si quería ver aceptada su obra como ayuda a la predicación por clérigos y frailes.

La diferencia fundamental entre el *Liber de praedicatione*, por un lado, y esta *Summa sermonum*, considerada como *Ars maior praedicationis*, y su consecuente *Ars breuis de praedicatione*, por el otro, es la desaparición casi total de los elementos formales de las *Artes praedicandi* medievales para dar así Llull lo que él desde un principio consideró como forma única y legítima de predicación y la conexión íntima de este "novus modus" con su filosofía moral considerada como parte de su *Ars generalis*.

2. "MOSTRAR AL POBLE SCIÈNCIA DE VIRTUTS E VICIS"

Ya vimos como el ermitaño define la labor del religioso confesor como una fundamentación racional de las virtudes y pecados. El penitente actuará moralmente bien si tiene el placer de entender las razones por las que hay virtudes y vicios. Aquí repite Llull una primera información sobre la predicación que nos había dado en el capítulo XCIII del libro de *Blaquerna*. Dice así:

"Estava un dia l'apostoli Blaquerna ab sos cardenals e cogitaven si puríen fer nulla cosa on se seguís profit e exalçament de la fe catòlica. Dementre estaven ensems entrà un cardenal qui hac preycat a gran multitut de gent, e l'apostoli demanà al cardenal si havía vist plorar null home a son sermó. Lo cardenal respòs que no, mas que havía vists durmir molts homens dementre que ell preycava" (ORL IX, 361s.).

---

(12) *Rhetorica noua* (Pla 108); *Libre que deu hom creure de Deu* (Pla 110) y *Mil proverbis* (Pla 111).

(13) Op. 118, ed. A. SORIA, ROL III-IV.

El papa se maravilla cómo las gentes tienen tan poca devoción en los sermones, cuando los sarracenos, que viven en error lloran en los sermones y los escuchan con gran devoción. En buena argumentación luliana viene ahora la consecuencia. Hay que aprender a hacer nuevos y mejores sermones. ¿Cómo se han de hacer esos sermones para que la gente se aproveche de ellos? La solución que él da la pone en boca de un cardenal, que, según Llull, "era gran (filósofo) natural" y dijo:

"A preycar era útil cosa provar per raons naturals la manera segons la qual vertuts e vicis son contraris, ni com una virtut se concorda ab altra e un vici ab altre ni per qual natura pot hom mortificar un vici ab una virtut o ab dues, ni com una virtut pot hom vivifivar ab altra; e aquesta manera es en la *Art abreujada d'atrobar veritat*. E per açò a preycació se cové art natural e dovoció e consideració e breu sermó, per tal que les gents sens fastig romanguen ab devoció" (ORL IX, 362).

Aquí tenemos formulada treinta años antes la estructura del *Liber de uirtutibus et peccatis*.[14] Formulada está aquí también el paralelismo de esta estructura con el *Ars inueniendi ueritatem*. Llull viene a decir que la predicación se ha de hacer a través de las figuras de virtudes y vicios, es decir la figura V de las primera fase del Arte. Esa figura viene a ser el Arte luliana aplicada a la moral. El cristiano y el infiel llegarán a actuar en su vida como Dios manda si conocen con el entendimiento como es una virtud y como ésta se relaciona con las otras virtudes y los vicios.

Así pues el fin de la predicación es dar los fundamentos de una moral cristiana tal y como Llull la entiende y expuso inicialmente en su *Art abreujada d'atrobar veritat* (PLA 3) y en su *Libre d'intenció* (PLA 45). La predicación para Llull no tiene, por tanto, otro objeto que explicar al pueblo la moral fundamentada en los principios del Arte.[15] Así se explica también la importancia de la figura de las virtudes y vicios en la estructura del Arte. El acto moral es un acto del entendimiento, y la moral una ciencia sobre las virtudes y los vicios. Así pues, si la moral luliana es la ciencia de las virtudes y los vicios, la predicación es, en expresión luliana, mostrar esta ciencia al pueblo[16].

La finalidad de la predicación es que el pueblo tome conciencia

---

(14) No es extraño, pues, que el editor de la edición del *Blaquerna*, BONLLAVÍ haya visto una relación directa de este texto con el *Liber de uirtutibus et peccatis* añadiendo al texto editado la indicación de esta obra. Vid. infra pág. LXXIV not. 43.

(15) Vide infra págs. XLVIIIs. y LII.

(16) "... sic sermocinator, sciens hanc scientiam, potest eam populo monstrare, per multa alia exempla, collecta et contenta in subiecto scientiae huius". Op. 205, I, 205.

del fin por qué se es lo qué se es, dar a conocer al pueblo las razones por las que debe actuar virtuosamente y seguir así el fin para que fue creado, es fundamentar en el entendimiento del cristiano las razones por las que debe guiar su comportamiento moral. Del pecado sólo se sale recordando y entendiendo el pecado. ([17])

Siendo pues la predicación la comunicación de una ciencia ha de dirigirse, como toda ciencia, al entendimiento y no a la voluntad. El predicador ha de saber declarar racionalmente al oyente todo aquello que le decía el ermitaño a Félix hablando del sabio presbítero, a saber, "el comienzo del pecado, en que potencia del alma comenzó y por que manera vino a cometerlo". El predicador lo ha de mostrar "por viva razón natural". Y, según el mismo texto, al mostrarlo así intelectualmente sentirá el oyente un "gran placer" intelectual, por lo cual no se aburre en el sermón y sabe siempre las razones por las que ha de comportarse en cada momento. ([18]) En fin, se pide que el cristiano entienda su cristianismo, para así poder actuar como tal cristiano conscientemente en todo momento, porque conoce los fundamentos de su conducta moral que son, a la vez, los principios del conocimiento artístico. Si se deja al cristiano en su ignorancia jamás se logrará que actúe *naturaliter*, siguiendo la verdad de su existencia, que el hombre puede llegar a conocer a través de la inteligencia, al contrario de los animales que la siguen por instinto. Por eso la causa de todo mal en el mundo es no conocer a Dios y las consecuencias de esa su existencia.

La predicación ha de dirigirse al entendimiento del pueblo cristiano para hacerle ver la razón última de su existencia y de su conducta moral. Si el cristiano entiende el por qué de su existencia en este mundo tendrá que obrar en consecuencia, y, si sabiéndolo no actua así, tendrá siempre la conciencia de estar obrando mal. El entender las virtudes y los vicios agudiza la conciencia y se adquiere la ciencia de lo que es bueno y lo que es malo.

La mejor ilustración de esta visión luliana de la predicación y la moral es el *Liber de uirtutibus et peccatis*, que lleva también, no es extraño, el título de *Ars maior predicationis*. Tal concepción de la moral y la predicación es la base del libro y sólo si se entiende esa intención luliana se comprende la razón y estructura del sermonario luliano.

La base ideológica del mismo es su confianza en la inteligencia

---

(17) "Era un hom qui era en pecat, e no.n volia eixir; e per açò scientalment se leixà que no volia remembrar ne entendre lo pecat, per ço que n'hagués consciència, e que la colpa no fos tan gran". *Libre de Meravelles*, cap. LXXX (OE I, 443).

(18) Cf. supra págs. XLs.

del pueblo cristiano. En este sentido participa Llull de la tendencia espiritualista de que la culpa de todos los males de la cristiandad está en la maldad de prelados y príncipes. La función del clérigo es mantener santidad (ejemplaridad de vida) y predicar verdad para que el hombre aprenda a entender por sí mismo el camino de verdad [19]. No nos extrañe pues que Llull en sus ejemplos nos muestre siempre al clérigo faltando a su deber y en oposición a la posibilidad de entender la fe [20]. Esto unido a la crítica de los magnates de la cristiandad, nos muestra como Llull juzga las estructuras de la sociedad medieval con una visión crítica profunda. No es tanto la ignorancia del pueblo, como parecen dar a entender los jerarcas cristianos, la causa de los males de la cristiandad, sino más bien el mal uso del poder, léase virtud cardinal de la fortaleza, mezclado con la avaricia y la mala voluntad de los que mandan, a quienes algún día se les pedirá cuenta de lo que no han hecho y facilmente hubieran podido hacer [21].

En este concepto de la predicación se muestra también la unidad profunda de los principios del Ars lulliana que no es sólo un *Ars inueniendi ueritatem* sino un arte de vivificar virtudes y mortificar vicios, como el formuló al comienzo de su Arte [22], es decir un *Ars bene et recte uiuendi* [23]. Aquí se ve también cómo la predicación a los infieles y a los fieles es una y la misma cosa: "mostrar vía de verdad". Entendida esa verdad se sigue necesariamente un cambio, es decir, "un ordenamiento de buena vida".

Para definir lo que él entiende por buena predicación distingue Llull una *praedicatio per authoritates* y una *praedicatio per*

---

(19) "... E açò mateix ha ordonat sots prelats, on ha diverses oficis de clergues, qui per orde deuen mantenir santedat e veritat en lo món a lausar, conèixer e amar Déu". *Liber de Meravelles*, cap. LXXXII. (OE I, 446).

(20) "Un clergue dix una vegada a un hom que veritat de la santa trinitat de Déu e de la sua encarnació no.s podia demostrar a hom en est món. Meravellà's aquell hom de ço que el clergue li deïa, car semblant li era que, si era ver ço que el clergue deïa, seguir-s'hia que la falsetat, qui és contrària a la veritat, qui és pus manisfestable, no fos demostrable ... Encara se meravellà aquell hom de ço que lo clergue li deïa, com, si era veritat ço que deïa, seguir-s'hia que l'humà enteniment no pogués ne degués tant entendre Déu, al qual és creat per ço que l'entena ..." *Libre de meravelles*, cap. LXXIX. (OE I, 441).

(21) "Déus ha ordonat com estiga tant en poder en l'apostoli, e en los cardenals, e en los prelats, e en los religiosos, e clergues, que qui per poder, qui per saviesa, pusquen ordonar com los infaels venguen a via de veritat; e açò mateix se segueix dels reis e dels prínceps, on Déus ha ordonat tan de poder que poden tenir dretura en terra. Mas defall volentat a poder e a saviesa, e per açò multiplica desordonança e minua ordonança. *Libre de meravelles*, cap. LXXXII (OE I, 446).

(22) Cf. infra págs. XLVIIIs., not. 25.

(23) Cf. CA I, pág. 613.

moralem philosophiam ([24]). La predicación basada en autoridades es la clásica forma de predicar que se funda en una frase de la biblia y las interpretaciones piadosas de Padres y Doctores de la Iglesia. Llull no rechazó definitivamente esta forma de predicar pero prefiere una nueva predicación fundada en razones necesarias. El Arte, como bien se sabe, prescinde de autoridades y quiere probar la fe por razones necesarias y concluyentes. Los infieles han de ser convertidos por razones y los fieles llevarán buena vida si se les convence por razones. La predicación de los artículos de la fe a los infieles y la predicación de las virtudes a los fieles tiene como fin alcanzar la ciencia de conocer la verdad (habere scientiam ad cognoscendam veritatem).

La predicación luliana es una declaración razonada de los principios fundamentales de la moral que se deduce de los primeros principios del Arte. Todo cristiano y todo infiel puede entenderlos. Una vez entendidos la voluntad moverá las potencias a hacer el bien (virtudes) y rechazar el mal (vicios). Todo acto virtuoso o vicioso se realiza a través de las potencias inferiores (visiva, auditiva, gustativa, odorativa y tactiva), la potencia imaginativa y las potencias superiores (intelectiva, volitiva y memorativa). Conocer como las virtudes y los vicios actúan en estas potencias es aquella ciencia que Llull cree necesario hacer llegar al pueblo para que sea la base de toda acción moral cristiana. Por eso los sermones lulianos pretenden ser un análisis de la repercusión de las virtudes y los vicios en cada una de esas potencias. La mayoría de ellos recorren una a una esas potencias y la acción de cada virtud, de cada vicio, de dos virtudes o de dos vicios o de una virtud y un vicio en cada una de ellas.

Después de lo dicho se comprende como la *Summa sermonum* no es otra cosa que la puesta en práctica del concepto de predicación que Llull expone en el *Ars generalis ultima*:

"Praedicatio est forma, cum qua praedicator informat populum ad bonos mores et euitandos malos. Et maxime, si ille modus discursus fuerit per principia et regulas huius Artis, et etiam per nouem subiecta, *ut intellectus praedicatoris et audientium abundet in magna materia.* Et talis praedicatio ualde utilis et facilis est; sicut est ualde artificiata, et in magno subiecto aedificata ..." (ROL XIV, págs. 385s.)

El carácter intelectual de su predicación lo deja claramente expuesto Llull en este capítulo del *Ars generalis ultima* cuando dice:

"Predicator sic debet agere in praedicando, sicut facit intellectus in

---

(24) *Lectura super Artem inuentiuam*, Dist. III, 7. 851 (MOG V, Int. V, 355).

inueniendo ea, de quibus scientia est ... Nam per talia intellectus audientium firmior est per intelligere, quam per credere auctoritates sanctorum, eo quia in credendo intellectus agit extra suum actum naturalem, qui est intelligere; nam *unumquodque magis gaudens et contentum est, quando suo propio actu uti potest* ... Et ideo sermocinatur in sermone suo debet habere habitum geometriae, arithmeticae et rhetoricae, ut ex illis sit habituatus et illuminatus; cum quibus habituet et *illuminet intellectum audientium.*

Praedicator debet esse theologus, ut sciat loqui de Deo. Et etiam philosophus, ut sciat effectum applicare ad primam cameram discurrendo per subiecta, C D E F G H I K significata." (ROL XIV, págs. 386s.)

Esta manera de predicar consiste sencillamente en aclarar las consecuencias de los principios y reglas del Arte para la acción moral. Una vez conocidos los principios y reglas del Arte no puede dudar el hombre de la función que tiene que cumplir en este mundo. De ahí que toda predicación exija conocer y dar a conocer los principios universales por los que se rige el entendimiento. Ello implica, como toda su Arte, prescindir de autoridades, lo cual viene a ser el distintivo entre la predicación luliana y la normativa homilética de aquel tiempo. En toda la Edad Media es la predicación una interpretación de la Sagrada Escritura, ya sea ésta popular, si va dirigida al público general, ya sea culta, si se realiza dentro de un convento o en las aulas de una Universidad. Así no puede extrañar que Llull consecuentemente venga, al final de su vida, a prescindir incluso de la frase bíblica como introducción al sermón. Sus sermones se fundan en la demostración intelectual de la ciencia de las virtudes y los vicios. La predicación es así una forma de propagar las ideas fundamentales de su Arte pues esa ciencia de las virtudes y los vicios está fundamentada en sus estructuras artísticas.

Consecuencia importante de esta concepción es el significado secundario del ejemplo en el sermón luliano. Como todo en el sermón, el ejemplo ha de dirigirse al entendimiento para mover su voluntad. No se trata con el ejemplo de mover la voluntad del oyente con razones fuera de la razón como pueden ser miedo, temor, promesas o amenazas. El ejemplo tradicional o bien busca atraer la atención del oyente a través de bien hilvanadas historietas, o bien reforzar la exhortación exponiendo hechos que logren mover los sentimientos del oyente a aceptar lo que el predicador intenta. Llull no cree en la eficacia del ejemplo para atraer la atención. Su inquebrantable confianza en el entendimiento y en el "plaer (gaudium et contentum) d'entendre" le hacen suponer que toda persona normalmente capacitada se identificará mucho mejor con el conferenciante a través de una bien formulada argumentación que de cualquier ejemplo de la vida diaria, la bien entendida argumentación será además mejor recibida por la voluntad y la memoria. La utilización del ejemplo como ilustración se va reduciendo cada vez más en la obra homilética o pedagógica de Ramon Llull. Al final de su vida, en el *Ars major praedicationis* el ejemplo sólo se utiliza para aclarar brevemente un argumento sin perturbar la argumentación. El término "exemplum / exempla" tiene en esta obra un significado distinto al corrientemente utilizado: Ejemplos, son las posibles combinaciones de los *subiecta* del "Arte de predicar" aplicables a cada una de las uirtudes, vicios o la mezcla de éstas, es decir, las diferentes formas de multiplicar la materia del sermón partiendo de las multiples combinaciones de los *subiecta* expuestos en la introducción. La forma concreta de desarrollar Llull un sermón es, por ello, un "ejemplo" dentro de las muchas posibilidades que se ofrecen al predicador de construir su sermón, suponiendo, claro está, que acepte la infinidad de materias y combinaciones propuestas por Llull.

Se comprende la eficacia de la combinación de vicios y virtudes y la práctica eliminación del ejemplo en el sermón, si se capta la razón fundamental de la predicación luliana: *Mostrar sciencia al poble.* A través de los vicios y las virtudes presentes en todo obrar humano, se comprende lo bueno, lo mejor y lo óptimo; lo grande, lo mayor y lo más grande, etc. Entendiendo la estructura del obrar humano, se comprende el obrar divino. Entendiendo la estructura de la realidad, se comprende la ciencia del bien y del mal. Comprendida la virtud y comprendido el vicio moral se comprende el superlativo divino, que nos abre con sus nueve dignidades el camino de toda comprensión. De buen entendimiento se seguirá buen obrar y del buen obrar se seguirá el buen ordenamiento del mundo. Ese ordenamiento lleva consigo naturalmente que los cristianos pongan los medios para convertir a los infieles para que todo el mundo venga a buen orden y concierto.

3. La combinatoria de virtudes y vicios
en el *Ars lulliana*

Partiendo del hecho que la *Summa* luliana pretende ser un tratado homilético sobre los vicios y las virtudes, tal y como se presentan en el Arte, vamos a presentar brevemente los puntos fundamentales de este capítulo artístico tan relacionado con esta *Summa*, y más concretamente, con la obra que es eje y centro de la misma, el *Liber de uirtutibus et peccatis*.

En el prólogo de la primera formulación del Ars lulliana, el *Ars compendiosa inueniendi ueritatem*, y con cierto carácter programático, al presentar las figuras, dice Ramon Llull que con ellas "potest homo inuenire ueritatem sub compendio, et contemplari et cognoscere Deum et uiuificare uirtutes et mortificare uitia" (²⁵). Aquí se ve claramente como la filosofía moral es una de las razones y pilares de su nuevo método. Efectivamente, una de las figuras, la figura V, se refiere a las virtudes y vicios. Se trata de una figura complementaria de la figura S, aquella que se ocupa del alma y sus potencias. La describe como un círculo dividido en catorce cámaras, siete destinadas a las virtudes fundamentales y las otras siete a los vicios capitales. A cada virtud y vicio corresponde una letra. Las virtudes llevan color morado y están unidas entre sí por líneas también moradas, la división corresponde a la clásica división medieval de tres teologales (fe, esperanza y caridad) y cuatro cardinales (justicia, prudencia, fortaleza y templanza). Los vicios son de color rojo y van unidos a su vez por líneas de color rojo, en la figura se van alternando con las virtudes y corresponden a la clásica enumeración de siete pecados capitales ordenados de la siguiente manera: Gula, lujuria, avaricia, accidia, soberbia, envidia e ira (*glaasii*) (²⁶). Valiéndose de la figura T y procediendo por concordancia o por contrariedad, siguiendo las líneas, puede entenderse lo que es cada virtud y cada vicio. Hay todavía una figura complementaria en la que entran los vicios contrarios a las siete virtudes fundamentales (de color amarillo) y las virtudes contrarias a los siete pecados capitales (de color verde), a saber: infidelidad, desesperación, odio, injusticia, imprudencia, fragilidad y destemplanza; abstinencia, castidad, largueza, diligencia o fervor, humildad, fidelidad y paciencia (²⁷).

Presenta Llull así un artificio de veintiocho términos o nociones elementales para construir su doctrina moral. La explicación de las cámaras de la figura V la desarrolla en la *Lectura Artis compendiosae* (²⁸). Existen en las dos figuras V diez especies de combinaciones binarias, que definen conexiones de concordancia y contrariedad entre las virtudes y vicios de suma importancia para la concepción artística de la moral, que juegan todavía un papel importante en la división de la materia del *Liber de uirtutibus et peccatis*, a saber: las virtudes se combinan una con otra, igualmente los vicios uno por uno, luego los contrarios de los vicios, los contrarios de las virtudes, las virtudes y los vicios fundamentales entre sí, las virtudes y los

---

(25) MOG I, Int. VII, pág. 1.

(26) Forma poco corriente en la literatura medieval. Aunque Llull cambia a menudo el orden e incluso el número es importante hacer notar que, después de haberle dado gran importancia a la gula, pusiera más tarde la avaricia como vicio principal, fundamentándolo teoricamente. Sobre la importancia del orden en el septenario de los pecados capitales cf. M.W. BLOOMFIELD, *The Seven Deadly Sins*, Michigan: State College Press 1952, cap. III. Cf. supra, pág. XXXIII.

(27) Cf. MOG I, Int. VII, págs. 6-9.

(28) MOG I, Int. VIII, 84-103.

contrarios de los vicios, las virtudes y sus contrarios, los vicios y sus contrarios, los vicios y los contrarios de las virtudes y, por último, los contrarios de los vicios con los contrarios de las virtudes (29).

De este modo el alma, afirma Llull, puede conocer en que cámara hay tal virtud o tal vicio, la cantidad de cada virtud y cada vicio, su principio, su medio y su fin. Todo esto viene a ser un intento de lanzar un puente entre la lógica y la moral al reducir en fórmulas lógicas todas las situaciones posibles de la vida moral. El alma puede inclinarse libremente hacia los vicios o hacia las virtudes. Por eso la figura V contiene y significa virtudes y vicios. Así como el hombre utiliza sus potencias naturales (elementativa, vegetativa, sensitiva, imaginativa y racionativa) en el campo de la lógica, ha de saber utilizar las virtudes y los vicios para adquirir sus conocimientos en materia de moral. Detrás de esta concepción esta la convicción luliana de la universalidad de su método – "haec ars in omni materia est necessaria" – por lo que la moral no puede estar excluida. El Ars lulliana no es sólo un arte de encontrar la verdad, sino también un arte de vivir bien.

El arte luliana, que viene a ser el mejor muestrario del proceder literario luliano, no se formuló definitivamente. Se caracteriza por una interminable reflexión, retoque y aclaración de sus postulados en un afán continuo de apurar sus últimas consecuencias. La segunda versión del arte no ofrece muchas novedades en la materia de virtudes y vicios. Llull sigue enumerando las virtudes de la forma precedente. Reduce los elementos a catorce. Se construyen cámaras con los siete pecados y vicios principales, aunque se afirma que la figura V sigue teniendo "multas filias" que no se expresan graficamente en las "Tabulae". Al final de lo que se viene llamando fase cuaternaria del Arte en las *Quaestiones per Artem demonstratiuam seu inuentiuam solubiles* (30) se anuncia una importante variante en el orden de los vicios al poner la avaricia por delante de la gula. Las razones que le inducen a hacer este cambio las propone Llull con toda claridad en una de las cuestiones (31). Su fundamentación es, como siempre, una consecuente reflexión de los principios del Ars. A partir de esta obra seguirá consecuentemente, salvo rara excepción, el orden *aglasii*.

En el *Ars inuentiua ueritatis* (MOG V) encontramos nuevas reflexiones sobre las virtudes. Llull, que con el tiempo conoce

---

(29) Ver también por su brevedad y concisión: *Liber de nouo modo naturali intelligendi*, VII (ROL VI, op. 161, pág. 203).

(30) MOG IV, Int. III. *Quaestiones de moralibus*, págs. 176ss. Cf. sobre todo *Quaestio CXCVII: Quomodo moralia cognoscantur*, pág. 198. Cf. infra not. 34.

(31) Ib., pág. 205: *Quaestio CCIV: Quod uitium sit maius aut auaritia aut superbia.*

mejor las discusiones teológicas dentro de la cristiandad, se plantea intensamente el problema de la relación del *intellectus* con la *voluntas*, tema candente entre los teólogos de París. El problema radica en que Llull no puede identificar la fe como virtud del intelecto pues aunque "intellectus et fides concordant" (MOG IV, Int. III, pág. 203) también es cierto que "intellectui non est proprium credere, sed intelligere" (ib. pág. 212). Al final, como veremos terminará admitiendo cuatro virtudes teologales en lugar de tres [32]. La cuarta será la *sapientia*. Ésta permanecerá incluso en la vida beatífica. Con esto no pretende ponerse en contra de la famosa pericopa paulina (1 Cor. 13, 13), Llull unicamente afirma que donde hay caridad ha de haber necesariamente sabiduría; o en terminología más luliana: donde hay amancia tiene que haber inteligencia. Por eso habla Llull en el *Ars inuentiua* de la *sapientia* como base de las virtudes [33]. Sobre la sapiencia que prepara el camino del amor se explaya Llull en los escritos alrededor del año 1290 que determina el paso de la fase cuaternaria a la fase terciaria del Arte [34]. Aquí se fundamenta la convicción que será pilar de su doctrina sobre la predicación: "... ut gentes haberent modum uiuendi per intelligere, et ut sapientia esset lumen, quod praecederet amorem illuminando illum" [35].

El cambio importante en la concepción de la moral dentro del Arte se da en el *Ars inuentiua ueritatis* (MOG V) en la que desaparece la figura de las virtudes y los vicios. Estos se incluyen en un capítulo *De moralitate* en la *octaua regula, I, quae est de punctis transcendentibus* (Dist. III), explicando por qué el alma está sujeta a virtudes y vicios y, por tanto, capaz de hacer el bien y el mal. La base de la actividad moral humana es la libertad: "... nam dum intellectus attingit animam peccasse, intelligit impossibile eam potuisse peccare, nisi Deus mouisset eam ad libertatem, ergo mota ad libertatem mota fuit ad malum in tantum, quantum ad bonum, et e conuerso, gratia magnitudinis uoluntatis" [36]. En todas las obras alrededor de la *Ars inuentiua* no existe un tratamiento expreso de las virtudes y los vicios o una enumeración sistemática de los mismos salvo en la *Lectura artis inuentiuae* donde enumera una lista de

---

(32) Vid. infra pag. LXXV.

(33) MOG V, Int. I, 103. Se refiere naturalmente a la *sapientia* como virtud y no a la *sapientia* como don del Espiritu Santo, que él claramente distingue. Cf. *Disputatio eremitae et Raimundi*, MOG IV, Int. IV, pág. 102: Quaestio XIX: Utrum virtutes, differant a donis, et quomodo?

(34) Sobre esta terminología, que proviene de PRING-MILL y YATES, cf. BONNER I, 56ss.

(35) *Ars amatiua*, De fine, MOG VI, Int. I, pág. 144.

(36) MOG V, Int. I, pág. 54.

veintisiete virtudes ([37]). La concisa enumeración de dieciocho vicios que sigue a continuación comienza por la avaricia, orden que fundamenta una y otra vez ([38]).

La nueva posición de las virtudes y los vicios en el tinglado artístico se afianza definitivamente con la introducción de los nueve sujetos en el mecanismo del Arte. Al escalonar jerárquicamente los seres según los grados de perfección, es decir, según la medida en la cual cada uno participa en la plenitud ontológica de las dignidades divinas, pone Llull en el último de ellos – instrumentativa – la doctrina moral, pues así como todo lo que opera naturalmente puede conocerse por medio de los principios y reglas del Arte, del mismo modo puede conocerse la operación moral utilizando los mismos universales principios. Fiel a la estructura ternaria forma Llull dos series de nueve virtudes y nueve vicios o pecados ([39]).

La moral luliana se basa, por encima de todas las variaciones dentro de la estructura artística, en el hecho de que el hombre es entre todos los seres de la escala de las criaturas el único capaz de pecado ([40]). Todas las cosas de este mundo siguen la intención por la que han sido creados, el hombre es el único que puede ir contra esa intención. ([41]) Todos obran *naturaliter*, sólo el hombre obra *moraliter*. Como ya hemos visto Llull fundamenta en el libre albedrío esa posibilidad de elegir entre el bien y el mal, pues con ello puede el hombre merecer al obrar *naturaliter*, es decir como las demás criaturas, siguiendo las virtudes, reflejo de los principios universales de todo ser y obrar, a saber, las dignidades o virtudes divinas. Obrando *moraliter* puede desviarse e invertir las dos intenciones anteponiendo la segunda intención a la primera. El pecado es esta desviación, este obrar contra natura. Las virtudes y los vicios son pues los instrumentos de la operación del hombre, los caminos (viae) de su obrar. Si el entendimiento del hombre comprende los principios del conocer artístico, es decir las dignidades, no puede admitir el mal en su entendimiento. Toda virtud moral es así una *especie* de actividad que ha de concordar con el *género*, la virtud divina. Esta relación de las virtudes y vicios con las dignidades es una fuente de argumentos para la demostración de los artículos de la fe. La moral es pues la

---

(37) MOG V, Int. V, p. 334-347.

(38) Cf. *Breuis practica Tabulae generalis*, MOG V, Int. III, pág. 32.

(39) *Ars breuis* (ROL XII, págs. 229s.); *Ars generalis ultima* (ROL XIV, págs 263-315).

(40) *Liber mirandarum demonstrationum*, cap. XXIII: De peccato (MOG II, Int. V, pág. 45).

(41) "Meravellà-se Fèlix ... per què les plantes e les bèsties eren ordonades en seguir lo cors de natura, e per què hom era desordenat que no seguia la final intenció per què era creat". *Libre de Meravelles*, cap. 82 (OE I, 447).

ciencia de las virtudes y los vicios en un proceso inductivo y
deductivo.

· Esas virtudes morales son reflejo de las virtudes divinas, que
para Llull no sólo son norma de obrar sino principios del
conocimiento. En otras palabras, los actos de la bondad divina
muestran el camino a seguir para actuar rectamente como
criatura y son también punto de referencia para la conducta
del hombre. Pero la bondad, grandeza, etc. divinas así como son
principios del buen obrar del hombre son a la vez principios
para el conocimiento de las cosas. Conociendo la esencia de las
dignidades y sus actos, conozco no sólo la estructura del orden
elemental, vegetal, etc. sino también la estructura del orden
moral. Las virtudes morales y su contrariedad con los vicios
son un camino para llegar al conocimiento de las virtudes
divinas y el conocimiento de éstas es la base del comportamiento
moral.

Que las virtudes y los vicios como principios del Arte son
fuentes del conocimiento es algo que LEIBNIZ no terminó de
comprender considerándolo un capítulo supérfluo de la combinatoria luliana ([42]). Es, sin embargo, un aspecto importantísimo
del Arte. En efecto, Dios se conoce y se demuestra por la mayor
contrariedad que existe entre los vicios y las virtudes ([43]). En
este *Liber mirandarum demonstrationum* se ejemplifica esta
argumentación ([44]), pero es, sobre todo, en el *Libre del Gentil*
donde se puede observar este modo de argumentar ([45]). Allí las
razones de los tres sabios se desenvuelven a través de combinaciones binarias entre vicios y virtudes. Así se puede observar
la importancia que daba Llull, especialmente en su fase cuaternaria, a esta forma de demostrar. Todo en el Arte se comple-
menta, y así son las virtudes una parte importante del Arte de
demostrar cuestiones.

---

(42) G.W. LEIBNIZ, *De arte combinatoria*, probl. II, 61, en: Opera philosophica
omnia, ed. Erdmann/Vollbrecht, Aalen 1959, pág. 22.

(43) "Quartus est, quando cum demonstratione intellectuali in speculativa
cognoscitur res intellectualis; quemadmodum Deus, qui significatur et de-
monstratur per majorem contrarietatem, quae est inter vitia et virtutes; quia si
Deus privaretur ipso esse, non esset tanta contrarietas inter vitia et virtutes,
quanta est: unde cum majoritas et esse conveniant, significatur per majorem
contrarietatem, quod Deus sit" *Liber mirandarum demonstrationum*, MOG II, Int.
V, pág. 2).

(44) Por medio de las virtudes prueba la encarnación y la trinidad: MOG II,
Int. V, págs. 190-192.

(45) Cf. OE I, 1047-1138. "Déus vol que hom sia bo en creure e en saber los
catorze articles, per los quals descorre la nostra sancta fe romana, de los quals
poràs, fill, haver coneixença en lo *Libre del gentil e de los tres savis*, en lo qual pots
conèixer les set virtuts, per les quals és hom bo com les ama; e en lo qual
libre són los set vicis, los quals fan hom mal com los ama". *Libre de meravelles*,
cap. LXI (OE I, 411).

La importancia de la temática "De uirtutibus et uitiis" queda claro observando, además de la literatura estrictamente artística, el resto de producción luliana. Casi podemos decir que no hay libro donde no se trate de alguna forma este tema.

En cuanto al orden y número de virtudes y vicios, además de lo dicho se puede anotar que, en cuanto a las virtudes, en los primeros años hay una tendencia clara a enumerar las teologales antes de las cardinales, mientras que hacia el final siempre se enumeran las cardinales antes de las teologales, como es norma en las obras aquí editadas.

Sobre todo en las obras que se pudieran considerar de carácter divulgador está presente la combinatoria de vicios y virtudes. Está formulada en esta temática todo el sentido y razón de ser de la acción vulgarizadora luliana desde la *Doctrina pueril* hasta la *Summa* que aquí nos ocupa. La acción luliana se centra en hacer comprender al hombre, cual es su natural obrar. La fe cristiana lleva consigo una moral que se expresa en las virtudes que el cristiano necesariamente ha de seguir y los vicios que necesariamente ha de evitar si quiere actuar consecuentemente como tal cristiano. La exposición de los diez mandamientos, siete sacramentos, la enseñanza de la oración (46) etc. está en función de ese programa de obrar virtuosamente y evitar los vicios.

---

(46) Así lo explica el cap. CV de *Libre de meravelles*, D'oració, en su comienzo: "Oració, fill - dix l'ermità -, és mijà per lo qual les virtuts de Déu influeixen lur semblança en les virtuts d'hom" (OE I, 482).

III

La Summa sermonum

El códice M inmediatamente después del *De operibus mise-ricordiae sermones* y antes del *Ars breuis de praedicatione* añade lo siguiente:

"Summa, quod (sic!) fecit Raimundus in ciuitate Maioricae. Centum octuaginta sermones. Anno MCCCXII incarnationis Domini" (f. 171v; cf. **207**, VII, 38-40)

Esta afirmación parece indicar que Llull concibió estas siete obras como un todo, donde cada una de las obras son una parte dándole el nombre de *Summa*. Pero además en su *Testamento* dice Ramon:

"Sermones autem ibi (i.e. Mallorca) scripti, quod perfeci et compilaui sunt in summa centum octuaginta duo" (¹).

Se enumeran allí una a una todas las obras compuestas en Mallorca en los meses anteriores limitándose a citar un *De uitiis et uirtutibus* sin nombrar para nada el resto de las obras que componen esta compilación, lo cual refuerza aún más la impresión que Llull mismo concibió estas obras como un corpus único.

---

(1) BOFARULL, pág. 454/20. Este autor transcribe erroneamente *illi* en lugar de *ibi*. He aquí el texto completo:

"De quibus quidem praedictis centum quadraginta libras et duos solidos, et etiam de omnibus aliis denariis, quos habebo tempore obitus mei, solutis inde pius legatis praedictis, uolo et mando, quod fiant inde et scribantur libri in pergameno in romancio et latino ex illis libris, quos diuina fauente gratia nouiter compilaui, uidelicet:

De uitiis et uirtutibus.

Et *De nouo modo demonstrationis.*

Et *De quinque principiis.*

Et *De differentia correlatiuorum.*

Et *De secretis sacratissimae trinitatis et incarnationis.*

Et *De participatione christianorum et saracenorum.*

Et *De locutione angelorum.*

Et *De uirtute ueniali et uitali et de peccatis uenialibus et mortalibus.*

Et *De arte abbreuiata sermonicandi.*

Sermones autem ibi scripti quos perfeci et compilaui, sunt in summa centum octoginta duo.

Item est ibi *Liber de sex syllogismis.*

De quibus quidem libris omnibus supra dictis mando fieri in pergameno in latino unum librum in uno uolumine, qui mittatur per dictos manumissores meos Parisius ad monasterium de Xarcossa, quem librum ibi dimitto amore Dei.

Item: Mando fieri de omnibus supra dictis libris unum alium librum in uno uolumine in pergameno scriptum in latino, quem dimitto et mando mitti apud Januam Misser Persival Espinola."

Bofarull cree que con estas palabras se refiere a otra obra que, según él, compuso Llull en octubre del año 1302. Se apoya para ello en una afirmación de Pasqual, quien dice que Llull compuso sermones en aquel año ([2]). También Delisle cree que esos ciento ochenta y dos sermones son una obra homilética perdida ([3])

Arias de Loyola (Tab. VII; Soto, pág. 59) y Juan de San Antonio (BUF 387) además del *Liber de uirtutibus et peccatis* y otras tres *Artes praedicandi* ponen entre las obras de Llull una con el título: *Sermones 180 ad expositionem doctrinae cristianae.*

A pesar de estas afirmaciones podemos dejar sentado con toda certeza que estos sermones no son una nueva obra luliana sino la reunión de los seis opúsculos más el *Liber de uirtutibus et peccatis* escritos por Ramon Llull entre los meses de octubre de 1312 y febrero de 1313. Sumados los sermones de estas obras dan efectivamente el número de 182 que se distribuyen así:

De sermonibus factis de decem praeceptis	10 sermones
Liber de septem sacramentis s. ecclesiae	7 sermones
Liber de Pater noster	8 sermones
Liber de Aue Maria	7 sermones
Liber de uirtutibus et peccatis	136 sermones
Liber de septem donis Spiritus sancti	7 sermones
De operibus misericordiae sermones	7 sermones
Summa sermonum	182 sermones ([4])

Apurando y sopesando cuidadosamente las referencias del *Testamento* vemos que esa unidad era ya intención luliana al declarar que "escribió, terminó y compiló" ciento ochenta y dos sermones. Dos veces utiliza Llull el verbo "compilar" (compilavi): La primera vez se refiere a las obras que él ultimamente había escrito y que quiere ver reunidas (compiladas) en un volumen, del que se enviará una copia a la Cartuja de Vauvert

---

(2) "*182 sermones*, octubre 1302 (ó abril 1311)". Bofarull, pág. 440/6. Cf. Pasqual I, 371, 372ss.

(3) "En dehors de ces neuf opuscules, qui tous appartient aux derniers temps de la vie de Raimond Lulle, le testament rapelle deux ouvrages, dont la composition devrait être plus ancienne: un recueil de 182 sermons et le livre des six syllogismes. Le recueil ne parait pas nous être parvenu; il ne figure pas sur les anciens catalogues des manuscrits de la Sorbone, et les bibliographes modernes n'en ont point parlé". L. Delisle, *Testaments d'Arnaud de Villeneuve et de Raimond Lulle*, 20 Juillet 1305 et 20 avril 1313, en: Journal des savants, Juin 1896, pág. 348.

(4) No esta de más recordar que el número 182 indica la mitad del año solar. 182 eran también los sermones de la primera redacción de la *Legenda aurea* de Jacobus de Voragine († 1298), dominico y arzobispo de Génova.

y otra a Perceval Spinola; la segunda vez es cuando hace
referencia a las siete obras homiléticas que parece suponer
reunidas (compiladas) ya en un volumen. Así se explica que
Llull no enumere esos opúsculos entre los libros que él quiere
ver compilados y traducidos pues ya los incluye bajo el título
general *De uitiis et uirtutibus*.

Es importante tomar en serio esta decisión luliana con todas
sus consecuencias. Un analisis interno de las obras nos da la
razón de que Llull consideró, en efecto, todos estos opúsculos:
(1) como un tratado de vicios y virtudes, (2) como una recopilación o *Summa* de sermones y (3) como un arte de predicar.
Por ello esta serie de ciento ochenta y dos sermones es cada
una de esas tres cosas y las tres cosas a la vez. Las indecisiones
de los catálogos responden a esta triple realidad sólo en apa-
rencia contradictoria.

El centro y punto de referencia de esta colección de sermones
es el *Liber de uirtutibus et peccatis*. En la introducción a esta
obra, que bien pudiera ser la introducción a toda esta *Summa*,
expone los elementos generales en que ha de moverse todo
sermón. Allí da importantes indicaciones aplicables a todos los
opúsculos. Como ya se ha visto a lo largo de esta introducción,
parece que la primera intención luliana fue dar una triple
normativa moral, homilética y catequética a traves de las
definiciones y combinaciones de las virtudes y los vicios. Quiso,
sin embargo, ofrecerla en las estructuras de educación popular
del pueblo cristiano exigidas en aquel tiempo adaptándose por
ello al orden y la estructura temática de las sumas de doctrina
cristiana en boga. De hecho a Llull no le interesa escribir un
tratado sobre los diez mandamientos, sobre el Padrenuestro,
etc. lo que pretende Llull con estos opúsculos es demostrar
como toda acción catequética y homilética se reduce a la
predicación de la filosofía moral tal y como él la concibe:
mostrar sciencia al poble, es decir, mostrar al pueblo la ciencia
de virtudes y vicios. Llull quiere demostrar que todo el movimiento de educación religiosa se lleva a buen término si se
comprende el centro y razón de su filosofía moral enraizado en
la estructura del Arte.

Esa intención de reducir toda predicación a mostrar las
ventajas de las virtudes y las desventajas de los vicios, del
camino de virtud y camino de pecado, se ve claramente exa-
minando los opúsculos que pudieramos denominar satélites del
gran *Liber de uirtutibus et peccatis*. En efecto el tema fundamental de ellos no son, como a primera vista pudiera parecer,
los temas enunciados – diez mandamientos, siete sacramentos,
etc. – sino la relación de éstos con las virtudes y los vicios. Lo
único que Llull pretende mostrar es que cualquier sermón sobre
un mandamiento de la ley de Dios, sobre una petición del
Padrenuestro, sobre una obra de misericordia, en una palabra,

sobre cualquiera de aquellos temas que se proponían en los sermonarios y obras de pastoral de su tiempo, son reducibles, es más, se han de reducir, a un sermón de virtudes y vicios.

Esta visión de sermonario luliano como una suma o unidad es decisiva para comprender la razón de ser de la introducción y de cada uno de los sermones y todas las indicaciones generales escondidas en ellos. Ramon Llull terminó viendo todas estas obras como una colección compacta donde cada uno de los opúsculos es como parte de un todo sin carácter independiente.

La transmisión de esta obra es buen testimonio de ello. Asi es natural que los catálogos muestren una gran indecisión a la hora de enumerar las obras de esta *Summa,* que ha llegado hasta nosotros reunida en un solo volumen. El orden propuesto por el códice M podría ser incluso el orden lógico propuesto por el mismo Llull al terminar la obra: M pone el *Liber de uirtutibus et peccatis* con su larga introducción al principio. Esa posición inicial fundamental del libro más extenso la recogen algunos catálogos que enumeran las obras de la *Summa* empezando por el *Liber de uirtutibus et peccatis.* Así Lo, Ot y Gl ordenan los sermones de la siguiente manera: "*Ars maior praedicationis* (Majorque, janv. 1313): 1. *Liber de uitiis et uirtutibus,* 2. *De septem sacramentis ecclesiae,* 3. *Sermones de decem praeceptis,* 4. *De septem donis Spiritus sancti,* 5. *Expositio super Pater noster,* 6. *Expositio super Aue Maria* y 7. *De operibus misericordiae".* Av y CA las distribuyen así: "1. *Liber de uirtutibus et peccatis seu Ars maior praedicationis,* 2. *Ars breuis praedicationis,* 3. *Sermones de decem praeceptis,* 3. *Liber de septem sacramentis ecclesiae,* 5. *Liber de septem donis Spiritus sancti,* 6. *Expositio super Pater noster,* 7. *Expositio super Aue Maria,* 8. *Liber de operibus misericordiae".* PLATZECK sigue el orden cronológico pero entre las obras compuestas en octubre del 1312 coloca el *Liber de septem sacramentis ecclesiae* antes del *Liber de decem praeceptis.* Además antepone el *Ars breuis de praedicatione* a los libros *De septem donis* y *De operibus misericordiae.* Para este cambio de orden no existe razón alguna.

Aqui seguimos el estricto orden cronológico que es la norma impuesta en las ROL, indicando, sin embargo, que hay razones para suponer que la ordenación propuesta por el códice M pudo haber sido querida por el mismo Llull. En efecto, Llull mismo apoya repetidas veces a lo largo de la obra ese orden (205, LVI, 73). En lo que se se refiere al orden de los primeros opúsculos el incipit del *Liber de septem sacramentis* indica de forma inequívoca que fue escrito después del *Liber de decem praeceptis* (Cf. 202, Prol. 5/8), así que tampoco en este caso hay que alterar el orden indicado por el códice M.

Cuatro meses después de su llegada a Mallorca comienza Llull a escribir la *Summa sermonum.* En el mes de octubre del año 1312 compuso los siguientes libros:

Sermones de decem praeceptis (op. 201)
Liber de septem sacramentis sanctae ecclesiae (op. 202)
Liber de Pater noster (op. 203) y
Liber de Aue Maria (op. 204).
En el mes de enero de 1313 terminó el *Liber de uirtutibus et peccatis* (op. 205), obra en la que trabajó tres meses.
En el mes de febrero del mismo año pone fin a la *Summa* con los opúsculos:
Liber de septem donis Spiritus sancti (op. 206) y
De operibus misericordiae sermones (op. 207).
La autenticidad de todas estas obras está fuera de toda duda, admítase o no el carácter de corpus o suma de sermones. Los explicits con lugar y fecha de composición en todas ellas son buena prueba de ello.
Vamos a tratar a continuación de cada una de estas obras estudiando primero las cuestiones de lugar y tiempo de composición, así como su recepción en los catálogos lulianos. En segundo lugar haremos una breve referencia a su contenido.

I. Obras escritas en el mes de octubre de 1312

1.1. *Liber de sermonibus factis de decem praeceptis*

Entre los catálogos antiguos sólo VILETA (núm. 88; ALÒS, pág. 79) y ARIAS DE LOYOLA (tab. XII; SOTO, pág. 59) citan este opúsculo. VILETA indica correctamente la fecha y el lugar de composición, mientras ARIAS DE LOYOLA no hace indicación alguna al respecto. JOHANNES A SAN ANTONIO (BUF 388) no hace más que repetir las indicaciones de ARIAS DE LOYOLA. SALZINGER (núm. 189) conoce esta obra pero pone el año 1302 como fecha de composición de la misma, lo cual pudo ser simplemente una errata de imprenta, y más tratándose de números romanos. Este lapso de SALZINGER lo repiten PASQUAL (I, pág. 241 y 371) y los autores de la HLF (núm. 229), que conocieron este opúsculo sólo a través de la cita del moguntino. He aquí la referencia de los otros catálogos y bibliógrafos lulianos más modernos: MAYER 207; LO IV, 51.3; PEERS, pág. 310, not.; OT 170.3; GL gd³; AV 182; WADDING-SBARALEA 334; CA 132; LLINARÈS 200; PLA 221; CRUZ HERNÁNDEZ 165; BLOOMFIELD 1168; BONNER IV. 60.
Esta fuera de toda duda que esta obra fue compuesta en el año 1312. Se deduce del *Testamento* de Ramon Llull y está claramente indicado en la cláusula final del opúsculo ([5]).

([5]) "Finiuit Raimundus librum istum, qui est de decem praeceptis, in ciuitate Maioricae, mense octobris ... anno incarnationis ... 1312". (Vid. infra pág. 30).

En la invocación de la obra se da el titulo de *Liber, qui est de sermonibus factis de decem praeceptis* y en la cláusula final *Liber, qui est de decem praeceptis*. Elegimos el título de la invocación en donde consta claramente el carácter homilético de la misma.

El libro consta de diez sermones dedicados a cada uno de los mandamientos del decálogo mosaico. El enunciado de los mandamientos es a la vez el título del sermón.

Llull habla de los diez mandamientos en numerosas ocasiones, sobre todo en los opúsculos de carácter divulgativo y catequético: *Doctrina pueril, Libre de orde de caualleria, Liber de clerecia*, etc. Llull sigue así una larga tradición, según la cual el decálogo ocupaba un lugar central en la instrucción cristiana elemental. Aquí sin embargo no se para Llull a hacer una explicación del texto bíblico aprovechando todas sus posibilidades homiléticas y de casuística moral sino que toma el decálogo como punto de partida para una fundamentación de sus ideas sobre la moral, que consiste para él, como ya hemos visto, en la sumisión voluntaria del hombre al fin natural de la creación tal y como se muestra en el orden de las dignidades divinas ad intra y ad extra. Todo el desarrollo de este opúsculo se centra en la definición de *praeceptum*, que implica un Dios creador y una criatura libre con capacidad de decisión. Ese Dios le da al hombre un mandato bueno, grande y verdadero, es decir, le indica el camino bueno, grande y verdadero a seguir. La obediencia, la sumisión incondicional y libre, a ese precepto significa la inserción del hombre en el proceso natural del orden establecido por Dios, al que, entre todas las criaturas, sólo el hombre puede oponerse. Entender y aceptar el primer precepto divino (sermón I) lleva consigo la aceptación de ese orden divino: el Dios uno y trino punto de partida de todo conocimiento y de toda moral. En el segundo mandamiento (sermón II) se reafirma esa inserción en la normativa divina como una exigencia de amar a Dios en exclusiva por encima de cualquier otra cosa, poner los intereses de Dios por encima de los intereses particulares. El tercer mandamiento (sermón III) insiste en esa necesidad de poner el orden divino por encima de todo ordenamiento humano. Con la exposición del cuarto y quinto mandamiento y en similar hechura (sermones IV y V) refuerza la necesidad de la obediencia a la preceptiva divina, obediencia del hombre, que, como criatura superior, implicaría la inserción de todo el mundo creado en ese ordenamiento divino, que la desobediencia del hombre ha perturbado. Esa desobediencia como destrucción del fin bueno, grande, etc. querido por Dios viene a ser un suicidio. Después de esta larga fundamentación teórica de grandes vuelos, es a partir del sexto mandamiento (sermón VI) donde Llull se centra en la temática de las virtudes y los vicios, razón última de toda la *Summa*. Este sexto sermón tiene como tema el pecado de lujuria y lo desarrolla en un estilo similar a como lo hará en el *Liber de uirtutibus et peccatis*. Insiste Llull, sin embargo, en un aspecto general de su definición de precepto: la libertad humana como razón de ser de toda la preceptiva divina. En el séptimo mandamiento (sermón VII) incluye Llull una dura diatriba contra prelados y principes que son los verdaderos y más peligrosos "ladrones" pues le roban o quitan a los bienes que poseen el verdadero fin que el orden divino les ha asignado. El octavo mandamiento (sermón VIII) es una interesante diatriba muy en consonancia con el tenor general del opúsculo: quien no sigue el orden establecido por Dios está levantando falso testimonio contra Dios, no creyendo ni entendiendo los artículos de la fe cristiana y sus morales implicaciones, y contra el prójimo, no cumpliendo la función que cada uno en sus tareas profesionales cumple en relación a la sociedad. Los sermones IX y X, aunque insiste en algunos aspectos generales de la preceptiva divina y la necesaria obediencia humana, se pueden considerar como dos sermones sobre el pecado de envidia en el estilo que encontraremos más adelante en la dist. IV del *Liber de uirtutibus et peccatis*.

1.2. *Liber de septem sacramentis sanctae ecclesiae*

En el catálogo de la VC (núm. 80), que enumera todos los libros escritos por Ramon Llull hasta el año 1311, figura un *Liber septem sacramentorum*. Esta es la razón por la que todos los catálogos posteriores citan un *Liber de septem sacramentis* entre las obras lulianas, aunque algunos expresan sus dudas acerca del mismo ([6]). Creemos que tanto el catálogo coetáneo, y con él los autores posteriores, se refieren a una parte del *Liber de disputatione fidelis et infidelis* que ya, probablemente antes del año 1311, figuraba como una obra independiente ([7]). Ésta es la razón por qué los autores de la HLF dan como códice más antiguo de este opúsculo el famoso *Electorium* (Paris, Bibl. Nat. lat. 15450) al cual añaden Lo, Av y otros los códices de Munich, Bayerische Staatsbibliothek, Clm. 10495, 10564 y 10576, de los

---

(6) BOVILLUS 38; ARIAS DE LOYOLA, tab. VII (SOTO, pág. 50). ANTONIO, 8, pág. 139: "*De septem sacramentis*; nisi error sit communis cum eo, qui Summam de sacramentis, quae s. Raymundi de Peñafort habet auctorem huic Raymundo nostro alicubi adscriptam uoluit". Lo mismo dice CUSTURER, pág. 633, y SOLLIER, pág. 77.

BUF 439: De septem sacramentis apud epitome Gesnerii, nisi error sit, aut D. Nicholaus Anthonius cum eo, qui Summam de sacramentis, quae s. Raymundi de Peñafort est, huic Raymundo nostro alicubi adscriptam. Sed Liber de septem sacramentis sub nomine Lulli habetur Barcinone in Schola, uti Loyola recenset".

(7) El catálogo de la VC (núm. 80. *Liber septem sacramentorum*) lo tomó también como obra aparte por figurar así en el *Electorium*.

cuales los dos últimos son copias del *Electorium*. Aunque es cierto que el *Electorium* y sus copias contienen una obra con el título *De septem sacramentis ecclesiae*, ésta no tiene nada que ver con el libro que aquí se edita como lo demuestra el incipit, el explicit, la estructura interna y la finalidad de la argumentación (⁸). No es extraño pues que los bibliógrafos modernos se hayan planteado la cuestión, si Llull compuso dos libros *De sacramentis*. Una cuestión totalmente supérflua después de examinar detenidamente los manuscritos alegados. En el margen superior del folio 595r en el códice parisino se lee además una nota de mano posterior que dice: "Probatio sacramentorum ex libro fidelium et infidelium"; y en el códice monacense 10564, fol. 1r, anotó una mano más reciente: "Libellus est fragmentum Disputationis fidelis et infidelis". Esta "probatio sacramentorum" o "libellus" es efectivamente la parte quinta del *Liber de disputatione fidelis et infidelis* (PLA 49; MOG IV, Int. VI, 34-40) (⁹).

---

(8) Cf. J. STÖHR, *Literarkritisches zur Überlieferung der lateinischen Werke Ramon Llulls*, en: EL I (1957) 45-61, pág. 47.

(9) Ms. Paris, nat. lat. 15450 (XIV):

f. 495ra: *In marg. sup. alia manu* Probatio sacramentorum ex Libro fidelium et infidelium. *Alia secunda manu* Hoc debet esse in glossa, quod dicitur in Arbore scientiae.

f. 495ra-496va: De sacramentis ecclesiae [= Liber de disputatione fidelis et infidelis. Quinta pars]:

Inc.: Septem sunt ecclesiae sacramenta, uidelicet: Baptismus, confirmatio, eucharistia, poenitentia, sacerdotium, matrimonium, unctio. Haec autem sacramenta probat catholicus uniuersaliter et particulariter. Et eodem modo obicit infidelis et particulariter reprobat illa.

Expl.: Et sic multiplicatur amor et timor, quos habent subditi erga suum regem, eo quia rex potest suis ministris uirtutem et potestatem suam communicare. Et sic manifeste patet, quod non ualet positio (sic).

Ms. München, Clm. 10564, Int. III (XVII):

f. 1r: Raimundi Lulli ex VII parte magna: De sacramentis ecclesiae. *Add. alia manu*: Libellus est fragmentum disputationis fidelis et infidelis. Finit f. 6. Ms ex Sorbona.

f. 2r: *Ad marg. sup.* VII pars magna.

ad marg. later. Hic debet esse in glossa, quod dicit in Arbore scientiae de sacramentis.

ad marg. inf. Ms ex Sorbonna.

f. 2r-6v: De sacramentis ecclesiae [= Liber disputationis fidelis et infidelis. Quinta pars]:

Inc.: Septem sunt ecclesiae sacramenta, uidelicet, Baptismus, confirmatio, eucharistia, poenitentia, sacerdotium, matrimonium et unctio. Haec autem sacramenta probat catholicus uniuersaliter et particulariter. Et eodem modo obiectat infidelis et particulariter reprobat illa.

Expl.: Sic multiplicatur amor et timor, quos habent subditi erga suum regem, eo quod rex potest suis ministris uirtutem et potestatem suam communicare.

Es pues evidente que Ramon Llull escribió una sola obra con el título *Liber de septem sacramentis sanctae ecclesiae* la cual integró en la *Summa sermonum* y terminó en el mes de octubre del año 1312. Esta obra se conserva en latín en un único códice.

VILETA (núm. 89) es de nuevo el único, entre los catálogos antiguos, que hace la reseña correcta de esta obra con fecha y lugar de composición. SALZINGER (núm. 185) se equivoca de nuevo en el año, como en la obra anterior, por defecto de lectura o errata de imprenta, indicando el año 1302 como fecha de composición. Siguiendo la cláusula final (pág. 50) queda fuera de toda duda que esta obra fue compuesta en Palma de Mallorca en octubre de 1312. He aquí la referencia de los catálogos y autores modernos: PASQUAL I, pág. 313, 373; II, 210; HLF 231; Lo IV, 51.2; PEERS, pág. 362, not.; OT 170; GL gd²; Av 183; WADDING-SBARALEA; CA 133; LLINARÈS 199; PLA 220; CRUZ HERNÁNDEZ 164; HILLGARTH, pág. 340; BONNER IV.61.

La obra se divide en siete partes, tantas como sacramentos hay, que Llull ordena, al parecer, de la siguiente forma:

Sacramenta	generationis	spiritualis:	Sermo I: De baptismo
		corporalis:	Sermo II: De matrimonio
	confortationis	per augmentum:	Sermo III: De confirmatione
		per nutrimentum:	Sermo IV: De eucharistia
	institutionis:		Sermo V: De ordine presbyteri
	reparationis	curationis:	Sermo VI: De poenitentia
		restitutionis:	Sermo VII: De extrema unctione

Es esta división poco frecuente en la historia de la teología.

Et sic manifeste patet, quod non ualet propositio
   f. 6v: *Ad marg. inf.* Explicit f. 497 verso.

Ms. München, Clm. 10576 (XVIII):
   f. 66r: *Ad marg. sup. ra* Incipit fol. 495 verso. Explicit fol. 497 recto.
      Ad marg. sup. rb Hoc debet esse in glossa, quod dicitur in Arbore scientiae De sacramentis.
      Ad marg. later. In manuscrits Cotte 542 on y voit de quelle manière il est possible le corps de notre Seigneur Jésus-Christ soit en un même temps en de plusieurs lieux. Voyez le traité: Quae lex sit magis bona, Cott. f. 541 verso, 433 recto.
   f. 66r-69v: De sacramentis ecclesiae [= Liber de disputatione fidelis et infidelis. Quinta pars]
   Inc. et Expl. ut supra.

Llull, salvo en los primeros años que sigue la clásica enumeración de Pedro Lombardo, la adoptó siempre con alguna variante (poniendo el matrimonio antes del bautismo).

Los siete sacramentos son un tema muy repetido por Llull pues son, juntamente con los artículos de la fe y los diez mandamientos, "principalia" o "fundamenta s. Ecclesiae". Sobre ellos habla ampliamente en *Doctrina pueril* ([10]), *Hores de santa Maria* ([11]), *Hores de nostra Dona* ([12]), *Disputatio fidelis et infidelis* ([13]), *Liber de quadratura et triangulatura circuli* (Pla 95) ([14]), *Disputatio Raimundi et Homeri saraceni* ([15]), *Liber de clerecia* ([16]), etc. En el tratado que nos ocupa llama la atención el papel preponderante del presbítero u obispo como *instrumentum* de los sacramentos. La misma definición que da al principio de la obra indica el carácter central del ministro como instrumento de Jesucristo en el concepto luliano de sacramento. No es extraño pues que durante la obra se repitan las exhortaciones al presbítero para que tome conciencia de su importante función como mediador (p.e. II, 69/73 y VI, 58/62). En consonancia con la temática general de esta *Summa* a este ministro le corresponde ser un ejemplo de virtudes para todo el pueblo cristiano como digno instrumento de Cristo ([17]). Entre todos los tratados de esta *Summa* es éste el que con toda claridad se dirige a la instrucción del estamento clerical como ministro del sacramento y no al pueblo como receptor del mismo.

EXCURSO: EL APÓCRIFO *LIBER DE DECEM PRAECEPTIS, QVATTVORDECIM ARTICVLIS ET SEPTEM SACRAMENTIS ECCLESIAE.*

En los catálogos lulianos figura desde PROAZA un *Liber de decem praeceptis, quattuordecim articulis et septem sacramentis*

Liber de disputatione fidelis et infidelis. Pars Quinta: De sacramentis, ed. lat. MOG IV, Int. VI, págs. 24-40.

Nótese que el fragmento aducido, a pesar de las referencias marginales, no tiene nada que ver con lo que se dice de los sacramentos en el *Arbor scientiae*: Cf. *Liber de arbore scientiae*, pars V: De foliis arboris apostolicali: primus modus: Septem sacramenta ecclesiae. Ed. lat., Barcelona 1482, f. 84rb-84va (RD 5). Ed. cat., ORL XII, 21-32; OE I, 680-684.

(10) Caps. XXIII-XXIX, ed. cit., págs. 78-88.

(11) Parte VI: De Vespres, psal. 36-42 (ORL X, 273-280).

(12) ORL XIX, 191-195.

(13) Pars quinta: De sacramentis (MOG IV, Int. VI, págs. 34-40).

(14) Pars VIII: De principiis theologiae significatis per octauum circulum (Clm. 10510, 26v-27v).

(15) Pars II: De XL signis verae legis, cap. II (MOG IV, Int. VII, págs. 38s.).

(16) Pars III: De VII Ecclesiae sacramentis (ORL I, 336-347).

(17) "(Presbyter) oportet fore cappatum et indutum virtutibus" (VII, 24/25). De ahí que para Llull "Ordo presbyteri est generalis ordo omnibus aliis ordinibus sacramentalibus" (V, 32/33).

ecclesiae ([18]). Se trata de un apócrifo luliano escrito probablemente en Valencia en el año 1327 tal y como indican la mayoría de los manuscritos en el colofón. Los códices de San Candido y Wolfenbüttel ponen lugar y fecha distintos. RUBIÓ (págs. 323-324) quiere ver como "muy probable que la estancia en Salamanca fuera inventada para ennoblecer las enseñanzas de Llull con el prestigio de aquella universidad tan famosa en el siglo XV". La explicación pudiera ser más simple, puede tratarse de una fácil confusión de un copista que escribe "in urbe salmantina" por "in urbe ualentina"; la fecha 1314 sería una lógica corrección de un lulista versado en la biografía de Llull, que quiso poner esta obra en vida del autor.

En la Biblioteca de Cisneros se conservaba un ejemplar de esta obra, lo cual indujo a PROAZA a incluirlo en su catálogo. Siguiendo a PROAZA lo incluyen numerosos catálogos posteriores con las significativas omisiones de SALZINGER y PASQUAL ([19]). PROAZA lo titula *Liber de praeceptis ... per modum contemplationis* que es una clara indicación del estilo de la obra, que imita sin elegancia al *Liber de contemplatione* (PLA 2). El libro es una larga oración de alabanza a Dios recorriendo el triple tema con un uso abusivo de vocativos, atributos y exclamaciones piadosas. PERARNAU se ocupó de esta obra al presentar el

_____

(18) *Inc.*: (Inv.) Ad adorandum et inuocandum te Deum meum aggreditur seruus tuus hoc opusculum, in quo decem legis praecepta et quattuordecim articulis fidei catholicae cum septem sacramentis ecclesiae continentur.
    (Texto) Omnipotens Deus, benedictum sit esse tuum singulare in bonitate, magnitudine, duratione, potestate, sapientia et uoluntate siue amore, uirtute, ueritate, gloria et perfectione. Tua summa bonitate motus fuisti dare legem populo tuo israelitico per manum Moysi serui tui, sub qua lege ...
    Expl.: ... iterata reciperet, qui semel recepisset.
    Gratias et laudes ago tibi domine Deus ego seruus tuus et filius ancillae tuae expleto libro isto subueniente gratia tua ad honorem, gloriam et laudem tuae summae unitatis indiuisibilis et tuae simplicis trinitatis personalis ac mirabilis incarnationis tuae, Filii Dei incarnati.
    In urbe Valentina [Salamantina: San Candido; Salmantina: Wolfenbüttel] anno ab incarnatione Domini 1327 [1314: San Candido y Wolfenbüttel] in mense aprilis, qui fuit inchoatus in mense martii. In quo libro, domine Deus, tria compendia continentur ... benedicendum et tibi per infinita saeculorum saecula. Amen.
    Mss.: Barcelona, Bibl. de Catalunya 2022 (XV), fols. 3r-96r; København, Kong. Bibl., Ny Kgl. Samling 638 (a. 1427), fols. 9r-96v; Montserrat, Bibl. del Monastir, ms. 1 (el llibre vermell) (XV), fols. 93v-118v; San Candido/Innichen, Stiftsbibliothek, VIII.b.13 (XV), fols. 27v-43v; Vic, Museu Episcopal, 35 (XV), fols. 13r-105v (faltan doce folios iniciales, el comienzo corresponde a København, fol. 11v, última línea); Wolfenbüttel, Herzog-August-Bibliothek, 83.17 Aug. 2° (2851) (XV), fols. 149r-175v.
    (19) PROAZA 155; Biblioteca Cisneros 66; Ambrosiana 157; DIMAS DE MIGUEL 154; ARIAS DE LOYOLA 196, 249; WADDING-*Scriptores* 159; ANTONIO/CUSTURER/ SOLLIER 165; BUF 441; LO XII/14; OT dud. 28; GL iw; WADDING-SBARALEA 140; BLOOMFIELD 3658.

manuscrito de Vic (²⁰) y habla de una "preocupación catequética" en este tratado que, según él, encaja perfectamente en el lulismo valenciano del siglo XIV. La expresión "preocupación catequética" es un término sumamente elástico e indeterminado, que no cabe duda está ya expresado en el mismo título, sin embargo se puede dudar del origen valenciano de la obra en cuestión considerando que fue escrito en latín, lo cual no parece estar muy en consonancia con el afán vulgarizador del lulismo valenciano del trescientos. La extensión de la obra y el estilo de exhortación espiritual refuerza aún más esa impresión.

1.3. *Liber de Pater noster*

El *Liber de Pater noster* aparece reseñado en todos los catálogos lulianos a partir del siglo XVI. De nuevo es VILETA (núm. 89) el único que da lugar y fecha de composición con toda exactitud. El resto de los catálogos empezando por PROAZA (núm. 131) lo presentan con un incipit distinto: "Quum oratio, quam dominicam vocamus". Esto podría hacer pensar que Ramon Llull escribió otro libro sobre el Padrenuestro con este incipit y que no ha llegado hasta nosotros. Así se explicaría también por qué aparecen en los catálogos títulos tan variados que podrían hacer referencia al libro que aquí publicamos, a saber: *Alius liber de eadem materia* (sc. oratio dominica) (²¹), *Gemina expositio orationis dominicae* (²²), *Duplex expositio orationis dominicae* (²³), *Liber alius de eodem* (²⁴). Por su parte JOHANNES A S. ANTONIO llega a enumerar no sólo dos, sino incluso tres libros lulianos sobre el Padrenuestro: el primero es el que aquí editamos, y lleva el título *Liber super orationem dominicam*, anotado con su correspondiente incipit: "Cum Iesus Christus"; otro lleva el título *Liber alius super orationem dominicam*, con el incipit de PROAZA; el tercero se titula *Liber de Pater noster dictus ab eius bina expositione* un nuevo título que viene a resultar de los dos anteriores (²⁵). Ni éste ni los títulos anteriores con sus incipits se encuentran entre las obras lulianas que han llegado hasta nosotros. El porqué de una tal prolife-

---

(20) J. PERARNAU, *Un manuscrit lul.lià no identificat. Vic, Museu Episcopal, 35*, en: Analecta Sacra Tarraconensia 46 (1973) 71-82, págs. 71-78. Cf. también del mismo autor, *El diàleg entre religions en el lul.lisme castellà medieval*, en: EL 22 (1978) 241-259, pág. 250.

(21) PROAZA 132. Del mismo modo: Ambrosiana 133, ANTONIO/CUSTURER/SOLLIER 161.

(22) DIMAS DE MIGUEL (SOTO, pág. 65).

(23) Biblioteca de Poblet 35 (ALÒS, 36, pág. 87).

(24) ARIAS DE LOYOLA, tab. VII: Duplex expositio orationis dominicae. Populeti, Maioricae (SOTO, pág. 51). Cf. ANTONIO/CUSTURER/SOLLIER 162.

(25) Cf. BUF 271, 272 y 278.

ración de libros sobre el Padrenuestro en los catálogos lulianos y el origen del incipit de PROAZA son cuestiones difíciles de explicar. Se podría tratar de partes de alguna obra original o atribuída aunque también pudiera tratarse de una obra distinta nacida en los círculos lulianos posteriores y que no ha llegado hasta nosotros.

He aquí las referencias de los otros catálogos y autores más recientes: MAYER 171; SALZINGER 153; PASQUAL I, pág. 313; HLF 233; Lo IV, 51.3; OT 170.3; GL gd⁵; Av 185; CA 135; LLINARÈS 201; PLA 222; CRUZ HERNÁNDEZ 166; BLOOMFIELD 8139; BONNER IV.62. Todos estos citan, en su mayoría, una sola obra con el título *Expositio super Pater noster*. Lo presentamos aquí con el título *Liber de Pater noster* pues así aparece en la invocación de la obra. Fue compuesto por Ramon Llull en Palma de Mallorca en octubre de 1312. Así consta en el explicit (pág. 78).

En cuanto a la construcción interna de la obra basta citar la indicación del mismo Llull: "Diuiditur liber iste in octo partes, quae sunt ipsius orationis de Pater noster; et quaelibet pars est thema et sermo siue praedicatio"(²⁶). Las ocho partes que él propone se distribuyen de la siguiente manera:

Sermo I: Pater noster, qui es in caelis
Sermo II: Sanctificetur nomen tuum
Sermo III: Adueniat regnum tuum
Sermo IV: Fiat uoluntas tua, sicut in caelo et in terra.
Sermo V: Panem nostrum cotidianum da nobis hodie
Sermo VI: Et dimitte nobis debita nostra, sicut et nos dimittimus
        debitoribus nostris
Sermo VII: Et ne nos inducas in tentationem
Sermo VIII: Sed libera nos a malo

Hay pues un sermón dedicado a la invocación y uno por cada una de las siete peticiones, con lo que resultan por ello ocho sermones en lugar de siete como en la gran mayoría de estos tratados. El primer sermón es una fundamentación cristológica de la moral cristiana: como el acercamiento al Padre se hace a través de la humanidad del Hijo es necesario estar libre de pecado para participar con él y seguir su ejemplo de uirtudes. De ahí que el segundo sermón proponga un programa de santificación a través de las virtudes, lo cual implica además el mandamiento de predicar a los infieles. Al hablar en el tercer sermón del reino divino, lo define como un reino de virtudes con lo cual Llull se mete de lleno en la temática que es base de toda la *Summa*. El cumplimiento de la voluntad divina (sermón IV) se identifica con la obediencia al orden natural

---

(26) Cf. Prol., 15/17.

expuesto en el primer sermón; la predicación de las virtudes al pueblo es el camino para conseguir que todos se decidan por ese camino de sumisión a las dignidades divinas. En el resto de los sermones se toma como base el Padrenuestro para desarrollar la temática de vicios y virtudes: Jesucristo es pan cotidiano sólo para el virtuoso y no para el vicioso (sermón V); la vida virtuosa, que estamos obligados a seguir, es nuestra deuda con el prójimo, por eso sólo se nos perdonará la deuda, si seguimos una vida de virtudes; la función del predicador es animar al pueblo a este camino que comporta la salvación de todos, pues el vicioso se endeuda doblemente con Dios (sermón VI). La tentación es un consejo contra la prudencia y, como tal, en contra de la recta obediencia al bien superior y a favor del mal inferior (sermón VII); así, entendiendo el sentido y fin de nuestra vida, vencemos toda tentación que quiera imponer un vicio en nuestro comportamiento moral. Pedimos a Dios que nos libere del mal (sermón VIII), ese mal son los vicios, y las virtudes son los instrumentos para vencerlo; nos libramos del mal entendiendo como a través de los sentidos llega el mal hasta nosotros.

Este opúsculo muestra a las claras, como toda la *Summa* pudo ser titulada por Llull en su testamento: *De uitiis et uirtutibus*. Todos los opúsculos buscan aclarar el mismo tema.

1.4. *Liber de Aue Maria*

Este opúsculo es el último de los escritos lulianos del mes de octubre de 1312 (cf. clausula final, pág. 102). No se ha de confundir con el *Liber de Aue Maria* compuesto por el abad Blaquerna y que aparece en los capítulos 61-66 del *Libre de Blaquerna* ([27]). Tampoco se ha de confundir con el *Libre de sancta Maria* ([28]), compuesto en Roma por los años 1290-92 y que aparece en el catálogo de la VC con el título de *Liber beatae Mariae* ([29]). Por lo demás esta obra no ofrece desde el punto de vista bibliográfico problema alguno. Es también VILETA (núm. 90) el primero que lo reseña con toda exactitud. Luego lo citan desde ARIAS DE LOYOLA (Tab. VII; SOTO pág. 51) los catálogos y autores siguientes: ANTONIO / CUSTURER / SOLLIER 163; MAYER 155; SALZINGER 39; BUF 279; PASQUAL I, pág. 313, 373; Lo IV, 51.3; PEERS, pág. 362, not.; OT 170.3; GL gd[6]; Av 186; WADDING-SBARALEA 138; CA 136; LLINARÈS 202; PLA 223; CRUZ HERNÁNDEZ 167; BONNER IV.63. Sólo SALZINGER al asignar el lugar de composición duda entre Mallorca y Messina afirmando que

---

(27) ORL IX, 210-239.
(28) PLA 60. Ed. cat. ORL X, 3-228 y OE I, 1155-1241.
(29) Núm. 17 (ROL VIII, pág. 305).

en uno de los manuscritos vistos por él se lee Messina (³⁰). Parece
que éste leyó en algún manuscrito *Messana* por *Maioricarum*
pues los tres códices que han llegado hasta nosotros, y no parece
que Salzinger conociera otros, escriben todos con claridad *Maioricarum*.

Llull hace aquí siete sermones tomando como tema las palabras dirigidas por el ángel Gabriel a María sacadas del evan-
gelio de la infancia de Jesús (Lc. 1, 28, 35, 42): I. Ave Maria, II.
Gratia plena, III. Dominus tecum, IV. Benedicta tu in mulieribus,
V. Et benedictus fructus ventris tui, VI. Spiritus sanctus super-
veniet in te, y VII. Et virtus altissimi obumbrabit tibi.

La oración del Ave María se generalizó en la Iglesia relativamente tarde. Es precisamente a finales del siglo XIII y
primeros del XIV cuando los sínodos eclesiásticos exhortan a
los clérigos a enseñar y a rezar con los fieles, además del Credo
y el Padrenuestro, el Avemaría (³¹). A lo largo de esta *Summa*
vemos como Llull, al comienzo de cada sermón, exhorta a los
fieles a rezar esa oración, así como al final pide se rece un
Padrenuestro. Como bien se sabe, la segunda parte del Avemaría,
en donde el saludo del ángel se transforma en petición a Santa
María, es una adición posterior, así no puede extrañar que falte
en este sermonario. En tiempos de Llull el Avemaría, la salutación angelica, solía terminar con una breve invocación: "Sancta
Maria, ora pro nobis". Asi vemos que en los capítulos del
Blaquerna dedicados al Avemaría el comentario se desarrolla
en cinco partes más una dedicada al "Sancta Maria, ora pro
nobis" (cf. cap. 66). En este opúsculo termina Llull con un
"Amen" los cinco sermones dedicados a la salutación angélica y
saludo de Isabel (Luc. 1, 28, 42) como queriendo indicar el fin
de los sermones dedicados a la oración mariana. Para completar
el número siete añade otros dos sermones tomados también de
la salutación angélica (Luc. 1, 35) y que no se encuentran en
ninguno de los comentarios de aquel tiempo.

La razón por la que el cristiano ha de conocer esta oración
está para Llull fundamentada en el hecho de que "per salutationem facta est incarnatio Filii Dei". De ahí se sigue que el
primer sermón comience con una concisa exposición de la
intención principal querida por Dios al encarnarse: "exaltatio
mundi", "recreatio in cruce" y "glorificatio hominis". Y ya que
la encarnación se hizo por el saludo del ángel Gabriel a María,
se sigue, según Llull, que el hombre está obligado con justicia,
prudencia y las otras virtudes a dirigir sus cuidados y esfuerzos
para que den reverencia y honor, es decir, comprendan la

---

(30) SALZINGER 39.
(31) Cf. TH. ESSER, *Geschichte des englischen Grußes*, en: Historisches Jahrbuch 5
(1884) 88-116.

salutación angélica. Por eso el hombre pecador entregado a los vicios no puede comprender ni acercarse a esta oración ni participar en los frutos de esta salutación. Desde el comienzo y así en todos los sermones busca Llull la manera de introducir la predicación de las virtudes y los vicios. En el segundo sermón se explica la plenitud de gracia de María, por cuya grandeza todos aquellos que quieran saludarla "debent uerba proferre cum magnitudine sanctitatis" teniendo que evitar todos los vicios si quieren participar de esa gracia. En el tercer sermón se habla del "Dominus" que está con María, que es mayor hombre que todos los hombres juntos; para hacerle honor hay que huir de los vicios que muestran en su contrariedad con las virtudes el inmenso abismo que separa al hombre pecador del Señor de quien el ángel dice que está con María. Bendita es María por encima de todas las mujeres (sermón V) por su entendimiento y su voluntad, ella es "mater generalis omnibus bonis mulieribus", pero, es bendita sobre todas las mujeres porque su justicia, que es buena, hace buena todas las justicias de las mujeres, y así su prudencia y todas las demás virtudes. Por ello las mujeres "uestidas" de vicios no pueden participar de la mujer más buena si no cambian sus vicios por las virtudes contrarias. El sermón quinto se refiere a Jesucristo, fruto del vientre de María, que sólo puede fructificar y dar la vida eterna a los que siguen el camino de las virtudes. Los dos últimos sermones son una exaltación de las virtudes de María sobre la cual descendió el Espíritu Santo y el Altísimo protegió.

2. El Liber de virtvtibvs et peccatis ó Ars maior praedicationis

Fue mucha la confusión e imprecisión que reinó en los catálogos lulianos en cuanto al título, al incipit y al número de sermones de esta voluminosa obra terminada por Llull en Palma de Mallorca en el mes de enero de 1313 (cf. explicit, pág. 431). Algunos la confundieron con el *Liber de predicatione* compuesto en el mes de diciembre de 1304, otros la reseñan con el incipit del *Ars breuis de praedicatione*, otros, en fin, se equivocan dando un número de sermones arbitrario.

Esa confusión está ya en el origen de la obra y fué Llull mismo quien dio pie a este enredo. Como ya hemos visto: (1) Llull mandó juntar este libro con los otros opúsculos homiléticos compuestos antes y después, dándole un título único: *De uitiis et uirtutibus* ([32]). Título, por cierto, que no parece relacionarse con el carácter homilético del tratado. Por una parte le da un

---

(32) Vid. supra pág. LV, not. 1.

tratamiento especial de obra independiente y por otro la une o manda unir a otros opusculos homiléticos compuestos por las mismas fechas. (2) Esta ambigüedad como tratado moral y, a la vez, como sermonario ya va expresada al presentar la obra dándole una doble división sistemática por capítulos y otra serial por sermones. (3) En el *Ars breuis de praedicatione*, compuesta inmediatamente después de este corpus, que venimos llamando *Summa sermonum*, como resumen y colofón de la misma, se cita esta obra como fuente de esa *Ars breuis* bajo los titulos de *Ars magna praedicationis* ó *Ars maior praedicationis*. (4) En la tradición manuscrita aparece también como *Liber de praedicatione*, *Liber de uirtutibus et peccatis*, *Ars magna praedicationis* y *Ars maior praedicationis* en confusión constante con el *Liber de praedicatione* (op. 118) [33]. Y, (5) para remate, una de las tres distintas redacciones latinas del *Ars breuis de praedicatione* se anuncia: "Cum haec sit Maior ars praedicationis" [34], lo que origina una nueva confusión.

Para resolver estas confusiones trataremos primero de los catálogos antiguos y más recientes para explicar las razones de los diferentes títulos con que aparece esta obra.

2.1. *El* Liber de uirtutibus *en los catálogos lulianos*

Los siguientes catálogos y autores citan este libro: Testamento de Ramon Llull (BOFARULL, pág. 454/20); Inventario 1 de la Escuela Luliana de Barcelona de 1466, núms. 61 y 62 (BOFARULL pág. 467/33); Inventario 2 de la misma Escuela de 1488, núm. 62 (BOFARULL, pág. 472/38); PROAZA 249; Ambrosiana 255; DIMAS DE MIGUEL 248; WADDING-*Scriptores* 187; VILETA 83; ANTONIO 166; CUSTURER/SOLLIER 193; MAYER 223; SALZINGER 202; BUF 382; PASQUAL I, págs. 315, 373; HLF 247; Lo IV, 51 y 51.1; PEERS, pág. 363; OT 170.1; GL gd y gd¹; WADDING-SBARALEA 141, 165/67; CA 130; DÍAZ 1902; LLINARÈS 203; PLA 225; CRUZ HERNÁNDEZ 169; BLOOMFIELD 1106, 1241; BONNER IV.65.

Todos estos catálogos reseñan este libro correctamente, aunque con diferentes títulos, con la sola excepción de PROAZA, Ambrosiana, DIMAS DE MIGUEL, WADDING-*Scriptores* y JOHANNES A S. ANTONIO (BUF) que reseñan una *Ars praedicandi maior*, con un incipit que se refiere con toda seguridad al *Liber de praedicatione* de 1304 (op. 118) [35].

---

(33) Cf. Rol III, págs. 29-31 y los títulos de las págs. 107-8 de este volumen.

(34) Mss. M V Q A M₂. La publicación de esta obra y la correspondiente explicación de las tres diferentes redacciones en ROL XVIII de próxima aparición. Cf. BLOOMFIELD 1106.

(35) PROAZA 249: *Ars praedicandi maior. Inc.* Cum praedicatio; Ambrosiana 255; DIMAS DE MIGUEL 248 (SOTO, pág. 66).

Nicolás Antonio es el primer autor que cita este libro dándole
el título correcto de *Liber de uirtutibus et peccatis* con su
correspondiente incipit. Curioso es que cuando presenta las tres
Artes praedicandi no figura esta obra entre los "Libri praedi-
cabiles"(³⁶). Para Nicolás Antonio pues no tiene este libro el
carácter de obra homilética que le es propio. Lo mismo puede
decirse de los catálogos de Custurer/Sollier (núm. 193) y
Johannes a s. Antonio. Entre los modernos, Gl (gd) da el
título de *Ars maior praedicationis* a la colección de todas las
obras homiléticas indicando como incipit "Cum haec sit Maior
Ars praedicationis", que, como se ha indicado más arriba, es el
comienzo de una de las tres versiones latinas del *Ars breuis de
praedicatione*. Wadding-Sbaralea confunde y mezcla el *Liber
de praedicatione* (op. 118) con este *Liber de uirtutibus et peccatis*
y el *Ars breuis de praedicatione*. Cosa parecida le ocurre a Díaz
y Díaz, aunque ha de advertirse que de los códices que él alega
sólo dos, Clm. 10495 y 10587, contienen el *Liber de uirtutibus
et peccatis*: Los códices Paris nat. lat. 15450, München, Clm.
10564 y 10576, como ya hemos indicado, contienen un *De
sacramentis* que es la quinta parte del *Liber disputationis fidelis
et infidelis* y el códice Borg. lat. 91 nos da sólo un fragmento
del *Liber de praedicatione* (op. 118).

2.2. El título

Como se indica en su lugar (págs. 107s.) encontramos en los
catálogos y obras que citan este libro luliano hasta veintitrés
títulos diferentes. Está claro que muchos de estos títulos son
lecciones variantes del título original, otros dependen de la
triple tradición del *Ars breuis de praedicatione*. Con todo, esta
multiplicidad de nombres depende en gran parte de Llull mismo;
en efecto Ramon en el prólogo lo titula *Liber de uirtutibus et
peccatis* dándole ya a lo largo de la obra y al final otros títulos
diferentes. Un mes más tarde al escribir el *De operibus misericordiae* ya le da el título de *Ars maior praedicationis*(³⁷). Meses
más tarde en el *Ars breuis de praedicatione* lo cita bajo el doble
título de *Ars magna praedicationis* y *Ars maior praedicationis*
para diferenciarlo de la *Ars breuis* que se propone escribir.
Título que recoge tambien su *Testamento* firmado aquel mismo
año.

Los autores modernos lo citan indistintamente como *Liber de
uirtutibus et pecatis* ó *Ars maior praedicationis*. El fallecido coedi-
tor de este tomo en su edición del *Liber de praedicatione* del año
1304 dice que no se le puede dar el título de *Ars* pues no se

(36) Antonio 166: *Liber de uirtutibus et peccatis.* Maioricae anno MCCCXII. *Inc.*
Cum sit multum mirandum.
(37) Op. 207, Serm. VII, lin. 28.

trata esta obra de un arte de hacer sermones en sentido estricto sino sólo de una serie de sermones ejemplares([38]). En vista de la proliferación de títulos nos parece oportuno conservar el título original primitivo *Liber de uirtutibus et peccatis* añadiendo el título *Ars maior praedicationis* que el mismo Llull creyó oportuno darle posteriormente. Título este último adecuado a la obra pues pretende ser a la vez un tratado de moral y una colección o muestrario de sermones reflejo de una concepción luliana de la predicación. De hecho toda la obra esta sembrada de indicaciones teóricas sobre el modo o arte de hacer sermones.

2.3. El número de los sermones

Es curioso que en la división del *Liber de uirtutibus et peccatis siue Ars maior praedicationis* todos los códices coinciden en la indicación de que el libro se divide en ciento ocho capítulos, tantos como sermones allí se contienen([39]). La obra sin embargo tiene ciento treinta y seis capítulos o sermones. Este número de sermones corresponde perfectamente a la distribución interna de la obra propuesta por Llull y se adapta matematicamente a la combinación de virtudes y vicios que él se había propuesto. Según esa combinación el libro no podría tener ni más ni menos de ciento treinta y seis capítulos o sermones.

En efecto el libro se divide en cinco partes o distinciones. En la primera se contienen ocho sermones correspondientes a las ocho virtudes. En la segunda ocho sermones que corresponden a ocho pecados o vicios. En la tercera parte se mezclan las ocho virtudes entre sí; mezcla de la que resultan veintiocho sermones. En la cuarta se procede del mismo modo con los vicios o pecados mortales resultando otros veintiocho sermones. En la quinta y última parte se comparan cada una de las virtudes con cada uno de los vicios o pecados de cuya combinación resultan sesenta y cuatro sermones. La suma de las cinco partes, 8 + 8 + 28 + 28 + 64, da como resultado ciento treinta y seis sermones.

No deja de ser curioso observar como los manuscritos de la *Ars breuis de praedicatione* dan diferentes cifras equivocadas, 108, 130 o 186([40]), atribuible a que o bien dieron fe a la cifra

---

(38) ROL III, pág. 31.
(39) Cf. op. **205**, Prol., 184/185.
(40) *Ars breuis de praedicatione*, Prol.:
   in qua CLXXXVI sermones existunt, Ms. L S C
   in qua CLCLXXXVI (*sic!*) sermones existunt, Ms. F
   in qua centum et octuaginta sex sermones existunt L_2
   in qua centum et octo sermones existunt L_5
   in qua centum triginta sermones existunt L_6
Cf. Lo: De juillet 1312 à avril 1313 il trouva en effet le moyen de rédiger divers opuscules: un manuel de prédication, une compilation de 150 sermons (DThC, XI, 1087).

equivocada propuesta en la misma división del libro, o bien confundieron el *Liber de praedicatione* con el *Ars Maior praedicationis*, o quizá, por último, atribuyeron al *Liber de uirtutibus et peccatis* todos los sermones de la colección completa compuesta además por los otros seis opúsculos.

2.4. *Lugar y tiempo de composición*

No hay razón alguna para dudar de las indicaciones del explicit de la obra segun las cuales fue terminado en Mallorca en enero del año 1313 (1312 ab incarnatione). Todos los manuscritos y catálogos son unánimes en este punto a excepción de SALZINGER y BOFARULL. SALZINGER pone como fecha el año 1310 sin alegar razón alguna ([41]). BOFARULL (pág. 439/15) afirma que esta obra fue compuesta en el año 1275, porque confunde la obra *De uirtutibus et uitiis*, que PASQUAL (I, pág. 137) refiere como compuesta en el año 1275, con este *Liber de uirtutibus et peccatis*. PASQUAL por su parte no sólo reseña esta obra según su verdadero tiempo de composición sino que se para a describirla ampliamente (Ib. págs. 313ss.). Haciendo, sin embargo, referencia al ya citado *Libro de Blaquerna* (cap. 93, 2) ([42]) cree PASQUAL en la existencia de un *Liber de uirtutibus et peccatis* escrito antes del año 1275. Curiosamente esta referencia a un libro *De uirtutibus et uiciis* escrito en Mallorca después del *Blaquerna* aparece por primera vez en la edición valenciana de Bonllaví (año 1521) como adición del editor al texto genuino ([43]). Pasqual tomó esa referencia como legítima y como bien sabía la fecha de composición del *Blaquerna* tuvo que inventarse un *Liber de uirtutibus et uiciis* anterior. PASQUAL jamás dudo, como pretende ALÒS (págs. 49-50), de la fecha de composición de nuestro *Liber de uirtutibus et peccatis*, PASQUAL sólo se equivocó al considerar genuina la adición que se permitió el editor valenciano.

2.5. *Descripción de la obra*

La obra se divide en cinco partes. En el prólogo describe los sujetos y temas de la predicación y explica la división del libro.

---

(41) SALZINGER 202: *Liber de uirtutibus et peccatis*. Citantur Ars generalis, Liber de sexto sensu, Ars generalis ultima. Finivit, Maioricis, Ianuarii MCCCX. Quizá proceda esta fecha del cód. M₁ que pone efectivamente 1310 (cf. Descriptio codicum, pág. CV).

(42) ORL IX, 362. Cf. supra pág. XLIII.

(43) "Y esta manera es en la Art abreuiada de trobar veritat: y en lo llibre dels sermons de virtuts: e de vicis: lo qual se feu apres d'aquest en la ciutat de Mallorques" (Fol. CII). RD 76. Cf. También la versión castellana de Mallorca 1749 (RD 342), pág. 310, editada también en: RAMON LLULL, *Obras Literarias*, Madrid (B.A.C.) 1948, 159-596; vid. pág. 464.

En la introducción habla primero de los, por él llamados, "subiecta" de la predicación, que enumera de la siguiente forma:

1. Las diez substancias
2. Las diez dignidades divinas
3. Los catorce artículos de la fe
4. Los siete sacramentos
5. Los diez mandamientos
6. Los diez predicados
7. Las diez vias de las virtudes y los vicios
8. Las cuatro causas generales
9. Sobre la fortuna
10. Las artes liberales y mecánicas

Habla Llull a continuación de los temas de los sermones para dar por último un esquema de la división del libro.

Lo que Llull intenta en esta introducción es dar una visión del funcionamiento interno de sus sermones que se salen de la normativa clásica medieval. A esta introducción se referirá a menudo y marcará la norma de todo el desarrollo posterior.

En la primera parte o *distinctio* trata de ocho virtudes que son a saber: Justicia, prudencia, fortaleza y templanza, fe, esperanza caridad y sabiduría. Como se ve además de la clásica enumeración cuaternaria de las virtudes cardinales, añade una nueva a las teologales, a saber, la sapiencia. Llull es consciente de que con tal decisión rompe con toda una larga y constante tradición, pero las razones que da, tocan de lleno los fundamentos de su teología. Fue en el breve opúsculo *Liber de aequalitate potentiarum animae in beatitudine* (op. 136) donde explica las razones de esta decisión:

"Et istam probationem fecimus, ut inueniamus sapientiam ignotam, quae est causa in uia intelligere creati et beati tantum, quantum caritas est causa in uia amare creati beati. Et uocamus ipsam ignotam, in quantum ipsam antiqui non posuerunt in numero uirtutum theologicarum, qui posuerunt tantum tres, scilicet, fidem, spem et caritatem, *et debuissent poni quattuor*, sicut posuerunt quattuor uirtutes cardinales, cum theologicales sint priores, cardinales uero inferiores et posteriores" (44)

Como bien indica LOHR en la introducción a este opúsculo (45), Llull toma esta decisión en el contexto de la importante y discutida cuestion de la relación entre intelecto y voluntad en los actos humanos libres. Llull defendió desde un principio la necesaria concordancia entre sapiencia y caridad. La aplicación

---

(44) ROL XI, op. 136, lin. 236-244, pág. 152. Cf. infra (pág. 141) serm. VIII, lin. 109/110
(45) Ib., pág. 139-40.

de esta convicción al número de virtudes es una consecuencia lógica en su sistema pero va dictada también por la concepción luliana de la fe y la relación de ésta con el entendimiento. La fe no es para Llull la virtud propia del entendimiento sino sólo un instrumento para entender los seres superiores (Dios, ángeles, cielo), así como la naturaleza es un instrumento del entendimiento para conocer los seres inferiores. Entender es superior a creer. La introducción de la sapiencia dentro de las virtudes teologales lo lleva Llull con todas sus consecuencias. A partir de 1308 habla ya de ocho virtudes, salvo en la estructura artística que permanecen las nueve, número que está condicionado por la estructura ternaria de su Arte.

En cada sermón se da la definición de cada virtud y los caracteres distintivos que se repetirán a todo lo largo de la obra.

A estas ocho virtudes contrapone en la segunda parte ocho vicios o pecados a saber: Avaricia, gula, lujuria, soberbia, pereza, envidia, ira y mentira. En este caso también añade a la clásica división de los siete pecados capitales uno más, la mentira, para completar el número ocho. El número viene aquí dictado por asimilación al número de las virtudes. El orden de la lista de pecados capitales tiene una larga evolución en la mente luliana. Decisiva es, sin duda alguna, la posición de la avaricia como pecado capital más grave. Las razones, que Llull expuso a menudo, están en consonancia con toda su ideología (cf. supra pág. L). El hombre avaro es el pecador por antonomasia pues dirige todo su haber y, por tanto, también su ser hacia un fin naturalmente perverso. La avaricia es por ello el peor de los pecados. Además, como graciosamente dice Llull comparando la avaricia con la lujuria, el avaro lo es hasta el fin de su vida, mientras que la lujuria y otros pecados no pueden ser ejercidos con la misma intensidad en la vejez. El que Llull haya añadido la mentira a la clásica lista de los siete pecados capitales puede también tener una razón lógica en el hecho de que si las vías de los pecados son los sentidos, el pecado del sexto sentido o affato, es decir, la mentira ha de tener consecuentemente un puesto en la lista de vicios o pecados capitales.

En la tercera parte se comparan las virtudes entre sí resultando siete sermones de justicia, seis de prudencia, cinco de fortaleza, cuatro de templanza, tres de fe, dos de esperanza y uno de caridad. Un total de veintiocho sermones en el que cada virtud es comparada con la otra para dar una combinación de posibilidades temáticas mucho mayor.

En la cuarta parte se procede de la misma manera mezclando los pecados en el mismo orden que las virtudes, resultando otros veintiocho sermones: siete de avaricia, seis de gula, cinco de lujuria, cuatro de soberbia, tres de pereza, dos de envidia y uno de ira.

En la quinta parte se comparan entre sí cada una de las virtudes con cada uno de los vicios resultando sesenta y cuatro sermones. Esta quinta parte, pues, viene a resultar casi la mitad de la obra.

Combina y mezcla las virtudes y los pecados de tal manera que de cada virtud y cada pecado se obtienen dieciseis sermones, sin que se repita la combinación o mezcla de una misma virtud con un mismo vicio. Aunque en la tercera parte por ejemplo sólo se habla de tres sermones de fe o en la cuarta de dos sermones de envidia, son en realidad siete de cada una de las virtudes o pecados. Esto aparece claramente si se mira el esquema siguiente en el que damos a las virtudes una letra mayúscula y a los pecados una minúscula. Esta combinación de letras la indicamos para mayor claridad en el título de cada uno de los sermones:

Distinctio I:

B   De iustitia
C   De prudentia
D   De fortitudine
E   De temperantia
F   De fide
G   De spe
H   De caritate
I   De sapientia

Distinctio II:

b   De auaritia
c   De gulositate
d   De luxuria
e   De superbia
f   De accidia
g   De inuidia
h   De ira
i   De mendacio

Distinctio III:

B C	C D	D E	E F	F G	G H	H I
B D	C E	D F	E G	F H	G I	
B E	C F	D G	E H	F I		
B F	C G	D H	E I			
B G	C H	D I				
B H	C I					
B I						

Distinctio IV:

b c	c d	d e	e f	f g	g h	h i
b d	c e	d f	e g	f h	g i	
b e	c f	d g	e h	f i		
b f	c g	d h	e i			
b g	c h	d i				
b h	c i					
b i						

Distinctio V:

B b	C b	D b	E b	F b	G b	H b	I b
B c	C c	D c	E c	F c	G c	H c	I c
B d	C d	D d	E d	F d	G d	H d	I d
B e	C e	D e	E e	F e	G e	H e	I e
B f	C f	D f	E f	F f	G f	H f	I f
B g	C g	D g	E g	F g	G g	H g	I g
B h	C h	D h	E h	F h	G h	H h	I h
B i	C i	D i	E i	F i	G i	H i	I i

3. Obras escritas en
el mes de febrero de 1313

Después de dar por acabado el voluminoso *Liber de uirtutibus et peccatis* se propone Llull rematar el corpus sermonum con los opúsculos *De septem donis Spiritus sancti* y *De operibus misericordiae*.

La inclusión de estos dos opúsculos se funda en que según los esquemas catequéticos tardomedievales la instrucción del cristiano incluía una información sobre los dones del Espíritu Santo y las obras de misericordia. A lo largo del *Liber de uirtutibus et peccatis* y en los opúsculos precedentes pone entre las cosas a saber para enseñar al pueblo la triple cantinela de los catorce artículos de la fe, los diez mandamientos y los siete sacramentos de la Iglesia que el llama "principalia" o "fundamenta sanctae ecclesiae" [46], hacia el final del libro asocia a esta triple indicación los dones del Espíritu Santo [47] hasta que en los últimos sermones añade también las obras de misericordia [48]. Llull muestra así, más o menos veladamente, la intención de añadir a los primeros opúsculos y al *De uirtutibus* los sermones sobre esta doble temática. Quizá se nos muestra aquí, al mismo tiempo, la forma de trabajar y planear Llull sus obras. Da la impresión que se plantea sobre la marcha aquello que va a hacer a continuación. A pesar de estar rondando los ochenta demuestra Llull una increíble capacidad de trabajo pues en menos de un mes remata estos dos opúsculos.

3.1. El Liber de septem donis Spiritus sancti

Como indica al final, Llull acabó de escribir este libro en el mes de febrero de 1313 (cf. pág. 453). Lo desconocen casi todos los catálogos antiguos siendo otra vez VILETA (núm 84) el único que lo cita anotando correctamente que fue compuesto en el mes de febrero del año de la encarnación de 1312, es decir 1313 según nuestro cómputo. Después de SALZINGER lo citan la mayoría de los catálogos y autores entre las obras originales lulianas: MAYER 210; SALZINGER 86; PASQUAL I, pág. 318, 373; HLF 232; Lo IV, 51.3; PEERS, pág. 362 not.; OT 170.3; GL gd⁴; Av 184; WADDING-SBARALEA 337; CA 134; LLINARÈS 204; PLA 227; CRUZ HERNÁNDEZ 171; BLOOMFIELD 1215; BONNER IV. 64.

La obra se divide en siete partes. Un sermón por cada uno de los dones del Espíritu Santo: I. Sabiduría, II. Ciencia, III.

---

(46) Cf. **201**, IV, 109; VIII, 16/17.
(47) cf. CXXIX, 41/42; CXXXI, 73/74.
(48) Cf. CXXVII, 52/55; CXXXIII, 25/27; **206**, V, 37.

Consejo, IV. Inteligencia, V. Fortaleza, VI. Piedad y VII. Temor de Dios.

Durante el intenso movimiento espiritual del siglo XIII las numerosas cuestiones en torno a los dones del Espíritu Santo fueron profusamente desarrolladas y discutidas por los teólogos [49]. En alguna ocasión también Llull dió su opinión sobre alguna de las cuestiones debatidas [50], sin embargo en las obras que trata de los dones (*Doctrina pueril, Hores de santa Maria, Hores de nostra Dona, Liber de clerecia...*) se limita a una exposición catequética y expositiva sin grandes disquisiciones al respecto. En esta obra tampoco pretende ofrecer un tratado teológico sobre los dones del Espíritu Santo sino proporcionar un material homilético aplicable a cada uno de ellos. Los sermones siguen el modelo general de la *Summa* por eso intenta dar sobre todo los elementos necesarios para una predicación de los vicios y las virtudes partiendo de los dones. A pesar de las imprecisiones en el lenguaje, característica general de los tratados sobre esta temática, Llull parece admitir claramente: 1) una diferencia entre las virtudes y los dones y 2) que los dones son instrumentos pero a la vez consecuencia de las virtudes teologales. Pero así como parece dejar clara la relación entre las virtudes teologales y los dones, la relación entre estos y las virtudes morales es en Llull algo confusa.

El orden en la numeración se fundamenta en la visión luliana del hombre como árbitro de su hacer y su destino. Así el don de sabiduría (sermón I) es un hábito que prepara al hombre para entender con sus fuerzas naturales a Dios y sus obras. Sapiencia o sabiduría es la forma que informa todo conocer y que hace posible que el hombre pueda llegar a comprender el ordenamiento querido por Dios. La sapiencia es el don que envuelve en sí todos los demás. El don de ciencia (sermón II) comporta el usar *sapienter* de las ciencias, sobre todo de la ciencia moral, es decir, la ciencia de las virtudes y los vicios. Los siete vicios capitales pervierten ese uso correcto de las ciencias y artes liberales. En el plano de la ciencia superior, de la teología, el don de entendimiento (sermón III) regula el uso del entendimiento humano y la fe, por eso están contra el Espíritu Santo aquellos que pretenden regular toda la ciencia teológica con autoridades sin admitir el ejercicio de la razón. El don de consejo (sermón IV) es un instrumento para que el hombre tenga un santo (virtuoso y no vicioso) entender, amar y recordar. Este consejo dado por el Espíritu Santo es una

---

(49) Para una orientación sobre este tema puede consultarse el art. de F. VANDENBROUCKE en Dict. de Spiritualité III, 1587-1603.

(50) Quaestio CXIX: Utrum virtutes differant a donis, et quomodo? (*Disputatio eremitae et Raimundi*, MOG IV, Int. IV, pág. 102).

"determinativa propositio et quaestio" en comparación con el consejo humano, que es sólo una desnuda "propositio et quaestio". El don de consejo abre el camino para una decisión sin dudas ni vacilaciones de seguimiento de la virtud y rechazo del pecado. Hasta aquí los dones se refieren al entendimiento, voluntad y memoria del hombre, la fortaleza como don del Espíritu (sermón V) es ya un instrumento para fortificar las fuerzas de las potencias naturales inferiores, que por sí solas no tomarían la determinación de seguir el camino de la virtud. Todas las virtudes alcanzadas a través de las potencias inferiores forta- lezidas por el don del Espíritu son, a su vez, fortaleza para cada una de las potencias superiores: para el entendimiento la fe, para la voluntad la caridad y para la memoria la esperanza. Para las potencias inferiores el don de fortaleza son las ciencias y artes liberales acompañadas del don de ciencia y sabiduría. La piedad como don (sermón VI) es "filia et consequentia caritatis" y, a la vez, el origen de las obras de misericordia. Ese don lo da el Espíritu como consecuencia natural de la comprensión de los principios y virtudes. El don de temor de Dios (sermón VII) nace de la magnitud del amor y no de egoismos humanos. El temor virtuoso no tiene nada que ver con los temores que causan los vicios en el alma humana.

3.2. Los De operibus misericordiae sermones

Este opúsculo fue escrito por Llull en el mes de febrero del año 1313 como afirma en el explicit del mismo (pág. 470). A lo largo de la presentación de estas obras ha quedado claro ser VILETA el único de los antiguos bibliógrafos lulianos que incluye en su catálogo todas y cada una de las obras de este corpus o *Summa sermonum* indicando correctamente el lugar y fecha de composición. Sin embargo es curioso que este autor olvide por completo estos *Sermones de operibus misericordiae*. Dada la exactitud de sus indicaciones nos llevaba a pensar que VILETA tuvo ante sí el códice M, el olvido de esta obra, sin embargo, nos hace pensar en una copia del mismo al que faltaba este opúsculo.

ARIAS DE LOYOLA (Tab. XII; SOTO, pág. 59) y JOHANNES A S. ANTONIO (BUF 389) lo citan indicando la fuente de tal referencia con aquel incierto "ex indice minoritae". Ninguno de los dos da la menor noticia en relación al tiempo y lugar de composición. Los catálogos y autores más recientes lo citan unanimemente: SALZINGER 148; PASQUAL I, pág. 313 y 373; HLF 226; Lo IV, 51.3; PEERS pág. 362 not.; OT. 170.3; GL gd[7]; AV 187; WADDING-SBARALEA 336; CA 137; LLINARÈS 205; PLA 208; CRUZ HERNÁNDEZ 172; BONNER IV. 66.

A pesar de la debilidad de los testimonios de la tradición bibliográfica luliana no hay razón alguna para dudar de la autenticidad de este opúsculo que Llull compuso en el mes de febrero del año 1313 como consta en la cláusula final. Que tuvo que ser escrito después del *Liber de uirtutibus et uitiis* consta por la cita que hace de este libro (serm. VII, 28).

Tratar de las obras de misericordia es un complemento lógico de un tratado de virtudes y vicios, pues define la relación de la virtud teoricamente considerada y el acto virtuoso concreto fruto también de la penitencia y reparación del pecado. Por eso Llull ve cada obra de misericordia como operación y ejercicio de una virtud y un principio fundamental. Esta original combinatoria la llama Llull "nouus pulcherrimusque processus Artis" que Ramon pretende inculcar y seguir. Si hasta ahora la mezcla de virtudes y vicios se realizaba dentro de las ocho virtudes y los ocho vicios, a cada una de las obras de misericordia aplica además de una virtud conveniente al acto de misericordia un principio también conveniente. Así asigna a cada obra de misericordia un principio general y una virtud. Como las obras de misericordia son siete reduce curiosamente los principios y virtudes a siete, omitiendo el principio "gloria" y la virtud "sapiencia". Las obras de misericordia con sus principios y virtudes se distribuyen de la siguiente manera: Sermón I: Dar de comer al hambriento por bondad y justicia. Sermón II: Dar de beber al sediento por grandeza y prudencia. Sermón III: Vestir al desnudo por eternidad y fortaleza. Sermón IV: Albergar al peregrino por poder y templanza. Sermón V: Consolar a los enfermos por entendimiento y fe. Sermón VI: Visitar a los presos por virtud y esperanza. Sermón VII: Sepultar a los muertos por verdad y caridad.

IV

Códices. Características y dependencias

La *Summa sermonum* llegó integra hasta nosotros a través de un único códice. En la descripción de los nueve manuscritos que disponemos para hacer la constitución del texto queda patente la importancia decisiva del códice M, no sólo por su antigüedad sino por ser el único que contiene todas y cada una de las obras que aquí editamos. Hay además cuatro códices (T, R, M₁, Z) que transcribieron el *Liber de uirtutibus et peccatis* completo, dos (L₄, S₁) que transcribieron el *Liber de Pater noster* y el *Liber de Aue Maria* y uno (L₃), por fin, que transcribió el *Liber de Pater noster*.

Códice M: Este manuscrito es uno de los testigos más importantes de la transmisión manuscrita de la obra luliana [1]. En importancia sólo es comparable al códice de la Biblioteca Apostólica Vaticana, Ottob. 405 [2] o al códice lat. 15450 de la Bibliothéque National de París [3]. Así como el Ottob. 405 es decisivo para las obras lulianas de los años 1313-1314, el códice M es igualmente decisivo para las obra comprendidas entre el Concilio de Vienne (1312) y la marcha de Llull a Sicilia después de formular su *Testamento* (27 de abril de 1313). Parece tener su origen en las cláusulas de ese *Testamento* en el que Llull deja regulada la traducción y compilación por triplicado de las obras escritas después del Concilio [4]. Se puede afirmar por ello con ciertos visos de certeza que se trata de uno de los originales de la ejecución y puesta en práctica de esta triple traducción. Se ha afirmado que este códice podría ser el ejemplar enviado a Perceval Spinola [5], afirmación difícil de probar pues no consta

---

(1) Cf. la reproducción del fol. 2r, al comienzo de este volumen. Sobre este manuscrito, véase además de la exacta descripción en PERARNAU II, 16-24, las observaciones del mismo autor contenidas en su art. *Consideracions diacròniques entorn dels manuscrits lul.lians medievals de la "Bayerische Staatsbibliothek" de Munic*, publicado en ATCA 2 (1983) 123-169, pág. 128.

(2) Sobre este manuscrito véase ROL I, 57-58, 67.

(3) Se trata del *Electorium magnum*, famosa compilación de la obra luliana llevada a cabo por Thomas Le Myésier. Descripción detallada en HILLGARTH, 348-397.

(4) "De quibus quidem libris omnibus supradictis mando fieri in pergameno in latino unum librum in uno uolumine, qui mitatur per dictos manumissores meos Parisius ad monasterium de Xartossa, quem librum ibi dimitto amore Dei. Item mando fieri de omnibus supradictis libris unum alium librum ... quem dimitto et mando mit apud Januam Misser Persiual Espinola." (BOFARULL, pg. 454/20). Cf. pág. LV, not. I.

(5) Así lo afirma J. TARRÉ, *Códices lulianos de la Biblioteca Nacional de París*, Anal. Sac. Tarr. 14 (1941) 155-182, vid. 178 not. 26. Ver también del mismo autor, *El darrer quinqueni de la vida de Ramon Lull* (1311-1315), en: Studia Monographica et

en ninguna parte el destinatario e incluso parece insostenible si se tienen en cuenta las observaciones sobre la historia del códice que se indican más abajo.

La importancia de este manuscrito radica no sólo en el hecho de ser éste el único códice que nos da la *Summa sermonum* completa. Es además el único manuscrito que contiene el texto de seis obras, que de haber desaparecido esta copia estarían perdidas para siempre: *De decem praeceptis* (op. 201), *De septem sacramentis* (op. 202), *De septem donis* (op. 206), *De operibus misericordiae* (op. 207), *Liber de locutione angelorum* (⁶) (op. 194) y el *Liber de quinque principiis* (op. 197).

La escritura de las indicaciones marginales posteriores no denuncian una posible estancia del manuscrito en Italia, al contrario, de estas manos posteriores y de lo que se puede deducir de la historia del códice es posible afirmar que este manuscrito abandonó por primera vez tierras catalanas al ser adquirido por Ivo SALZINGER para la edición moguntina. Esta afirmación se fundamenta en una nota del mismo SALZINGER en el fol. 1 del códice Z, donde dice que ese manuscrito fue "collatus ad exempl. Barc. n. 5". Ese códice Z, como veremos, es copia de M₁ pero las numerosas correcciones y adiciones que se pueden observar en el mismo muestran que están hechas partiendo de M. Es lógico pues deducir que ese "exempl. Barc. n. 5" no puede ser otro que M. En los catálogos de la Schola Lulliana de Barcelona de los años 1466 y 1488 se reseña un *Liber quidem sermonum* que se refiere con toda seguridad a este códice. (⁷)

Del análisis crítico del manuscrito se deduce que M es copia de un original latino anterior y no el ejemplar original de la traducción. En efecto, no es plausible admitir que el traductor cometiera las numerosas faltas que aparecen en este códice, que sólo pueden explicarse como una mala lectura del original latino (p. e. *aeternitas* por *trinitas*: **201**, VIII, 39; *adorabis* por *odorabis*: **201**, I, 68; *sacratum* por *sacramentum*: **203**, V, 26; *ullus* por *nullus*: **204**, II, 81; *scit* por *sit*: **205**, Prol., 52; *cognoscere* por *cogere*: **205**, I, 81, 84; *rectitudo* por *certitudo*: **205**, I, 160/61; *sex* por *senex*: **205**, LII, 67; *alta* por *allia*: **205**, LII, 76; *in flores uero* por *inferiores*: **205**, CVIII, 17) (⁸), omite tambien muchas

---

Recensiones, Fasc. XIV (Mallorca oct. 1955) 33-42, esp. pg. 35. HILLGARTH, 142 not. 25, cita como fuente de esta afirmación a RUBIÓ, aunque éste en el art. cit. no lo llega a afirmar. Cf. BATLLORI, *El Lulismo en Italia*, p. 293, 296ss.

(6) El códice Bernkastel-Kues, St. Nikolaus-Hospital, 83 (XV) f. 95v contiene sólo un fragmento de este libro. Cf. HONECKER, 265; ROL I, 97.

(7) Cf. BOFARULL, Documento núm. 4 y Documento núm. 5 (es el núm. 62 de ambos), págs. 467/33 y 472/38.

(8) Una lectura somera del aparato crítico mostrará otros muchos ejemplos por el estilo, p. e. véase también **201**, I, 20; III, 82/83; VII, 71; X, 10; **202**,

palabras que pertenecen necesariamente al contexto (**201**, I, 36, 69; **203**, IV, 13; **204**, I, 56, 73; VII, 74; **205**, X, 77; XI, 13; XII, 78, 90; XXXI, 65/66; XXXVII, 68; XXXVIII, 82, 83/84; LI, 100; LIII, 38; LXV, 75; LXVI, 38; LXXV, 68; LXXVI, 72; XCV, 63; C, 28; CIII, 69; CXIV, 19; CXVI, 42/43; CXXII, 84; CXXIII, 66; CXXXV, 20; **206**, I, 59/60 etc.), en sus múltiples pequeñas omisiones nos deja el texto sin sentido alguno o lo tergiversa (**205**, VIII, 90; XVII, 76; XXXIV, 86; XXXVI, 35, 81/82; XLIII, 76/78; IL 69/70; CVI, 55; CVII, 24, 62; CVIII, 43; CXII, 47; CXVI, 80/81; CXIX, 63/64; CXXI, 39/40; CXXII, 83; CXXVI, 52, 55; CXXXIII, 29; **206**, V, 60; VII, 75; **207**, Prol., 16; I, 20; II, 43/44) y repite a veces algunos párrafos (**202**, I, 25; **205**, CXII, 73/74). Comparando con el texto catalán se notan una serie de omisiones homoteleutas de la traducción latina de las que difícilmente puede ser responsabilizado el original traductor (**201**, IX, 12/13; **203**, VIII, 77/79; **205**, XIV, 73; XVIII, 42/44; XXII, 44/46; IL, 46/48; L, 92/93; LVI, 28/29; LVII, 19/20; LXVI, 72/73; LXXVII, 46/47; LXXXV, 36/37; XCIV, 68/69; CXVI, 36/37; CXVII, 55/56; CXXIV, 76/78 etc.). Todo esto indica que M es con toda seguridad una copia de un códice latino y no el original de una traducción directa del catalán.

El códice R transcribe fielmente el códice M (Prol., 18, 26; I, 184/185; XVIII, 9; etc.). Tan esclavo es del original que incluso copia los errores más crasos (Prol., 32; I, 81, 84, 160/1, 162; VI, 92; VIII, 107; XIII, 68; XVIII, 61; LII, 67, 76; CVIII, 17; CXXII, 71; etc.) y rara vez osa corregirlos (Prol., 135; II, 10; XII, 64; XX, 72; XXXI, 15; XXXII, 78; XXXV, 42; L, 64; LIII, 62; LVI, 7; LXXI, 81; XC, 10; XCIV, 24; CIV, 60; CVIII, 33; etc.) Tiene además numerosas omisiones (XXXIII, 44/45; LVI, 88; CXXXI, 18/20; etc.) y lecturas propias (Prol., 25, 33, 84, 85, 109, 164/5, 178; I, 66, 156, 162; II, 15, 85; III, 13, 76; VI, 24, 26; XXXVIII, 48; XLVII, 12, 47; XLVIII, 37; LXXXII, 19; LXXXIV, 50; etc.).

El códice T transcribe también el códice M. Lo cual consta claramente de las omisiones comunes, frases sin sentido y errores gramaticales de M, que se encuentran casi siempre en T (véanse los lugares indicados más arriba al hablar de M). En muchos casos T se esfuerza en corregir a M, casi siempre con buen tiento (Prol., 55; I, 106, 180; II, 62; III, 54; V, 6, 9, 24, 44, 106; VI, 47, 70; VIII, 96; XIII, 44; XIV, 26; XIX, 46; XXV, 94;

VII, 67, 72; **203**, IV, 8; **204**, III, 85; IV, 99; VII, 48; **205**, VI, 92; XIII, 44, 81; XV, 7; XVI, 63, 83; XVIII, 9, 60; XXIII, 25; XXV, 94; XXXV, 49; XXXVII, 75; XXXVIII, 44; XLIV, 48; LI, 87; LVII, 47; LIX 47, 72; LX, 66; LXVIII, 24; LXXIII, 28, 49; LXXX, 36/37; LXXXIV, 49; XCII, 73; XCVIII, 32; CII, 46; CIV, 24; CXV, 44; CXXIII, 97; CXXIX, 33/34; CXXX, 74; **206**, Prol., 15; II, 34; VII, 31ss.; **207**, II, 24; VI, 26, 29.

XXIX, 50, 56; LII, 67; LXI, 89; CXII, 74; CXXXI, 60; etc.).
Son también numerosas las omisiones propias (I, 15; XL, 20/
21; XLIII, 54/59; LXXII, 43/44; LXXIX, 86/87; CXV, 57/60;
CXVI, 77/79; CXXXV, 22/24; De fine 40; etc.).

El códice M₁ es una copia de R (véanse las lecturas propias
de éste). Va, sin embargo, muchas veces por libre. Algunas veces
no lo lee correctamente (p. e. *quidam materialiter* por *quaedam
mulier* y *lignum* por *linum*: I, 26; *labiis* por *latrinis*: I, 83;
lacunas/lacrimas por *latrinas*: I, 106; *quae* por *quid*: I, 46; etc.),
otras omite palabras o frases enteras (Prol., 104; XIII, 24/26,
27/29; LXXVIII, 14/16; LXXXIV, 12/14, 29/30; etc.). A pesar
del poco cuidado que pone en la transcripción se esfuerza en
rellenar lagunas que R transportó de M (véase p. e. XC, 73/75
pero sobre todo IL, 51), también corrige a menudo a R, algunas
veces con buen tiento (VIII, 73; IX, 6; XI, 31; XX, 9; XII, 37;
XXIII, 73; XXIX, 32, 93; LI, 100; CVII, 37; CIX, 18; CXI, 65;
CXII, 71; CXIV, 78; CXV, 31; CXVII, 48; CXIX, 10; CXXII,
71, 87; CXXIV, 95/96; CXXIX, 33/34; De fine 12; etc.), aunque
casi nunca acierta (Prol., 70, 79, 83, 89, 138, 144/5, 145, 155/6,
164, 189, 190, 191; I, 7, 17, 19, etc.; IV, 44; V, 21; VI, 66; etc.).
De algunas correcciones que hace a R y propias conjeturas
parece deducirse que pudo haber tenido a mano el texto original
catalán (cf. p. e. Prol., 119, 120, 158; X, 40, XII, 51).

El códice moguntino Z, como ya se ha dicho, es sin lugar a
dudas una copia de M₁. Se encuentran en él omisiones y crasos
errores de lectura de M₁. Dejamos ya indicado también la
correctura posterior de este manuscrito a base de M, corrección
hecha por una mano posterior con sumo cuidado y precisión
(Prol., 9, 11, 19, etc., esp. 137; I, 7, 8, etc.; XIII, 24/26, 26/27;
IL, 51; LXXVIII, 14/16; LXXXIV, 12/14; etc.).

El códice L₇ ofrece una copia muy fragmentaria del *Liber de
uirtutibus et peccatis*. Se trata, como confiesa al final de la obra
el amanuense capuchino Gerónimo de Santanyi, de un extracto
que él hizo para uso privado. Transcribe solamente aquellos
puntos que le parecieron importantes para ser utilizados en la
predicación, omite sobre todo aquellas partes que pertenecen a
la peculiar estructura del sermón luliano y que se repiten en
cada uno de ellos, a saber, el enunciado del tema, la oración
inicial, la recapitulación del sermón y la oración final. En cuanto
a la genealogía de este códice sólo podemos decir que las
lecciones propias, que son muy abundantes parecen acercar-
lo a R o a un posible códice intermedio entre R y M (I, 26,
49, 53, 57, 61/62, 68; etc.). Dado el carácter independiente
de la redacción podría considerarse también como traducción latina del original catalán sin alguna relación con M
y su original latino (I, 32, 43, 44, 48, 50/51, 53, 54, 59, 62, 66,
69/70; etc.).

Por último hemos de hacer constar que los códices de la

Bayerische Staatsbibliothek de München Clm 10531, f. 3r-4v (⁹) y clm 10598, ff. 193v-199r (¹⁰) contienen fragmentos que llevan por título *De definitionibus uirtutum* y *De definitionibus uitiorum* cuyo texto no está sacado de *Liber de uirtutibus et peccatis.* Puede tratarse de un fragmento de la obra de algún lulista.

I. Considerados todos estos puntos podemos proponer un primer stemma codicum para el *Liber de uirtutibus et peccatis* (op. 205) de la forma siguiente:

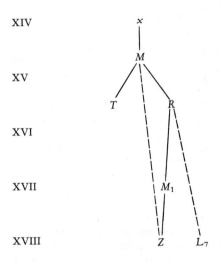

XIV

XV

XVI

XVII

XVIII

II. Para el *Liber de Pater noster* (op. 203) y *Liber de Aue Maria* (op. 204) sigue siendo M el manuscrito decisivo para la constitución del texto pues los dos códices mallorquines, L₄ y S₁, que reproducen integramente estos dos opúsculos son copias de M (**203**, I, 75; II, 34/35; IV, 8, 13; V, 26, 56/57, 107/111; VI, 6, 36; VIII, 68, 77/79; **204**, I, 80; III, 38, 65, 66, 76/77; IV, 28, 35; VII, 74; etc.). Pero si bién dependen de M es a través de un manuscrito o manuscritos intermedios desconocidos. En efecto, L₄ y S₁ tienen numerosas variantes y correcciones comunes contra M (**203**, Prol., 1, 2; I, 11/12, 23, 30, 50, 51, 54, 56, 64; III, 76; IV, 17, 82; VII, 18, 92; **204**, I, 19, 20, 23, 41, 56, 77; II, 97/98, 101/102, 104; III, 32, 60; V, 25, 91; VI, 15, 77, 93; etc.) pero por razón de las numerosas variantes propias ni el códice L₄ (**203**, Prol., 1, 9; I, 16/17, 43, 79, 81, 90; III, 42/43; VI, 24; VII, 53/55; **204**, II, 11, 83, 105; VI, 63; etc.) ni S₁ (**203** Prol., 7, 9; I, 20, 50, 77; II, 84, 85; III, 42/43; V, 26; VI, 57/58, 58/59, 90; **204**,

---

(9) Cf. PERARNAU I, 126.

(10) La descripción de este manuscrito aparecerá en ROL XVIII.

I, 6, 51; II, 105; IV, 80/83; VI, 14/15; etc.) pueden depender el uno del otro. Así hemos de admitir un códice intermedio copia de M a quien a menudo acertadamente corrige (**203**, I, 54, 58; III, 69, 72; IV, 5; V, 4; VII, 20; **204**, I, 23; II, 69, 82; III, 86; IV, 43, 99; etc.) pero más de una vez mutila y falsamente transcribe (**203**, I, 11/12; IV, 72; V, 45, 64/65; VI, 17; etc.). De estos dos es S_1 el más útil e interesante: por sus notas marginales (**203**, Prol. 5, 6, 11; I, 2, 6, 14, 25 etc.), alguna corrección de formas catalanas típicas del latín de M (**203**, II, 81), acierto en la corrección (**203**, IV 74; VI, 120, 121; VII, 71, 90; **204**, II, 48, 88; IV 42/43; VII, 19, 46, 47; etc.) e intento de paliar lagunas (**203**, VIII, 44/46; I, 1; II, 1; etc.) de la tradición manuscrita anterior.

Un tercer manuscrito L_3 que contiene casi íntegro el texto del op. 203 (cf. **203**, VIII, 55) es copia de L_4 (**203**, Prol, 1, 9; I, 16/17, 43; VI, 24; VII, 53/55; etc.), aunque contiene a su vez numerosas lecturas y omisiones propias (I, 8, 9, 16; II, 7, 21, 23, 90; III, 102; IV, 59/60; V, 26; etc.).

La dependencia de estos códices puede expresarse graficamente a través del siguiente stemma codicum:

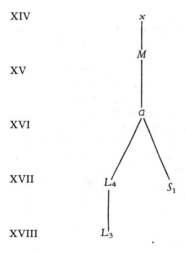

XIV	x
	M
XV	
	a
XVI	
XVII	L_4 S_1
XVIII	L_3

III. Los otros cuatro opúsculos (op. 201, 202, 206, 207) que constituyen la *Summa sermonum* se conservan solamente en el códice M.

V

El original catalán.
Características de la traducción latina

En el testamento de Ramon Llull consta expressis verbis el
encargo hecho a sus albaceas de copiar en vulgar y traducir al
latín una serie de obras, que detalladamente enumera y que
habían sido escritas por él en los meses precedentes. Dos de los
tres volúmenes que encarga habían de estar necesariamente
escritos en latín, pues iban destinados a la Cartuja parisina de
Vauvert y al patricio genovés Perceval Spinola.

"... uolo et mando, quod fiant inde et scribantur libri in pergameno in
romancio et latino ex illis libris, quod diuina fauente gratia nouiter
compilaui ... De quibus ... mando fieri in pergameno in latino unum
librum in uno uolumine, qui mittatur per dictos manumissores meos
Parisius ad monasterium de Xarcossa, quem librum ibi dimitto amore
Dei. Item: Mando fieri de omnibus supra dictis libris unum alium
librum in uno uolumine in pergameno scriptum in latino, quem dimitto
et mando mitti apud Januam Misser Persival Espinola" (¹).

De las cláusulas del testamento no se sigue necesariamente
que estas obras hubieran sido originalmente escritas en catalán
o en latín. Se puede, sin embargo, afirmar el origen catalán de
las obras allí aducidas considerando simplemente que dos de
las obras citadas en el testamento, a saber, el *Liber de quinque
principiis* (op. 197), y el *Liber de secretis sacratissimae trinitatis
et incarnationis* (op. 198) consta que fueron traducidas del
catalán al latín en el mes de abril de 1316, muerto ya Llull (²).
Como ambos libros pertenecen a la misma lista de la que se
pedía una "nova compilatio", podemos suponer con fundamento,
que el resto de las obras de aquella "compilatio" fueron traducidas también del catalán al latín, entre ellas las obras homiléticas que aquí presentamos. Este débil argumento de carácter
externo queda confirmado por decisivos argumentos internos.

---

(1) BOFARULL, pág. 454/20. Cf. supra pág. LV, not. 1.
(2) "Expleuit Raimundus Lullii istum librum in mense Augusti in ciuitate
Maioricensi in uulgari [...]. Et in eadem ciuitate transtulit ipsum de uulgari in
latinum Guillelmus, magister presbyter, regens studium grammaticale Capituli
Maioricensis anno Domini 1316." *Liber de quinque principiis*, ad finem. Cód. M
(Clm. 10495), f. 205r.
"Istum quidem librum transtulit Raimundus Lullii in romancio ab uno eodemque
libro, quem fecerat in arabico anno quo supra. Verumtamen Guillelmus, magister
presbyter, regens studium grammaticale Capituli Maioricarum, praesentem librum
transtulit de romancio in latinum mense aprilis in ciuitate praedicta anno Domini
1316 incarnationis domini nostri Iesu Christi." *Liber de secretis sacratissimae trinitatis
et incarnationis*, ad finem. Cód. M (Clm. 10495), f. 196r.

En efecto, durante la preparación de estos textos para la presente edición no queda la menor duda de que las obras contenidas en el códice M son una traducción de un texto catalán original.

Quien esté acostumbrado a leer textos lulianos latinos no espera de ellos una belleza literaria excepcional. Aunque Llull sabía latín, su obra respira un estilo peculiar con fuertes reminiscencias de su vulgar mallorquín. A pesar de esto es raro encontrar en la obra luliana latina un uso incorrecto de las reglas gramaticales fundamentales. No ocurre así con las obras de la *Summa sermonum* tal y como nos las presenta el códice M. Además de ofrecer un estilo extremadamente defectuoso fruto de un servilismo exagerado al original catalán, está el texto plagado de crasos errores morfológicos y sintácticos. El texto latino que ha llegado a nuestro poder es sin lugar a dudas una traducción del texto catalán original. De ese original en lo que se refiere a las obras aquí publicadas sólo poseemos el texto del *Liber de uirtutibus et peccatis* (op. 205) en una copia del siglo XV conservada en la Biblioteca de Catalunya de Barcelona ([3]). Una comparación superficial de la traducción latina y su original, nos muestra una traducción palabra por palabra sumamente servil donde el período no tiene nada de latino. Las numerosas faltas que encontramos en M no son, sin embargo, obra del traductor original sino de un amanuense poco cuidadoso y, al parecer, con unos conocimientos del latín muy elementales, como ya se ha indicado y probado al hablar de las características del manuscrito muniqués. A menudo es el sentido tan oscuro, obtuso y ambiguo que sólo el original catalán puede aclararlo.

Todo lo que son dificultades a la hora de constituir el texto, es decir el servilismo a ultranza del traductor latino, despertará naturalmente el interés del investigador de la historia de la lengua catalana. Esta característica de la versión latina tiene también gran interés al encontrarnos aquí con un traductor poco habituado a la terminología luliana, que nos ofrece una formulación del vocabulario luliano en forma más popular y sencilla alejada de las rígidas exigencias del artificio general.

Veamos a continuación, sin alguna pretensión de exhaustividad, lo más llamativo e interesante de esta traducción:

1. El traductor traslada al latín una serie de términos cata-

---

(3) Ms. 2021; contiene además del *Libre de virtuts e pecats* (fols. 12-157) el *Art abreujada de predicació* (fols. 1-11). Este códice procede de la Escuela Luliana de Barcelona en cuyo catálogo (1488) figura, además del *Liber sermonum* ya citado, un "Llibre de virtuts e peccats de pregamí ab cubertes vermelles" (Nominatio librorum, núm. 18) y en los "[Memorials dels] llibres de Ramon Llull composts en llengua catalana" con el núm. 9 un *Llibre de vicis et virtuts*. (BOFARULL, 472/38 y 478/44).

lanes unas veces por desconocimiento del término latino equivalente y otras por simple latinización de la palabra catalana a pesar de existir otra palabra latina más correcta:

cód. M	cat.	debería decir
almescus (**205**, CXXV, 65)	almesc	muscus
bestiare (**205**, XCVII, 21; **206**, II, 46)	bestiar	bestiae
cansones/cantiones (**201**, VI, 29; **205**, LXII, 58)	cançons	cantus[4]
caxa (**205**, LV, 90)	caxa/caixa	capsa
cedula (**205**, LII, 76)	sedula	schedula
clericia (**206**, IV, 84)	clericia/clerecia	clerus
contritus (**205**, XII, 77/78)	contret	contractus[5]
delictum	delit[6], plaer	delectamentum
de noctibus (**205**, XXV, 59; LXI, 30)	de nits	nocte
draperius (**201**, VIII, 126)	draper	pannorum opifex seu confector
emblatura (**205**, LV, 44)	ambladura	equorum ambulatio siue gradus
enbaus (**205**, CIV, 71)	embaus/embalç	abyssus
errata (**201**, II, 68, 69; VII, 48; **205**, LVI, 87)	errada	aberratio, emendum[7]
exfortiare (**205**, XXXII, 17/8)	esforçar	roborare
festare (**201**, III, 12, 81)	festejar	festum facere
gaubare (**205**, Prol., 137)	gaubar-se	gauderi, laetari
guerra (**205**, XLVII, 44)	guerra	bellum
metzina (**201**, V, 20)	metzina	uenenum
metzinatus (**205**, LXII, 40)	metzinat	uenenatus
missio (**205**, XLVI, 78)	messió	expensae, sumptus
multo (**205**, LV, 56/57)	moltó	muto[8]
nautxer (**205**, X, 40)	nauxer	naucler, nauta
pelliparius (**201**, III, 13)	pellicer/pellisser	mercator pellium
per quid (**205**, Prol., 15)	per que	quare
pensare (**201**, II, 44)	pensar	cogitare
paracticum (**205**, LXXVIII, 34)	paratge	patriciatus
quae (rel. mendacium) (**203**, III, 95)	que (rel. mentida)	quod (mendacium)

---

(4) Véase también el término de *cantiones tripudiatae/coreatae* traducción del catalán *cançons e balades*: 205, XLVI, 59; XCI, 23/24; CXXXI, 41; LX, 38.

(5) Cf. 205, XII, 77/78; XLIII, 43 (contret = consumptus); LXX, 21, 25 (contret = male compositus).

(6) Término que se repite a menudo y que M traduce por *delictum* (201, V, 27; 205, XLVI, 79; LVIII, 54) o *delicamentum* (201, I, 34).

(7) Cf. LVI, 88 (fer faliment = facere erratum).

(8) Cf. 201, X, 41.

rancura (**205**, LXXXV, 33)	rencura/rancura	moeror, molestia
se periurare (**201**, II, 17)	perjurar-se	periurium facere
rosegerius (**205**, LXXX, 67)	roseger/roser	rosetum
sine quo (**202**, V, 24, 27)	sens que	quin
sure (**205**, LXXV, 24)	suro	suberis cortex
tortum (**205**, LXXXV, 27)	tort/tord	turdus
totus (**206**, VII, 59, 64)	tot	omnis
traginerius (**201**, III, 14)	traginer	operans cum curru
ualens (**201**, VII, 62)	valent ([9])	audax
uoles (**205**, VII, 72)	vols	uis

2. Interesante es también la constante utilización de parejas de sinónimos o cuasisinónimos unidas por la conjunción *et, uel* o *siue* para traducir un sólo término catalán. Esta indecisión se hace todavía más patente cuando también utiliza cualquiera de los dos términos indistintamente. P. e. *trevayl* lo traduce *labor* (**205**, XLVI, 74), *angustia* (LXXIX, 48) ó *angustia et labor* (LXXIX, 14):

ajustar = coniungere uel aggregare (**205**, XXIII, 53)

amancia = amatio siue amantia (**205**, XCVI, 74, 76)

ardit = rigidus et expertus (**205**, III, 42); audax siue rigidus (**205**, XLVII, 81)

bastat = plenum uel saturum (**205**, VII, 69)

blasme = incusatur et redarguitur (**205**, XLVII, 59)

culir = accipere et colligere (**205**, Prol. 164)

dada avem conexença = ostendimus siue dedimus notitiam (**205**, XIII, 96)

ensenyat = doctus uel curialis (**205**, LVI, 56)

errar = delinquere uel errare (**205**, XXVI, 81)

esforçeras = iuuabis et exfortiabis (**205**, XXXII, 17/18)

esta = est et exstat (**205**, X, 34, 37; XV, 46; XXXVIII, 29)

fenyment = fictio siue figmentum (**205**, XVI, 82)

força = uis uel fortitudo (**205**, XXXII, 35; LXXXIX, 29)

ligam = ligamen uel uinculum (**205**, XXXVI, 69, 70)

ligament = ligamen uel mixturam (**205**, XXX, 59/60)

se lunya = abit et recedit (**205**, XIII, 31/32)

palaus = atria siue palatia (**205**, XLVIII, 85)

paraula = uerbum siue loquela (**205**, XCVI, 52)

pererós = piger siue otiosus (**205**, LIV, 21/22)

poden esser vençudas = possunt uinci et superari (**205**, XXIII, 82/83)

poder = posse siue potestatem (**205**, XXXVI, 32)

reglats = normati siue regulati (**205**, XXIII, 26/27)

sermó = sermo siue praedicatio (**205**, CVII, 21)

sermonador = praedicator uel sermocinator (**205**, Prol., 86)

tempestà = pestis siue tempestas (**205**, XV, 66)

---

(9) *valens* es también traducción de *ardit*: 205, LXXXIX, 76.

tocar = tactus siue tangere (**205**, LIX, 14)
plus uirtuoses = uirtuosiora uel magis uirtuosa (**205**, XXXV, 60)

Con dos términos describe además algunas palabras de la terminología luliana. P. e. *ymaginable* lo traduce por *imaginabilis seu imaginatione apprehensibilis* (**205**, CV, 56; CVI, 31/32); *intel. ligibilitat = intellectio uel intelligibilitas* (XLII, 56/57).

3. Gran indecisión y arbitrariedad existe en la traducción de preposiciones y partículas conjuntivas:

p. e.: per (prep. cat.) = *ad* (**205**, LIX, 13, 14, 54; CXV, 23); *causa* (LXXXVI, 61; XCIV, 35); *ex* (LVIII, 24, 71; LXXXI, 69, 70; LXXXIII, 24); *hac de causa* (CIV, 30; CIX, 18); *pro* (VI, 73, 74; CIV, 30); *propter* (LVIII, 45); no la traduce (IV, 14; V, 94; XXVIII, 10). Per sa gracia = *de gratia* (I, 39).

de (prep. cat.) = *a* (LXXXIX, 29); *cum* (LXXXI, 71); *ex* (LXXXI, 74); no la traduce (XXVIII, 55).

en Deu = *aduersus Deum* (XXI, 38)

per ço = *eo* (C, 61); *eo ut* (LXXXVII, 13, 29); *et sic* (LXXXIX, 41); *ob hoc ut* (LXXXIV, 68); *ob hoc* (LXXXVII, 39); *propter hoc* (LXXXVII, 54/55; 63/64); *quod* (LXXXVII, 14); *ubi* (III, 22); etc.

4. Hay numerosas indecisiones en la traducción. Un ejemplo significativo es el pecado capital *gula*, en catalán *glotonia/ glutunia*, que aparece en latín indistintamente como *gula* (**201**, V, 30), *gulositas* (**205**, serm. X), *glotonia* (**205**, Prol., 179); *glutunia* (**205**, X, 6); *crapula* (XLV, 2ss.); *gulositas uel glutunia* (**205**, X, 22); *crapula siue glutunia* (XXXVIII, 49, 60); hom golós = *homo crapulosus siue glutus* (XXXVIII, 54):

be menjar e be beure = comedere affatim et bibere affatim (LXVII, 33); affatim uel abundanter comedere et bibere (ib., 37/38); abundanter comedere et bibere (ib., 40/41).

cortés = curialis, facetus, curialus uel facetus (XXVIII, 82ss.).

ha esperança = habens spem (CXVII, 45); spectat (ib., 56); sperat (CXVI, 80).

plaent = placidum (XCI, 30); placitum (CXVII, 59); placens (LXXXIV, 37); bonum (LXXXII, 46).

pujar = ascendere (CV, 37); curat (CVIII, 39); ponere (LXIII, 31); ponere alte (LX, 30); ponere ascendendo (CXXVI, 4); ponere superius (CXXV, 43/44).

va estar = ibit moratum (LXXVII, 37); uadit mansionem habere (CX, 72); uadit moratum (LXV, 50); uadit permanere (XCIII, 24/25); uadit statum (XC, 77).

veyn/proisme = uicinus/proximus (cf. 201, IX, 4; X, 21ss.; 205, L, 20).

bens de son proisme = bona uicinorum, qui sunt eius proximi (XLVIII, 551).

desamor = non amor, id est odium (CXXV, 42).

Traduce p. e. *començament* por *initium* cuando en la terminología luliana debería ser *principium* (202, VII, 12; 205, Dist. III, Prol., 14; LXXXVI, 28, 35; XCV, 66/67).

5. Se puede observar como el traductor leyó algunas veces falsamente el texto catalán:

aïra por *ha ira* (LXVIII, 50ss.)
conseyl por *colteyl* (**205**, XV, 78)
coses *pesades* por coses *pasades* (CXII, 73)
divinitat por *d'unitat* (XLI, 42/43)
dona por *donada* (XXXVII, 27)
escorses por *corsos* (LII, 24)
fenyments por *significaments* (XVI, 63)
gracia por *gran* (CXIII, 24)
ho mou por *hom ou* (CIII, 64)
honrat por *ornat* (IL, 60ss.; LI, 53)
lentament por *l'enteniment* (XV, 39)
moltes por *moles* (CXXVI, 52)
plaer por *parlar* (LXXXIII, 44/45)
sens por *seus* (LIX, 72)

6. Se da también el caso de no haber comprendido bien la gracia de un ejemplo y por eso lo traduce sin sentido alguno (cf. **205**, XLVII, 51ss.).

7. En catalán se percibe un ritmo prosaico, o también series de conceptos que se repiten constantemente, que la traducción no logra y ni siquiera intenta comunicar:

ajuda, dó e perdó = adiutorium, donum et ueniam (XXI, 68, 70); donum, ueniam et iuuamen (XXVII, 17, 52; CXIII, 14).

capó, pavo o moltó = altilis vel ueruex (IL, 44)

duas forças esforçan forces = ambae fortitudines conantur et iuvant fortitudines (XLVII, 83).

força de coratge es força que esforça = fortitudo animi fortificat fortitudinem (XC, 25).

plaer per plaent odor = placidum placitum odorando (LVII, 62).

puja amor son amare = ponit amor superius suum amare (CXXV, 43/44).

Cf. también XVII, 76.

8. Se observan a menudo interesantes y curiosas formas de traducción:

atrau/trau = abstrahit (LXVII, 50; CXX, 50).

belament parlar e arengar = ornate loqui et ornata uerba sua ponere (IL, 61); polite loqui et ornate uerba sua ordinare (IL, 68).

caval = cadrupedes (LXIV, 68/69).

enamorar lo poble de virtuts = ad reddendum populum beneuolum ut (siue) philocaptum circa (de) uirtutibus (205, Prol. 70; CXXV, 47); reddat eam amorosam siue philocaptam ... (CXIII, 27); hom se enamora de Deu = homo efficitur philocaptus uel amorosus (CXXV, 47); paraules enamorades = uerba philocapta, id est amorosa (ib., 46) [10].

ha ardiment = est rigida (LVI, 56); habet rigiditatem (XLVII, 80).

qui es = ens (LXXIX, 23; XCIV, 63).

qui no ha con un huyl = mnoculus (XLVII, 44).

scientific = scientificus, hoc est multum intelligens (XXXVIII, 19, 57).

vanagloriós = dans sibi uanam gloriam (XLVII, 59); pomposus (ib., 61).

Desconocemos la identidad del traductor. Consta que Guillem Pagés, regente del estudio de gramática del cabildo de Mallorca, tradujo dos de los libros lulianos contenidos en el códice M [11]. Esto pudiera inducir a dar la paternidad de esta traducción al mismo Pagés. Un superficial análisis comparativo de los textos nos convence enseguida de lo contrario. Los albaceas de Ramon, suponiendo que estas traducciones sean consecuéncia del encargo testamentario, encargaron al parecer a varias personas de la traducción. Así se explica que del *Liber, per quem poterit cognosci, quae lex sit magis bona, magis magna et magis uera* (op. 209) se conserven dos antiguas y distintas versiones del catalán. Del *Ars breuis de praedicatione* (op. 208) poseemos tres versiones distintas, las tres muy antiguas, que han de tener su origen en las clausulas testamentarias.

---

(10) El verbo *enamorar* lo traduce alguna vez por *amificat* (CXXVI, 12). *Enamorar* por *philocapere* se encuentra ya en el *Libre d'amic e amat* (ORL IX, 404, núm. 175); cf. Ms. Venezia, Marc. CC, class. VI (s. XIII) f. 191vb, lin. 21.

(11) Cf. pág. LXXXVIII, not. 2.

VI

Criterios de esta edición

Después de una caracterización de los manuscritos y de las particularidades de la traducción quedan claros los caminos a seguir en la constitución del texto. Nos encontramos aquí con una tradición textual muy peculiar, aún dentro de las singularidades de la transmisión de la obra luliana.

Hemos visto como todas la obras de la *Summa sermonum* se conservan en el valioso códice M, que es la base de esta edición. Este códice, a pesar de su antigüedad, nos ofrece una traducción del original catalán llena de peculiaridades vernáculas en vocabulario y sintaxis. Además nos ofrece un texto plagado de faltas que parecen tener su origen en una deficiente percepción oral por parte del amanuense; este manuscrito es, como se deduce de los ejemplos indicados en los capítulos precedentes de esta introducción, sin lugar a dudas una copia al dictado.

La labor fundamental del editor fue subsanar estas faltas con lo que nos vimos obligados a hacer numerosas conjeturas. Para el *Liber de uirtutibus et peccatis*, es decir, más de las dos terceras partes de la *Summa*, hemos apoyado esas nuestras conjeturas en el original catalán (¹²). Para esta obra y para los *Liber de Pater noster* y *Liber de Aue Maria* nos sirvieron también de ayuda los restantes manuscritos que, a pesar de ser copias mediatas o inmediatas de M, se esforzaron con mayor o menor intensidad en corregir las faltas de M. Ninguno de estos manuscritos juega, sin embargo, un papel decisivo en la constitución del texto.

Hemos procurado reducir a un mínimo las correcciones al texto de M partiendo del catalán. Sólo en el caso de clara omisión, tergiversación o falta gramatical introducimos la lectura catalana en contra de M (I, 91, 126; II, 81; III, 51, 63/64; IV, 26; V, 40/41, 94; VII, 64; VIII, 73; XII, 80; XV, 7; XX, 5; etc.). En casos, donde juzgamos que M sigue una opción válida, aunque no de acuerdo con el original catalán, anotamos éste sólo en casos de discutible lectura (Prol., 4, 16, 31, 167; I, 22/23; V, 55; VII, 72; IX, 67/68; etc). Lo mismo hacemos en pequeñas omisiones/adiciones donde anotamos la lectura del original catalán (Prol. 52; XI, 12; XIII, 97; XVI 21; etc.). Dado que el texto catalán conservado es una transcripción mediata

---

(12) Barcelona, Biblioteca de Catalunya, 2021) (XV) fols. 12-157. El texto tiene tres grandes lagunas que son seguramente tres folios que faltaban en el manuscrito base: corresponden en el texto latino a Serm. XLII, 61 hasta XLIII, 47; XLV, 18 hasta XLVI, 19 y CXXXII, 24 hasta CXXXIV, 43. El manuscrito catalán prescinde de las invocaciones al principio y al fin de cada sermón.

y tardía con numerosas lagunas y evidentes faltas propias nos hemos visto obligados a hacer algunas conjeturas aún en contra de la copia catalana (III, 88; CXIX, 63/64; CXXI, 39/40; etc.).

El criterio básico es que al tratarse de una edición de las obras latinas de Ramon Llull hemos puesto por norma una mejor comprensión del texto latino tal y como se nos ha transmitido, por ello no nos parció oportuno apurar todas las posibilidades que nos ofrecía la comparación del catalán con el latín que hubiera hinchado exageradamente el aparato crítico. La inminente aparición de la edición crítica catalana ofrecerá la posibilidad de una comparación más profunda y exhaustiva de las dos versiones del texto.

Cuando hubimos de reconstruir el texto en las omisiones homoteleutas de M, lo hemos hecho procurando adaptarnos al estilo y vocabulario de la traducción que nos transmite M (VIII, 7; XIII, 9/10; XIV, 73; XVIII, 42/44; etc.).

En las primeras páginas del *Liber de uirtutibus et peccatis* se transcriben en el aparato crítico todas las lecciones variantes de los códices T R M_1 Z para justificar la genealogía y dependencias expuestas en el stemma codicum. En las páginas utilizamos estos manuscritos para corregir la lectura de M caso que las conjeturas de éstos sean correctas, como es el caso frecuentemente en T y en M_1. Las múltiples correcciones que se observan en Z no influyen para nada en la constitución del texto pues proceden, como ya se ha dicho, de una corrección a base de M. El códice L_7, por último, se compara con los otros a lo largo del sermón I (De Justicia) para mostrar, en cuanto es posible, su genealogía.

Los códices L_4, S_1 y L_3 que transcriben el *Liber de Pater noster* y, salvo L_3, también el *Liber de Aue Maria* no proceden inmediatamente de M sino a través de una fuente común a, que corrige a menudo el texto de M. Esas correcciones de a o las propias de L_4 y S_1 nos fueron útiles a lo largo de los dos opúsculos.

En cuanto al aparato crítico hemos de indicar las siguientes generalidades:

1. Anotamos todas las correcciones hechas a M, salvo aquellas numerosas, y aún curiosas, variantes gráficas (p. e. *hostendimus* por *ostendimus*; *effatus* por *affatus*; etc.) que son una de las características de este manucristo.

2. Las conjeturas del editor se introducen siempre con las notas *coni.* (= conieci) y *corr.* (= correxi), como es norma en la edición ROL. En las obras donde M es el único códice hemos prescindido de esas indicaciones pues se supone que todas las variantes indicadas son conjeturas o correcciones del editor.

3. La abreviatura *cat.* introduce una referencia al texto catalán y concretamente al texto tal y como aparece en el códice de Barcelona.

Los títulos de los sermones son, salvo raras excepciones, los mismos que indican todos o algunos de los manuscritos. La numeración progresiva de los sermones es generalmente del editor y está fundamentada en el original catalán. Todas las adiciones, así a los títulos como en el texto, que se refieran al orden y distribución de los mismos, van indicados por corchetes.

En los sermones del *Liber de uirtutibus et peccatis* añadimos al título una o dos letras del alfabeto mayúsculas o minúsculas en corchetes. Con ello se intenta poner más clara la combinación de virtudes y vicios pretendida por Llull, tal y como quedó explicada en las tablas de la pag. LXXVII.

Las pocas veces que aparece una numeración de los párrafos del sermón es obra del editor. Se da sólo en el caso que el mismo Ramon la haya indicado antes o sirva para la mejor comprensión del texto.

Por último, algunos sermones, sobre todo en los opúsculos 203 y 204, se dividen en dos o más partes porque creemos que así lo pretende el autor.

VII

Elenchus et descriptio codicum

Z   Mainz, *Priesterseminar*, ms. 220 e (XVII/XVIII)

Cf. Adam Gottron, *L'edició maguntina de Ramon Lull*, Barcelona 1915, pag. 82, n. 3.

Codex chartaceus; tegumentum: charta densata colorata; 20 × 32 cm. Textus una columna, fimbriis rubris circumdata: 13 × 25 cm. ff. I-II; p. 494 numeratae; in tergo: Tomus XX 17[3]; infra impressum: SEM[inarii] MOG[untini]; cedula impressa superposita: B. Raimundi | Ars magna praedicandi, | s. | De uirtutibus et uitiis Lib[er] | Manuscriptum; moderna signatura: Hs. 220 e; in interiori parte aduersa tegumenti: 173. Liber de uirtutibus et peccatis; cedula impressa apposita: Bibliotheca | Seminarii Episcopalis Moguntini | Locus B II. Scatet annotationibus marginalibus et correctionibus siue in margine siue in textu a Salzinger ipso partim et partim suo mandato factis.

f. Ir-Iv: uacat.

f. IIr: Titulus. Beati Raimundi Lulli, Doctoris caelitus illuminati, Ars magna praedicandi, siue Liber de uirtutibus et uitiis. Diuisus in quinque distinctiones [*ms.* distinctionis; *add. et del.* in]. Quarum prima de octo uirtutibus; secunda de octo peccatis mortalibus; tertia de uirtutibus compositis; quarta de peccatis compositis; quinta de uirtutibus et peccatis compositis mira et uerbi Dei praedicatoribus et asceticae uitae sectatoribus utilissima atque saluberrima methodo agit, et omnes possibiles combinationes uirtutum et uitiorum clarissima theoria et praxi ostendit.

f. IIv: Adumbratio censurae ecclesiasticae. Censura et approbatio ordinarii. Beati Raimundi Lulli doctoris caelitus illuminati Ars magna praedicandi siue Liber de uirtutibus et uitiis, cum sit scriptura diuinitus inspirata, utilis ad docendum, arguendum, concionatoribus, moralistis et ascetis necessarius et ad salutem animarum summe proficuus, omnem aestimationem, commendationem atque approbationem, sicut et cetri eiusdem antea facti [*ms.* altefacti] B. Magistri praecedentes et subsequentes libri, omni iure meretur, quod testimonium perhibeo ueritati, quae omnia [*add. et del.* uincit].

p. 1: *In marg. sup. recto* Ab hoc exemplari sumpta est copia pro impresso.

p. 1: *In marg. sup.* Collatus ad exemp. Barc. n. 5. Hic liber in diuisione huius libri uocatur Ars praedicanda, f. 8; et quia citatur in Arte breui praedicandi, est Ars magna praedicationis.

p. 1-492: *Liber de uirtutibus et peccatis* (op. 205).

Inc: Deus per tuam magnam misericordiam ac pietatem, | incipit liber iste, qui est de uirtutibus et peccatis.

– Cum sit multum mirandum, quod tot sermones et praedicationes sunt [*corr. in* sint] scripti [*corr. in* facti] et per tot prudentes homines et [*add. in marg.* tamen] tot sunt [*corr. in* sint] peccata et cotidie crescunt, propter hoc nos cogitamus et perpendimus [*corr. in.* intendimus] facere sermones de uirtutibus et uitiis.

Expl: Et ad utendum eius amore, ueneratione et honore bonis gratiae, quae ipse dat.

– Finiuit Raimundus Librum istum in ciuitate Maioricensi, mense Ianuarii anno incarnationis domini millesimo trecentesimo duodecimo [*ms.* decimo] ad honorem Domini nostri Iesu Christi et adiutorio et amore Spiritus sancti. Ob hoc ut hic liber defendatur et custodiatur a malis hominibus, commendauit Raimundus librum istum domino Deo nostro Iesu Christo et dominae [*add. sup. lin.* nostrae] sanctae Mariae. Amen. Finito libro, sit laus [*add. sup. lin.* et] gloria Christo. Amen.

p. 493-494: Anonimus [*De peccato contra Spiritum sanctum*]

Inc: Quamuis omne peccatum sit contra Deum, trinum et unum, appropriate [*ms.* a proprietate] tamen dicitur peccatum aliquod esse in Patrem, aliquod in Filium et aliquod in Spiritum sanctum; in Patrem enim [*ms.* etiam] peccant ex impotentia, in Filium ex ignorantia, in Spiritum sanctum ex certa malitia.

Expl: Praeterea dispositio remittendi in eo, qui remittitur, duplex est: Cognitio ueri et amor boni. Contra primum est impugnatio ueritatis; contra secundum, inuidentia gratiae supernae.

M   MÜNCHEN, *Bayerische Staatsbibliothek*, Clm. 10495 (XIV).

Codex membranaceus; 287 × 206; 230 folia numerata; binae columnae; una manus.

Cf. PERARNAU II, 16-24; Jordi RUBIÓ i BALAGUER, *Notes sobre la transmissió manuscrita de l'Opus lul.liá*, in: Franciscalia (Barcelona 1928) 335-348; reimpr. ID., *Ramon Llull i el Lul.lisme*, Montserrat 1985, pag. 167-190 (esp. 185-190).

f. 1r: (alia manu S. XV) In hoc uolumine, qui dicitur liber sermonum, continentur isti libri:

Primo: de uirtutibus et peccatis, qui dicitur Liber sermonum siue Ars praedicandi.

Secundo: Sermones de decem praeceptis.

Tertio: Sermones de septem sacramentis.

Quarto: Sermones de Pater noster.

Quinto: De Aue Maria.

Sexto: De septem donis Spiritus sancti.

Septimo: De operibus misericordiae.

Octauo: Ars abbreuiata praedicandi.

Noueno: De confessione.

Decimo: Quae lex est melior.

Undecimo: De ueniali peccato et mortali.

Duodecimo: De trinitate et incarnatione.

Decimo tertio: De quinque principiis, quae sunt in omni, quod est.

Decimo quarto: De participatione christianorum et saracenorum.

Decimo quinto: Liber differentiae correlatiuorum diuinarum dignitatum.

Decimo sexto: Liber, qui est nouus modus demonstrandi.

Decimo septimo: Liber de locutione angelorum.

f. 1v: uacat.

f. 2ra-130rb: *Liber de uirtutibus et peccatis* (op. 205).

Inc: Deus per tuam magnam misericordiam ac pietatem | Incipit liber iste, | qui est de uirtutibus et peccatis.

– Cum sit multum mirandum, quod tot sermones et praedicationes sint facti et per tot prudentes homines, et tot sint peccata et cotidie crescunt, propter hoc nos cogitamus et perpendimus facere sermones de uirtutibus et uitiis.

Expl: Et ad utendum eius amore, ueneratione et honore bonis gratiae, quae ipse dat.

– Finiuit Raimundus librum istum in ciuitate Maioricensi mense ianuarii anno incarnationis domini millesimo trecentesimo duodecimo et ad honorem domini nostri Dei Iesu Christi, et adiutorio et amore Spiritus sancti. Ob hoc ut hic liber defendatur et custodiatur a malis hominibus, commendauit Raimundus librum istum domino Deo nostro Iesu Christo et dominae nostrae sanctae Mariae. Finito libro sit laus [*add. sup. lin. alia manu* et] gloriae Christo. Amen.

f. 130rb-140rb: *Liber de sermonibus factis de decem praeceptis* (op. 201).

Inc: Deus per tuam uenerationem, misericordiam et iustitiam, | incipit iste Liber, qui est de sermonibus factis de decem praeceptis.

– De decem praeceptis. Cum omnis homo teneatur tenere uel complere decem praecepta, quae Deus dedit per Moysen, multum rationabile est, quod sciat illa.

Expl: Et deprecemur dominam nostram sanctam Mariam, Virginem gloriosam, quatenus deprecetur pro nobis. Et eius amore et honore dicamus: Aue Maria.

– Finiuit Raimundus Librum istum, qui est de decem praeceptis, in ciuitate Maioricae mense octobri [*ms*. october]. Qui quidem liber factus est ad honorem domini nostri anno incarnationis eius millesimo trecentesimo duodecimo.

f. 140rb-146va: *Liber de septem sacramentis sanctae ecclesiae* (op. 202).

Inc: Deus per tuum amorem, sapientiam et honorem, | incipit Liber iste, | qui est de septem sacramentis sanctae ecclesiae.

– Sicut decet sanctam ecclesiam Romanam fore aedificatam per quattuordecim articulos fidei et decem praecepta, quae Deus per Moysen dedit, sic decet eam fore aedificatam per septem sacramenta.

Expl: Quae digna sunt, quod praedicentur, et cognoscantur, amentur et memorentur, eo ut hi, qui ea audient praedicari ualeant per ipsa saluare.

– Ad uenerationem et honorem domini nostri Iesu Christi finiuit Raimundus librum istum in ciuitate Maioricensi mense octobri [*ms*. october] anno Domini millesimo trecentesimo duodecimo incarnationis domini nostri Iesu Christi. Laus tibi sit Christe, quoniam liber explicit iste. Amen.

f. 146va-154va: *Liber de Pater noster* (op. 203).

Inc: Deus cum uirtute tua, magnitudine et altitudine intelligendi et amandi, | incipit Liber iste, | qui est de Pater noster.

– Cum Iesus Christus sit generalior persona, quam alia, cum in ipso sit coniuncta natura diuina cum humana.

Expl: ex quo est pater noster. Et ad amandum, uenerandum et seruiendum, dicamus Pater noster.

– Ad gloriam et ad honorem Dei finiuit Raimundus librum istum in ciuitate Maioricarum, mense octobri [*ms*: october] anno domini millesimo trecentesimo duodecimo incarnationis Domini nostri Iesu Christi. Laus tibi sit Christe, quoniam explicit liber iste.

   f. 154va-161va: *Liber de Aue Maria* (op. 204).

Inc: Maria, mater, uirgo pia, | per tuum amorem | incipit Liber iste, | qui est de Aue Maria.

– Debitum est, quod sciatur declaratio salutationis, quam angelus Gabriel fecit dominae nostrae sanctae Mariae.

Expl: Et diligamus sermonem, ut cum eo domina nostra ad nostram adiuuet saluationem.

– Ad honorem domini nostri Iesu Christi et dominae nostrae sanctae Mariae finiuit Raimundus librum istum, qui est de Aue Maria in ciuitate Maioricarum mense octobris anno domini millesimo trecentesimo duodecimo incarnationis domini nostri Iesu Christi. Laus tibi sit Christe, quoniam liber explicit iste.

   f. 161va-167va: *Liber de septem donis Spiritus sancti* (op. 206).

Inc: Deus gloriose, qui totius, quod est, dominus estis, | et qui dignus plus amari, memorari et intelligi [*ms*. intelligere] | amore uestro, reuerentia et honore, | incipit Liber iste, | compositus ex septem donis per Spiritum sanctum datis.

– Cum Spiritus sanctus sit diuina persona, sibi ipsi data per Deum Patrem et Deum Filium, ex quibus ipsa infinite et aeterne [*ms. add*. et infinite] procedit.

Expl: Et propter hoc deprecemur Spiritum sanctum, quatenus det nobis timorem, qui consequentia sit sui amoris. Et ex quo est pater noster, eius amore, reuerentia et honore dicamus: Pater noster.

– Finiuit Raimundus librum istum de septem donis Spiritus sancti mense Februarii in ciuitate Maioricae anno Domini millesimo trecentesimo duodecimo incarnationis domini nostri Iesu Christi. Laus tibi sit Christe, quoniam explicit liber iste.

   f. 167va-171vb: *De operibus misericordiae sermones* (op. 207).

Inc: Deus gloriose, qui misericors estis | amore uestro facimus de operibus misericordiae sermones.

– Librum istum facimus pro eo, quod illi, qui opera misericordiae faciunt et illi, qui ea recipiunt, sciant, quid sit misericordia.

Expl: Quatenus det nobis gratiam ad sepeliendum mortuos tempore necessitatis, ex quo est pater noster. Et eius amore, reuerentia et honore dicamus Pater noster. [*ms. add*. Et eius amore, reuerentia et honore dicamus Pater noster.]

– Ad laudem domini nostri Dei finiuit Raimundus librum istum in ciuitate Maioricae mense Februarii anno Domini millesimo trecentesimo duodecimo incarnationis domini nostri Iesu Christi.

f. 171vb: Summa, quod fecit Raimundus in ciuitate Maioricae centum octuaginta sermones, anno millesimo trecentesimo duodecimo incarnationis domini nostri Iesu Christi. Laus tibi sit Christe, quoniam liber explicit iste.

f. 171vb: Figura incompleta circulorum Artis breuis de praedicatione.

f. 172ra-179va: *Ars breuis de praedicatione* (GL gf, Av 181, PLA 226).

Inc: Deus gloriose, qui omnium eorum, quae sunt, potens es, | pro te diligere, agnoscere et memorari, | cum tuo fauore benedictionis, | incipit haec Ars abbreuiata, | quae est Ars praedicationis.

– Cum haec sit maior Ars praedicationis, quae sic intitulata est, et in qua sunt centum triginta sex sermones: "Deus, per tuam gratiam, misericordiam ac pietatem, | incipit iste Liber, qui uirtutum necne peccaminum".

Expl: Quae quidem Ars facillime disci potest, ab homine magnum intellectum continenti, qui scientiam procuret scire, animo affectante.

– Raimundus, qui insuper Lulius uocatur, | scientiarum iter hac arte affatur, | patrauit librum mense februarii uocato, | lumen Maioricense titulo notato, anno incarnationis Iesu Christi millesimo trecentesimo duodecimo in mense februarii ad honorem ipsius, qui est alpha et omega. Deo gratias.

f. 179va-182rb: *Liber, qui continet confessionem* (PLA 218, ROL XVI, op. 200)

Inc: Deus per tuam gratiam et benedictionem | hunc librum componimus, | qui continet confessionem.

– Cum peccatum sit magna transgressio, quia est contra Deum, qui magna completio est, idcirco decet, ut magna et completa sit confessio.

Expl: Et quod uere et magnifice ualeas confiteri et de omnibus, quae commisisti, peccatis, possis magnam poenitentiam perpetrare.

– Expleuit et finiuit Raimundus ad laudem, gloriam et honorem domini nostri Dei Iesu Christi, qui est benedictus in saecula saeculorum, hunc librum in ciuitate Maioricensi mense septembris anno domini millesimo trecentesimo duodecimo incarnationis.

f. 182rb-185vb: *Liber, per quem potest cognosci, quae lex sit magis bona* (PLA 229, ROL XVIII, op. 209)

Inc: Gloriose Deus, amore tui, honore et reuerentia, | incipit liber iste, per quem quisque potest discernere, | quae lex melior, maior et clarior ac uerior habeatur.

– Quoniam plerique christicolae laici ac etiam institores discurrunt per mundum uniuersum, ut puta Barberiam, Bugiam, necnon ceterarum spatia terrarum.

Expl: Accusabit, quos rogauit, nisi iuuent sanctam fidem catholicam, prout poterunt, augmentare.

– Expleuit Raimundus in ciuitate Maioricensi hunc librum mense februarii anno incarnationis Iesu Christi millesimo trecentesimo duodecimo.

f. 185vb-191rb: *De uirtute ueniali atque uitali; de ueniali peccato insuper et mortali* (PLA 230, ROL XVIII, op. 211).

Inc: Venerande Deus gloriose, | qui super omnia primatum tenes et potestatem, | per tuam uirtutem et gloriam, | incipit Liber iste, qui fertur fore de uirtute ueniali atque uitali, de ueniali peccato insuper et mortali.

– Quoniam plerique homines sunt, qui notitiam habent minime de uirtute ueniali et uitali, et etiam de peccato mortali uel ueniali, et uirtus uia sit paradisi.

Expl: Cum ipse potissime sit uirtutem amator uitiorumque oppugnator.

– Ob honorem et reuerentiam domini nostri Iesu Christi in cruce propter humani generis redemptionem crucifixi, uisibilium et inuisibilium creatoris et domini, qui est carens principio atque fine, expleuit Raimundus Lulii istum librum in ciuitate Maioricensi in mense uocato aprili anno incarnationis Iesu Christi millesimo trecentesimo decimo tertio. Deo gratias.

f. 191rb: Alia manu: Liber de sanctissima trinitate et de incarnatione domini nostri Iesu Christi.

f. 191rb-196ra: *Liber de trinitate et incarnatione* (PLA 219, ROL XVI, op. 198)

Inc: Istum transtulit librum in uulgari Raimundus de libro, quem composuit in arabico [*ms*. araicho *corr. ex*. abraicho] et in duobus diuiditur distinctionibus.

Expl: Multae sunt quaestiones, quae possunt fieri de incarnatione et in omnibus potest responderi secundum modum, quo respondimus quaestionibus iam praefatis.

– Ad honorem et gloriam domini nostri Iesu Christi finiuit Raimundus hunc librum in ciuitate Maioricarum in mense septembris anno incarnationis Iesu Christi millesimo trecentesimo duodecimo.

– Istum quidem Librum transtulit Raimundus Lullii in romancio ab uno eodemque libro, quem fecerat in arabico anno quo supra. Verumtamen Guillelmus magistri presbyter, regens Studium grammaticale Capituli Maioricarum praesentem librum transtulit de romancio in latinum mense aprilis in ciuitate praedicta anno Domini 1316 incarnationis domini nostri Iesu Christi. Deo gratias.

f. 196ra: Alia manu: De quinque principiis, quae sunt in omni, quod est.

f. 196ra-205rb: *Liber de quinque principiis* (PLA 216, ROL XVI, op. 197)

Inc: Quinque principia, quae sunt in omni, quod est, sunt ista: Quare est, per quod est, in quo est, de quo est, et cum quo est.

Expl: Diximus de contingentia, quam agnouimus, quia hanc artificialiter discurrimus per quinque principia primitiua.

– Ob honorem et reuerentiam domini nostri Dei Iesu Christi, expleuit Raimundus Lulii istum librum in mense augusti in ciuitate Maioricensi in uulgari anno domini millesimo trecentesimo duodecimo incarnationis eiusdem domini Iesu Christi. Et in eadem ciuitate transtulit ipsum de uulgari in latinum Guillelmus magister presbyter, regens Studium grammaticale Capituli Maioricensis anno Domini millesimo trecentesimo sexto decimo.

f. 205rb-210va: *Liber de participatione christianorum et Saracenorum.* (PLA 214, ROL XVI, op. 195)

Inc: Deus cum tua altissima gratia et benedictione | incipit liber, | qui est de participatione christianorum et Saracenorum.

– Raimundus ueniens de Consilio Generali, quod factum fuit in Viannensi ciuitate, considerauit ordinationes, quae factae sunt ibi.

Expl: Necessarie sequeretur, quod syllogismi priores essent falsi et posteriores ueri; quod est falsum et inconueniens, ut per ea, quae diximus, manifestum est.

– Ad laudem et honorem Dei finiuit Raimundus istum librum Maioricis mense iulii anno domini millesimo trecentesimo duodecimo incarnationis Domini nostri.

f. 210va-213vb: *Liber differentiae correlatiuorum diuinarum dignitatum* (PLA 215, ROL XVI, op. 196)

Inc: Deus cum tua altissima sapientia et profunda | incipit liber differentiae correlatiuorum diuinarum dignitatum.

– Quoniam aliqui dicunt, quod impossibile est probare differentiam realem correlatiuorum dignitatum Dei, idcirco facimus istum librum.

Expl: Alto domino dico in alta deuotione et scientia et potestate et nobilitate, quem ita altum uoco uenerabilem dominum Fredericum, regem Tri[n]acliae.

– Finiuit Raimundus istum librum ad laudem et honorem Dei in Maioricensi ciuitate mense iulii anno Domini millesimo trecentesimo duodecimo incarnationis Domini nostri Iesu Christi.

f. 213vb-223rb: *Liber de nouo modo demonstrandi* (PLA 217, ROL XVI, op. 199)

Inc: Deus cum tua uirtute et ueritate, | Incipit Liber iste, | qui est nouus modus demonstrandi.

– Qui dicit, quod fides non potest probari, fit fallatia secundum quid et simpliciter.

Expl: ipsum librum submittimus correctioni sanctae ecclesiae Romanae, quia uerus catholicus sum.

– Ad laudem et ad honorem Dei finiuit Raimundus istum librum mense septembris in ciuitate Maioricensi anno Domini millesimo trecentesimo duodecimo incarnationis domini nostri Iesu Christi.

f. 223rb-230vb: *Liber de locutione angelorum* (PLA 215, ROL XVI, op. 194)

Inc: Deus, qui es causa efficiens et finalis omnium bonorum entium, | incipit liber, | qui est de locutione angelorum.

– Raimundus iacens in lecto suo, uolens se condormire, considerauit super aliquibus, quae facta sunt in Concilio generali Viannae.

Expl: Cum quibus exemplis potest homo intelligere locutiones, quam habent cum hominibus, ita quod angeli boni inducunt bonos homines ad uirtutes et angeli mali inducunt ad uitia ipsos malos.

– Ad laudem et honorem Dei finiuit Raimundus librum istum siue

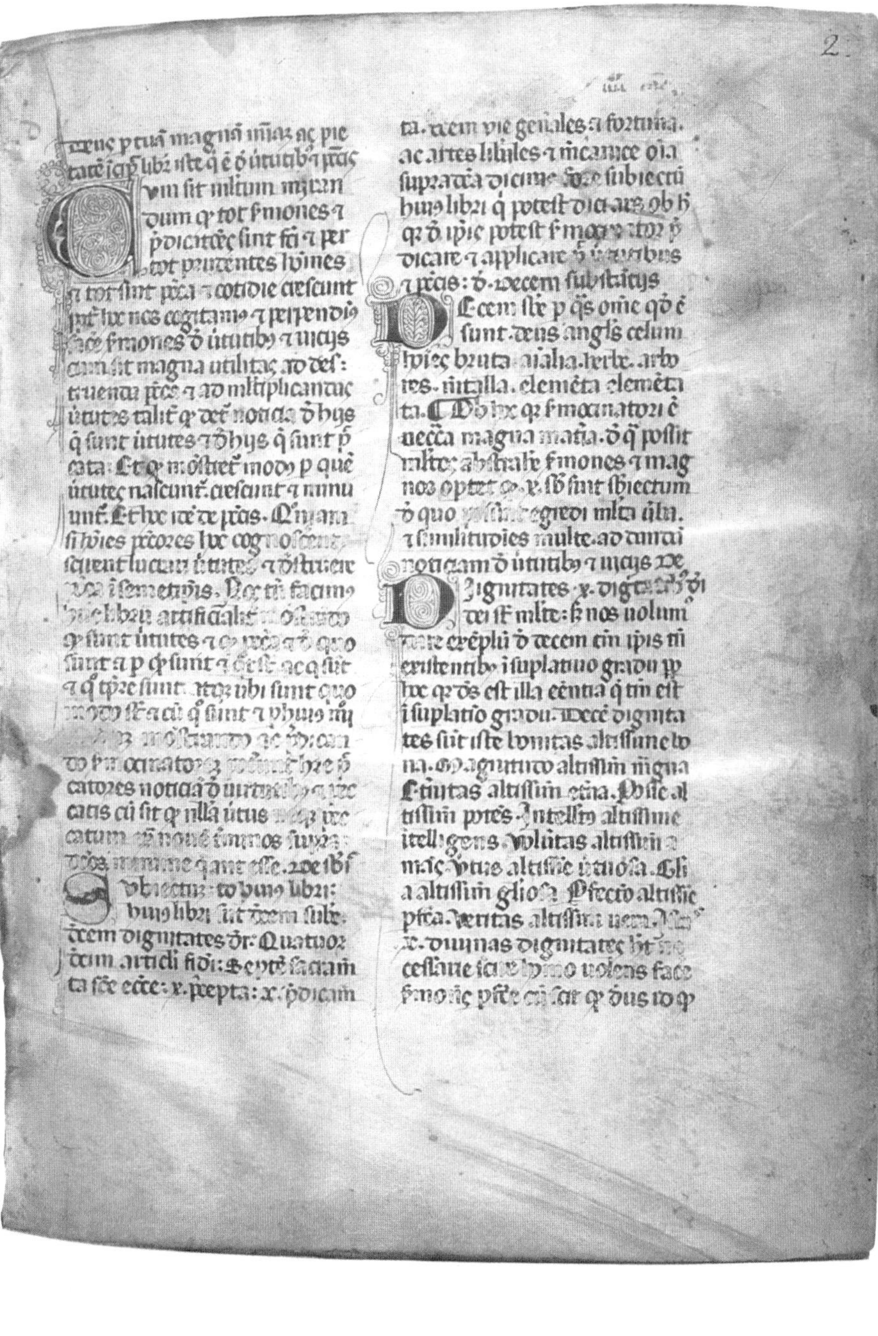

E codice *M* (München, Clm 10495, f. 2[r])

Artem in Monte Pessulano mense madii, anno Domini millesimo trecentesimo duodecimo incarnationis domini nostri Iesu Christi. In cuius
custodia sit commendatus et multiplicatus per excellentissimum, deuo-
tissimum et ordinatissimum Fredericum, Regem Tri[n]acliae ... propter
hoc Raimundus in ipso confidens uadit ad ipsum praesentatum istum
librum. [...] et fieri positiones indestructibiles pro sancta fide catholica
exaltanda in libro isto manifeste implicatae, sicut in tertia, quarta
distinctione est ostensum. Finito libro sit laus, gloria Christo, e penna
scriptoris requiescat fessa laboris.

M_1 MÜNCHEN, *Bayerische Staatsbibliothek*, Clm. 10587 (XVII).

> *Codicem descripsit* A. MADRE: ROL XII, p. XIX
> f. 149r-405v: *Liber de uirtutibus et peccatis* (op. 205).
> *Inc*: Deus per tuam magnam misericordiam ac pietatem, | incipit liber
> iste, qui est de uirtutibus et peccatis.
> – Cum sit multum mirandum.
> *Expl*: Et ad utendum eius amore, ueneratione et honore bonis, gratiae,
> quae ipse dat.
> – Finiuit Raimundus librum istum in ciuitate Maioricensi mense
> ianuarii anno incarnationis domini millesimo trecentesimo duodecimo
> [*ms*. decimo] ad honorem Domini nostri Iesu Christi et adiutorio et
> amore Spiritus sancti. Ob hoc ut hic liber defendatur et custodiatur a
> malis hominibus commendauit Raimundus librum istum domino Deo
> nostro Iesu Christo et dominae sanctae Mariae. Amen. Finito libro sit
> laus, gloria Christo. Amen.

L_7 PALMA DE MALLORCA, *Biblioteca Pública* 1039 (script. 1 Februarii 1738).

> Vetus signatura L 59. Possedit Hieronymus Santanyinensis OFM Cap.
> Codex una manu nitide conscriptus; 102 folia numeratione moderna;
> antiqua uero paginarum numeratio sine ullo ordine, quin textus inter-
> rumpatur. Codex enim est compilatio nouem fasciculorum, ante scrip-
> tionem et religationem sic numeratorum:
> Fasciculus 1: pag. 134-158; fasciculus 2: pag. 115-134; fasciculus 3:
> pag. 91-110; fasciculus 4: pag. 67-86; fasciculus 5: 19 paginae, quarum
> numeratio deleta est; fasciculus 6: 3-58; 5, 6; fasciculus 7: 26 paginae
> sine numeratione; fasciculus 8: pag. 19-38; fasciculus 9: 45 paginae sine
> numeratione.
> Cf. GARCÍA – HILLGARTH – PÉREZ 115.
> f. Ir: Este libro es ab uso dit P. Geronimi de Santagni.
> f. Iv: uacat.
> f. 1r: Not. in marg. sup.: Es de los Capuchinos de Mallorca.
> f. 1r-102v: Ex Libro beati Raimundi Lulli, Martyris Domini ac
> illuminati Doctoris *de uirtutibus et uitiis* (op. 205).
> *Inc*: [Sermo de iustitia]: Per bonam fortunam euenit homini bonum.
> *Expl*: [De fine Libri]: Nullus sermo est melior et fructuosior quam
> ille, qui fit per naturam intelligendi Deus et eius opera, et per quem

homo intelligit quid sint uirtutes et quid uitia, et per quid et unde
ueniant, et per quem sciatur cognosci concordantia, quae est inter
uirtutem et uirtutem, uitium et uitium, et contrarietas, quae est inter
uirtutem et uitium. Vnde cum hic liber sequatur dictum processum,
potest cognosci eius utilitas.

– Finiuimus hanc copiam Libri de praedicatione nostri illuminatissimi
Doctoris beati Raimundi Lulli, Christi Martyris inuictissimi. Quae copia
quoad substantiam discrepat a dicto libro, quin [ms. quis] discrepet
quoad accidens, scilicet quia est aliquantulum abbreuiata. Qui liber est
utilis et necessarius omnibus christianis, quia in eo continetur notitia
scientifica de uirtutibus et uitiis, quae possunt occurrere in operatio-
nibus hominum. Sine qua notitia nullus christianus potest operari
perfecte uirtuose et nullo modo uitiose, immo propter ignorantiam
contentorum in hoc libro passim cadit in multos defectus, in quibus
non potest excusari a culpa, nisi forte eius ignorantia esset inuincibilis;
qualis est illa, quae per studium non potest superari, ut optime dicit
diuus Thomas, thomo 11. prima secundae, quaestione 76, art. Ideoque
felices illi, qui studebunt in hoc libro, et qui [ms. quae] in eo, quae
dicta sunt, intelligent. Die prima februarii 1738.

L_4 PALMA DE MALLORCA, *Biblioteca Pública* 1076 (Scrips. Iohannes Lliteras OFM, 1. Ianuarii 1632).

    Codicem descripserunt A. SORIA FLORES: ROL III, 56-57; GARCÍA –
HILLGARTH – PÉREZ, 130.

    f. 322r-340r: *Liber de Pater noster* (op. 203).

    Inc: Deus, cum tua altitudine et magnitudine intelligendi et amandi,
incipit liber, qui est de Pater noster.

    – Cum Iesus Christus sit generalior persona quam alia, cum in ipso
sit coniuncta diuina natura cum humana.

    Expl: Et ad amandum, uenerandum et seruiendum, dicamus: Pater
noster.

    – Ad gloriam et ad honorem Dei finiuit Raimundus librum istum in
ciuitate Maioricarum, mense octobris anno Domini millesimo trecentesimo duodecimo incarnationis domini nostri Iesu Christi.

    f. 341r-348r: *Liber de Aue Maria* (op. 204).

    Inc: Maria, Mater Christi, Virgo pia, per tuum amorem, Incipit Liber
iste, qui est de Aue Maria.

    – Debitum est, quod sciatur declaratio salutationis, quam angelus
Gabriel fecit dominae nostrae sanctae Mariae.

    Expl: Quod diu intelligamus, memoremus et diligamus sermonem, et
cum eo domina nostra ad nostram adiuuet saluationem.

    – Ad honorem domini nostri Iesu Christi et dominae nostrae sanctae
Mariae finiuit Raimundus Librum istum, qui est de Aue Maria in
ciuitate Maioricarum mense octobris anno Domini millesimo trecentesimo duodecimo incarnationis domini nostri Iesu Christi.

S_1 PALMA DE MALLORCA, *Colegio de la Sapiencia*, 25 (XVII).

    Vetus signatura F. 71; possedit Antonius Juan, Presbyter ex Collegio

B.M. Sapienciae. Tegumentum membranaceum. 20 × 15 cm. I-II + (Int. I) 130 + (Int. II) 30 + (Int. III) 11 + (Int. IV) 17 + (Int. V) 15 folia.

Cf. Pérez, *Mallorca*, 1210-1215.

f. Ir: Est Anthoni Juan, presbyteri ac collegae B.M. Sapienciae.

f. Iv: uacat.

f. IIr: Imago beati Raimundi Lulli.

f. IIv: uacat.

Int. I, f. 1r-110v: *Liber de anima rationali* (RD 73, MOG VI, Int. VII, GL bn, Av 62, Pla 79).

Inc: Liber de anima rationali, auctore sancto Raimundo Lullio, totae ecclesiae sanctae defensore accerrimo.

– Deus, cum tua uirtute, incipimus librum de anima rationali.

– Praefatio. Quoniam anima rationalis est inuisibilis, multi sunt, qui eius cognitionem ignorant.

Expl: Quoniam passiones sunt ita magnae, quod non posset homo ipsas scribere nec aestimare.

– De fine huius libri. Finitus fuit hic liber in Romae ciuitate, anno incarnationis domini nostri Iesu Christi millesimo duocentesimo nonagesimo quarto. Liber in quo significata est essentia animae rationalis, sua natura, suae potentiae, sui actus intrinseci et extrinseci. Vnde cum anima sit una pars hominis, et melior pars, idcirco iste liber est multum utilis homini ad sciendum. Sciatur ergo hic liber per hominem, ut per ipsum de se ipso cognitionem obtineat seu habeat. Et per cognitionem sui ipsius, sciat melius intelligere, recolere et Deum amare. Deo gratias.

f. 101r-102r: Summa titulorum Libri de anima rationali.

Inc: Summa titulorum huius libri. De diuisione huius libri, p. 1.

Expl: Articulus secundus. De quarta specie partis decimae et ultimae, quae est de passione animae, seu cum quo est patiens, p. 96.

f. 102v: uacat.

f. 103r: Imago depincta: François de Sales, évèque et prince de Genève.

f. 103v: uacat.

Int. II, f. 1r-29r (Pérez, f. 107-136): *Tractatus compendiosus de articulis fidei catholicae* (GL -, Av 78, Pla 102).

Inc: Liber de articulis fidei, auctore sancto Raimundo Lullo, illuminato ab Spiritu sancto mirifice.

– Deus, qui gloriosissimus es et benedictus, ut tu sis cognitus et dilectus ab his, qui te non cognoscunt neque diligunt, Incipit compendiosus tractatus Raimundi de articulis fidei catholicae.

– Prologus. Cum aliqui dicant, quod fides christiana per rationes necessarias minime probari potest.

Expl: Et sicut ipsos probauimus, ita ceteri articuli christianae fidei probari poterunt, tenendo modum, quem supra tenuimus.

– Explicit iste tractatus. Et si in ipso aliquid diximus contra fidem christianam, ipsum humiliter submittimus correctioni ecclesiae Romanae sacrosanctae.

– Translatio huius operis facta est de uulgari in latinum in ciuitate Maioricarum, anno incarnationis domini nostri Iesu Christi millesimo trecentesimo mense Iulii, in cuius custodia istum tractatum et omnes alios, quos fecimus, propter amorem ipsius Iesu Christi commendamus. Vale.

f. 29r: *In marg. not.* Credo, quod sanctus Raimundus, quando erat Palmae fecit istum librum in uulgari, et ipsum fecit transferre in latinum, quando aduenit [*ms.* aduenat].

f. 29v: uacat.

f. 30r: figura leonis.

f. 30v: Anonymus. Fragmenta.

Inc: At si daretur forma sit destructa, maxime quia quando homo moritur, tota forma, quam habet, transfert in formam cadaueris.

Expl: Quis est tam diligens tonsor [*ms.* tonsum], qui cito ipsum totondit?

INT. III, f. 1r-10 (PÉREZ, 137-146): *Liber de natura* (RD 327, GL cq, Av 89, PLA 109)

Inc: Liber de natura, auctore diuo Raimundo Lullo, magno fidei propugnatore.

– Deus cum tua gratia, Incipit Liber de natura.

– Praefatio. Cum natura sit multum generalis et sine ipsa entia, quae sunt, esse non possunt.

Expl: Ad soluendum quaestiones peregrinas, quae fieri possunt de natura, secundum processum, quem fecimus in quaestionibus huius tractatus. Et si aliquid dictum fuerit contra fidem, ecclesiae correctionem petimus.

Finiuit Raimundus Lull, martyr et doctor, ab Spiritu sancto mirifice illuminatus [...] hunc librum in Cypro in ciuitate Famagustae in mense decembris anno incarnationis Domini millesimo trecentesimo primo. Deo gratias. Finito libro sit laus et gloria Christo. Amen.

f. 10v: uacat.

f. 11r: Imago ciuitatis Venetiarum.

f. 11v: uacat.

INT. IV, f. 1r-16r (PÉREZ, 148-165): *Liber de Pater noster* (op. 203).

Inc: Liber de Pater noster, auctore sancto Raimundo Lullo, totae ecclesiae sanctae defensore acerrimo atque martyre glorioso atque illuminato doctore et ab Spiritu sancto doctrinam habente.

– Deus, cum tua magnitudine et altitudine intelligendi et amandi, incipit liber, qui est de Pater noster.

– Praefatio. Cum Iesus Christus sit generalior persona quam alia, cum in ipso sit coniuncta diuina natura cum humana.

Expl: Ex quo est Pater noster, etiam eum amandum, uenerandum et seruiendum, dicamus Pater noster.

– Ad gloriam et ad honorem Dei finiuit Raimundus Lullus librum istum de Pater noster in ciuitate Maioricarum, mense octobris anno Domini millesimo trecentesimo duodecimo incarnationis domini nostri Iesu Christi.

f. 16r: Imago sancti Anthonii Patauini.

f. 16v: uacat.

f. 17r: Summa titulorum Libri de Pater noster.

Inc: Summa titulorum huius libri. De diuisione huius libri, f. 1.

Expl: Pars octaua: Sed libera nos a malo, f. 14.

f. 17r: Index librorum, quos citat in hoc libro: Liber de septem sacramentis, quarta parte, p. 5. Ipse liber parte septima p. 9.

INT. V. f. 1r-14v (PÉREZ, 166-179): *Liber de Aue Maria* (op. 204).

Inc: Liber de Aue Maria, auctore sancto Raimundo Lullo, ecclesiae sanctae defensore acerrimo, ab Spiritu sancto mirifice illuminato, atque gloriosissimo martyre, qui ipsum ad honorem Dei fecit.

– Oh Maria, mater, Virgo pia, per tuum amorem incipit liber iste, qui est de Aue Maria.

– Praefatio. Debitum est, quod sciatur delcaratio salutationis, quam angelus Gabriel fecit dominae nostrae sanctae Mariae.

Expl: Et diligamus sermonem, ut cum eo domina nostra ad nostram adiuuet saluationem.

– Ad honorem domini nostri Iesu Christi et dominae nostrae sanctae Mariae finiuit Raimundus Lull librum istum, qui est de Aue Maria, in ciuitate Maioricarum mense octobris anno Domini millesimo trecentesimo duodecimo incarnationis Domini nostri Iesu Christi. Laus tibi sit Christe, quoniam [*ms*. qui] liber explicit iste.

f. 15r: Fragmentum sermonis [Anonymi?]

Inc: [I] Cor. 15 [34]: Euigilate iusti et nolite peccare. Hug[onis] Car[notensis]: Multi sunt praedicatores et doctores, qui in lectionibus et sermonibus et disputationibus non loquuntur.

f. 15v: uacat.

INT. VI. f. 1r-15v (PÉREZ: 181-195): *Quaestiones Attrebatenses* (RD 18, 39, 334, PLA 96).

Inc: Quaestiones solutae a sancto Raimundo Lullo, quas ei misit Thomas Attrabatensis, ut eas solueret.

– In Christo domino nostro Deo et beata Virgine Matre eius, dilectissimo suo magistro Thomae Attrabatensi Raimundus Lulii suus deuotus, salutem et Dei amorem.

– Vidi, Domine, litteras uestras, in quibus continebatur, quod soluerem uobis aliquas quaestiones.

Des: [Quaestio 48]: Vt patet de aeternitate, scilicet utrum mundus sit aeternus, et quis est aeternitas, etc. Item quaestiones soluuntur per regulas, in tractatu regularum, faciendo quaestiones.

L₃   PALMA DE MALLORCA, *Archivo de la Curia, Causa Pía Luliana*, 13 (antea 14), (script. c. 1727).

Codicem descripserunt A. SORIA FLORES, ROL III 54-55; PÉREZ, *Mallorca* 43-45.

f. 26r-33v: *Liber de Pater noster* (op. 203).

Inc: Deus, cum tua magnitudine et altitudine intelligendi et amandi incipet liber, qui est de Pater noster.

– Praefatio. Cum Iesus Christus sit generalior persona quam alia, cum in ipso sit coniuncta diuina natura cum humana.

Des: [Sermo VIII: Sed libera nos a malo]: Ira malum est, eo quia mortale peccatum est, cum quo homo induit de malo, quod culpa est, suum uidere, audire, gustare, loqui, palpari, imaginari cum memorare, intelligere et amare, quae ...

R   ROMA, *Collegio di S. Isidoro* I.1 (olim Arm. 5, 41) (XIV/XV)

Codex membranaceus; 29 × 22 cm.; I-III + 116 folia; binae columnae.

Cf. Salvador GALMÉS, *Catàleg d'obres i documents lul.lians a Roma*, in: Butlletí de la Societat Arqueológica Luliana 24 (1932-1933) 101, núm. 41; PÉREZ, *Roma*, 92.

f. Ir-Iv: uacant.

f. IIr-IIIr: Tabula Libri de uirtutibus et peccatis.

Inc: Sequitur Tabula istius libri de uirtutibus et peccatis. De subiecto huius libri, f. 1. De decem subiectis, f. 1.

Expl: De sapientia et mendatio, f. 115. De fine huius libri, f. 116. Finito libro sit laus et gloria Christo. Amen.

f. IIIv: uacat.

f. 1ra-116ra: *Liber de uirtutibus et peccatis* (op. 205).

Inc: Deus, per tuam magnam misericordiam ac pietatem, | Incipit Liber iste, | qui est de uirtutibus et peccatis.

– Cum sit multum mirandum, quod tot sermones et praedicationes sunt et per tot prudentes homines et tot sint peccata et cotidie crescunt, propter hoc nos cogitamus et perpendimus facere sermones de uirtutibus et uitiis.

Expl: Et ad utendum eius amore, ueneratione et honore bonis gratiae, quae ipse dat.

– Finiuit Raimundus Librum istum in ciuitate Maioricena, mense ianuarii anno incarnationis Domini millesimo trecentesimo duodecimo, ad honorem domini nostri Dei Iesu Christi et adiutorio et amore Spiritus sancti. Ob hoc ut hic liber defendatur et custodiatur a malis hominibus, commendauit Raimundus librum istum domino Deo nostro Iesu Christo et dominae sanctae Mariae. Amen. Finito libro sit laus, gloria Christo. Amen.

f. 116rb-116va: Anonimus [De peccato contra Spiritum sanctum]

Inc: Quamuis omne peccatum sit contra Deum, trinum et unum, appropriate tamen dicitur peccatum aliquod esse in Patrem, aliquod in Filium, et aliquod in Spiritum sanctum.

Expl: Praeterea dispositio remittendi in eo tui remittitur duplex est, scilicet cognitio ueri et amor boni. Contra primum est impugnatio ueritatis agnitae; contra secundum inuidentia gratiae supernae.

f. 116vb: uacat.

T   TOLEDO, *Biblioteca Capitular*, ms. 22-23 Zelada (XIV/XV)

Codex chartaceus nitide conscriptus; 22 × 27 cm.; 55 folia, quibus duo papyracea adiuncta fuerunt.

Cf. J.M. MILLÁS VALLICROSA, *Els manuscrits lul.lians de la Biblioteca Capitular de Toledo*, in: EF 46 (1934) 367-368.

f. 1ra-55va: *Liber de uirtutibus et peccatis* (op. 205).

Inc: Deus per tuam magnam misericordiam ac pietatem, | Incipit Liber iste, qui est de uirtutibus et peccatis.

– Cum sit multum mirandum, quod tot sermones et praedicationes sint facti et per tot prudentes homines, et tot sint peccata et cotidie crescunt, propter hoc nos cogitamus et perpendimus facere sermones de uirtutibus et uitiis.

Expl: Et ad utendum eius amore, ueneratione et honore bonis gratiae, quae ipse dat.

– Finiuit Raimundus librum istum in ciuitate Maioricensi mense Ianuarii anno incarnationis domini millesimo trecentesimo duodecimo ad honorem domini nostri Dei Iesu Christi et adiutorio et amore Spiritus sancti. Ob hoc ut hic liber defendatur et custodiatur a malis hominibus commendauit Raimundus librum istum domino Deo nostro Iesu Christo et dominae sanctae Mariae.

f. 56r: uacat.

f. 56v-57r: Anonimi fragmentum.

Inc: Dicitur in littera Iudaeorum contra eorum fidem: Almichran bacasef, çadik verbion baabur naalim [Am. 2, 6]. Ista littera sibi dicit, quod Iesus Christus erat iustus.

Expl: Et quia de toto large locuti sumus, et de omnibus suis delictis et de omnibus suis erroribus euidentibus in libro reformationis hebraicae, illic inuenies mirabilia. Amen.

LISTA DE ABREVIATURAS

ALÒS = D'ALÒS-MONER, Ramón, *Los Catálogos Lulianos*, Barcelona 1918.

Ambrosiana = Catalogus codicis Ambrosiani, ms. R. 106 Sup. (XVI), f. 378ʳ-385ʳ: *Index omnium librorum Raymundi Lulli maioricani philosophi illuminati cum suis principiis*; cf. ALÒS, pg. 20-21.

ANTONIO = ANTONIVS, Nicolaus, *Bibliotheca Hispana Vetus* II, Madrid 1788, catalogus operum Raimundi, pg. 126-140 (allegantur numeri).

ARIAS DE LOYOLA = ARIAS DE LOYOLA, *Catalogus operum beati Raimundi Lulli* (anni 1594); ed. SOTO, pg. 38-59.

ATCA = Arxiu de Textos Catalans Antics, Barcelona 1982ss.

Av = AVINYÓ, Joan, *Los obres autèntiques del beat Ramon Llull*, Barcelona 1935 (allegantur numeri).

Biblioteca Cisneros = Ms. Vat. Ottob. lat. 704 (XVI), f. 112ʳᵃ-113ᵛᵇ: *Index librorum illuminati doctoris Raimundi Lulli, qui sunt apud Reuerendissimum dominum Hispaniae Cardinalem (Ximénez de Cisneros)*, anno Domini 1515, mense Junii; ed. ALÒS, pg. 55-67.

Biblioteca de Poblet = Ms. Vat., Vat. lat. 6197 (XVI), f. 236: *Index librorum Raimundi Lulli ex bibliotheca Cisterciensium apud Poblet*; ed. ALÒS, *Los Catálogos*, pg. 83-89.

BLOOMFIELD = M.W. BLOOMFIELD, B.G. GUYOT, D.R. HOWARD, T.B. KATEALO, *Incipits of Latin Works on the Virtues and Vices, 1100-1500 A.D. – Including a Section of Incipits of Works on the Pater Noster*, Cambridge/Mass. 1979.

BOFARULL = BOFARULL Y SANS, Francisco de: *Inventario de la Escuela Luliana de Barcelona 1466*: Inventario núm. 1, Documento núm. 4, *Inventari de les scoles del Reverent mestre Ramon Lull, qui son devant lo Carme*, pg. 29-36; Inventario núm. 2, Documento núm. 5 (*Toma de posesión de la Escuela luliana por el Rdo. Mossen Comte à 22 de junio de 1488*), pg. 37-42; Documento núm. 6, *Memorials dels llibres de Ramon Lull composts en llatí* (nota del siglo XVII), pg. 43-44; ed. Francisco de BOFARULL Y SANS, *El Testamento de Ramón Lull y la Escuela Luliana en Barcelona*, in: Memorias leidas en la R.A. de Buenas Letras de Barcelona 5 (1896) 435-479 (etiam in ed. sep. cum altera numeratione).

BONNER = *Selected Works of Ramon Llull (1232-1316)*, ed. and transl. by Anthony BONNER, 2 vols., Princeton/NJ 1985, Catalogue of Works, pg. 1257-1304 (allegantur numeri).

BOVILLUS = *Catalogus Operum Raimundi Lulli*, in: Caroli Bovilli, *Epistola in vitam Raimundi Lulli*; ed. I.B. SOLLIER, in: *Acta beati Raimundi Lulli*, Antuerpiae 1708, pg. 37ᵇ-38ᵇ; J.M. VICTOR, *Charles de Bovelles and Nicholas de Pax: Two Six-*

teenth-Century Biographies of Ramon Lull, in: Traditio 32 (1976) 313-345, spec. 324s.

BUF uid. IOHANNES A S. ANTONIO.

CA = CARRERAS Y ARTAU, Tomás y Joaquín, *Historia de la filosofía española. Filosofía cristiana de los siglos XIII al XV,* Tom. I, Madrid 1939. Tom. II, Madrid 1943. (Si de Raimundi operibus agitur allegantur numeri in catalogo, I. pg. 285-334, positi).

Catalogus Electorii (+ Supplementum) = Ms. Paris, nat. lat. 15450 (XIV), f. 88^{v}-90^{r}; ed. H. HARADA, ROL VIII, 304-308 (allegantur numeri).

Catalogus operum Cusanus = Bernkastel-Kues, St. Nikolaus-Hospital, ms. 85 (XV), f. 48^{v}: *Catalogus operum Raimundi Lulli,* a cardinale Nicolao Cusano, ut videtur, exaratus; ed. HONECKER, pg. 279-281 (allegantur numeri).

CCCM = CORPVS CHRISTIANORVM, *Continuatio mediaevalis.*

CRUZ HERNÁNDEZ = CRUZ HERNÁNDEZ, Miguel, *El pensamiento de Ramon Llull,* Valencia 1977. Apéndice II: La obra escrita de Ramon Llull, pg. 361-403 (allegantur numeri).

CUSTURER = CUSTURER, Jaime, *Disertaciones históricas del culto inmemorial del B. Raymundo Lulio,* Palma de Mallorca 1700, pg. 598-638 (allegantur numeri).

DÍAZ = DÍAZ Y DÍAZ, Manuel C., *Index scriptorum latinorum medii aevi hispanorum,* Madrid 1959, pg. 348-384 (allegantur numeri).

DIMAS DE MIGUEL = DIMAS DE MIGUEL, *Catalogus operum beati Raimundi Lulli*; ed. SOTO, pg. 60-68.

EF = Estudis Franciscans, Barcelona 1907ss.

EL = Estudios Lulianos, Palma de Mallorca 1957ss.

GARCÍA – HILLGARTH – PÉREZ = J. GARCÍA PASTOR, J.N. HILLGARTH, L. PÉREZ MARTÍNEZ, *Manuscritos lulianos de la Biblioteca Pública de Palma,* Palma de Mallorca 1965.

GL = GLORIEUX, Palémon, *Répertoire des maîtres en théologie de Paris au XIIIe siècle,* I-II, Paris 1933 (de Raimundi operibus: nr. 335 in vol. II, pg. 146-191; allegantur sigla alphabetica).

HILLGARTH = HILLGARTH, J.N., *Ramon Lull and Lullism in Fourteenth-Century France,* Oxford 1971.

HLF = *Histoire Littéraire de la France,* Paris; de Raimundo agitur: M.P.E. LITTRÉ – B. HAURÉAU, Raimond Lulle, vol. 29 (1885) 1-386 (allegantur numeri).

HONECKER = HONECKER, Martin, *Lullus-Handschriften aus dem Besitz des Kardinals Nikolaus von Cues,* in: Spanische Forschungen der Görresgesellschaft, I. Reihe, 6 (1937) 252-309.

IOHANNES A S. ANTONIO = IOHANNES A S. ANTONIO, *Bibliotheca Universa Franciscana* (BUF) III, Madrid 1733, pg. 35^{a}-52^{b}.

LLINARÈS = LLINARÈS, Armand, *Raymond Lulle, Philosophe de l'action,* Grenoble 1963 (allegantur numeri).

LO = LONGPRÉ, Ephrem, *Lulle, Raymond*; in: Dictionnaire de

Théologie Catholique IX (1926), col. 1090-1110 (allegantur numeri).

MAYER = MAYER, Johann, *Catalogus omnium librorum magni operis Lulliani proxime publico communicandi*, Moguntiae 1714.

MOG = RAYMUNDUS LULLUS, *Opera* I-VI, IX-X, Moguntiae 1721-1742; reimpr. Frankfurt 1965.

OE = RAMON LLULL, *Obres essencials* I-II, Barcelona 1957.

OL = *Obras literarias de Ramón Llull*, ed. M. BATLLORI et M. CALDENTEY, Madrid 1948.

ORL = *Obres de Ramon Llull*, Palma de Mallorca, I (1905)-XXI (1950).

OT = OTTAVIANO, Carmelo, *L'Ars compendiosa de R. Lulle avec une étude sur la bibliographie et le fond Ambrosien de Lulle*, Paris 1930; Table chronologique des œuvres de R. Lulle, pg. 31-103 (allegantur numeri).

PASQUAL = PASQUAL, Antonius Raimundus, *Vindiciae Lullianae* I-IV, Avignon 1778.

PEERS = PEERS, E. Allison, *Ramon Lull. A Biography*, London 1929.

PERARNAU = PERARNAU, Josep, *Els manuscrits lul.lians medievals de la "Bayerische Staatsbibliothek" de Munic*. I. Volums amb textos catalans, II. Volums de textos llatins, Barcelona 1982-1986.

PÉREZ, *Mallorca* = PÉREZ MARTÍNEZ, Lorenzo, *Los fondos manuscritos lulianos de Mallorca*, EL 2 (1958) 209-26, 325-34; 3 (1959) 73-88, 195-214, 297-320; 4 (1960) 83-102, 203-12, 329-46; 5 (1961) 183-97, 325-48; 7 (1963) 89-96, 217-22.

PÉREZ, *Roma* = PÉREZ MARTÍNEZ, Lorenzo, *Los fondos lulianos existentes en las bibliotecas de Roma*, Roma 1961.

PLA = PLATZECK, Erhard-Wolfram, *Raimund Lull. Sein Leben, seine Werke. Die Grundlagen seines Denkens (Prinzipienlehre)*, 2 Bde., Düsseldorf - Roma 1962-1964. Chronologischer Werke-Katalog, II, pg. 3-84 (allegantur numeri).

PROAZA = PROAZA, Alphonsus de, *Index librorum Raimundi Lulli*, 1515; in: Ars inuentiua ueritatis, Valencia 1515 (RD 53).

RD = ROGENT, Elíes et DURÀN, Estanislau, *Bibliografia de les impressions lul.lianes*, Barcelona 1927 (allegantur numeri).

ROL = RAIMUNDI LULLI *Opera Latina*, I-V, Palmae Maioricarum 1959-1967; VIss. CCCM, Turnholti 1975ss.

RUBIÓ = RUBIÓ BALAGUER, Jordi, *Los códices lulianos de la biblioteca de Innichen*, Revista de filología española 4 (1917) 303-40; reimpr.: ID., *Ramon Llull i el Lullisme*, Montserrat 1985, pg. 380-429.

SALZINGER = SALZINGER, Ivo, *Catalogus librorum magni operis Lulliani*; in: RAYMUNDI LULLI OPERUM tomus I, Moguntiae 1721 (MOG I, 47-73).

Sollier = Sollier, Iohannes Baptista, *Catalogus operum a B. Raymundo Lullo scriptorum*; in: *Acta beati Raymundi Lulli*, Antuerpiae 1708, pg. 65ª-77ª; idem opus inuenies in: *Acta Sanctorum Iunii*, tom. V, Antuerpiae 1709, pg. 633-736.

Soto = Blanco Soto, Pedro, *Estudios de bibliografía luliana*, Madrid 1916.

Tarré = Tarré, José, *Los códices lulianos de la Biblioteca Nacional de París*; in: Analecta Sacra Tarraconensia, 14 (1941) 155-182.

VC = *Vita coaetanea*, op. 189, ROL VIII, pg. 259-309.

Vileta = Ms. Vat. lat. 6197 (XVI), f. 233ʳ-235ᵛ: *Index librorum Raimundi Lulli ex bibliotheca canonici J.L. Vileta*; ed. Alòs, pg. 67-83.

Wadding-Sbaralea = Sbaralea, Iohannes Hyacinthus, *Supplementum et castigatio ad Scriptores trium Ordinum sancti Francisci, a Waddingo aliisue descriptos*. Pars III (Litt. R-Z), ed. A. Chiappini, Romae 1936, 4-41 (allegantur numeri).

Wadding-*Scriptores* = Wadding, Lucas, *Scriptores Ordinis Minorum*, Romae 1650, pg. 295 (in libro false numeratur: 290)-304.

LIBER DE SERMONIBVS
FACTIS DE DECEM PRAECEPTIS

In Ciuitate Maioricarum, 1312 X

LIBER DE SERMONIBVS
FACTIS DE DECEM PRAECEPTIS

CODEX

M = München, Bayerische Staatsbibliothek, clm 10495 (XIV) f. 130rb-140rb

LIBER DE SERMONIBVS FACTIS
DE DECEM PRAECEPTIS[a]

LIBER DE DECEM PRAECEPTIS[b]
LIBER DE SERMONIBVS DE DECEM PRAECEPTIS[c]
SERMONES DE DECEM PRAECEPTIS[d]
SERMONES SVPER DECEM PRAECEPTIS DECALOGI[e]

---

a = Inuocatio operis; MAYER 207; SALZINGER 189; PASQUAL I, pg. 241 et
     371; HLF 229; PEERS, pg. 310 not. 7; Av 182; WADDING-SBARALEA 334
b = Clausula finalis operis
c = CA 132; LLINARÈS 200; CRUZ HERNÁNDEZ 165
d = Ms. M, fol. 1r; VILETA 88; Lo IV, 51.3; OT 170.3; GL gd³; Av 182;
     LLINARÈS 200; PLA 221; CRUZ HERNÁNDEZ 165; BONNER IV, 60
e = ARIAS DE LOYOLA, tab. XII (SOTO, pg. 59); BUF 388

Deus, per tuam uenerationem, misericordiam et iustitiam
Incipit iste Liber, qui est de sermonibus, factis de decem
praeceptis.

5 Cum omnis homo teneatur tenere uel complere decem praecepta, quae Deus dedit per Moysen, multum rationabile est,
quod sciat illa, et modum, per quem Deo sit oboediens; et etiam
sciat magnam utilitatem, quae sequitur et acquiritur homini, si
sit oboediens; et magnum damnum, quod sequitur et acquiritur
10 omnibus illis, qui Deo inoboedientes sunt. Vnde hac de causa
facimus decem sermones de decem praeceptis. Quos quidem
sermones intendimus facere declarate. Et fugimus siue uitamus
magnam subtilitatem, eo ut ualeant per gentes intelligi hi sermones. Quoniam sermo non intellectus nec utilitatem defert nec
15 commodum.

Praecep|tum est opus, conueniens tantum domino. Et prae- M 130ᵛ
ceptum est ideo, ut per ipsum dominus et uassallus ualeant
participare iuste.
Decem praecepta sunt haec, scilicet:
20   1. *Vnum Deum habebis* (Ex. 20, 3; Deut. 5, 7)
     2. *Non accipies nomen Dei in uanum* (Ex. 20, 7; Deut. 5, 11)
     3. *Sabbata coles* (Ex. 20, 8; Deut. 5, 12)
     4. *Patrem et matrem ueneraberis* (Ex. 20, 12; Deut. 5, 16)
     5. *Non homicidium facies* (Ex. 20, 13; Deut. 5, 17)
25   6. *Non fornicaberis* (Ex. 20, 14; Deut. 5, 18)
     7. *Furtum non facies* (Ex. 20, 15; Deut. 5, 19)
     8. *Non facies falsum testimonium* (Ex. 20, 16; Deut. 5, 20)
     9. *Non concupisces uxorem proximi tui* (Ex. 20, 17; Deut. 5,
21)
30   10. *Non concupisces uel inuidebis bona proximi tui* (Ex. 20, 17;
Deut. 5, 21).
Et primo sermocinabimur de primo praecepto.

[SERMO I]

[DE PRIMO PRAECEPTO:]
Vnum Deum habebis (Ex. 20, 3; Deut. 5, 7)

In principio sermonis deprecabimur dominum Deum nostrum

PROL., **21/22** Non – coles] Sabbata coles. Non accipies nomen Dei in uanum
*M; praeceptum secundum et tertium transposui iuxta communem ordinem, quem etiam sermones
obseruant.*

5 Iesum Christum, qui uerus Deus et uerus homo est, et nostram
   dominam sanctam Mariam, uirginem gloriosam, eius matrem,
   quatenus eorum pietate, misericordia et bonitate, dent nobis
   gratiam, per quam sermonem intelligamus, memoremus ac diligamus ita diu, ut inde magnam utilitatem et commodum repor-
10 temus.
   Deus praecepit omnibus hominibus huius mundi, ut unum
   Deum tantum habeant, et non plures. Et ratio, quare Deus hoc
   praeceptum facit, est, eo quia ipse unus Deus est, et nullum
   aliud esse est Deus, nisi ipse tantum. Et propter hoc Deus facit
15 bonum et uerum praeceptum et magnum. Et omnis homo,
   oboediens praecepto, est bonus, magnus et uerax; et potest
   confidere de habendo saluationem.
   Quod sit unus Deus, et non plures, intelligere possumus ratio-
   nabiliter; cum ita sit, quod Deo pertineat, quod sit esse singula-
20 re infinitum. Et si essent duo dei uel plures, unus terminaret
   alterum; et quilibet esset finitus; et amitteretur esse infinitum.
   Quae quidem amissio esset maior, quam omne bonum, quod est,
   finitum, et possit esse. Probauimus igitur, quod non potest esse,
   nisi unus Deus tantum. Et sic Dominus Deus noster facit
25 bonum, magnum et uerum praeceptum.
   Dominus Deus noster facit praeceptum de habendo unum
   Deum. Nullus potest Deum habere, nisi per tres causas, scilicet
   quod memoret Deum, et non eum obliuiscatur; et quod eum
   intelligat et quod in ipso credulitatem habeat; et quod eum
30 diligat et timeat. Et qui contrarium facit, non habet Deum; et
   est inoboediens Dei praecepto, dicentis: *Vnum Deum habeas.*
   Deus facit praeceptum, in quantum dicit: *Vnum Deum habe-*
   bis. Ille habet plures deos, qui diligit magis se ipsum uel aliquem de parentela sua, honorem uel delectamentum suum,
35 quam Deum facientem praeceptum. Quare talis homo inoboediens est. Et propter hoc facit Deus praeceptum homini, quod
   non habeat, nisi unicum Deum.
   Id, quare homo plures deos habeat, est, quia Deo soli conuenit,
   quod ipse diligatur super omnia; et quia homo peccator, Deo
40 inoboediens, dat maiorem decentiam siue conuentionem amoris
   sibi ipsi uel alii, et eam aufert Deo, facit alium deum in uoluntate. Qui falsus deus est, et qui facit falsam totam hominis
   uoluntatem, et etiam totam memoriam et intellectum illius, et
   etiam totum suum | sentire, imaginari. Et propter hoc omnia illa   M 131ʳ
45 habet homo iniquus, qui habet et facit alium deum; et plenus
   est peccato. Propter quod uadit damnari perpetuo.
   Hominem, habentem falsum deum, quem ipse in anima facit,
   poteris cognoscere, si eum interroges: Quare Deum amat uera-

---

I, **20** infinitum] infinitus *M*   **21** esse infinitum] infinitus *M*   **23** et] nec
M   **34** delectamentum] delicamentum *M, cat.* delit, *hisp.* deleite   **36** est] *om.*
M

cem, qui praeceptum facit? Si ipse respondeat, quod diligit
50 Deum, eo quia eum creauit, et quia in hoc saeculo eum tenet
diuitem, plenum et honoratum; et quod saluetur et non damnetur; poteris cognoscere, ipsum habere alium deum. Et si ipse
respondeat, ipsum amare Deum, eo quia ipse infinitus et bonus
est, aeternus, totus potens et totus completus et perfectus,
55 poteris cognoscere, istum talem hominem non habere nisi unicum Deum tantum, et esse oboedientem praecepto. Propter
quod uadit ad gloriam, ubi perpetue permanebit.

Ille homo, qui oboediens est praecepto, et qui non habet
extraneum deum, habet Deum pro bono, magno et uirtuoso.
60 Habet etiam uerum memorare, intelligere et amare. Et hoc
conuenit esse, eo ut Deus honorem habeat; quoniam Deo conuenit, ut honoretur per tale honoratum memorare, intelligere et
amare, et non per contrarium. Et propter hoc nullus potest
saluari, qui in hoc saeculo uult habere Deum cum inhonorato et
65 pleno peccato memorare, intelligere et amare.

Si uelis saluari, unum ueracem Deum tantum et non extraneum habebis sancte et sine peccato. Et illum intelliges, memorabis et amabis, timebis, laudabis, ueneraberis, adorabis et sibi
oboediens eris. Et si contrarium facias, ad poenas infernales
70 aeternas uades.

Diximus de primo praecepto, dicente: *Vnum Deum habebis*.
Et propter hoc in fine sermonis deprecabimur dominum Deum
nostrum, quatenus det nobis gratiam, per quam omnes diu
memoremus, intelligamus et amemus sermonem, eo ut per prae-
75 ceptum Deo simus oboedientes. Et deprecemur dominam sanctam Mariam, uirginem gloriosam, quatenus deprecetur Deum
Patrem, Filium eius, ut nobis indulgeat peccata nostra; et quod
omnes ad saluationem deueniamus. Et eius amore et honore
dicamus *Aue Maria*.

[SERMO II]

[DE SECVNDO PRAECEPTO:]
Non accipies nomen Dei in uanum (Ex. 20, 7; Deut. 5, 11)

Deus praecipit hominibus, quod non sint periuri, iurando per
5 nomen eius. Periurare est peccatum contra ueritatem mentis, in
loquendo uerba falsa, quae dicuntur contra ueritatem, quibus

---

53 et] *om. M*   **61** eo] *add.* quia *M*   **68** adorabis] odorabis *M*   **69** eris]
om. M   **71** dicente] dicenti *M*   **72** nostrum] *om. M*   **76** deprecetur]
deprecemur *M*

II, **6** dicuntur] dicunt *M*   quibus] quod *M*

homo curat decipere proximum suum. Et quia Deus ueritas est,
et homo efficitur periurus per falsitatem, praecipit Deus, quod
non fiat iuramentum, propter quod periurus efficiatur et sit
10 mentiens; et quod non accipiatur nomen Dei in uanum.

In principio deprecabimur dominum Deum nostrum Iesum
Christum, quatenus det nobis gratiam, per quam oboedientes
simus eius praecepto. Et deprecemur dominam nostram sanctam Mariam, uirginem gloriosam, quatenus nos iuuet ad oboe-
15 diendum Deo per praeceptum suum.

Si iuramentum facias per Deum, | eo ut inde habeas denarios M 131ᵛ
uel possessiones uel honorem, et periuras te, plus illa diligis, pro
quibus iuras, quam Deum, qui melior est omnibus aliis rebus. Et
propter hoc peccas mortaliter. Et erit poena ita magna, quam
20 aeterne patieris, quemadmodum magnum est periurium.

Si iures, quod te adiuuet, uel te non adiuuet, et periuras te,
plus diligis ea, pro quibus periurus efficeris, quam Dei adiutorium. Sine quo adiutorio tu uiuere non potes nec habere aliquod
bonum naturale nec terrenum. Et sine adiutorio eius statim
25 morereris et nihil esses. Considera igitur erratam quam facis, eo
quia efficeris periurus. Et timeas a Dei iustitia, per quam tibi
praeceptum facit.

Si iures, quod Deus tibi indulgeat, et periurus efficeris, plus
diligis id, pro quo iuras, quam indulgentiam, sine qua saluari
30 non potes, quae saluatio gloria perpetua est; et uadis ad poenam
in ignem infernalem, qui semper durat. Videas igitur cum oculis
tuae mentis magnam erratam, quam facis, quando periurus
efficeris et accipis nomen Dei in uanum; et quomodo parum
Deum diligis, cui tantum impendis dedecus; et quomodo parum
35 diligis paradisum; et quomodo parum times poenam infernalem.

Si iures per caput tuum, et periurus efficeris, plus diligis id,
pro quo periurus efficeris, quam caput tuum. Sine quo capite
homo esse non potes; et sine rebus, pro quibus periurus es, potes
esse homo.

40 Si iures per animam tuam, et periurus efficeris, plus diligis id,
pro quo periurus es, quam animam tuam, cui animae facis
periuratum suum memorare, intelligere et amare uel abhorrere
in mente tua cum uerbis falsis, quae loqueris contra mentem.
Quae uerba pensat in se ipsa, et extra eam tu per os tuum dicis,
45 et profers uerba falsa. Et considera igitur, quomodo magnam
poenam patieris, eo quia periuras, et quia inoboediens es diuino
praecepto.

---

13 simus] scimus *M*   **17** periuras te] *ex* se periurare *cat. pro* effici periurus
41/42 facis periuratum] facit periurium *M*   **44** pensat] *ex* pensare; *cat. et
hisp.* pensar = cogitare *(cf. op. 205, serm. VIII, lin. 99, LXV, lin. 62, etc.)*   **46** es]
om. M

Si iures per filium tuum, et periurus efficeris, plus diligis id,
pro quo periurus efficeris, quam filium tuum. Et hoc idem dico
50 filio tuo, si iuret per te, et per te efficitur periurus. Et hoc idem
dico fratri tuo et sorori tuae et matri tuae, et cuicumque alii de
parentela tua. Videas igitur, si periurus efficiaris, qualiter multum erras, et qualiter praeparas tuum sentire, tuum imaginari,
tuum memorare, intelligere et amare, et totum id, quod habes
55 naturaliter, sustinere perpetue afflictionem.

Si iures per fidem tuam, et periurus efficeris, plus diligis id,
pro quo periurus efficeris, quam fidem, contra quam periurus
efficeris; et quam quattuordecim articulos et decem praecepta;
et quam septem sacramenta, quae sunt de fide, per quam iuras.
60 Vnde cum hoc ita sit, non mirabile est, si Deus det tibi perpetuam poenam, et tibi aufert gloriam aeternam. In qua hi, qui in
ea sunt, nullo bono indigent.

Si iures per totum mundum, et periurus efficeris, plus dili|gis M 132ʳ
id, pro quo periurus es, quam totum mundum, per quem iuras.
65 Intelligas ergo, homo periure, qualiter stulte delinquis, quando
periurus efficeris, et magnam poenam, quam patieris, et magnam gloriam, quam amittes. Non posses igitur cogitare, nec
dicere, nec scribere illam magnam erratam, quam facis, nec
poenas, quas semper sustinebis, nisi de errata et delicto, quam
70 facis, quando periurus efficeris, habeas contritionem, et quod
facias ueram confessionem, et quod promittas pro posse tuo
satisfactionem.

Diximus de praecepto, quod Deus facit homini, quod non
accipiat nomen suum in uanum et quod non sit periurus. Et
75 propter hoc in fine sermonis deprecemur dominum Deum nostrum, quatenus det nobis gratiam, per quam omnes diu memoremus, intelligamus et amemus sermonem, ad hoc ut Deo per
praeceptum oboedientes simus. Et deprecemur dominam nostram sanctam Mariam, uirginem gloriosam, quatenus deprece-
80 tur Deum Patrem, Filium eius, quatenus nobis indulgeat peccata nostra, et quod ad saluationem omnes deueniamus. Et eius
amore et honore dicamus *Aue Maria.*

[SERMO III]

[DE TERTIO PRAECEPTO:]
Sabbatum coles (Ex. 20, 8; Deut. 5, 12)

Deprecemur dominum Deum nostrum Iesum Christum, qui
5 uerus Deus est et uerus homo, et dominam nostram sanctam

---

49 dico] *om. sed add. in marg.* M   **55** sustinere] sustinet M   **70** habeas]
non habes M   **74** et] *om.* M   **80** Deum – eius] suum Deum Patrem, Filium M

Mariam, uirginem gloriosam, matrem eius, quatenus eorum bonitate, misericordia et pietate dent nobis gratiam, per quam
sermonem intelligamus, memoremus et amemus ita diu, quod
magnam utilitatem et commodum reportemus.

10 Praeceptum, quod colatur sabbatum, potest duobus modis
intelligi, scilicet: Quod homo festet corporaliter et spiritualiter.
Festare corporaliter intelligitur, quod homo non laboret; et
quod faber, pelliparius et carpentator, et sic de aliis, non ope-
rentur officio suo; et hoc idem de traginerio et asino, quod non
15 portet onus. Hoc festum praecipit Deus, eo ut homo requiescat
illa die, et quod officia mechanica supra dicta non impediant
festum spirituale.

Festum spirituale conuenit animae, scilicet quod quilibet re-
cognoscat se ipsum per suum sentire, imaginari, memorare, in-
20 telligere uel abhorrere. Et si in sex diebus septimanae Deum
offenderit, se ipsum et proximum faciendo peccatum, quod
uadat ad ecclesiam, deprecatum Deum et auditum sermonem;
et quod habeat contritionem, et quod faciat satisfactionem de
eius peccatis. Et si homo huius contrarium facit, Deo inoboe-
25 diens erit, qui praeceptum facit, et mortaliter peccabit.

Deus initiauit creare mundum in die dominica; et creauit et
compleuit omnia. In die sabbati requieuit. Non tamen quod ipse
requie indigeret; cum ita sit, quod eius posse sit infinitum et
aeternum, et omnes creaturae sint finitae et initiatae; sed quod
30 per requiem intelligatur, quod Deus in sex diebus fecit et
compleuit mundum. Et ob hoc dicit praeceptum, quod ipse die
sabbati requieuit.

Omnia, quae Deus facit, et homo facit, facit per aliquem |
finem; sicut faber, qui facit clauum, eo ut inde unum denarium M 132ᵛ
35 habeat; et uendit denarium, ut emat panem; et comedit panem,
ut uiuat. Et si sit homo bonus et uirtuosus, uult uiuere, ut faciat
festum ad seruiendum et laudandum et benedicendum Deum.
Potest igitur cognosci per talia opera, quod in omni, quod homo
facit, sunt duae intentiones; quarum una inferius exstat per
40 materiam, et reliqua superius per formam. Sicut faber, qui
clauum facit per secundam intentionem, et denarius est per
primam intentionem; cum ita sit, quod faber faciat clauum per
denarium. Et sic de gradu in gradum superius ascendendo,
secundum quod superius diximus, usque ad seruiendum Deo et
45 ipsum uenerandum et benedicendum. Et magis superius nemo
ascendere potest, cum ita sit, quod Deus sit finis omnis, quod
est. Vnde cum hoc ita sit, potest cognosci, quod lex, quam Deus

---

III, **11** festet] *ex* festare *cat.* festear, festejar = festum facere; *cf. infra lin. 81*
13 pelliparius] *cat.* pellicer, pellisser = qui pelles parat et emit   **14**
traginerius] *cat.* traginer = operans cum curru   **20** Et] *om. M*   **21** peccatum]
add. et M   **28** et] *om. M*   **35** ut emat] et emit *M*   **39** intentiones] *not.*
in marg. alia manu duae intentiones *M*   **43** ascendendo] *om. M*

dedit Moysi, fuit data per secundam intentionem, eo ut esset
fundamentum et materia prima legis nouae, quam dedit Iesus
50 Christus per euangelia. Quae quidem lex est fructus et forma,
finis et prima intentio totius, quod creatum est. Vnde cum hoc
ita sit, quod festum, praeceptum pro sabbato tempore Moysis,
sit mutatum per tempus Iesu Christi in diem dominicam, eo ut
festum fiat illa die, in qua Deus mundum initiauit.

55   Vult Deus, quod fiat festum in die dominica, ad declarandum,
quod festum diei sabbati est tamquam arbor, et festum diei
dominicae est tamquam fructus. Et quia fructus nobilior est
arbore, sicut substantia, quae nobilior est accidente, est lex
uetus, eo ut sit noua; et hoc non conuertitur. Sunt ergo Iudaei
60 inoboedientes, qui in die sabbato festant, et non die dominica.
Propter quam inoboedientiam mortaliter peccant.

Omnes homines de mundo aut habent prosperitates aut aduersitates. Prosperitates, scilicet diuitias, honores, sanitatem et
parentes, et ista talia. Et propter hoc uult Deus, quod homo per
65 sentire, uidere, audire, et sic de aliis sensibus, et etiam per
imaginari, memorare, intelligere et amare Deo gratias faciat de
prosperitatibus, quas sibi impendit; et quod cum omnibus prosperitatibus sit Deo oboediens. Et si est oboediens, acquirit
magnum et bonum meritum; propter quod, tamen gratia Dei,
70 perpetue gloriam consequetur.

Aduersitates sunt perditio denariorum et aliarum diuitiarum,
honoris, sanitatis et illorum de parentela. Et omnes has aduersitates uult Deus dare hominibus, eo ut patientiam habeant, et
quod agnoscant Deum in dominum, et ipsos esse subditos; et
75 quod de illis aduersitatibus eum laudent et benedicant, eo ut
meritum acquirant; propter quod Deus eis saluationem det.

Facit igitur Deus praeceptum, quod in die dominica fiat
festum, laudando Deum propter prosperitates et aduersitates
supra dic|tas. Quod quidem festum homo faciat per sentire, M 133ʳ
80 imaginari, memorare, intelligere et amare, ex quibus multiplicatur festare, id est, facere festum.

Faciendo festum, fit oratio per hominem principaliter solem-
niter ad ecclesiam. Et si uult habere pulchras uestes, et facere
festum in domo sua secundum quod decet, non tamen per
85 multum comedere et bibere, sed quod fiat festum principaliter
ob hoc, ut Deus sit dominus, et quod homo sit uassallus, et quod
in illa participatione habeatur multum sentire, imaginari, intelligere et amare in Deum contemplando. Isti, qui hoc facient,
erunt oboedientes praecepto, et facient festum gaudenter. Et si

---

49 prima] primae *M*; *sed not. in marg. alia manu* aut prima *M*   52 festum]
add. quod *M*   Moysis] Moysi *M*   56 est] et *M*   65 uidere, audire] uideat,
audiat *M*   68 oboediens²] *om. M*   72 illorum] eorum *M*   74 agnoscant]
cognoscant *M*   subditos] submissos *M*   82 principaliter] principale *M*   82/
83 solemniter] solemniale *M*   83 si] *om. M*   88 et] *om. M*

90 contrarium faciant, erunt Deo inoboedientes. Et festum facient
daemoni, qui eos decipit. Et uadunt ad ignem ardentem perpetue.

Diximus de tertio praecepto, quod dicit: *Sabbatum coles.* Et
propter hoc in fine sermonis, deprecabimur Deum, quatenus det
95 nobis gratiam, per quam omnes diu memoremus, intelligamus et
amemus sermonem, eo ut Deo simus per praeceptum oboedientes. Et deprecemur dominam nostram sanctam Mariam, uirginem gloriosam, quatenus deprecetur Deum Patrem, Filium eius,
quatenus nobis peccata nostra indulgeat, et quod omnes ad
100 saluationem deueniamus. Et eius amore et honore dicamus *Aue
Maria.*

[SERMO IV]

[DE QVARTO PRAECEPTO:]
Honorabis patrem tuum et matrem tuam (Ex. 20, 12; Deut. 5, 16)

Deus facit praeceptum per Moysen homini, quod honoret
5 patrem et matrem suam. Et propter hoc in principio sermonis
deprecabimur dominum Deum nostrum Iesum Christum, et
dominam nostram sanctam Mariam, uirginem gloriosam, quatenus deprecetur suum dulcem et carum Filium, uerum hominem
et uerum Deum, quatenus det nobis gratiam, per quam sciamus
10 cognoscere, amare et memorare praeceptum, et magnum bonum, quod consequentur illi, qui per praeceptum Deo oboedientes erunt.

Hic sermo diuiditur in septem partes, scilicet in septem
quaestiones. Quae sunt istae: (1) Quis est ille, qui facit praecep-
15 tum? (2) Quid est praeceptum? (3) Quare est praeceptum? (4)
Quid est pater? (5) Et quid mater? (6) Qui sunt illi, quibus
factum est praeceptum? (7) Quae utilitas habetur uel sequitur
in faciendo praeceptum?

1. Faciens praeceptum est Deus. Qui est suprema bonitas,
20 magnitudo, aeternitas, potestas, sapientia, uoluntas, uirtus, ueritas et gloria. Et propter hoc praeceptum est bonum, magnum,
durabile; et sic de aliis qualitatibus, ex quibus praeceptum
aedificatum est et completum. Et propter hoc omnes, qui oboediunt praecepto, boni sunt; et eorum bonitas est magna, durabi-
25 lis, potens, intelligibilis, amabilis, uirtuosa, uera, et est occasio
gloriae et perfectionis. Et omnes illi et illae, qui et quae inoboe-

---

91 uadunt] addunt *M*   93 tertio] secundo *M*   98 quatenus deprecetur]
om. M   Deum – eius] suum Deum Patrem, Filium *M*

IV, 13 septem¹] octo *M*   septem²] octo *M*   24 eorum] earum *M*

dientes sunt praecepto, sunt mali et malae. Et eorum malitia est
magna et durabilis, et per ipsam habent potestatem mali et
intelligunt opera mala, et ea diligunt, et uitiosi sunt et falsi, et
30 uadunt ad poenam aeter|nam, et amittunt gloriam aeternam.   M 133ᵛ
2. Praeceptum est opus domino pertinens, eo ut dominus
usum habeat in submisso et uassallo; et quod dominus et
uassallus participent per amorem et timorem, scilicet quod
dominus diligat suum uassallum, et quod uassallus diligat et
35 timeat dominum suum; per quem amorem sit sibi oboediens. Et
hi, qui inoboedientes sunt, contrarium faciunt. Quoniam inoboe-
dientia est similitudo falsi uassalli, qui uult dominus esse, et
quod dominus sit suus uassallus. Et propter hoc mortaliter
peccat.
40 3. Deus praecipit homini, ut honoret patrem suum et matrem
suam, eo quia habent praerogatiuam bonitatis, magnitudinis,
durationis et potestatis; cum ita sit, quod pater et mater sint
prius, quam bonitas, magnitudo, duratio et potestas filiorum
suorum; et etiam filii sunt patris et matris, et per ipsos nutriti;
45 et nisi pater et mater fuissent, illi non accidissent in mundo.
Honor est praerogatiua bonitatis, magnitudinis, durationis,
potestatis, sapientiae, uoluntatis, uirtutis, ueritatis et gloriae. Et
dedecus est contrarium. Vult igitur Deus, quod honoretur pater
et mater. Et qui Deo inoboediens est, et uilipendit uel inhonorat
50 patrem et matrem, mortaliter peccat.
4(-6). Tres sunt species patris, scilicet: Pater, qui creator est,
dominus et gubernator; et iste Pater est Deus. Alter pater est
ille, qui naturaliter habet filios et filias; sicut homo, qui alium
generat hominem naturaliter de sua essentia, substantia et
55 natura. Pater optatiuus est ille, qui nutrit infantem orphanum,
patre et matre indigentem.
Deus uult honorari, eo quia Pater est per creationem et
sustentationem; cum ita sit, quod ipse mundum de nihilo creauit, et gubernat et manutenet totum mundum; et nisi ipse
60 mundum gubernaret, ad nihilum rediret. Praecipit ergo Deus
hominibus, quod sibi honorem impendant. Quod iuste praecipit.
Et qui sibi inoboediens est, inoboediens est iniuriose; per quam
quidem iniuriam peccat mortaliter.
Deus praecipit hominibus, quod sibi honorem impendat per
65 sentire, imaginari, memorare, intelligere et amare. Per sentire,
scilicet per uidere, audire, odorare, gustare, palpare et loqui. Per
imaginari, scilicet quod imaginentur opera, per quae sibi ualeant
deseruire, et eum uenerari, et oboedire sibi. Per memorare,
intelligere et amare uult Deus honorari, scilicet quod memore-
70 tur, intelligatur et ametur fortius eius bonitas, magnitudo, ae-

---

42 et¹] *om. M*   **45** illi] et *M*   **55** optatiuus] *add. alia manu sup. lin.* aliter
adoptiuus *M*

ternitas, potestas, sapientia, uoluntas, uirtus, gloria et ueritas,
quam aliqua alia bonitas, magnitudo, duratio etc. Et qui de his
honoribus sibi inoboediens est, mortaliter peccat. Et si in tali
peccato moriatur, in perpetuum affligetur per totum suum
75 sentire, imaginari, memorare, intelligere et amare.

Vult etiam Deus per hominem uenerari, eo ut homo sibi
seruiat cum caelo, cum quattuor elementis, cum metallis, cum
herbis, cum auibus, piscibus, cum bes|tiis, et cum omnibus quali- M 134ʳ
tatibus accidentium et substantiarum illorum; cum ita sit, quod
80 nullum istorum ualeat Deo deseruire sine homine. Quoniam
nullum istorum potest intelligere, memorare Deum, cui non
potest seruiri sine memorare, intelligere et amare. Et propter
hoc uoluit Deus dare omnia supra dicta ad hominis seruitium,
eo quod seruiendo homini seruiant Deo per hominem; qui potest
85 Deo seruire per memorare, intelligere et amare super omnia.
Vnde cum hoc ita sit, quod Deus uelit honorari per omnes
creaturas corporales, et per omnia accidentia illarum mediante
homine, si homo sit sibi oboediens, remunerabitur et glorificabi-
tur per suum sentire, imaginari, memorare, intelligere et amare.
90 Cum ita sit, quod honor, quem Deo impendet, sit magnus, si Deo
oboediens est. Et si homo Deo inoboediens sit de omnibus supra
dictis, per omnes suas partes, ex quibus homo est, affligetur
perpetuo in igne ardenti. Et hoc multum rationabile est, eo quia
Deo fortiter inoboediens est.
95   Deus praecipit, quod honores patrem tuum, eo quia filius suus
es naturaliter. Et si sis inoboediens, erras fortius contra Deum,
quam contra patrem tuum. Et hoc idem dico tibi, filio orphano,
cui factum est praeceptum, quod honores patrem tuum, eo quia
te nutriuit.
100   5(-6). Mater potest intelligi dupliciter, scilicet mater naturalis, et mater clericalis. Mater naturalis, sicut tu, qui es filius
matris tuae, in qua pater te genuit, et ipsa te aluit. Praeceptum,
quod Deus tibi facit, est per iustitiam. Et si tu es inoboediens,
peccas mortaliter, eo quia peccas contra praeceptum et contra
105 matrem tuam.

Est mater clericalis, scilicet sancta ecclesia. Quae mater est
hominum catholicorum, credentium quattuordecim articulos fidei, decem praecepta et septem sacramenta. Praecipit ergo Deus
tibi, quod honores ista tria. Quae fundamenta sunt sanctae
110 ecclesiae, quae est congregatio christianorum et catholicorum.
Et quia sine tali matre saluationem habere non potes, praecipit
ergo Deus tibi, quod impendas honorem sibi. Alias si contrarium
facis, praeparas tuum sentire, imaginari, memorare, intelligere
et amare, quod uadant perpetue passum poenam in igne ardente
115 et in aqua feruida in inferno; et omni bono indigebunt.

---

79 et] *om. M*   80 Deo] *om. M*   87 illarum] illorum *M*   97 orphano]
orphane *M*   112 si] et *M*   113 praeparas] praepares *M*

7. Vtilitas, quae acquiritur ex praecepto, quod facit Deus, persistit in eo, quod Deus habet rationem, per quam det gloriam omnibus illis, qui oboedientes sunt eius praeceptis; et quod det poenam omnibus illis, qui sunt inoboedientes. Per quam quidem
120 poenam homines saluati cognoscant illam magnam gloriam, quam eis Deus impendit; cum ita sit, quod unum contrarium per aliud contrarium cognoscatur.

Diximus de praecepto, quod Deus facit homini, quod honoret patrem suum et matrem suam. Et propter hoc in fine sermonis
125 deprecemur Deum, quatenus det nobis gratiam, per quam omnes diu memoremus, intelligamus et amemus sermonem, eo ut per praeceptum Deo oboediamus. Et deprecemur dominam nostram sanctam Mariam, uirginem gloriosam, quatenus depre-ce|tur Deum Patrem, Filium eius, quatenus indulgeat nobis   M 134ᵛ
130 peccata nostra; et quod omnes ad saluationem deueniamus. Et eius amore et honore dicamus *Aue Maria*.

[Sermo V]

[De qvinto praecepto:]
Non homicidium facies (Ex. 20, 13; Deut. 5, 17)

Deus praecipit homini, quod non faciat homicidium, hoc est,
5 quod unus homo non occidat alium hominem iniuste, nec se ipsum. Et propter hoc in principio sermonis deprecabimur dominum Deum nostrum Iesum Christum, quatenus det nobis gratiam, per quam cognoscamus, quid est homicidium, et quod simus oboedientes praecepto eius. Et deprecemur dominam nostram sanctam Mariam, uirginem gloriosam, quatenus nos ad-
10 iuuet ad essendum oboedientes.

Homicidium est opus, per quod homo occidit alium hominem contra iustitiam et caritatem. Et quia omnis homo Dei est, facit Deus praeceptum cuicumque homini, quod non occidat alium
15 hominem nec se ipsum cum peccato.

Homicidium tres habet species. (1) Quarum una est per sentire, (2) alia est per imaginari, (3) alia est per mentem, scilicet per animam.

1. Homo occidit hominem per sentire, sicut per uulnera, uel
20 per metzinas siue potiones, uel per indigentiam; sicut homo diues, qui non satisfacit de bonis terrenis homini pauperi et egeno, qui moritur indigentia comedendi, uestiendi et habitationis. Hoc idem potest dici de homini egeno, qui occidit se ipsum,

---

129 Deum – eius] suum Deum Patrem Filium *M*

V, **3** Non homicidium facies] De omicidio *M*   **20** metzinas] *cat.* metzina *sc.* uenenum

uxorem suam et infantes suos, fame et indigentia, eo quia non
25 uult laborare ad lucrandum bona terrena, per quae uiuit homo.

2. Homo occidit hominem per imaginationem; sicut homo
uidens pulchram mulierem, et imaginatur carnale delicium contra matrimonium. Iste homo occidit se ipsum, qui est homo, per
peccatum. Hoc idem potest dici de latrone, qui imaginatur bona
30 proximi sui per inuidiam et auaritiam, uel per gulam; per quam
imaginationem mouetur ad opus, propter quod moritur suspen-
sus per iustitiam.

3. Homo occidit hominem per mentem suam, tunc quando
peccatum pensat et cogitat per memorare, intelligere et amare,
35 quae deuiat a fine, per quem creata sunt. Qui quidem finis est
seruire Deo et eum uenerari et oboedire.

Deus uult, ut sibi seruiatur per hominem, eo ut caelum,
elementa, metalla, herbae et bestiae, aues et pisces sibi seruiant
per hominem, seruientibus omnibus istis homini. Qui quidem
40 homo occidit se ipsum cum mente sua, si Deo non seruiat cum
tota mente sua, scilicet quod memoret, intelligat et amet Deum
super omnia, ex quo Deus impendit ad suum seruitium caelum
et alia.

Ecclesia est congregatio fidelium hominum, habituatorum et
45 indutorum uirtutibus. Ille homo, qui egreditur de ecclesia, eo
quia induit se et habituat de peccatis, occidit se ipsum per suam
malam mentem.

Tria sunt principalia in sancta ecclesia, scilicet (1) quattuordecim articuli, (2) decem praecepta et (3) septem sacramenta.
50 1. Ille homo, qui scit quattuordecim articulos fidei, et non eos
uult docere | praedicando, et tamen tenetur, illis, qui eos igno- M 135ᵣ
rant, occidit se ipsum et mentem suam, eo quia accidiosus est et
piger contra aeternum praeceptum Dei, dicentis per Moysen
(Deut. 6, 5): *Dilige Dominum Deum tuum ex toto corde tuo, et*
55 *tota anima tua, et tota mente tua, et totis uiribus tuis.*

2. Ille homo, qui scit decem praecepta, et non ea docet praedicando, et tamen tenetur, eis, qui ea ignorant, occidit se ipsum
cum mente sua otiosa et sine iustitia et caritate, et quia inoboediens est generali praecepto supra dicto.

60 3. Ille homo, qui scit septem sacramenta, et non ea docet, et
tenetur ea praedicare et docere illis, qui ea ignorant, occidit se
ipsum cum mente sua, eo quia cum ea non pensat Deo seruire
per septem sacramenta; et quia inoboediens est generali praecepto supra dicto.

65 Ille, qui scit octo uirtutes principales, sine quibus homo ad
paradisum ire non potest, et non eas dicit et docet, nec praedicat gentibus, inoboediens est generali praecepto supra dicto; per

27 delicium] delictum M   34 pensat] *cf. supra serm. II, lin. 44*   52 est]
om. M   62 pensat] *uid. lin. 34*

quam quidem inoboedientiam occidit se ipsum cum otiosa mente.
70   Ille, qui scit octo mortalia peccata principalia, quae uiae sunt
inferni, et tenetur illa docere et praedicare gentibus, ea ignoran-
tibus et ea non docet et praedicat, inoboediens est generali
praecepto supra dicto, occidit se ipsum cum otiosa mente.
      Diximus de praecepto, quod Deus facit homini, quod non
75 faciat homicidium. Et ostendimus modos, per quos homo hominem occidit, et inoboediens est Deo. Et propter hoc deprecabimur dominum Deum nostrum, quatenus det nobis gratiam, per
quam omnes diu memoremus, intelligamus et amemus sermonem, eo ut Deo per praeceptum oboedientes simus. Et deprece-
80 mur dominam nostram sanctam Mariam, uirginem gloriosam,
quatenus deprecetur Deum Patrem, Filium eius, quatenus nobis
peccata nostra indulgeat, et quod ad saluationem deueniamus.
Et eius amore et honore dicamus *Aue Maria*.

[Sermo VI]

[De sexto praecepto:]
Non fornicaberis (Ex. 20, 14; Deut. 5, 18)

      Deus praecipit homini, quod non exerceat luxuriam. Et prop-
5 ter hoc deprecabimur dominum Deum nostrum Iesum Christum, quatenus det nobis gratiam, per quam castitatem amemus et luxuriam destruamus. Et deprecemur dominam nostram
sanctam Mariam, uirginem gloriosam, quatenus nos adiuuet ad
habendum et manutenendum castitatem.
10   Luxuria est peccatum, per quod mortaliter peccatur contra
matrimonium. Et propter hoc Dominus Deus noster facit praeceptum homini, quod non exerceat luxuriam.
      Species luxuriae sunt tres, scilicet sentire, imaginari et mens.
Sentire et imaginari sunt uiae luxuriae; quae facta est in mente,
15 ubi cogitatur memorando, intelligendo et amando.
      1. [Per uisum]. Tu uides aliquam pulchram mulierem. In quan-
tum eam uides, non peccas uenialiter nec mortaliter. Et si
luxuriam imaginaris, peccas uenialiter. Et si in mente consentis
inflammationi imaginationis, mortaliter peccas, quia tunc eam
20 gignis cum tuo amare, intelligere et memorare. Et si tu | in   M 135ᵛ
principio, quando imaginaris luxuriam, quae imaginatio est alta
ianua mentis tuae, imaginareris infernales poenas et castitatem
diligeres, et diuinam bonitatem et praeceptum, quod Deus facit

---

72 ea – praedicat] *om. M*   Deum – eius] suum Deum Patrem Filium

VI, 3 Non fornicaberis] De luxuria *M*   8 adiuuet] *add.* et *M*   21
imaginatio] *om. M*   22 imaginareris] imaginaberis *M*   23 diligeres] diligebas
M

de non luxuriando, destrueris inflammationem, quam facit tibi
25 imaginatio, et generaueris castitatem in mente tua, cum qua ad
gloriam ires aeternam.

2-3. [Per odoratum et auditum]. Si tu odores rosam, lilium uel
uiolam, uel si audis uerba placentia ad audiendum, instrumenta,
cansones, et sic de aliis, tuum odorare et tuum audire erunt uiae
30 luxuriae usque ad imaginationem. Et sic secundum quod diximus superius, de imaginatione et mente.

4. [Per gustum]. Si tu comedas et bibas nimis, illud nimis
comedere et bibere est uia luxuriae, quoniam propter magnam
influentiam tuae comestionis et bibitionis ad fortunam imagina-
35 tio tua imaginabitur placita luxuriae, et te inflammabit; quae
stabit ad ianuam tuae mentis, secundum quod superius diximus.
Et si tu uelis claudere ianuam, recolas id, quod superius diximus.

5. [Per tactum]. Si tu palpes alicui mulieri manum suam uel
40 brachium suum, et sic de aliis partibus corporis, tua natura
uolet actionem habere supra mulierem, et mulier passionem
subtus naturam tuam. Et propter hoc ille tactus et palpatus erit
uia luxuriae. Et si mulier tangat manum tuam uel brachium,
eius natura exiget passionem habere subtus naturam tuam. Et
45 mouebit naturam suam ad uiam luxuriae. Et sic usque ad uiam
imaginationis, et de imaginatione usque ad mentem, secundum
quod superius diximus.

Si tu tangas uxorem tuam, et uxor tua te, tua natura et sua
appetent copulam carnalem. Et si tu sub forma matrimonii
50 tangas uxorem tuam, tu non facis luxuriam; cum ita sit, quod
matrimonium sit habitus, per quem licentiatus es ad copulam
carnalem cum uxore tua. Attamen si tu deuies finem matrimonii
a mente tua, ita poteris peccare per luxuriam cum uxore tua,
quemadmodum cum alia muliere.

55 6. [Per affatum]. Si tu loqueris uerba, quae sunt de genere
luxuriae, tu incipies ire ad luxuriam per uerba. Et in quantum
magis loqueris, in tantum magis prope ibis ad portam mentis,
secundum quod superius diximus.

Ostendimus, per quem modum sentire et imaginari et mens
60 sunt tres species luxuriae. Et propter hoc per contrarium modum sentire, imaginari et mens sunt tres species castitatis. Et
quia tu libertatem habes ad unamquamque partem, Deus tibi
praecipit, quod non luxurieris. Per quod quidem praeceptum
uult Dominus etiam, quod sibi amorem feras, et timeas sibi

24 destrueris] destrueres M   25 generaueris] generares M   29 cansones]
cat. cançons (cf. op. 205, serm. LX, lin. 38)   41 uolet] sc. uellet (cf. op. 205, serm.
XXXVIII, lin. 85)   48/54 Si – muliere] ponit M post diximus (lin. 58). Ordinem
paragraphorum manuscripti inuertimus ex ordine, quem Raimundus in aliis sermonibus ob-
seruat, et sensus habent.   55 sunt] sint M   64 etiam] esse M

65 displicitum facere et dedecus. Et si oboediens es eius praecepto
amore, habituatus es iustitia, prudentia et caritate. Et si oboe-
diens es timore, et non amore, non habes caritatem neque |
iustitiam; et habes imprudentiam, quia plus diligis te ipsum, M 136ʳ
quam dominum Deum nostrum.
70   Diximus de praecepto per Deum facto de non luxuriando. Et
ostendimus modos, per quos exercetur luxuria, et per quos
potest destrui. Et propter hoc deprecemur dominum Deum
nostrum, quatenus det nobis gratiam, per quam sibi simus
oboedientes, et quod amemus et teneamus praeceptum eius. Et
75 deprecemur dominam nostram sanctam Mariam, uirginem gloriosam, quatenus nos adiuuet et nobis consulat ad tenendum
praeceptum. Et eius amore et honore dicamus *Aue Maria*.

[SERMO VII]

[DE SEPTIMO PRAECEPTO:]
Furtum non facies (Ex. 20, 15; Deut. 5, 19)

Deus facit praeceptum, quod homo non faciat furtum. Et
5 propter hoc deprecabimur dominum Deum nostrum Iesum Christum, uerum Deum et uerum hominem, et dominam nostram
sanctam Mariam, uirginem gloriosam, quatenus deprecetur suum
gloriosum Filium Iesum Christum, quatenus det nobis gratiam,
per quam simus oboedientes eius praecepto, et quod sermo
10 nobis sit utilis, et Deo placidus.
Furtum est habitus, cum quo homo furatur denarios, possessiones et alia, cum fraudibus, falsitatibus et machinationibus.
Sancta mater ecclesia est mater hominum catholicorum, secundum quod diximus in praecepto, quod dicitur: *Honorabis pa-*
15 *trem tuum et matrem tuam* (Ex. 20, 12; Deut. 5, 16). Fundamenta
ecclesiae sunt quattuordecim articuli, decem praecepta et septem sacramenta. Illi praelati et clerici, qui dotati sunt et depu-
tati ad manutenendum sanctam ecclesiam et eam multiplicandum, si peccent per accidiam et per iniuriam contra caritatem
20 et sapientiam, faciunt furtum contra sanctam ecclesiam. Et ob
hoc, quod non fiat tale furtum, praecipit Deus homini, quod non
faciat furtum. Et si non oboediant praecepto, poenae infernales
eos exspectant. Quoniam Deum decipere et cogere non ualebunt.

_____

VII, **14/15** *Cf. serm. IV huius operis.*

_____

VII, **10** nobis] *om. M*   **18** eam] ei *M*   **19** et] *om. M*   **23** exspectant]
spectat *M*   et] *om. M*

Homo facit furtum contra dominum tunc, quando uassallus
25 uult esse dominus. Et hoc idem de officiali. Et furtum fit per
sentire, imaginari, cum mortalibus peccatis et cum falsitate et
machinatione memorandi, intelligendi et amandi.

Homo facit furtum contra finem mundi tunc, quando dominus
uult esse mundi, qui Dei est. Illi, qui uolunt creaturas mundi eis
30 fore seruientes, sicut est caelum, elementa, metalla, herbae,
arbores, bestiae, pisces et aues, et ipsi sunt accidiosi ad seruiendum Deo et sine iustitia, prudentia et aliis uirtutibus, furantur
Deo mundum et se ipsos; cum ita sit, quod ista Dei sint. Et quia
furtum magnum est multum, praecipit Deus per magnam iusti-
35 tiam, quod homo sibi furtum non faciat, furando sibi finem
mundi. Et talis latro siue fur, faciens tale furtum, potest considerare, quod magnae sunt poenae, quae eum exspectant.

Deus praecipit homini, quod non furetur ei honorem et uenerationem sibi pertinentem. Quem ei furantur illi, qui uolunt
40 magis honorari quam Deus. Et propter hoc praecipit Deus
homini, quod non faciat furtum. Et si facit, | Dei iustitia, cui   M 136ᵛ
conuenit totus honor et ueneratio, accipiet et faciet de ipso ita
magnam poenam, quemadmodum magnum est furtum, per ipsum factum.

45 Illi furtum faciunt Deo, qui plus diligunt Deum, eo quia ipsos
creauit, et bona terrena eis praebuit; et quod per Deum saluentur et non damnentur, quam eo quia Deus bonus est. Isti tales,
qui ita magnum faciunt furtum et erratam, uult diuina uoluntas, quod per iustitiam diuinam, aeternitatem et potestatem ad
50 in perpetuum damnentur.

Tu furaris proximo tuo diuitias terrenas, quas Deus uult
proximum tuum habere, et non te.

Et sic facis furtum contra diuinam uoluntatem, intellectum,
bonitatem et potestatem, iustitiam et caritatem. Considera igi-
55 tur, quomodo magnum est furtum, quod facis cum uoluntate
tua, intellectu et malitia tua et potestate tua et superbia, cum
quibus inoboediens es diuino praecepto, dicenti: *Furtum non
facias*. Et si hoc consideres et non facies poenitentiam, nec
satisfactionem et confessionem non habes, considerare potes,
60 qualiter magna erit punitio et aeterna in igne ardente.

Tu furaris proximo tuo, habenti ualorem pro oboediendo,
quando detrahis sibi et fingis te esse ualentem. Et hoc idem de
honore et ueneratione, quae furaris proximo tuo tunc, quando
uis habere honorem et uenerationem, quae ipse habet; et dicis

---

28 dominus] Deus *M*   33 mundum et se ipsos] mundo de se ipsis *M*
37 exspectant] spectant *M*   38 ei] sibi *M*   39 ei] sibi *M*   41 non]
om. alia manu add. in marg. M   43 poenam] *om. M*   45 ipsos] ipso *M*   58
et] *om. M*   59 et confessionem] confessionem et *M*   60 aeterna] aeterne *M*
        62 ualentem] *cat.* ualent, *sc.* audax, uiriliter fortis (*cf. op. 205, serm. LXXXIX,
lin. 78*)

65 gentibus, quod tu facis bonum, quod ipse facit. Tale furtum est
spirituale. Et furaris te ipsum Deo, et das te ipsum daemoni, qui
tibi regratiabitur de poena infernali.

Tu furaris cum simonia tunc, quando indigne uis habere
praelatiam. Tu facis furtum cum hypocrisi, habendo honorem et
70 diuitias, et habes falsam intentionem et mentem.

Tu cum detractione furaris proximo tuo bonam famam, et
facis eum negligi a gentibus; et facis peccare gentes, quae ipsum
negligunt, qui bonus est, et decorant te, qui malus es. Et quia tu
magnum malum facis, praeparas te ad sustinendum in inferno
75 magnam poenam.

Tu mulier, quae te facis pulchram, et tamen pulchra non es,
furaris pulchritudinem faciei tuae, quando eam pingis. Tu uero
quae contrarium facis induis mentem tuam de pulchritudine
memorandi, intelligendi et amandi, sentiendi et imaginandi.
80   Tu furaris proximo tuo uxorem suam uel filiam suam cum
luxuria et cum inuidia tunc, quando sibi furaris uxoris castitatem et filiae suae uirginitatem. Considera, qualiter magnum
facis peccatum. Et si in illo peccato moriaris, cum daemone te
ipsum Deo furaberis.
85   Si tu furaris cum peccatis, satisfacias cum uirtutibus. Et fleas
et suspires et clames ad Deum misericordiam, quatenus indulgeat tibi peccata tua, et habeas contritionem, facias confessionem et satisfactionem; et perseuera usque in fine mortis, pe-
tendo Deo indulgentiam et oboediendo eius praecepto.
90   Diximus de praecepto furti. Et | ostendimus plures modos, per   M 137ʳ
quos homo inoboediens est praecepto. Et propter hoc deprecemur dominum Deum nostrum, quatenus det nobis gratiam,
quod simus oboedientes eius praecepto. Et deprecemur dominam nostram sanctam Mariam, uirginem gloriosam, quatenus
95 deprecetur Deum Patrem, Filium eius, quatenus indulgeat nobis
peccata nostra. Et eius amore et honore dicamus *Aue Maria*.

[Sᴇʀᴍᴏ VIII]

[Dᴇ ᴏᴄᴛᴀᴠᴏ ᴘʀᴀᴇᴄᴇᴘᴛᴏ:]
Non facies falsum testimonium (Ex. 20, 16; Deut. 5, 20)

Deus praecipit homini, quod non perhibeat falsum testimo-
5 nium. Et propter hoc deprecemur dominum Deum nostrum
Iesum Christum, uerum Deum et uerum hominem, et nostram

---

71 bonam] malam *M*   72 a] *om. M*   77/78 Tu – facis] *om. M*   81
tunc, quando] et *M*   uxoris] *om. M*   85 satisfacias] satisfacis *M*   88 usque]
quod *M*   89 oboediendo] cum oboediente *M*   95 Deum – eius] suum Deum
Patrem Filium *M*

dominam sanctam Mariam, uirginem gloriosam, quatenus deprecetur suum gloriosum Filium Iesum Christum, quatenus det
nobis gratiam, per quam faciamus sermonem ad suum honorem
10 et commodum nostrum.

Falsum testimonium est proferre uerba contra ueritatem. Et
propter hoc Deus, qui est ueritas et dominus est, facit praeceptum duplex. Vnum est, quod homo non perhibeat falsum testimonium contra Deum. Aliud est, quando quis perhibet falsum
15 testimonium contra proximum suum. Homo facit falsum testimonium contra Deum, quando illud facit contra principalia
sanctae ecclesiae. Quae sunt: Quattuordecim articuli fidei, decem praecepta et septem sacramenta; et sic de aliis Deo perti-
nentibus.

20 Homo facit falsum testimonium contra proximum suum, quando testificatur contra uirtutes ipsius et contra mortalia peccata,
quae ipse non facit, dicendo ipsum ea facere.

Homo facit falsum testimonium cum tribus, de quibus homo
est, scilicet cum sentire, imaginari et cum anima sua. Cum
25 sentire, per uisum, auditum et alios sensus. Cum imaginari,
quando quis imaginatur uerba, qualiter faciat falsum testimonium. Cum anima, quando quis pensat in mente sua, quod faciat
falsum testimonium per memorare, intelligere et amare uel
abhorrere.

30 [De falso testimonio contra Deum]

Homo facit falsum testimonium contra articulos fidei; sicut
illi, qui dicunt, unum Deum esse malum, qui facit omnia mala,
quae sunt. Qui Deus non est, sed homo haereticus cogitat et
credit ipsum esse, qui esse non potest; cum ita sit, quod soli Deo
35 pertineat, quod sit infinitus, et quod sit bonus, aeternus absolu-
te. Et duae infinitates non possunt esse, quia una aliam terminaret, et essent infinitae et finitae; et sequeretur inde contradictio;
quae esse minime potest.

Illi falsum testificantur contra diuinam trinitatem, quando
40 eam non credunt et negant. Quae de necessitate est, ob hoc ut
suum opus, quod habet per suam unitatem, bonitatem, magnitudinem, aeternitatem, potestatem et alias, sit ita magnum, quemadmodum est ipsemet, eo ut Deus non sit aeterne et infinite
otiosus de sua infinita bonitate et aliis, et quod diuinae dignita-
45 tes non sint uacuae et sine natura; sicut diuina unitas, quae
uacua esset et sine natura, et sine infinito aeterno uniente, unito
et unire. Et hoc idem de diuina bonitate, quae in aeternum

VIII, **13** duplex – est] *om. M*   **14** aliud] alia *M*   **16** illud] eum *M*   **27**
pensat] *cf. supra serm. II lin. 44*   **33** Deus] *om. M*   **39** trinitatem] aeternitatem
M   **44/45** diuinae dignitates] *om. M*

uacua esset et sine natura, sine aeterno et infinito bonificante,
bonificato et bonificare. Quod est impossibile; cum ita sit, quod
50 Deus | sit esse penitus completum sine aliquo defectu.   M 137ᵛ
      Illi falsum testificantur contra diuinam trinitatem, qui dicunt,
quod si essent tres personae diuinae, quod possent esse quattuor, uel plures uel minus quam tres. Et in hoc falsum dicunt, et
faciunt falsum testimonium. Et potest hoc intelligi per hoc
55 exemplum: In diuina unitate sunt tres personae, scilicet uniens,
unitum et unire. Et in diuina bonitate sunt tres personae; et sic
de aliis dignitatibus, scilicet bonificans, bonificatum et bonificare. Et quia diuina unitas et diuina bonitas sunt idem unum,
et Deus est sua eadem unitas, bonitas, etc., non est nisi in tri-
60 bus personis tantum. Adhuc potest probari per hoc exemplum: Si in diuina unitate, et sic de aliis dignitatibus, non esset
uniens, non posset esse unitum nec unire; et nisi esset unitum,
non posset esse uniens nec unire; et nisi esset in eadem unire,
non esset uniens nec unitum; et amitteretur totum opus unita-
65 tis, et relatio; quae uacua esset et otiosa et sine natura. Et hoc
idem potest dici, quod sicut amitteretur totum opus, si abesset
una persona, ita amitteretur, si essent quattuor personae uel
plures. Probatum est ergo Deum non esse nisi in tribus personis.
      Auerroistae, qui sunt Parisius, qui dicunt Deum non posse
70 esse sine angelis, sine caelo et motu illius; nec aliquid facere sine
ipsis, nec posse facere aliquid; et dicunt, quod aeterni sunt:
testificantur falsum contra Deum. Per id, quod dicunt Deum
non posse esse nec posse facere aliquid sine angelis et sine caelo,
dicunt, quod soli Deo conuenit aeternum opus habere, et quod
75 non otiosus sit, et quod angeli et caelum et motus illius sint
instrumenta et subiecta operi Dei et esse sui, et eius bonitati,
magnitudini et aliis, et operi illarum. Et hoc dicunt, quia notitiam non habent de diuina trinitate, quam probauimus. Quae
sufficiens est essentiae Dei, et eius operi naturali, quod diximus.
80   Illi testificantur falsum de Deo, qui dicunt Deum non posse
mundum creasse de nihilo; et ob hoc dicunt, mundum esse
aeternum. Et quod ipsi falsum testificentur, hoc probo per
sequens exemplum: In Deo eius potestas, eius intellectus, eius
uoluntas, et sic de aliis suis dignitatibus, sunt unum idem. Et
85 propter hoc, quia Dei intellectus, qui infinitus est, potest intelligere aliquid et non aliquid, et quod sit aliquid de nihilo; potest
uelle uoluntas, quod sit aliquid de non aliquo siue nihilo; et
potestas potest facere de nihilo aliquid.
      Illi testificantur falsum de Deo, qui dicunt, Deum non posse
90 facere resuscitare homines mortuos nec dare gloriam aeternam
hominibus, initiatis in tempore; et qui dicunt, Deum non posse

---

58 unum] *om. sed add. in marg.* M   64 nec] *om.* M   72 Per] *om.* M   80
de] *om.* M   89 de] *om.* M

incarnari, nec posse scire indiuidua particularia mundi, nec
posse facere miracula. Et sic de aliis, quae Auerroistae dicunt;
quae multum longa essent ad referendum, quare omnia ista
95 possunt solui secundum exempla, quae superius dedimus, de
conuersione, quae est de diuina potestate, | intellectu et uolunta- M 138ʳ
te, per quam Deus potuit mundum de nihilo creasse.

Homo testificatur falsum contra Deum, eo quia non uult
conscendere supra sentire et imaginari. Sicut illi, qui dicunt,
100 quod Deus non potest facere aliquid, quin sit sensibile, et
imaginatione apprehensibile. Et hoc falsum testimonium perhi-
buerunt philosophi in principio, qui dixerunt, quod non posset
fieri scientia, nisi de rebus, quae possent sentiri et imaginatione
apprehendi. Et falsum testimonium apparet in eo, quod supe-
105 rius diximus de diuina trinitate, creatione, et resurrectione,
glorificatione et incarnatione; quae non possunt sentiri nec
imaginatione apprehendi.

Dixit insipiens in corde suo: Non est Deus (Ps. 13 (14), 1) Et
dixit, eo quia non uidebat eum, nec sentire eum poterat, nec
110 tangere, nec imaginari; quia non uidebatur sibi, quod aliquid
esset, nisi id, quod sentiri potest et apprehendi imaginatione. Et
sic testificabatur falsum contra Deum, qui est, et qui est substantia spiritualis, quae sentiri non potest nec imaginatione
apprehendi. Hoc idem faciunt multi homines, tempore quo su-
115 mus, qui non credunt opera, quae Deus facit supra naturam
miraculose, quae sentiri nequeunt nec imaginatione apprehendi.

[De falso testimonio contra proximum]

Falsus praelatus, falsus princeps et falsus officialis testificantur falsum, quia persona communis debet esse uera et legalis. Et
120 propter hoc dicit Deus talibus communibus personis, quod non
testificentur falsum.

Falsus medicus, falsus aduocatus, falsus iudex testificantur
falsum. Et hoc idem de falso praedicatore, praedicante potius
propter apparentiam quam propter existentiam.

125 Sutor, non uendens bonos sotulares, et dicens ipsos esse bonos; draperius, uendens non bonum pannum, et dicens ipsum
esse bonum; faber, uendens non bonum ensem, et dicens ipsum
esse bonum, et sic de aliis mechanicis, testificantur falsum.

Homo disputans cum sophismis, intelligit ueritatem in men-
130 te sua et non uult intelligere ueras conclusiones, quas dicit esse
falsas, et facit falsas conclusiones et dicit ipsas esse ueras, talis
homo habet intellectum superbum et falsum testificatur.

---

99 conscendere] concedere *M*   102 dixerunt, quod non] non dixerunt,
quod *M*   124 propter] *om. M*   126 draperius] *cat.* draper *sc.* pannorum artifex
   129 sophismis] *add.* et *M*

Hypocrita tendens indutus uilibus pannis uel ieiunans plus,
quam alius homo, ob hoc ut gentes eum reputent pro bono
135 homine, et quod eum uenerentur, et quod laudent, et quod
ualeat decipere proximum suum per auaritiam, perhibet falsum
testimonium.

Homo, diligens magis se ipsum, quam Deum, perhibet falsum
testimonium, quia significat per suum falsum amorem, quod
140 ipse sit magis amabilis et magis uirtuosus, quam Deus.

Mulier casta et amans castitatem, et pingit faciem suam cum
coloribus, perhibet falsum testimonium contra castitatem, quoniam illa pictura significat luxuriam. Et ob hoc dicit prouer-
bium: Qui lupus non est, non induat | suam pellem.   M 138ᵛ
145 Homo male morigeratus, laudans se ipsum de bonis moribus,
testificatur falsum. Et homo bene morigeratus, dicens se habere
malos mores, testificatur falsum contra se ipsum.

Multi sunt modi, quibus homo testificatur falsum; et plures
quam quos diximus. Et sic deprecemur dominum Deum no-
150 strum, quatenus det nobis gratiam, per quam non testificemur
falsum per aliquem modum. Et deprecemur dominam nostram
sanctam Mariam, uirginem gloriosam, quatenus nos adiuuet. Et
eius amore et honore dicamus *Aue Maria.*

[Sermo IX]

[De nono praecepto:]
Non concupisces uxorem proximi tui (Ex. 20, 17; Deut. 5, 21)

Deus praecipit homini, ut non concupiscat uxorem uicini sui.
5 Et propter hoc deprecemur Deum et dominam nostram sanctam Mariam, quatenus deprecetur suum dulcem Filium Iesum
Christum, quatenus det nobis gratiam, per quam ego sciam
dicere uerba; quae uerba dominis et dominabus utilia sint, ut
simus oboedientes praecepto, per Deum facto.
10 Inuidia est commune peccatum, per quam quis concupiscit
uxorem uicini sui uel non uicini. Et propter hoc, quia concupiscere uxorem uicini sui frequentius et maius peccatum est,
quam concupiscere uxorem non uicini sui, praecipit Deus homini, quod non concupiscat uxorem uicini sui. Et ob hoc dat Deus
15 nobis doctrinam, quod prius uitemus maius peccatum quam
minus.

148/149 plures quam] multi *M*

IX, 12/13 frequentius – sui] *om. M*

[De modo peccandi]

1. [Per sentire] Eo quia Deus praecipit tibi, quod non concupiscas uxorem uicini tui, te docet, quod peccatum initiatum est
20 per sentire, scilicet per uidere; quia frequentius potes uidere
uxorem uicini tui, quam alterius; et frequentius potes eam
audire et cum ea loqui, quam cum alia.

2. [Per imaginari] Eo quia frequentius potes imaginari uxorem
proximi tui, quam alterius, praecipit Deus, ut non concupiscas
25 uxorem proximi tui, ad dandum doctrinam, quod peccatum
committitur per imaginari opera, per quae committitur peccatum.

3. [Per mentem] Deus tibi praecipit, ut non concupiscas uxorem proximi tui, eo quia frequentius poteris memorare, intelli-
30 gere et amare uxorem uicini tui, quam alterius hominis. Et per
hoc Deus dat doctrinam, quod potest frequentius peccari per
intelligere, memorare et amare.

[De modo merendi]

Per praeceptum, quod Deus tibi facit, de non concupiscendo
35 uxorem proximi tui, tibi dat doctrinam, quod potes acquirere
maius meritum pro habendo castitatem maiorem, si sis contra
luxuriam per maius sentire, et imaginari, memorare, intelligere
et amare; cum ita sit, quod daemon te ualeat frequentius
tentare ad faciendum luxuriam per uxorem uicini tui, quam per
40 uxorem alterius non uicini tui. Et in quantum frequentius
daemon tentare te potest, in tantum frequentius potes contradicere sibi. Et ubi frequentius potes sibi contradicere, potes per
sentire, imaginari, memorare, intelligere et amare maius meritum acquirere et consequi.

45 Per hoc, quod superius diximus, intelligere potes, quod Deus
praecipit tibi et cuicumque alii homini, quod sis oboediens
frequenter et | per magnam animi fortitudinem, prudentiam et M 139ʳ
iustitiam Dei praecepto. Et ubi frequentius et fortius illo oboedias, frequentius et fortius a poenis infernalibus procul existes,
50 et ad gloriam paradisi accedes.

Per hoc, quod superius diximus, ostendimus modum, per
quem homo frequentius et fortius potest multiplicare bonos
mores et fugere malos, et stare ita secure, quod a daemone nec
ab aliquo alio non tentetur ad faciendum luxuriam, nec ad
55 essendum Deo inoboedientem. Et totam hanc doctrinam potest
quis cognoscere per praeceptum, a Deo factum per Moysen in
eo, quod dicit, quod homo non concupiscat uxorem uicini sui.

---

31 frequentius] *om. M*   43 maius] *om. M*   45 intelligere potes] *om. M*
47/48 prudentiam et iustitiam] prudentiae et iustitiae *M*   48/49 illo oboe-
dias] eum acquiras *M*

Homo rixans et litigans contra inimicum suum, dum rixatur,
non potest pacem habere, quia inimicus suus sibi dat laborem
60 et angustiam. Et cum superauit inimicum suum, tunc potest
pacem habere et requiescere. Et propter hoc per praeceptum,
quod facit Deus de non concupiscendo uxorem uicini sui, potest
cognosci, quod qui frequentius et fortius litigat, citius uadit ad
requiem, in qua securus existit.
65   Diximus de modo et doctrina, quam Deus dat, in quantum
praecipit, quod homo non concupiscat uxorem uicini sui. Quae
quidem doctrina multum est subtilis, alta et fructuosa. Et
propter hoc deprecemur dominum Deum nostrum, et dominam
nostram sanctam Mariam, uirginem gloriosam, quatenus nos
70 adiuuet ad deprecandum Filium suum, quatenus det nobis gratiam, per quam superemus litem inimici mortalis, et Deo simus
oboedientes; et quod doctrinam, quam nobis Dominus dat in
faciendo nobis praeceptum, quod non concupiscamus uxorem
uicini nostri, cognoscamus, memoremus et amemus ita diu, quod
75 daemon de luxuria non possit nos tentare. Et propter hoc ad
honorem et amorem nostrae dominae sanctae Mariae dicamus
Aue Maria.

[Sermo X]

[De decimo praecepto:]
Non inuideas bona proximi tui (Ex. 20, 17; Deut. 5, 21)

Deus praecipit homini, quod non inuideat bona proximi sui.
5 Et propter hoc deprecabimur dominum Deum nostrum et dominam nostram sanctam Mariam, quatenus nos adiuuet, et
quod nobis faciat gratiam, per quam simus oboedientes Dei
praecepto.
Inuidia est mortale peccatum, cum quo homo eam ligat et
10 multiplicat cum aliis peccatis mortalibus contra legalitatem,
quae uirtus est, cum qua possunt ligari ceterae uirtutes. Et
propter hoc Deus praecipit, quod homo non inuideat bona
proximi sui, scilicet domos, denarios, bouem, asinum; et sic de
aliis, quae ille possidet; eo quia Deus ea sibi dedit, et ipse ea
15 acquisiuit.
Cum homo ualeat magis multiplicare inuidiam, inuidendo
bona proximi sui, quam in inuidendo bona alterius, eo fecit
Deus praeceptum, quod homo non inuideat bona proximi sui, ad
dandum doctrinam, quod Deo magis displicet maius peccatum,

---

70 ad – suum] *om. M*   **74** et amemus] *om. M*

X, **10** contra] inter *M*

20 quam minus; et placet sibi magis, | quando homo oboediens est M 139ᵛ
ei cum maiori legalitate, quam cum minori.

Homo peccat per sentire, imaginari, memorare, intelligere et
amare cum inuidia. Et quia bona uicini tui sunt magis prope,
quam bona alterius, est tibi magis promptum inuidere bona
25 uicini tui, quam bona alterius. Et propter hoc Deus praecipit
tibi, quod non inuideas bona proximi tui.

Quemadmodum tu potes fortius peccare et frequentius pro
inuidendo bona uicini tui, quam pro inuidendo bona alterius,
potes esse magis uirtuosus in acquirendo uirtutes per bona
30 uicini tui, quam per bona alterius, te acquirente fortitudinem,
quae uirtus est, et animi fortitudinem. Quam frequentius potes
acquirere et fortius, in uincendo suum inimicum, qui daemon
est. Qui te tentat frequentius, quod inuideas bona uicini tui,
quam alterius, eo ut frequentius et fortius sis Deo inoboediens,
35 qui tibi facit praeceptum, quod non inuideas bona uicini tui.

Auaritia est mortale peccatum, et inuidia similiter. Et fortius
potes eas uincire et ligare et concordare et multiplicare contra
largitatem et legalitatem, in inuidendo bona uicini tui, quam in
inuidendo bona alterius. Et si contra auaritiam et inuidiam uis
40 ligare largitatem et legalitatem, grauius eas ligare poteris. Et
propter hoc praecipit tibi Deus, quod non inuideas bona uicini
tui.

Gulositas est mortale peccatum. Et si tu inuideas bonum et
pinguem caponem uel pinguem mutonem uel bonum uinum
45 uicini tui, leuius et frequentius potes ligare, quam faceres, si
inuideres pinguem altilem siue caponem, mutonem et bonum
uinum non uicini tui. Et scis, quare? Quia frequentius potes
uidere et imaginari pinguem altilem uicini tui, quam pinguem
altilem alterius hominis. Et hoc idem de pingui mutone et de
50 bono uino. Et hoc idem posset dici de luxuria, de qua locuti
sumus in sermone praecedenti. Quare non oportet, quod in hoc
sermone de hoc dem tibi exemplum.

Superbia est mortale peccatum. Et omnis homo inoboediens
est superbus. Et tu habes maiorem promptitudinem, quod sis
55 magis superbus pro inuidendo bona proximi tui, quam pro
inuidendo bona alterius. Vnde, cum hoc ita sit, potes igitur
cognoscere, quod Deus fortius praecipit tibi, quod non inuideas
bona proximi tui, quam bona alterius. Et in quantum fortius
inoboediens eris, in tantum fortius tormentum patieris.

60   Accidia est mortale peccatum. Et si sis accidiosus, leuius
potes concupiscere bona uicini tui, quam bona alterius. Et scis
causam? Eo quia frequentius potes uidere, et potes de eis

---

33 inuideas] inuidendo *M*   **36** fortius] fortiores *M*   **37** potes] posses *M*
uincire] uincere *M*   **47** non] *om. sed add. in marg. M*   **62** causam] scausam
M; forsan ex dictatione uerbum male audiuit scriptor

audire, loqui, et hoc idem de imaginari, memorare, intelligere et
amare, quam de bonis alterius. Potes igitur cognoscere, quare
65 tibi Deus praecipit, quod non concupiscas bona uicini tui.

Ira est tristis passio, impediens intellectui suum liberum
| arbitrium, eo ut non habeat deliberationem ad faciendum M 140ʳ
bonum, et ad malum uitandum. Et ob hoc est mortale peccatum. Quod quidem peccatum potes frequentius et fortius habe-
70 re, si concupiscas bona uicini tui, quam bona alterius; quare
frequentius iratus eris, si habere ea non potes.

Mentiri est mortale peccatum. Et hoc probauimus in sermone,
qui est de praecepto, quod Deus per Moysen facit, quod homo
non testificetur falsum (Ex. 20, 16; Deut. 5, 20). Quoniam sicut
75 maiorem concupiscentiam potes habere, si concupiscas bona
uicini tui, quam si concupiscas bona alterius, secundum quod
superius probauimus, ita potes frequentius mentiri pro concupiscendo bona uicini tui, quam bona alterius. Et propter hoc
homo, concupiscens bona uicini sui, detrahit magis uicino suo et
80 bonis ipsius, quam alteri et bonis suis.

Homo, concupiscens bona uicini sui, consulet uel consilium
praestabit falsius uicino, quam alteri. Et si cum eo aliquam
contrarietatem siue contradictionem habet, citius erit contra
ipsum impatiens, quam contra alterum. Et sic de aliis peccatis.
85 Vnde, cum hoc ita sit, potes igitur cognoscere, qua de causa
Deus praecepit, quod homo non concupiscat bona uicini sui.

Diximus de modo, quo inuidia magis potest multiplicari pro
concupiscendo bona uicini sui, quam pro concupiscendo bona
alterius. Et propter hoc deprecemur dominum Deum nostrum
90 Iesum Christum, quatenus det nobis gratiam, per quam eius
praecepto oboediamus usque ad mortem. Et deprecemur dominam nostram sanctam Mariam, uirginem gloriosam, quatenus
deprecetur pro nobis.

Finiuit Raimundus librum istum, qui est de decem praecep-
95 tis, in ciuitate Maioricae, mense octobris. Qui quidem liber
factus est ad honorem Domini nostri, anno incarnationis eius
1312.

X, 71/73 Cf. serm. VIII huius operis.

---

63 et²] *om. M*   **78** uicini – bona] *om. M*   **80** et] nec *M*   **82** uicino]
om. M   cum eo] secum *M*

LIBER DE SEPTEM SACRAMENTIS
SANCTAE ECCLESIAE

In Ciuitate Maioricarum, 1312 X

LIBER DE SEPTEM SACRAMENTIS SANCTAE ECCLESIAE

CODEX

M = München, Bayerische Staatsbibliothek, clm 10495 (XIV) f. 140rb-146va

LIBER DE SEPTEM SACRAMENTIS
SANCTAE ECCLESIAE[a]

DE SEPTEM SACRAMENTIS[b]
DE SEPTEM SACRAMENTIS ECCLESIAE[c]
LIBER DE SEPTEM SACRAMENTIS[d]
LIBER DE SEPTEM SACRAMENTIS ECCLESIAE[e]
SERMONES DE SEPTEM SACRAMENTIS[f]

---

a = Inuocatio et clausula finalis huius operis; MAYER 201

b = VILETA 88

c = SALZINGER 185; PASQUAL I, 313, 373; HLF 231; OT 170.2; GL gd²;
     WADDING-SBARALEA 335; CA 133; LLINARÈS 199; CRUZ HERNÁNDEZ
     164

d = Liber de Pater noster (op. 203), serm. IV, 60 et V, 28; ARIAS DE
     LOYOLA, tab. VII (SOTO, pg. 50)

e = LO IV, 51.2; PEERS, pg. 362 n. 2; AV 183; PLA 220; HILLGARTH, pg. 340
     (80); BONNER IV, 61

f = Ms. M, fol. 1r

Deus, per tuum amorem, sapientiam et honorem
Incipit Liber iste, qui est de septem sacramentis sanctae
ecclesiae.

[Prologvs]

5   Sicut decet sanctam ecclesiam Romanam fore aedificatam per
quattuordecim articulos fidei et decem praecepta, quae Deus
per Moysen dedit, sic decet eam fore aedificatam per septem
sacramenta, quae sunt lumina, data per Spiritum sanctum, eo ut
presbyter sit instrumentum Iesu Christo; qui finis est et conser-
10 uatio siue perfectio sanctae ecclesiae, per eum illuminatae cum
septem sacramentis.
     Quae sunt haec: (1) Baptisma, (2) Matrimonium, (3) Con-
firmatio, (4) sanctum sacrificium Altaris, (5) Ordo, (6) Poenitentia et (7) extrema Vnctio.
15 Cum sancta ecclesia illuminetur per septem sacramenta, decens est, ut praedicentur populo, eo ut cognoscantur, memorentur et amentur; et quod per ipsa populus ecclesiae sanctae
cognoscat altissimum opus et profundum, quod Iesus Christus
facit in ecclesia sancta cum sacramentis.
20 | Sacramentum est impressio, data per Spiritum sanctum cum   M 140ᵛ
mente et uerbo presbyteri, qui sit instrumentum Iesu Christo,
qui faciat sacramentum baptismatis, matrimonii, et sic de aliis.
     Et primo dicemus de baptismate.

[Sermo I]

De baptismate.

     Baptisma est sacramentum, quod Spiritus sanctus dat per
mentem et uerbum presbyteri, qui instrumentum sit Iesu Chri-
5   sto, per quod deleat originale peccatum parentum primorum.
     Species sacramenti huius sunt tres: (1) Baptisma factum per
aquam, (2) baptisma factum per flammam, (3) baptisma factum
per sanguinem. Hae tres species baptismatis fuerunt primo in
cruce, in qua mortuus fuit dominus Deus noster Iesus Christus,
10 in quantum a corpore eius manauit aqua per fletum, et sanguis
per uulnera. Et ignis siue inflammatio baptismatis fuit propter
magnum feruorem et amorem, quem habuit in sustinendo mortem pro redimendo genus humanum, quod perditum erat. Hoc
baptisma fuit primum et generale omnibus aliis baptismatibus,
15 ab ipso deriuatis, eo quia aqua habet uirtutem et naturam
lauandi et mundandi.

I, 5 quod] quem *M*   10 eius] cuius *M*

1. Ordinatum est in sancta ecclesia, quod fiat baptisma per aquam, in qua inseritur et imprimitur uirtus sacramenti per sanctum Spiritum dati, et quod tractetur per sanctam mentem
20 et uerbum presbyteri, qui sit instrumentum Iesu Christo. Quia per uirtutem aquae sanctificatae Iesus Christus mundat a pecca- to originali cum eius uirtute personam, in aqua baptizatam, propter hoc tu presbyter, habens tale officium ad essendum instrumentum Iesu Christo, habeas sanctam et mundam men-
25 tem, quae sanctis competit uerbis; in quibus imprimitur forma sacramenti, cum quo Iesus Christus facit mundationem peccati primorum parentum. Et si tu presbyter habes mentem peccatri- cem per peccatum actuale, cogitare et perpendere potes, quod magna erit afflictio et punitio tua et tormentum.
30   2. Baptisma flammae factum est per magnum ardorem et calorem amoris, quem habet persona affectans baptizari per aquam. Et uoluntas illa siue affectio est instrumentum Iesu Christo, facienti baptisma flammae ad mundandum personam ab originali peccato.
35   3. Baptisma sanguinis factum est per uulnus hominis non christiani, qui desiderat baptizari per aquam, et moritur; et baptizatur in sanguine suo corporis sui. Qui quidem sanguis est instrumentum et impressio Iesu Christo, quod faciat | sacramen- M 141ʳ tum, cum quo purget hominem illum ab originali peccato.
40   Adam et Eua peccarunt, quia Deo inoboedientes fuerunt. Et omnes de materia illorum sumus, quae stetit tota facie tristis de peccato. Et ad nos transiuit originale peccatum. Propter quod homo quilibet damnatus est, qui non fuerit baptizatus. Ordina- uit igitur Deus baptisma esse, ut pro eo ualeat saluari homo.
45   Tu presbyter, qui es instrumentum Iesu Christo, cum per te baptismatis faciat sacramentum, considera qualiter decet te fore multum bonum et uirtuosum, et multum esse ordinatum per tuum sentitum, imaginatum, memoratum, intellectum et amatum ad seruiendum et honorandum Iesum Christum, cum
50 quo participas per baptismatis sacramentum. Et si tu contra- rium facis, considera, qualiter magnum Iesu Christo impendis dedecus, qui tuus est creator et Dominus, et qui consentit, quod tu cum eo participes in baptismatis sacramento. Et si sic consi-

---

22 baptizatam] *add. et* M   25 in quibus] *add.* imprimitur uel inseritur uirtus sacramenti, per sanctum Spiritum dati, et quod tractetur per mentem sanctam et per uerbum presbyteri, qui sit instrumentum Iesu Christo. Quoniam per uirtutem aquae sanctificatae Iesus Christus mundat a peccato originali cum eius uirtute personam, quae in aqua baptizetur, et propter hoc tu presbyter, habens tale officium ad essendum Iesu Christo instrumentum, habeas sanctam et mundam mentem, quae sanctis competit uerbis in quibus M. *Agitur uero de repetitione textus lin. 18/25*   41 tristis] tristi M   45 qui] *om.* M

deres, bene poteris perpendere, quod magna erit punitio tua et
55 tormentum in igne ardente aeterne.

Tu christiane, qui baptizatus es per Iesum Christum, facientem baptismatis sacramentum, per quod baptizatus es et a
peccato originali mundatus, considera, qualiter multum teneris
fore ordinatus in tuo sentitu, imaginatu, et in mente tua per
60 tuum memoratum, intellectum et amatum, et quod totus ornatus et indutus sis de iustitia, prudentia et aliis uirtutibus, eo ut
ualeas uenerari Iesum Christum, et eidem seruire, qui per presbyterum te baptizauit, et cum eo ab originali peccato te mun-
dauit. Et si contrarium facias, et uestem facis de peccato tuo
65 sentitui et imaginatui, et menti tuae, considera, quomodo grauiter affligeris in igne aeterno.

Diximus de sacramento baptismatis. Et per hoc, quod de eo
diximus, potest cognosci uirtus et modus baptismatis. Et sic
deprecemur dominum Deum nostrum Iesum Christum, et domi-
70 nam nostram sanctam Mariam, uirginem gloriosam, quatenus
nos adiuuet deprecari Iesum Christum, quatenus det nobis gratiam, per quam sibi reuerentiam impendamus, et honorem propter baptisma. Et honore et amore nostrae dominae, sanctae
Mariae, dicamus *Aue Maria*.

[Sermo II]

De matrimonio.

Matrimonium est sacramentum, datum per Spiritum sanctum
per mentem et uerbum presbyteri, qui sit instrumentum Iesu
5 Christo, qui faciat sacramentaliter copulam carnalem de homine
et femina.

In principio sermonis deprecabimur dominum Deum nostrum
Iesum Christum et dominam nostram sanctam Mariam, uirginem gloriosam, quatenus nos ad deprecandum adiuuet, quod
10 Filius suus det nobis gratiam, per quam intelligamus et amemus
matrimonii sacramentum.

Deus fecit matrimonium in paradiso terrestri de Adam et
Eua. Et nos omnes exiuimus et deriuati sumus | ab ipsis. Illud M 141ᵛ
est sacramentum generale omnibus matrimoniis particularibus.
15 Et quia Deus fecit sacramentum cum sanctitate suae bonitatis, magnitudinis, aeternitatis, potestatis, intellectus, uoluntatis,
uirtutis, ueritatis, gloriae et perfectionis, propter hoc dedit
Spiritus sanctus sacramentum cum sanctitate bonitatis, magnitudinis et aliarum dignitatum menti et uerbis presbyteri, eo ut

---

II, **5** copulam] *corr. ex*: columnam *M*   **9** quod] quare *M*   **10** Filius suus]
om. M   **14** est] *om. M*

20 ipse sit instrumentum sanctum Iesu Christo, qui per ipsum
faciat sacramentum cum sanctitate bonitatis, magnitudinis et
aliarum. Et si presbyter cum mente deformata et induta de
peccatis est instrumentum Iesu Christo, potest cogitare eius
magnam culpam, propter quam oportebit eum sustinere poenas
25 magnas infernales et aeternas.

Homo et mulier, recipientes sacramentum copulae carnalis,
debent recipere sacramentum cum mente sancta et uerbis sanctis per totum eorum sentitum, imaginatum, memoratum, intellectum et amatum. Et si faciant contrarium, magnum impen-
30 dent dedecus Iesu Christo, qui aedificauit sacramentum in mente et uerbis ipsorum propter conceptum siue conceptionem.
Propter quod quidem dedecus digni sunt, quod uadant susten-
tum magnas poenas infernales aeternas.

Caelum et elementa et alias mundi partes dedit Deus seruitio
35 hominis, siue ad seruiendum homini et mulieri, eo ut cum
omnibus his Deo seruiant per uisum, auditum, odoratum, gustum, palpatum, loqui, imaginari, memorare, intelligere et amare,
et pro hominibus generandis cum sacrata copula carnali. Vnde
cum in tantum sit magnus finis sacramenti, et Spiritus sanctus
40 ipsum det, et Iesus Christus ipsum faciat atque compleat, multum iustitia magna est, quod maritus et uxor uenerentur et
manuteneant matrimonii sacramentum. Et si per daemonem
tententur ad destruendum sacramentum, reclament Iesum Christum, qui sacramentum facit, et Spiritum sanctum, qui eum dat.
45 Quae quidem reclamatio fiat cum iustitia, prudentia, fortitudine
animi, temperantia, fide, spe, caritate et sapientia, contra auaritiam, gulositatem, luxuriam, superbiam, accidiam, inuidiam, iram
et mendacium.

Sacramentum matrimonii habet tria subiecta, in quibus Iesus
50 Christus facit sacramentum et Spiritus sanctus illud impendit.
Quae sunt: Presbyter, maritus et uxor. Per quos Iesus Christus
facit sacramentum, et Spiritus sanctus illud dat. Ista tria subiecta sunt figurae sanctae diuinae trinitatis, per quam Deus
Pater gignit Deum Filium, et ex Patre et Filio procedit Spiritus
55 sanctus, significatus per filium uel filiam, qui uel quae a marito
et uxore processit in specie humana. Videas tu igitur, marite et
uxor, et tu, homo uel mulier, qui uel quae ab ipsis processistis,
quam magna est figura sancti sacramenti, et quomodo tenearis,
quod de habitu castitatis habitueris et induaris per mentem
60 tuam et per uerbum tuum | et etiam per omnia opera tua.   M 142ʳ

Nisi esset sacramentum matrimonii, quilibet homo posset esse
communis cuilibet mulieri, et quaelibet mulier homini; et luxuria non esset peccatum, nec castitas esset uirtus; et totum id,

---

21 bonitatis] sanctitatis boni (*corr. ex* bonitudine) *M*   50 illud] eum *M*
52 illud] eum *M*

quod superius diximus, esset perditum. Quae quidem perditio
65 esset contra diuinas dignitates et diuinum ordinem et contra
ordinationem creaturarum, quae ordinatae sunt homini ad seruiendum Deo. Et ob hoc quod talis ordo non amittatur, uoluit
Deus dominus noster Iesus Christus se ipsum humiliare ad
faciendum matrimonii sacramentum. Potes tu igitur, presbyter,
70 et tu, marite et uxor, considerare magnam obligationem, in qua
positus es ad uenerandum matrimonii sacramentum. Et si contrarium facis, potes cognoscere illas magnas poenas infernales
aeternas, quae te exspectant.

Diximus de sacramento matrimonii. Et per id, quod de eo
75 diximus, potest etiam cognosci modus, per quem factum est
sacramentum, et etiam modus, per quem honoratum tenetur
sacramentum. Et sic deprecemur dominum Deum nostrum Iesum Christum, quatenus det nobis gratiam ad manutenendum
et uenerandum matrimonii sacramentum. Et deprecemur domi-
80 nam nostram sanctam Mariam, uirginem gloriosam, quatenus de
hoc eum deprecetur. Et eius amore et honore dicamus *Aue
Maria*.

[Sermo III]

De confirmatione.

Confirmatio est sacramentum, datum per sanctum Spiritum
menti et uerbo episcopi, ut sit instrumentum Iesu Christo, qui
5 confirmat infantem ad conceptionem christianam, quam dederunt pro ipso patrini sui.

Deprecemur dominum Deum nostrum Iesum Christum et
dominam nostram sanctam Mariam, uirginem gloriosam, quatenus nos adiuuet ad hoc, quatenus Filius suus det nobis gratiam,
10 per quam cognoscamus et amemus sacramentum confirmationis, cum quo domino Deo nostro seruiamus.

Iesus Christus facit sacramentum confirmationis cum sua
uoluntate, bonitate, intellectu et potestate, quia ipse uult, quod
infans confirmetur cum episcopo, qui bonam habeat uoluntatem,
15 bonum intellectum et potestatem, per mentem et uerba; qui sit
instrumentum Iesu Christo in faciendo sacramentum. Et quia
diuina uoluntas est unum idem cum diuina bonitate, intellectu
et potestate, Iesus Christus facit sacramentum cum omnibus
quattuor dignitatibus suis. Et propter hoc sacramentum est
20 amabile, bonum, potens et intelligibile. Vnde cum hoc ita sit,
decet igitur episcopum habere bonam uoluntatem, intellectum
et potestatem ad essendum Iesu Christo instrumentum, ut cum

III, **9** Filius suus] *om. M*   **13** uoluntate] *om. M*   **15** et²] *om. M*

eo faciat sacramentum. Et si episcopus est in peccato mortali,
Deo magnum impendit dedecus, quia non decet hominem ma-
25 lum esse instrumentum bono factori.

Sacramentum confirmationis est in episcopo characteratum,
et Iesus Christus portat eum de potentia in actum cum eius
uoluntate, bonitate, intellectu et potestate. Et ex uirtute, cha-
ractere et impressione procedit | uirtus, sanctitas et uerba, quae M 142ᵛ
30 episcopus dicit et profert; quae sunt instrumenta ad faciendum
sacramentum.

Patrini disponunt sacramentum confirmationis in baptismate
per mentem et per uerba; et hoc idem tempore confirmationis.
Et ex hoc sacramentum confirmationis stat in successione, et
35 factum est in instanti per Iesum Christum, qui in instanti facit
ipsum sacramentum, et in infantibus consumat et complet illud.

Ad faciendum sacramentum confirmationis decet instrumenta
fore uirtuosa; cum ita sit, quod sacramentum illud sit uirtuosum, factum per Iesum Christum, qui est uirtuosus et dominus
40 uirtutis.

Tu, qui confirmatus es, exstas subiectum confirmationis, quae
uirtuosa est. Et ob hoc exigit iustitia te fore uirtuosum per
iustitiam, prudentiam et alias uirtutes. Et si accidiosus es per
auaritiam, gulositatem et alia peccata mortalia, uirtuti sacra-
45 menti detrahis, et magnum impendis dedecus, et etiam Iesu
Christo, episcopo et patrinis. Propter quod quidem dedecus
dignus es, quod magnum patiaris tormentum.

In sacramento confirmationis stat successio baptismatis usque ad confirmationem. Et subiecta successionis sunt instru-
50 menta confirmationis. Et complementum confirmationis factum
est in uno instanti et uno fine.

Diximus de sacramento confirmationis. Et per id, quod de eo
diximus, potest cognosci essentia sacramenti et instrumentorum; et potest cognosci factor et successio temporis et instans
55 et finis. Et sic deprecemur dominum Deum nostrum Iesum
Christum et dominam nostram sanctam Mariam, Virginem gloriosam, quatenus nos ad hoc adiuuet, quatenus Filius suus det
nobis gratiam, per quam et pro sacramento domino nostro Iesu
Christo seruiamus et eum ueneremur et laudemus et suam
60 benedictam matrem, Virginem gloriosam. Et eius amore et
honore dicamus *Aue Maria*.

---

26 characteratum] characterato *M*; *sc.* impressum   27 Christus] *om. M*
29 et²] *om. M*   36 illud] eum *M*   57 Filius suus] *om. M*

[Sermo IV]

De sacramento altaris.

Sacrificium altaris est sacramentum, datum per Spiritum
sanctum menti et uerbis presbyteri, qui sit instrumentum Iesu
5 Christo, qui de pane et uino transmutando, facit corpus esse,
quod est eius corpus sacratum.

In principio sermonis deprecemur dominum Deum nostrum
Iesum Christum, et dominam nostram sanctam Mariam, uirginem gloriosam, quatenus nos adiuuet, quatenus Filius suus det
10 nobis gratiam, per quam sacramentum cognoscamus et amemus.

Iesus Christus facit sacramentum altaris, eo ut participet per
sacramentum cum presbytero, qui ei est instrumentum, cum
quo ipsum facit per mentem et per uerba sacrata. Et facit eum,
ob hoc ut participet cum omnibus illis, qui eum recipiunt per
15 mentem credulitatis. Et quia talis participatio multum alta est
et uirtuosa, multum iustum est et iustitia requirit, presbyterum
fore iustum, et omnes eos, qui sacramentum recipiunt. Et si
iniusti sunt, multum detrahunt Deo, et sibi dedecus impendunt,
qui facit sacramentum. Quare | iustum est, quod consequantur M 143ʳ
20 magnam punitionem.

Iesus Christus facit sacramentum altaris cum magnitudine
suae unitatis, bonitatis, aeternitatis, potestatis, intellectus, uoluntatis, uirtutis, ueritatis, gloriae et perfectionis. Et ob hoc
sacramentum est unum esse bonum, magnum, durabile, potens;
25 et sic de aliis dignitatibus. Et hoc nullum esse impedire potest;
cum ita sit, quod conuersionem dignitatum Dei nullum aliud
esse impedire potest.

Id, quod diuina uoluntas uult, uult cum infinito posse suae
unitatis, bonitatis, magnitudinis, aeternitatis, potestatis et alia-
30 rum dignitatum. Et propter hoc illud suum uelle est infinitum,
et nequit impediri per aliquod posse finitum.

Diuina uoluntas uult pro Iesu Christo, quod in sacramento
altaris sit corpus Iesu Christi, quod in caelis est. Et quod
accidentia panis et uini non sint in corpore illo. In quo sint
35 accidentia, quae sunt nouem praedicamenta, eo ut unum idem
corpus sit corpus Iesu Christi, quod in caelis est, et corpus
sanctum, quod est in altari. Et sicut uoluntas id uult, Iesus
Christus per intellectum suum id intelligit, et per eius posse
potest perficere et complere id, quod per suam uoluntatem
40 potest uelle, et per suum intellectum intelligere.

Filius Dei totus incarnatus est. Et quia ipse infinitus est,
ubique ipse homo est. Attamen homo non est ubique in quan-

IV, 5 transmutando] *add.* et faciendo *M*   9 Filius suus] *om. M*   39 non]
om. sed add. in marg. M

tum homo. Et propter hoc Iesus Christus, qui ubique est homo,
uult quod ipse homo, qui in caelis est, sit in sacramento altaris,
45 et in omnibus locis, in quibus est sacramentum altaris. Hoc esse
non posset, nisi Iesus Christus esset homo ubique.

Iesus Christus facit sacramentum altaris successiue secundum
instrumenta, cum quibus facit sacramentum, scilicet presbyter
et uerba sacrata. Quae non possent sacrari sine motu et tempo-
50 ris successione. Attamen Iesus Christus facit ipsum sacramentum in instanti secundum respectum sui ipsius tunc, cum presbyter dixerit: *Hoc est enim corpus meum* (Mt. 26, 26; Mc. 14, 22;
Lc. 12, 19). Et hoc est, quia corpus Iesu Christi est, et exstat in
caelis, et in omnibus altaribus, ubi sacratum est. Et est indiuisi-
55 bile et stat in uno momento. Et sicut stat in uno momento
secundum tempus, stat in uno loco secundum locum.

Iesus Christus facit sacramentum in sua uoluntate, in quantum cum sua uoluntate uult sacramentum. Et facit eum in suo
intellectu, in quantum cum suo intellectu intelligit sacramen-
60 tum. Et facit sacramentum in suo posse, in quantum eum facere
potest cum suo posse. Et facit eum in unitate sua, in quantum
cum sua unitate facit ipsum unum, quamuis sacramentum sit in
multis locis. Et facit eum in bonitate sua, in quantum cum
bonitate sua ipsum facit bonum. Et facit eum in magnitudine
65 sua, in quantum cum magnitudine sua facit ipsum magnum. Et
sic de aliis dignitatibus suis. Et propter hoc sacramentum impe-
diri non potest per corpus naturae creatae; cum ita sit, quod |
corpus illud creatum sit et finitum.   M 143ᵛ

Iesus Christus facit sacramentum altaris esse potentialiter in
70 ordine presbyteri et in uerbis sacratis, quae dicere potest. Et
facit ipsum esse in actu tunc, quando facit sacramentum in
legalitate. Et hoc uolumus declarare per istum modum: Opus
persistit in potentia per instrumenta ipsius; et operans cum
instrumentis facit opus et adducit operatum de potentia in
75 actum. Persistit igitur sacramentum simili modo in potentia in
instrumentis sacratis. Iesus Christus est operans, qui adducit
sacramentum de potentia in actum. Attamen si ego errem uel
peccem in hoc exemplo uel in aliis, quae dicam de sancto
sacramento altaris, uel in aliis, quae sint contra fidem, non erro
80 scienter. Et propter hoc submitto me, si in aliquo errem, correctioni sanctae ecclesiae Romanae tamquam fidelis christianus,
qui ego Raimundus sum.

Quando corpus Iesu Christi eleuatur in altari, tu non uides
illud corpus, nec uides panem, quia illud corpus sanctum non est
85 panis. Et tu presbyter, qui eum tenes, palpas panem. Et quando
ipsum recipis et sentis saporem panis, non sentis saporem corporis Iesu Christi, qui non est panis. Et propter hoc fallis in

---

51 secundum] *add.* suum M   85 me] *om.* M

sensibus tuis, qui panis accidentia attingunt, et non accidentia
corporis Iesu Christi, qui panis non est. Et sic sensus tui te
90 decipiunt per sentitum; sicut gustus infirmus, qui decipit sensum hominis, si manducet mel, quod sibi amarum uidetur, et
tamen dulce est.

Si tu uideas eleuari corpus Iesu Christi sacratum, per id, quod
uides, nequis imaginari corpus Iesu Christi sacratum, quia non
95 stat subtus illa accidentia, quae tu uides; immo stat subtus illa
accidentia, quae sua sunt, propterea quia ab ipsis non potest
recedere. Et quamuis non possis imaginari illud sacratum corpus, non debes incredere, hoc est non credere, illud et credere
contrarium. Cum ita sit, quod tu potes intelligere illud sacratum
100 corpus cum tuo intellectu, et potes eum amare cum uoluntate
tua, et hoc lumine fidei, et etiam potes memorare, quod Iesus
Christus cum suis diuinis dignitatibus potest se ipsum facere
corpus sacratum; sicut Filius Dei, qui cum suis dignitatibus
potuit se ipsum facere hominem, quando incarnatus fuit. Sis
105 igitur fidelis christianus pro credendo sanctum corpus sacratum
Iesu Christi in altari.

Ad credendum tam altum opus, quemadmodum est sacramentum altaris, non competit tuum sentire, nec imaginari, quia
non sunt de genere illius. Et competit ibi memorare, intelligere
110 et amare, quae sacramentum illud obiectare possunt cum opere
spirituali et supra naturam. Quod opus potest facere Iesus
Christus, qui dominus est totius creaturae.

In tantum altum est et pretiosum opus, conueniens uel com-
petens sacrationi sancti sacramenti | altaris, et tantum est mag-   M 144ʳ
115 num opus sanctitatis, quod in illo opere non debet participare
aliquis sine sanctitate, et quod sanctitas illa sit multum magna.
Considera tu igitur, presbyter, si peccator es, uel tu, non presbyter, qui eum recipis, existendo peccator per luxuriam uel aliud
peccatum, quantum est magnum dedecus, quod impendis sacra-
120 mento, et quomodo magna erit punitio, quam sustinebis in
inferno perpetue.

Diximus de sacramento altaris. Et eius essentiam ostendimus
et processum suum, et transmutationem panis in carnem. Et
hoc idem potest dici de uino in sanguinem Domini nostri Iesu
125 Christi. Et sic deprecemur dominum nostrum Iesum Christum
et dominam nostram sanctam Mariam, uirginem gloriosam, ut
ad deprecandum nos adiuuet, quatenus Filius suus faciat nobis
gratiam, per quam cognoscamus et amemus et diu memoremus
sanctum sacramentum altaris ad cognoscendum et amandum
130 magnum posse Dei. Et amore et honore nostrae dominae sanctae Mariae, dicamus *Aue Maria.*

---

90 tenes] *add.* non *M*   **91** saporem¹] soporem *M*   saporem²] soporem
M   **101** propterea quia] propter quae *M*   **120** opus] *om. M*   **132** Filius
suus] *om. M*

[Sermo V]

De ordine presbyteri.

Ordo presbyteri est sacramentum, datum per Spiritum sanctum menti et uerbo episcopi, ut sit presbyter habituatus suo
5 ordine, ut sit instrumentum Iesu Christo in baptizando, in
faciendo matrimonium, et in sacrificando, et in absoluendo et in
ligando, et in dando extremam unctionem.
    In principio sermonis deprecabimur dominum Deum nostrum
Iesum Christum et dominam nostram sanctam Mariam, uirgi-
10 nem gloriosam, ut deprecetur Filium suum, uerum hominem et
uerum Deum, quatenus det nobis gratiam, per quam cognoscamus et amemus ordinem presbyteri, ut seruiamus et ueneremur
dominum Deum nostrum Iesum Christum.
    Sicut homo albus naturaliter generat albedinem, quando ge-
15 nerat alium hominem album, ita Iesus Christus, qui est presbyter, generat moraliter ordinem presbyteri, quando alius presbyter est sibi instrumentum, per quem faciat ordinem presbyteri.
    Sicut magister logicus cum suo habitu logicali alium habitum
logicalem dat, quando facit alium magistrum logicae, et hoc per
20 uerba logicalia, ita Iesus Christus dat sacerdotalem habitum per
uerba sacerdotalia sacrata, de quibus factum est sacramentum
presbyteri.
    Tu uides, quod unum lumen est alterius luminis, et sic succes-
siue de lumine in lumen, quin lumen, generans aliud lumen,
25 diminuat essentiam nec quantitatem suam in generando aliud
lumen. Sic ordo sacerdotis generat alium ordinem presbyteri, et
sic successiue de ordine in ordinem, quin ordo generans alium
ordinem diminuat essentiam suam nec quantitatem suam. Vnde
ergo cum hoc ita sit, potes igitur cognoscere modum, per quem
30 unus ordo generat alium ordinem in homine particulari, ordinem recipiente.
    Ordo presbyteri est generalis ordo omnibus aliis ordinibus
sacramentalibus; quae sunt baptisma, matrimonium etc. Vnde
cum | tu, presbyter, habeas ita nobilem et generalem ordinem   M 144ᵛ
35 per Iesum Christum, qui dominus est totius mundi et totius
ordinis, multum obligaris ad tenendum ordinem tuum cum
principalibus uirtutibus; quae sunt iustitia, prudentia et aliae.
Et si tu habitues et induas te ipsum de peccatis, scilicet de
auaritia, gulositate et aliis mortalibus peccatis, considera, quali-
40 ter obligas te ipsum ad sustinendum poenas infernales aeternas.
    Presbyter, in quantum est homo, est ordinatus naturaliter per

---

V, **4** episcopi] *om. M*   **24** quin] sine quo *M*; *cat.* sens que   **25** diminuat]
non diminuit *M*   **26** sacerdotis] *add.* qui *M*   **27** quin] sine *M*   **28** diminuat]
non diminuit *M*

sentire, imaginari, memorare, intelligere et amare. Et propter hoc presbyter ad suum ordinem debet ordinare suum uisum, auditum, odoratum, gustum, palpatum, locutum, imaginatum,
45 memoratum, intellectum et amatum. Et quia ordo suus uirtuosus est sacramentaliter, debet manutenere ordinem suum cum uirtutibus moraliter. Et si contrarium faciat, iniuriosus est contra iustitiam, et est imprudens contra prudentiam; et sic de aliis peccatis mortalibus. Et facit contra ordinem sui sacramenti
50 et contra Iesum Christum principaliter. Potes igitur cognoscere tu, presbyter, qui in mortali existis peccato et facis sacramentum baptismatis, matrimonii, et sic de aliis sacramentis, illam magnam culpam, quam habes, et illas magnas poenas, quas in inferno sustinebis, nisi satisfactionem facias de tuis delictis siue
55 peccatis. Attamen nescis, si satisfacies, quia in tempore futuro nescis, qualis eris.
 In te, presbyter, characterizatur et imprimitur ordo, per quem es presbyter. Et si tu delinquas uel pecces, per tuum delictum non corrumpitur sacramentum nec mutatur; sicut
60 homo cappatus, qui subtus cappam suam potest esse bonus uel malus. Non dico, quod per ordinem tuum possis esse malus, quia non dat ipsum tibi Iesus Christus ad faciendum malum. Sed potes esse malus per te ipsum; cum ita sit, quod tu habes liberum arbitrium ad faciendum bonum uel malum.
65 Nullus ordo contrario est peccato, quam ordo presbyteri. Et propter hoc uult Iesus Christus, quod homo, uicariam habens papalem, sit presbyter, eo ut homo ille sit contrarior peccato, quam alius homo. Et ob hoc tu, papa, uideas, in quo existis uel quid facies; quia qui altius existit, maiorem casionem siue
70 deiectionem incurrere poterit; et nisi cadat, altius alio homine ascendere poterit.
 Diximus de ordine sacerdotali. Et ostendimus essentiam eius et processum. Et sic deprecemur dominum Deum nostrum Iesum Christum et uirginem gloriosam, dominam nostram sanc-
75 tam Mariam, quatenus det nobis gratiam, per quam diu cognoscamus et amemus et diu memoremus uerba, quae diximus. Et amore et honore nostrae dominae sanctae Mariae dicamus *Aue Maria*.

[SERMO VI]

DE POENITENTIA.

Poenitentia est sacramentum, per Spiritum sanctum datum

47 faciat] facias *M*   68 ob hoc] hoc ob *M*   69 casionem] *ex* cadere
70 incurrere] incuriae te *M*

menti et uerbo presbyteri, qui sit instrumentum Iesu Christo ad
5 ligandum, absoluendum et peccata indulgendum.

| In principio deprecabimur dominum Deum nostrum Iesum M 145ʳ
Christum et dominam nostram sanctam Mariam, quatenus nos
adiuuet, quatenus Filius suus det nobis gratiam, per quam ego
sciam dicere, et uos audire sanctum sacramentum et eius uirtu-
10 tem poenitentiae.

Iesus Christus in ista uita non loquitur nobiscum. Et propter
hoc est ordinatum per Spiritum sanctum, quod presbytero detur sacramentum per mentem et uerba poenitentiae. Qui sit
instrumentum Iesu Christo, quod per iustitiam liget, et per
15 misericordiam indulgeat. Et propter hoc presbyter requirit,
quod homo peccator habeat contritionem, et quod confessionem
faciat et satisfactionem de peccatis.

Contritio est poenitere corde, per quod homo poenitet peccati.
Et secundum quod peccatum est magnum uel paruum, oportet
20 esse contritionem paruam uel magnam. Et contritio exstat et
est primo in mente, et reuelatur per uerba presbytero, cui
confitetur peccata sua, audiente presbytero peccata tamquam
instrumentum. Et peccata dicuntur Iesu Christo formaliter. Et
Iesus Christus format sacramentum poenitentiae, cum quo pres-
25 byter ligat hominem confitentem ad satisfactionem, et soluit
ipsum ad ueniam.

Presbyter, qui sit instrumentum tale, quale superius diximus,
est ita, quemadmodum est exstans medium inter operans et
operatum: Iesus Christus est operans; et homo, confitens cum
30 uera contritione et promittens facere satisfactionem per iustitiam et exspectans a Iesu Christo misericordiam et ueniam, est
operatum, operanti relatum. Vnde cum hoc ita sit, considera
igitur tu, presbyter, qualis debes esse per iustitiam, sapientiam,
caritatem et pietatem. Et si talis es, exstas medium proportio-
35 natum inter Iesum Christum et hominem confitentem. Et si es
medium et instrumentum per contrarium potes considerare,
quam magnum est peccatum tuum, propter quod proportionatus es ad sustinendum poenas infernales.

Tu, peccator, qui confiteris peccatum tuum presbytero, maxi-
40 me confiteris Iesu Christo. Et propter hoc si confitearis cum uera
contritione, oportet te sic eam facere, quod te poeniteat peccati,
et quod promittas satisfactionem cum ita magna fortitudine
iustitiae, quemadmodum magna est fortitudo tui memorandi,
intelligendi et abhorrendi peccatum, et tui memorandi, intelli-
45 gendi et amandi Iesum Christum et satisfactionem, quam pro-
mittis. Et si contrarium facis, tu impendis presbytero dedecus,
et Spiritui sancto, sacramentum danti, et Iesu Christo, cui

VI, **7** Filius suus] *om. M*   **18** homo] hominem *M*   **29** est] *om. M*   **31**
exspectans] exspectat *M*   **41** sic eam] *om. M*   **43** tui] *om. M*

confiteris. Propter quod quidem dedecus tu te obligas ad perpetuum ignem.

50   Tu, peccator, qui confiteris, debes peccata tua inquirere, quae
fecisti per uisum, auditum, odoratum, gustum, palpatum, locutum, imaginatum, memoratum, intellectum et per abhorrere. Et
omnia debes confiteri. Et si aliquod peccatum celes, celas ipsum
presbytero, qui est instrumentum; sed Iesu Christo celare eum
55   nequis, quia omnia scit. Et quia tu per illud peccatum, quod
celas, destruis successionem confessionis, sine instrumento non
potes ueniam consequi.

    | Tu, presbyter, qui confessiones audis, petas peccata, quae   M 145ᵛ
fiunt per sentitum, imaginatum, memoratum, intellectum et
60   amatum. Et si deficis in scitu uel scientia et in uelle, exstas
instrumentum inordinatum inter Iesum Christum et hominem
confitentem tibi. Aperias igitur oculos tui intellectus, et intelligas mihi bene, et considera, quam magne fallis et erras, presbyter, qui non es proportionatus in confessione ad essendum in-
65   strumentum.

    Tu, presbyter, audiens confessiones, si peccatum uel peccata
reueles, quod Iesus Christus secrete tenet uirtute sacramenti,
contra sacramentum reuelas, et maxime contra Iesum Christum,
qui dominus est tui et sacramenti et hominis confitentis. Quod
70   quidem reuelare, quod de peccato facis, in quantum es instrumentum reuelas; destruis igitur te, et deformas confessionem.
Non tamen dico, quod destruas formam contritionis et satisfac-
tionis confitentis, nec formam absolutionis, nec ueniae, quae
impressiones sunt tui ordinis.

75   Diximus de sacramento poenitentiae. Et dedimus notitiam de
essentia eius et sui processu. Et sic deprecemur dominum Deum
nostrum Iesum Christum et eius gloriosam matrem, ut eum
deprecetur, quatenus det nobis gratiam, per quam diu memoremus, intelligamus et amemus sermonem ad Deum uenerandum,
80   laudandum et benedicendum. Et amore et honore nostrae dominae sanctae Mariae dicamus *Aue Maria*.

[SERMO VII]

DE EXTREMA VNCTIONE.

    Extrema unctio est sacramentum, per Spiritum sanctum da-
tum cum mente et uerbo presbyteri, qui sit instrumentum Iesu
5   Christo in faciendo extremam unctionem.

---

56 confessionis] *add. et* M   63 mihi] *forsan scriptor datiuum pro cat. acusatiuo
cum 'a' male traduxit.*   75 processu] processus M   79 sermonem] *om.* M

In principio deprecabimur dominum Deum nostrum Iesum
Christum et dominam nostram sanctam Mariam, uirginem gloriosam, ut ad hoc nos adiuuet, quatenus Filius suus det nobis
gratiam, per quam sciamus intelligere et amare sacramentum
10 extremae unctionis, et diu memorare, ad seruiendum et honorandum dominum Deum nostrum.

In hac uita quilibet habet initium, medium et finem. Habet
initium, eo quia generatus est et natus. Habet medium, eo quia
successiue et pro tempore et motu uadit ad mortem. Habet
15 finem, eo quia uenit ad corruptionem in morte. Et propter hoc
est ordinatum per Spiritum sanctum, quod in fine mortis presbyter sit instrumentum Iesu Christo, qui faciat sacramentum
extremae unctionis per presbyterum, qui sit instrumentum cum
uerbis sanctis, processis ex impressione, quam habet presbyter
20 ex ordine suo, et etiam per tactum, quem facit presbyter cum
chrismate, ungendo loca, per quae infirmus peccauit.

Eum, qui est instrumentum Iesu Christo ad faciendum sacramentum extremae unctionis, oportet fore cappatum et indutum
uirtutibus, scilicet iustitia, prudentia, fortitudine, et sic de aliis
25 uirtutibus, eo ut sit uirtuosum et dignum instrumentum Iesu
Christo, facienti sacramentum cum uirtute suae diuinae bonitatis, magnitudinis, aeternitatis, potestatis; et sic de aliis digni-   M 146ʳ
tatibus. Et si presbyter faciat contrarium, scilicet quod faciat
peccata per auaritiam, gulositatem, luxuriam et alia peccata
30 mortalia, impendit dedecus magnum Spiritui sancto et Iesu
Christo et sacramento. Per quod quidem dedecus sibi ipsi procurat perpetuas poenas.

Qui sacramentum extremae unctionis recipit, debet ornatus
esse per suum sentire, imaginari, memorare, intelligere et amare
35 cum contritione, confessione et satisfactione, eo ut sit uirtuosum
et dignum subiectum sacramento. Et si contrarium faciat, scilicet quod sit peccator per peccata mortalia, Spiritui sancto
magnum impendit dedecus et Iesu Christo et sacramento. Et
sibi ipsi procurat magnas poenas infernales.

40 Post finem hominis mortui, ille non remanet homo. Et propter
hoc anima, corpus desiderans, non habet libertatem poenitendi
peccatorum suorum; cum ita sit, quod homo uiuus solum habet
libertatem, quod poeniteat; nec corpus habet potestatem ueniam exigendi postquam mortuum est. Et ob hoc ordinatum est
45 esse sacramentum extremae unctionis.

Sacramentum extremae unctionis exigit et requirit contritionem, confessionem et satisfactionem, eo ut homo infirmus non
consideret nec desideret uitam; qui, si faciat, scilicet quod

VII, 8 Filius suus] *om.* M   15 morte] mortem M   27/28 dignitatibus]
om. M   41 desiderans] desiderat M   42 habet] *om. sed add. in marg.* M   46
requirit] *add.* extremam unc M

desideret uitam, deformat in se ipso formam ipsius sacramenti.
50 Non dico, quod destruat nec corrumpat characterem ipsius
sacramenti in presbytero sustentati per Spiritum sanctum dati;
cum ita sit, quod ille presbyter possit esse instrumentum pluribus et diuersis extremis unctionibus pro infirmis hominibus.

Tu, qui sacramentum recipis, et tu, presbyter, qui instrumen-
55 tum es, non potes uidere, nec sentire essentiam sacramenti, nec
uirtutem, nec opus illius; cum ita sit, quod sacramentum sit
forma spiritualis, colorem non habens, angulum nec figuram.
Hoc idem dico de imaginatione tua; quae aliquid imaginari non
potest, quod non habeat colorem, angulum et figuram. Et ob hoc
60 sacramentum non potest obiectari, nisi tantum per animam,
quae potest memorare, intelligere et amare sacramentum secundum definitionem supra dictam et processum supra dictum.

In cruce, quando Iesus Christus crucifixus fuit et petiuit
potum, dederunt sibi fel et acetum, quae qualitates habent
65 amaras saporis. Et Iesus Christus dixit: *Consummatum est* (Ioh.
19, 30). Quod significat, quod in saeculo isto uita sua consumma-
ta erat; et quod sacramentum fuit cum amaritudine sentitus.
Illud sacramentum fuit per Iesum Christum, presbyterum, factum in cruce. Et fuit et est sacramentum uniuersale omnibus
70 aliis sacramentis particularibus, quae sunt sacramenta extremae unctionis. Et propter hoc iustum est et ordo requirit, quod
presbyter ponat in memoria infirmorum generale sacramentum
supra dictum, quod factum fuit in cruce, eo ut infirmus speret in
Iesu Christo, qui sacramentum facit, quod sibi peccata sua
75 indulgeat per uirtutem ipsius sacramenti.

Diximus | de sacramento extremae unctionis. Et ostendimus M 146ᵛ
essentiam suam et processum suum. Et ob hoc in fine sermonis
deprecemur dominum Deum nostrum Iesum Christum et dominam nostram sanctam Mariam, uirginem gloriosam, quatenus in
80 fine mortis det nobis sacramentum extremae unctionis, per
quam ad saluationem ueniamus.

Diximus de septem sacramentis ecclesiae sanctae. Et ostendimus essentias et processus eorum. Quae sacramenta digna sunt,
quod praedicentur et cognoscantur et amentur et memorentur,
85 eo ut ii, qui ea audient praedicare, ualeant per ipsa saluari.

Ad uenerationem et honorem domini nostri Iesu Christi finiuit Raimundus librum istum in ciuitate Maioricensi mense
octobris, anno Domini 1312 incarnationis domini nostri Iesu
Christi.

---

49 uitam] *om. M*   51 sustentati] sustentato *M*   dati] dato M   53 pro
– hominibus] per infirmos homines *M*   59 hoc] *om. M*   65 saporis] soporis
M   67 sacramentum] principium *M*   72 infirmorum] infirmo *M*   83
sacramenta] *om. M*   89 Christi] *add.* Laus tibi sit, Christe, quoniam liber explicit
iste. Amen *M*

LIBER DE PATER NOSTER

In Ciuitate Maioricarum, 1312 X

LIBER DE PATER NOSTER

CODICES

L_3 = Palma de Mallorca, Archivo de la Curia, Causa Pía Luliana, 13 (antea 14), (ca. 1727) f. 26r-33v (textus incompletus)

L_4 = Palma de Mallorca, Biblioteca Pública, 1076 (a. 1632) f. 322r-340r

M = München, Bayerische Staatsbibliothek, clm 10495 (XIV) f. 146va-154va

S_1 = Palma de Mallorca, Colegio de la Sapiencia, F. 71 (XVIII) Int. IV, f. 1r-16r

LIBER DE PATER NOSTER[a]

DE PATER NOSTER[b]
EXPOSITIO SVPER PATER NOSTER[c]
LIBER DE EXPOSITIONE ORATIONIS DOMINICAE[d]
LIBER SVPER ORATIONEM DOMINICAM[e]
SERMONES DE PATER NOSTER[f]

---

a = Inuocatio huius operis; ARIAS DE LOYOLA tab. VII (SOTO pg. 51);
    MAYER 171; SALZINGER 153; BUF 278; PASQUAL I, 313, 373; PEERS, pg.
    362 n. 1; WADDING-SBARALEA 137
b = VILETA 89
c = HLF 233; Lo IV, 51.3; OT 170.3; GL gd⁵; Av 185; CA 135; LLINARÈS
    201; PLA 222; CRUZ HERNÁNDEZ 166; BONNER IV, 62
d = WADDING-*Scriptores* 156; ANTONIO/CUSTURER/SOLLIER 162; WADDING-
    SBARALEA 137 (Cf. Introducción pg. LXVI)
e = BUF 271
f = Ms. M, fol. 1r; BONNER IV, 62

Deus, cum uirtute tua, magnitudine et altitudine intelligendi et amandi,
Incipit Liber iste, qui est de *Pater noster*.

[PROLOGVS]

5 Cum Iesus Christus sit generalior persona, quam alia, cum in
ipso sit coniuncta diuina natura cum humana, et ipse dederit
Pater noster pro oratione apostolis (Matth. 6, 9-14), qui sunt
generaliores personae, quae sint in ecclesia Romana, eo dignum
est, ut *Pater noster* praedicetur populo Iesu Christi, ut de ipsa
10 oratione, quae est *Pater noster*, notitiam habeant et amorem.
Quia dicere *Pater noster*, et de ipso notitiam non habere, non
importat tantam uirtutem, quantam si cognoscatur. Et ideo nos
facimus librum istum, ut *Pater noster* cognoscatur et ametur.

DE DIVISIONE HVIVS LIBRI

15 Diuiditur liber iste in octo partes, quae sunt ipsius orationis
Pater noster; et quaelibet pars est thema et sermo siue praedicatio.
Et primo incipiemus de prima parte. Quae est: *Pater noster
qui es in caelis.*

[SERMO I]

[PATER NOSTER, QVI ES IN CAELIS]

Per hoc, quod dicitur (I) *Pater*, tres modos intelligimus paternitatis. Et per (II) *noster*, tres modos filiationis. Per (III) *qui es
5 in caelis*, tres modos caelorum.
In principio deprecabimur dominum Deum nostrum Iesum
Christum, et dominam nostram sanctam Mariam, uirginem glo-

PROL., **1** uirtute] *om.* $S_1 L_4 L_3$ magnitudine et altitudine] altitudine et
magnitudine $L_4 L_3$ **3** iste] *om.* $S_1 L_4 L_3$ noster] *add.* Praefatio S_1 **5** *not.
in marg.* Iesus Christus est generalior persona S_1 **6** *not. in marg.* Iesus Christus
apostolis pro oratione dedit Pater noster, qui sunt personae generales S_1 **7**
pro – apostolis] apostolis pro oratione S_1 **9** praedicetur] *om.* $L_4 L_3$ populo
– Christi] *corr. in* Iesu Christi populo S_1; *add.* declaremus L_3; *add. in marg.*:
declaremus L_4 *not. in marg.* Pater noster debet praedicari populo Iesu Christi
S_1 **11** *not. in marg.* uerba Patris nostri placent magis Deo et maiorem uirtutem
causant, si intelliguntur S_1 **15** liber iste] iste liber S_1

   I, **2** caelis] *add.* Pars prima, quae dicitur: Pater noster, qui es in caelis S_1
   6 *not. in marg.* Ante deprecatur Dominum nostrum Iesum Christum et beatam
Virginem Mariam S_1

riosam, ut nos adiuuet ad hoc, quatenus det nobis gratiam, per
quam sciamus ostendere et declarare populo *Pater noster*, id est
10 hanc orationem, quae sic incipit, eo ut dominum Deum nostrum
Iesum Christum sciamus cognoscere et amare et seruire et
uenerari cum *Pater noster*.

I

1. Iesus Christus uerus Deus uerusque homo est. Et ratione
15 dignitatis maioris considerat Deum Patrem, qui aeterne et infinite est Pater eius. Et ipse est Deus Filius suus aeterne et
infinite, eo ut Deus habeat ita magnum opus in se ipso, quemadmodum est essentia sua, substantia et natura. Et propter hoc
Iesus Christus, qui est Filius Deus et Filius homo, in quantum
20 factus est homo, dicit *Pater noster*.
2. Iesus Christus, in quantum est homo, con|siderat Deum   M 147ʳ
Patrem esse patrem suae humanae naturae per creationem. Et
ob hoc Filius, qui est Deus, et Filius, qui est homo, dicit *Pater
noster*.
25 3. Iesus Christus in quantum homo, participat per naturam
cum omnibus hominibus. Qui sunt creaturae creatae per Deum,
qui Pater est per creationem. Et propter hoc Iesus Christus in
oratione associat se cum omnibus hominibus, eo ut in quantum
est homo, est ita creatus quemadmodum alius homo, quamuis
30 non sit genitus per hominem alium, sed per Spiritum sanctum
conceptus in muliere uirgine, qui ex carne et sanguine ipsius et
ex anima rationali nouiter creata fecit ipsum hominem, faciendo
se ipsum hominem in uno momento et sine successione et motu.
Ostendimus tres modos paternitatis et tres modos filiationis.
35 Et declarauimus, quare Iesus Christus dixit *Pater noster*.

II

Modo intendimus declarare de caelis, in quantum dicit: *Qui es
in caelis.*

---

8 nos – hoc] ad hoc nos adiuuent L_3 adiuuet] adiuuent L_4 det] dent
L_3 9 id est] uel L_3 11/12 et seruire – noster] *om.* $S_1 L_4 L_3$ 14 *not. in
marg.* Pater nostro modo concipiendi consideratur altiori dignitate et prioritate,
quam Filius et Spiritus sanctus S_1 16 est – eius] *om. sed add. in marg.* L_4
eius] *om.* L_3 16/17 Et ipse – infinite] *om.* $L_4 L_3$ 19 Christus] *add. sup.
lin.* Pater noster S_1 20 dicit – noster] *om.* S_1 dicit] M; dixit $L_4 L_3$ 23
dicit] dixit $S_1 L_4 L_3$ 25 *not. in marg.* Iesus Christus per humanam naturam
participat cum omnibus hominibus S_1 27 Et] *om.* $S_1 L_4 L_3$ 28 *not. in marg.*
Christus associat se cum hominibus omnibus S_1 30 hominem alium] alium
hominem $S_1 L_4 L_3$ 31 *not. in marg.* Per Spiritum sanctum est Christus ex uirgine
S_1 33 *not. in marg.* Incarnatio in uno instanti est facta et sine motu, etc. S_1

1. Considerari potest Deum Patrem esse in caelis suis, scilicet
40 in dignitatibus suis, quae altiores sunt omnibus aliis dignitatibus. Sicut diuina bonitas, quae altior est omnibus aliis bonitatibus; et diuina magnitudo, quae est altior omnibus aliis magnitu-
dinibus; et diuina aeternitas, quae altior est omnibus aliis dura-
tionibus; et sic de aliis dignitatibus. Et ex hoc Iesus Christus
45 intelligit dicere, quod Pater suus est in caelis, qui sunt diuinae
dignitates. Et etiam intelligit, quod Pater suus, in quantum
gignit eum Filium Deum, gignit eum in diuinis dignitatibus, eo
ut sit opus in caelis ita magnum, quemadmodum sunt caeli.
Cum ita sit, quod de caelis, qui sunt diuinae dignitates, Iesus
50 Christus, Filius Deus, gignatur, eo ut nulla diuina dignitas sit
uacua et otiosa nec sine natura. Per quod quidem opus diuinam
trinitatem consideramus.

2. Considerat Iesus Christus alios caelos subalternatos creatos,
in quibus est Deus Pater creator. Qui caeli sunt in comparatiuo
55 gradu. Qui sunt innati, in natura humana Iesu Christi sustentati
et dati per Deum Patrem; hoc est naturalis et substantialis
humana bonitas, magnitudo, duratio, etc. Et caeli illi altiores
sunt aliis caelis creatis, eo quod coniunguntur et uniuntur cum
caelis, qui in superlatiuo gradu existunt supra dictis. Quae
60 quidem coniunctio et unitio fit, in quantum Deus Filius factus
est homo.

3. Sunt et alii caeli, in quibus est Deus Pater. Qui sunt
uirtutes, quae uiae sunt paradisi, scilicet iustitia, prudentia et
aliae. Et est Deus Pater in caelis istis, eo quia est ipsorum causa
65 efficiens et finalis. Qui quidem caeli secundum comparationem
sunt in gradu positiuo, sicut caeli superius dicti creati; qui sunt
in comparatiuo gradu, et causati per caelos, qui in superlatiuo
gradu sunt supra dicti.

Declarauimus thema superius dictum de *Pater noster*. Et
70 propter hoc consulimus uobis, dominis et dominabus, et uos
rogamus, quod uerba superius dicta memoretis et intelligatis et
ametis tunc, quando dicetis: *Pater noster, qui es in caelis.*

---

39 *not. in marg.* Dignitates Dei sunt in altiori gradu omnium aliarum dignitatum
S_1 **43** altior est] est altior L_4L_3 **44** *not. in marg.* Caeli Dei sunt suae
dignitates S_1 **50** Deus] Dei S_1 gignatur] gignetur L_4L_3 **51** natura]
opere $S_1L_4L_3$ **54** comparatiuo] comparatione M **56** naturalis et sub-
stantialis] *coni.*; naturale et substantiale M; naturalis et formalis $S_1L_4L_3$ **57**
not. in marg. Caeli subalternati inferius sunt humana bonitas, etc.; et maiores sunt
diuinae dignitates, et Christus cum istis dignitatibus est coniunctus et habet
formalem humanam bonitatem, etc. S_1 **58** quod] quia S_1; *om. M*   **60** unitio]
unio $S_1L_4L_3$ **62** et] etiam L_3 Qui] quae S_1 **63** *not. in marg.* Virtutes
sunt uiae paradisi S_1 **64** est[^1]] *om.* $S_1L_4L_3$ **65** finalis] *add.* est $S_1L_4L_3$ **67**
qui] *corr. in.* quoniam S_1

III

Item consulimus et rogamus, quod quando dicetis *Pater nos-*
75 *ter*, memo|retis et intelligatis et ametis Iesum Christum cum   M 147ᵛ
uirtute memorandi, intelligendi et amandi, et sentiendi et imaginandi. Per quam quidem uirtutem induamini uirtutibus, scilicet
iustitia, prudentia et aliis, eo ut cum ipsis honorem et uenerationem impendatis ipsi orationi *Pater noster.*
80   Qui dicit *Pater noster*, et est in mortali peccato, cum mente et
uerbis uilibus et deformatis et peccatis plenus dicit *Pater noster*,
et magnum dedecus facit ipsi orationi. Quae oratio sancta est et
per Iesum Christum data. Et de illo dedecore Iesus Christus
uindictam accipiet cum poena ignis infernalis durabilis; quam
85 dabit omnibus eis, qui in peccato mortali morientur.
     Diximus de sermone, decenti huic orationi, quae est: *Pater
noster, qui es in caelis*. Et sic deprecemur dominum Deum
nostrum Iesum Christum, et dominam nostram sanctam Mariam, uirginem gloriosam, quatenus det nobis gratiam, per quam
90 sermonem intelligamus, memoremus et amemus ad uenerandum
dominum Deum nostrum Iesum Christum, et eidem seruiendum.
Et amore et honore ac ueneratione Iesu Christi, patris nostri,
dicamus *Pater noster.*

[Sᴇʀᴍᴏ II]

Sᴀɴᴄᴛɪꜰɪᴄᴇᴛᴠʀ ɴᴏᴍᴇɴ ᴛᴠᴠᴍ

Thema istud mandatum significat, quod Iesus Christus facit,
quod nomen Dei Patris sanctificetur.
5   Et propter hoc deprecabimur dominum Deum nostrum Iesum
Christum, et dominam nostram sanctam Mariam, uirginem gloriosam, quatenus det mihi gratiam dicendi et uobis audiendi et
in opere ponendi; per quam sciamus declarare praeceptum, et
per ipsum ad saluationem peruenire.

10   I

Sanctitas est innocentia totius peccati. Vnde cum Deus sit
unum esse bonum, singulare, infinitum et aeternum, complete

---

   75 et intelligatis] *coni.*; *om.* M S₁ L₄ L₃   **77** induamini] uos induatis S₁   **79**
impendatis] faciatis S₁   **80** mortali peccato] peccato mortali .S₁   **81** plenus]
coni.; plenis M L₄ L₃; *om.* S₁   **82** Quae] quia S₁   **83** *not. in marg.* Pater noster
dedit nobis Iesus Christus S₁   **85** *not. in marg.* In infernum ibit et uadit, qui
in peccato mortali moritur S₁   **90** et] *add.* recolamus L₃; *add. et del.* recolamus
L₄   **91** eidem] ei S₁ L₄ L₃

   II, **7** mihi] *om. sed add. sup. lin.* L₄; nobis L₃

potens, Iesus Christus, qui dicit *Pater noster*, dicit quod nomen
Patris sui sanctificetur per infinitam et aeternam sanctitatem,
15 bonitatem, magnitudinem, aeternitatem, potestatem, sapientiam, uoluntatem et alias suas dignitates; cum ita sit, quod
nomini Patris competat talis sanctitas. Decet ergo, ex quo Pater
talis est, quod in tali habeat sanctitate Filium sibi relatum; cum
sit ita, quod nequeat Pater esse sine Filio.
20   Deus non posset esse innocens, nec sanctitatem habere sine
sancto opere suae unitatis, bonitatis, magnitudinis, aeternitatis,
potestatis, sapientiae, uoluntatis et aliarum dignitatum. In quo
opere oportet paternitatem esse singularem et sanctam, et quod
nomen illius sanctificetur per sanctum Filium generatum, qui
25 cum Patre sit una sancta unitas, bonitas, magnitudo, etc. Ostensum est igitur, per quem modum nomen Dei Patris sanctifica-
tur.
     Deus habet infinitum posse. Posse infinito competit et conue-
nit, quod possit facere quid de nihilo, et quod possit facere quid
30 de quo. Sine talibus duabus conditionibus non posset esse infinitum. Et quia est infinitum et aeternum, et est sanctitas infinita
et aeterna, uoluit creare quid de nihilo, scilicet totum mundum,
eo ut posse sit innocens sibi ipsi et dignitatibus suis. Et propter
hoc potestas, quae Deus est, et uoluntas uult esse mundum per
35 creationem, | et uult, quod nomen Patris sanctificetur, eo quia   M 148ʳ
mundum de nihilo creauit.
     Homines iusti et innocentes peccato habent sanctitatem me-
moriae, intellectus et uoluntatis, et etiam imaginandi et sentiendi. Et tales homines in tali sanctitate morientes, et qui in hac
40 uita Deum honorauerunt et eidem seruierunt per sanctum sentire, imaginari, intelligere, memorare et amare, sunt digni, quod
resuscitentur, et quod gloriam consequantur et habeant aeternam, in qua laudent, uenerentur et sanctificent nomen Dei
Patris, et contemplent, intelligant, ament et memorent. Est
45 igitur declaratum, per quem modum Deus, qui sancta iustitia
est, uult esse Pater hominum resuscitatorum, per quos uult
semper contemplari, et quod per ipsos nomen eius sanctificetur.
     Intellectus Dei intelligit, quod maior finis, per quem mundus
possit esse creatus, est, quod Filius Dei Patris incarnetur. Et
50 quia diuina uoluntas est unum idem cum intellectu et cum
posse diuino, et sic de diuina bonitate, magnitudine et aliis, uult
Filium Dei incarnari, ex quo intellectus intelligit, quod maior
finis, per quem mundus potest creari, est, quod Filius Dei

13 qui] quando S₁   14 sui] *om.* S₁L₄L₃   15/16 potestatem, sapientiam]
sapientiam, potestatem L₄L₃   19 sit ita] ita sit S₁L₃   21 opere] agere L₃
     23 opere] agere L₃   26/27 sanctificatur] sanctificetur S₁L₄L₃   29 possit]
om. S₁L₄L₃   34/35 mundum per creationem] *coni.*; prius creatione MS₁L₄L₃
     43 et] *add. et del.* S₁; *om.* M   47 eius] Dei S₁L₄L₃

incarnetur. Vnde cum hoc ita sit, est igitur Deus incarnatus, ex
55 quo diuina uoluntas hoc uult, et est Deus innocens et sanctus.
Propter quam quidem innocentiam et sanctitatem uult Iesus
Christus, qui est Filius Deus incarnatus, quod nomen Patris sui
sanctificetur, eo quia ipsum transmittit ad incarnandum.

Cum sermocinator declarauerit populo thema sermonis huius
60 per diuinam trinitatem et per creationem, resurrectionem et
glorificationem et incarnationem, quae sunt articuli fidei, dicat
populo, quod sanctificent nomen Dei Patris, memorent, intelligant et ament cum sanctitate, de qua induantur ad faciendum
bona opera ad honorem Dei Patris, et opera induantur uirtuti-
65 bus, quae sunt iustitia, prudentia et aliae.

II

Iesus Christus, qui uerus Deus et uerus homo est, praecipit
hominibus, quod nomen Dei Patris sanctificetur per totum
mundum; cum ita sit, quod praeceptum fiat omnibus hominibus
70 mundi. Et propter hoc dominus papa, qui est uicarius mundi, et
hoc idem de collegio suo, debent ordinare, quod nomen Dei
Patris praedicetur et sanctificetur per totum mundum.

Cum ita sit, quod Iesus Christus praecipiat, quod nomen
Patris sui sanctificetur, multum graue est esse sibi inoboediens,
75 qui uerus Deus et uerus homo est; per quam quidem humanitatem, quam sumpsit, est dominus cuiuslibet hominis.

Non oboeditur Iesu Christo per illos, qui in peccato mortali
sunt per auaritiam, gulositatem, luxuriam et alia peccata. Vnde
cum tot sint homines peccatores in mundo, qui non sanctificant
80 nomen Dei Patris, cui tot et tanta dedecora impendunt, quae
homines pensare, dicere nec scribere possent: Ad quem dolorem,
ad quas poenas aeternas exspectantur tales homines!

Et propter hoc uos, domini et dominae, estote omnes cum
timore. Et si timore cum amore suspira|retis et fleretis, et ad M 148ᵛ
85 Deum Patrem ueniam et mercedem exigeretis et clamaretis, et
etiam ad Deum Filium, qui facit hoc praeceptum, cui inoboedientes estis, eo quia non sanctificatis nomen Patris sui per
totum uestrum sentitum, imaginatum, memoratum, intellectum
et amatum. Quale placitum, qualem dulcedinem et laetitiam
90 consequemur ex illo fletu et suspirio et proclamatione mercedis
per totum nostrum memorare, intelligere et amare, imaginari et

---

56 et sanctitatem] *om.* S₁   65 sunt] sint M   71 debent] debet S₁   74
graue] *add.* malum S₁   75 qui] quia S₁   76 est] et M   77 oboeditur]
oboediunt S₁   per illos] illi S₁   80 impendunt] faciunt S₁   81 pensare]
cogitare S₁   Ad] propter S₁   82 quas] aliquas S₁   84 suspiraretis] suspirantes
S₁   fleretis] flentes S₁   85 exigeretis] exigentes S₁   clamaretis] clamantes
S₁   90 proclamatione] *corr. ex* proclamationem L₄; pro clamatione L₃;
proclamationem M; per clamationem S₁

sentire. Ad quas glorias perpetuas exspectarentur nostrum
sanctum memorare, intelligere, amare, imaginari et sentire.

Diximus de praecepto, quod Iesus Christus facit, quod nomen
95 Patris sui sanctificetur. Et ostendimus modum, per quem debet
sanctificari. Et sic in fine sermonis deprecemur dominum Deum
nostrum Iesum Christum et dominam nostram sanctam Mariam, uirginem gloriosam, quatenus det nobis gratiam, per quam
simus oboedientes praecepto Iesu Christi. Et eius amore, uenera-
100 tione et honore, dicamus *Pater noster*.

[SERMO III]

ADVENIAT REGNVM TVVM.

Per declarationem thematis huius potest considerari *regnum*
quinque modis: (1) Vnum enim regnum est increatum, (2) aliud
5 regnum est illud, quod habet Filius Dei ubique, (3) aliud regnum est illud, quod acquisiuit Iesus Christus in cruce, (4) aliud
regnum est regnum paradisi, et (5) aliud regnum est terrenum.
Omnia ista regna dicit Iesus Christus, quod ueniant secundum
thema sermonis huius.
10 Deprecemur ergo dominum Deum nostrum Iesum Christum
et dominam nostram sanctam Mariam, uirginem gloriosam, quatenus det nobis gratiam, per quam intelligamus, memoremus et
amemus uerbum Iesu Christi, et quod cum uerbo suo eum
laudemus, ueneremur et eidem seruiamus.

15   I

1. Regnum increatum est Dei Patris, Deum Filium generantis,
et ex ambobus procedit Spiritus sanctus. Regnum, quod est
diuinae unitatis, bonitatis, magnitudinis, aeternitatis, potestatis,
intellectus, uoluntatis, uirtutis, ueritatis, gloriae et perfectionis,
20 est diuina sancta trinitas, eo ut nulla dignitas sit uacua, otiosa;
immo habeat naturam, per quam per totum regnum sit regnans,
hoc est Deus Pater, et sit regnatum, quod est Deus Filius, et sit
regnare, quod est Spiritus sanctus; et quilibet est regnum; et
omnes tres sunt unum regnum, una essentia, substantia, et
25 natura. Et propter hoc dicit Iesus Christus, quod adueniat
regnum hoc ad humanum intellectum, ut illud cognoscat, et ad
memoriam, ut illud memoret, et ad uoluntatem, ut illud amet.
Tale regnum super omnia alia regna est.

III, **3** thematis huius] huius thematis $S_1L_4L_3$ **7** et] *om. M*   **10** nostrum
– Christum] etc. L_4L_3 **11** sanctam – gloriosam] etc. L_4L_3 **26** illud] eum
MS_1L_4 **27** illud] eum MS_1L_4 illud] eum MS_1L_4

2. Secundum regnum est illud, in quo Dei Filius regnat per
30 humanitatem, quam sumpsit, cum factus fuit homo, ut naturaliter cum qualibet creatura participaret. Per quam quidem humanitatem totum mundum exaltauit. Et ob hoc uult Iesus Christus, quod tale regnum per homines quoslibet cognoscatur,
memoretur et ametur.

35   3. | Tertium regnum est regnum emptum, quod perditum M 149ʳ
fuerat peccato primorum parentum, regnum recreatum. Et per
mortem, quam Iesus Christus sustinuit in quantum homo, emit
in cruce cum sanguine et aqua, per uulnera et lacrimas et fletus,
et per multos alios dolores. Tale regnum uult Iesus Christus, ut
40 ab omnibus hominibus memoretur, intelligatur, cognoscatur et
ametur.

4. Quartum regnum est regnum paradisi, hoc est caelum em-
pyriale, in quo regnant sancti angeli et animae sanctae, et
regnabunt post diem iudicii aeterne sancti homines. Tale reg-
45 num uult Iesus Christus aduenire ad contemplandum Deum,
laudandum, et benedicendum, uenerandum et seruiendum.

5. Quintum regnum est terrenum regnum sentiendi, imaginandi, pro uidendo, audiendo, gustando, palpando et loquendo, et
pro imaginando ea, quae absentia sunt ad sentiendum. Tale
50 regnum uult Iesus Christus aduenire cum uirtute iustitiae, prudentiae et aliarum uirtutum ad regnum intelligendi, memorandi
et amandi indutorum uirtutibus, eo ut homo uirtuosus perue-
niat ad finem per quem mundus creatus est.

Declarauimus huius sermonis thema, et quinque regna supra
55 dicta. Et sic uos, domini et dominae, frequenter memoretis,
intelligatis et ametis quinque regna supra dicta, eo ut ueniatis
ad regnandum in paradiso per sentire, imaginari, memorare,
intelligere et amare, et in perpetuum in gloria stare.

II

60   Domini et dominae, bene scitis, quod quis regnare non potest
nec stare in regno uirtutum cum mortalibus peccatis, scilicet
cum auaritia, gulositate, luxuria et aliis peccatis mortalibus;
quia bonum non potest regnare in malo, nec malum in bono;
cum ita sit, quod contrarientur. Et propter hoc desideremus
65 regnare cum uirtutibus, quae bonae sunt, et fugiamus peccata,
quae mala sunt; et consideremus, quot sunt bona terrena; et
amemus bona et abhorreamus mala.

1. Stultus est, qui cum auaritia credit regnare, quae angustiam dat et importat cuilibet homini auaro. Sapiens igitur est

30 ut] *om. sed add. sup. lin.* naturaliter S_1; *om.* M   42/43 empyriale] impyreum
S_1; imperiale L_4L_3 43 in quo] *coni.*; quod $MS_1L_4L_3$ 61 peccatis] *om.*
L_4L_3 69 est] *om.* M

70 quilibet, uolens regnare cum largitate, quae requiem dat homini largo.

2. Stultus est, qui uult regnare cum gulositate, quae per indigestionem angustiam dat et importat et infirmitatem cuicumque homini, in ea stanti. Sapiens est ergo, qui uult cum tempe-
75 rantia regnare, quae sanitatem dat cuicumque, de ipsa induto.

3. Stultus est, qui cum luxuria uult regnare, quae laborem infert cuicumque homini luxurioso. Sapiens est ergo, qui uult cum castitate regnare, quae requiem dat cuicumque, in ea stanti.

80 4. Stultus est, qui uult cum superbia regnare, quae angustiam et laborem infert homini cuilibet superbo. Sapiens est ergo, qui uult cum humilitate regnare, quae requiem importat homini cuicumque, cum ea facienti id, quod facit.

5. Stultus est, qui uult cum | accidia regnare, quae angustiat M 149ᵛ
85 hominem accidiosum et pigrum. Sapiens est ergo, qui uult cum bona diligentia regnare, quae requiem dat cuilibet homini, diligenti ad faciendum opera bona.

6. Stultus est, qui uult cum inuidia regnare, quae laborem infert homini inuido. Sapiens est igitur, qui uult cum legalitate
90 regnare, quae requiem infert homini cuilibet legali.

7. Stultus est, qui uult cum ira regnare, quae angustiat hominem iratum. Sapiens est ergo, qui cum patientia uult regnare, quae requiem dat homini patienti.

8. Stultus est, qui uult cum mendacio siue mentiri regnare,
95 quae uel quod angustiat quemcumque hominem mendacem. Sapiens est ergo, qui uult regnare cum uerum dicere, quod requiem donat omni homini ueraci.

Multi alii modi sunt, per quos posset dici de homine, quis est stultus, et quis est sapiens; et declarauimus thema sermonis. Et
100 propter hoc deprecemur dominum Deum nostrum Iesum Christum, et dominam nostram sanctam Mariam, uirginem gloriosam, quatenus eum deprecetur, quatenus det nobis gratiam, per quam ad regnum ueniamus; cum ita sit, quod ipse sit Pater noster. Et eius amore et honore, dicamus *Pater noster*.

[SERMO IV]

FIAT VOLVNTAS TVA SICVT IN CAELO ET IN TERRA

Secundum thema supra dictum Iesus Christus dicit, quod

---

72 est] *om.* M　　**73/74** cuicumque] *corr. ex* cuique S_1; cuilibet $L_4 L_3$　　**76** uult regnare] regnare uult $S_1 L_4 L_3$　　**95** quae uel quod] *del. et add. in marg.* quae S_1; quod $L_4 L_3$; "quae" *ad* "mendacium" (*cat.* mentida) *refertur*　　**100/101** Iesum Christum] etc. $L_4 L_3$　　**101/102** sanctam – gloriosam] etc. $L_4 L_3$　　**102** quatenus – deprecetur] *om.* L_3

uoluntas Patris sui fiat in caelis, hoc est in diuinis dignitatibus;
5 sicut in diuina unitate, in qua uult, quod sit unus Pater, et quod
habeat unum Filium, et quod ambo habeant unum Spiritum
sanctum. Et in diuina bonitate uult, quod Pater sit bonus, et
quod habeat bonum Filium, et quod ambo habeant bonum
Spiritum sanctum. Et uult, quod in diuina magnitudine sit
10 magnus Pater, et quod habeat magnum Filium, et quod ex
ambobus procedat magnus Spiritus sanctus. Et uult, quod in
diuina aeternitate sit aeternus Pater, qui aeternum habeat Filium, et quod ex ambobus procedat aeternus Spiritus sanctus;
et sic de aliis dignitatibus.
15   Deprecemur igitur dominum Deum nostrum Iesum Christum
et dominam nostram sanctam Mariam, uirginem gloriosam, quatenus det nobis gratiam, per quam sciamus declarare et ostendere thema sermonis, ut per ipsum ualeamus uenerari dominum
Deum nostrum Iesum Christum et eidem seruire.

20   I

1. Vult diuina uoluntas Deum Patrem esse unum, bonum,
magnum, aeternum; et quod habeat unum Filium bonum, magnum, aeternum; et quod ex ambobus procedat unus Spiritus
sanctus bonus, magnus, aeternus; et quod omnes tres personae
25 sint unus Deus, una diuina unitas, bonitas, magnitudo, aeternitas. Hoc uult diuina uoluntas, pro eo ut sit trinitas personarum
diuinarum, et quod diuinae dignitates non sint otiosae et uacuae; et quod habeant naturam ita magnam ad operandum,
quemadmodum habent ad standum et ad essendum id, quod
30 sunt. Sicut diuina uoluntas amat diuinam trinitatem, uult, quod
in terra homines cre|dant et ament, intelligant et memorent M 150ʳ
diuinam trinitatem, secundum quod superius eam probauimus.
    2. Vult diuina uoluntas mundum fore creatum de nihilo, eo ut
diuinum posse possit creare quid de nihilo. Et quia id uult cum
35 bonitate, est bonum, quod creetur; et quid id uult cum magnitudine, est magna creatio; et quia id uult cum aeternitate, est
creatio per nouitatem, quae est ita opus aeternitatis, quemadmodum est finitas infinitatis. Probatum est igitur mundum esse
creatum, ex quo hoc uult diuina uoluntas. Vnde cum hoc ita sit,
40 uult igitur diuina uoluntas, quod in terra, id est in hoc saeculo,
cognoscatur, memoretur et ametur mundum fore creatum.
    3. Vult diuina uoluntas pro diuina bonitate, aeternitate et
aliis, quod quicumque homo resuscitetur, eo quia uult, quod
omnis homo iudicetur ad perpetuum bonum uel malum, secun-

---

32 *Cf. supra serm. I huius operis, lin. 39-52.*

IV, **5** quod sit] *om. M*   **8** bonum²] *coni.*; unum *M S₁ L₄ L₃*   **13** aeternus]
coni.; *om. M S₁ L₄ L₃*   **16** sanctam – gloriosam] etc. *L₄ L₃*   **17** nobis gratiam]
gratiam nobis *S L₄ L₃*   **27** et²] *om. M S₁ L₄ L₃*   **35** id] *om. M L₄ L₃*

45 dum quod in hoc saeculo seruierit uel non seruierit Deo. Et ex
quo diuina uoluntas uult cum bonitate et aliis, oportet hominem
quemlibet resuscitari. Et quia hoc uult in caelis, qui sunt diuina
bonitas, et aliae, uult, quod in terra per homines cognoscatur,
memoretur et ametur, quod quilibet homo resuscitabitur.

50 4. Vult diuina uoluntas maiorem finem, per quem mundus
creetur. Et hoc uult in diuina bonitate et aliis. Qui quidem
maior finis est, quod Deus incarnetur, quia per incarnationem
participat Deus, in quantum factus est homo, naturaliter cum
omni esse creato. Propter quam quidem participationem mun-
55 dus multum exaltatur. Et quia diuina uoluntas uult pro diuina
bonitate et aliis, quod Deus incarnetur, uult, quod in terra
cognoscatur, memoretur et ametur Deum esse incarnatum.

5. Vult diuina uoluntas cum diuina bonitate et aliis, presbyterum posse ligare et soluere in caelo et in terra, existendo
60 instrumentum Iesu Christo, qui facit sacramentum poenitentiae,
de quo locuti sumus superius in *Libro de septem sacramentis*.

6. Vult diuina uoluntas pro diuina bonitate et aliis, Deum
facere miracula in terra, eo ut per ipsa cognoscatur magnitudo
suae bonitatis et aliarum. Et ex quo uult hoc in caelis, non est in
65 terra, qui possit haec miracula impedire.

7. Vult diuina uoluntas in caelis pro diuina bonitate et aliis,
quod fiat gratia hominibus in terra, eo ut homines per gratiam
illam apprehendant, intelligant, memorent et ament Deum in
terra.

70   II

Tu praedicans, dicas populo, quod sint uirtuosi per iustitiam,
prudentiam et per alias uirtutes, ut uirtuose possint memorare,
intelligere et amare, id, quod superius diximus de diuina uoluntate, quia non decet, quod tam altum opus diuinae uoluntatis
75 cognoscatur, memoretur et ametur per homines, in mortali
peccato existentes.

Tu infidelis, | qui trinitatem non credis, creationem, resurrec-   M 150ᵛ
tionem, incarnationem, nec decem praecepta, nec septem sacramenta, et facis scientiam tantum per imaginari et sentire, pec-

---

IV, **61** *Cf. supra op. 202, serm. VI, pp. 46-48.*

59/60 existendo instrumentum] existendo instrumentis $S_1 L_4$; existentibus
instrumentis L_3 **61** superius] *om.* $S_1 L_4 L_3$. *In codice M, qui hos sermones iuxta*
Testamentum Raimundi *in unum uolumen collectos exhibet,* Liber de septem sacramentis
antecedit Librum de Pater noster   **68** illam] illarum $S_1 L_4 L_3$ **72** praedicans]
qui praedicas $S_1 L_4 L_3$ dicas] *om.* $S_1 L_4 L_3$ **73/74** uoluntate] *add. sup. lin.* dic
L_4; *add.* dic L_3 **74** quia] quod $M L_4 L_3$ **75/76** mortali peccato] peccato
mortali $S_1 L_4 L_3$ **79** et²] *om.* $M S_1$

80 cas mortaliter contra diuinam uoluntatem, quae potest facere
totum id, quod potest uelle in caelis et in terra; cum ita sit,
quod ipsa infinita sit per infinitam bonitatem, magnitudinem,
aeternitatem, potestatem et alias dignitates, cum quibus potest
facere id, quod potest uelle. Et quia tam magnum committis
85 delictum siue peccatum, et tam magnam habes infidelitatem,
potes considerare, quod magnae poenae infernales aeterne te
exspectant.

Declarauimus thema huius sermonis et processum suum. Et
propter hoc deprecemur dominum Deum nostrum Iesum Chri-
90 stum et dominam nostram sanctam Mariam, uirginem gloriosam, quatenus eum deprecetur, quatenus det mihi gratiam, per
quam cognoscamus, memoremus et amemus totum id, quod uult
uoluntas Dei Patris in caelo et in terra. Et honore, amore et
ueneratione Iesu Christi, patris nostri, dicamus *Pater noster*.

[SERMO V]

PANEM NOSTRVM COTIDIANVM DA NOBIS HODIE

Panis materialis est materia, per quam uiuit homo corporaliter. Iesus Christus est panis noster, per quem homo uiuit spiri-
5 tualiter.

In principio deprecemur dominum Deum nostrum Iesum
Christum et dominam nostram sanctam Mariam, uirginem gloriosam, quatenus det nobis gratiam, per quam ego sciam declarare, et uos, domini et dominae, intelligere ac memorare ad
10 uenerandum Iesum Christum et eidem seruiendum, et quod ad
gloriam suam aduenire ualeamus.

I

Iesus Christus est pater noster per creationem; cum ita sit,
quod ipse creauerit me; quod est ex nihilo. Et est panis cotidia-
15 nus, eo quia nos conseruat spiritualiter et corporaliter. Spiritualiter, in quantum animas nostras, quae spiritus sunt, gubernat
et conseruat; et gubernat nostrum sentire, imaginari, quae naturam habent corporalem. Et hoc facit cotidie, quia nisi faceret, in
continenti in nihilum deueniremus, ex quo nihilo creati sumus.
20 Iesus Christus dat nobis panem materialem, hoc est uictualia,
quae nobis necessaria sunt ad uiuendum, ad comedendum et

---

82 infinitam] infinitatem $S_1 L_4 L_3$ **89/90** Iesum Christum] etc. L_3 **90/91**
sanctam – gloriosam] etc. L_3

V, **4** panis] pater M   **6/7** nostrum – Christum] etc. $L_4 L_3$ **7/8** sanctam
– gloriosam] etc. $L_4 L_3$ **14** me] *corr. in* hoc L_4; hoc L_3 **18** nisi] si non S_1

bibendum et induendum et ad habitandum; et sic de aliis rebus.
Talia uictualia dat nobis cotidie, sine quibus uiuere non possemus.

25   Iesus Christus panem nostrum cotidianum dat nobis hodie, id
est in hac die, in qua sumus, hoc est corpus suum, sacramentum
altaris, transmutatum de pane in carnem et de uino in sanguinem, secundum quod diximus in *Libro de septem sacramentis*.
Et est una die corpus suum, in quantum dies aeternalis est sine
30 successione et motu et multiplicatione dierum.

Iesus Christus est una dies, qua die est panis, datus nobis pro
recreatione. Dies generalis omnibus particularibus diebus hominum, qui saluentur, et qui redempti sint ab originali peccato.

Iesus Christus est una | dies, qui est panis, datus nobis pro   M 151ʳ
35 resurrectione generali; cum ita sit, quod ipse resuscitabit homines omnes, qui erunt in die iudicii. Ipse erit panis, datus ipsa die
omnibus hominibus, qui saluabuntur. Et non erit panis, datus
ulli eorum, qui damnabuntur, quia non potest esse panis eorum,
qui morientur in mortali peccato.

40   Iesus Christus est panis unius diei in paradiso. Et est panis
multorum dierum in hoc saeculo, secundum quod superius sig-
nificauimus et diximus.

Iesus Christus est panis uirtutum; cum ita sit, quod ipse det
unum panem per iustitiam, alium per prudentiam, alium per
45 animi fortitudinem, alium per temperantiam, alium per fidem,
alium per spem, alium per caritatem, alium per sapientiam. Et
omnes hos panes dat una die pro saluatione, hoc est in die
mortis, quando quis moritur sine mortali peccato.

II

50   1. Iesus Christus non est panis hominis auari; cum ita sit,
quod ipse sit panis largitatis cum sanctitate, quam dat homini
caritatem amanti pro suo amore.

2. Iesus Christus non est panis hominis gulosi. Et est panis
hominis temperati, temperantiam amantis pro eius amore.

55   3. Iesus Christus non est panis hominis luxuriosi, in quo non
est sanctitas. Et est panis hominis amantis, castitatem amantis
pro eius amore.

4. Iesus Christus non est panis hominis superbi. Et est panis
hominis humilis, humilitatem amantis pro eius amore.

V, **28** *Cf. supra op. 202, serm. IV, pp. 42-44.*

---

26 sacramentum] *coni.*; sacratum ML_4; sacratum *corr. ex* sacramentum L_3;
sacramentatum S_1 **29** aeternalis] *add. et del.* quae M; *add.* quae $S_1L_4L_3$ **39**
mortali peccato] peccato mortali $S_1L_4L_3$ **45** animi] *om.* $S_1L_4L_3$ **53/54**
Iesus – amore] *coni.*; *om.* $MS_1L_4L_3$ **56/57** pro – amore] *coni.*; eius amorem
ML_4L_3; eius amore S_1

60   5. Iesus Christus non est panis hominis accidiosi, pigri. Et est panis hominis diligentis, diligentiam amantis pro eius amore.

    6. Iesus Christus non est panis hominis inuidi. Et est panis hominis, legalitatem amantis pro suo amore.

    7. Iesus Christus non est panis hominis irati. Et est panis
65 hominis, patientiam amantis pro eius amore.

    8. Iesus Christus non est panis hominis mendacis. Et est panis hominis, ueritatem amantis pro suo amore.

    Iesus Christus die iudicii dat omnes panes supra dictos una die omnibus hominibus morientibus sine mortali peccato, et
70 aufert omnes eos illis, qui in mortali peccato moriuntur.

III

    Iesus Christus in paradiso est panis contemplatus, datus ad memorandum, intelligendum et amandum panem spiritualem, qui in aeternum dabitur panis bonitatis, magnitudinis; et ita
75 magnus, quod in saeculo isto non posset cogitari, scribi nec loquela manifestari.

    Iesus Christus est panis, datus in paradiso corporaliter, in quantum obiectabitur per uidere, audire, imaginari et loqui. Et talis panis erit ita magnus et ita plenus bonitate, quod nullo
80 corporali carebit corpus hominis saluati; quod corpus tunc gloriabitur.

    Peccatores, qui Iesum Christum amittent, qui panis cotidianus est, et una die datus est per in perpetuum, bono quocumque carebunt pro intelligere, memorare et amare, quia totum id,
85 quod memorabunt et intelligent, abhorrebunt; et intelligent et memorabunt, et numquam consequentur id, quod semper affectabunt. Vnde cum hoc ita sit, | quomodo magna est stultitia M 151ᵛ amittere Iesum Christum, qui panis est uitae aeternae.

    Peccator, qui Iesum Christum amittet, in alia uita propter
90 mortale peccatum uitae huius erit in igne; et desiderabit aquam, et sciet, quod numquam de ea habebit; famescet, et panem desiderabit, et sciet, quod numquam de ipso habebit; desiderabit requiem, et sciet, quod semper angustiam sustinebit. Talem poenam quis cogitare potest, scribere uel loqui? Quam poenam
95 quilibet peccator habebit maiorem, in quantum memoret, quod semper duret poena illa, quam per famem, sitim et ignem sentiet.

    Tu sermocinator, qui sermocinaris, declara, in quantum possis, illam magnam gloriam, quam possidebunt illi, quibus Iesus
100 Christus dabitur pro pane in paradiso. Et declara illam magnam poenam, quam in inferno sustinebunt omnes illi, qui Iesum Christum amittent, quia per talem declarationem animabis po-

---

64/65 Iesus – amore] *om.* $S_1 L_4 L_3$ **73** memorandum] *add.* retinendum $S_1 L_4 L_3$ **80** tunc] *coni.*; tuum M; suum $S_1 L_4 L_3$ **101** illi] hi M

pulum ad amandum saluationem, et inferres timorem populo,
quod non damnetur nec moriatur in mortali peccato.

105   Diximus de pane cotidiano, et de pane unius diei, qui est
dominus noster Iesus Christus, qui dominus est. Et propter hoc
in fine sermonis deprecemur dominum Deum nostrum Iesum
Christum, et dominam nostram sanctam Mariam, uirginem gloriosam, quatenus det nobis gratiam, per quam det nobis panem
110   nostrum cotidianum, qui est Iesus Christus, pater noster. Et eius
amore, ueneratione et honore, dicamus *Pater noster.*

[Sermo VI]

Et dimitte nobis debita nostra, sicvt et nos dimittimvs
debitoribvs nostris

Dominus noster Iesus Christus dicit nobis, quod nos adorando
5   et deprecando, dicamus sibi, quod ipse dimittat nobis debita
nostra, in quibus sibi tenemur propter peccata, sicut nos, qui
dimittimus debitoribus nostris debita nostra propter uirtutes.

In principio deprecabimur dominum Deum nostrum Iesum
Christum et dominam nostram sanctam Mariam, uirginem glo-
10   riosam, quatenus eum deprecetur, ut det nobis gratiam, per
quam declarare sciamus praeceptum, quod facit Iesus Christus,
et quod ipsum ponamus in opere ad sibi seruiendum et eum
uenerandum et ad peccata nostra indulgendum.

I

15   1. Homo auarus debet Iesu Christo duplicia debita contraria;
unum est per auaritiam, et aliud per largitatem. Per auaritiam,
in quantum sibi culpabilis est. Per largitatem, in quantum eam
amittit per auaritiam; cum ita sit, quod Iesus Christus uelit,
quod homo largus seruiat sibi per largitatem.
20   Homo largus dimittit debitum suum homini auaro, quando
indulget sibi peccatum, quod contra ipsum facit per auaritiam.
Talis homo seruit Iesu Christo cum largitate. Et propter hoc
uult Iesus Christus, quod sibi fiat talis oratio; et qui eam facit,
et opera facit, Deus indulget sibi.
25   2. Homo gulosus debet Iesu Christo duplicia debita contraria;
unum est per gulositatem, et aliud est per temperantiam. Per

106 qui – est] *om.* L_3 **106/110** Et propter hoc – noster] *coni.*; *om.* $M S_1 L_4 L$

VI, **4/5** quod nos – sibi] *om.* S_1 **8/9** Iesum Christum] etc. L_3 **9/10**
sanctam – gloriosam] etc. L_3 **17** culpabilis] culpabile $S_1 L_4 L_3$ **23** qui] *coni.*;
quia M; quilibet $S_1 L_4 L_3$ facit] faciens $L_4 L_3$ **24** et opera facit] *om.* $L_4 L_3$

gulositatem, in quantum debet propter ipsam poenam sustinere.
Per temperantiam, in quantum Iesus Christus uult, quod homo
temperatus per temperantiam sibi deseruiat. Sic homo, tempe-
30 rantiam habens, dimittit homini guloso suum debitum, quod
sibi debet | propter gulositatem, cum conditione tamen, quod se M 152ʳ
poeniteat gulositatis, quam contra ipsum facit.

3. Homo luxuriosus debet Iesu Christo duplicia debita, quae
contraria sunt. Debet Iesu Christo propter luxuriam, in quan-
35 tum culpam habet; et propter culpam debet poenam. Et debet
sibi castitatem, in quantum eam amisit, quia per castitatem
uult amari Iesus Christus. Et homo castus dimittit culpam
homini luxurioso, quando poenitet eum delicti, quod commisit
contra ipsum per luxuriam.

40 Tu homo, qui sermocinaris, declara thema sermonis huius sic
per peccata alia, quemadmodum exemplum dedimus in tribus
supra dictis. Et dicas populo, quod spem magnam possunt
habere in Iesu Christo, quod peccata eis indulgeat, ex quo
ipsemet dicit modum, per quem dimittantur siue indulgeantur,
45 et pro eo, quia ipse potestatem habet ad dimittendum siue
indulgendum peccata.

II

1. Homo uirtuosus dimittit debita, quae sibi debent sensus
corporales, tunc quando per ipsos non facit peccata. Sicut homo,
50 qui consequitur placitum ex uidendo pulchram mulierem, quod
quidem uidere disponit ipsum ad faciendum siue exercendum
luxuriam. Et ipse dimittit illud placitum, et transmutat eum ad
consequendum et habendum placitum in castitate, cum qua
Iesu Christo deseruiat, castitatem amanti.

55 2. Homo audiens se ipsum laudare, uel qui audit dicere malum
de se, dimittit debitum suum, tunc quando Iesum Christum
laudat, et patientiam amat pro eius amore.

3. Homo, qui consequitur placitum in imaginando aliqua corporalia delicia, dimittit debitum suum, quando mutat se ad
60 imaginandum poenas infernales, eo ut non peccet.

4. Homo inuenit et consequitur placitum pro memorando,
intelligendo et amando se ipsum et honorem suum, uel aliquem
de affinitate siue parentela sua uel diuitias suas. Et quando
mutatur pro habendo placitum in memorando, intelligendo et
65 amando Iesum Christum et eius opera, tunc dimittit debita sua,
eo ut ualeat laudare, seruire et uenerari Iesum Christum.

Cum homo de nihilo creatus sit, exstat paratus ad faciendum
peccatum, quod nihil est. Et si non facit peccatum, et facit

---

29 Sic] sicut $S_1 L_4 L_3$ **36** eam] ipsam $S_1 L_4 L_3$ **55** qui] quia $S_1 L_4 L_3$
56/57 tunc – amore] *om.* S_1 **58/59** Homo – suum] *om.* S_1 delicia] delicta
$M S_1 L_4 L_3$

uirtutem, dimittit debitum suum principio, unde uenit. Dicit
70 igitur sibi Iesus Christus, quod ipse dimittet sibi debitum suum
peccati, quod fecit, ex quo facit eius amore uirtutem.

III

Secundum quod Iesus Christus dicit per thema sermonis
huius, potest dici sibi deprecando et adorando, quod ex quo
75 ipse nos redemit per emptionem a morte in cruce ab originali
peccato, quod nobis dimittat actuale peccatum, dimittendo nobis tamen peccatum primorum parentum, qui contra nos peccarunt. Faciet igitur Iesus Christus id, de quo ipsum oramus, ex
quo ipse consulit et praecipit.
80   Si homo finitus dimittat debitum suum homini finito, bene
dimittet Iesus Christus, | qui infinitus est, in quantum Deus est, M 152ᵛ
debitum suum homini, qui finitus est; cum ita sit, quod Iesus
Christus, qui infinitus est, potest magis dimittere et indulgere,
quam homo, qui finitus est, peccare.
85   Iesu Christe domine, si nos contra te peccamus et debita
nostra dimittimus propter amorem tuum, et dimitte tu nobis
debita, quae tu super nos habes, propter amorem, quem tibi
habemus; aliter tu diceres thema sermonis huius contra te. Et
propter hoc uult Iesus Christus, quod homo dimittat debita sua
90 suo amore; et ipse dimittet debita sua amore suo.
Iesus Christus non dimittit uel indulget pro faciendo malum.
Igitur dimittit pro faciendo bonum homini, dimittenti malum,
quod fecit, et facit bonum.
Homini, qui potest bonum facere, et non facit bonum, Iesus
95 Christus non dimittit debitum suum; quod dimittit homini, qui
male fecit et uult bene facere. Quod quidem bonum facit,
quando debitum suum dimittit homini, qui sibi malum fecit.

IV

1. Qui dimittit debitum suum propter iustitiam, Iesus Chri-
100 stus dimittit sibi suum per iustitiam et misericordiam.
2. Qui dimittit debitum suum per prudentiam, Iesus Christus
induit eum de sapientia.
3. Qui debitum suum dimittit propter animi fortitudinem,
Iesus Christus fortificat eum eius amore.
105   4. Qui dimittit debitum suum propter temperantiam, Iesus
Christus dat sibi sanitatem.

---

73 Christus] *om.* M   dicit] dixit $S_1 L_4 L_3$ **81** Deus est] est Deus $S_1 L_4 L_3$
83 indulgere] *om. sed add. et del.* intelligere *et add. in marg. alia manu* indulgere
M   · **89** sua] *om.* M   **90** suo amore – sua] *om.* S_1 **96** fecit] facere non uult
$S_1 L_4 L_3$

5. Qui dimittit debitum suum pro honorando fidem catholicam, Iesus Christus dat sibi notitiam de se ipso.

6. Qui pro spe debitum suum dimittit, Iesus Christus tenet
110 eum abundantem et hilarem uel iocundum.

7. Qui propter caritatem debitum suum dimittit, Iesus Christus induit eum de eius amore.

8. Qui dimittit debitum suum propter sapientiam, Iesus Christus eum custodit a stultitia.

115 Multipliciter possemus declarare huius sermonis thema. Et sufficienter sufficit id, quod diximus omnibus eis, qui me subtiliter intellexerunt; cum ita sit, quod materia magnae subtilitatis sit.

Et sic deprecemur dominum Deum nostrum Iesum Christum,
120 et dominam nostram sanctam Mariam, uirginem gloriosam, quod nos adiuuet eius uirtute, quatenus det nobis gratiam, per quam Iesus Christus dimittat nobis debita, quae sibi debemus, ex quo est pater noster. Et eius amore, ueneratione et honore dicamus *Pater noster*.

[SERMO VII]

ET NE NOS INDVCAS IN TENTATIONEM

Tentatio est consilium contra prudentiam ad eligendum primitus minus bonum, quam maius; et maius malum, quam
5 minus.

In principio deprecabimur dominum Deum nostrum Iesum Christum, et dominam nostram sanctam Mariam, uirginem gloriosam, quatenus det nobis gratiam, per quam ego sciam declarare thema huius sermonis; et uos, domini et dominae, uelitis
10 eum intelligere et amare, pro eo ut per ipsum possimus amare et uenerari dominum Deum nostrum Iesum Christum, qui ipsum thema fecit.

I

Quinque sunt consules siue consultores ex nostra parte, qui
15 malum dant consilium contra prudenti|am. Qui sunt: (1) Sentire, M 153ʳ
(2) imaginari, (3) memorare, (4) intelligere et (5) amare. Et (6) daemon est sextus. Et omnes sex dant consilium cum septem mortalibus peccatis; quae sunt: (1) Auaritia, (2) gulositas, (3) luxuria, (4) superbia, (5) inuidia, (6) ira et (7) mendacium. Et

---

120 sanctam – gloriosam] etc. L_3; *om.* ML_4 121 quod] quae ML_4L_3

VII, 6 In principio] *coni.*; *om.* $MS_1L_4L_3$ 10 ipsum] ipsam ML_4 18 gulositas] gula $S_1L_4L_3$

20 Iesus Christus adducit nos in tentationem omnium istorum
tunc, quando nos non petimus consilium contra tentationem
cum octo uirtutibus principalibus, cum quibus nos adiuuet,
scilicet quod uirtutes sint instrumenta, et quod Iesus Christus
uincat et destruat tentationem. Quam quidem destructionem
25 faciet, ex quo ipse praecipit et consulit in oratione.

I. Homo tentatur ad essendum auarum, uidendo diuitias et
pro audiendo loqui de ipsis, et pro imaginando honores et
diuitias, et etiam pro memorando, intelligendo et amando illos
honores et illas diuitias. Omnia ista sunt minus bonum, quod
30 daemon consulit, quod fiat, et quod dimittatur maius bonum,
quod est de iustitia, prudentia et animi fortitudine, temperantia, fide, spe, caritate et sapientia. Quod quidem maius bonum
Iesus Christus consulit.

Minus malum est per aduersitatem, quam quis habet in acqui-
35 rendo uirtutes. Et maius malum est, uirtutes amittere; cum ita
sit, quod pro amittendo illas consules quinque et daemon inducunt homines ad essendum tentatos, quod faciant malum et
quod dimittant bonum. Iesus Christus facit tentationem per
iustitiam, quia non diligit homines in peccato existentes. Quia
40 non decet, quod per ipsos ametur. Et daemon facit tentationem,
quia ipse est dominus hominum, qui in peccato sunt.

Sicut exemplum dedimus de peccato auaritiae, potes tu sermocinator dare exempla populo de aliis peccatis, quae ego
scribere nolo in hoc libro, pro eo quia abbreuiare eum facio.

45   II

[BC] Iesus Christus consulit cum iustitia hominem magis amare maius bonum, quam minus. Et daemon consulit cum iniuria
hominem magis diligere minus bonum, quam maius. Et tu igitur
homo, qui libertatem habes, quando per talem modum tentabe-
50 ris, habeas prudentiam, per quam daemonem uincas, et oboedias
Iesu Christo, qui tibi hoc praecipit.

[DC] Iesus Christus consulit cum animi fortitudine, quod antea dimittatur maius malum, quam minus. Et daemon consulit
per animi debilitatem, quod eligatur maius malum, quam minus
55 dimittatur. Ergo tu homo, quando sic tentaberis, consulas prudentiam, cum qua Iesus Christus daemonem superabit et peccatum.

[EC] Iesus Christus consulit cum temperantia, quod antea
eligas maius bonum, quam minus. Et daemon consulit cum
60 distemperantia contrarium. Igitur homo, quando sic tentaberis,
et tu homo habes libertatem, ergo consulas prudentiam, quae

---

20 adducit] adducet *M*   **36** consules quinque] *coni.* ; Iesus Christus *M S*₁ *L*₄ *L*₃
53/55 Et daemon – dimittatur] *om. L*₄ *L*₃   **55** dimittatur] *om. S*₁   **56**
daemonem] daemon *M S*₁

instrumentum est, per quod Iesus Christus deuincat daemonem et peccatum.

[FC] Iesus Christus consulit lumine fidei, quod credantur quat-
65 tuordecim articuli fidei et decem praecepta et septem sacramenta. Et daemon consulit cum infidelitate contrarium. Quae dicit nihilum esse, ex quo tu homo non ea potes | sentire, nec   M 153ᵛ imaginari. Vnde cum tu homo libertatem habeas ad utramque partem, consulas prudentiam, quae est instrumentum, cum quo
70 Iesus Christus deuincit daemonem et peccatum.

[GC] Iesus Christus consulit cum spe homini stanti in peccato, quod non desperet et prudentiam consulat. Et daemon cum imprudentia consulit contrarium. Consequeris tu ergo homo, qui sic tentaris, si prudentiam consulas, meritum; et si contrarium
75 eius consulas, desperatus es et peccas mortali peccato.

[HC] Iesus Christus consulit cum caritate homini tentato, quod consulat prudentiam. Et daemon consulit cum imprudentia contrarium. Ergo tu homo, quando tentaris, potes cognoscere modum, per quem iuuari potes.

80 [IC] Iesus Christus consulit cum sapientia homini, quando tentatur, quod consulat prudentiam. Et daemon consulit, quod consulat imprudentiam et stultitiam. Potes tu igitur homo cognoscere, quando tentaris, qui sunt ii, per quos tibi consulitur. Et quia libertatem habes, potes per quemcumque uelis, bene uel
85 male consuli. Et si bene consentis consilio, ignem fugis infernalem perpetuum. Et si malo consentis consilio, gloriam amittis perpetuam, et uadis ad ignem, qui aeterne durat.

Declarauimus thema et consilium, quod Iesus Christus dat. Et ostendimus modos uirtutum et peccatorum. Et propter hoc,
90 domini et dominae, deprecemur dominum Deum nostrum Iesum Christum, et dominam nostram sanctam Mariam, uirginem gloriosam, quatenus det nobis gratiam, propter quam et propter hunc sermonem amorem portemus ei, et eius stemus consilio, ex quo est pater noster. Et eius amore, ueneratione et honore
95 dicamus *Pater noster.*

[SERMO VIII]

SED LIBERA NOS A MALO

In tribus speciebus consistit malum in homine, quae sunt:

---

70 daemonem] *om. L₄*   **71** stanti] enti *M*; existenti *L₄L₃*   **72** et] *add.* sic *MS₁*   **75** eius consulas] consulas eius *M*   eius] *om. sed add. in marg. S₁*   **77** quod] ut *S₁L₄L₃*   **89** modos] modum *S₁L₄L₃*   **90** dominum Deum] *om. ML₄L₃*   nostrum] *coni.; om. MS₁L₄L₃*   **92** nobis gratiam] gratiam nobis *S₁L₄L₃*

Sentire, imaginari et cogitare. Et Iesus Christus dicit, quod
5 homo faciat orationem sibi, quod deliberet eum a malo.

In principio deprecabimur dominum Deum nostrum Iesum
Christum et uirginem gloriosam, dominam nostram sanctam
Mariam, quatenus det mihi gratiam dicendi et uobis audiendi
declarationem thematis. Per quod, scilicet thema, eum amare
10 ualeamus, intelligere et memorare, et animas nostras saluare.

I

Eo quia Iesus Christus dicit, quod ipse liberet nos a malo,
potest cognosci orationem, quae sibi fit, fore instrumentum, cum
quo Iesus Christus deliberet homines a malo; quod instrumen-
15 tum decet esse bonum et non malum.

1. Auaritia est mortale peccatum. Quod quidem peccatum
malum est, eo quia est instrumentum, cum quo homo auarus
facit malum sibi et proximo suo. Et propter hoc uult Iesus
Christus hominem habere largitatem, quae sit instrumentum
20 homini, quod faciat bonum sibi ipsi et proximo suo. Per quod
quidem instrumentum Iesus Christus liberabit hominem auarum a malo.

2. Gulositas est instrumentum homini guloso, cum quo male
facit sibi ipsi per multum comedere et bibere. Et ut non suspen-
25 datur, nec in inferno damnetur, uult Iesus Christus, hominem
habere temperantiam et iustitiam, eo ut | sint instrumenta, per   M 154ʳ
quae Iesus Christus liberet hominem a malo, in tantum quod
non suspendatur, nec ad infernum damnetur.

3. Luxuria malum est, pro eo quia peccatum mortale est, et
30 quia est instrumentum, cum quo homo luxuriosus facit malum.
Et ob hoc uult Iesus Christus hominem habere et obseruare
castitatem, ut sit instrumentum, per quod deliberet homines a
malo.

4. Superbia est mortale peccatum. Et est instrumentum ma-
35 lum, eo quia cum superbia faciunt homines malum; et malum
consequentur ex malo uidere, audire, imaginari, memorare, intelligere et amare. Et propter hoc uult Iesus Christus hominem
habere humilitatem, quae sit instrumentum, cum quo fiat bonum per bonum uidere, audire, imaginari, memorare, intelligere
40 et amare. Cum qua bonitate Iesus Christus, qui bonus est,
liberet hominem a malo et det bonum aeternum.

5. Accidia est malum, quia mortale peccatum est, et quia est
instrumentum, cum quo homo efficitur accidiosus et piger ad

VIII, **5** deliberet] *corr. in* liberet L_4; liberet L_3 **6/7** nostrum – Christum]
etc. $L_4 L_3$ **7/8** uirginem – Mariam] etc. $L_4 L_3$ **14** deliberet] *corr. in* liberet
L_4; liberet L_3 **32** deliberet] *corr. in* liberet L_4; liberet L_3

faciendum bonum. Et propter hoc uult Iesus Christus hominem
45 habere diligentiam, quae sit instrumentum ad faciendum bonum. Per quod quidem instrumentum ipse liberet hominem a
malo et det caeleste bonum.

6. Inuidia est mortale peccatum, quod est malum instrumentum ad faciendum malum. Et propter hoc uult Iesus Christus,
50 hominem habere legalitatem, quae sit instrumentum, cum quo
liberet hominem a malo infernali et det bonum caeleste.

7. Ira malum est, eo quia mortale peccatum est, cum quo
homo induit de malo, quod culpa est, suum uidere, audire,
gustare, loqui, palpare, imaginari, memorare, intelligere et ama-
55 re; quae uiae sunt, per quas itur ad malum infernale. Et propter
hoc uult Iesus Christus, hominem habere patientiam, prudentiam, abstinentiam; quae sint uiae et instrumenta, cum quibus
Iesus Christus liberet eum a malo, et det gloriam caelestem.

8. Mendacium est peccatum mortale, quod est malum instru-
60 mentum, cum quo malum fit per uidere, audire, gustare, palpare, loqui, imaginari, memorare, intelligere et amare. Et propter
hoc uult Iesus Christus, hominem habere uerum loqui, quod sit
instrumentum, per quod Iesus Christus liberet hominem a malo
infernali, et det caeleste bonum.

65   II

1. Iesus Christus liberat cum iustitia hominem a malo, quod
est iniuria.

2. Iesus Christus liberat cum prudentia hominem a malo,
quod imprudentia est.

70 3. Iesus Christus cum animi fortitudine liberat hominem a
malo, quod est animi debilitas.

4. Iesus Christus deliberat cum temperantia hominem a malo,
quod est gulositas.

5. Iesus Christus liberat cum fide hominem a malo, quod est
75 infidelitas.

6. Iesus Christus liberat cum spe hominem a malo, quod est
desperatio.

7. Iesus Christus liberat cum caritate hominem a malo, quod
est animi crudelitas.

80 8. Iesus Christus liberat cum sapientia hominem a malo, quod
est stultitia.

44/46 Et – bonum] *coni.*; *om. M*; Et propter hoc uult Iesus Christus, hominem
habere diligentiam, quae sit instrumentum homini L_3; *om. sed add. in marg.* Et
propter hoc uult Iesus Christus hominem habere amabilitatem, ut instrumentum
ad faciendum bonum S_1; *om. sed not. in marg.* deest L_4 **50** legalitatem] largitatem
$L_4 L_3$ **54** imaginari] *add.* cum $S_1 L_4 L_3$ **55** quae] *add. in marg. inf.* uiae *et*
cetera omisit L_3, probabiliter quia folio, finem ultimi sermonis continente, orbatus est.   **63**
malo] igne $S_1 L_4$ **68** cum prudentia] *coni.*; *om. M $S_1 L_4$*   **77/79** desperatio –
est] *coni.*; *om. M $S_1 L_4$*

Multi sunt modi, quibus Iesus Christus liberat homines a
malo, pro eo ut in inferno non sustineant malum, et quod in
paradiso bonum perpetuum possideant. Et quia Iesus Christus
85 consulit, quod fiat sibi oratio, per quam oretur, quod deliberet
hominem a malo, bene est stultus, qui eum non orat cum bona,
magna, uirtuosa et durabili | oratione, quatenus eum liberet a M 154ᵛ
malo, et quod det sibi bonum caeleste.

Declarauimus thema sermonis huius; et ostendimus modum,
90 per quem homo debet esse instrumentum Iesu Christo, cum quo
eum liberet a malo infernali et det sibi caeleste bonum. Et
propter hoc in fine sermonis deprecemur dominum Deum nostrum Iesum Christum et dominam nostram sanctam Mariam,
uirginem gloriosam, quatenus de hoc eum deprecetur, quatenus
95 nos ipse a malo liberet, ex quo est pater noster. Et ad eum
amandum, uenerandum et seruiendum, dicamus *Pater noster.*

Ad gloriam et ad honorem Dei finiuit Raimundus librum
istum in ciuitate Maioricarum, mense octobris anno Domini
1312 incarnationis domini nostri Iesu Christi.

---

85 deliberet] *corr. in* liberet *L₄*   88 quod] *om. S₁ L₄*   94 uirginem gloriosam]
om. M S₁   95 eum] *om. M L₄*   97 Raimundus] *add.* Lullus *S₁*   98 istum]
add. de Pater noster *S₁*   99 Christi] *add.* Laus tibi sit Christe, quoniam explicit
liber iste *M*

LIBER DE AVE MARIA

In Ciuitate Maioricarum, 1312 X

LIBER DE AVE MARIA

CODICES

L_4 = Palma de Mallorca, Biblioteca Pública 1076 (a. 1632) f. 341r-348r

M = München, Bayerische Staatsbibliothek, clm 10495 (XIV), f. 154va-161va

S_1 = Palma de Mallorca, Colegio de la Sapiencia, F. 71 (XVIII) Int. V, f. 1r-14v

LIBER DE AVE MARIA[a]

DE AVE MARIA[b]
EXPOSITIO SALVTATIONIS ANGELICAE[c]
EXPOSITIO SALVTATIONIS ANGELICAE AVE MARIA[d]
EXPOSITIO SVPER AVE MARIA[e]
SERMONES DE AVE MARIA[f]

a = Inuocatio et clausula finalis huius operis; WADDING-*Scriptores* 157;
  ANTONIO/CUSTURER/SOLLIER 163; MAYER 155; SALZINGER 39; PAS-
  QUAL I, 313, 373; PEERS, pg. 362 n. 1; WADDING-SBARALEA 138
b = Ms. M, fol. 1r; VILETA 90
c = BUF 279
d = ARIAS DE LOYOLA tab. VII (SOTO pg. 51)
e = HLF 234; Lo IV, 51.3; OT 170.3; GL gd⁶; Av 186; CA 136; LLINARÈS
  202; PLA 223; CRUZ HERNÁNDEZ 167; BONNER IV, 63
f = BONNER, IV, 63

Maria, mater, uirgo pia, per tuum amorem
Incipit Liber iste, qui est de *Aue Maria.*

[PROLOGVS]

Debitum est, quod sciatur declaratio salutationis, quam ange-
5 lus Gabriel fecit dominae nostrae sanctae Mariae (Lc. 1, 28, 35,
42), ex quo per salutationem facta est incarnatio Filii Dei.

DE DIVISIONE HVIVS LIBRI.

Diuiditur iste liber in septem partes. (1) Quarum una est: *Aue
Maria.* (2) Alia est: *Gratia plena.* (3) Alia est: *Dominus tecum.*
10 (4) Alia est: *Benedicta tu in mulieribus.* (5) Alia est: *Benedictus
fructus uentris tui.* (6) Alia est: *Spiritus sanctus superueniet in
te.* (7) Septima est: *Et uirtus altissimi obumbrabit tibi.*
De qualibet istarum intendimus facere unum sermonem, eo
ut melius possimus declarare salutationem. Et primo dicemus
15 de *Aue Maria,* quod erit thema primi sermonis.

SERMO I

DE AVE MARIA

Deus Pater gignit Deum Filium, qui latine *Verbum* dicitur.
Quem quidem Filium transmisit ad accipiendum carnem huma-
5 nam ad dominam nostram sanctam Mariam. Et quia Spiritus
sanctus procedit ex Patre et Filio, fuit medius inter Patrem et
Filium in incarnatione, in quantum spirauit dominam nostram
sanctam Mariam in concipiendo salutationem, quando angelus
Gabriel ait: *Aue Maria* (Lc. 1, 28).
10 In principio sermonis deprecemur Iesum Christum et dominam nostram sanctam Mariam, quatenus det nobis gratiam, per
quam ego sciam dicere, et uos, domini et dominae, intelligere
declarationem salutationis. Et amore, ueneratione et honore
Iesu Christi et dominae nostrae sanctae Mariae, dicamus *Aue
15 Maria.*

PROL., **1** Maria] Oh Maria S_1 mater] *add.* Christi L_4 **2** Maria] *add.*
Praefatio S_1 **8** una] *corr. in* prima S_1 **9** Alia[1]] *corr. in* secunda S_1 Alia[2]]
corr. in tertia S_1 **10** Alia[1]] *corr. in* quarta S_1 Alia[2]] *corr. in* quinta S_1 est]
om. L_4 **11** Alia] *corr. in* sexta S_1 **12** Septima] Et septima seu ultima S_1; alia
L_4 Et uirtus altissimi] *om.* M *sed cf. thema sermonis VII*   **15** primi] *om.* MS_1L_4

I, **1** Sermo I] *coni.*; Prima pars S_1; *om.* ML_4 **7** spirauit] inspirauit S_1

I

Filius Dei fuit factus homo per diuinam uoluntatem, intellectum, potestatem et bonitatem, quae in Deo unum idem sunt.
Diuina bonitas hoc requisiuit, eo ut esset causa summa, et
20 haberet effectum in summo gradu creatum. Diuina uoluntas hoc
uoluit, eo ut haberet amatum creatum in superlatiuo gradu
amoris. Diuinus intellectus intellexit, quod sibi competit esse
causam summi intellectus creati. Et diuina potestas, quae infinita est, potuit complere id, quod supra dictum est.   `M 155ʳ`
25 Deus uoluit accipere carnem humanam, eo ut totus mundus
exaltaretur in magnitudine bonitatis, durationis, potestatis, intellectus, uoluntatis, uirtutis, ueritatis, gloriae et consummationis. Quae quidem exaltatio facta est, eo quia Dei Filius cum
humanitate, quam assumpsit, participat in natura cum qualibet
30 creatura; cum ita sit, quod anima participet cum angelo per
memorare, intelligere et amare; et in quantum habet corpus
participat cum caelo, cum elementis, metallis, plantis, piscibus,
bestiis, et etiam cum imaginatione, quam habent omnia uiuentia
animalia.
35 Deus uoluit esse homo, pro eo ut amore hominis illius recrea-
ret quemcumque alium hominem ab originali peccato. Quae
quidem recreatio fuit facta in cruce cum dolore, uulneratione et
morte.
Deus uoluit esse homo, pro eo ut in illo homine esset glorifica-
40 tio hominis sancti in paradiso per uidere, audire et loqui, eo ut
ad corpora beatorum possit Deus meritum reddere per illam
obiectationem et glorificationem.
Diximus modum, per quem potest cognosci principalis intentio Dei, per quam uoluit esse homo. Et declarauimus modum,
45 per quem potest esse homo. Vnde cum incarnatio facta sit per
salutationem angeli Gabrielis, quae est *Aue Maria*, multum
tenetur homo cum iustitia, prudentia et aliis uirtutibus ad
impendendum et dandum reuerentiam et honorem salutationi,
quae est *Aue Maria*.

50   II

Aue Maria, id est haec salutatio, quam dixit angelus Gabriel
dominae nostrae sanctae Mariae, tunc quando dixit: *Aue Maria*
(Lc. 1, 28), est generalis salutatio omnibus salutationibus particularibus hominum, qui dicunt *Aue Maria*. Et quia hanc saluta-

---

19 summa] suprema L_4S_1 **20** summo] supremo L_4S_1 hoc] *coni.*; *om.*
ML_4S_1 **23** summi] supremi L_4S_1 intellectus] intellecti *M*   Et] *coni. om.*
ML_4S_1 **41** ad] *om. sed alia manu add. in marg. M*   meritum reddere] reddere
meritum L_4S_1 **42** obiectationem] obiectionem L_4S_1 **51** id – salutatio] in
hac salutatione S_1

55 tionem generalem fecit angelus Gabriel cum sanctitate bonitatis, magnitudinis, uirtutis et ueritatis, homines tenentur habere
cum sanctitate memorandi, intelligendi et amandi salutationem,
quae est *Aue Maria*.

 1. Tu peccator uel peccatrix, qui indueris auaritia, facis mag-
60 nam iniuriam salutationi, quae est *Aue Maria*, quia non decet
tam altam et tam nobilem salutationem esse sine largitate,
quam quis uelit habere ad uenerandum dominam nostram sanctam Mariam.

 2. Tu peccator uel peccatrix, qui magis diligis exercere gulosi-
65 tatem, quam salutare cum temperantia dominam nostram sanctam Mariam, grauiter multum peccas, et magnum impendis
dedecus salutationi de *Aue Maria*.

 3. Tu peccator uel peccatrix, diligens magis luxuriam quam
salutationem de *Aue Maria*, facis magnum peccatum contra
70 dominam nostram sanctam Mariam, quae propter suam magnam dignitatem exigit, quod cum castitate salutetur.

 4. Tu peccator uel peccatrix, qui superbus es, salutas superbe
dominam nostram sanctam Mariam, quando dicis *Aue Maria*,
quae cum humilitate concepit | Dei Filium, qui sine humilitate M 155ᵛ
75 non incarnaretur. Oportet igitur, si uis saluari, quod salutes
dominam nostram sanctam Mariam cum humilitate.

 5. Tu peccator uel peccatrix, qui accidiosus es et piger, impendis magnum dedecus dominae nostrae, quia eam non salutas
cum magna diligentia magni boni et amoris.

80 6. Tu peccator et peccatrix, de inuidia habituatus et uestitus,
detrahis dominae nostrae. Hoc sibi dedecus impendis, si eam
salutes sine legalitate et amore.

 7. Tu peccator uel peccatrix, qui iratus es contra patientiam
et caritatem, magnum dedecus impendis dominae nostrae, nisi
85 eam salutes cum patientia et laetitia.

 8. Tu peccator uel peccatrix, qui magis mentiri diligis, quam
uerum dicere, in salutando dominam nostram tale facis peccatum, quod damnaberis.

Diximus de salutatione dominae nostrae sanctae Mariae, quae
90 est *Aue Maria*. Et ostendimus incarnationem Filii Dei, et modum, per quem salutare debemus dominam nostram sanctam
Mariam.

56 homines – habere] *om. $L_4 S_1$; om. sed add. in marg. alia manu* tenentur habere
M   **71** salutetur] *corr. alia manu ex* saluetur *M*; saluetur S_1 **73** Mariam] *om.*
M   **75** igitur] ergo $L_4 S_1$ **77** uel peccatrix] *coni.*; et peccatrix $L_4 S_1$; *om. M*
     78 magnum] *coni.*; *om.* $M L_4 S_1$ **80** habituatus et uestitus] *coni.*; habituatae
et uestitae $M L_4 S_1$ **86** uel pecatrix] *coni.*; *om.* $M L_4 S_1$

Sermo II

Gratia plena

Domina nostra plena est gratia.

In principio deprecabimur dominum Deum nostrum Iesum
5 Christum, quatenus det mihi gratiam dicendi, et uobis intelligendi et amandi sermonem ad Deum amandum, uenerandum et
seruiendum. Deprecemur etiam dominam nostram sanctam Mariam. Et eius amore, reuerentia et honore dicamus *Aue Maria*.

I

10 Gratia est donum, datum sine merito illius, cui gratia data est.
Filius Deus dedit se ipsum dominae nostrae ad essendum Filium suum hominem Deum. Qui dominus Deus noster Iesus
Christus est uerus Deus et uerus homo. Isto Deo homine fuit
plena domina nostra, tunc quando Deus fecit se hominem in
15 ipsa ex sua carne et suo sanguine sine societate alterius hominis.
Gratiam, qua domina nostra plena fuit, tunc quando Deus se
fecit hominem in ipsa, quis cogitare posset, nominare nec scribere? Nullus homo, nec etiam omnes homines, qui sunt; sed
tantum Filius suus Deus homo Iesus Christus posset eam dice-
20 re; et domina nostra sciet eam.

Domina nostra plena fuit gratia cum magnitudine bonitatis,
aeternitatis, potestatis, sapientiae, uoluntatis, uirtutis, ueritatis,
gloriae et consummationis siue perfectionis. Quae sunt diuinae
dignitates, aeternae et infinitae. Et sunt unus Filius Deus homo
25 Iesus Christus, Filius dominae nostrae, qui complet de gratia
sentire, imaginari, memorare, intelligere et amare dominae nostrae cum tanta perfectione, quod omnes angeli, qui sunt, non
possent comprehendere illud complementum cum toto eorum
intelligere, memorare et amare.
30 Deus uoluit complere dominam nostram de gratia supra dicta, eo ut gratia illa sit complementum, quod compleat totum
memoratum, intellectum et amatum omnium angelorum caeli et
omnium hominum beatorum glorificatorum. Et etiam erit complementum totius eorum imaginandi et sentiendi post diem
35 ultimam iudicii.

Cum domina nostra in tantum plena sit gratia, secundum
quod superius diximus, omnes ii, qui dicunt *Aue Maria gratia |
plena*, debent uerba proferre cum magnitudine sanctitatis et   M 156ʳ
bonitatis per totum eorum memorare, intelligere et amare, eo ut

---

II, **1** Sermo II] *coni.*; Pars secunda S_1; *om. ML_4*   **11** Deus] *om. MS_1*   **22**
ueritatis] *add.* pietatis L_4 **24** dignitates] *add.* et L_4S_1 **28** possent] poterunt
L_4S_1 **38** et] *coni.*; *om. ML_4S_1*

40 impendant reuerentiam et honorem dominae nostrae, et gratiae,
qua plena est.

Domina nostra fuit plena gratia in uita ista per sentire, hoc
est per uidere Filium suum Deum hominem, et pro loqui cum eo
et pro administrare et tangere corpus suum, et pro osculando
45 sibi manus suas, oculos suos et os suum et faciem suam, ipsa
imaginante suum magnum complementum et perfectionem gratiae, amando, intelligendo et memorando gratiam illam. Quae
gratia est generalis omnibus mulieribus, quae eius amore diligant Filium suum.

50 Gratia, qua domina nostra plena est, est complementum et
perfectio generalis omnibus gratiis particularibus, quas domina
nostra det peccatoribus, ad eam clamantibus et orantibus tempore necessitatum eorum, propter magnas aduersitates, quas
sustinent in mari et in terra.

55 In tantum magnum est complementum et perfectio gratiae,
quam domina nostra habet in caelo in uidendo Filium suum
Deum hominem et audiendo uerba eius miraculosa, et in loquendo secum de dignitatibus suis et de suis operibus miraculosis,
quod Filius suus cum illo complemento uel perfectione complet
60 et perficit omnes gratias sanctorum gloriae.

II

1. Homo auarus est uacuus gratia; cum ita sit, quod auaritia
sit mortale peccatum, cum quo peccato nullus potest esse in
gratia dominae nostrae sanctae Mariae. Attamen si ipse pecca-
65 tum suum abhorreat amore dominae nostrae, et eam salutat
dicendo *Aue Maria*, domina nostra complet de gratia uoluntatem illius, et deprecatur Filium suum, quatenus faciat sibi
gratiam saluationis. Vnde cum hoc uerum sit, potest igitur
considerari magnum complementum gratiae, quod domina no-
70 stra habet.

2. Existendo homine guloso ex nimia comestione et potatione,
si talis homo salutat dominam nostram, magnum dedecus impendit perfectioni gratiae dominae nostrae; cum ita sit, quod
salutatio requirat fieri per hominem sanctum, qui per temperan-
75 tiam uerba habeat sancta. Tamen salutatio est pulchra propter
gratiam dominae nostrae, quamuis non pulchra sit in ore hominis, qui indigestus efficitur propter multum comedere et bibere.
Vnde cum hoc ita sit, possumus igitur cognoscere illud magnum
lumen gratiae, qua domina nostra plena est, illuminans uerba
80 oris precantis.

---

43 Filium suum] suum Filium $L_4 S_1$ 48 amore] amare $M L_4$ 69 quod]
quem M 71 guloso] glorioso S_1; *corr. ex* glorioso L_4 79 qua] quo L_4; quod
S_1

3. Luxuria est uile et olens peccatum; et ita magnum et malum peccatum, quod nullus luxuriosus illuminari potest nec gratiari per nostram dominam. Et si dominam nostram salutat, uerba, quae dicit, illuminantur et gratiantur per dominam no-
85 stram, pro eo quia similia sunt uerbis, quae angelus Gabriel dixit dominae nostrae, tunc quando dixit: *Gratia plena*.

Domini et dominae, quemadmodum declarauimus uobis gratiam dominae nostrae et complementum suum, atque perfectionem eius per supra dicta exempla, sic possemus declarare per
90 multa alia exempla. Et uolo uobis tangere aliquantulum de gratia, quam domina nostra facit | homini iusto habenti iusti- M 156ᵛ tiam, prudentiam, animi fortitudinem, temperantiam, fidem, spem, caritatem et sapientiam. Quia ille est in gratia dominae nostrae; et dicit uerba gratiosa, quando dominam nostram salu-
95 tat. Talis homo est sanctus propter uirtutes, et habet uerba sancta, quae domina nostra praesentat Filio suo glorioso, super omnia potenti, quem deprecatur fore gratiosum et dare saluationem cuicumque homini, dicenti ipsam fore plenam gratia.

Venerationes, diuitiae, parentes, non sunt in uita ista dona
100 gratiae, nisi homo sit in gratia dominae nostrae. Et si sit in gratia dominae nostrae, sunt dona gratiae, data per Filium suum. Et sunt instrumenta, cum quibus homo impendat reuerentiam et honorem dominae nostrae; et quod dicat ipsam gratia fore plenam.
105 Domini et dominae, declarauimus thema sermonis huius. Et sic deprecemur dominam nostram sanctam Mariam, quatenus det nobis gratiam, quomodo cum uerbis sanctis dicamus, ipsam fore gratia plenam.

Sermo III

Dominvs tecvm

Angelus Gabriel dixit dominae nostrae: *Dominus tecum est* (Lc. 1, 28).
5 Et sic deprecabimur dominum Deum nostrum Iesum Christum, quatenus det mihi gratiam dicendi et uobis audiendi explanationem thematis ad seruiendum Deo, uenerandum et

---

82 nullus] ullus *M*   gratiari] gratiarum *M*   83 gratiari – nostram] per dominam nostram gratiari L_4 88 atque] *om. M* L_4 92 animi fortitudinem] fortitudinem animi et $L_4 S_1$ 97/98 saluationem] salutationem $L_4 S_1$ 101/ 102 sunt – suum] *om.* $L_4 S_1$ 102/103 Et – nostrae] *om.* $L_4 S_1$ 104 fore plenam] fore pulchram $L_4 S_1$ 105 thema – huius] huius sermonis thema S_1; huius thema sermonis L_4

III, 1 Sermo III] *coni.*; pars tertia S_1; *om. M* L_4

oboediendum. Et amore, reuerentia et honore nostrae dominae
sanctae Mariae dicamus *Aue Maria.*

10   I

Tunc quando Dei Filius sumpsit carnem a domina nostra
sancta Maria, dixit angelus Gabriel, quod dominus erat cum
domina nostra, hoc est Deus, qui dominus est. Et quia Deus est
in trinitate personarum, Deus Pater fuit cum domina nostra,
15 quae concepit per angeli salutationem incarnationem Filii sui
Dei. Et illi incarnationi interfuit Spiritus sanctus, qui nostram
dominam inspirauit uirginem, quod conciperet Filium, ipsa
uirgine existente. Et Filius, qui carnem sumpsit, sumpsit eam
cum conceptione et sanctitate dominae nostrae.
20   Declarauimus igitur et ostendimus, per quem modum Deus
fuit cum domina nostra, tunc quando factus fuit homo.
     Deus fecit se ipsum hominem in domina nostra, in quantum
ex domina nostra corporalem naturam humanam sumpsit. Per
quam naturam sumpsit potentiam uidendi, audiendi, odorandi,
25 gustandi, palpandi, loquendi et imaginandi. Et in ipso creauit
animam rationalem, in quantum eam uniuit et iunxit cum
corpore illo. Et ex anima et corpore fuit factus homo in diuina
natura personalis filialis, coniuncta illa natura cum natura humana, quam sumpsit in tantum, quod duae sunt naturae, scilicet
30 natura diuina et natura humana, et una est persona, qui est
Iesus Christus, uerus Deus et uerus homo.
     Deus fecit in nostra domina se ipsum hominem meliorem
omnibus hominibus. Et ex hoc domina nostra melior est mater
omnibus aliis matribus. Et propter hoc debet salutari cum
35 multis uerbis bonis et per multas bonas mulieres. Et uerba bona
sunt propter uirtutes dominae nostrae. Et si homines sunt boni,
qui eam salutant, | reuerentiam et honorem impendunt dominae   M 157ʳ
nostrae cum uerbis, cum quibus salutant eam. Et uerba bona
sunt uirtute dominae nostrae. Et mala sunt malis hominibus
40 propter peccatum; quia non competit eis dicere ita nobilia
uerba.
     Deus in domina nostra fecit se ipsum maiorem hominem
omnibus hominibus. Est igitur domina nostra maior mater omnibus matribus. Dico ipsam esse maiorem matrem sanctitate
45 bonitatis, magnitudinis, durationis, potestatis, sapientiae, uoluntatis, uirtutis, ueritatis, gloriae et perfectionis. Et propter hoc,
cum domina nostra ita magna sit, competit sibi salutari per
sanctitatem magnorum et multorum hominum; quam quidem

---

18 sumpsit] assumpsit $L_4 S_1$ **23** sumpsit] assumpsit $L_4 S_1$ **25** et] *om.* M
32 nostra domina] natura diuina $L_4 S_1$ **37** impendunt] intendunt $L_4 S_1$
38 cum] *coni.*; et $M L_4 S_1$ **45** sapientiae] *om.* $L_4 S_1$

sanctitatem habeant per magnum sentire, imaginari, memorare,
50 intelligere et amare.

Cum Deus fecerit se ipsum hominem in nostra domina cum
uirtute suae potestatis, sui intellectus et uoluntatis, iustum fuit,
quod domina nostra haberet uirtuosam potestatem, intellectum
et uoluntatem, et per tam magnam uirtutem, quod uirtus illa
55 proportionaretur uirtuti Filii Dei, secundum quod proportio
potest dici. Potes igitur tu, qui dominam nostram salutas, cognoscere, quam fortiter debes habere uirtuosum memorare, intelligere et amare, tunc quando eam salutas. Et si cum uitioso
memorare, intelligere et amare eam salutas, te in mortali pecca-
60 to existente, potes cognoscere, quam magnum impendis dedecus
dominae nostrae.

Deus ueraciter, gloriose et perfecte fecit se ipsum hominem in
nostra domina. Oportet igitur ipsam dominam nostram fore
plenam ueritate, gloria et perfectione per totum suum memora-
65 re, intelligere et amare, sentire et imaginari. Ergo si tu eam uis
salutare, saluta eam cum ueritate tui memorandi, intelligendi et
amandi, sentiendi et imaginandi; et consequeris gloriam et
perfectionem in caelo cum domina nostra aeterne.

Deus elegit dominam nostram super omnes mulieres, tunc
70 quando Filius eius uoluit esse. Et propter hoc oportuit dominam
nostram fore summam omnibus mulieribus uirginitate, quia
peperit Filium, ipsa uirgine existente. Et etiam fuit electa super
omnes mulieres, pro eo quia habuit altiorem iustitiam, prudentiam; et sic de aliis uirtutibus. Ergo tu, qui eam salutas, habeas
75 altam iustitiam, prudentiam et alias uirtutes, eo ut cum uirtutibus tuis impendas reuerentiam et honorem iustitiae, prudentiae
et aliis uirtutibus dominae nostrae.

II

Virtutes et uitia contrariantur. Et potest hoc cognoscere pro
80 eo, quia iustitia et iniuria contrariantur; et prudentia et imprudentia contrariantur; et sic de aliis uirtutibus et de aliis uitiis.
Vnde cum hoc ita sit, ergo tu, qui dominam nostram salutas, si
peccato mortali indutus sis, per tuum sentire, imaginari, memorare, intelligere et amare, expolia de peccatis uel peccato in te
85 id, de quo induuntur, hoc est, partes tuas; et induas illas
uirtutibus, pro eo ut | honorem facias salutationi dominae no-   M 157^v
strae.

---

60 quam – impendis] quantum intendis L_4S_1 **65** sentire] *coni.*; *om. omnes*
codd.   **66** tui] *coni.*; *om.* ML_4S_1 **71** summam] supremam L_4S_1 **76/77**
iustitiae – et] *coni.*; *om. codd. omnes*   **86** honorem] honortam M salutationi]
salutationem M

Deus creauit totum id, quod est, pro eo ut ipse se faceret
hominem; in qua et cum qua humanitate, quam sumpsit, parti-
90 ciparet per naturam cum omni creatura. Et nisi esset femina
proportionata per uirtutes, Deus non posset facere se ipsum
Filium hominem; et nulla creatura fuisset creatura. Potes tu
igitur cognoscere, quale damnum sequeretur, nisi domina nostra
esset ita alte proportionata ad essendum matrem altitudine
95 naturae et uirtutibus moralibus iustitiae, prudentiae et aliarum.
Potes igitur cognoscere, quam fortiter teneris, quod sis uirtuosus et non uitiosus, tunc quando dominam nostram salutas.

Diximus modum, secundum quem potest salutatio dominae
nostrae intelligi, tunc quando angelus Gabriel dixit: *Dominus*
100 *tecum* (Lc. 1, 28). Et ostendimus modum, per quem debet fieri
reuerentia et honor salutationi de *Dominus tecum*.

SERMO IV

BENEDICTA TV IN MVLIERIBVS

Angelus Gabriel dixit dominae nostrae, quod ipsa est benedicta in mulieribus (Lc. 1, 28). Benedictio est factio et receptio boni.
5 Et sic deprecabimur dominum Deum nostrum Iesum Christum, quatenus det mihi gratiam dicendi et uobis audiendi,
quod thema sermonis huius memoremus, intelligamus et amemus, ad uenerandum Iesum Christum, et eidem seruiendum. Et
amore, reuerentia et honore nostrae dominae sanctae Mariae
10 dicamus *Aue Maria*.

I

Qui bonam credulitatem habet de saluatione, credat Filium
Dei factum esse hominem in nostra domina sancta Maria. Propter quam incarnationem domina nostra bonificata est in mulie-
15 ribus, quas bonificat cum eius bonificatione Filii sui, in quantum
eas facit bonas per sentitum, imaginatum, memoratum, intellectum et amatum.

Qui uult scire dominam nostram esse matrem Filii Dei, habeat bonum intellectum in sciendo, quod Filio Dei competit esse
20 causam in superlatiuo gradu bonitatis. Et propter hoc uult
habere bonum causatum in superlatiuo gradu bonitatis; cum ita

---

88 ut] quia MS_1 se] *om. MS_1*   **94** altitudine] altitudinem MS_1 **98/99**
potest – intelligi] salutatio dominae nostrae potest cognosci uel intelligi L_4

IV, **1** Sermo IV] *coni.*; pars quarta S_1; *om. ML_4*   **12** saluatione] salutatione
L_4S_1 **15** quas] *coni.*; quam ML_4S_1

sit, quod bona causa non possit esse in superlatiuo gradu bonitatis, sine causato in superlatiuo gradu bonitatis.

Benedicunt omnes mulieres bonae, quando salutant dominam
25 nostram cum bona uoluntate, cum bono intellectu, cum bona
memoria. Et domina nostra cum bonitate suae uoluntatis, intellectus et memoriae benedicit et nutrit mulieres cum bono memorare, intelligere et amare, bono sentire et bono imaginari.

Domina nostra est bona mater generalis omnibus bonis mulie-
30 ribus, bonitates quarum sunt filiae bonitatis dominae nostrae.
Et propter hoc dixit angelus Gabriel, quod domina nostra
benedicta est in mulieribus.

Bona mulier cum bonitate sui intellectus nutrit bonitatem
suae uoluntatis et suae memoriae, et sui sentiendi et imaginan|di. M 158ʳ
35 Et cum bonitate uoluntatis suae nutrit bonitatem sui intellectus, et suae memoriae, sui imaginandi et sentiendi. Et bona
mulier cum bonitate memoriae suae nutrit bonitatem sui intellectus et suae uoluntatis et sui imaginari et sentire. Omnia ista
bona nutrimenta ueniunt et deriuantur a bonitate dominae
40 nostrae.

Benedicta est domina nostra plus quam omnes mulieres in
uirtutibus; cum ita sit, quod iustitia sua, quae bona est, facit
esse bonas omnes iustitias mulierum; et prudentia dominae
nostrae, quae bona est, facit esse bonas omnes prudentias mulie-
45 rum; et sic de aliis uirtutibus. Vnde cum hoc ita sit, decens est
omnes mulieres, quae bonae sunt per dominam nostram, cum
omnibus bonitatibus uirtutum earum laudare, benedicere et
salutare dominam nostram.

II

50   1. Mulier, uestita de auaritia, est mala per totum suum memorare, intelligere et amare, sentire et imaginari. Et quia bonitas
et malitia contrariantur, talis mulier sic induta non est digna,
quod benedicat dominam nostram, quam benedicere non potest
mulier illa sine largitate, quae habitus est contrarius auaritiae.
55   2. In muliere gulosa per multum comedere et bibere, ipsa
existente induta de gulositate, quae mala est, pro eo quia
malum facit et importat, domina nostra esse non potest in ea
per benedictionem. Et si talis mulier salutat dominam nostram,
ipsa benedicit uerba, et non benedicit mulierem, quae cum

24 bonae] bonum L_4S_1 28 bono - imaginari] *coni.*; bonum sentire et
bonum imaginari ML_4S_1 35 nutrit] *coni.*; memoriae ML_4S_1 38 et suae -
sui] *coni.*; ex sua uoluntate et ex suo ML_4S_1 42/43 facit - bonas] benedicat
M; *om.* L_4 43 mulierum] *add.* bonarum M prudentia] prudentiam M 44
quae - est] *coni.*; *om. codd. omnes*   57 importat] *om.* L_4S_1

60 uerbis bonis impendit et dat dedecus dominae nostrae, quia
mala est; quia non decet uerba bona procedere a mala muliere.

3. Mulier, quae luxuriosa est, est mala. Cum qua malitia facit
malum et luxuriosum memorare, intelligere et amare, sentire et
imaginari. Et propter hoc bonitas dominae nostrae non potest
65 eam intrare, nec eam benedicere. Vnde cum hoc ita sit, non
intellexit angelum dicere, quod domina nostra esset benedicta
in omnibus mulieribus, sed tantum in mulieribus bonis.

4. Mulier superba uerba profert superba. Et facit superbum
suum memorare, intelligere et amare, sentire et imaginari. Et
70 propter hoc domina nostra non potest eam benedicere, nec in ea
esse; cum ita sit, quod domina nostra humilis sit per totum
suum memorare, intelligere et amare, imaginari et sentire.

5. Mulier accidiosa induta est pigritie, quae malus habitus est,
pro eo quia induit pigrum memorare, intelligere et amare, senti-
75 re et imaginari. Talis mulier, si salutat dominam nostram, facit
lentam salutationem, et suspirat memorando aliqua uitia. In tali
muliere non uult esse domina nostra, nec cum ea societatem
uult habere.

6. Inuida mulier mala est, pro eo quia inuidum facit et malum
80 suum memorare, intelligere et amare, sentire et imaginari. In
talibus operibus domina | nostra stare non uult, cum sint contra-   M 158ᵛ
ria suo bono memorare, intelligere et amare, sentire et imaginari.

7. Mulier, de ira habituata est induta, mala est, et omni dae-
85 moni, qui malus est, associata per malum memorare, intelligere
et amare, imaginari et sentire. In tali muliere non est domina
nostra benedicta pro seruire, honorare et oboedire. Nec mulier
illa, existens mala, non consequetur meritum, bonificatum per
dominam nostram. Et meritum suum maleficatum est per dae-
90 monem, qui in ipsa dominium habet.

8. Mulier mendax mala est propter mendacium, quod malum
est. Cum quo mendacio facit malum, quia mentiendo facit
malum memorare, intelligere et amare, sentire et imaginari. In
tali muliere domina nostra, quae ueritate plena est, habitare
95 non uult, nec cum ipsa in aliquo participare. Est igitur domina
nostra in ueraci muliere, quae bona est per memorare, intelligere et amare, sentire et imaginari. In tali muliere uult domina
nostra habitare et cum ea participare. Et uult, quod per ipsam
bonificetur et salutetur.
100 Diximus de themate sermonis huius. Et ipsum declarauimus;
et ostendimus processum suum. Per quem quidem sermonem
domina nostra per nos diu memoretur, intelligatur et ametur.

---

    62 est¹] *add.* et $L_4 S_1$ **66** angelum] *coni.*; angelus $M L_4 S_1$ **80/83** In –
imaginari] *om.* S_1 **84/85** daemoni] daemone M **95** Est] Et M igitur]
ergo $L_4 S_1$ **99** salutetur] saluetur M

Sermo V

Et benedictvs frvctvs ventris tvi.

Venter, cuius fructus benedictus est, significat bonitatem bo-
nificantem quae est essentia, in qua est bonificatum et bonifica-
5 re. Et bonificatum est fructus, qui Filius Deus est.

In principio sermonis deprecabimur dominum Deum nostrum
Iesum Christum, qui fructus est benedictus uentris dominae
nostrae sanctae Mariae, uirginis gloriosae, quatenus det mihi
gratiam dicendi, et uobis audiendi et retinendi declarationem
10 thematis sermonis, ad ipsum uenerandum, amandum et seruiendum, et etiam dominam nostram sanctam Mariam. Cuius honore
dicamus *Aue Maria*.

I

Fructus uentris benedictus dominae nostrae est Iesus Chri-
15 stus, qui uerus Deus et uerus homo est, Filius Deus, Filius homo
dominae nostrae. Qui quidem Filius homo est fructus benedictus per Filium Deum; cum ita sit, quod bonitas Filii, qui est
Deus, et bonitas Filii, qui est homo, uniantur et coniungantur in
una persona, quae Iesus Christus est. Et bonitas Filii hominis
20 est instrumentum Filii, qui est Deus. Cum quo instrumento
bonificat omnes creaturas, quae bonae sunt. Vnde cum naturalis
bonitas Filii hominis deriuetur a uentre dominae nostrae, quis
posset cogitare, dicere nec scribere illam magnam benedictionem, quae facta est et data uentri dominae nostrae, sine quo
25 nullus esset uenter muliebris? Cum ita sit, quod omnis creatura
sit creata pro eo, ut Deus Filius fiat homo Filius dominae
nostrae.

1. Iesus Christus est fructus uitae omnibus illis, qui induti
sunt de iustitia. Et iustitia est instrumentum et uirtus, cum quo
30 Filius Dei, qui est uita, dat aeternam uitam omnibus illis, qui
cum iustitia deseruiunt Iesu Christo, qui est Filius dominae
nostrae. Decet igitur fructum | uentris dominae nostrae esse   M 159ʳ
benedictum propter magnam iustitiam.

2. Fructus benedictus dominae nostrae benedicit omnes illos
35 et illas, qui uel quae cum prudentia, reuerentia et honore benedicunt dominam nostram; cum ita sit, quod prudentia sit uirtus,
propter quam homo benedicatur ad eligendum antea bona maiora, quam minora, et ad fugiendum prius mala maiore, quam
minora.

V, **1** Sermo V] *coni.*; pars quinta S_1; *om.* ML_4 **3** fructus] *coni.*; *om. codd.
omnes   **3/4** bonificantem] *om. sed add. alia manu in marg.* M   **25** muliebris]
mulieris L_4S_1 **32** igitur] ergo L_4S_1 **35/36** benedicunt] *om. sed add. alia manu*
M

40   3. Fructus benedictus uentris dominae nostrae, qui Iesus
Christus est, benedicit de uita aeterna omnes illos et illas, qui
cum animi fortitudine impendunt reuerentiam et honorem dominae nostrae; cum ita sit, quod animi fortitudo sit uirtus, cum
qua acquiritur patientia, audacia, abstinentia, humilitas et reli-
45 quae uirtutes.

4. Fructus benedictus dominae nostrae benedicit omnibus illis, qui temperantiam diligunt, ut cum ea deseruiant dominae
nostrae; cum ita sit, quod temperantia sit uirtus, quae dat
sanitatem et abstinentiam generat et gulositatem deuincit.

50   5. Fructus benedictus dominae nostrae benedicit omnibus illis, qui desiderant fidem habere, ut cum fide credant quattuordecim articulos, quos credunt christiani, qui dominae nostrae
deseruiunt; cum ita sit, quod fides sit lumen intellectui, qui facit
scientiam de fructu benedicto dominae nostrae cum diuinis
55 dignitatibus, scilicet diuina bonitate, magnitudine et aliis.

6. Fructus benedictus dominae nostrae benedicit omnibus
peccatoribus, sperantibus in domina nostra; cum sit ita, quod
spes sit uirtus, cum qua exspectatur a Domino nostro Iesu
Christo, Filio dominae nostrae, donum, misericordia, gratia et
60 uenia.

7. Fructus benedictus dominae nostrae benedicit omnes illos,
et illas, qui caritatem amant, eo ut cum caritate impendant
reuerentiam et honorem dominae nostrae; cum ita sit, quod
caritas sit uirtus et instrumentum, cum quo diligatur Deus ab
65 homine super omnia, et diligatur ab eo proximus suus sicut ipsemet.

8. Fructus benedictus dominae nostrae benedicit omnibus illis, qui sapientiam habent ad seruiendum et uenerandum dominam nostram; cum ita sit, quod sapientia sit instrumentum et
70 uirtus intellectui humano, quod stultitiam fugiat, et quod faciat
sapiens intelligere, quoties intelligit.

II

1. Fructus dominae nostrae benedicit omnibus illis, qui cum
largitate uincant auaritiam, eo ut cum largitate deseruiant
75 dominae nostrae; cum ita sit, quod auaritia sit instrumentum
contra finem diuitiarum.

2. Fructus dominae nostrae benedicit omnibus illis, qui cum
temperantia gulositatem uincant; cum ita sit, quod gulositas sit
mortale peccatum et instrumentum, per quod homo efficitur
80 pauper et frequenter infirmus.

---

55 bonitate – aliis] bonitas, magnitudo et aliae *M*   58 exspectatur] spectatur
*L*₄; petatur *S*₁   59/60 misericordia – uenia] misericordiae, gratiae et ueniae
*L*₄*S*₁   67 benedictus] *coni.*; *om. codd. omnes*   79 homo] *om. L*₄*S*₁

3. Fructus dominae nostrae benedicit omnibus illis, qui castitatem et uirginitatem diligunt amore dominae nostrae; cum sit
ita, quod sint instrumenta contra luxuriam; quae est instrumentum, cum quo nullus homo, et nulla mulier potest seruire
85 dominae nostrae.

4. Fructus dominae nostrae benedicit omnes illos illasque, qui
eius amore diligunt humilitatem; cum ita sit, quod humilitas
superbiam uincat, quae instrumentum est et peccatum, | cum M 159ᵛ
quo nullus potest nostrae dominae deseruire.

90 Fructus beatior est arbore, ipsum eleuante, cum sit melior
ipsa arbore. Et propter hoc possumus considerare legem uete-
rem per Moysen datam esse sicut arborem; et lex noua data per
Iesum Christum est fructus arboris. Qui quidem fructus benedicit arborem. Non benedicti sunt igitur Iudaei, qui modo sunt;
95 cum ita sit, quod ipse sint contra fructum arboris.

Saeculum istud est arbor, et paradisus est fructus. Qui quidem paradisus benedictus est per fructum dominae nostrae, qui
benedicit in arbore omnes illos illasue, qui amant dominam
nostram et eidem seruiunt.

100 Diximus, et multa dicere possemus, de fructo benedicto uentris dominae nostrae. Et declarauimus thema sermonis et eius
processum. Et gratia et benedictio dominae nostrae sit super
nos. Amen.

Sermo VI

Spiritvs sanctvs svperveniet in te

Spiritus sanctus, qui superueniet in dominam nostram est
diuina persona, dominam nostram sanctificans, quae est perso-
5 na.

In principio sermonis deprecabimur dominum Deum nostrum
Iesum Christum, quatenus det mihi gratiam dicendi, et uobis,
dominis et dominabus, audiendi, intelligendi et amandi declarationem thematis sermonis huius. Deprecemur etiam dominam
10 nostram sanctam Mariam. Et eius amore, reuerentia et honore
dicamus *Aue Maria*.

I

Spiritus sanctus, qui superueniet in dominam nostram, est

---

84 et nulla] nec ulla S_1; nec nulla L_4 **86** omnes – illasque] omnes illos
et illas L_4; omnibus illis S_1 **91** possumus considerare] considerare possumus
$L_4 S_1$ **94** igitur] ergo $L_4 S_1$ **98** illasue] illasque S_1; et illas L_4

VI, **1** Sermo VI] *coni.*; sexta pars S_1; *om.* $M L_4$

bona persona per naturam. Et domina nostra est bona persona
15 per naturam. Et Filius Dei est bona persona per naturam. Et
propter hoc Filius Dei sumpsit de domina nostra per naturam
humanam bonam naturam. Et Spiritus sanctus uenit super
dominam nostram; qui super naturam dominae nostrae proportionauit, si proportio potest dici, in bonitate personam dominae
20 nostrae, pro eo ut Filius Dei acciperet bonam naturam a domina
nostra supra naturam. Et hoc idem potest dici de magnitudine
dominae nostrae, de sua duratione, potestate et uirtute corporali. Talem bonam gratiam et alias, coniunctionem et proportionem diuinae naturae et humanae quis cogitare posset, scribere
25 nec referre?

Spiritus sanctus superuenit in domina nostra, pro eo ut inspi-
raret et excelleret intelligere, memorare, et amare dominae
nostrae in conceptione, quando concepit salutationem, ut esset
proportio, si proportio potest dici, inter intelligere, amare et
30 memorare Filii Dei, quando sumpsit naturam in carne humana
a domina nostra. Talem coniunctionem et proportionem naturae
diuinae et humanae quis posset cogitare, uel referre nec scribere?

Imaginationem, quam domina nostra habet, exceluit Spiritus
35 sanctus, quando superuenit in domina nostra; et illam proportionauit, si proportio meretur dici, cum diuina natura, quae
sumpsit ex imaginatione dominae nostrae naturam, ob hoc ut
Dei Filius haberet per naturam humanam imaginationem. Illam
proportionem, quam Spiritus sanctus exceluit et Dei Filio ag-
40 gregauit, quis posset cogitare, | scribere nec referre?   M 160ʳ

Domina nostra habet per naturam potentiam uisiuam, auditiuam, odoratiuam, gustatiuam, tactiuam et affatiuam. Omnes has
potentias, quae sunt de genere sentiendi, exceluit et proportionauit Spiritus sanctus, si proportio potest dici, personae Filii
45 Dei, qui ex domina nostra sumpsit naturam uidendi, audiendi et
aliarum potentiarum sensitiuarum. Talem coniunctionem et
proportionem quis posset cogitare, scribere nec referre?

Diximus proportionem, quam decuit esse in nostra domina
per sentire, imaginari, memorare, intelligere et amare opere
50 Spiritus sancti. Qui supra naturam humanam operatus fuit et
ordinauit naturam, quam Dei Filius sumpsit, quando incarnatus
fuit supra corpus naturae. Secundum talem excelsum naturae
possimus considerare excelsum uirtutum moralium, scilicet iustitiae, prudentiae et aliarum. Quem quidem excelsum fecit Spi-

---

14/15 Et – naturam] *om. S₁*   **15** Et Filius – naturam] *om. L₄S₁*   **34**
exceluit] *coni.*; excellit, *corr. ex* excussit *S₁*; excussit *ML₄*   **39** exceluit] *coni.*;
excellit, *corr. ex* excussit *S₁*; excussit *ML₄*   **42** et] *coni.*; *om. codd. omnes*   **43**
exceluit] *coni.*; excellit, *corr. ex* excussit *S₁*; excussit *ML₄*   **53** possimus] possumus
L₄S₁

55 ritus sanctus in domina nostra, pro eo ut de uirtutibus proportionaretur cum conceptione Filii Dei, qui ab ipsa sumpsit humanam naturam.

II

Decem sunt praedicamenta generalia secundum naturam hu-
60 manam. Quae sunt: (1) Substantia, (2) quantitas, (3) qualitas,
(4) relatio, (5) actio, (6) passio, (7) habitus, (8) situs, (9) tempus
et (10) locus. Omnia ista decem praedicamenta exceluit et
proportionauit, si proportio potest dici, Spiritus sanctus in domina nostra, pro eo ut Dei Filius assumeret multum altam
65 naturam a domina nostra, ob hoc ut haberet humanam substantiam corporalem et accidentia supra dicta ab ipsa. Talem proportionem et exaltationem quis posset cogitare, scribere nec
referre?
Dei Filius est substantia spiritualis infinita et aeterna, sine
70 materia et sine omni accidente. Et est substantia finita et noua
in natura humana, quam a domina nostra sumpsit, habendo
omnia accidentia supra dicta. Tale opus tam altum et tam
miraculosum operatus fuit Spiritus sanctus, quando superuenit
in domina nostra, et Filium Dei fecit hominem, operatum et
75 factum ex domina nostra. Et si tale opus factum non esset per
Spiritum sanctum, non posset cognosci per summum opus, quod
diuina natura habet in humana natura, nec amatum fuisset, nec
memoratum per angelos nec per homines; et fuisset per Dei
Filium intellectum, memoratum et non amatum. Et hoc idem de
80 Spiritu sancto. Quae quidem priuatio operis esset maior, quam
tota passio operis creati. Voluit igitur uenire Spiritus sanctus
super dominam nostram, pro eo ut faceret maius opus, quod
esse potest in creatura per naturam et supra naturam.
In hoc, quod thema dicit, quod Spiritus sanctus superuenit in
85 nostra domina, possumus considerare, quod Spiritus sanctus
superexaltauit naturam dominae nostrae, secundum quod superius diximus. Et propter hoc uos, domini et dominae, debetis
excellere et superexaltare pro posse uestro uestrum sentire,
imaginari, memorare, intelligere et amare, et uirtutes acquirere
90 ad faciendum reuerentiam et honorem Spiritui sancto, dominae
nostrae et Filio suo Deo homini.
| Et qui dicit salutationem, quam angelus Gabriel dixit domi- M 160ᵛ
nae nostrae, existendo in mortali peccato per auaritiam, gulosi-

---

62 exceluit] *coni.*; excellit, *corr. ex* excussit S_1; excussit $M L_4$ **63** si – sanctus]
Spiritus sanctus, si proportio potest dici $L_4 S_1$ in] est S_1; *om. M*   **65** a] et
$L_4 S_1$ **74** et²] *coni.*; *om. codd. omnes*   **76** summum] supremum $L_4 S_1$ **77**
fuisset] finis $L_4 S_1$ **81** igitur] ergo $L_4 S_1$ **93** mortali peccato] peccato mortali
$L_4 S_1$

tatem, luxuriam et alia peccata, potest cognoscere illud mag-
95 num dedecus, quod facit et impendit sancto Spiritui, dominae
nostrae et Iesu Christo, uero homini ueroque Deo, et magnum
abyssum, in quem cecidit, pro eo quia daemon, qui malus
spiritus est, superuenit in ipso, ob hoc ut in ignem aeternum
ceciderit.
100   Diximus sermonem et thema declarauimus et processum. Et
placeat Spiritui sancto, Iesu Christo et dominae nostrae, quod
ad saluationem ueniamus, et quod sit ad nostram utilitatem
praefatus sermo.

SERMO VII

ET VIRTVS ALTISSIMI OBVMBRABIT TIBI

Virtus Altissimi est uirtus diuina. Vmbra potest multipliciter considerari, scilicet umbra spiritualis, et umbra corporalis et
5 umbra moralis.
In principio sermonis deprecabimur dominum Deum nostrum
Iesum Christum, quatenus det mihi gratiam dicendi, amandi et
intelligendi, et uobis, dominis et dominabus, audiendi, intelligendi et amandi declarationem et thema huius sermonis. Et simili-
10 ter de hoc deprecemur dominam nostram sanctam Mariam. Et
eius amore, reuerentia et honore dicamus Aue Maria.

I

Virtus Altissimi est Deus, qui summus est omnibus creaturis.
Et ut eius uirtus non sit otiosa, uacua, uitiosa nec sine natura,
15 est in trinitate personarum diuinarum, scilicet quod Deus Pater
ex uirtute sua gignit Deum Filium, qui uirtus est; et ex ambobus procedit Spiritus sanctus, qui uirtus est; et hoc aeterne et
infinite. Et omnes tres personae sunt unus Deus, una uirtus,
essentia, substantia et natura. Et uirtus, quae est Filius Deus,
20 obumbrauit dominae nostrae, in quantum ab ipsa naturam
sumpsit humanam.
Gratia est umbra spiritualis. Cum qua gratia obumbrat Spiritus sanctus dominae nostrae super omnes mulieres spiritualiter
et corporaliter. Spiritualiter, in quantum concessit et dedit sibi
25 maiorem gratiam ad maius memorandum, intelligendum et
amandum, quam alia mulier. Corporaliter, in quantum dedit sibi

---

VII, 1 Sermo VII] *coni.*; septima pars et ultima S_1; *om.* ML_4 3 altissimi]
baptismatis *sed add. in marg.* altissimi M   13 altissimi] *corr. ex* baptismatis M
summus] supremus L_4S_1 15 personarum diuinarum] diuinarum personarum
L_4S_1 19 quae] qui ML_4 25 maiorem] *om.* L_4S_1

maiorem gratiam ad sentiendum et imaginandum; ad sentiendum, hoc est ad uidendum, audiendum, odorandum, gustandum,
palpandum, et loquendum, et ad imaginandum et etiam ad
30 pariendum Filium Deum hominem, ipsa existente uirgine. Talem uirtutem, tam altam et tam de gratia obumbratam, quis
posset cogitare, scribere nec referre?

Filius Deus obumbrauit dominae nostrae de sua gratia. Cum
qua obumbrauit uirtutes suas morales, scilicet iustitiam, pru-
35 dentiam, et alias, ob hoc ut uirtutes naturales dominae nostrae,
quas habet ad sentiendum, imaginandum, memorandum, intelligendum et amandum, proportionarentur, si proportio potest
dici, uirtuti diuinae Filii Dei, qui ex naturalibus uirtutibus
humanis corporalibus uoluit assumere naturam corporalem hu-
40 manam. Tales uirtutum moralium excelsiones dominae nostrae,
de tam alta gratia et uirtute diuina obumbratas, | quis posset M 161ʳ
cogitare, scribere nec loqui? Et ut melius declarare possimus,
memorare, intelligere et amare, uolo sequens exemplum dare:

Virtus uerae oliuae arboris est altior et nobilior et melior et
45 potentior in natura uirtute oleastri inuoluta et immixta. Vera
oliua in oleastro conuertit in suam naturam et speciem totam
uirtutem, quam accipit ab oleastro. Simili modo et etiam sine
comparatione uirtus Filii Dei exaltauit et superexcelluit humanam naturam, quam a domina nostra assumpsit supra corpus
50 naturae, in sua diuina natura. Et persona fuit una, et naturae
sunt duae, obumbrata humana uirtute a uirtute diuina opere
Spiritus sancti.

Anima rationalis, coniuncta cum humano corpore, exaltat
cum uirtute sua corporis uirtutem, quam assumit, in tantum
55 quod uirtus corporis, quod est brutum animal, superexcellitur
in speciem humanam. Per quam quidem speciem homo est
animal rationale. Hoc naturale exemplum dicimus ad declarandum, quomodo umbra spiritualis obumbrat umbrae corporali, et
eam ad suam naturam ponit. Quid igitur mirum, si uirtus diui-
60 na spiritualis superexcellit et exaltat humanam naturam, quam
assumpsit, in sua natura aeterna et infinita?

II

Virtutes, scilicet, iustitia, prudentia et aliae, sunt umbrae
spirituales. Et quando obumbrant memorare, intelligere et ama-

27/28 sentiendum] imaginandum M   29 et¹] *coni.*; *om. codd. omnes*   ad]
om. M   imaginandum] *add.* partum S₁   39/40 corporalem humanam] humanam
corporalem L₄S₁   43 sequens exemplum] exemplum sequens L₄S₁   46
oleastro] oleastre M; *corr. ex* oleastre L₄   47 oleastro] oleastre M; *corr. ex*
oleastre L₄   48 superexceluit] *coni.*; superexcellit S; superexculit ML₄   55
animal] *coni.*; animalis ML₄S₁   58 umbrae] *add. et* ML₄; *add. et del. sup. lin. et*
S₁   59 igitur] ergo L₄S₁   64 spirituales] *forsan coniciendum est* morales

65 re hominis uirtuosi, ponunt ascendendo memorare, intelligere et
amare ad merita acquirendum. Et si tu memores, intelligas et
ames dominam nostram subtus tales umbras uirtutum, tu ac-
quiris meritum pro uenerando dominam nostram, pro quibus
deprecatur Filium suum, quatenus det tibi gloriam aeternam.

70 Salutatio, quam angelus Gabriel fecit dominae nostrae, est
uirtus obumbrosa. Quae obumbrat uirtuose uerba, quae dicuntur dominae nostrae, quando salutatur, tunc quando dicitur *Aue
Maria*. Et si tu es iustus, quando uerba dicis, obumbraris
propter uerba uirtute salutationis. Et si iniustus es, nec ob hoc

75 est quin uerba, quae tu dicis et profers, obumbrentur uirtute
salutationis generalis dominae nostrae. Et tu a uirtutibus priua-
ris moralibus; et tuae naturales uirtutes obumbrantur de peccatis mortalibus et malo spiritu daemonis; et uadis subtus umbram suam ad poenas infernales aeternas sustinendum.

80 Vmbra arboris non est ita nigra quemadmodum est parietis
umbra. Hoc dico ideo, ut tu cognoscas, quod umbra, quae est per
peccatum corporale sentiendo et imaginando, non est ita magna
nec ita tenebrosa, quemadmodum est umbra peccati per memorare, intelligere et amare.

85 Domina nostra umbra est peccatorum, quae cum umbra uirtuosa ipsos obumbrat, tunc quando in ipsa sperant uirtuose. Et
hoc idem possem dicere de aliis uirtutibus.

Diximus et declarauimus thema sermonis huius et processum
suum. Et propter hoc placeat domino nostro Iesu Christo et

90 dominae nostrae sanctae Mariae, | uirgini gloriosae, quod diu   M 161ᵛ
intelligamus, memoremus et 'diligamus sermonem, ut cum eo
domina nostra ad nostram adiuuet saluationem.

Ad honorem domini nostri Iesu Christi et dominae nostrae
sanctae Mariae finiuit Raimundus librum istum, qui est de

95 *Aue Maria*, in ciuitate Maioricarum mense octobris anno Domini 1312 incarnationis domini nostri Iesu Christi.

65 ponunt] *coni.*; ponit *M L₄S₁*   66 intelligas] *coni.*; *om. codd. omnes*   74
salutationis] *coni.*; *om. codd. omnes*   76/77 priuaris] priuaberis *M*   81 quod]
quam *S₁*; quod in *M*   umbra] umbram *M S₁*   82 est] esse *M S₁*   magna]
magnam *M S₁*   83 tenebrosa] tenebrosam *M S₁*   90 sanctae Mariae] *om. M L₄*
94 Raymundus] *add.* Lull *S₁*   96 Christi] *add.* Laus tibi sit Christe, quoniam
liber explicit iste *M L₄*

LIBER DE VIRTVTIBVS ET PECCATIS
SIVE
ARS MAIOR PRAEDICATIONIS

In Ciuitate Maioricarum, 1313 I

LIBER DE VIRTVTIBVS ET PECCATIS
SIVE
ARS MAIOR PRAEDICATIONIS

CODICES

M = München, Bayerische Staatsbibliothek, clm 10495 (XIV) f. 2ra-130rb

M_1 = München, Bayerische Staatsbibliothek, clm 10587 (XVII) f. 149r-405v

R = Roma, Collegio di S. Isidoro, ms. I, 1 (XV) f. 1ra-116ra

T = Toledo, Biblioteca Capitular, ms. 22-23 Zelada (XV) f. 1ra-57rb

Z = Mainz, Priesterseminar, 220^e (XVII/XVIII) pp. 1-494

LIBER DE VIRTVTIBVS ET PECCATIS
SIVE ARS MAIOR PRAEDICATIONIS[a]

ARS MAGNA[b]
ARS MAGNA PRAEDICATIONIS[c]
ARS MAIOR[d]
ARS MAIOR DE PRAEDICATIONE[e]
ARS MAIOR PRAEDICANDI[f]
ARS MAIOR PRAEDICATIONIS[g]
ARS PRAEDICANDI[h]
ARS PRAEDICANDI MAIOR[i]
ARS PRAEDICATIONIS[j]
DE VIRTVTIBVS ET PECCATIS[k]
DE VITIIS ET VIRTVTIBVS[l]
LIBER DE SERMONIBVS[m]
LIBER DE VIRTVTIBVS ET PECCATIS[n]
LIBER DE VIRTVTIBVS ET VITIIS[o]
LIBER DE VIRTVTIBVS ET VITIIS SIVE PECCATIS[p]

---

a = PASQUAL I, 315, 373; HLF 247; PEERS, pg. 363; Av 180; WADDING-
     SBARALEA 141; CA 130; PLA 225

b = *Ars breuis de praedicatione* (PLA 226; ROL XVIII, op. 208), prol.: mss.
     L F S B U M₃ C

c = *Ars breuis de praedicatione*, prol.: mss. *L F S B V M₃ C*

d = *Ars breuis de praedicatione*, prol.: mss. *I D G L₂*

e = *Ars breuis de praedicatione*, Dist. IV, II, De thematibus peccatorum: mss.
     I D

f = Op. 207, serm. VII, lin. 28

g = *Ars breuis de praedicatione*, prol.: ms. L_2; Dist. IV, II, De thematibus
     uirtutum: mss. *I D*; Lo IV, 51; OT 170; GL. gd; DÍAZ 1902

h = De diuisione huius operis; Prol. 190; sermo CV, lin. 47 ms. *M* fol. 1r;
     MAYER 223

i = PROAZA 249; AMBROSIANA 255; DIMAS DE MIGUEL 248 (SOTO, pg. 66)

j = WADDING-*Scriptores* 187; BUF 382

k = Ms. *M*, fol. 1r; Escuela luliana de Barcelona (Inventario 1466), uid.
     BOFARULL, pg. 467 (33)

l = Testamentum Raimundi (PLA 231; ROL XVIII, op. 212), uid. BOFA-
     RULL, pg. 454 (20) et ALÒS, pg. 49; ARIAS DE LOYOLA, tab. X (SOTO,
     pg. 59)

m = De fine libri, lin. 8

n = Inuocatio libri; *Ars breuis de praedicatione*, prol. ms. L_2; VILETA 83;
     ANTONIO 166; CUSTURER/SOLLIER 193; MAYER 223; SALZINGER 202;
     OT 170.1; GL gd¹; LLINARÈS 203; CRUZ HERNÁNDEZ 169; BONNER IV,
     65

o = *Ars breuis de praedicatione*, prol.: mss. *L F C S B L₅ L₆*

p = *Ars breuis de praedicatione*, prol.: mss. *I G D*

LIBER DE VITIIS ET VIRTVTIBVS[q]
LIBER SERMONVM[r]
LIBER VIRTVTVM NECNE PECCAMINVM[s]
LIBER VIRTVTVM NEQVE PECCAMINVM[t]
LIBER VIRTVTVM NECNON PECCAMINVM[u]
MAGNA ARS[v]
MAGNA ARS PRAEDICATIONIS[w]
MAIOR ARS[x]
MAIOR ARS CONGRVA AD SERMONES[y]
MAIOR ARS PRAEDICANDI[z]
MAIOR ARS PRAEDICATIONIS[aa]
SCIENTIA PRAEDICANDI[ab]

---

q = Lo IV, 51.1; BONNER IV, 65
r = Ms. *M*, fol. 1r; Escuela luliana de Barcelona, Inv. 1466 et 1488 (BOFARULL pg. 467 et 472); MAYER 223
s = *Ars breuis de praedicatione*, prol.: mss. *M V*
t = *Ars breuis de praedicatione*, prol.: mss. *Q M₂*
u = *Ars breuis de praedicatione*, prol.: ms. *A*
v = *Ars breuis de praedicatione*, prol.: ms. *L₆*
w = *Ars breuis de praedicatione*, prol.: ms. *L₆*
x = *Ars breuis de praedicatione*, prol.: ms. *M V Q M₂ A*
y = *Ars breuis de praedicatione*, Dist. IV, II, De thematibus peccatorum: mss. *M V Q A*
z = *Ars breuis de praedicatione*, prol.: ms. *A*
aa = *Ars breuis de praedicatione*, prol.: mss. *M V Q M₂*; Dist. IV, II, De thematibus uirtutum: mss. *M V Q A*
ab = Sermo CV huius operis, lin. 46/47

Deus, per tuam magnam misericordiam ac pietatem,
Incipit Liber iste, qui est de uirtutibus et peccatis.

DE PROLOGO.

Cum sit multum mirandum, quod tot sermones et praedica-
5 tiones sint facti et per tot prudentes homines, et tot sint
peccata, et cotidie crescunt, propter hoc nos cogitamus et perpendimus facere sermones de uirtutibus et uitiis; cum sit magna
utilitas ad destruenda peccata et ad multiplicandas uirtutes,
taliter quod detur notitia de his, quae sunt uirtutes, et de his,
10 quae sunt peccata; et quod monstretur modus, per quem uirtutes nascuntur, crescunt et minuuntur; et hoc idem de peccatis.
Quoniam si homines peccatores hoc cognoscerent, scirent lucrari
uirtutes et destruere peccata in semet ipsis.
Nos tamen facimus hunc librum artificialiter, monstrando,
15 quid sunt uirtutes et quid peccata; et de quo sunt, et per quid
sunt, et quot sunt, ac quae sunt, et quo tempore sunt, atque ubi
sunt, quomodo sunt, et cum quo sunt. Et per huiusmodi modum
monstrandi ac praedicandi sermocinatorum poterunt habere
peccatores notitiam de uirtutibus et peccatis; cum sit, quod
20 nulla uirtus neque peccatum extra nouem terminos supra dictos
minime queant esse.

1/2 Deus – peccatis] *Secundum traditionem manuscriptam Libri de Arte breui de*
praedicatione 'Incipit' Libri de uirtutibus et peccatis sic apparet: *Trasl.* I: Deus, per tuam
gratiam (*cat.* gran *cf. infra serm. CXIII, lin. 23*), misericordiam ac pietatem, incipit
iste Liber, qui uirtutum necne peccaminum (*Clm 10495, f. 172ʳ; Vat. Ottob. lat. 396,*
f. 44ᵛ). *Trasl.* II: Deus, tua gratia, misericordia et pietate, incipit iste Liber, qui
est de uirtutibus et uitiis L (*Palma de Mallorca, Bibliot. Pública 994, f. 99ʳ*). *Trasl.*
III: Deus, per tuam gratiam, misericordiam et pietatem, incipit iste Liber, qui
est de uirtutibus et de uitiis siue peccatis I (*Innichen/San Candido, Stiftsbibliothek*
VIII.D 4, f. 150ʳ)   **2** de] *om.* T   **3** De prologo] *om.* M R M₁ Z   **4** Cum] *not.*
in marg. uide cap. de prudentia et sapientia, fol. 120 de auro et argento Z   et]
forsan uel; *uid. cat.*   **5** sint facti] sunt facti R; sunt scripti M₁; *corr. alia manu*
ex sunt scripti Z   et²] *corr. alia manu in* tamen Z   sint] sunt M₁; *corr. alia*
manu ex sunt Z   **6/7** et perpendimus] *om. cat.*   perpendimus] *corr. alia manu*
in intendimus Z   **8** utilitas] *add. alia manu in marg.* intendere Z   **9** taliter
quod] taliterque M₁; *corr. alia manu ex* taliterque Z   **11** nascuntur] nascantur
M₁; *corr. alia manu ex* nascantur Z   **15** sunt¹] *corr. alia manu in* sint Z *et sic passim*
        per quid] *recte* quare; *cat.* per que   **16** quae] *recte* quales *uel* qualia; *cat.*
quals   **18** monstrandi] *coni.*; monstrando M T R M₁; *corr. alia manu ex* monstrando
Z   praedicandi] *coni.*; praedicando M T R M₁; *corr. alia manu ex* praedicando Z
        sermocinatorum] *coni.*; sermocinatorem M T R M₁; *corr. alia manu ex* sermo-
cinatorem Z   **19** cum] *add. eadem manu in marg.* ita R; *add.* ita M₁ Z; *cat.* con
sia aço   **20** terminos] annos M₁; modos, *sed corr. alia manu in* terminos Z   **21**
minime] *del. alia manu* Z

I. De svbiecto hvivs libri.

Subiectum huius libri sunt: Decem substantiae; decem dignitates Dei; quattuordecim articuli fidei; septem sacramenta
25 sanctae ecclesiae; decem praecepta; decem praedicamenta; decem uiae generales; quattuor causae generales; et fortuna; ac
artes liberales et mechanicae.
Omnia supra dicta dicimus fore subiectum huius libri. Qui
potest dici Ars, ob hoc quia de ipsis potest sermocinator praedi-
30 care, et applicare potest uirtutibus et peccatis.

1. De decem substantiis.

Decem substantiae, per quas omne est, quod est, sunt: (1)
Deus, (2) angelus, (3) caelum, (4) homines, (5) bruta animalia,
(6) herbae, (7) arbores, (8) metalla, (9) elementa, (10) elementa-
35 ta. Ob hoc quia sermocinatori est necessaria magna materia, de
qua possit multos abstrahere sermones et magnos, oportet, quod
decem substantiae sint subiectum, de quo possint eggredi multa
uerba et similitudines multae ad dandam notitiam de uirtutibus
et uitiis.

40   2. De decem dignitatibus Dei.

Dignitates Dei sunt multae. Sed nos uolumus dare exemplum
de decem tantum, ipsis tamen existentibus in superlatiuo gradu,
propter hoc quia Deus est illa essentia, quae tantum est in
superlatiuo gradu.
45 Decem dignitates sunt istae: (1) Bonitas altissime bona, (2)
Magnitudo altissime magna, (3) Aeternitas altissime aeterna, (4)
Posse altissime potens, (5) Intellectus altissime intelligens, (6)
Voluntas altissime amans, (7) Virtus altissime uirtuosa, (8)

22 De – libri] *om. sed alia manu add.* De subiecto operis *T*   25 sanctae] *om.*
R M₁; om. et add. alia manu sup. lin. Z   26 generales²] *om. sed add. in marg. M;*
om. R M₁ Z   28 dicimus] *om. sed spatium relinquit uacuum et signo not. quod aliquid*
deficit M₁; om. sed alia manu add. sup. lin. Z   fore] *corr. alia manu in* esse *Z*   29
potest] pro ut *M₁; corr. alia manu ex* pro ut *Z; om. T*   31 De – substantiis] *om.*
sed add. alia manu T   substantiis] *forsan* subiectis; *cat.* subjects   32 est¹] *coni.;*
om. M T R M₁; om. sed alia manu add. sup. lin. Z   33 Deus] *add. et* R M₁; *add. et*
sed alia manu del. Z   35 Ob hoc] *om. sed spatium relinquit uacuum M₁; om. sed alia*
manu add. sup. lin. Z   36 multos – magnos] *corr. alia manu in* abstrahere multos
et magnos sermones *Z*   37 possint] *corr. alia manu in* possunt *Z*   38 similitudines
multae] *corr. alia manu in* multae similitudines *Z*   40 De – Dei] *om. sed alia*
manu add. De dignitatibus diuinis *T*   41 Sed] *corr. ex* scilicet *M₁*   42 tamen]
tantum *M₁; corr. alia manu ex* tantum *Z*   47 Posse] *alia manu sup. lin. add.* potestas
Z   48 amans] *alia manu sup. lin. add.* uolens *Z*

Veritas altissime uera, (9) Gloria altissime gloriosa, (10) Per-
50 fectio altissime perfecta.

Istas decem diuinas dignitates habet necessarie scire homo,
uolens facere sermones perfecte; cum sit, quod Deus id, quod |
facit, facit cum ipsis.   M 2ᵛ

3. De quattuordecim articulis fidei.

55   Articuli fidei sunt quattuordecim. Septem de deitate, et septem de humanitate.

Septem de deitate sunt ii: (1) Vnus Deus, (2) Pater, (3) Filius,
(4) Spiritus sanctus, (5) Creator, (6) Recreator, et (7) Glorifica-
tor.
60   Septem de humanitate sunt isti: (1) Spiratus per sanctum
Spiritum, (2) et natus de nostra domina sancta Maria, uirgine
gloriosa, (3) crucificatus, (4) descendit ad inferos, (5) resurrexit,
(6) ascendit ad caelos, (7) iudicabit bonos et malos in fine mundi.

4. De septem sacramentis ecclesiae.

65   Sacramenta sanctae ecclesiae sunt septem, uidelicet: (1) Baptisma, (2) matrimonium, (3) confirmatio, (4) sanctum sacramentum altaris, (5) ordo, (6) claues sancti Petri, (7) extrema unctio.
| Ista sacramenta sunt magna et apta materia praedicationi ad R 1ᵛ
monstrandum, quid sunt uirtutes et quid peccata, et ad redden-
70 dum populum beneuolum ut philocaptum circa uirtutes et ad
abhorrendum peccata.

5. De decem praeceptis.

Decem praecepta sunt haec: (1) *Vnum Deum habebis*, (2) *Non*

---

49 Veritas – uera] *post 'perfecta' (lin. 50) codd. omnes transp*   **52** perfecte] *add.
cat.* per ço car elles son causes primeres a totes causes creades   sit] scit *M T*;
sit *Z, sed alia manu del. et add. sup. lin. et denuo del.* scit *Z*   quod²] *add.* et *Z*   **54**
De – fidei] *om. sed alia manu add.* De articulis fidei *T; add. cat.* catholica   **55**
deitate] diuinitate *T*   **57** de] in *Z*   deitate] diuinitate *T*   Filius] *add.* et
Z   **58** et] *om. T*   **60** Spiratus] *alia manu in marg. corr. in* conceptus *M*; spiratus,
sed alia manu del. et corr. sup. lin. in Filius conceptus *M₁*; Filius conceptus *Z*   **60/
61** sanctum Spiritum] Spiritum sanctum *Z*   **61** domina] donna *M₁*   **62**
crucificatus] crucifixus *M₁ Z*   **63** mundi] *add. cat.* Aquests articles deu saber
tot sermonador, e ab els deu declarar que son virtuts e que son pecats. E deu
la fe mostrar al poble.   **64** De – ecclesiae] *om. sed alia manu add.* De sacramentis
T   **65/66** Baptisma] *corr. alia manu in* Baptismus *Z*   **69** sunt] sint *M₁; corr.
alia manu ex* sint *Z*   **70** populum – philocaptum] *cat.* a enamorar lo poble.
populum] principaliter *M₁; corr. alia manu ex* principaliter *Z; add. alia manu
sup. lin.* auditorem *M*   beneuolum] *add.* auditorem *Z*   circa] ita, *sed alia manu
corr. in* ad *M₁*; ad, *sed alia manu add. sup. lin.* circa *Z*   ad] *coni.; om. codd. omnes*
72 De – praeceptis] *om. sed add. alia manu T*

assumes nomen Dei in uanum, (3) *Coles sabbatum,* (4) *Venera-*
75 *beris parentes,* (5) *Non occides,* (6) *Non fornicaberis,* (7) *Non
furaberis,* (8) *Non testificaberis falsum, non mentieris,* (9) *Non
concupisces uxorem proximi tui,* (10) *Non concupisces bona proximi tui.* (Ex. 20,3-17; Deut. 5,7-21)

Haec decem praecepta sunt subiecta in praedicatione, ad
80 declarandum et fortificandum uirtutes et ad destruendum uitia
et peccata, in applicando praecepta uirtutibus et peccatis.

6. De decem praedicamentis.

Decem praedicamenta, per quae currunt omnia, sunt ista: (1)
Substantia, (2) Quantitas, (3) Qualitas, (4) Relatio, (5) Actio, (6)
85 Passio, (7) Habitus, (8) Situs, (9) Tempus, et (10) Locus.

Per ista decem praedicamenta potest praedicator uel sermocinator dare notitiam populo, quae sunt opera, quae sunt de
genere substantiae; et quanta est quantitas iustitiae, auaritiae;
et sic de qualitate et aliis. Et propter hoc sermocinator debet
90 accipere similitudines de decem praedicamentis in sua sermoci-
natione, ob hoc ut declaratius det notitiam populo de uirtutibus
et uitiis.

7. De decem uiis uirtutum et peccatorum.

Viae, per quas currunt uirtutes et uitia, sunt decem, uidelicet
95 decem potentiae naturales, hoc est: (1) Potentia uisiua, (2)
auditiua, (3) odoratiua, (4) gustatiua, (5) tactiua, et (6) affatiua,
(7) imaginatiua, (8) intellectiua, (9) uolitiua et (10) memoratiua.
Sine his decem potentiis nequeunt esse uirtutes neque peccata.

73/78 Vnum Deum – tui] *In codicibus* MTRM₁Z *et in textu cat. praecepta
enumerantur et ordinantur sic*: (1) Vnum Deum habebis. (2) Coles sabbatum. (3)
Veneraberis parentes. (4) Non mentieris. (5) Non fornicaberis. (6) Non testificaberis
falsum. (7) Non occides. (8) Non furaberis. (9) Non concupisces uxorem proximi
tui. (10) Non concupisces bona proximi tui. *Praeceptorum enumerationem et ordinem
correximus et inuertimus, quia nostra enumeratio et ordo ab omnibus communiter seruatur,
etiam et ab ipso Raymundo in Libro de decem praeceptis* (Cf. supra op. 201) *et aliis in locis;
textum uero nullae correctioni intericimus.*   **73/74** Non – uanum] *om.* TRM₁; *om. sed
add. alia manu in marg.* MZ   **79** Haec] Et M₁; *corr. alia manu ex* Et Z   subiecta]
substantia M₁; *corr. alia manu ex* substantia Z   **81** in] *om.* T   **82** De –
praedicamentis] *om. sed add. alia manu* T   **83** currunt] existunt M₁; *corr. alia
manu ex* existunt Z   **84** Quantitas, Qualitas] qualitas, quantitas RM₁Z   **85**
et] *om.* RM₁; *om. sed alia manu add. sup. lin.* Z   **89** Et] *om.* M₁; *om. sed alia manu
add. sup. lin.* Z   **93** De – peccatorum] *om. sed alia manu add.* De decem uiis
uirtutum et uitiorum T   **97** uolitiua et memoratiua] *coni. ex textu cat.*; memoratiua
sed add. alia manu in marg. uolitiua M; memoratiua *sed add. in marg.* et amatiua R;
memoratiua et amatiua M₁Z; *add. alia manu sup. lin.* uolitiua Z

Et propter hoc sermocinans debet inquirere uirtutes et pec-
100 cata in supra dictis potentiis, ob hoc ut det notitiam populo,
quae sunt uiae uirtutum et uitiorum.

8. De quattuor causis generalibus.

| Quattuor sunt causae generales, per quas stat omne, quod T 1ᵛ
est. Quae sunt istae: Efficiens, id est factor, forma, materia et
105 finis.
De his quattuor causis potest praedicare sermocinator populo,
et monstrare, quis est, qui facit uirtutem uel peccatum; et
modum, per quem uirtus stat forma ad faciendum bonum et ad |
destruendum peccata; et per quid stat materia, a qua eggre- M 3ʳ
110 diuntur uirtutes et peccata; et quare uirtutes se habent ad
finem; et per quid creaturae creantur; et per quid peccata sunt
contra illum finem.
Declaratis his quattuor causis, in sermone erit magna doctrina populo pro cognoscendo et amando uirtutes, et pro co-
115 gnoscendo et abhorrendo peccata.

9. De fortuna.

Fortuna est genus, habens duas species. Quae sunt: Bona
fortuna et mala fortuna. Per bonam fortunam euenit bonum; et
per malam fortunam euenit malum; et hoc extra imaginationem
120 et intelligere, amare et recolere.
Et propter hoc dicitur fortuna, quae euenit homini, qui non
imaginatur, nec intelligit, nec amat, nec recolit malum uel
bonum, quod sibi euenit. Et propter hoc dicitur fortuna, quae
euenit sine aliquo, quo aduentu homo non lucratur uirtutes nec
125 committit peccata; cum sit, quod uirtutes et peccata nequeant
esse nisi per imaginari, intelligere, amare et recolere.
Cum uadis per uiam intentione alicuius boni uel alicuius mali,
si inuenias in uia thesaurum, quem non imaginabaris, nec intelli-
gebas, neque amabas, nec recolebas, antequam eum inuenires,
130 propter hoc illud inuenire est tibi bona fortuna. Et si obuiares

---

102 De – generalibus] *om. sed add. alia manu T*   **104** id est] *om. M₁; om. sed
add. alia manu sup. lin. Z*   **109** quid] quem *M₁Z*   a qua] aqua *R M₁*   **111**
quid¹] quem *M₁Z*   quid²] *add. alia manu sup. lin.* quem *Z*   **116** De fortuna]
om. sed add. alia manu T   **119** hoc] *add.* erit *M₁Z*   extra] *om. sed alia manu
add. sup. lin.* praeter *M₁; corr. alia manu ex* praeter *Z*   imaginationem] *corr. alia
manu in* imaginari *M₁;* imaginari *Z; cat.* ymaginar   **120** et¹] *alia manu del. M₁;
om. Z; om. cat.*   intelligere] *add. et T*   **123** sibi] *om. M₁; om. sed alia manu add.
sup. lin. Z*   **124** sine – aduentu] *cat.* sens que per aquel aveniment   quo]
coni.; om. omnes codd.   **126** per] *om. MR; om. sed alia manu add. sup. lin. M₁*
   imaginari] *corr. alia manu ex* imaginati *M₁*   et] ac *T*   **128** quem] quod
M₁; corr. alia manu ex quod *Z*   **129** neque] nec *Z*   nec] neque *Z*   **130** est
– fortuna] est, et bona fortuna est *M₁Z*   tibi] *corr. alia manu ex* et *Z*

alicui leoni, qui te occideret, quem non imaginabaris, nec intelli-
gebas, neque amabas, nec abhorrebas, nec recolebas, antequam
ei obuiares, illud ob | uiare est tibi mala fortuna; et una aliarum   R 2ʳ
rerum similium istis, quae tibi possunt euenire.

135   Secundum quod dedimus scientiam de fortuna, potest sermocinator praedicare populo; qui potest habere scientiam de fortuna, et potest se excusare contra peccatum, et non gaubare,
quod lucratus fuit uirtutes. Et talis scientia est multum utilis
sciri ab illis, qui id, quod faciunt, faciunt ad fortunam.

140   10. De liberalibus artibus et mechanicis.

Liberales artes sunt septem; artes mechanicae multae sunt.
Artes liberales sunt: (1) Grammatica, (2) Dialectica, (3) Rhetorica, (4) Musica, (5) Arithmetica, (6) Geometria et (7) Astrologia.
Artes mechanicae sunt: Militia, mercimonia, rusticitas, car-
145   pentatio, sartoria, scribania, et sic de ceteris. Per has artes, quae
possunt sentiri et imaginatione apprehendi, potest sermocinator
cognoscere artes, quae possunt intelligi, ad acquirendum uirtutes et destruendum peccata. Et propter hoc, qui praedicat,
debet colligere et accipere similitudines de artibus, et debet eas
150   applicare proposito, quod exstat finis et complementum sermo-
cinandi. Et sic per modum, quem ipse accipiet et monstrabit
populo, per illum eundem modum populus habebit notitiam de
uirtutibus et peccatis.
Diximus de subiecto generali, quod exstat materia sermocina-
155   tori, quomodo possit facere multos sermones et magnae utilita-
tis suo | populo artificialiter.   M 3ᵛ

II. De thematibus sermonvm.

Cuicumque sermoni applicatur thema sanctae Scripturae. Et

---

131 occideret] occidet M_1 quem] quod M_1; *corr. alia manu ex* quod Z
132 abhorrebas – recolebas] recolebas nec abhorrebas T 135 Secundum]
sciendum M; *corr. ex* sciendum R quod] *add.* tibi R; quam tibi M_1; *corr. alia
manu ex* quam tibi Z 137 gaubare] laudare M_1Z; *add. in marg. alia manu* gaubare
Z; *cat.* gaubar-se = laudari   138 uirtutes] intellectus M_1; *om. sed add. alia manu
sup. lin.* Z Et] *corr. alia manu ex* est M_1 scientia] forma M_1Z; *add. sup. lin.
alia manu* scientia, sententia Z est] *corr. alia manu ex* et M_1 144 mercimonia]
corr. alia manu ex incimonia M_1 144/145 carpentatio] carpentaria M_1Z 145
scribania] stribonia M_1Z; *add. alia manu sup. lin.* scribania Z; *add. cat.* pelasseria
152 populus] principalis, *sed signo not. quod aliquid deficit* M_1; *corr. alia manu ex*
principalis Z 155/156 magnae utilitatis] magnas utilitates M_1Z 157 De
– sermonum] *om. sed add. alia manu* T 158 applicatur] *om. sed add. sup. lin.* M_1;
om. sed signo not. quod aliquid deficit R; *om.* MT thema] *add. alia manu* fit T
sanctae] *corr. alia manu ex* sacrae Z

propter hoc nos intendimus facere themata de generali prae-
160 cepto, quod Deus fecit per Moysen, uidelicet quando dixit (Deut.
6, 5): *Dilige dominum Deum tuum toto corde tuo, et tota anima
tua, et tota mente tua ac totis uiribus tuis.* Et praeceptum istud
est generale omnibus praeceptis particularibus. Et hac de causa
de isto mandato intendimus accipere et colligere themata libri
165 huius.

Sermonibus, contentis in hoc libro, possunt applicari omnes
alii sermones et themata, quae sunt a sancta Scriptura collecta
et habita. Et hoc potest facere sermocinator hac de causa, quia
liber iste habet subiectum generale, quod superius diximus. Et
170 adhuc: Quod in quocumque sermone et themate huius libri,
exstat Deus subiectum; qui est subiectum generale ad habendas
cunctas uirtutes et destruenda cuncta uitia.

III. DE DIVISIONE HVIVS LIBRI.

Diuiditur liber iste in quinque distinctiones.
175 Prima est de octo uirtutibus. Quae hae sunt: (1)Iustitia, (2)
prudentia, (3) fortitudo animi, (4) temperantia, (5) fides, (6)
spes, (7) caritas et (8) sapientia.

Secunda distinctio est de octo peccatis mortalibus. Quae sunt
ista: (1) Auaritia, (2) glotonia, (3) luxuria, (4)superbia, (5) acci-
180 dia, (6) inuidia, (7) ira et (8) mendacium.

Tertia distinctio est de uirtutibus compositis.

Quarta distinctio est de peccatis compositis.

Quinta distinctio est de uirtutibus et peccatis composita.

De his quinque distinctionibus sunt composita centum trigin-
185 ta sex capitula, quae sunt sermones. Tamen sermocinator poterit ad libitum componere unum sermonem uel duos uel plura
capitula.

Et per hoc monstratum est, quomodo materia huius libri est
multum magna ad faciendum sermones magnos uel paruos et

---

160 quando] quod M_1Z **161** Dilige] *corr. alia manu in* diliges Z tuum]
add. sup. lin. ex M_1; *add. ex* Z **164** accipere] applicare M_1Z; *add. sup. lin. alia
manu* accipere Z **164/165** libri huius] huius libri RM_1Z **167** alii – themata]
cat. sermons   **167/168** quae – habita] *correxi*; qui sunt a sancta Scriptura collecti
et habiti $MTRM_1Z$ **171** habendas] *om. cat.*   **173** De – libri] *om. sed alia
manu add.* De diuisione operis T **175** hae] haec M_1; *corr. alia manu ex* haec Z
178 octo] *corr. in* septem R; septem M_1; *corr. alia manu ex* septem Z **179**
glotonia] *om. sed add. sup. lin.* gula M_1; *corr. alia manu ex* gula Z **179/180** accidia]
accedia M_1Z **184/185** triginta sex] octo $MTRM_1Z$ **185/186** poterit] potest
M_1; *corr. alia manu ex* potest Z **188** per] propter T est²] *corr. alia manu in*
sit Z **189** magna] *corr. alia manu in* diffusa Z faciendum] faciendos M_1;
corr. alia manu ex faciendos Z paruos] plurimos M_1; *corr. alia manu ex* plurimos
Z

190 multos. Et adhuc: Quod homo subtilis poterit sibi ipsi praedicare cum hoc libro artificialiter; cum sit hoc, quod liber iste sit
Ars praedicandi.

I

De prima distinctione
[De octo uirtutibus]

I.1. De ivstitia [b]

[Sermo I]

5   In principio sermonis deprecemur Deum, quatenus det nobis
gratiam, quomodo faciamus et audiamus sermonem per iusti-
tiam. Et post sermonem | faciamus et reddamus gratias Deo per   R 2ᵛ
iustitiam, quae sit a nobis et per nos diu dilecta, intellecta et
memorata. Et per talem modum intendimus procedere in aliis
10 sermonibus.
In principio sermonis dicemus thema, quod est istud: Quia
Deus iustus | est, iustitiam habeas.   T 2ʳ
Definitio iustitiae est ista: Iustitia est habitus, per quem
homo iustus facit iusta opera. Per hanc definitionem potest
15 cognosci, quid sit iustitia; cum sit hoc, quod definitio et defini-
tum sint unum et idem.
Iustitia habet duas species; et ipsa est genus. Prima est de
aequis mensuris. Secuna est de proportionatis mensuris.
Illa, quae est de aequis mensuris, est ista: Si tu mutuasti mihi
20 centum | solidos, debeo restituere tibi centum solidos.   M 4ʳ
Iustitia proportionata de partibus est ista: Tuum ualet mille

---

190 poterit] possit M_1; *corr. alia manu ex* possit Z   **191** sit hoc] scit [*corr.*
alia manu ex sit] homo M_1; scit homo Z, *sed alia manu del. et add. sup. lin. et denuo
del.* sit hoc Z   **192** praedicandi] *add. in marg.* Hic liber est Ars praedicandi Z

I, **1** De – distinctione] *om. sed alia manu add.* De modo procedendi T; Pars
prima de uirtutibus L_7 **3** De iustitia] L_7; iustitiae $M R M_1 Z$; *om.* T   **5/16**
In – idem] *om.* L_7 **5/11** In – istud] *om. cat.*   **5** quatenus] quantum M_1; *corr.*
alia manu ex quantum Z   **7** post] per M_1; *corr. alia manu ex* per Z   **8** diu]
om. M_1; *om. sed sup. lin. alia manu add.* Z   **9** memorata] *add. in marg.* diu M_1;
add. diu Z   **12** habeas] habens M_1; *corr. alia manu ex* habens Z   **15** hoc] *om.*
T   **17** Iustitia – species] Duae sunt species iustitiae L_7 ipsa] prima $M_1 Z$
et – genus] *om.* L_7 **17/18** Prima – mensuris²] Quarum prima dicitur de
aequo. Secunda de proportione L_7 **19** mihi] in M_1; *corr. alia manu ex* in Z
20 debeo – solidos] *om. sed add. in marg.* debeo restituere centum solidos M_1
debeo] *corr. ex* debes Z   tibi] *om.* M_1; *om. sed add. sup. lin.* Z   **19/20** Illa
– solidos²] *om.* L_7 **21/24** Iustitia – centum] *om.* L_7

libras, et meum ualet centum libras. Igitur in facienda missione
in communem ciuitatis iustum est, quod soluas pro mille libris,
et ego pro centum.

25   1.1. De prima specie iustitiae.

Quaedam mulier uendit suum linum ad pensum pro centum
solidis, sic ut soluas ei centum solidos de bona moneta. Venditio
et emptio sunt materia iustitiae; et iustitia est forma, quae
nascitur in anima per iustum intelligere, amare et recolere. Et si
30 tu soluas sibi centum solidos de falsa moneta, falsitas, quam
facis, est in materià iniustitiae. Et iniuria est forma deformata,
cum qua deformas tuum intelligere, amare et recolere. Igitur
per hoc potes cognoscere, quid est iniustitia et quid iustitia; et
quomodo aequaliter sunt contrariae, existendo iustitia uirtus, et
35 iniuria peccatum.

Deus tibi dat totum te ipsum, in quantum tibi dat omnia
tua bona naturalia; et tibi dat omnia bona terrena, scilicet
denarios, uineas, campos; et sic de aliis rebus. Id, quod Deus tibi
dat, tibi dat de gratia; et si tu das omnia bona tua naturalia ad
40 seruiendum Deo, et similiter omnia bona terrena, quae possides,
tuum dare est materia iustitiae. Quae iustitia nascitur et moratur in tuo intelligere, amare et recolere, quae induuntur de
habitu, qui est iustitia. Et iustitia est forma, quae format
intelligere, amare et recolere. Quae iustitia mouetur ad finem,
45 hoc est ad Deum, qui tibi dedit totum te ipsum et omnia bona
tua terrena. Potes ergo cognoscere per haec uerba, quid est

22/23 in – ciuitatis] *cat.* en fermació de comunitat de ciutat   **22** missione]
cat. messió = expensae, sumptus   **23** quod] *om. T*   pro – libris] per mille
libras $M_1 Z$ **24** pro] per $M_1 Z$ **25** De – iustitiae] *om. M; om. sed alia manu
add.* Sermo de iustitia T; *om.* L_7; *cat.* Per mils a conexer justicia segons la primera
specia volem-ne dar cinc eximplis   **26** Quaedam mulier] quidam materialiter
M_1; *corr. alia manu ex* quidam materialiter Z; si quis L_7 uendit suum] uendat
tibi L_7 linum] lignum $M_1 Z L_7$ ad pensum] *om.* L_7 **26/27** pro – solidis]
per centum solidos M_1; *corr. alia manu ex* per centum solidos Z **28** iustitia]
iusta M_1; *corr. alia manu ex* iusta Z **29** intelligere – recolere] recolere, intelligere
et uelle L_7 **30** sibi] ei $M_1 Z L_7$ **31** in] *om. cat.*   est²] *corr. sup. lin. alia manu
in* et M_1; *corr. alia manu ex* et Z **32** intelligere – recolere] recolere, intelligere
et uelle L_7 Igitur] Ergo $M_1 Z$; *om.* L_7 **33** hoc] falsum M_1; *corr. alia manu
ex* falsum Z quid est – et¹] *om.* L_7 quid²] quae M_1; *corr. alia manu ex* quae
Z **34** quomodo] *add. et T*   contrariae] *om.* L_7 existendo] existente L_7
34/35 iustitia – peccatum] *coni. ex textu cat.*; iustitiam, uirtutem et iniuriam
peccatum $M T R M_1 Z$; iustitia uirtute et iniuria peccato L_7; *cat.* estant justicia
virtut e injuria pecat   **36** te] *del. Z*   **38** campos – rebus] *om.* L_7 **42**
intelligere – recolere] recolere, intelligere et uelle L_7 **42/43** induuntur –
habitu] induunt habitu L_7 **43** format] *add.* tuum L_7; *add. cat.* ton   **44**
intelligere – recolere] recolere, intelligere et uelle L_7 **45** et] *om.* M_1; *om. sed
alia manu add. sup. lin. Z*   **46** quid] quae M_1; *corr. alia manu ex* quae Z

iustitia, et ubi nascitur et ubi persistit. Et si tu uelis melius
iustitiam cognoscere, considera eius contrarium, hoc est iniuriam, quae est peccatum, et quae nascitur et stat habitus defor-
50 matus, qui deformat totum tuum intelligere, amare et recolere,
et adhuc imaginari.

   Si tu uelis esse totus tuus et non Dei, et sic similiter, quod
omnia bona tua terrena, quae possides, uis quod sint penitus tua
et non Dei penitus, tunc poteris cognoscere, quomodo committis
55 magnum peccatum, quo iudicio Dei ad magnum malum perpetuum iudicatus exstiteris.

   Cum uides quandam pulchram mulierem bonam, si tu eam
praediligis ratione suae pulchritudinis ad carnale delicium quam
causa suae bonitatis, tu facis iniuriam, quae nascitur et stat in
60 tua imaginatione, intelligere, amare et recolere. Quae iniuria est
forma deformata, quae deformat totum tuum imaginari, intelligere, amare et recolere; cum sit, quod bonitas in bona femina sit
maior et altior habitus, qui est spiritualis uestis, quam pulchritudo mulieris, quae est uestis et habitus corporalis. Potes igitur
65 in hoc casu cognoscere, quid est iniuria et quid iustitia.

   Quidam | homo interficit quendam alium hominem sine causa. R 3ʳ
Qui occidit, est homo. Qui occisus est, erat homo. Et si tu
iudices, quod, qui interficit, suspendatur, tu uteris iustitia in tuo
intelligere, amare et recolere ac imaginari. Habitum illum ne-

---

   47 ubi¹] quomodo, *corr. alia manu ex* uel M_1; *corr. alia manu ex* quomodo Z
et ubi²] uel M_1; *corr. alia manu ex* uel Z tu] *om.* L_7 **48** considera eius]
corr. alia manu ex considerare et M_1; considera suum L_7 hoc est] scilicet L_7
   49 et quae] *corr. alia manu in* ex quo M_1; *corr. alia manu ex* ex quo Z peccatum
– stat] *om.* L_7 et stat] *om.* M_1; *om. sed alia manu add. sup. lin.* Z **50/51** tuum
– adhuc] recolere, intelligere et uelle etiam L_7 **52** sic] *om.* L_7 quod] quid
M_1; *corr. alia manu ex* quid Z **53** bona – terrena] bona tua L_7; bona terrena
tua M_1; *corr. ex* bona terrena tua Z uis – sint] sint L_7; uis quae sunt M_1;
corr. alia manu ex uis quae sunt Z penitus] *om.* L_7; *om. cat.*   **54** penitus] *om.*
L_7; *om. cat.*   tunc poteris] tum potes, *corr. alia manu ex* tuum potens M_1; *corr.*
alia manu ex tum potens Z; *add. sup. lin.* est, *sed alia manu del.* M_1 quomodo]
quod M_1; *corr. alia manu ex* quod Z **55/56** quo iudicio – exstiteris] *om.* L_7
   56 exstiteris] exstitis M_1; *corr. alia manu ex* exstitis Z **57** quandam – bonam]
quandam mulierem pulchram bonam $M_1 Z$; aliquam bonam mulierem et pulchram
L_7 **58** quam] quae M_1; *add. sup. lin.* est M_1; *corr. ex* quae est Z **59** causa]
ratione L_7 **60** tua – recolere] tuo imaginari, recolere, etc. L_7 **60/62** Quae
– recolere] *om.* M_1; *om. sed add. alia manu in marg.* Z **60/61** est – quae] *om.* L_7
   61/62 intelligere – recolere] recolere etc. L_7 **62** cum] *add.* ita L_7 **63**
qui] quia L_7 quam] quae M_1; *corr. alia manu ex* quae Z **64** quae] *del. alia*
manu M_1; *om. sed alia manu add. sup. lin.* Z **64/65** Potes – iustitia] *om.* L_7 **66**
quendam – hominem] quendam hominem $R M_1 Z$; alium L_7 **67** occisus est]
erat occisus L_7 Et] *om.* L_7 **68** quod] *add. sup. lin.* ille M_1; *add.* ille $Z L_7$
   interficit] interficiat M_1; *corr. alia manu ex* interficiat Z; occidit L_7 **69**
intelligere – ac] recolere, intelligere et uelle et etiam L_7 **69/70** illum nequis]
non potes L_7

70 quis habere, quin sit habitus atque uestis | spiritualis tui intelli- M 4ᵛ
gere, amare, recolere et imaginari. Et si tu uelis inquirere, ubi
moretur iustitia, inquire eam in tuo intelligere, amare et recolere et imaginari, et ibi eam inuenies et nosces. Si tibi, antequam
facias dictum hominem suspendi, factae fuerint preces, uel dati
75 uel promissi denarii, quod non iudices hominem illum ad mortem, et consentis, non recordaris praecepti facti dicentis (Ex.
20,13; Deut. 5,17): *Non occidas.* Et si recorderis et intelligas, et
non diligas illud praeceptum, non es oboediens. Et nascitur et
stat iniuria in tuo intelligere, amare, recolere et imaginari, cum
80 qua tu te ipsum occidis spiritualiter.

Si tu odores rosam, tu non potes cogere tuum odoratum,
quod odoret malum odorem; cum sit, quod rosa det bonum
odorem naturaliter. Et si tu odores in latrinis, tu non poteris
cogere nasum tuum, quod odoret placentem odorem et non
85 foetorem. Similiter non poteris cogere, quod sis iustus per iustitiam per tuum imaginari, intelligere, amare et recolere, si sis
iniuriosus per iniuriam. Et hoc idem per contrarium potes
cognoscere, quomodo aequaliter contraria naturalia, quae exstant per bonum et malum odorem, unum non possit transpor-
90 tari in alterum, quod iustitia et iniuria nequeant transportari
unam in alteram.

Igitur tu peccator, intendas mihi bene, quod tu, existens
iniuriosus per tuum imaginari, intelligere, amare et recolere,

---

70 quin] qui M_1; *corr. alia manu ex* qui Z **70/71** intelligere – recolere]
recolere, intelligere, uelle L_7 **71/73** Et – nosces] *om.* L_7 **73** nosces] cognosces
$M_1 Z$ **73/74** Si tibi – fuerint] Et si antequam facias suspendi dictum hominem,
fuerint tibi factae L_7 **74** facias] facis M_1; *corr. alia manu ex* facis Z factae
fuerint] factae sunt, *corr. alia manu ex* finitae sunt M_1; factae fuerunt, *corr. alia
manu ex* factae sunt Z **75** quod] ut L_7 hominem] *om.* L_7 **76** et] uel M_1;
corr. alia manu ex uel Z facti] sancti $M_1 L_7 Z$; *add. del. sup. lin.* facti Z **77**
occidas] occides L_7 si] sic M_1; *corr. alia manu ex* sic Z recorderis] recordaris
L_7 **78** Et] *om.* M_1; *om. sed alia manu add. sup. lin.* Z **79** intelligere – imaginari]
recolere, uelle, imaginari et intelligere L_7 **81** Si – odores] Cum odoras T
tu²] *del.* Z; *om.* L_7 cogere] *coni.*; cognoscere $M T R M_1 Z L_7$ **82** quod¹]
om. L_7 odoret] odorat T odorem] *recte transt.* L_7; odoratum $M T R M_1 Z$;
cat. odor   cum] *add.* ita L_7 **83** naturaliter] ulterius M_1; *corr. alia manu ex*
ulterius Z tu¹] *om.* L_7 odores] odoras T latrinis] labiis M_1; *corr. alia
manu ex* labiis Z tu – poteris] non potes L_7 **84** cogere] *coni. ex cat.* forçar;
cognoscere $M T R M_1 Z L_7$ nasum – quod] quod nasus tuus L_7 odoret]
odorat T **85** cogere] *coni. ex cat.* forçar; cognoscere $M T R M_1 Z L_7$ sis] sit
M_1; *corr. alia manu ex* sit Z **86** per – recolere] in tuo imaginari, recolere, etc.
L_7 **88** quomodo] nam L_7 contraria naturalia] naturalia contraria L_7;
communia naturalia M_1; *corr. alia manu ex* communia naturalia Z **89** possit]
possint M_1; potest L_7 **90** in alterum] ad inuicem L_7 **90/91** quod – alteram]
om. L_7 **91** unam – alteram] *coni. ex textu cat.* la una en l'altre; unum in alterum
$M T R M_1 Z$ **92** mihi] me T **93** intelligere – recolere] recolere etc. L_7

ualeas Deum cogere ad praestandum tibi paradisum, et quod
95 uelit tibi parcere omnia peccata tua. Hoc idem dico tibi homini
iusto, qui cum iustitia stas iustus per tuum imaginari, intelligere, amare et recolere cum contritione, confessione et satisfactione, quod Deum possis cogere ad te damnandum. Videas
igitur, tu, qui es iustus, et tu, qui es iniustus, quomodo uno et
100 eodem tempore non potes exspectare saluationem et damnationem. Igitur, tu homo, qui odoras rosam, fuge latrinas, si uelis
placenter rosam odorare.

Dedimus quinque exempla de iustitia, quae exstat forma per
aequale pensum. Per quae quidem exempla potest cognosci,
105 quid est iustitia; et hoc idem de iniuria. Et secundum quod per
dicta exempla dedimus | scientiam de cognoscenda iustitia et T 2ᵛ
cognoscenda iniuria, potest sermocinator de ipsis notitiam dare
uel per alia exempla habita et collecta a subiecto huius libri.

1.2. De proportionata iustitia.

110   Tu das unam alapam alicui rustico, et aliam alicui militi, et
aliam regi, tu debes magis tristari et contritionem habere de
iniuria, quam commississti contra militem, quam de ea, quam
commississti contra rusticum; et magis de ea, quam commississti
contra regem, quam de ea, quam commississti contra militem. Et
115 hoc est, quia magis honoratus est miles, quam rusticus; et rex
magis, quam miles. Et propter hoc si tu te plus submittis ad
faciendam maiorem satisfactionem pro poenitendo, flendo, su-
spirando, rogare et misericordiam clamare, potes cognoscere per
tuum imaginari, | intelligere, amare et recolere, quod in te est M 5ʳ
120 iustitia.

---

94 ualeas] non potes L_7 Deum cogere] cogere Deum L_7 praestandum
tibi] dandum tibi L_7 94/95 quod uelit] ad uolendum L_7 95 parcere]
remittere M_1; remittere, sed add. sup. lin. parcere Z   95/96 homini iusto] homo
iuste L_7 96/97 imaginari – recolere] imaginari, recolere etc. L_7 97 contritione,
confessione] confessione, contritione $R M_1$; corr. alia manu ex confessione, contritione Z   contritione] corr. alia manu ex contestatione M_1 98 Deum add. non
L_7 99 et tu – iniustus] om. sed alia manu add. in marg. sup. Z   99/100 et
eodem] eodemque L_7 100/101 saluationem – damnationem] saluatorem et
damnatorem M_1; corr. alia manu ex saluatorem et damnatorem Z   101 homo]
om. L_7 latrinas] laternitas T; lacunas, corr. alia manu ex lacrimas M_1; corr. alia
manu ex lacunas Z   102 placenter] placentem M_1 Z   103/104 Dedimus –
pensum] om. L_7 103 quinque] quoque M_1; corr. alia manu ex quoque Z   104
Per – cognosci] Per praedicta potes cognoscere L_7 105 iustitia] add. per
aequale siue de aequo L_7 et hoc – iniuria] om. L_7 quod per] om. M_1; om.
sed alia manu add. sup. lin. Z   105/108 Et – libri] om. L_7 106 dicta] praedicta
T   107 de ipsis] deinceps M_1; corr. alia manu ex deinceps Z   109 De –
iustitia] om. sed alia manu add. Sermo de iustitia T; Nunc dicemus de iustitia
proportionata siue de proportione L_7; cat. Ara direm de justicia, que esta per
la segona especia, que es de proporcionades parts

Et si facias contrarium, poteris cognoscere, quod in te exstat iniuria per tuum imaginari, intelligere, amare et recolere, deformata per tuam iniuriam, quae corrumpit et deformat ea. Vnde cum hoc ita, si per iustitiam tu intelligis, quod si agis iniuriam
125 contra | Deum, peccas contra infinitum, aeternum honorem et R 3ᵛ
iustitiam, qui est Deus, qui te puniet ad poenas aeternas; et tam magnas, quas referre, cogitare nec scribere nullus posset; quia qui offendit bonum aeternum, iustum est, quod habeat malum aeternum.
130   Dominus debet diligere seruientem sibi, et non eum debet timere. Et seruiens debet dominum suum timere et diligere. Et secundum hoc potes cognoscere iustitiam in domino et seruiente, quae in eis inhabitat per iustum imaginari, intelligere et amare et recolere. Et si uelis cognoscere iniuriam, considera,
135 quod si dominus diligat et timeat suum seruientem, et seruiens diligat et timeat dominum eius, poteris cognoscere, quod iniuria inhabitat in domino, qui deformat iustitiam, et quod in seruiente inhabitat iustitia, ob hoc quia induitur de ueste spirituali, quae est iustitia, suum imaginari, intelligere, amare et recolere.
140 Et si seruiens diligat dominum suum, et eum non timeat, poteris cognoscere, quod in eo est iniuria, quae deformat suum amorem.
Considera quid sit matrimonium per iustitiam, quae informat illud in his, qui imaginantur, intelligunt, amant et recolunt finem, per quem est matrimonium, uidelicet quod maritus et
145 uxor cum ordinato imaginari, intelligere, amare et recolere habeant copulam carnalem, ob hoc ut procreent infantes absque peccato; et quod illos nutriant ad seruiendum Deo. Et si talis ordo praediligitur a marito quam ab uxore, illud praediligere erit tibi signum iustitiae proportionatae; cum ita sit, quod homo
150 sit nobilius et fortius naturatus, quam mulier. Et si sit contrarium, poteris cognoscere, quod perfectius inest iustitia in muliere, quam in homine. Et si ambo sint inordinati in matrimonio per luxuriam, poteris cognoscere, quod maior iniuria inhabitat in homine, quam in muliere, eius uxore.
155   Si tu scutifer, qui scindis altilem in mensa domini et dominae tui, et ibi sunt filii uel affines uel non affines, debes considerare secundum iustitiam, in quo exstat uel inest maior honor eorum, qui sedent ad mensam, et debes proportionate impendere meliores partes altilis ei, cui maior incumbit honor. Et si
160 hoc facias, poteris cognoscere, quod in te est iustitia et certitudo. Et si contrarium facias, poteris cognoscere, quod in te est

---

122 intelligere] *add. et* R M₁ Z   **124** ita] *coni.*; *om. codd. omnes*   per –
iniuriam] *coni. ex textu cat.; om. codd. omnes*   **126** tam] *coni. ex textu cat.*; *om. omnes*
codd.   **132/133** seruiente] seruientem R M₁; *corr. alia manu ex* seruientem Z
133 et] *om.* R M₁ Z   **156** tui] tuae R M₁ Z   **158** proportionate] proportionare
M R; proportionare ac T   **160/161** certitudo] rectitudo M₁; *corr. ex* incertitudo
sed add. alia manu sup. lin. certitudo Z

iniuria et incertitudo. Et cum hoc ita sit, tu homo considera,
quod des Deo per suum amorem et uenerationem meliores
partes, quae in te sint, et tibi ipsi minores. Et si hoc facias,
165 cognosces in te iustitiam; et si contrarium facias, nosces, quod
in te est iniuria, et quod nescis partiri altilem nec tuum intelligere, amare et recolere et imaginari. Per quod poteris cognos-
cere illam magnam poenam, quam te oportebit | sustinere.   M 5ᵛ

Si tu homo diues satisfacis plus de tuo intelligere, amare et
170 recolere et imaginari, iustitiae, quam bene comedere, bibere,
induere et delectari, poteris cognoscere, quod in te est iustitia,
quam in te cognosces; sicut in domo alba, in qua cognosces
albedinem, quia est alba per albedinem. Et si facias contrarium,
cognoscere poteris, quod in te iniuria permanet. Et hoc est ideo,
175 quia multum melius est intelligere, amare et recolere ac imaginari in iustitia, et per iustitiam, et cum iustitia, quam in bibere,
comedere et delectari. Et scis quare? Quia multum praeualet
magis anima tua, quam corpus; et melius potes impendere
seruitium cum anima, quam cum corpore.

180   Cum praelatus et princeps electi sint ad essendum iudices et
ad essendum iniuriae inimicos, multum obligantur | ad dandum R 4ʳ
exemplum de semet ipsis populo, quod in ipsis iustitia sit, et
quod sint iniuriae inimici. Quod nisi fecerint, magnae ac perpetuae sunt poenae, quas exspectant.

185   Iudaei sunt homines grossi intellectus, quia non uescuntur
artibus liberalibus, nec eas sciunt. Et propter hoc, quando quis
cum eis loquitur, subtiliter disputando de fide, de septem sacramentis et decem praeceptis, id, quod eis dicitur non intelligunt.
Et ob hoc praelati et principes debent per iustitiam ordinare,
190 quod praedicetur Iudaeis, qui eis submissi sunt, istud capitulum
et alia, ut assuescant ad essendum subtiles. Per quam subtilitatem queant intelligere et percipere rationes, quae eis possunt
probari de fide nostra per diuinas dignitates; cum quibus possunt probari sacramenta et articuli, decem praecepta spirituali-
195 ter. Et si hoc praelati et principes non faciant, contra iustitiam
et caritatem sunt pigri et negligentes, et non ualebunt Deum
cogere nec decipere in generali ac ultimo iudicio.

Ostendimus modum, per quem iustitia exstat proportionata
et cognita. Per quam proportionem est quid rationabile, quod
200 diligatur, intelligatur ac recolatur. Ostendimus etiam per exem-
pla supra dicta | locos, in quibus iustitia nascitur et exstat; et T 3ʳ
ubi possunt crescere uel augmentari uel diminui eius opera, et

---

162 incertitudo] inrectitudo M_1; *corr. alia manu in* incertitudo Z cum hoc]
hoc cum $R M_1$; *corr. alia manu ex* hoc cum Z **167** et¹] *om.* $R M_1 Z$ **175**
intelligere] *recte coni.* Z; *corr. alia manu ex* intendere M_1; intendere $M T R$ **180**
ad] T; sicut $M R M_1$; *add. alia manu sup. lin.* ad M_1; sicut ad Z **181** ad¹] *coni.*;
om. omnes codd.   **201** locos] loca $R M_1$; *corr. alia manu ex* loca Z

etiam ea uiuere uel mori. Et hoc idem de iniuria, quae est eius
contrarium. Igitur sicut per decem exempla supra dicta eam
205 ostendimus, sic sermocinator, sciens hanc scientiam, potest eam
populo monstrare per multa alia exempla, collecta et contenta
in subiecto scientiae huius.

In fine sermonis deprecemur Deum, quatenus det nobis gratiam, per quam diligamus iustitiam et abhorreamus iniuriam, ob
210 hoc ut iuste recolamus, intelligamus et amemus Deum in operibus nostris.

I.2. De prvdentia [c]

[Sermo II]

Quia Deus diligit in te prudentiam, prudentiam habeas.
In principio sermonis deprecemur Deum, quatenus det nobis
5 prudentiam in his locis, ubi eam praebere potest, et nos eam
recipere ualeamus. Qui loci sunt intelligere, amare et recolere;
cum ita sit, eam in aliis locis non posse persistere neque nasci.

Prudentia est habitus, | cum quo praeuidentur bona et mala, M 6ʳ
quae euenire possunt. Et ipsa exstat forma ac instrumentum ad
10 faciendum bonum et ad uitandum malum. Et propter hoc potest dici, quod prudentia habet duas species; quarum una iuuat
hominem ad faciendum bonum, reliqua ad destruendum malum.

Prudentia ad faciendum bonum facit hominem considerare,
quod de duobus bonis, altero magno, altero paruo, de quibus
15 non possit nisi unicum haberi, consulit prudentia, quod accipiatur primitus maius bonum, quam minus. Et quia accipit maius
bonum, minus dimittendo, est habitu prudentiae indutum suum
intelligere, amare et recolere.

Similiter si de duobus malis, uno maiori et reliquo minori,
20 oportet unum accipere, et eligis primitus minus malum, quam
maius, poteris cognoscere, quod tuum intelligere, amare, et
recolere prudentia indutum est. Et per hoc poteris cognoscere,
quid est prudentia et ubi inhabitat. Et si contrarium facias,
noscere poteris, quod imprudentia est habitus tui intelligere,
25 amare et recolere; quae deformantur per imprudentiam; cum
quibus facis iniuriam atque peccatum et uadis damnatus esse in
igne spirituali, qui numquam moritur; in quo minime persistere

---

II, **8** et] *coni.*; *om. codd. omnes*   **10** bonum] *om.* $M M_1$; *om. et add. in marg.*
eadem manu T; *om. et add. in marg. alia manu* $R Z$ **11** iuuat] Z; *om. add. alia manu*
in marg. M_1; procu... $M R$; procurat T; *cat.* procura   **15** non possit] *om.* $R M_1$;
om. add. sup. lin. Z **16** primitus] prius R; plus M_1; *corr. ex* plus Z quia] qui
$T R M_1 Z$ **17** indutum] *corr. ex* indutus Z; indutus $M T R M_1$

potest bonum intelligere, amare nec bonum recolere, sed eorum
contrarium.

30 Prudentia tibi consulit, ut tibi caueas de fortuna. Quoniam
fortuna est materia, | per quam potest bonum uel malum eue- R 4ᵛ
nire. Et hoc est, quia ipsa minime uenit per intelligere, amare
nec recolere, sed casu boni uel infortunio mali. Vnde cum hoc ita
sit, potes perpendere, quod omnes illi habent prudentiam, qui
35 euitant fortunam boni et fortunam mali. Et omnes illi imprudentes sunt, in quibus aequaliter potest bona uel mala euenire
fortuna.

Si uelis cognoscere prudentiam, inquire eam, ubi eam reperire
potes, uel ubi poteris reperire imprudentiam, quae est eius
40 contrarium. Quoniam unum contrarium per aliud contrarium
nosci potest. Item si uelis prudentiam reperire uel cognoscere,
inquire eam cum iis rebus, quae sunt instrumenta, per quae et
cum quibus ipsa fit. Quae quidem instrumenta sunt: Visus,
auditus, odoratus, gustus, palpatus, locutio, et imaginatus. Cum
45 his omnibus potes prudentiam procurare et gignere et de ea
induere ac ornare tuum intelligere, amare et recolere. In his
omnibus tribus exstat prudentia forma; et materia, de qua
uiuit, est sentire et imaginari.

Praelatus est communis persona ad gubernandum et aedi-
50 ficandum ecclesiam, quae est fidelium christianorum forma, et
materia cuius sunt quattuordecim articuli, septem sacramenta,
decem praecepta et octo uirtutes principales supra dictae; quae
sunt uiae paradisi. Igitur si tu uelis cognoscere prudentiam,
inquire eam per sentire et imaginari in operibus per praelatum
55 factis. Et si inuenias, quod illa opera facta sint per finem, de quo
electus est praelatus, poteris cognoscere, quod prudentia exstat
in suo intelligere, amare et recolere; et si ita non est, poteris
cognoscere, quod in eo imprudentia | est.   M 6ᵛ

Princeps electus est ad tenendum iustitiam in populo suo.
60 Et propter hoc, si tu uelis cognoscere prudentiam cum tuo
sentire et imaginari in operibus, quae facit princeps, quae possunt sentiri et imaginatione apprehendi; cum eisdem poteris
cognoscere, si princeps se habet ad finem, per quem electus est,
et si sequitur illum finem cum operibus suis, quae exstant per
65 suum sentire et imaginari, poteris cognoscere et reperire prudentiam in suo intelligere, amare et recolere. Et si ita non est,
poteris ibi reperire imprudentiam, quae est eius contrarium.

Ille bonus mercator est, qui cum unico obolo, scit lucrari
denarium. Et ille malus mercator est, qui pro uno obolo uendit

---

38 inquire] inquirere M   48 est] *om.* T; et M₁; *del.* Z; *add. del. sup. lin.* et
in Z; *add. sup. lin.* est Z   52 dictae] *coni.*; decem M T R M₁ Z   54 inquire]
inquirere M   62 apprehendi] T; apprehensa M R; apprehensa *corr. ex* appre-
hensam M₁ Z   66 si] *om. et add. sup. lin.* R; *om.* M   69 malus] male M R M₁

70 denarium. Et propter hoc si tu uelis cognoscere prudentiam uel
imprudentiam cum tuo sentire et imaginari inquire eam in his
duobus mercatoribus. Et si ulterius uelis ascendere ad inquiren-
dum prudentiam uel imprudentiam per mercimoniam, considera quod in eo mercatore prudentia exstat, qui praediligit
75 intelligere, amare et recolere aliud saeculum, quam istud. Et si
hoc non faciat erit imprudentia in eo, quae est eius contrarium.

Sicut te docui inquirere prudentiam et imprudentiam per
exempla supra dicta, potes eas inquirere in medico et iurista; et
sic per omnia alia officia, quibus utuntur homines huius mundi.
80 Per tuum uisum, auditum et alios sensus, et per tuum imaginari inquire imprudentiam per hypocrisiam. Quae habet duas
species. Per unam appetit laudari per gentes, et habere uanam
gloriam pro ieiunando, pro uiles uestes induendo et pro frequenter in ecclesia permanere. Per hanc speciem uideas quomo-
85 do hypocrita suo intelligere, amare et recolere induit imprudentiam, per quam patitur laborem in hoc mundo, et habebit
perpetuam poenam in infer|no. Secunda species hypocrisiae est, T 3ᵛ
quod hypocrita fingit se ipsum fore hominem sanctae uitae, ob
hoc ut possit decipere homines et acquirere diuitias. Per talem
90 hominem potes cognoscere imprudentiam. Per contrarium poteris cognoscere prudentiam.

In fine sermonis deprecemur Deum, quatenus impendat nobis
gratiam, quod in operibus, quae operabimur, inquiramus prudentiam et imprudentiam per nostrum sentire, imaginari, rec-
95 olere, intelligere et amare; et quod amemus prudentiam et abhorreamus imprudentiam, quae est eius contrarium.

I.3. DE FORTITVDINE [D]

[SERMO III]

| Quoniam Deus fortis est, fortitudinem habeas.   R 5ʳ
In principio sermonis deprecemur Deum, quatenus det nobis
5 fortitudinem ad cognoscendum, amandum et recolendum fortitudinem animi.

Fortitudo est habitus, per quem humana uoluntas est fortis
ad acquirendum uirtutes et ad destruendum uitia et peccata per
amare.
10 Fortitudo habet duas species; per unam habet uirtutem ac-

---

71 et] *coni.*; *om. omnes codd.*   **77** Sicut] sic *M*   **81** imprudentiam] *coni. ex
textu cat.*; prudentiam *codd. omnes*   **83** pro ieiunando] *om.* $M_1 R$; *om. add. alia
manu in marg. sup. Z*   **84** permanere] *cat.* anar e estar   **85** hypocrita] *add. sup.
lin. in R*; *add.* in $M_1 Z$

III, **7/9** Fortitudo – amare] *coni. ex textu cat.*; *om. codd. omnes*   **10/11** uirtutem
acquirendi] *corr.*; uirtus acquirere $M T R M_1 Z$

quirendi uirtutes; et per reliquam habet uirtutem destruendi peccata.

Per uisum, auditum et alios sensus corporis, et per imaginatum exstant signa fortitudinis et signa debilitatis animi; quae
15 est suum contrarium. Et fortitudo exstat in anima, quae est suum regnum, per intelligere, amare et recolere.

Si tu uelis habere fortitudinem, in omnibus amabis Deum per suam fortitudinem suae bonitatis, magnitudinem, aeternitatem, | posse, et per alias suas dignitates. Et si daemon te uelit tentare M 7ʳ
20 per debilitatem animi ad faciendum aliquod peccatum, recurre ad amorem, quem habebis aduersus Deum per suam bonitatem, et alias dignitates, et uinces tentationem daemonis, ubi sentias aliquod bonum corporale; et ita nascetur in te fortitudo contra peccatum. Et si uelis augmentare fortitudinem, considera ma-
25 gnitudinem, quam Deus habet per suam bonitatem, et paucitatem, quae exstat tua in bonitate corporali, ad quam te tentat daemon, ob hoc ut in aliquo bono temporali tribuas assensum. Et si hoc facias in tuo intelligere, amare et recolere, fortitudinem gignes; et cum ea penitus debilitatem superabis, et fortitu-
30 dinem animi cognosces.

Fortitudo exstat per uim iuris, quod habes in bonis temporalibus, quae possides. Et si aliquis illa bona a te uelit auferre, cum fortitudine animi ea defendes. Et si bona, quae habes, possides iniuste, debilitatem animi patieris, tunc quando illam iniuriam
35 recoles, intelliges et amabis, quia conscientia debilitabit fortitudinem animae tuae et tui imaginari; et tuum peccatum leuiter poteris multiplicare.

Si diligas acquirere honorem et ualorem, et times dedecus et inhonorem, cum dilectione, quam habes, potes gignere et multi-
40 plicare fortitudinem animi in tuo intelligere et recolere, et eicere debilitatem animi.

Fortitudo animi exigit hominem fore rigidum et expertum. Debilitas uero animi exigit hominem fore pigrum. Et per hoc cum tuo uiso, auditu et aliis sensibus, et cum tuo imaginatu
45 potes in temet ipso et aliis hominibus inquirere rigiditatem et pigritiem; et ubi inuenies rigiditatem, poteris cognoscere fortitudinem animi; et ubi inuenies pigritiem, cognosces debilitatem animi.

Cum tuo sentire et imaginari inquire doctrinam in hominibus
50 et in te ipso; quod sentire habeas per uisum, auditum et alios sensus, et imagina id, quod sentis. Et si in te ipso doctrinam

---

11 uirtutem destruendi] *corr.*; uirtus destruere *M T R M₁Z*   **13** sensus] *add. et del.* per ordinem *R Z*; *add.* per ordinem *M₁*   **22** ubi] ut *R M₁ Z*   **26** tua] *coni. ex textu cat.*; *om. codd. omnes*   **35** debilitabit] *coni.*; debilitat *omnes codd.*   **42** rigidum et expertum] *cat.* ardit   **44** et²] *coni.*; *om. codd. omnes*   **50** in] *coni.*; *om. codd. omnes*   **51** imagina] *coni. ex textu cat.*; imaginare *M T*; imaginari *corr. ex* imaginare *R*; imaginari *M₁ Z*

inuenias, et in aliquo alio homine, secure potes stare, quod in
intelligere, amare et recolere exstat animi fortitudo, et in ipsis
nata est, nutrita et sustentata et in ipsis uiuit per habile
55 imaginari, loqui, uidere, audire, palpare et etiam per bibere et
comedere.

In operibus, quae operaberis aut quae operantur alii homines, potes inquirere signa, quae significant animi fortitudinem
uel debilitatem, quae est eius contrarium. Et illud inquirere
60 facias cum tuo uisu, auditu, et aliis sensibus, et etiam cum tuo
imaginari. Et si in ipsis cognoscere potes legalitatem, ueritatem, constantiam et amicitiam, misericordiam ac pietatem, poteris cognoscere, quod fortitudo exstat in anima per bonum et
magnum intelligere, amare et recolere; alias poteris cognoscere,
65 quod in intelligere, amare et recolere exstat animi debilitas,
cum qua mouet diabolus homines ad peccandum.

Si tu uerecunderis in faciendo malum, illa uerecundia est
signum, quod in te exstat animi fortitudo. Et si uerecunderis | in R 5ᵛ
faciendo bonum, illa uerecundia exstat signum, quod in te
70 exstat animi debilitas. Ecce igitur quomodo leuiter cognosces
cum uerecundia, si in te exstat | fortitudo animi uel suum M 7ᵛ
contrarium. Et sicut eas cognosces in temet ipso cum uerecundia, sic eas potes cognoscere cum uerecundia in aliis hominibus,
et etiam nosces, quae uerecundia est bona, et quae mala.
75 Si aliquis uellet tibi praebere unum denarium uel unum
florenum, tu non posses cogere tuum amare, quod praediligeres
capere denarium, quam florenum. Et hoc est, quia in floreno est
maius bonum, quam in denario, et bonum secundum quod est
maius, est fortius amandum. Attamen si ille, qui tibi uult dare
80 denarium, eum daret tibi pro seruire Deo, et tu caperes florenum et denarium dimitteres, cognoscere posses, quod in te non
esset animi fortitudo, immo induta est uoluntas tua debilitate
animi. Ergo per talia signa potes cognoscere fortitudinem animi
uel debilitatem
85 Tu debes Deo fore oboediens in omnibus, et maxime quia ipse
bonus est, quam ob hoc quia tibi impendit bonum. Et si talem
amorem inuenias in anima tua, habebis ibi bonum intelligere,
bonum amare et bonum recolere, et omnia tria habituata fortitudine animi; subtus quam cognosces, amabis et recoles tantum,
90 quod diabolus cum debilitate animi non poterit te inclinare ad
faciendum peccatum, quia fortitudo animi te tenebit firmum, et
etiam per bonitatem Dei adiu|tus eris.   T 4ʳ

---

53 in] *T*; *om. MRM₁Z*   **54** nata est] *T*; natat *MRM₁Z*   **57** aut] *coni.*
ex textu cat.; *et omnes codd.*   **63/64** fortitudo – magnum] *coni. ex textu cat.*;
prudentia exstat in *T*; *om. MRM₁Z*   **65** in] *T*; *om. MRM₁Z*   **76** tu] cum
RM₁; *corr. ex* cum *Z*   **79** est] *Z*; *corr. ex* et *M₁*; et *MTR*   **88** bonum amare]
coni.; *om. omnes codd. lat. et etiam cat.*   **88/89** omnia – fortitudine] *corr.*; omnes
tres habituatus fortitudinis *MTRM₁*

Per exempla supra dicta, potes cognoscere et inuenire fortitudinem animi et debilitatem animi. Et similiter per multa alia
95 exempla, si libro isto scias bene fungi. In fine sermonis deprecemur Deum, quod in nostro intelligere, amare et recolere habeamus animi fortitudinem pro uenerari eum et eidem seruire, et
pro peccata nostra delere.

I.4. DE TEMPERANTIA [E]

[SERMO IV]

Quia Deus diligit, te habere temperantiam, igitur habeas
temperantiam.
5   In principio sermonis deprecemur Deum, quatenus det nobis gratiam cognoscendi temperantiam et distemperantiam, et
quod diligamus temperantiam, et abhorreamus distemperantiam. Quia temperantia est uia, qua itur ad paradisum, et distemperantia est uia, qua itur in infernum.
10   Temperantia est habitus, per quem comeditur et bibitur temperate.
Temperantiae duae sunt species; una quarum exstat pro
comedere temperate, reliqua pro bibere temperate. Propter hoc,
quando quis habet has duas species temperatas, uiuit longiter et
15 sane.
Quando tu uis bibere et ponis in uino puro aquam, ob hoc ut
ex ambobus procrees temperatum, considera, quod ita facias
temperatum in tuo appetitu, quem habes magnum ad comedendum et bibendum, cum bonitate, quae est similitudo diuinae
20 bonitatis, et cum magnitudine, quae est similitudo diuinae magnitudinis, et cum duratione, quae est similitudo diuinae aeternitatis; et sic de aliis. Et si istud tu facias, temperantiam bonam, magnam et durabilem generabis in tuo intelligere, amare
et recolere, et in omnibus tribus eam permanere facies. Et
25 distemperantia in te non habebit posse.
Habeas temperantiam, ut habeas sanitatem, et ama sanita-
tem, ut cum tuo corpore, | quod erit sanum per temperantiam,   M 8ʳ
seruias Deo per sentire et imaginari.
Temperantia exigit, ut mensuretur a quocumque comedere
30 et bibere secundum formam digestionis naturalis sui corporis,
quae habet terminatum | posse in uegetando uictualia, quae quis   R 6ʳ
comedit. Et si istud facias, temperantiam possidebis, quia temperantiam intelliges, amabis et recoles.

IV, **8** qua] M_1; per MR; per quam T **12** pro] per TRM_1 **13** pro] per
RM_1 **26** ama] *coni. ex textu cat.*; *om. omnes codd.*   **29/30** comedere – bibere]
comedente et bibente T

Qualitates temperantiae sunt bonae, magnae et durabiles. Et
35 qualitates distemperantiae exstant per contrarium. Igitur quando sedebis ad mensam et comedes et bibes, qualitates temperantiae et distemperantiae recordaberis. Et ita uiuificabis tuum
intelligere, amare et recolere cum qualitatibus temperantiae,
sicut uiuificas corpus tuum cum qualitatibus comestionum tua-
40 rum. Et si contrarium facias, de distemperantia facies habitum
et uestem animae tuae; cum qua peccabis et in peccato mortali
permanebis.

Temperantia exigit se haberi in principio suae comestionis et
sui bibere continue usque ad finem tuae comestionis et bibitio-
45 nis. Et hoc est, quia temperantia est habitus, qui non potest
diuidi, quia uirtus spiritualis est, nata de spirituali intelligere,
amare et recolere; quae sunt opera animae rationalis, quae est
substantia spiritualis.

Quando comedes uel bibes, non comedas neque bibas subito,
50 ob hoc ut temperantiam ualeas acquirere. Quia per subito comedere uel bibere est impedita imaginatio ad imaginandum differentiam, quae est inter temperantiam et distemperantiam. Et
hoc idem sequitur de anima, quae impeditur ad cognoscendam
differentiam, quae est inter temperantiam et distemperantiam.
55 Loca, in quibus inhabitat temperantia, sunt intellectus, uoluntas et memoria. Et in his eisdem locis inhabitat distemperantia
potentialiter. Et quando tu comedis et bibis distemperate, eicis
temperantiam de locis supra dictis, mittendo ibidem distemperantiam. Et stat in illis locis temperantia potentialiter. Et per
60 hoc potes cognoscere, quod tu habes liberum arbitrium ad
acquirendum temperantiam et generandum distemperantiam.

Scis quare Deus diligit temperantiam? Ob hoc ut temperatum habeas intelligere, amare et recolere, cum quibus gignis
scientiam, uirtutes ac bona opera. Et si tu diligas distemperan-
65 tiam, tu uis, quod Deus non uult, et uis, quod ignores scientias et
facere bona opera. Et uoluntas tua est tamquam uoluntas animalis bruti et etiam peior.

Quoniam tu potes uidere, quod asinus nec alia bruta animalia
non comedunt neque bibunt nisi quantum natura eorum requi-
70 rit, igitur tu, qui possides distemperantiam, considera quomodo
fortiter exstas in graui transitu, quia per temperantiam, quam
amisisti pro prauis moribus, brutum animal te facis.

Si tu diligas temperantiam per totum illud tempus uel spatium, per quod ad mensam sedebis, quando de mensa surges,
75 temperantiae obuiabis in tua loquela, tuo auditu et etiam imaginatu, intellectu, amatu et memoratu; et reputaberis sapiens et
facetus ab omnibus illis, cum quibus loqueris. Et si temperan-

---

43 suae] sui *T*   **44** sui] tui *corr. ex* suum M_1 **60** potes] poteris $R M_1$
habes] habeas *R*

tiam in mensa amittas, cum distemperantia surges de mensa, et
eam | inuenies in tuo imaginari et loqui. Et hi, cum quibus M 8ᵛ
80 loqueris, eam in te cognoscent; quia per multum comedere et
bibere, loqueris stulte et facies te cognosci pro uili et incuriali.
Et si aliquem derideas, multo plus derisus eris.

Diximus de temperantia; et ostendimus | essentiam suam R 6ᵛ
atque modum. Et ob hoc in fine sermonis deprecemur Deum,
85 quatenus his horis et uicibus, quibus necessaria erit temperantia, imaginemur res, quibus eam inuenire ualeamus; et modum
et essentiam sui cognoscamus, diligamus atque recolamus; et
cum ea domino Deo nostro seruiamus et amemus.

I.5. DE FIDE [F]

[SERMO V]

Deus uult, te habere fidem, ut ex eo credas et intelligas
ueritatem.
5   Quare in principio sermonis deprecemur Deum, quatenus det
nobis gratiam cognoscendi fidem, quam dedit omnibus fidelibus
christianis.

Fides est uirtus, quam Deus dat humano intellectui, ob hoc ut
supra suis uiribus possit credere et intelligere ueritatem de ipso
10 et eius operibus.

Fides duas habet | species. Per unam creditur simpliciter. Per T 4ᵛ
reliquam creditur composite atque intelligitur.

Subiectum fidei sunt quattuordecim articuli supra dicti in
subiecto huius scientiae. Quos articulos homines, litteras igno-
15 rantes nec scientiam possidentes, nequeunt intelligere, quia non
sunt sensibiles nec imaginabiles. Quos articulos credunt sub
habitu fidei simpliciter.

Homines, qui sub fidei habitu credunt et intelligunt composite, supponunt per fidem, quod illi articuli sunt ueri; et illa
20 suppositio est lumen fidei; et consequentia, quam faciunt intelligendo decem dignitates Dei, in subiecto huius libri nominatas,
est lumen, per quod intellectus intelligit articulos fore ueros. Et

---

80 per] *om. et add. in marg.* M   **82** derisus] derisius *MR*   **86** res] rebus
R; corr. ex rebus *M₁*

V, **3** ut] et, *sed add. sup. lin.* ut *R*; et *M₁*   **6** quam dedit] *recte coni.* T; quam
MR; quae *M₁*   **7** christianis] *add. alia manu sup. lin.* est necessaria *M₁*   **8**
uirtus] *forsan* habitus; *cat.* habit   **9** possit] *recte coni.* T; *corr. ex* possint *M₁*;
possint *MR*   **11** habet] *del.* M   creditur] *add. et del.* spiritualiter *R; add.*
spiritualiter *M₁*   **19** quod] *coni.*; *om. MRM₁; om. et add. sup. lin.* T   **21**
nominatas] *correxi;* nominatae *MTR; om. M₁*

propter hoc de lumine fidei et lumine intellectus componunt
unum habitum compositum de credulitate et intelligere.

25   Humanus intellectus non credit, quod triangulus tres habeat
angulos. Et hoc est, quia per uisum habet experientiam. Neque
secundum naturam sentiendi et imaginandi non intelligeret,
quod mulier incorrupta, existens uirgo, ualeat parere. Sed per
lumen fidei ascendit sursum; et credit, quod Deus miraculose
30   potest cogere corpus ultra naturam, si illud cogere uelit; cum
sit, quod posse Dei et eius uoluntas habeant aequum posse
super corpus naturae. Et per hoc humanus intellectus intelligit,
quod incorrupta uirgo potest parere per posse Dei et per uelle
diuinae uoluntatis, quae sunt una et eadem essentia, una boni-
35   tas, una magnitudo, et aliae dignitates.

Te decet credere unum Deum esse et non multos. Et quod
essentia sua aeterna est ac infinita et simplex et non composita
neque diuisa. Hoc credis per lumen fidei, non lumine intellectus,
in quantum tu non potes sentire neque imaginari diuinam
40   essentiam, quae est spiritualis substantia, quae non potest sentiri nec imaginatu comprehendi. Et si tu ascendas altius lumine intelligendi et consideras, duas substantias infinitas diuersas
per essentiam minime posse esse, quoniam altera determinaret
aliam. Igitur noscere potes et intelligere | de necessitate, unum   M 9ʳ
45   Deum esse, et non multos.

Tu credis lumine fidei Deum Patrem, Deum Filium, Deum
Spiritum sanctum, qui sunt tres personae diuersae per tres
proprietates singulares, uidelicet paternitatem, filiationem et
passiuam spirationem. Et omnes tres personae sunt unus Deus,
50   et non multi. Hoc tu intelligere nequis natura sensus nec imaginatus; quia personae non sunt sensibiles nec imaginabiles. Et
si tu lumine intelligendi ascendas sursum adiutorio tamen lumi-
nis fidei, et consideras, quod si in Deo non esset proprietas |
paterna et filialis, et sic de Spiritu sancto, nulla diuinarum   R 7ʳ
55   dignitatum, in subiecto huius libri nominatarum, haberet in se
opus naturale, et esset uacua atque otiosa. Et quia nequis
intelligere, diuinam naturam in se fore otiosam neque uacuam
per suam unitatem, bonitatem et reliquas dignitates, potes
intelligere de necessitate per talem modum diuinam trinitatem,
60   hoc est, Deum Patrem, cui est proprietas, quod de tota sua
unitate, bonitate, et aliis, gignit Deum Filium, et quod ex
ambobus procedat Spiritus sanctus, ob hoc ut in diuina natura

24 credulitate] *recte coni. T*; *corr. ex* crudelitate M_1; crudelitate MR **27**
non] *om. T*   **30** illud] *correxi*; eum $MTRM_1$ **40/41** sentiri] *coni. ex textu cat.*;
diuidi $MTRM_1$ **43** minime] non T **44** aliam] *recte coni. T*; aliquam MRM_1
    49 spirationem] *correxi*; exspirationem $MTRM_1$ **51** non sunt] sunt non
T sunt] *om. et add. sup. lin.* M_1; *om.* MR **52/53** adiutorio – fidei] *del. cat.*
    55 huius libri] *cat.* d'esta sciencia   nominatarum] *recte coni. T*; *add. et del.*
non MM_1; *add.* non R **58** dignitates] *coni.*; *omnes codd.*

nulla sit otiositas neque uacuitas, et hoc per totam diuinam unitatem, bonitatem et reliquas dignitates.

65 Te decet credere, Deum creasse mundum de nihilo. Hoc tu minime intelligere potes per uisum, auditum neque per aliquem sensum, nec etiam per imaginatum, quoniam creatio nequit sentiri neque imaginatione apprehendi. Et si tu uelis sursum ascendere lumine intelligendi, considera, quod soli Deo competit
70 aeternitas, sicut sibi competit infinita unitas, bonitas, et reliquae dignitates. Potes igitur cognoscere de necessitate secundum suum competere, quod mundus de nihilo creatus est.

Te decet credere lumine fidei, cum sis christianus, Deum resuscitaturum fore omnes homines in die iudicii, quo die iudi-
75 cabit bonos ad perpetuam felicitatem et malos ad perpetuam poenam. Talem resurrectionem tu non uales sentire nec imaginari; quia non est sensibilis nec imaginatu apprehensibilis. Et si tu uelis sursum ascendere, considera, Deum fore iustum perfecte, et ob hoc debet iudicare illum hominem, qui in hoc
80 saeculo perpetrat bonum uel malum, non quod iudicet ad perpetuam gloriam uel poenam animam sine corpore, sed totum hominem, qui facit bonum uel malum. Potes igitur intelligere, secundum ueram et completam iustitiam Dei, quae est unum idem cum diuino posse, quod erit aeterna resurrectio illius
85 eiusdem hominis, qui in hac uita fecerit bonum uel malum.

Quia christianus es, te decet credere, quod Deus dabit perpetuam gloriam omnibus illis, qui moriuntur cum contritione, confessione et satisfactione. Talem gloriam potes cum lumine fidei credere, et non per sentire et imaginari scire, quia non
90 potes imaginatione apprehendi nec sentiri. Et si cum lumine intelligendi uis eam scire, ascende superius et considera illam magnam iustitiam, misericordiam et gratiam Dei, quae est infinita et aeterna per totam diuinam bonitatem, magnitudinem et alias. Et tunc cum lumine intellectus, lumine fidei illuminati,
95 intelliges, quod Deus dabit gloriam aeternam suis beatissimis amatoribus.

Incar|nationem Dei tu nequis sentire nec imaginari. Et ob hoc M 9ᵛ per sentire nec imaginari eam intelligere potes. Et potes eam credere per lumen fidei, si eam uelis amare et recolere. Et si
100 uelis sursum ascendere per intelligere, considera, quod Deo competit esse quid in superlatiuo gradu existens per suam unitatem, bonitatem et alias | dignitates. Hoc esse non potest, T 5ʳ quin habeat, quid causatum existens in superlatiuo gradu de

64 dignitates] *coni.*; *om. omnes codd.*   69 Deo] *coni.*; *om. omnes codd.*   70 aeternitas – competit] *om. R M₁*   80 non quod] quod non *R M₁*   86 quod] *coni.*; quia *M T R M₁*   94 lumine fidei] *coni. ex textu cat.*; *om. codd. omnes*   illuminati] *coni.*; luminati *R*; luminari *M T*; *om. M₁*   101 quid] quod *R*; *corr. sup. lin. in* quoddam *M₁*; *cat.* causa

unitate, bonitate et aliis. Quod causatum est Iesus Christus, in
105 quo congregantur in unitate personae supernus causans et su-
pernum causatum, ob hoc ut Deus satis|faciat suae competi-   R 7ᵛ
tioni. Ecce igitur quomodo potes credere et intelligere, Deum
fore incarnatum. Et hoc idem de consequentia, quae sequitur
per incarnationem, uidelicet Deum in humana natura, quam
110 sumpsit, fuisse crucificatum, descendisse ad inferos, resurrexis-
se, ascendisse ad caelos, et quod iudicabit bonos et malos.

Diximus de sancta fide catholica, et eam ostendimus per ea,
quae diximus. Quam tu non potes sentire nec imaginari in
operibus corporalibus imaginabilibus, quia penitus est habitus
115 spiritualis, et stat per credulitatem in intellectu, per amare et
recolere; et eius contrarium est incredulitas. ˙

Iste sermo de fide est difficilis ad intelligendum homini igno-
ranti scientiam. Attamen si sit subtilis intellectus et eum diligit
intelligere, eum intelligere poterit, si frequenter uult amare et
120 recolere sermonem. In fine sermonis deprecemur Deum, quatenus det nobis gratiam, quod frequenter sermonem ualeamus
intelligere, amare et recolere. Et si contra fidem nos daemon
tentare uoluerit, redeamus sermonem intelligere, amare et recolere, quia cum tali reditu tentationem uincere ualebimus et
125 superare.

I.6. DE SPE [G]

[SERMO VI]

Quoniam Deus diligit spem, spem habeas.

In principio sermonis deprecemur Deum, quatenus det nobis
5 spem in his locis, sine quibus non potes spes possideri. Quae
sunt: Virtuosum intelligere, amare et recolere.

Spes est habitus, cum quo exspectantur donum, adiutorium
atque ueniam ab illo, qui potest impendere adiutorium atque
parcere. Et ob hoc spes habet tres species. Quae sunt: Dare,
10 adiuuare et parcere.

Quia spes bona est, debes cum ipsa exspectare bonum donum,
adiutorium bonum atque bonam ueniam. Et quia spes est magna exigit, quod cum ea exspectetur magnum donum, adiutorium et ueniam. Et sic de aliis dignitatibus Dei, quae sunt
15 causae spei.

---

106 hoc] *recte coni. T*; *om. M R M₁*

VI, **5** sine] *om. et add. sup. lin. R*; *in M₁*   **9** hoc] *om. et add. alia manu in marg.*
M   **12** atque – ueniam] *coni. ex textu cat.*; *om. codd. omnes*

Spes est uirtus, et non potest nasci, stare nec crescere sine uirtuoso intelligere, amare et recolere. Et propter hoc, si uis spem habere, facias uirtuosum intelligere, amare et recolere.

20 Spes est nuntius, qui mittitur ad Deum, ob hoc ut de Deo portet dona, adiutoria et uenias.

Spem tu nequis ad Deum mittere, te existente uitioso. Decet igitur te fore uirtuosum, si eam mittere affectas. Et si tu uirtuosus es per tuum intelligere, amare et recolere, multo magis erit Deus uirtuosus ad te mittendum spem cum dare,
25 iuuare et parcere; cum ita sit, quod Deus sit uirtuosior te in dando, iuuando et parcendo. Potes igitur in Deo spem habere, quod ipse tibi dabit bona et magna | dona, et faciet tibi bona M 10ʳ et magna adiutoria, et parcet maximas culpas et magna peccata, si tu Deo spem mittas, ut eius interest et quod ipsa sit uirtuosa,
30 et tu uirtuosus in mittendo.

Spes est nuntius, qui semper potest mitti. Et hoc est, quia semper est homini necessaria. Et si tibi eueniat casus uel fortuna; quod non eam mittas Deo, non participabis cum Deo per spem; et poterit in te intrare non spes siue desperatio. Quae
35 impedit dare, adiutorium et parcere in tuo intelligere, amare et recolere. Et si moriaris cum desperatione, numquam poteris recuperare spem; nec cum Deo poteris participare in dando, iuuando et parcendo. Et decebit te semper pati inopiam in tuo intelligere, amare et recolere, et etiam in tuo sentire et imagina-
40 ri.

Si spem Deo mittere quaeras, principaliter debes intentionem habere, quomodo per spem Deo ualeas deseruire. Quia principalis causa, quare spes est, est pro seruire Deo, uenerari et oboedire in omnibus, quae potes intelligere, amare et recolere, et etiam
45 sentire et imaginari.

Ille habet et possidet spem deformatam, qui in peccato existit, et | de peccato exire non uult. Et exspectat, quod, quando R 8ʳ sibi placuerit, possit de peccato exire. Et habet spem, quae non habet formam, ob hoc quia inordinata est. Et cum tali spe Deus
50 non dat, nec iuuat, neque parcit.

Si tu spem Deo mittas, mittas in sua societate confessionem et satisfactionem contra peccata et desperationem. Et si tu cum spe ualeas associare suspirare et flere, erit multo magis societas honorata.
55 Si tu recorderis peccatorum, quae commississi contra Deum,

---

17/18 Et – recolere] *coni. ex textu cat.*; *om. codd. omnes*   21 Spem] *recte coni.*
M_1; spe *M T R*   24 erit Deus] Deus erit *R M₁*   26 Potes] poteris *R M₁*   27
ipse] ipsi *M R*   tibi] *coni.*; *om. codd. omnes*   28 magna²] *coni. ex textu cat.*; *om.*
codd. omnes   32 uel] *correxi*; ue *M T R*; ue, *sed corr. sup. lin. in* ex *M₁*; *cat.* e   46
spem] *coni.*; desperationem *M T R M₁*   48 quae] *recte coni.* *T*; quod *M R M₁*
52/53 cum spe] tunc spei *M₁*

qui magnus est aeternaliter et infinitus, decet te recordari, quod
peccata tua magna sunt, ob hoc quia cum ipsis offendisti dominum magnum, et habentem magnam bonitatem, posse, uirtutem
et alias dignitates. Et si peccata tua ita recorderis, et recolas,
60 oportet te recordari bonam et magnam spem, et quod eam Deo
bonam et magnam mittas cum bono et magno amare, intelligere
et recolere, ob hoc ut magnam misericordiam et pietatem,
largitatem et adiutorium Dei, quae sunt maiores quam tua
peccata, intelligas, ames et recolas.
65   Ille rex est sapiens, qui sapientem nuntium mittit. Et est
bonus, si bonum nuntium mittat pro bona nuntiatione. Attamen
non est sapiens, si ignoscat nuntium, quem mittit. Sic tu, qui rex
es tuae spei, postquam Deus eam tibi praebuit, sis bonus et
sapiens in mittendo spem, et de ea notitiam habeas, et de illo,
70 ad quem ipsam mittis.
     Qui spem mittit, debet cum illo, ad quem eam mittit, concor-
dantiam habere et non contrarietatem; de genere cuius est
desperatio. Et concordantia debet esse cum dare pro bonitate;
non pro malitia, quae est de genere desperationis. Et sic de
75 reliquis concordantiis, quae sunt durabiles, potentes et intelligibiles, amabiles, uirtuosae, uerae, gloriosae atque completae. Sine
tali concordantia | nequis Deo spem mittere.   T 5^v
     Tu non potes spem sentire per uisum, auditum neque per
aliquem alium | sensum, nec eam potes imaginari. Et hoc est, M 10^v
80 quia ipsa est habitus et uestis spiritualis. Attamen potes uidere,
audire, et ita de reliquis sensibus, et potes imaginari opera, quae
operantur illi, qui spem possident. Quae quidem opera operantur cum rebus corporalibus, in dando eleemosynas, faciendo
pontes, ecclesias, et peregrinari; et sic de reliquis rebus his
85 similibus. Quae sunt signa, cum quibus cognoscuntur illi, qui
spem possident.
     Spes est diuitia communis homini diuiti et pauperi, et domino
et discipulo, et homini iusto et homini peccatori. Et scis quare
spes est diuitia communis? Quia implet omnes illos, in quibus
90 ipsa inhabitat consolatione, laetitia, ueneratione et deuotione, et
de suspirare, flere et mercedem Deo clamare. Vnde cum hoc ita
sit, igitur spem habeas. Et si eam nolueris habere, oportet te
habere suum contrarium, hoc est desperationem, quae est habitus, per quem habetur omnium bonorum indigentia.

---

56 aeternaliter – infinitus] *coni.*; aeterniter et infinitus *MTR*; aeternus et
infinitus *M*₁; *cat.* aeternalment e infinida   **57/58** dominum] Deum *RM*₁   **61**
bonam – magnam] *coni. ex textu cat.*; *om. codd. omnes*   **64** intelligas, ames] ames,
intelligas *R*; amas, intelligas *M*₁   **67** ignoscat] *corr. in* ignorat *M*₁   **69** habeas]
corr. sup. lin. ex habeat *M*₁; habeat *MTR*   et] *coni. ex textu cat.*; uel *omnes codd.*
     71 eam] *recte coni. T*; eat *MRM*₁   **92** spem] *coni.*; *corr. alia manu ex* temperantia
T; temperantiam *MR*; temperantiam, *sed corr. in* sperantiam *M*₁

95 Diximus de spe, et ostendimus modum, per quem potest haberi et cognosci, et cum quo sciatur ad Deum mitti, ob hoc ut portet de Deo donum, adiutorium et ueniam. Et propter hoc in fine sermonis deprecemur Deum, quatenus det nobis gratiam, per quam cum eo participemus per spem.

I.7. De caritate [H]

[Sermo VII]

Quia Deus caritas est, caritatem habeas.
In principio sermonis deprecemur Deum, quatenus det nobis
5 gratiam ad cognoscendum caritatem, ob hoc ut per cognitionem eam sciamus amare et recolere.

Caritas est habitus, per quem magis amatur Deus, quam reliquae creaturae; et per quam amatur tantum proximus ab homine, sicut ipse idem.

10 Et propter hoc caritas habet tres | species. Prima est amare R 8ᵛ plus Deum, quam omnia alia. Secunda est amare se ipsum. Et tertia est amare proximum suum.

Cum amor, qui Deo debet impendi, sit altior finis amoris, hac de causa debes praediligere Deum, quam te ipsum neque proxi-
15 mum tuum. Et si istud facias, amor tuus habebit formam ad amandum omnia illa, quae amabit; et si contrarium facias, deformabitur in omnibus, quae amabit.

Illi, qui diligunt Deum magis, ob hoc ut det eis paradisum, et quod non det eis poenas infernales, et quod det eis honorem et
20 bona temporalia, amant cum amore deformato. Qui gignit cru- delitatem animi et deformat in homine suum intelligere, amare et recolere, quod est peccatum mortale.

Dilige plus Deum pro sua bonitate, quam pro tua bonitate. Dilige Deum plus pro sua magnitudine, quam pro tua magnitu-
25 dine. Et sic de omnibus aliis dignitatibus. Et hoc est, quia diuina bonitas, magnitudo et aliae dignitates, sunt causa tuae bonitatis, magnitudinis etc. Et si contrarium facias, habebis animi crude- litatem, et tuum amare induetur peccato, in quo morietur, quam diu deformationem amabit. Et hoc idem de tuo intelligere et
30 recolere et imaginari. Quae omnia tria habebunt pessimam societatem.

Caritas est uirtus, quae regulat uoluntatem pro amare com- mune bonum, uidelicet communitatem ciuitatis, castri uel uillae. Et si sursum ue|lis maiorem amare communitatem, dilige totum M 11ʳ
35 id, quod continetur in subiecto huius libri. Et tunc habebis tantam communitatem amoris, quod communius non amare

---

VII, **23** Deum] *recte coni. T; om. M R M₁*   **27** etc.] *coni.; om. codd. omnes*

poteris. Et scis quare? Quia in illo subiecto poteris praedicare
de omni eo, quod sentire potes, imaginari, intelligere, amare et
recolere.

40   Si tu uelis caritatem habere, dilige bona terrena in illis, quibus
Deus ea praebuit proprie, ob hoc ut quilibet cum illis bonis Deo
seruitium impendat et honorem. Et si istud facias, Deum et te
ipsum et proximum tuum amabis.

Dilige honorem pro uenerari Deum.

45   Dilige deuotionem, ut diligas contritionem.

Dilige contritionem, ut diligas confessionem.

Dilige confessionem, ut diligas satisfactionem.

Dilige satisfactionem, ut diligas misericordiam, pietatem et
ueniam.

50   Et si tu per omnes hos terminos scis fortiter amare, amor,
quem possidebis, te faciet suspirare, flere et feruenter Deum
rogare et honorare. Et tunc poteris cognoscere essentiam caritatis et loca, in quibus nascitur et inhabitat et multiplicat amare.
Quae sunt: Tua uoluntas, intellectus et memoria. In quibus

55   amare, intelligere et recolere caritate induuntur, et cum ipsis
bene nutriuntur.

Dilige bonum amare, magnum, durabile, potens, intelligibile,
uirtuosum, uerum, gloriosum et completum. Quoniam pro tali
amare stabis iocundus, diues atque securus et omni bono com-

60   pletus. Et si inimicus tibi det tentationes pro destruendo tuum
amare, securus sis, quod diuina bonitas, magnitudo et alias
dignitates iuuabunt tuum amare ita fortiter, quod tentatio
neque peccatum illud destruere non ualebit. Et cum tali amare
poteris omnem tentationem et omne peccatum superare et

65   destruere.

Nullus maius donum in hoc saeculo tu nequis considerare,
quam donum boni amare ante dicti.

Si Deus tibi det talem donum amandi, illud amare te tenebit
ita plenum uel saturum, ita iocundum, ita consolatum, quod

70   nullo indigebis, nec poteris peccare in aliqua amando.

Quando aliqua affectabis amare, considera primitus | finem,   T 6ʳ
pro quo ea uoles amare, et ama illa secundum quod sunt
amanda.

Si uis sen|tire placitum per uisum, auditum, et per reliquos   R 9ʳ

75   sensus, et etiam per imaginatum, multo magis uelis consequi
placitum per intelligere, amare et recolere. Et scis quare? Quia
multum ualet plus sine aliqua comparatione bonum magnum
intelligere, amare et recolere, quam bonum magnum sentire et
imaginari. Et si tu istud facias, noscere poteris, quod caritas

---

55 caritate] *coni.*; caritatem $MTRM_1$ 59 omni] *coni.*; toto $MTRM_1$; *cat.*
tot   63 illud] *correxi*; eum $MTRM_1$ 64 omnem] *coni.*; totam $MTRM_1$; *cat.*
tota   omne] *coni.*; totum $MTRM_1$; *cat.* tot   67 amare] *recte coni.* M_1; amari
MTR 72 uoles] *recte* uis; *cat.* uols

80 induet tuum intelligere, amare et recolere; et eam cognosces,
quia in his locis nascitur, et stat atque crescit per amare. Et si
contrarium facias, cognosces, quod tuum amare est priuatum et
expoliatum caritate, et crudelitate habituatum et uestitum, pro
quo punitus extiteris.

85   Dilige habere prosperitates, ob hoc ut pro ipsis reddas gratias
Deo, qui eas tibi praebuisse uoluit. | Et si per talem modum M II^v
diligas caritatem, tu eam habebis et amabis, et cognoscere
poteris.
   Si Deus uelit dare tibi aduersitates, uelis illas amare, ob hoc
90 ut cum ipsis possis Deo gratulari patientiam, quae est multum
magnum donum. Quod maius est, quam terrenae diuitiae. Et si
ita scias amare, caritatem gignere scies, cognoscere et recolere.
   Amare opus est caritatis; attamen quod sit uirtuosum. Et est
maius et melius per intelligere, quam per credere. Et hoc est,
95 quia uoluntas et intellectus possunt multo fortius participare per
amare et intelligere, quam per amare et credere. Et per maius
amare poteris maius meritum acquirere, quam per minus. Vnde
cum hoc ita sit, tu igitur ne sis talis, quales sunt stulti homines,
dicentes, se praediligere credere articulos fidei, quam intelligere,
100 ob hoc ut maius meritum ualeant obtinere. Et uideas quomodo
stulti sunt, quod pro tali desiderio praediligunt se ipsos gloriari,
quam Deum amare et cognoscere.
   Tu non dares oculos tuos pro denariis. Et hoc idem de auditu.
Multo minus debes dare pro denariis tuum amare, intelligere, et
105 recolere; cum ita sit, quod sint nobiliores creaturae, quam uisus,
auditus, et sic de aliis sensibus. Et cum hoc ita sit, igitur non
debes Deum pro denariis uendere, quia ipse plus ualet, quam
reliquae omnes creaturae.
   Diximus de caritate; et modum monstrauimus, per quem ipsa
110 potest haberi, sciri et cognosci, et etiam amari, manuteneri et
Deo regratiari.
   Et propter hoc in fine sermonis deprecemur Deum, quatenus
faciat nobis gratiam, per quam caritatem diu ualeamus conseruare et manutenere per totum nostrum amare, intelligere et
115 recolere.

I.8. DE SAPIENTIA [I]

[SERMO VIII]

Quoniam Deus sapientia est, uult te sapientiam habere.
   In principio sermonis deprecemur Deum, quatenus illuminet
5 de sapientia nostrum intellectum; quia ipsa est lumen, cum quo
homo efficitur sapiens.

---

94 per] *coni. ex textu cat.*; *om. omnes codd.*

Sapientia est habitus, per quem homo efficitur sapiens.

Sapientia habet duas species. Per primam homo efficitur sapiens de bonis terrenis sensibilibus et imaginatione apprehensi-
10 bilibus. Per aliam species homo efficitur sapiens de bonis spiritualibus intelligibilibus non sensibilibus nec imaginatione apprehensibilibus.

Per has duas species sapientia est lumen uirtuosum, quod defendit hominem sapientem de non faciendo stultitiam, quae
15 est contrarium sapientiae et est habitus tenebrosus, per quem tenditur ad tenebras inferni. Et per contrarium sapientia est lumen resplendens, cum quo itur ad paradisi claritatem.

Homo sapiens, | quando uidet res uisibiles, considerat finem R 9ᵛ
illarum, antequam eas diligat. Et secundum bonitatem illarum
20 habet se ad finem, per quem uisibiles sunt. Et per hoc lumen bonitatis eligit atque amat illas.

Homo sapiens, quando audit aliqua uerba, quae aliquis loquatur, considerat utrum illa uerba sint bona uel mala, uera uel falsa. Et si sint bona et uera, illuminat suum intellectum ad
25 faciendum bona opera. Et si sint mala et falsa, uitat illa et fugit per illas uias malae fortunae.

Homo sapiens per odorare placentem odorem, considerat magnam bonitatem | creatoris, qui creauit illum odorem; et uitat M 12ᶠ
olentem et horribilem odorem, qui corpori dant corruptionem.
30 Et considerat illos malos odores inferni olentis.

Homo sapiens, quando sedet ad mensam, comedit, ut uiuat, et recolit Dominum nostrum, qui tot comestiones sibi dat in mensa. Et stultus homo, quando sedet ad mensam, desiderat longo tempore uiuere, ob hoc ut consequatur delicium in sentiendo
35 placentes comestiones et delicatas, et Deum, qui illas comestiones sibi dat, non recolit.

Homo sapiens, quando iacet in lecto cum uxore sua, recolit finem matrimonii, et diligit illum finem, ob hoc quia bonus est. Et de illo recolere et amare, de castitate induit suum intelligere,
40 amare et recolere. Et si est homo stultus facit contrarium.

Homo sapiens, antequam loquatur, considerat finem uerborum, quae uult loqui. Et si finis bonus est, loquitur, ut consequatur illum finem. Qui finis illuminat uerba sua, ob hoc quia primitus ea habuit in mente intellecta, amata et recolita. Et
45 homo stultus facit contrarium, et loquitur ad fortunam.

Homo sapiens, quando imaginatur aliqua, considerat qualis sentitus sibi eueniat per illum imaginatum, et qualis sit finis; utrum sit bonus uel malus, possibilis uel impossibilis; et quae est materia illius finis; | et si cognoscat, quod per illum finem T 6ᵛ

VIII, 7 Sapientia – sapiens] *coni. ex textu cat.*; *om. omnes codd.*   **30** inferni olentis] in finem olentis M_1 **45** et – fortunam] *om. T*   **47** sibi] *om. et add. in marg.* ubi M   **49** si] ubi M

50 acquirat uirtutes, fortificat suum imaginari. Et si per illud
imaginari sequerentur peccata et uitia in suo intelligere, amare
et recolere, obliuiscitur finem illius imaginationis et recolit contrarium finem, ad quem mouet imaginari per intelligere et
amare, ob hoc ut uirtutes ualeat perlucrari. Et homo insipiens
55 facit totum huius contrarium.

Homo sapiens consequitur maius placitum in faciendo scientiam de rebus spiritualibus non sensibilibus nec imaginatu apprehensibilibus, quae sunt substantiae separabiles, scilicet Deus,
angelus, anima rationalis, et spiritualis bonitas, magnitudo, et
60 reliquae aliae, quam faciendo scientiam de rebus sensibilibus et
imaginatu apprehensibilibus. Et homo insipiens facit huius contrarium.

Homo sapiens, quando facit demonstrationem, fortius eam
intelligit facere, si eam facit per dignitates Dei, quam si faceret
65 per res sensibiles et imaginatu apprehensibiles; cum ita sit,
quod dignitates Dei sunt causae primitiuae; et res sensibiles et
imaginatione apprehensibiles sunt causae secundariae, passiona-
tae subtus causas primitiuas. Et homo insipiens facit huius
contrarium.

70 Homo sapiens considerat nullam impossibilitatem posse aliquam impedire possibilitatem maiorem bonitatis; cum ita sit,
quod maior possibilitas bonitatis exstet per uim diuinae bonitatis. Et per hoc homo sapiens considerat, quod possibile quid sit,
quod Filius Dei assumeret carnem humanam; cum sit, quod
75 talis incarnatio sit maior possibilitas, quae esse queat. Hoc idem
considerat homo sapiens de bona possibilitate | creationis et   R 10ʳ
resurrectionis hominum et perpetuae glorificationis beatorum;
et sic de reliquis istis similibus. Et homo | insipiens facit totum   M 12ᵛ
huiusmodi contrarium.

80 Homo sapiens considerat, quod diuina bonitas est unum idem
cum diuina magnitudine, aeternitate, posse, intellectu, uoluntate, uirtute, ueritate, gloria et perfectione. Et ob hoc considerat,
quod omne bonum possibile est apud Deum. Quoniam si Deus
uelit amare illud bonum, potest possificare bonificare. Et si
85 bonum illud posset impediri, super diuinam uoluntatem et posse
esset aliqua causa superior, quae esset causa diuinae uoluntatis,
potestatis et aliarum; quod est impossibile. Est igitur homo
sapiens pro considerare talia. Et homo est insipiens, si contra
talia considerat.

90 Homo sapiens, quando uadit ad ecclesiam, ut Deum oret,
considerat utrum sit dignus ad faciendam Deo orationem, quatenus indulgeat sibi peccata. Et nisi se reperiat dignum, recurrit

---

52 obliuiscitur] *add. omnes codd.* illum   54 ut] *om. et add. in marg.* M   59
angelus] angeli *M T*   63 eam] *om. et add. in marg.* M   73 homo] *coni. ex textu
cat.*; quod *M T R M*₁   sit] *recte coni.* M₁; sint *M T R*   90 ut – oret] *corr. ex* orat
ut Deum M₁; orat ut Deum *M T R*

ad contritionem, confessionem et promittit praestare satisfactionem. Et homo insipiens huius facit contrarium.

95   Homo sapiens, quando Deum deprecatur, ordinat et induit
suum intelligere, amare et recolere de uirtutibus, ob hoc ut sint
digna instrumenta ad Deum orandum. Et homo insipiens facit
huius contrarium.

    Homo sapiens, existendo in oratione, pensat, utrum uerba,
100 quae dicit, intelligat in sua mente; et nisi faciat, exigit a Deo
ueniam. Et dicit in uerbis, id, quod intelligit in mente. Et homo
insipiens facit totum contrarium.

    Homo sapiens, uolendo intelligere et audire de Deo bona
aliqua, et non ea potest intelligere, credit ea. Et homo insipiens
105 facit contrarium.

    Diximus de sapientia, quae est habitus ita aequalis intellectui
per Deum datus, sicut caritas est habitus per Deum datus
uoluntati. Talis habitus sapientiae non debet obliuioni fore
traditus per hominem sapientem. Et debet nominari in numero
110 trium uirtutum theologicarum; de quibus iam locuti sumus. In
fine sermonis deprecemur Deum, quatenus det nobis sapientiam
quam diu uixerimus in hac uita omnibus illis modis, quibus
potest haberi, ob hoc ut cum ipsa induamus et ornemus nostrum
sentire, imaginari, intelligere, amare et recolere; et sibi seruire
115 et eum uenerari.

    Diximus de prima distinctione, quae est de uirtutibus. Et
sicut dedimus exempla ad cognoscendas ipsas, et de eis praedicare, potest sermocinator reperire plura alia exempla ad eius
placitum ad praedicandum de uirtutibus, colligendo illa exem-
120 pla de subiecto huius scientiae.

II

De secunda distinctione.
[De octo peccatis mortalibus]

    Distinctio ista est de octo peccatis mortalibus, quae uolumus
5 inquirere artificialiter, ut de eis notitiam demus. Et colligimus
ea de disimilitudinibus uirtutum, de quibus iam diximus. Et
primo dicemus de auaritia.

---

96 hoc] *recte coni. T; om. MRM₁*   **99** pensat] *sc.* cogitat   **107** datus] *correxi*;
dato *MTRM₁*

II.1. DE AVARITIA [b]

[SERMO IX]

Quia Deus abhorret auaritiam, auaritiam abhorreas.

In principio sermonis deprecemur Deum, quatenus det nobis
5 gratiam, quod in sermone cognoscamus, recolamus et abhorreamus auaritiam; quia non decet praedicantem praedicare de
auaritia, quin intelligat, recolat et abhorreat eam; et hoc idem
de | populo, cui ipse sermocinabitur.   M 13ʳ

Auaritia est habitus, per quem homo fit auarus de bonis
10 terrenis.

Auaritia habet duas species. Prima est tristitia, secunda est
timor.

Tristitia est habitus hominis auari; qui tristis est, quia de
bonis terrenis nequit saturari. Et est habitus sui intelligere,
15 amare et re|colere, in quo nascitur et inhabitat et crescit uel R 10ᵛ
minuitur, ob hoc quia auaritia est forma deformata, quae deformat intelligere, amare et recolere hominis, propter hoc quia
mutat bona terrena, quae possidet, in alium finem deformatum;
per quem finem tenet bona | terrena otiosa. Et propter hoc homo T 7ʳ
20 auarus, in quantum plures habet diuitias, in tantum est magis
auarus, et sustinet maiorem inopiam.

Homo auarus timet quemcumque hominem non confidendo in
eo aliquid, quia sicut ipse non legalis est Deo in bonis terrenis,
quae possidet, sic credit nullum hominem sibi fore legalem. Et
25 timet, ne decipiatur ab aliquo, uel auferat uel furetur sibi suas
diuitias.

Sentire et imaginari hominis auari sunt sibi instrumenta, per
quae sit auarus. Et auaritia inhabitat in suo intelligere, amare et
recolere. Sicut sutor, qui imaginatur facere falsitatem in sotulari
30 in hoc, quia ungit et applanat corium non bonum immo pauci
ualoris, ob hoc ut appareat fore bonum. Et sicut traginerius
auarus, qui multum dat comedere asino suo, ut possit pondus
magnum portare; et sibi ipsi paucas comestiones dat, et uilem
lectum atque uiles uestes.

35 Homo auarus, quando est in ecclesia et credit Deum orare,
computat, quantum ualet suum tempus; et hoc idem facit
tempore, quo moritur. Et facit uerecundiam amicis. Et nisi

IX, 6 praedicantem] *om. M₁Z*   praedicare] *recte coni. M₁; om. MTR; alia
manu corr. in praedicantem Z*   16 hoc] *coni.; om. codd. omnes*   23 aliquid] *coni.;
aliquo MTRM₁Z*   27 Sentire] *coni. ex textu cat.; intelligere omnes codd.*   31
traginerius] *traginus M₁; traginus Z, sed alia manu corr. sup. lin. in traginarius Z;
cat. traginer; gall. traîneur; hisp. carretero = operans cum curru; cf. supra Sermones
de decem praeceptis, serm. III, lin. 14*   35 est] *om. sed add. sup. lin. M*   36 tempus]
coni.; om. codd. omnes

pluat, blasphemat Deum; et si nimis pluat, consequitur angustiam.

40   Auaritia est de dissimilitudinibus largitatis. Quae est de similitudinibus bonitatis, magnitudinis, et aliarum. Et propter hoc
est auarus homo indutus de auaritia pro toto suo intelligere,
amare et recolere; quae sibi detrahit auaritia et redarguit quemcumque, corrigentem eum, propter hoc quia non credit auarus

45 esse.

Homo auarus, quando uidet aliquam pulchram possessionem
uel audit eam laudari, uellet fore suam; et considerat, qualiter
eam possit habere, iuste uel iniuste; et nisi eam possit habere,
irascitur, et per tristitiam passionatur. Et si habeat aliquam

50 pulchram possessionem et bonam, per eam non potest consolari,
quia subtus habitum tristitiae non potest consolatio nec laetitia
permanere.

Homo auarus, si habet centum libras, uidetur sibi, quod si
haberet quingentas libras, quod teneret se pro contento et

55 diuite. Et cum ascendit ad quingentas libras, uidetur sibi, quod
si haberet mille, quod esset diues et teneret se pro contento; et
ita de gradu in gradum ascendendo. Et in quantum plures
acquirit diuitias, in tantum se magis pro paupere tenet; et ita
decipit se ipsum. Quoniam diuitiae neque laetitia non stant nisi

60 in largitate intelligendi, amandi et recolendi; et auarus homo
credit, quod sint in multiplicando diuitias.

Grammaticus, si sit auarus, non uult cito docere suos scholar-
res | grammaticam. Et hoc idem facit logicus auarus, ob hoc ut   M 13ᵛ
possit lucrari in docendo suos scholares per longum tempus.

65   Medicus auarus, qui de facili posset curare infirmum, differt
infirmitatem, ut possit ab infirmo multos denarios extorquere;
et lucratur multos denarios, et ponit aegrum in casu mortis
atque periculo. Et per hoc gignit auaritiam, quae flagellat animam eius.

70   Homo auarus non habet Deum in societate sua per aliquod
sentire, neque imaginari, nec etiam per intelligere, amare et
recolere. Et qui Deum non habet, eget omni bono. Et propter
hoc homo, qui largus sit, est stultus, si cum homine auaro
societatem contrahat.

75   Homo auarus ignorat necessitatem hominis pauperis, et abundantiam, quam ipse habet de bonis terrenis. Et ob hoc uidetur
sibi, omnem hominem fore diuitem, et ipsum pauperem.

---

40 dissimilitudinibus] *M T*; similitudinibus *R M*₁; *corr. alia manu ex* similitudinibus *Z*   **43** quae] *coni.*; quod *M R T*; qui *corr. ex* quod *M*₁; qui *Z*   auaritia
et] *coni.*; auaritiam (!) *omnes codd.*   **59** diuitiae] diuitia *M T*   stant] stat *M T*
61 sint] *coni.*; sit *M T R M*₁; *om. sed alia manu add. sup. lin. Z*   **67/68** in –
periculo] *forsan recte* casu in mortis periculo; *cat.* a fortuna en peril de mort

| Homo auarus, qui honoratus est propter diuitias et genus, est R 11ʳ
auarus uenerationis et honoris; quia nollet aliquem fore honora-
80 tum, nisi ipsum solum. Et propter hoc in quantum petit uenerationem et honorem et diuitias, in tantum fortius multiplicat sibi
dedecus. Quoniam gentes detrahunt illi homini, qui non operatur per largitatem id, quod competit diuitiis.

Homo auarus frequentius mentitur alio homine. Et cum ho-
85 mine auaro potest homo magis et frequentius litigare, quam
cum alio homine. Et in nullo homine potest ita parum confidi,
sicut in homini auaro. Et totum hoc sibi aduenit, quia mutat
finem creaturarum et diuitiarum, quas possidet, in contrario
fine. Et propter hoc Deus accipit ab eo maximam uindictam in
90 fine mortis, quia non dat ei gratiam faciendi satisfactionem de
iniuriis, quas commisit.

Homo auarus, quando moritur, in tantum plangit et dolet
propter diuitias, quas dimittit, quod non amat diuitias, quas
beati possident in gloria caelesti; quae sunt durabiles. Quas
95 Deus non uult amari per hominem auarum, quia dedecus esset
diuitiarum illarum.

Homo auarus, quando lucratur, non laudat Deum; et si amittat, blasphemat Deum. Et ob hoc Deus aufert ab eo sensum in
morte, et non dat ei gratiam faciendi finem, qui conuenit et
100 decet morti, pro poenitendo peccatorum, et pro dilectione misericordiae et pro uenia, contritione, confessione et satisfactione.

In fine sermonis deprecemur Deum, quatenus custodiat nos
ab auaritia, et quod induat largitate nostrum intelligere, amare
et recolere.

II.2. DE GVLOSITATE SIVE GLVTVNIA [c]

[SERMO X]

Quia Deus non diligit, immo odit glutuniam siue gulositatem,
non habeas glutuniam siue gulositatem.
5   In principio sermonis deprecemur Deum, quatenus det nobis
gratiam, per quam cognoscamus glutuniam et eam recolamus et
abhorreamus; quia alias non posset fieri bonus sermo de glutunia.

Glutunia est habitus, per | quem homo gulosus frequenter in- T 7ᵛ
10 firmatur.

Glutunia habet duas species. Quarum una est per multum
comedere, et reliqua est per multum bibere.

Ille homo est fortiter gulosus, qui per multum comedere et
multum bibere, effi|citur indigestus. Si efficiatur indigestus per M 14ʳ

---

78 honoratus] *cat.* ric = diues   **98** hoc] *om. et add. sup. lin.* R; *om.* M

15 multum comedere et non per multum bibere, uel e conuerso,
uidelicet per multum bibere et non per multum comedere, non
est in supremo gradu glutuniae. Et propter hoc aliquis homo
gulosus uult in mensa parum bibere, ut ualeat multum comedere. Et aliquis alius gulosus uult ad mensam parum comedere,
20 ut ualeat multum bibere.

Per nullum peccatum homo ita frequenter peccat sicut per
gulositatem uel glutuniam. Et hoc est ideo, quia cotidie habet
comedere et bibere. Et ob hoc dicitur, quod gulositas siue
glutunia est occasio, per quam homo frequenter infirmatur; cum
25 ita sit, quod gulositas uel glutunia quoties homo comedat et
bibat toties infirmitatem gignit.

Nuntii gulositatis sunt sensus corporales et imaginatio, quae
praeparant comestiones. Quae sunt materia glutuniae, quam
homo gulosus gignit in suo intelligere, amare et recolere, ob hoc
30 ut consequatur et inueniat placitum per multum comedere et
bibere. Quoniam sicut homini temperato iustitia, prudentia,
fortitudo animi sunt nuntii temperantiae, quae nascitur per
recolere, intelligere et amare in anima hominis, qui temperantiam recolit, intelligit atque amat, ita gulositas uel glutunia
35 nascitur per sentire et imaginari comestiones uel uictualia in
anima hominis, qui multum intelligit, amat et recolit placitum,
quod est et exstat per comedere et bibere.

Sensus corporales sunt ita in corpore hominis, quando non
induuntur temperantia, qualiter essent marinarii in naui, ubi
40 non essent timones, neque | nautae siue naucleri. Est igitur R 11ᵛ
gulositas priuatio temperantiae. Potest igitur cum temperantia
destrui gulositas in tempore tamen, in quo homo multum comedit et bibit, et quod illo eodem tempore sit temperantia intellecta, amata et rememorata cum animi fortitudine, et iustitia
45 atque prudentia; quae sunt temperantiae nuntii.

Gulositas est de dissimilitudinibus temperantiae, quae sunt
bonae. Et ob hoc gulositas est mala; cum sit, quod temperantia
sit bona. Et sicut temperantia uiuificat, ordinat et sustentat
corpus, ita glutunia uel gulositas occidit et corrumpit corpus per
50 malitiam. Et propter hoc homo gulosus, qui se ipsum occidit per
glutuniam, est inoboediens mandato Dei, dicentis (Ex. 20,13;
Deut. 5,15): *Non occidas.*

Homo gulosus irascitur, quando non comedit. Et hoc sibi
accidit ad fortunam, quia desiderat sentire placitum in come-
55 dere, et non desiderat comedere, ut uiuat. Et quia illud desiderium est deformatum et inordinatum, gignit in homine guloso
iram et tristitiam tempore, quo affectat comedere et bibere.

X, **15** uel] et non *T*   **33** in] et *T R M*₁   qui] quae *T R M*₁   **40** naucleri]
coni.; nautxerii *M T R*; naueleri, *corr. ex* nauxeri *M*₁; *cat.* nauxer   **44/45** iustitia
atque prudentia] *coni.*; iustitiae atque prudentiae *M T R M*₁

Homo gulosus, cum comederit et biberit nimis, per multum illud comedere et bibere gignit passionem et dolorem in uentre 60 suo. Et quia timet infirmitatem et mortem, gignit in anima sua tristitiam et iram; sine quibus non intelligit nec recolit nec abhorret gulositatem.

Homo gulosus est inimicus sui marsupii. Et | ob hoc euenit et M 14ᵛ efficitur pauper et latro; et furatur, ut consequatur placitum in 65 comedendo, et non ob hoc ut possit uiuere et Deo seruire.

Nullus homo ita parum uerecundatur, sicut homo gulosus. Et hoc est ideo, quia frequenter utitur gulositate; et frequenter partitur male uictualia, quae sunt in mensa; et frequenter facit se derideri propter multum comedere et bibere.

70 Homo gulosus non inuitat, sed uadit ad conuiuia, ut multum ualeat comedere. Et quando alii loquuntur in mensa, ipse comedit faciendo magnos bolos, et illos parum masticat; et bibit ad magnos bolos uinum ciphi. Et si loquatur super mensam, loquitur de delicatis uictualibus et de bono uino, et uult multum 75 stare super mensam. Et cum comederit, uult dormire. Omnia ista sunt signa, cum quibus potest cognosci gulositas. Quae sunt sensibilia de gulositate, quae non potest uideri neque sentiri, ob hoc quia est habitus spiritualis.

Homo gulosus ieiunat, ut consequatur magnum saporem tunc 80 quando comedet et bibet. Et ob hoc ad fortunam crescit gulositas. Per quod crescere nascitur infirmitas, quam non considerat nec abhorret.

Multa alia exempla possemus dicere de gulositate. Quae nolumus dicere, ob hoc ne faciamus longum sermonem. Igitur depre- 85 cemur Deum, quatenus det nobis gratiam, per quam omnibus his horis, quibus daemon et sensu corporales et etiam imaginatio, dabunt tentationes de gulositate, tunc intelligamus, recolamus et abhorreamus gulositatem.

II.3. De lvxvria [d]

[Sermo XI]

Quia Deus abhorret luxuriam, non sis luxuriosus.

In principio sermonis deprecemur Deum, quatenus nobis fa- 5 ciat gratiam, quod cognoscamus essentiam luxuriae, ut eam intelligamus, recolamus et abhorreamus. Quoniam qui intelligit,

---

71 mensa] *add. et M T R M*₁   **73** super mensam] *om. cat.*   **77** de gulositate]
coni. ex textu cat.; *om. omnes codd.*   potest] *coni.*; possunt *M T R M*₁   **79** gulosus]
corr. ex auarus *M*₁; auarus *M T R*

XI, **3** non – luxuriosus] *om. et add. in marg. M*; luxuriam abhorreas *T*   **4**
quatenus] quantum *M*₁; *add. et del.* det *M*

recolit et abhorret luxuriam, decet, ut recolat, intelligat et amet castitatem.

Luxuria est habitus, per quem fiunt opera, quae conueniunt
10 luxuriae.

Quattuor sunt nuntii luxuriae, uidelicet uisus, auditus, palpatus et imaginatus.

Visus est nuntius luxuriae in hoc quod homo uidet pulchras mulieres, et earum pulchra comportamenta. Auditus est nuntius
15 in hoc quod homo | loquitur de pulchris mulieribus et earum   T 8ʳ documentis, et in hoc quod homo audit instrumenta et cansones, per quae interpretatur homo luxuriam. Palpatus est nuntius in hoc quod homo palpat mulieres. Imaginatus est nuntius in hoc quod homo imaginatur placita luxuriae et eius circumstantias.
20 Et luxuria nascitur et incipit in intelligere, amare et recolere, quae exstant in intellectu, uoluntate et memoria. In quibus exstat luxuria, tunc quando de anima eiecta sunt intelligere, amare et recolere, quae competunt castitati.

Si tu uideas pulchram mulierem, et imaginaris luxuriam, et
25 eam abhorreas, tu non diligis luxuriam; tunc non committis peccatum, immo uirtutem acquiris et gubernas castitatem. Et si tu penses et moueas quaestionem cum te ipso, utrum facias luxuriam necne, tunc temporis committis ueniale peccatum. | Et   M 15ʳ si tu consentias ad faciendum luxuriam, tu peccas mortaliter, et
30 facis uestem de luxuria tuo intelligere, amare et recolere, quae exstant subiecta luxuriae.

Si tu uideas pulchram mulierem, quae se pingat et aptet faciem suam, et quae loquitur de eo, quod conuenit luxuriae, id, quod ipsa facit et loquitur, est nuntius luxuriae. Quem nuntium
35 mittit ad intelligere, recolere et amare hominum, ob hoc ut cum ea faciant luxuriam. Et si tu diligas illam dominam, et recipis placenter illum nuntium, et imaginaris placita luxuriae, tu ponis ad ianuam luxuriae tuum intelligere, imaginari et recolere. Et si tua uoluntas aperiat ianuam, tu eicis de tua anima castitatem,
40 et ponis in ea luxuriam.

Si tu stes ad ianuam luxuriae per recolere, intelligere et imaginari, et tangas ad ianuam, quae est uoluntas, in magno periculo exstas. Et si tu recurras ad tuum imaginari, et imaginaris uilia opera olentia, quae sunt materia luxuriae, nascetur in te

---

12 imaginatus] *add. cat.* E la luxuria nex e comença en l'entendre, amar e membrar, qui esta en l'enteniment volentat e memoria, en qui esta luxuria, adoncs con del anima son gitats entendre amar e membrar qui pertanyen a castetat.   **13** luxuriae] *coni.* ; *om. codd. omnes*   hoc] *om. et add. sup. lin.* M   **14** hoc] *om. et add. sup. lin.* M   **16** documentis] ornamentis *corr. ex* documentis M_1 ; *cat.* ensenyaments   cansones] cantationes M_1 **26** acquiris] *coni.* ; *om. omnes codd.*   **27** penses] *sc.* cogitas; *cat.* penses   **31** subiecta] *recte coni.* M_1 ; subiecto M T R   **35** et amare] *coni.*   hoc] *om. et add. sup. lin.* M ; *om.* T   **40** ea] *coni.* ; *om. codd. omnes*

45 remedium luxuriae, ob hoc quia illa opera sunt horribilia ad
uidendum et odorandum et nominandum. Et si totum istud tibi
non ualet ad mortificandum luxuriam, recorderis praecepti,
quod Deus fecit tibi (Ex. 20,14; Deut. 5,18), quod non facias
luxuriam. Recorderis etiam poenarum infernalium, quarum lu-
50 xuria est uia. Et si totum istud tibi non ualeat, recorderis
bonitatem castitatis et malitiam luxuriae. Et si tu non facias,
posse tuum, cum quo non potes recedere a ianua luxuriae,
requirit adiutorium posse diuino et diuinae bonitati, magnitudini et aliis suis dignitatibus. Et tunc tua uoluntas claudet ianuam
55 luxuriae auxilio diuinae bonitatis.
    Luxuria est de dissimilitudinibus castitatis. Et quia castitas
est bona, luxuria est mala, igitur similitudo luxuriae est mala.
Potes ergo cognoscere, quod mulier, quae pingit faciem suam est
mala; quae malitia est de genere luxuriae.
60   Mulier faciens signa in se ipsa luxuriae, est materia luxuriae.
Et forma, quae mouet illam materiam, est de deformato intelligere, amare et recolere et imaginari. Et propter hoc si mulier
uilescit in luxuria, quamuis non eam possit facere, propter hoc
non remanet, quin eam desideret.
65   Luxuria per longum morem durat, qui est in intelligere,
recolere et amare in placitis luxuriae. Et libertas, quam homo
habet, et potestas in intelligere, amare et recolere castitatem,
habet parum posse in illis hominibus, qui longo tempore perse-
uerarunt in luxuria. Et propter hoc accidit, quod aliqui homines
70 luxuriosi uolunt recedere a luxuria, et nequeunt, ob hoc quia
non tanto tempore intellexerunt, recoluerunt et amauerunt castitatem, quanto luxuriam. Et propter hoc tales homines sunt
detenti et obtenti subtus habitum luxuriae, et desiderant de ea
exire et non possunt recedere. Tales homines non habent aliud
75 refugium, nisi orationem; et poeniteat eos peccati et timere
poenas infernales. In quo timore assuescant diu intelligere, amare et recolere gloriam paradisi; et quod imaginari, cum quo
imaginari fue|rint placita luxuriae, conuertant in imaginari diu   M 15ᵛ
uilia opera olentia, et illum transitum placiti luxuriae. Ostendi-
80 mus ergo, per quem modum tales homines poterunt fugere
luxuriam.
    Aliquis homo est luxuriosus et credit exire, quando uolet,
domum luxuriae. Et non considerat carcerem, in quo ipsum
tenet iustitia Dei propter luxuriam; quia multo fortius tenet
85 iustitia Dei incarceratum hominem luxuriosum, qui peccat contra infinitum posse, infinitam bonitatem, uirtutem et alias, quam

45 quia] M_1; *om. MTR*   **53** requirit] *coni.*; require $MTRM_1$; *cat.* demana
adiutorium] *add. sup. lin.* a M; *add.* a M_1 R   **65** in] *cat. add.* ymaginar   **66/**
67 quam – potestas] *coni. ex textu cat.*; potestas, quam homo habet $MTRM_1$
    67 castitatem] *corr. per puncta in* castitas M; castitas TRM_1 **74** non] *om. et*
add. sup. lin. M **84** luxuriam] *add. et codd. omnes*

rex terrenus furem, qui peccauit per furtum, quod est opus
finitum.

Si tu longo tempore teneas ferrum calidum in manu, tuum
90 palpatum amittet sentitum. Et hoc erit, ob hoc quia uincetur
tuum sentire. Similiter euenit istud in homine luxurioso, qui
steterit diu in luxuria. Quoniam mulier non pulchra, quam
diliget, uidebitur sibi pulchra; et instrumenta et opera luxuriae,
uidebuntur sibi fore pulchra; et mulier, quae per luxuriam erit
95 mala, uidebitur sibi bona.

Quid dicerem tibi plus de luxuria? Sed ille, qui in ea exstat
diu, exstat tamquam homo obstinax, qui perdit uirtutem sentiendi, imaginandi, recolendi, intelligendi et amandi.

Diximus de luxuria. Et ostendimus eius essentiam et suos
100 nuntios; et modum, per quem nascitur, crescit et minuitur; et
loca, ubi inhabitat; et etiam modum, per quem homo sciat
recedere. Et propter hoc deprecemur Deum, quatenus det nobis
gratiam, quod uerba, quae diximus de luxuria, frequenter recolamus, ob hoc ut eam abhorreamus.

II.4. | DE SVPERBIA [e]   T 8^v

[SERMO XII]

Quoniam Deus non diligit superbiam, ne sis superbus.

In principio sermonis deprecemur Deum, quatenus det nobis
5 gratiam, quod possimus cognoscere essentiam et opera superbiae, ob hoc ut eam possimus abhorrere, et quod habeamus in
nostro intelligere, amare et recolere humilitatem, quae est eius
contrarium.

Superbia est habitus, collectus de maioribus dissimilitudini-
10 bus humilitatis. Et per hoc potest homo cognoscere, quod humilitas est de maioribus similitudinibus bonitatis, magnitudinis,
durationis, et aliarum.

Superbia habet tres species. Prima est superbia, quam homo
habet contra Deum. Secunda est superbia, quam homo habet
15 contra se ipsum. Reliqua est superbia, quam homo habet contra
proximum suum. Et per hoc potest cognosci, quod humilitas,
quae est superbiae contrarium, habet tres species. Per primam
homo se humiliat Deo. Per aliam homo se humiliat sibi ipsi. Per
tertiam homo se humiliat proximo suo. Vnde cum hoc ita sit,
20 ostendimus igitur tres species superbiae, quae sint. Et per notitiam, quam de eis dabimus, poterit homo habere notitiam de

---

87 terrenus] *add.* qui *MR*

XII, **7** humilitatem] *recte coni.* *T*; humanitatem *MRM*₁

speciebus humilitatis; cum ita sit, quod unum contrarium per
aliud contrarium cognoscatur.

Homo est superbus contra Deum, si diligat aliud plus quam
25 Deum. Et ille amat magis aliud, quam Deum, si faciat aliquid
per quod sit inoboediens Deo. Quia de eo, per quod Deo inoboediens est, facit Deum suum. Quoniam dicitur in decem praeceptis (Ex. 20,3; Deut. 5,7): *Non habebis deos alienos*.

Ille homo est superbus contra Deum, qui diligit Deum, plus
30 ob hoc ut det sibi paradisum et bona naturalia et moralia, et
diuitias temporales, | quam ob hoc quia Deus est bonus, infinitus,   M 16ʳ
aeternus; et sic de aliis. Et propter hoc illi homines sunt superbi, qui deprecantur fortius Deum, quatenus det eis paradisum,
et custodiat eos ab inferno, et det eis longam uitam, et magnas
35 diuitias, et magnos honores, quam ob hoc ut Deo ualeant deseruire, eum laudare, uenerari et benedicere.

Ille homo est superbus, qui ueneratur magis se ipsum, quam
Deum, et qui magis timet aliquid, quam Deum. Ille homo est
superbus contra Deum, qui magis diligit id, quod ipse facit,
40 quam id, quod Deus facit; et qui non diligit totum id, quod est
Dei; et qui non facit uoluntatem suam oboedientem uoluntati
Dei. Per hos omnes modos et per multos alios potest quis
cognoscere homines, qui superbi sunt contra Deum.

Ille homo est superbus contra se ipsum, qui habet magis
45 placitum sui sentire et imaginari, quam sui intelligere et amare
et recolere; cum ita sit, quod suum intelligere, amare et recolere
sunt nobiliores creaturae, quam suum uidere, audire, gustare,
odorare, loqui, palpare et imaginari.

Homo, qui habeat magnam scientiam, et propter scientiam
50 est superbus, est contra se superbus; cum sit, quod superbia sit
habitus, cum quo homo superbus humiliat et diruit se ipsum ad
peccatum, sicut homo sapiens humilis, qui ponit scientiam suam
ad bonitatem et uirtutem.

Homo, qui diligat magis reuerentiam uel honorem, quam eum
55 deceat, est superbus contra se ipsum et proximum suum. Quia
se ipsum deponit et infernat, et uult fore dominus in honore uel
ueneratione hominis humilis, qui ponit suum honorem cum
humilitate ad gloriam paradisi.

Homo superbus non diligit in genere suo parem; et si habeat
60 parem uel imparem in alio genere, super omnes desiderat ueneratus existere. Quare per tale desiderium facit se a quocumque
homine negligi.

Homo superbus est contra bonum commune, ob hoc quia in
omni bono communi est reperire parem sibi. Et est contra

51 diruit] dirigit M_1; *cat.* enderrota   **52** ponit] *hic et passim*; *cat.* puja   **60**
desiderat] T; *corr. per puncta ex* desideratus M; desideratus $R M_1$ **64** est¹] M_1;
om. et add. in marg. M; *om.* $T R$ parem] $T R M_1$; parim M

65 bonum singulare, quia supra omne bonum desiderat ueneratus
existere. Et hoc totum sibi aduenit, quia frequentius obiectat
suum honorem per suum recolere, intelligere et amare, quam
honorem proximi sui.

Homo superbus credit fore creatus sibi ipsi tantum. Et hac de
70 causa in suo fine non uult ullam aliam societatem. Et quia
deformat finem suum, est superbus, et in nullo bono uult societatem.

Homo superbus est indutus habitu hypocrisiae. Cum quo
habitu fingit se fore bonum hominem et sanctum propter ieiuna-
75 re, pro humiliter loqui, et pro uiles pannos induere et pro
frequenter ecclesiam intrare.

Homo non bene naturatus siue dispositus in membris, con-
tractus uel gibbosus, et sic de aliis uitiis naturalibus, est superbus, quia credit, quod gentes eum negligant, ob hoc quia non
80 bene naturatus est. Et est superbus hac de causa, quia non scit
recolere, intelligere et amare uoluntatem Dei, qui in illo statu
et figura eum creauit, ob hoc ut habeat patientiam, per quam
humilitate sit habituatus et uestitus.

Bona naturalia, per quae homo exstat pulcher, fortis et habet
85 sanitatem, et bona terrena, quae habet pro genere, et | diuitiis M 16ᵛ
sunt nuntii superbiae. Cum quibus daemon tentat homines
humiles, ob hoc ut sint superbi per illos nuntios. Et si homo
humilis consideret, unde uenit, et quomodo leuiter migrant ab
hac uita nuntii, cum habitu humilitatis uincet daemonis tenta-
90 tionem et etiam claudit portam sui amare, intelligere et recolere, ut superbia non possit intrare, nec humilitas ualeat inde
exire. Et propter hoc homo ita humilis cunctis diebus ponit cum
uirtutibus ascendendo suum amare, intelligere et recolere, et
etiam imaginari.

95 Diximus de su|perbia, quae est forma deformata. Quae defor- T 9ʳ
mat in homine superbo finem sui sentire, imaginari, recolere et
intelligere et amare, ob hoc quia homo superbus non format
cum humilitate, quae format finem sentiendi, imaginandi, intelligendi, amandi et recolendi. Et propter hoc in fine sermonis
100 deprecemur | Deum, quatenus det nobis gratiam, per quam R 13ᵛ
essentiam superbiae et sua opera sciamus recolere, intelligere et
abhorrere, et quod cum humilitate sciamus alte ponere nostrum
sentire, imaginari, recolere, intelligere et amare.

---

77 non – membris] *cat.* afollat   77/78 contractus] *coni.*; contritus *M T R M*₁;
cat. contret   80 scit] *coni. ex textu cat.*; *om. codd. omnes*   87 per – nuntios] *coni.*
ex textu cat.; *om. codd. omnes*   88 migrant] *coni.*; migrat *M T R M*₁   90 claudit]
coni. ex textu cat.; *om. codd. omnes*

II.5. De pigritie [f]

[Sermo XIII]

Quoniam Deus abhorret pigritiem, pigritiem non habeas.

In principio sermonis deprecemur Deum, quatenus det nobis
5 gratiam, per quam ualeamus pigritiei essentiam cognoscere, et
opera, quae per eam fiunt, ut eam ualeamus abhorrere, et
diligentiam boni sciamus cognoscere et amare.

Pigrities est habitus, per quem homo piger non habet placitum in faciendo bonum sibi ipsi, nec proximo suo. Et habet
10 placitum quando aduenit malum proximo suo et dolet, quando
sibi aduenit bonum.

Per has quattuor species, quas diximus de pigritie, potest
cognosci eius essentia et eius opera. Et per talem notitiam
potest cognosci diligentia boni, quae est eius contrarium, et eius
15 quattuor species. Et quia diligentia boni est per se amanda, et
negligentia boni est per se abhorrenda, cum ita sit, quod bonum
debet per se amari, et malum per se odiri, propter hoc in
sermone debet dari notitia populo de pigritie et eius essentia et
suis operibus, ob hoc ut a populo abhorreatur, et quod diligentia
20 boni diligatur.

In diligentia faciendi bonum, sentire et imaginari, recolere,
intelligere et amare consequuntur magnam passionem, ut propter passionem mereatur magnum meritum ille, qui facit bonum.
Et homo, negligens facere bonum, uitat illam passionem; et ob
25 hoc induit se pigritie, propter quam aduenit sibi magnum, quia
non acquirit meritum boni.

Homo piger proponit facere bonum in futuro tempore. Et
quia in tempore, in quo est et uult facere bonum, sentit angustiam et passionem, quae exstat in faciendo bonum, uitat illam
30 angustiam et passionem; et exstat negligens et piger. Et in
quantum fortius differt suum statum, tanto fortius abit et
recedit a bona diligentia, et assuescit negligentiae boni.

Pigrities colligit homo piger de dissimilitudinibus diligentiae
boni. Et in quantum magis colligit, multo magis multiplicat in |
35 se pigritiem boni. Et propter hoc incarcerat et occidit et detinet   M 17ʳ
fortiter et diu suum recolere, intelligere et amare. Quae habitum
pigritiei nequeunt exire et habitu diligentiae nequeunt indui.

Sequendo hominem per illum finem, ad quem creatus est, est

XIII, 1 pigritie] pigritia *T R M*₁   3 pigritiem] *correxi*; pigritiam *M T R M*₁
pigritiem] pigritiam *M*₁ ·   5 pigritiei] pigritiae *M*₁   9/10 Et – suo] *coni. ex
textu cat.*; *om. codd. omnes*   24/26 passionem – boni] *om. M*₁; *om. sed alia manu
add. in marg. Z*   25 pigritie] *correxi*; pigritiem *M T R*   27/29 Homo – illam]
*om. M*₁; *om. sed add. alia manu in marg. Z*   27 proponit] *coni.*; qui ponit *M T R Z*
28 est et uult] *cat.* es vol   38 est²] *corr. in* quem possunt *M*₁

sequi, quod uadit grauiter per sentire, imaginari, intelligere,
40 amare et recolere. Et propter hoc homo, qui diligens est in
faciendo bonum, et qui de nihilo creatus est, recurrit ad magnam diuinam bonitatem, et exigit adiutorium, per quod ualeat
uenire ad bonum finem, ad quem creatus est; et propter hoc est
adiutus. Et quia homo piger non recolit nec intelligit nec amat
45 tale refugium, peccat mortaliter, et exstat negligens boni et
diligens mali.

Homo piger non recolit, nec intelligit, nec amat praeceptum
generale, quod dicitur (Deut. 6,5): *Dilige Dominum Deum tuum*
ex toto corde tuo et tota anima tua et tota mente tua et totis uiribus
50 *tuis,* propter diuitias et honorem et propter alia bona terrena.
Et quia in oboediendo mandato est passio, hac de causa homo
piger est negligens ad faciendum bonum, quia non diligit pati
passionem. Et accidit sibi ita, sicut homini, qui non uult laborare ad habendum diuitias. Et quia eas non habet, paupertas eum
55 angustiat, quia dat ei boni indigentiam.

Humanus intellectus naturaliter et leuiter credere potest, sed
difficiliter intelligit. Et uoluntas leuiter potest amare, uel non
amare. Et propter hoc homo piger sequitur uoluntatem suam, et
fugit intellectum suum. Per quod fugere exstat negligens ad |
60 faciendum bonum et ad uitandum malum.   R 14ʳ

Homo piger consulit malum, et non consulit bonum. Et hoc
facit, ob hoc quia in consulendo bonum sustinet intellectus
angustiam pro intelligere illud bonum. Et quia in consulendo
malum non sustinet angustiam, homo piger fugit bonum et
65 accedit ad malum.

Homo, habens pigritiem ad faciendum bonum et ad uitandum
malum, non diligit Deum, nec se ipsum, neque proximum suum.
Et quando aduenit, quod bonus angelus eum tentat ad faciendum bonum, non recolit, nec intelligit, neque amat illam tenta-
70 tionem. Et recolit, intelligit et amat malam tentationem, quam
consequitur per suum sentire et imaginari, et per daemonem.

Pigrities est peccatum. Quod grauiter cognoscitur, ob hoc quia
pigrities deformat sentire et imaginari, intelligere, amare et
recolere. Et propter hoc homo piger est pigritie indutus, et de ea
75 non habet notitiam, nec facit scientiam. Et homo, diligens ad
faciendum bonum, facit huius contrarium.

Homo piger redarguit hominem diligentem. Et quando ipse
redarguitur, non noscit redargutionem, quia de pigritie non
habet scientiam. Et homo, diligens ad faciendum bonum, facit
80 huius contrarium, ob hoc quoniam de diligentia boni et de
negligentia mali facit scientiam.

---

39 quod] *corr. in* qui M_1 **44** refugium] T; refudium MR; *om.* M_1 **57/**
58 uel – amare] *om. cat.*   **68** bonus] homo (*add. in marg.* alius bonus) M; homo
T; homo alius bonus R; homo aliquis aut bonus M_1 **80** de ... de] *coni.; om.*
codd. omnes   **81** negligentia] *coni.*; diligentia $MRTM_1$

Homo piger, quando uult Deum orare, leuiter deprecatur
Deum, ob hoc quia timet angustiam, quam | patitur intellectus T 9ᵛ
pro fortiter Deum orare et contemplari. Et homo, qui diligens
85 est ad fa|ciendum bonum, facit huius contrarium. Et si multum
fortiter eius oratio ascendat ad Deum per multum recolere,
intelligere et amare Deum, et eius opera, tota angustia, quam
sustinet in contemplatione, exstat sibi leuis et placens.

Homo piger ad fortunam imaginatur satisfactionem iniuria-
90 rum et peccatorum, quas et quae commisit. Ita fortiter est
habituatus pigritie, quod proponit in alio tempore satisfactionem praestare; et sic de uno tempore in aliud, usque ad finem
mortis. Et quia in illo fine infirmatur, et est sibi graue considerare restitutionem, moritur in carcere pigritiei, uaditque ad
95 perpetuum tormentum.

Diximus de pigritie. Et ostendimus siue dedimus notitiam de
eius essentia, et eius operibus, quae sunt uiae mali. Et propter
hoc deprecemur Deum, quatenus det nobis notitiam, per quam
pigritiem destruere ualeamus in amando, intelligendo et reco-
100 lendo, in quibus nascitur et inhabitat, et in quibus moritur,
quando recolitur, intelligitur et diligitur diligentia faciendi bonum.

II.6. De invidia [g]

[Sermo XIV]

Quia Deus abhorret inuidiam, non habeas inuidiam.
In principio sermonis deprecemur Deum, quatenus det nobis
5 gratiam, per quam cognoscamus inuidiae essentiam et eius opera, ob hoc ut eam et eius opera abhorreamus. Quoniam si
inuidiam cognoscamus et abhorreamus, legalitatem, quae est
eius contrarium, cognoscemus et diligemus, et opera Deo placentia faciemus.
10 Inuidia est habitus, per quem amantur proximi bona contra
rationem.

Inuidiae species sunt duae. Quarum una exstat per ueniale
peccatum; reliqua exstat per mortale peccatum.

Inuidia, quae exstat per ueniale peccatum, est, quando homo
15 considerat, utrum amabit necne bona proximi sui contra rationem. Et quia per talem considerationem exstat in libertate
eligendi uel non eligendi illa bona, propter talem deliberationem
gignitur ueniale peccatum. Et si homo eligat bona proximi sui
contra rationem, recolendo, intelli|gendo, amando illa bona, illo R 14ᵛ
20 tunc inuidia generatur. Et de ea induuntur recolere, intelligere

---

97 mali] *add. cat.* car son vicioses e dampnoses

et amare, et etiam sentire et imaginari; quae nuntii sunt inuidiae.

Ostendimus duas species inuidiae, et modum, per quem una
species exstat per ueniale peccatum, et reliqua per mortale
25 peccatum.

Est alius modus, per quem potest considerari inuidiae similitudo. Sicut quando homo, qui considerat habere proximi uxorem ad fortunam, et non consentit nec habet deliberationem, et
in continenti recolit, intelligit et amat legalitatem, et successiue
30 recolit intelligit et abhorret inuidiam. Et propter hoc habet
bonam fortunam, per quam acquirit meritum et uirtutem.

Inuidia est habitus, collectus per sentire, imaginari, recolere,
intelligere et amare species, id est phantasias, de quibus homo
inuidus gignit et facit inuidiam. Quae similitudines sunt malae,
35 uitiosae, et contra similitudines legalitatis; quae sunt qualitates
bonae et uirtuosae.

Homo inuidus quotiescumque habet inuidiam, patitur tristitiam et passionem, quia inuidia est habitus, qui per se odibilis
est, et quia legalitas, | quae est eius contrarium, est per se   M 18ʳ
40 habitus amabilis. Potest igitur homo peccator cognoscere per
instinctum naturale, quid est inuidiae essentia et legalitatis
essentia.

Homo inuidus est falsus, ob hoc quia falso modo et contra
rationem inuidet bona proximi sui; et homo legalis, non inuidus,
45 facit huius contrarium. Potes igitur, tu homo, audiens sermonem, in mente tua considerare, si sis falsus uel illegalis contra
proximum tuum per inuidiam, uel uerus uel legalis per legalitatem.

Homo inuidus, qui inuidet pulchram mulierem, non eam inui-
50 det cum bonitate ipsius mulieris, nec sui ipsius. Igitur eam
inuidet cum malitia sui ipsius. Et ad contingentiam uellet mulierem fore uilem per luxuriam; et diligit eam deformate, tamquam bonam. Ergo tu, inuidus homo, potes cognoscere, qualis
sis et quale quid sit inuidia.

55 Homo inuidus detrahit illi rei, quam inuidet, ut det ad uidendum gentibus, ipsum non fore inuidum. Et sub tali habitu tradit
et decipit proximum suum, et habet bona sua.

Homo inuidus non facit scientiam de restitutione, quia de ea
minime facit obiectum per sentire, imaginari, recolere, intellige-
60 re et amare. Et homo legalis facit huius contrarium.

Si cum homine inuido peregrineris, non sibi ostendas denarios,
quos portas; et si facias, cum periculo mortis uades cum ipso
per uiam; cum ita sit, quod homo inuidus, quando non potest

XIV, **21/22** inuidiae] *coni.*   **23** una] *om. et add. in marg.* M   **26** potest]
recte coni. T; *om.* M R M₁   **39** est¹] *corr. ex* et M₁; *om.* M T R   et] *om.* M₁   **46**
uel] *coni. ex textu cat.*; et M T R M₁   **54** sis] *corr. ex* sit M₁; sit M T R; *cat.* est
tu   quale quid] *cat.* qual cosa   **62** si] *om. et add. sup. lin.* M T

decipere proximum suum, ipsum ui superat; et si eum superare
65 nequeat, decollat eum.

Homini inuido non deponas nec mutues aliquid tui, nec reueles ei secretum tuum. Quia si facias, pones te periculo fortunae,
per quod periculum occasionem tibi dabis malae fortunae.

Homo inuidus non laudat nec approbat uirtutes. Et hoc est,
70 quia uirtus et inuidia sunt contrariae. Et detrahit inuidiae in
alio homine, et non in se ipso. Potes igitur cognoscere hominem
inuidum in sua loquela, sicut potes cognoscere albedinem in
substantia alba; et sicut potes cognoscere albedinem albam, ita
potes cognoscere in homine inuido inuidiam.

75 Homo inuidus detrahit homini legali; et non detrahit sibi ipsi,
quamuis inuidiam possideat. Potes igitur cognoscere, in audiendo uerba, legalitatem et inuidiam.

Hominem inuidum non consulas, quoniam si facias illo modo,
de quo consilium requires, | ipse curabit modum, per quem illud, T 10ʳ
80 quod tuum est, ualeat suum esse.

Homo inuidus non timet nec diligit Deum; et exstat inoboediens Deo dicenti hominem non fore inuidum. Et qui non timet
nec | amat Deum, non potest habere quidquam, quod sit suum. R 15ʳ
Et qui non potest habere aliquid, quod sit suum, non habet se
85 ipsum, et est totus daemonis. Vnde cum hoc ita sit, considera
igitur, tu homo, qui audis sermonem, si habeas quidquam, quod
sit tuum; et considera, qualiter inuidia sit multum graue peccatum.

Multum diximus de inuidia, et multum de ea possemus dicere.
90 Et per hoc, quod de ea diximus, ostendimus eius essentiam et
opera sua. Per quae opera homo inuidus participat cum operibus daemonis. Igitur deprecemur Deum in fine sermonis, quatenus si daemon nos tentet de inuidia, quod recolamus, intelliga-
mus eius opera, et quod eam abhorreamus cum | toto posse
95 uirium nostrarum.

II.7. De ira [h]

[Sermo XV]

Quoniam Deus non diligit iram, non habeas iram.

In principio sermonis deprecemur Deum, quatenus det nobis
5 gratiam, per quam cognoscamus et abhorreamus iram, et cognoscamus diligamusque patientiam, quae est eius contrarium.

---

64 ui superat] sui superat *TR*; sic superat M_1; *cat.* lo força   **68** malae]
om. et add. in marg. M   **69** non] *om. et add. in marg. M*   **73** et – albam] *coni.*
ex textu cat.; *om. codd. omnes*

XV, **4/5** det – gratiam] nobis gratiam *M*; nobis gratiam faciat *R* M_1 **6**
patientiam] *recte coni. T*; poenitentiam *M R* M_1

Ira est habitus, tristitiam generans et passionem contra faciendi bonum deliberationem, et uitandi malum. Et propter hoc
homo iratus totum id, quod facit, facit ad fortunam.

10   Ira habet duas species. Quarum una exstat per uirtutem;
reliqua per peccatum mortale. Ira exstans per uirtutem gignit
correctionem et nutrimentum bonorum morum. Ira exstans per
mortale peccatum est contra correctionem et nutrimentum bonorum morum.

15   Ira est de dissimilitudinibus contra similitudines laetitiae.
Quae est habitus, per quem hilaris exstat uoluntas.

Ira est habitus hominis stulti, faciens stultitias. Qui habitus
ad contingentiam praeparat hominem sapientem facere stultitias.

20   Ira est nuntius subitaneae mortis, qui interficit bonum sentire, imaginari, recolere, intelligere et amare.

Ira est occasio malae fortunae. Et propter hoc homo iratus, id,
quod facit, non facit cum discretione bonae intentionis. Et
propter hoc, tunc cum fecerit malum, qui ab eo quaerat, quae
25 sunt qualitates illius, quod facit, nescit reddere rationem.

Ira est spiritualis inebriatio recordationis et intellectus, qui
non habent deliberationem ad eligendum habitum discretionis.

Homo iratus non timet mortem, nec desiderat uitam; cum ita
sit, quod nesciat considerare damnum, quod exstat per mortem,
30 nec utilitatem, quae exstat per uitam.

Non redarguas hominem iratum, nec te sibi excuses de aliquo.
Et si facias, praeparas tibi ipsi malam fortunam, et sibi multiplicas iram suam.

Non stes coram homine irato, quia coram eo non stat bonus
35 mos. Et si facias, in periculo permanebis; et in mente tua pacem
nullam habere poteris.

Hominem iratum non consulas, nec ei consulas; et si facias,
prope iram eius permanebis.

Ira aduenit subito, et recedit ab homine leuiter. Et propter
40 hoc homini irato ne reminiscaris iram suam.

Nuntii irae sunt sentire, recolere, intelligere et amare. Et ipsa
nascitur in uoluntate, quae passionem dat intellectui et memoriae. Quae non habent deliberationem ad obiectandum patientiam; quae est contra iram; cum ita sit, quod cum patientia
45 habeatur uictoria contra iram.

Occasio irae est uel exstat per contrarietatem, et occasio
patientiae exstat per concordantiam; et ob hoc patientia habet
uictoriam contra iram.

---

7 tristitiam] *coni. ex textu cat.*; tristem *codd. omnes*   et] *coni.*; *om. codd. omnes*
26. et] *coni.*; *om.* M T R M₁   **37** iratum] *coni.*; sapientem M R M₁; sap iratum
T   nec – consulas] *om.* T   si] *om. sed add. sup. lin.* M₁; *om.* M R   **41** recolere
– amare] *coni.*; *om. omnes codd.*

Ira incipit in memoria et in intellectu et interpretatur in
50 uoluntate; et propter hoc non potest exire de uoluntate per
recolere nec intelligere sine poenitentia.

Ira non considerat iniustum neque iustum. | Et propter hoc R 15ᵛ
homo iratus id, quod facit, est formatum per tenebras imaginari,
intelligere, recolere, et amare. Et dum iratus est, non parcit nec
55 ueniam exigit.

Ne loquaris cum homine irato de sapientia; cum ita sit, quod
ipse sit stultus. Et stultitia et sapientia sint con|trariae.   M 19ʳ

In absentia discretionis et patientiae unus homo stultus gignit
in alio homine stultitiam.

60 Ab homine irato non petas noua, nec sibi ea uelis dicere.
Quoniam si bona sunt, ipse ea reputabit mala; et si sint mala,
habebit ea pro bonis.

Qui confidit in homine irato, discretione indiget. Et qui tacet
homini stulto et fugit, suae uoluntati de discretione facit ue-
65 stem.

Ira est pestis siue tempestas uoluntatis angustiatae. Quae
uoluntas angustiat omnes hominis partes. Quae sunt: Potentia
elementatiua, quae calefacit corpus; potentia uegetatiua, quae
corrumpit digestionem; potentia sensitiua, quae perdit finem
70 sentiendi; potentia imaginatiua, quae perdit finem imaginandi;
potentia intellectiua, quae perdit finem intelligendi; potentia
memoratiua, quae perdit finem memorandi; potentia dilectiua,
quae perdit finem diligendi. Per talem uoluntatem nullus homo
requiescere potest.

75 Ira est ianua inferni, impietatis, inconstantiae, impatientiae,
angustiae, periculi atque mortis. Per quam ianuam nullum bonum potest claudi nec aperiri.

Ira est gladium, decollans pietatem, humilitatem, consilium,
discretionem, contritionem, confessionem et satisfactionem; gla-
80 dium factum de angustia et maledictione.

Ira est mors, in qua moritur uita, consolatio, solatium, laetitia,
ualor, honor, legalitas, et totum id, quod est a bono eiectum.

Ostendimus iram, et eius essentiam et eius opera, consequen-
tias et damna. Quare in fine sermonis deprecemur Deum, quate-
85 nus det nobis gratiam et benedictionem per quam iram sciamus
abhorrere et patientiam, quae est eius contrarium, sciamus
intelligere, amare et recolere.

---

50 de uoluntate] *coni.*; uoluntatem *M T R M₁*   **51** poenitentia] patientia *T*
54 recolere] *coni.*; *om. omnes codd.*   **78** gladium] *coni.*; consilium *M T R M₁*;
cat. colteyl = culter (conseyl = consilium)   **79** confessionem et] *coni. ex textu*
cat.; *om. codd. omnes*

II.8. | De mendacio [i]   T 10ᵛ

[Sermo XVI]

Quoniam Deus abhorret mentiri, non habeas mendacium.
In principio sermonis deprecemur Deum, quatenus det nobis
5 gratiam, per quam sciamus cognoscere, mendacium et illud
abhorrere; et quod sciamus ueritatem, quae est eius contrarium,
intelligere, amare et recolere.
Mendacium est habitus, per quem moriuntur omnes fines
partium hominis, quae exstant per uisum, auditum, odoratum,
10 gustum, palpatum, loqui, imaginari, intelligere, amare et recolere.
Mendacii duae sunt species. Quarum una exstat per mendacium mentis; reliqua exstat per mendacium uerbi.
Homo mentiens per mentem, primo intelligit ueritatem, et
15 postmodum pensat atque cogitat, quod de illa ueritate, quam
cogitat, det similitudinem falsitatis.
Homo mentiens per uerbum, mentitur contra ueritatem mentis, ut proximum suum per uerbum fictum decipiat et contra
ueritatem mentis.
20 In homine mendaci, mendacio induto, amittuntur fines caelorum et sui motus, et fines elementorum. Qui fines sunt, ob hoc ut
cum homine ueraci Deo ualeant deseruire, et ad finem propter
quem sunt aduenire. Et homo mendax deuiat ab illo seruitio,
quoniam cum suo mendacio facit illos fines otiosos. Et propter
25 hoc iustitia Dei, propter talem mendacium, condemnat homines |
mendaces ad perpetuam poenam; in qua in aeternum nollent M 19ᵛ
uerum proferre.
Officia praelati, principis, militis, mercatoris, religiosi, aduoca-
ti, iudicis, | et sic de aliis officiis, omnia inuenta sunt ad uerita- R 16ʳ
30 tem proferendam, et mendacium destruendum. Et homo men-
dax considerat modum, per quem destruere ualeat ueritatem in
omnibus illis officiis. Et propter hoc potes tu, homo mendax,
cognoscere magna damna, quae per mendacium praestas.
Homo mendax illam suam ueritatem, quam habet in eius
35 mente per intelligere et recolere, illam non diligit; immo abhorret. Et hac de causa generat eius uerbum mendacium. Quod
mendacium diligit contra ueritatem mentis suae, quam abhorret.
Homo mendax similitudinem peruertit in dissimilitudinem, ut
40 mentiri ualeat contra proximum suum, per quod mendacium
suum proximum decipere atque tradere ualeat.

XVI, **5** illud] *correxi*; eum *M T R M*₁   **8** quem] *corr. ex* quod *M*₁; quod *M T R*
20 amittuntur] *corr. ex* admittunt *M*₁; admittunt *M T R*   **21** elementorum]
add. cod. cat. e les fins dels elementats   **23** deuiat] *coni.*; delirat *M T R M*₁

Homo mendax et homo uerax in nullis et cum nullis ualent concordare et conuenire. Et propter hoc peior uindicta, quae possit esse, est de homine mendaci cum homine ueraci.

45 Qui credit homini mendaci, non credit ueritati. Et qui amat sua mendacia, non diligit bonitatem. Et propter hoc diligit ad contingentiam malum atque peccatum.

Mendacium in homine, iuranti per Deum, est grauius peccatum, quam si iuret per animam suam uel caput suum. Ergo qui
50 dicit ueritatem per Deum, est maior uirtus, quam qui dicit ueritatem per animam suam et caput suum. Et propter hoc secundum quod sunt gradus mendacii et ueritatis, per iustitiam Dei homo iudicabitur. Quoniam pro maiori mendacio maiorem poenam sustinebit et pro maiori ueritate maiorem gloriam et
55 laetitiam consequetur.

Homo, qui mentienter se excusat, praeparat iram homini, eum redarguenti et accusanti. Et in quantum se fortius excusabit, in tantum fortius iram in eo praeparat, qui eum redarguit et accusat.

60 Nullus homo est ita grauis ad corrigendum, quemadmodum est homo mendax. Et ratio exstat in hoc, quod mendacium est fictio siue figmentum, et non est esse reale. Et auaritia, gulositas siue glutunia, et reliqua peccata omnia habent realia significata, et mendacium est contra reale significatum. Quoniam de eo,
65 quod est reale significatum, facit homo mendax similitudinem falsitatis.

Mendacium et ueritas sunt habitus contrarii. Et subiecta, in quibus exstant et nascuntur, sunt recolere, intelligere et amare; et simul in illo subiecto nequeunt permanere. Et si iuuetur
70 mendacium, ueritas per mendacium superatur; et si iuuetur ueritas, per ueritatem mendacium superatur. Et propter hoc potest cognosci hominem fore factorem ueritatis et mendacii atque motorem.

Mendacium, exstans contra quattuordecim articulos et contra
75 septem sacramenta et decem praecepta, est contra sanctam ecclesiam, quae aedificata est per quattuordecim articulos fidei et per septem sacramenta et decem praecepta. Vnde cum sancta ecclesia habeat ita magna fundamenta, potest cognosci mendacii magnitudo; | cum quo homo mendax est contra fundamentum M 20ʳ
80 ecclesiae. Et potest etiam cognosci illa magna poena, quam homo mendax exspectat.

Quilibet clericus, desiderans maxime praelationem siue praelatiam pro habendo honorem sibi ipsi, quam pro honore Dei, induit suum desiderium fraude et mendacio. Et idem facit

---

55 consequetur] consequitur TRM_1 61 ratio] *add.* per quam $MTRM_1$
63 significata] *coni. ex textu cat.*; figmenta $MTRM_1$ 69 simul] *corr. ex*
similiter M_1; similiter MTR 79 quo] *coni.*; *om.* $MTRM_1$ 83 pro habendo]
coni.; quam habendi MTR; et habendi, *corr. ex* quam habendi M_1; *cat.* per aver

85 praelatus, qui praediligit facere diuites eius affines cum diuitiis
praelationis siue praelatiae, quam pro uenerari et manutenere
praelationem.

Mendacium habet duas species. Prima est per intelligentiam;
reliqua est per credulitatem. Qui credit, mentiendo id, quod non
90 intelligit, non mentitur ita fortiter, quemadmodum ille, qui
mentitur per intelligere. | Et propter hoc erit maior punitio siue R 16ᵛ
condemnatio per intelligere, quam per credere.

Multum possemus dicere de mendacio et eius essentia et eius
operibus, et de magnis damnis, quae impendit. Attamen de hoc,
95 quod diximus de mendacio, potest cognosci eius essentia et eius
opera et damna, quae procurat; et ubi nascitur, ubi persistit; et
cum quo nascitur, et cum quo inhabitat; et quo augmentat eius
opera. Et propter hoc in fine sermonis deprecemur Deum, quatenus det nobis gratiam, per quam mendacium sciamus et
100 uelimus destruere; et ueritatem, quae est eius contrarium, per
ueritatem | dicere, sciamus habere et manutenere.   T 11ʳ

Diximus de secunda distinctione. Et per ea, quae diximus,
potest haberi magna materia ad praedicandum contra peccata
mortalia, quae sunt uiae infernales.

III
De tertia distinctione.
[De uirtutibus compositis]

Distinctio ista diuiditur in uiginti octo sermones, artificialiter
5 coniungendo et componendo unam uirtutem cum alia. Et propter hoc tale artificium est magna materia et subiectum ad
faciendum bonos et magnos sermones.

In hac distinctione, et sic de aliis, attribuimus decem et octo
principia *Artis generalis*; et cum eis inquiremus subiecta et
10 praedicata, quae competunt sermoni. Decem et octo principia
sunt ista, scilicet: (1) Bonitas, (2) Magnitudo, (3) Aeternitas, (4)
Potestas, (5) Intellectus, (6) Voluntas, (7) Virtus, (8) Veritas,
(9) Gloria, (10) Differentia, (11) Concordantia, (12) Contrarietas,
(13) Initium, (14) Medium et (15) Finis, (16) Aequalitas, (17)
15 Maioritas, (18) Minoritas.

In textu primae distinctionis inquiremus uerba, quae debent
dici in sermone cum principiis supra dictis. Et primo faciemus
unum sermonem de iustitia et de prudentia.

---

90 non] *coni.*; *om. MR M₁*; *om. sed add. alia manu sup. lin. T*

III, Dist. - Prol., **10** et] *coni.*; *om. omnes codd.*   **12** Veritas] *om. et add. sup. lin.*
M₁; *om. MR*

III.1. DE IVSTITIA

III.1.1. De ivstitia et prvdentia [B C]

[Sermo XVII]

Quicumque faciens sermonem de iustitia et prudentia, recolat
5 thema iustitiae et prudentiae et earum definitiones et species; et
de eis faciat materiam formae sermonis. Et de hoc det notitiam
populo, ut cognoscant finem sermonis.

Et propter hoc in principio sermonis deprecemur Deum, quatenus det nobis gratiam, per quam componere sciamus sermo-
10 nem de iustitia et prudentia. Quoniam per talem notitiam,
poterit cognosci modus, per quem poterit uinci et superari
peccatum iniuriae et imprudentiae, et fortificari prudentia et
iustitia in recolere, intelligere et amare.

Deus dedit te ipsum tibi ipsi, et bona cuncta, quae possides.
15 Et hac de causa iustitia exigit, te | reddere Deo id, quod tibi M 20ᵛ
dedit. Et totum reddis Deo, si cum toto te ipso Deo seruias. Et
si hoc facias, prudentiam consequeris; et maius bonum, quod
habeas, fortius recoles, intelliges et amabis, quam minus. Et si
contrarium facias, iniustus eris et imprudens; et uiae tuae erunt
20 poenae aeternae.

Tu uides aliquam pulchram mulierem, quae bona est. Et
quoniam in ipsa est bonitas in maiori gradu, quam pulchritudo,
si tu eam praediligas ratione pulchritudinis, quam ratione bonitatis, tu facis contra iustitiam et prudentiam, et habituas tuum
25 amare de iniuria et imprudentia. Quod quidem amare est deformatum, et cum eo deformas tuum intelligere, recolere et imaginari, et es stultus et facis stultitias; et es iniustus et facis
iniurias. Pro quibus stultitiis et iniuriis te oportet poenam
sustinere in tantum, quantum debet Dei iustitia iudicare, et eius
30 uoluntas amare. Consulo tibi igitur, quod recurras ad prudentiam et eam uelis iuste recolere, intelligere et amare. Et si hoc
facias, praediliges pulchram mulierem causa bonitatis, quam
causa pulchritudinis, et fugies iram Dei.

Si tu, homo diues, satisfacias tuo imaginari cum iustitia et
35 prudentia, ipsum | poteris formare et ordinare. Et tamdiu illud R 17ʳ
tenebis formatum et ordinatum, non moueberis per illud ad
carnale delicium, nec ad superbiam pro diuitiis suis; quoniam
iniuria nec imprudentia illud poterunt deformare.

XVII, **6** formae] forma M_1; *cat.* a la forma   **9** componere] *cat.* compendre
23 quam] $T M_1$; quod $M R$ **27** intelligere] *add.* amare et $M T R M_1$ **30**
quod] *coni.*; *om. codd. omnes*   **35** illud] *correxi*; eum $M T R M_1$ **36** illud] *correxi*;
eum $M T R M_1$ **38** imprudentia] *coni.*; prudentia $M T R M_1$ illud] *correxi*;
eum $M T R M_1$

Si tu, homo pauper denariorum et aliarum diuitiarum, abhor-
40 reas hominem diuitem propter eius diuitias, cognoscere potes
tuum amare fore indutum de iniuria et imprudentia. Et si uelis
illud induere de iustitia et prudentia, dilige iustitiam et prudentiam, et abhorre iniuriam et imprudentiam. Et si istud facere
nequeas, noscere potes, te fore obstinacem. Et non habes aliud
45 refugium, sed quod depreceris Deum, quatenus te adiuuet. Et
dum eum deprecaberis, depreceris eum iuste, prudenter et diu;
et de eo, de quo Deum deprecaberis, qui est iustus et amans
prudentiam, adiutorium consequeris.

Tu uides quendam hominem amicum tuum, occidentem quen-
50 dam alium hominem sine causa. Si interrogeris per curiam,
utrum uidisti illum hominem occidi, et tu exstas in deliberatione, utrum dices uel negabis, recurras ad prudentiam, quam
intelligas recolendo et amando. Et tunc iustus eris et prudentiam consequeris, et dices ueritatem, te uidisse tuum amicum,
55 occidentem hominem illum. Et si dicas te non uidisse, iniustus
et imprudens eris, quia non timebis praeceptum a Deo factum
(Ex. 20,13; Deut. 5,17), quod nullus occidat alium sine causa.

Si tu sis iniuriosus, exstas imprudens per tuum intelligere,
amare et recolere, et imaginari et sentire, et non ualeas cogere,
60 te fore iustum illo tunc, quo es iniustus; quoniam duo habitus
contrarii simul in uno et eodem subiecto nequeunt permanere.
Et si tu uelis esse prudens, recolas in continenti prudentiam et
iustitiam. Et tunc poteris ab illo subiecto eicere iniuriam et
imprudentiam, si iustitiam et pruden|tiam uelis fortiter diligere, M 21ʳ
65 et in ipsis proponis te longo tempore permanere.

Tu das alapam unam cuidam rustico, et aliam cuidam militi,
et aliam regi. Et si tu cognoscas, quod multo fortius errasti in
percutiendo militem, quam in percutiendo rusticum, et in percutiendo regem, quam in percutiendo militem, et contritionem
70 non habeas maiorem in percutiendo militem, quam rusticum, et
in percutiendo regem, quam militem, iniustus et imprudens es.
Et non considerabis, quod multo fortius erres contra Deum, si
contra eum peccatum committas, quam in percutiendo regem,
et si consideres contrarium, de iustitia et prudentia indues tuum
75 intelligere, recolere et amare. Et si facias huius contrarium, |
magnae contritioni, confessioni et satisfactioni te submittes.   T 11ᵛ

Si tu teneas scutiferum, et ipse te praediligat causa salarii,
quod sibi praebes, quam causa bonitatis tuae, potes cognoscere,
illum non fore iustum nec prudentiam habere; cum ita sit, quod
80 tua bonitas ualeat magis, quam salarium, quod sibi praestas. Et

---

42 illud] *correxi*; eum *MTRM*₁   **58** iniuriosus] *add.* et *MTRM*₁   **61**
simul in] *coni.*; in simul et *MTRM*₁   **69** in] *om. MRM*₁   **72** considerabis]
corr. ex considerabilis *M*₁; considerabilis *MTR*   **76** contritioni – submittes]
cat. contriccio auras e confessio faras e a gran satisfacio te obligaras

propter hoc tu debes habere iustitiam cum prudentia in amando
Deum plus causa suae bonitatis, quam causa boni, quod tibi
praebuit, nec causa boni, quod ab eo spectas. Et si contrarium
facias, mortaliter peccas, quoniam tuum amare exstat deforma-
85 tum per iniuriam et imprudentiam, de quibus est habituatum et
uestitum.

Si tu, scutifer, diuidas altilem in mensa, habeas iustitiam et
prudentiam, ut altilem bene scias diuidere secundum gradus
personarum, existentium ad mensam. Et si contrarium facias,
90 de in|iuria et imprudentia induisti tuum recolere, intelligere et R 17ᵛ
amare, sentire et imaginari. Simili modo potes considerare, quod
si tu diligas Deum plus, quam te ipsum et alium, scis bene
diuidere tuum amare, intelligere atque recolere. Et si contrarium facias, iniuriam et imprudentiam possidebis, et mortaliter
95 peccabis, et Deo inoboediens eris. Et hoc noscere poteris secundum thema iustitiae et prudentiae, et secundum earum definitiones et species.

Si abhorreas hominem iustum, totam iustitiam ad fortunam
abhorrebis; cum ita sit, quod iustitia hominis iusti sit contracta
100 et singularis iustitiae uniuersalis. Et propter hoc potes cognoscere, qualiter magnam iniuriam et imprudentiam generabis per
deformatum recolere, intelligere et abhorrere.

Diximus de sermone, qui potest fieri de iustitia et prudentia.
Et ostendimus modum, per quem sermocinator potest compo-
105 nere suum sermonem de iustitia et prudentia contra iniuriam et
imprudentiam. Et propter hoc in fine sermonis deprecemur
Deum, quatenus det nobis gratiam, per quam sciamus componere et coniungere iustitiam et prudentiam, de quibus induamus
nostrum recolere, intelligere et amare tunc, quando daemon nos
110 tentabit, ut illa induamus de iniuria et imprudentia.

III.1.2. De Ivstitia et Fortitudine [B D]

[Sermo XVIII]

Quicumque faciens sermonem de iustitia et fortitudine, recolat earum themata, definitiones et species, et textum iustitiae et
5 fortitudinis. Et secundum illum processum faciat | sermonem M 21ᵛ
compositum de iustitia et fortitudine contra iniuriam et debilitatem animi.

In principio sermonis deprecemur Deum, quatenus det nobis

---

81 iustitiam cum prudentia] *cat.* prudencia ab justicia   **83** causa – quod]
coni.   **91** sentire] *coni.*   et] *coni.*; nec *M T R M*₁   **110** ut] *om. et add. sup. lin.*
*M*₁; *om. M T R*   illa] *correxi*; eum *M T R M*₁

gratiam, ad faciendum sermonem, per quem sciatur cognosci
10 modus, per quem iustitia et animi fortitudo sint uestes nostri
recolere, intelligere et amare, contra iniuriam et animi debilitatem.

Tu uides quandam mulierem uendentem linum alicui homini
pro centum solidis. Et quod soluit sibi centum solidos de falsa
15 moneta, tu poteris cognoscere, quod mulier uendit linum suum
iuste, et homo soluens falsam monetam est iniustus, et habet
animi debilitatem, ob hoc quia praediligit denarios, quam iustitiam. Et nisi tu reueles deceptionem, quam sibi facit emptor, tu
habes alias animi debilitatem, quia non est ualidus per iustitiam
20 nec animi fortitudinem. Et per hoc potes tuum cognoscere
peccatum. Et per talem notitiam, potes cognoscere essentiam
iustitiae, et animi fortitudinis, et etiam iniuriae et debilitatis
animi.

Deus dat totum te ipsum, et ea, quae possides, tibi ipsi, ob hoc
25 ut des totum te ipsum et ea, quae possides, ad seruiendum sibi
per tuum recolere, intelligere et amare, et etiam per sentire et
imaginari. Et si tu des totum te ipsum, et ea, quae possides, Deo
pro seruiendo sibi, totum tuum recolere, intelligere et amare,
sentire et imaginari ei praebebis; et si istud facias, eris iustitia
30 habituatus atque indutus. Et si daemon te tentet de non faciendo, et tu eidem consentis, animi debilitate et iniuria indues
tuum recolere, intelligere et amare, et multum fortiter peccabis.

Si tu uideas aliquam pulchram mulierem et bonam, et imagineris delicium luxuriae, et te calefacias ad desiderandum deli-
35 cium per sentire, et non consentis per tuum recolere, intelligere
et amare peccato, iustitiam et animi fortitudinem gignes per
tuum recolere, intelligere et amare. Et si huius contrarium
facias, mortaliter peccabis, et de iniuria et animi debilitate
indues tuum recolere, intelligere et amare.
40 Tu uides quendam hominem alium hominem interficientem
sine causa, qui quidem homo mortuus erat tuus inimicus. Si tu
diligas illum hominem, ob hoc quia interfecit inimi|cum tuum, R 18ʳ
diligis iniuriam ad contingentiam. Et diligis illum hominem, qui
interfecit sine causa contra iustitiam, quam iustitiam abhorres
45 ad contingentiam. Attamen ad contingentiam non habes animi
debilitatem, quia posses habere animi fortitudinem per tuum
recolere, intelligere et amare. Et si haberes, tuum recolere,
intelligere et amare induerentur iustitia. Vnde cum hoc ita sit,
potes cognoscere tu homo, sermonem audiens, per supra dictum
50 exemplum modum, per quem homo per sua opera iustitiam
generat et animi fortitudinem, et earum contraria.

XVIII, **9** sciatur] sciat *T*; sicat *M*   **14** quod] quando *M*₁   **22** debilitatis]
correxi; debilitatem *MTRM*₁   **31** tu] *correxi*; tui *MTRM*₁   **42** interfecit]
correxi; interficit *MTRM*₁   **42/44** tuum – interfecit] *coni. ex cod. cat.*; *om. omnes
codd.*

Si tu odores rosam, non potes cogere nasum tuum, quin
sentiat bonum odorem. Et si tu bibas thus, non potes cogere
tuum gustare, quin sentiat amaritudinem. Et hoc est ideo, quia
55 odor et amaritudo sunt opera naturalia. Et propter hoc, propter
sentire bonum odorem et propter sentire malum saporem, non
generas iustitiam nec animi fortitudinem in | tuo recolere, intel- M 22ʳ
ligere et amare. Quas generare potes tunc, quando tentaris ad
faciendum peccatum; cum ita sit, quod peccatum exstet per
60 moralitatem et non per naturam generatum.

Si tu | tenteris ad dandam alapam cuidam rustico, et aliam T 12ʳ
alicui militi, et aliam alicui regi, et sicut iniuria potest esse
maior, ita potest esse maior tui animi fortitudo, si contradicas
tentationi. Et potes cognoscere id, quod tibi dico, fore uerum de
65 necessitate, ut iustitia et animi fortitudo possint maiorem
obtinere concordantiam contra iniuriam et animi debilitatem.
Potes igitur cognoscere tu, qui audis sermonem, illam magnam
concordantiam iniuriae et animi debilitatis.

Tu habes bonum scutiferum, cui multimode iniuriaris; et ipse
70 tibi est bonus per patientiam et magnum amorem. Per quam
magnam patientiam et amorem iustitia et animi fortitudine
induit suum recolere, intelligere et amare. Et hoc conuertitur,
uidelicet quod fortitudine magnae iustitiae magnam generat
patientiam et bonum amorem. Et tu contra scutiferum tuum
75 facis contrarium.

Diximus de iustitia et fortitudine. Et dedimus modum, per
quem sciatur praedicare et de ipsis notitia dari populo. Per
quam quidem notitiam eas sciant recolere, intelligere et amare,
et sciant destruere iniuriam et animi debilitatem. Et propter
80 hoc in fine sermonis deprecemur Deum, quatenus det nobis
gratiam, ut diu cum iustitia et animi fortitudine, secundum
quod diximus, eum recolamus, intelligamus, et uelimus sibi
seruire, uenerari ac oboedire.

III.1.3. De ivstitia et temperantia [B E]

[Sermo XIX]

Si facias sermonem de iustitia et temperantia, recolas thema
iustitiae et temperantiae, et earum definitiones et species. Et
5 potes abstrahere uerba ad sermocinandum a textu iustitiae et
temperantiae. Et ponas concordantiam in uerbis, quae inde
abstrahes, contra iniuriam et distemperantiam.

In principio sermonis deprecemur Deum, quatenus dat nobis
gratiam, per quam sciamus concordare iustitiam et temperan-
10 tiam contra iniuriam et distemperantiam.

---

60 moralitatem] *coni.*; mortalitatem *M T R M₁*

Si tu comedas ad mensam, et secundum proportionem iustitiae diuidas altilem, potes cognoscere, quod in te est iustitia
secundum proportionem. Et si tu facias aequales partes temperate de materia altilis et tuae digestionis, potes cognoscere,
15 quod in te est iustitia per primam speciem iustitiae. Et per hoc
poteris cognoscere iustitiam et eius diuisionem; et hoc idem de
temperantia. Per quam quidem notitiam poteris cognoscere
iniuriam et distemperantiam.

Si tu, antequam uenias ad mensam, desideras | magis habere   R 18ᵛ
20 temperantiam, quam placitum comedendi et bibendi, tu funge-
ris iustitia; et temperantiam gignis per imaginari, intelligere,
amare et recolere; cum ita sit, quod utilius est temperantiam
acquirere, quam saporem consequi per comedere et bibere. Et
iustitia ac temperantia te regulabunt et ordinabunt in mensa
25 contra iniuriam et distemperantiam.

Iustitia et temperantia sunt tibi bonae | et magnae amicae, si   M 22ᵛ
tu eas habeas in mensa; et custodient te de non comedendo uel
bibendo ad fortunam. Quoniam per fortunam potes aduenire ad
infortunam; de qua poteris induere tuum imaginari, intelligere,
30 recolere et amare de iniuria et distemperantia.

In mensa acquiritur meritum bonum per iustitiam et temperantiam, et malum meritum per iniuriam et distemperantiam.
Et hoc est ideo, quia maior bonitas exstat per iustitiam et
temperantiam, quam per saporem comedendi et bibendi; cum
35 ita sit, quod sapor per comedere et bibere sit per naturam, et
iustitia et temperantia sint morales habitus, acquisiti ob hoc ut
homo sit bonus moraliter.

Per temperantiam consequeris iustitiam; et per iustitiam
consequeris temperantiam. Et hoc est ideo, quia se habent in
40 simul ad bonum finem recolendi, intelligendi, amandi et imaginandi et sentiendi; ac sapor comedendi et bibendi simpliciter
non. Et ideo considera, quantum magis debes in mensa diligere
iustitiam et temperantiam, quam saporem comedendi et bibendi.

45 Qui diligit magis in mensa saporem comedendi et bibendi,
quam iustitiam et temperantiam, uult uiuere ut ualeat consequi
saporem et placitum per comedere et bibere. Et non uult uiuere,
ut consequatur placitum in induendo de iustitia et temperantia
suum recolere, intelligere et amare, imaginari et sentire, quae
50 induit de iniuria et distemperantia. Per quod quidem indumentum uadit fore indutus in igne aeterno atque ardenti.

Si tu habeas temperantiam et iustitiam, eas habebis per
omnes tuos sensus corporales, et per totam tuam imaginationem, et per totum tuum recolere, intelligere et amare. Et hoc est

---

XIX, **29** infortunam] fortunam *R M₁*   **33** iustitiam] *coni.*; prudentiam
M T R M₁   **41/42** sapor – non] *coni. ex textu cat.*; saporem comedendi et bibendi
M T R M₁   **46** ut] *recte coni. T*; et *M R M₁*

55 ideo, quia iustitia et temperantia per totum id, per quod sunt in
subiecto, in quo sunt, habent concordantiam. Et si facias contrarium, per iniuriam et distemperantiam sustinebis passionem et
laborem per totum tuum sentire et imaginari, intelligere et
amare.

60   Temperatum et iustum sentire et imaginari sunt dispositio
et materia ad intelligendum, recolendum et amandum, quae
exstant fundamenta iustitiae et temperantiae. Vnde cum hoc
ita sit, dum eris ad mensam, sis diligens in temperando et
iustificando tuum sentire et imaginari, ob hoc ut iustitiam
65 ualeas aedificare et temperantiam in tuo recolere, intelligere et
amare.

Iustitia est genus; et temperantia est eius species. Et propter
hoc bonitas iustitiae causat temperantiae bonitatem; et magnitudo iustitiae causat magnitudinem temperantiae; et sic de aliis
70 qualitatibus. Et propter hoc si tu uelis acquirere iustitiam et
temperantiam, disponas et ordines bonitatem et magnitudinem,
et sic de aliis qualitatibus, de tuo sentire et imaginari, ob hoc ut
bonitatem | et magnitudinem iustitiae et temperantiae ualeas T 12ᵛ
aedificare in bonitate et magnitudine tui boni et magni recolere,
75 intelligere, et amare.

Si tu uelis habere iustitiam et temperantiam, uelis scire | id, M 23ʳ
quod ipsae sunt; quia qui uult habere id, quod | ignorat, cum sua R 19ʳ
uoluntate facit iniuriam suo intelligere. Et propter hoc, si tu
uelis habere iustitiam et temperantiam, scias de eis notitiam
80 habere; et ipsis cognitis, uelis eas frequenter recolere et amare.
Et si istud facias, iniuria nec distemperantia te non poterunt
uincere nec superare.

Qui in mensa habet iustitiam et temperantiam, secure potest
bibere et comedere; et suum recolere, intelligere et amare di-
85 stant a fortuna et infirmitate; et qui contrarium facit, eius
comedere et bibere exstant in ianua fortunae et infirmitatis. Et
si intrent, iniuria et distemperantia intrant habitum in recolere,
intelligere et amare; in quibus faciunt hominem mortaliter
delinquere uel peccare.

90   Diximus de iustitia et temperantia. Et ostendimus modum,
per quem possunt haberi et cognosci, et cum eis destrui iniuria
et distemperantia. Et propter hoc in fine sermonis deprecemur
Deum, quatenus det nobis gratiam, per quam sciamus et uelimus cum eis destruere iniuriam et distemperantiam.

---

64 iustitiam] *coni.*; instrumenta *M T R M*₁   **74** et²] *coni.*; *om. codd. omnes*   **84**
recolere] *coni.*; *om. codd. omnes*   **84/85** distant – infirmitate] *coni.*; differt fortunae
et infirmitati *M T R*; differunt fortunae et infirmitati *M*₁   **86** et infirmitatis]
*om. et add. sup. lin. M*₁; *om. M T R*   **89** delinquere] derelinquere *M*

III.1.4. De ivstitia et fide [b f]

[Sermo XX]

Quicumque sermocinatur de iustitia et fide, recolat iustitiae
thema et fidei, et earum definitiones et species, et teneat earum
5 processum.

In principio sermonis deprecemur Deum, quatenus det nobis
gratiam, per quam cognoscamus et diligamus coniunctionem
iustitiae et fidei.

Iustum est, ut credas de Deo eius ueritatem et opera, quae in
10 se habet et extra se, etsi ea nequis intelligere. Per talem modum
habebis fidem et iustitiam. Et si tu non credas ueritatem Dei et
eius opera, iniustus es et infidelis, et mortaliter peccas; cum ita
sit, quod credulitas uera et iusta de Deo sit habitus, qui est
fides, datus intellectui, qui eam nequit intelligere, et memoriae,
15 ut eam recolat, et uoluntati, ut eam diligat.

Quicumque sermocinans de fide, iustum est, ut sciat, quid sit
fides. Et ipse sciet bene, quid sit fides, si bene eius definitionem
intelligat, quam de ea dedimus in sermone de fide. Et faciat,
quod scire, quod habet de fide, sit iustum, et quod iustitiam
20 noscat. Quam potest cognoscere, si recolat bene sermonem,
quem fecimus de iustitia. Adhuc etiam decet, quod illud scire sit
bonum, magnum, uirtuosum et durabile. Omnia ista decet sciri;
cum quo scire habeatur fidei notitia.

Iustum est, ut non habeas, nisi unum Deum. Et hoc tibi
25 mandat Deus per Moysen dicentem (Ex. 20,3; Deut. 5,7): *Vnum
Deum habeas*. Et tu habes unum Deum, et non plures, si consideres et desideres unum Deum singularem tantum, et non
plures. Et habes illum per fidem, si fidem recolas, intelligas et
diligas. Quem Deum habes in tuo recolere, intelligere et amare,
30 de fide iuste habituatis et indutis.

Deus est in trinitate personarum, secundum quod in sermone fidei iam diximus. Talem trinitatem te decet credere. Et
credulitas, quam habes, est fides. Quam habes cum iustitia; cum
ita sit, quod iustum sit, te credere sanctam trinitatem Dei, si
35 eam intelligere nequeas. Et si Deus per habitum, quae est fides,
te adiuuet ad intelligendum sanctam trinitatem, iustitiam facis,
si eam uelis intelligere. Et si contrarium uelis, de iniuria et
infideli|tate induis tuum intelligere, recolere et amare, et com- M 23^v
mittis mortale peccatum.

XX, **18** *Cf. sermo V: De fide.*   **21** *Cf. sermo I: De iustitia.*   **32** *Cf. sermo V:
De fide.*

XX, **5** processum] *coni. ex cat.* proçes; prosas $MTRM_1$ **9** quae] *recte coni.*
M_1; quem MTR **13** de Deo] *coni.*; Dei $MTRM_1$ **18** de fide] *coni.*; *om.
codd. omnes*   **31** quod] *om.* MRM_1 **33** credulitas] *correxi*; credulitatem $MTRM_1$

40 Creationem tu sentire nec imaginari potes. Et propter hoc est
iustum, ut eam credas. Et credulitas, quam inde habes, est fides.
Quam recolis et diligis iuste. Et si propter hoc, quia eam nequis
sentire nec imaginari, eam non credis, de iniuria et infidelitate
induis tuum recolere, intelligere et amare. Et committis mortale
45 peccatum; cum ita sit, quod Deus habeat infinitum posse, per
quod potest facere opus miraculose, quod non potest|sentiri nec R 19ᵛ
imaginatione apprehendi, et potest per fidem recoli, intelligi et
amari, secundum quod in sermone de fide ostendimus et diximus.
50 Resuscitare homines non potest per uisum sentiri, cum non sit
quid uisibile; nec potest imaginatione apprehendi, quia non est
quid imaginatione apprehensibile. Et si tu illam resurrectionem
credas, credulitas, quam inde habes, est fides. Quam fidem iuste
habes; cum ita sit, Deum tantum sursum operari, ad quod
55 sentire nec imaginari ascendere nequeant. Et si tu non credas
hominum resurrectionem, ob hoc quia eam sentire nec imaginari
potes, tu iniuriaris Deo et eius infinito posse, iustitiae et bonae
uoluntati, quae sunt infinitae. Et es iniustus et infidelis. Et
committis mortale peccatum; cum quo uadis perpetue damnari.
60 Deus dat gloriam perpetue iuste. Et beatis, qui sibi iuste
deseruierint in hoc mundo, dat illam gloriam gratiose, ob hoc
quia eam dat perpetue. Quam gloriam tu nequis sentire nec
imaginari. Et si tu illam gloriam credas et diligas, illa credulitas,
quam habes, est fides; quoniam iuste recolis et diligis. Et si eam
65 consideres, per diuinam bonitatem, magnitudinem et reliquas
causatam et datam, cum illa fide iuste intelligere eam ualebis.
Et si eam non credas, quia sentire nec imaginari potes, contra
Dei iustitiam et eius posse infinitum et contra suam bonam
uoluntatem infinitam committis mortale peccatum et damna-
70 beris.
Deus est incarnatus; et hoc probauimus in fidei sermone.
Illam incarnationem tu nequis sentire nec imaginari; cum sit
opus miraculosum. | Et potes eam credere, ob hoc quia potes T 13ʳ
credere, Deum habere posse infinitum, cum quo potest facere
75 opera miraculosa iuste et bono modo, magnifice, intelligenter,
uolenter, humiliter et uirtuose. Et si talem credulitatem habeas,
fidem iuste habebis. Et si incarnationem credere nolis, ob hoc
quia eam sentire nec imaginari potes, iniustum et infidelem te
facis, et mortaliter peccas.
80 Tu praelatus, qui per fidem ueneratus existis, iustus existis, si

---

48 *Cf. sermo* V *: De fide.*   **71** *Cf. sermo* V *: De fide.*

---

41 credulitas] *correxi*; credulitatem *M T R M*₁   **53** fidem] fides *M R M*₁   **60**
iuste] iustis *T*   **72** nequis] nequiuis *M*; non nequis *T*   **80/81** si fidem] *coni.*;
in fidem *M T R*; si in fide *corr. ex* in fide *M*₁

fidem uenereris, et eam facis doceri his, qui eam ignorant, et non
credunt et persequuntur. Hoc idem dico tibi principi, et cuicumque christiano, qui fide sit habituatus et uestitus.

Sicut iustum est, te episcopum diligere et manutenere fidem,
85 et eam docere, et doceri | facere, secundum articulos teneris, ut   M 24ʳ
facias doceri septem sacramenta et decem praecepta, quae sunt
branchae et species fidei. Et si in huiusmodi negligens extiteris,
considera, si sis habituatus in tuo intelligere, recolere et amare,
de iniuria; et si sis ad perpetuum tormentum sententiatus, et
90 iudicatus extiteris.

Diximus de sermone, composito de iustitia et fide. Et modum
ostendimus, per quem sermocinator debet ostendere iustitiam
et fidem populo. Et propter hoc in fine sermonis deprecemur
Deum, quatenus det nobis gratiam, per quam habeamus iustum
95 recolere, intelligere et amare, propter fidem manutenendam et
uenerandam.

III.1.5. DE IVSTITIA ET SPE [B G]

[SERMO XXI]

Si uelis sermonem facere de iustitia et spe, dicas earum
themata, et des eas cognosci per earum definitiones; et proce-
5 das secundum earum species et earum textum, et secundum
subiectum huius scientiae ad tuum libitum.

In principio sermonis deprecemur Deum, quatenus det nobis
gratiam, per quam sciamus ostendere et docere iustitiam et
spem, et fortitudinem, | quae habetur propter ipsas contra   R 20ʳ
10 iniuriam et desperationem.

Si tu, peccator, tentatus fueris ad faciendum iniuriam, uel ad
essendum desperatus propter magna peccata, quae commisisti,
recurre ad iustitiam et spem, quam Deus requirit, te habere, ut
iam praediximus in sermone de iustitia et spe. Et quoniam
15 facies ad suam uoluntatem, Deus te adiuuabit, si induas tuum
intelligere, recolere et amare de iustitia et spe. Et in hoc dubitare non debes, si consideres species iustitiae et spei.

Si tu sutor facias pulchrum et bonum sotularem, iuste potes
exspectare, quod ex sotulare bonum et magnum pretium conse-
20 queris. Et si tu facias deformem et malum sotularem, iniuriam
committis, si exspectes ex sotulare habere bonum et magnum
pretium. Per huiusmodi exemplum possunt considerari et cognosci opera, quae fiunt per iustitiam et spem. Quoniam habens

---

XXI, **14** Cf. *sermo I: De iustitia, et sermo VI: De spe.*

---

84 te] *coni.*; et *M T R M*₁   **91** de] et *M R M*₁

in Deo spem per iustum recolere, intelligere et amare, iuste
25 exspectat; et etiam magis Deus iuste adiuuat, dat et parcit.

Si tu sedeas ad mensam cum parentibus tuis et fratribus tuis,
et diuidas altilem, et des caput altilis patri, et collum matri et
pedes fratribus tuis, et totum residuum tu comedas, si tu spem
habeas, quod pater tuus et mater tua et fratres tui congratulen-
30 tur tibi de diuisione altilis, exstas iniustus, quoniam iniuste
diuisisti altilem. Et adhuc habes spem deformatam. Et hoc idem
posset dici patri et matri et fratribus tuis, si gratularentur tibi
de diuisione altilis. Quam gratulationem tibi haberent cum
deformato recolere, intelligere et amare, et imaginari. Vnde cum
35 hoc ita sit, potes igitur intelligere, quod si tu magis diligas bona
terrena, causa tibi seruiendi et te uenerandi, quam causa Deo
seruiendi et Deum uenerandi, quod tu cum deformato imaginari, intelligere et amare habes aduersus Deum deformatam et
iniustam spem. Potes igitur cognoscere ordinem competentem
40 iustitiae et spei in sperando adiutorium et miseri|cordiam a Deo. M 24ᵛ

Si tu sis in camera, quam non intrat claritas aliqua, et credas
uidere ea, quae in camera sunt, stultum est tuum credere. Et si
claritas cameram intret per fenestras, et teneas oculos clausos
et non eos uelis aperire, quia credis, quod nihil posses ibi uidere,
45 ob hoc quia nihil in camera uidebas tunc, quando fenestrae
clausae erant, stultus es propter tuum credere. Simili modo
potes considerare, quod iniustam spem habes in Deo, si iniustus
extiteris, et nolis contritionem habere, nec diligere confessionem
et satisfactionem.

50   Tu uides quandam pulchram mulierem et imaginaris carnis
delicia, quam tuum imaginari calefacit et disponit tuo recolere, intelligere et amare luxuriae peccatum, si tu in illo imaginari
uelis perseuerare, et habeas spem, quod Deus uelit te adiuuare
contra luxuriam, tu habes iniustam et deformatam spem. Quo-
55 niam Deus per talem modum non adiuuat, dat neque parcit.

Tu es in peccato mortali, propter quod malus es, et non uis
exire, sperando, quod in fine mortis Deus te adiuuet, det et
parcat tibi peccatum, ut salueris, et non principaliter, ob hoc
ut Deus per te recolatur, intelligatur et ametur, tu habebis
60 iniustam et deformatam spem, et committis contra Deum magnum peccatum. Quoniam Deus nequit adiuuare, parcere neque
dare, nec aliquem hominem saluare, qui se magis diligat, quam
Deum; cum sit Deus iustus in magis diligi, intelligi et amari,
quam pro homines saluare.

65   Spes est bona, et iustitia est bona. Et si bonitas est | magna, R 20ᵛ
spes et iustitia bonae sunt et magnae. Et si spes et iustitia
durent, sunt bonae, magnae et durabiles. Et si tu cum tali spe et
iustitia exspectas a Deo adiutorium, donum et ueniam, habebis
id, quod petis. Et si contrarium facias, habebis deformatam
70 spem, et a Deo adiutorium, donum et ueniam minime consequeris.

Cum iustitia spem habeas, ob hoc ut de communi bonitate
iustitiae et spei induas tuum recolere, intelligere et amare;
quoniam cum tali communitate malitiam superabis, quae est
75 communis qualitas iniuriae et desperationi.

Ha|beas iustitiam et habeas spem cum maiori magnitudine T 13ᵛ
potestatis, per te recolita, intellecta et dilecta, ob hoc ut uincias
maiorem magnitudinem potestatis, quae exstat communis iniuriae et desperationi. Quam uinces cum maiori magnitudine
80 potestatis iustitiae et spei in tantum, quod in tuo recolere,
intelligere et amare iniuria et desperatio sistere non ualebunt.

Multum diximus de iustitia et spe; et multum adhuc de eis
dicere ualeremus. Et per ea, quae diximus, potest cognosci, quid
sit iustitia et spes; et quomodo exstant sub unam communem
85 bonitatem, magnitudinem et reliquas, contra communitatem
malitiae magnitudinis et iniuriae et desperationis. Et propter
hoc in fine sermonis deprecemur Deum, quatenus det nobis
gratiam, ut cum communitate iustitiae et spei, destruamus
communitatem iniuriae et desperationis in tantum quod nos-
90 trum imagina|ri, intelligere et amare non ualeat deformare.   M 25ʳ

III.1.6. DE IVSTITIA ET CARITATE [B H]

[SERMO XXII]

Quicumque intendens praedicare de iustitia et caritate recolat
earum themata, quae dicat in principio sermonis. Recolat etiam
5 earum definitiones et species, et procedat secundum illas; et
poterit artificialiter praedicare.

In principio sermonis deprecemur Deum, quatenus det nobis
gratiam, per quam sciamus cognoscere communitatem, existentem per iustitiam et caritatem contra iniuriam et impietatem.
10 Iustitia est una forma, et caritas est alia forma. Et si tu
informes ex ambabus formis tuum recolere, intelligere et amare,
erunt fortiora contra iniuriam et impietatem, quam si ea forma-
res per unicam formam tantum, et non per reliquam; cum ita
sit, quod duae uirtutes coniunctae causent communitatem boni-
15 tatis, magnitudinis, durationis, potestatis et reliquarum.

Sine iustitia nescis iudicare, et sine caritate nescis amare.
Informa igitur cum iustitia et caritate tuum recolere, intelligere et amare. Et si facias, daemon te tentare non ualebit, nec
etiam superare, ad faciendam iniuriam et impietatem. Et tenta-
20 tionem superabis, et per iustitiam et caritatem meritum acquires, propter quod a Deo benedictionem perpetuam consequeris.

XXI, **72** iustitia] *coni.*; iustitiam *M R M₁*; iustitiam et *T*   **75** desperationi]
desperationis *M₁*   **80** iustitiae et spei] *coni.*; *om. codd. omnes*   **88** ut] *om. et add.*
sup. lin. M₁; om. M T R

Qui habet caritatem Deo, sibi ipsi et proximo suo, habet iuste
Deum, se ipsum et proximum. Et qui ita habet Deum, se ipsum
et proximum, contra eum non possunt iniuria neque crudelitas
25 impetrare peccatum. Potes igitur cognoscere, quod qui non
habet Deum, se ipsum et proximum suum, non habet quidquam
iustitiae et caritatis. Quibus priuatus es, et induis tuum recolere,
intelligere et amare de iniuria et impietate, cum quibus committis mortale peccatum; quare damnatus exstiteris.
30   Maiores diuitias, quam iustitiam et caritatem, habere non
potes. Et hoc est ideo, quia diuitiae castellorum, ciuitatum,
denariorum, uini et bladi, etc., sunt diuitiae corporis, et iustitia
et caritas sunt diuitiae animae. Et propter hoc quia anima est
melior, maior etc. quam corpus, dilige magis iustitiam et carita-
35 tem, quam di|uitias castellorum, ciuitatum, denariorum, uini et   R 21ʳ
bladi. Et si facias, et daemon te tentet propter diuitias corporales, ob hoc ut ualeat tibi deformare et destruere diuitias
spirituales, adiuua te cum iustitia et caritate; et cum eis forma
tuum recolere, intelligere et amare ad seruiendum Deo et ad
40 eum uenerandum.
    Si tu tantam caritatem habes, quantam uelle potes, bene
sequitur, quod ualeas tantam iustitiam habere, quantam uelis
habere; cum ita sit, quod iustitia et caritas sint duae legales
amicae, si in tuo recolere, intelligere et amare habere potes. Et si
45 cognoscere uis, ob iustitiam et caritatem habeas, eas in tuo
sentire, imaginari, recolere intelligere et amare quaeras. Quoniam ibi eas inuenies, si eas habeas. Et nisi eas inuenias ibi,
potes cognoscere, quod non eas habes, et quod habes iniuriam et
impietatem per tuum recolere, intelligere et amare. Et ita pote-
50 ris eas cognoscere in operibus tui sentitus et imaginationis.
    Qui diligit | magis Deum, quam se ipsum nec proximum suum,   M 25ᵛ
induit suum amare de iustitia et caritate. Et qui contrarium
facit, induit suum amare de iniuria et impietate. Potes igitur per
tale amare cognoscere, utrum habeas iustitiam et caritatem, uel
55 si in te exstat iniuria et impietas.
    In illo amare, cum quo diligis magis Deum, ob hoc quia te
creauit et te tenet diuitem ac ueneratum, quam ob hoc quia est
bonus, magnus, aeternus, potens etc. poteris cognoscere te non
habere iustitiam neque caritatem, et quod habes in illo amare
60 iniuriam et impietatem.
    Et hoc idem potes cognoscere in amatione alterius hominis.
Si quaeras ab eo, quare Deum diligit, et ipse respondebit, quod
ob hoc, quia eum creauit, et eum tenet diuitem uel conseruat,
atque ueneratum, tunc noscere poteris ipsum non habere iusti-

---

XXII, **31** quia] *om. sed add. in marg.* M   **37** hoc] *recte coni.* M₁; *om.* M T R
    44 si] *coni.*; quoniam M T R; quem *sed del.* M₁   **44/46** habere – quaeras]
coni. ex textu cat.; *om. codd. omnes*   **56** hoc] *recte coni.* M₁; *om.* M T R

65 tiam neque caritatem. Quoniam si ipse eas haberet, responderet
Deum diligere, ob hoc quia est bonus, magnus, aeternus, potens,
et sic de aliis dignitatibus Dei; cum ita sit, quod amor, qui debet
impendi Deo, debeat esse per primam intentionem; et amor, qui
impenditur sibi ipsi, debeat esse per secundam intentionem.
70   Cum iustitia et caritate requiras consilium. Et si ille, quem
consules, tibi consulat per iustitiam et caritatem, poteris cognoscere, quod in ipso persistit iustitia et caritas; et ipse cognoscet te habere iustitiam et caritatem. Igitur cognosces inter
te et ipsum amicitiam; quae illuminabit tuum et suum intellige-
75 re et amare et recolere. Et cum illo lumine sciet tibi impendere
bonum et legale consilium, et tu illud scies reperire.
    Diximus de iustitia et caritate. Et ostendimus earum defini-
tiones et species et processum, ex ipsis eggredientem. | Et prop-   T 14ʳ
ter hoc in fine sermonis deprecemur Deum, quatenus det nobis
80 gratiam, per quam sciamus et possimus recolere, intelligere et
amare iustitiam et caritatem contra iniuriam et impietatem.

III.1.7. DE IVSTITIA ET SAPIENTIA [B I]

[SERMO XXIII]

    Si uelis praedicare de iustitia et sapientia, recolas themata
earum. Quae dices et declarabis, et earum definitiones et spe-
5 cies; et procedas in sermone secundum illas.
    In principio sermonis deprecemur Deum, quatenus det nobis
gratiam, per quam sciamus coniungere et concordare iustitiam
et sapientiam contra iniuriam et stultitiam.
    Inquire iustitiam et sapientiam cum sentire et imaginari in
10 recolere, intelligere et amare. Et si in his tribus nequeas eas
inuenire, inuenies in eis iniuriam et stultitiam; cum ita sit, quod
quilibet homo iustus uel iniustus est sapiens uel insipiens. Et si
inuenias iustitiam et sapientiam in tuo intelligere, amare et
recolere, poteris cognoscere iniuriam et stultitiam in tuo intelli-
15 gere, recolere et abhorrere. Et hoc potes | facere per contrarium,   R 21ᵛ
uidelicet, quod si iniuria et stultitia sint in tuo recolere, intelligere et amare, iustitia et sapientia persistunt in tuo recolere,
intelligere et abhorrere. Vnde cum hoc ita sit, potes cognoscere,
igitur omnes uirtutes et uitia impetrari per amare uel abhorrere.
20   Iustitia et sapientia sunt normae et habitus, | qui normant et   M 26ʳ
induunt in anima recolere, intelligere et amare pro faciendo
bona opera, magna, durabilia, potentia, intelligibilia, amabilia,
uirtuosa, uera, delectabilia et completa, ad seruiendum Deo et

---

76 illud] *correxi*; eum *M T R M*₁

XXIII, **16/17** intelligere] *coni.*; *om. codd. omnes*

eum uenerandum, et homines saluandum, cognoscendum, iudi-
25 candum et pacificandum.

Iniuria et stultitia sunt habitus deformati, non normati siue
regulati, qui deformant recolere, intelligere et amare, contra
bona opera; et faciunt mala opera magna, durabilia; et sic de
aliis.

30 Bona opera, normata siue regulata per iustitiam et sapientiam, uel mala opera, deformata per iniuriam et stultitiam,
potes cognoscere per uisum, auditum, odoratum, gustum palpatum, loquelam et imaginationem; cum ita sit, quod haec sint
signa et nuntii. Et ex istis potes accipere exempla in tua praedi-
35 catione. Qui quidem nuntii ueniunt ad recolere, intelligere et
amare, ad uirtutes uel uitia impetranda.

Praelati et principes dati sunt ad tenendum iustitiam; quae
quidem iustitia exigit illuminari per sapientiam. Et per hoc
potes cognoscere per sentire et imaginari in praelato et principe,
40 et sic in eorum submissis, secundum quod iudicati sunt, per
sapientiam fore illuminatos, uel per contrarium.

Praelatus habet mitram deauratam; quae significat ipsum
fore iustum et sapientem. Et princeps habet ensem, significan-
tem per unam partem, ipsum fore iustum, et per reliquam
45 partem, ipsum fore sapientem. Et propter hoc, si tu uelis cognoscere iustitiam et sapientiam in principe uel praelato, et hoc
idem in populo, inquire eas per sentire et imaginari; quae sunt
signa et uiae pro operibus praelati, principis et populi.

Sicut caritas exstat habitus iustus, qui normat uoluntatem
50 per iustum amare, ita sapientia exstat habitus normatus, normans intellectum per iustum intelligere. Et hoc idem potest dici
de recolere. Vnde cum ita sit, si uelis alte ascendere per iustitiam et sapientiam, scias eas coniungere uel aggregare per tuum
recolere, intelligere et amare.

55 Iustitia et sapientia bonae sunt; et ob hoc participant per
bonitatem, quae est earum communitas. Et sunt magnae; et ob
hoc participant per magnitudinem, quae est earum communitas.
Et sunt durabiles; et ob hoc participant per durationem, quae
est earum communitas. Et sunt potentes; et ob hoc participant
60 per posse, quod est earum communitas. Et propter hoc, si tu
uelis fortiter muniri, habituari et uestiri, multiplica de omnibus
dictis communitatibus unam communitatem generalem; et de
ea facias munimen, habitum et uestitum tuo recolere, intelligere et amare. Et si hoc facias, daemon te tentare non ualebit, et
65 per iniuriam et stultitiam peccare non ualebis.

Sapientia in homine sene est signum iustitiae. Stultitia in

---

25 pacificandum] *coni.*; passificandum *M T R M₁*   **30/31** sapientiam] *coni.*;
prudentiam *M T R M₁*   **42** mitram] *coni.*; almitram *M R*; almitrant *T*; almidram
M₁   **44** iustum] *coni.*; sapientem *M T R M₁*   **45** sapientem] *coni.*; iustum
M T R M₁

homine iuuene est signum iniuriae. Attamen non est necessarium hominem senem fore iustum, nec hominem iuuenem fore
stultum. Quoniam si necessarium esset, perderet liberum arbi-
70 trium; et hoc idem de contingentia et fortuna.

Homo | sapiens, quando uadit ad ecclesiam deprecatum M 26ᵛ
Deum, in uia debet cogitare, quod sua oratio sit per iustum
intelligere, recolere et amare, ob hoc ut sapientem et iustam
orationem faciat, per quam Deo ualeat deseruire et uenerari | et, R 22ʳ
75 quod desiderat, impetrare.

Homo sapiens habituat suam contritionem de iustitia; et hac
de causa iustam facit confessionem et satisfactionem. Et homo
stultus facit contrarium.

Si iustitia et sapientia fortiter amicantur per bonitatem et
80 magnitudinem et reliquas, non possunt deuinci per iniuriam et
stultitiam. Et si iniuria et stultitia fortiter amicantur per malitiam, magnitudinem et reliquas, semper possunt uinci et superari. Et ratio, quare, exstat in hoc, quia iustitia et sapientia sunt
habitus positiui, quia communicantur cum esse; et iniuria et
85 stultitia sunt habitus priuatiui, qui conueniunt cum non esse.

Diximus de iustitia et sapientia. Et ostendimus earum species,
definitiones et modum, secundum quem procedunt. Et propter
hoc in fine sermonis deprecemur Deum, quatenus det nobis |
gratiam; cum qua diu nostrum intelligere, amare et recolere T 14ᵛ
90 muniantur, habituentur et induantur de iustitia et sapientia
contra iniuriam et stultitiam.

Discurrimus iustitiam per prudentiam et reliquas uirtutes.
Per quem quidem discursum et mixturam potest cognosci artificialiter in quacumque uirtute, et quaelibet uirtus cum ea
95 fortificari, et ea per quascumque uirtutes fortificari. Et hoc
idem intendimus facere de prudentia.

III.2. DE PRVDENTIA

III.2.1. DE PRVDENTIA ET ANIMI FORTITVDINE [C B]

[SERMO XXIV]

Quicumque uolens praedicare de prudentia et animi fortitu-
5 dine, recolat earum themata et dicat ea. Et hoc idem de earum
definitionibus et speciebus. Et secundum eas procedat in sua
praedicatione, quam faciet per eas regulare et ordinare.

In principio sermonis deprecemur Deum, quatenus det nobis

---

73 hoc] *recte coni.* M_1; *om.* M R T   79 et 81 fortiter amicantur] *cat.* son forts
amiges

XXIV, 2 et animi] *recte coni.* M_1; animi et M R; *om.* T

gratiam, per quam de prudentia et animi fortitudine notitiam
10 consequamur. Quoniam praedicatio, facta de eis, non potest
compleri, nisi sermocinator de eis notitiam det.

Cum prudentia sit habitus, per quem sciatur haberi notitia de
bonis et malis, quae futura sunt; et animi fortitudo sit habitus,
per quem fortificatur uoluntas ad uolendum bonum et ad uitan-
15 dum malum, quapropter si tu uelis imprudentiam superare et
animi debilitatem, coniungas ambas uirtutes in anima tua, recolendo, intelligendo et amando illas tunc, quando daemon te
tentabit ad perpetrandum peccatum. Et ita consequeris uictoriam ad superandum peccatum, in quantum illud non commit-
20 tes, et facies bona opera, ob hoc quia ea intelliges, recoles et
amabis.

Scis qualiter et quomodo miscebis prudentiam et animi fortitudinem? Considera ipsas ambas fore unius generis, quod est
uirtus; et ipsae sunt species illius generis. De quibus speciebus
25 habituantur et induuntur tuum recolere, intelligere et amare,
quae sunt opera in anima tua indiuisa. Et hoc idem est in
proximo tuo, si ipse fuerit habituatus et uestitus de prudentia et
| animi fortitudine. Et si ipse fuerit habituatus de imprudentia M 27ʳ
et animi debilitate, facias conamen tuum cum uirtutibus tuis et
30 bonis exemplis, quae sibi impendas de bono, quod facias. Per
talem modum cum uirtutibus tuis eius crimina superabis.

Tu potes habere prudentiam cum animi fortitudine; et potes
habere animi fortitudinem cum prudentia. Et hoc est, quia
prudentia exstat per intelligere; et animi fortitudo exstat per
35 amare; et intelligere et amare exstant in tua anima.

Si caueas tibi fortunam, prudentiam possidebis; cum ita sit,
quod fortuna sit communitas bonae fortunae et malae fortunae.
Et prudentiam iuuabis, si tuam uoluntatem fortifices pro amando magnum bonum, et pro abhorrendo magnum malum.

40 Si uelis congregare prudentiam et fortitudinem, | congrega eas R 22ᵛ
in communitate bonitatis, magnitudinis, durationis, potestatis.
Et si hoc feceris, in tantum prudens et fortis eris, quod nulla
imprudentia neque animi debilitas te poterunt facere peccare.
Attamen illud congregamen facere non ualebis sine instrumentis
45 et fundamentis; quae sunt recolere, intelligere et amare.

Viae, cum quibus ire poteris, et prudentiam et animi fortitudinem inuenire, exstat per sentire et imaginari. Sicut si uideas
aliquam pulchram mulierem, et daemon te tentationem impendat de ipsa ad carnale delicium, et similiter, si uideas aliquem
50 pulchrum equum et daemon te moueat ad inuidiam, imaginare
poenas infernales, illud magnum damnum, quod consequitur
ille, qui amittit caelestem gloriam, tunc ad prudentiam et animi

---

19 illud] *correxi*; eum *MTR*; id, *corr. ex* eum M_1 **44** congregamen]
congreguamen *M*

fortitudinem tendes et eas gignes, quia eas recoles, intelliges et
amabis, et quia cum ipsis daemonis tentationem uinces.

55 Prudentia in praelato et principe exigit maiorem fortitudinem, quam in eorum submissis. Et propter hoc praelatus et
princeps habent maiores tentationes per imprudentiam et animi
debilitatem, quam alii homines; et hoc est, quia sunt personae
communes. Vnde cum hoc ita sit, ratio exigit, praelatum et
60 principem recolere, intelligere et amare frequenter prudentiam
et animi fortitudinem, plus quam alios homines, qui non sunt
personae communes.

Electionem praelati decet fortius fieri cum prudentia et animi
fortitudine, quam cum pulchritudine nec ueneratione, neque
65 genere personae. Et propter hoc electio est habitus communis
per prudentiam et fortitudinem, uidelicet quod sit in eligentibus
et electo. Et si electio sit per contrarium, electio illa facta est ad
maledictionem et fortunam.

Ad lucrandum denarium pro obolo competit prudentia et
70 fortitudo. Et hoc est, quoniam in lucrando magnum bonum cum
paruo est magnus motus sentiendi et imaginandi, recolendi,
intelligendi et amandi, ob hoc ut homo diues de bono ualeat
magnus existere. Et amittere denarium pro obolo est per contrarium. Et hoc est ideo, quia meritum uirtutis est per magnum
75 laborem, et meritum mali | est faciliter impetratum.   M 27ᵛ

Per artes liberales et mechanicas inquire prudentiam et animi
fortitudinem. Et si eas reperias, ponas eas in tuo intelligere,
recolere et amare; tamquam prouidus homo, qui cum inuenit
thesaurum, ponit eum in theca. Et sicut cum claue custodit
80 thesaurum, ita tu, si inuenias prudentiam et animi fortitudinem,
ponas eas in tuo recolere, intelligere et amare; et custodias eas
cum spirituali bonitate, magnitudine, posse. Et si ipsas non
inuenias, decet, quod si eas inquiras per sentire et imaginari
inuenias imprudentiam et animi debilitatem; et decet quod
85 ponas eas in tuo recolere, intelligere et abhorrere. Et si istud
facias, prudentiam et animi | fortitudinem inuenies in tuo reco-   T 15ʳ
lere, intelligere et amare.

Diximus de prudentia et animi fortitudine. Et ostendimus
earum essentias, definitiones et species, et processum earum. Et
90 propter hoc in fine sermonis deprecemur Deum, quatenus det
nobis gratiam, per quam diu recolamus, intelligamus et amemus
sermonem; quoniam non est decens, nos breuiter sermonem
obliuisci. Quod si faciamus, utilitatem minime consequemur.

---

72 de bono] *coni.*; boni $MTRM_1$ **83** imaginari] *add.* decet quod $MTRM_1$;
cf. not. seq.   **84** decet quod] *coni.*; *om.* $MTRM_1$ **93** Quod] *corr. ex* quem M_1;
quoniam MTR

III.2.2. De prvdentia et temperantia [c e]

[Sermo XXV]

Si uelis praedicare de prudentia et temperantia, recolas et
re|curras ad earum themata, definitiones et species. Et procedas R 23ʳ
5 in sermone cum ipsis; quae regulabunt et ordinabunt tuum
sermonem.

In principio sermonis deprecemur Deum, quatenus det nobis
gratiam, per quam de prudentia et temperantia notitiam consequamur. Quoniam qui sermocinatur de eo, quod ignorat, sermo-
10 cinatur ad fortunam; et cum sermocinatus est, ignorat id, de
quo sermocinatus est.

Sapor est mare, sustentatum in uoluntate; quae consequitur
placitum in sapore comestionis et bibendi. Et propter hoc habeas prudentiam et temperantiam in sapore, dum comedes et
15 bibes, ob ne comedas uel bibas in mari, angustiato per imprudentiam et distemperantiam.

Si nequeas deuincere distemperantiam cum temperantia in
mensa, iuues cum prudentia temperantiam; quoniam plus possunt duae uirtutes, quam unum uitium. Et scis, quomodo cum
20 prudentia temperantiam iuuabis? Ita quod eas recolas, intelligas atque ames in mensa propter bonitatem, magnitudinem,
quam habent maiorem, quod sit sapor comedendi et bibendi.
Quoniam maximum placitum consequitur anima per uirtutes,
quam corpus per comedere et bibere.
25 Sanitas est opus, factum per prudentiam et temperantiam; et
infirmitas est opus, deformatum per imprudentiam et distemperantiam. Et quia sanitas per suam bonitatem est amanda, et
infirmitas abhorrenda, recolas frequenter ad mensam sanitatem.
Et si facias, sanitatem recoles, intelliges et amabis; et infirmita-
30 tem recoles, intelliges et abhorrebis; et per hoc imprudentiam et
distemperantiam occides.

Qualitates prudentiae et temperantiae sunt bonae, magnae
durabiles et potentes. Et cum eis habetur requies in mente
hominis. Quoniam non uexatur per consci|entiam nec timorem M 28ʳ
35 mortis. Et qualitates imprudentiae et distemperantiae sunt per
contrarium. Et propter hoc, si tu in principio, quo comedis uel
bibis, per talem considerationem in medio comedendi et bibendi
intrabis, et peruenies ad earum finem, in quo in requie permanebis, et imprudentiae et distemperantiae timidus non existis.
40 Prudentia et temperantia gignuntur leuiter in anima hominis,
quia eas recolit, intelligit et amat successiue et cum mentis
angustia. Et imprudentia et distemperantia gignuntur subito in

---

XXV, **34** conscientiam] *coni. ex textu cat.*; scientiam $M T R M_1$ **37** et
bibendi] *coni.*; *om. codd. omnes*   **40** temperantia] *add. sup. lin.* non M_1

mente hominis. Et hoc quia homo de nihilo creatus est, quare
homo promptus est ad peccandum subito.

45 Prudentia est habitus, cum quo eligitur maius bonum, et
dimittitur minus bonum. Et imprudentia est habitus, cum quo
fit totum contrarium. Et quia prudentia et temperantia participationem habent in bonitate, si eas congreges contra imprudentiam et distemperantiam, eligis primitus temperantiam in tuo
50 amore, quam saporem comedendi et bibendi.

Prudentia et temperantia sunt subiecta et materia bonae,
magnae durantis potestatis per recolere, intelligere et amare. Et
imprudentia et distemperantia sunt subiecta et materia malae,
magnae et durantis potestatis per recolere, intelligere et abhor-
55 rere. Et quia bonum subiectum per se amandum est, et malum
subiectum odiendum, si frequenter hoc in mente tua consideres,
prudentiam et temperantiam gignes ad mensam, et imprudentiam et distemperantiam corrumpes et occides.

Si de noctibus uelis comedere et bibere, tu desiderabis habere
60 lumen ad mensam, cum quo uideas id, quod comedere uoles
atque bibere. Simili modo, quando comedes et bibes in mensa,
cum lumine prudentiae illumina temperantiam, ut per eam
comedas et bibas temperate. Et si facias contrarium, ad fortunam et cum tenebris comedes.

65 Vigila ad mensam cum prudentia et temperantia, dum im-
prudentia et distemperantia | dormiunt. Et si daemon uelit eas   R 23ᵛ
excitare per magnum saporem comedendi et bibendi, non ei
consentias, quoniam sine te non eas excitare ualebit. Et si
daemonis tentatio multum magna fuerit, facias tu maius, quam
70 sit illa tentatio, tuum recolere, intelligere et amare cum communitate bonitatis, magnitudinis, durationis et potestatis. Et
per talem communitatem et participationem deuinces daemonem et acquires meritum bonum, magnum, potens et durabile;
per quod a Deo poteris benedictionem durabilem et gratiam
75 exspectare.

In tantum magnus non erit sapor, quem consequeris per
comedere et bibere, quin maius placitum ualeas consequi in
anima tua per prudentiam et temperantiam. Vnde cum hoc ita
sit, consulo tibi, quod tunc temporis, quando consequeris per
80 comedere et bibere magnum placitum, quod consequaris maius
placitum per prudentiam et temperantiam, in induendo de ipsis
tuum recolere, intelligere et amare.

Cum tuo sentire et imaginari inquire in tuo recolere, intelli-
gere et amare, prudentiam et temperantiam, et imprudentiam |
85 ac distemperantiam. Et si inuenias ibi prudentiam et temperan-   M 28ᵛ
tiam, considera in mente tua earum qualitates bonas et magnas;

54/55 abhorrere] *coni.*; amare *M T R M*₁   **59** de noctibus] *cat.* de nits =
nocte; *cf. serm. LXI, lin. 30*   **79** consequeris] *T*; sequeris *M R*; sequeris, *corr.*
ex consequeris *M*₁

quae sunt uiae, per quas ibis ad perpetuam felicitatem. Et si ibi
inuenias imprudentiam et distemperantiam, considera earum
malas qualitates; per quas, si eas diligas, ibis ad perpetuum
90 ignem.

Diximus de prudentia et temperantia. Et ostendimus earum
essentias, definitiones et species, et processum, quem habent ad
faciendum bona opera; et idem de imprudentia et distemperantia, cum quibus fiunt mala opera. Et propter hoc in fine sermo-
95 nis deprecemur Deum, quatenus det nobis gratiam, per quam |
habituemus et induamus nostrum recolere, intelligere et amare T 15ᵛ
de prudentia et temperantia; et quod cum sentire et imaginari
sibi seruiamus; et quod omnia ipsa tria Deo deseruiant cum
prudentia et temperantia.

III.2.3. De prvdentia et fide [C F]

[Sermo XXVI]

Quicumque uolens praedicare de prudentia et fide, recolat
atque recurrat ad earum themata, definitiones et species; et
5 sequatur earum processum et mixturam.

In principio sermonis deprecemur Deum, quatenus det nobis
gratiam, per quam sciamus cognoscere et amare prudentiam et
fidem, et earum essentias contra imprudentiam et incredulitatem, propter ipsum uenerari et seruire.
10 Tunc, quando prudentia et fides participant cum maiore potestate recolendi, intelligendi et amandi diuinam bonitatem,
magnitudinem et reliquas, potest cognosci diuina unitas et trinitas; cum ita sit, quod nobilior essentia sit unitas per suam
existentiam et per opus naturale, quod habet in se ipsa, quam
15 esset existentia tantum; quoniam esset uacua, otiosa et sine
natura.

Prudentia et fides conantur ascendere per recolere, intelligere
et amare incarnationem, creationem, resurrectionem et glorificationem, et in tanto ascensu, quod imprudentia neque incre-
20 dulitas per recolere, intelligere et amare nequeunt ita ascendere
alte; cum ita sit, quod ipsae sint de genere priuationis; et
prudentia et fides sint de genere probationis et positionis. Potest
igitur cognosci per talem ascensum fidem christianorum fore
ueram.
25 Prudentia est lumen probatiuum electiuum, et fides est lumen
creditiuum positiuum. Et quando congregantur in recolere, in-

---

94 mala] *T*; bona *M R*; *om. M*₁

XXVI, **4** ad] *coni.*; *om. codd. omnes*   **12/13** et trinitas] *coni.*; aeternitas *M T R M*₁
19/20 incredulitas] *corr. ex* credulitas *M*₁; incrudelitas *M T R*

telligere et amare, multiplicant lumen demonstratiuum. Cum
quo ascenditur per gratiam Dei ad intelligere unum Deum in
trinitate, incarnatum, et mundum fore creatum, et resurrectio-
30 nem et glorificationem. Et ob hoc, ut istos articulos homo ualeat intelligere, creauit Deus prudentiam et fidem, ut sint in-
strumenta ad intelligendum, recolendum et amandum articulos |
uirtuose. Et imprudentia et incredulitas sunt instrumenta con-   R 24ʳ
traria, quae generant tenebras et peccata.
35   Prudentia in uoluntate est lumen electiuum, amatiuum, positiuum; amans, quod intellectus humanus sit per fidem credi-
tiuus tunc, quando non est illuminatus per lumen demonstratiuum. Et imprudentia atque incredulitas, quando sunt in uo-
luntate, sunt tenebrae et peccata ipsius et etiam | intellectus.   M 29ʳ
40 Et per hoc potest cognosci, modus, per quem gignuntur in intellectu et uoluntate hominis uirtutes et peccata.
    Prudentia et fides sunt altiora lumina ad generandum scien-
tiam cum diuina bonitate, magnitudine aeternitate, posse et
aliis dignitatibus, quam cum uisu, auditu, odoratu, gustu, palpa-
45 tu et imaginatione. Et propter hoc sunt imprudentes et incre-
duli contra fidem illi homines, dicentes, Deum non posse facere
aliqua opera supra corpus naturae sensibile, imaginabile et
corrumpibile.
    Prudentia et fides, sicut sunt meliores per bonitatem, sunt
50 maiores per màgnitudinem, et sunt durabiliores per durationem, potentiores per posse, illuminatiores per intellectum, magis amorosae per uoluntatem, uirtuosiores per uirtutem et uera-
ciores per ueritatem. Et imprudentia et incredulitas sunt per
contrarium.
55   Prudentia consulit te habere illam fidem in tuo recolere,
intelligere et amare, per quam poteris supponere et credere
maius opus diuinae unitatis, bonitatis, magnitudinis, aeternitatis, potestatis et aliarum dignitatum. Et imprudentia consulit
contrarium. Vnde cum hoc ita sit, potest cognosci fidem catholi-
60 cam fore ueram et uirtuosam, et cunctam aliam fidem, quae sit
contra eam, fore falsam et uitiosam.
    Prudentia consulit, quod illud bonum, quod nequis intelli-
gere, credas et diligas. Et imprudentia consulit contrarium. Et
ob hoc homo, de imprudentia habituatus, est indutus de incre-
65 dulitate. Et propter hoc supponit, quod nullum bonum creda-
tur, postquam de necessitate non intelligatur. Et propter hoc
gignit peccatum; propter quod exstiterit condemnatus.

---

28 ad] *coni.*; *om. codd. omnes*   **33** incredulitas] *corr. ex* credulitatis M_1;
incrudelitas MTR **38** incredulitas] *correxi*; incredulitatis M_1; incrudelitas
MTR **48** corrumpibile] *coni. ex textu cat.*; corporale $MTRM_1$ **52** et] *coni.*;
om. codd. omnes   **56** supponere] *correxi*; subtus ponere $MTRM_1$; *cat.* sotsposar
60 cunctam] otiosam T **63** consulit] *om. T*

Prudentiam nequis cognoscere sine uirtuoso recolere, intelligere et amare. Et imprudentiam nequis cognoscere sine uitioso
70 recolere, intelligere et amare. Vnde cum hoc ita sit, potes cognoscere modum, per quem prudentia et fides possunt in anima
tua permanere; et hoc idem de imprudentia et incredulitate.

Cum maiori posse prudentiae et fidei poteris superare maius
posse imprudentiae et incredulitatis; et hoc non conuertitur. Et
75 hoc est ideo, quia prudentia et fides conueniunt cum esse, et
sunt habitus positiui; et imprudentia et incredulitas contra esse
conueniunt, et sunt habitus priuatiui. Vnde cum hoc ita sit,
potes igitur cognoscere imprudentiam praelati, cui fides sui
populi commendatur, qui supponit, quod cum fide non possit
80 deuinci incredulitas.

Per prudentiam et fidem delinquere uel errare non potes per
sentire nec per imaginari. Et potes errare per imprudentiam et
incredulitatem. Et per hoc potes cognoscere modum, per quem
prudentia et fides sunt uirtutes, et imprudentia et incredulitas
85 sunt peccata.

Diximus de prudentia et fide, et earum societate contra imprudentiam et incredulitatem. Et propter hoc deprecemur Deum,
quatenus det nobis gratiam, per quam de prudentia et fide
notitiam habeamus atque amorem. Per quas eum ualeamus
90 laudare et toto tempore uitae nostrae.

III.2.4. De prvdentia et spe [C G]

[Sermo XXVII]

| Si uelis praedicare de prudentia et spe, dicas earum themata, M 29ᵛ
defi|nitiones et species. Et secundum | eas procedas in tua prae- R 24ᵛ T 16ʳ
5 dicatione.

In principio praedicationis deprecemur Deum, quatenus det
nobis gratiam, per quam de prudentia et spe notitiam demus
contra imprudentia et desperationem, ad ipsum amandum, uenerandum et sibi seruiendum.
10   Maius posse prudentiae et spei exstat per maius posse bonitatis, magnitudinis et aliarum dignitatum. Et propter hoc tu, qui
affectas consequi posse prudentiae et spei contra imprudentiam
et desperationem propter Deum uenerandum, amandum et eidem seruiendum, ponas maiorem spem in diuina bonitate, ma-
15 gnitudine et aliis. Quod si facias, prudentiam et formatam et
regulatam spem possidebis; quam Deo mittas cum prudentia, ut
a Deo tibi deferat ueniam et iuuamen.

68/69 intelligere] *coni.*; *om. codd. omnes*   **69** uitioso] *coni.*; uirtuoso *M T R M*₁

XXVII, **17** ueniam et] *M*₁; ueniamque *M T R*

Contra maius posse prudentiae et spei obicere nequit maius
posse imprudentia et desperationis; cum ita sit, quod posse
20 prudentiae et spei sit habitus positiuus, et posse imprudentiae
et desperationis sit habitus priuatiuus. Et hac de causa peccator
qui commisit multa peccata et magna, ob hoc quia suum recolere, intelligere et amare non sunt habituata neque induta de
prudentia, mortaliter delinquit cum desperatione.

25 Sine bonitate et prudentia non potes in Deo spem ponere nec
habere; cum ita sit, quod Deus bonus est, et prudentia et spes
sunt bonae uirtutes, et causatae per diuinam bonitatem. Et
propter hoc peccatores, existentes in peccato, decipiuntur. Et
imprudentes sunt, ob hoc quia cum deformata spe credunt,
30 Deum eis parcere peccata; de quibus contritionem non habent,
nec ad confessionem ueniunt, nec satisfactionem faciunt.

In sanitate tua permanent prudentia et spes saniores, quam in
infirmitate tua. Et hoc est, quia in sanitate tua potes uigorosius,
recolere, intelligere et amare Deum, et suam magnam misericor-
35 diam et ueniam, quam in infirmitate tua. Et propter hoc imprudens es, si in sanitate tua non exis de peccato, de quo credis
exire in infirmitate tua.

Prudentia et spes sunt maximae diuitiae in memoria, intellectu et uoluntate quam diuitiae corporales. Et propter hoc ille
40 est prudens, qui affectat magis effici diues per prudentiam et
spem, quam per denarios, castella et ciuitates. Et si faciat
contrarium, non habet prudentiam, et est ad ianuam peccati et
desperationis.

In diuina bonitate, misericordia et pietate ponas maiorem
45 spem, quam in meritis tuis. Et si istud facias, prudentiam
habebis; et si contrarium facias, imprudentiam habebis, et per
desperationem mortaliter peccabis.

Maior potest existere spes cum prudentia per amare, quam
per timere et abhorrere. Et propter hoc homines, qui desperant,
50 peccant mortaliter per timorem, ob hoc quia nolunt sperare per
amorem.

Spes, quae a Deo defert donum et ueniam, per Deum causatur
et datur. Et cum prudentia sustentatur, mittitur et reuertitur.
Et loca, per quae missa est et reuersa, sunt uirtuosum recolere,
55 intelligere et amare propter Deum laudandum, | uenerandum et M 30ʳ
seruiendum.

Quia Deus diligit magis adiuuare, dare et parcere, quam
peccatores punire, ob hoc debet quisque in Deo maiorem spem
ponere propter suum amorem, quam per timorem peccatorum

---

28 Et] *om. sed add. in marg. M*   **33** tua] *coni.*; non *M R M*₁; non, *sed del. T*
uigorosius] *coni.*; uigorosus *M T R M*₁   **39** quam – corporales] *coni.*; diuitiarum
corporalium *M T R M*₁   **40** est] *recte coni. T; om. et add. sup. lin. M*₁; *om. M R*

60 et desperationem. Vnde cum hoc ita sit, potes cognoscere, utrum
tu sis habituatus et uestitus de prudentia uel imprudentia. Et
hoc idem de proximo tuo.

Spes consolatur per amare de prudentia habituatum et uestitum; et desperatio disconsolatur per timorem de imprudentia
65 habituatum et uestitum. Vnde cum hoc ita sit, potes igitur
cognoscere in te, tu peccator, utrum timeas magis Deum propter
suum amorem, quam propter tuum timorem. | Et si timeas R 25ʳ
magis Deum propter suum amorem, quam propter tuum timorem, potes cognoscere, quod tu diligis magis Deum, quam te
70 ipsum; et per contrarium potes cognoscere, quod tu diligis
magis te ipsum, quam Deum. Vnde cum hoc ita sit, potes
cognoscere, quod si tu diligas magis Deum, quam te ipsum,
habes prudentiam et spem; et si diligas magis te ipsum, quam
Deum, non habes prudentiam; et credis habere spem, et non
75 eam habes. Et ita decetus es, quia non habes prudentiam, nec
scis obicere tentationi daemonis.

Sine spe nequis fore diues; et cum spe potes diues esse. Et
potes tentare in tuo recolere, intelligere et amare, secundum
quod tu in eis inuenies plenitudinem uel uacuitatem.
80   Qui spem habet, per maiorem uirtutem exstat longius a maiori desperatione, et qui spem habet, per maiorem contritionem
est magis prope satisfactioni maiori. Vnde cum hoc ita sit,
poteris cognoscere, tu peccator, terminos spei et desperationis,
et prudentiae et imprudentiae.
85   Diximus de prudentia et spe, et earum contrariis. Et ostendimus earum essentias et processum, quem habent contra imprudentiam et desperationem. Et propter hoc in fine sermonis
deprecemur dominum nostrum Deum, quatenus det nobis gratiam, per quam cum prudentia et spe destruamus impruden-
90 tiam et desperationem, et quod nobis mittat donum, adiuuamen
atque ueniam per spem.

III.2.5. DE PRVDENTIA ET CARITATE [C H]

[SERMO XXVIII]

Quicumque uolens praedicare de prudentia et caritate, recolat
earum themata, definitiones et species. Et secundum eas proce-
5 dat in eius praedicatione.

In principio sermonis deprecemur Deum, quatenus det nobis
gratiam, per quam de prudentia et caritate notitiam demus, et
de processu, quem habent contra imprudentiam et impietatem.

Prudentia et caritas sunt uestes humani intellectus et uolun-

---

60 desperationem] *correxi*; desesperationis *M T R M*₁

10 tatis, per quas illuminantur, ornantur et induuntur intelligere,
et amare ad seruiendum, | laudandum, uenerandum nostrum T 16ᵛ
dominum Deum et ad lucrandum merita; cum ita sit, quod
homo non potest seruire, laudari et uenerari Deum cum nudo et
deformato intelligere et amare.

15 Sicut caritas est supremus finis amoris, ita est electiua per
prudentiam in fine amoris. Et propter hoc prudentia et caritas
habent sua opera in fine amoris ad seruiendum Domino Deo
nostro.

Cum caritate informa uoluntatem tuam et cum prudentia
20 informa intellectum tuum, ut habeas formatum amare et in|tel- M 30ᵛ
ligere in seruiendo, laudando, uenerando et benedicendo Dominum Deum nostrum, et quod meritis tuis Deo placeas.

Cum prudentia habes luminatum intelligere et cum caritate
habes luminatum amare. Inquire igitur cum his duobus lumini-
25 bus uenerationes et laudamenta, quae conueniunt Domino Deo
nostro et proximo tuo. Et si istud facias propter Deum et
proximum tuum, illuminatus eris et cum imprudentia et impietate non participabis.

Qui habet prudentiam, scit se ipsum; et qui habet caritatem,
30 diligit se ipsum. Et qui scit et diligit se ipsum, indutus et
ornatus est magna bonitate; et est ordinatus ad seruiendum et
uenerandum Deum, se ipsum et proximum suum.

Qui habet prudentiam in caritate et caritatem in prudentia,
est uestitus et ornatus magna bonitate, posse, uirtute, et ueri-
35 tate; et nullo indiget. Et qui per contrarium indutus est, de
malo et peccato indutus est; et paratus est, quando per daemonem tentatus est, fore uictus.

Homo prudens, in quo sit caritas, cum lumine bonitatis se
ipsum illuminat, et per exemplum, proximum suum. Et cum
40 illis duobus luminibus illuminat suum recolere, intelligere et
amare, imaginari et sentire ad seruiendum, uenerandum et laudandum Deum; et uadit ad gloriam per in perpetuum manere.

Qui habet posse prudentiae et caritatis, minime potest deuinci; et potest intelligere et amare Deum, se ipsum et proxi-
45 mum suum sine peccato. Et sine tali posse per imprudentiam|et R 25ᵛ
impietatem et daemonem potest uinci et superari.

Vicinia prudentiae et caritatis exstat per opus intellectus et
uoluntatis. Et per illud opus intellectus induit suum intelligere,
et uoluntas suum amare; et in simul ascendunt participare in
50 seruiendo, laudando et uenerando Deum.

Qui seruit Deo cum prudentia et caritate, habet prosperitates,
et aduersitates. Prosperitates, quas habet, sunt prudens intelligere et suum caritatiuum amare. Et aduersitates, quas habet,

---

XXVIII, **10** induuntur] *add. per cod. cat.*   **12/13** ita – potest] *coni.*; scit
hominem non posse *MTR*; cum sit hominem non posse *M₁*   **20** et] *coni.*; *om.*
omnes codd.   **31** et²] *coni.*; *om. codd. omnes*   **47** Vicinia] *corr. in* uicinia *M₁*

sunt angustiae et deceptiones et detractio. Quas homines impru-
55 dentes et sine pietate faciunt et dicunt de illis, qui prudentiam
et caritatem habent. Qui cum patientia et humilitate acquirunt
prosperitates, quae ualent magis, quam omnes terrenae diuitiae.

Qui habet prudentiam et caritatem, de legalitate aedificat
castrum, in quo permanent bonitas, magnitudo, duratio et po-
60 testas siue posse. De quibus exstat castrum praefatum ita
munitum, quod minime potest deuinci nec superari per imprudentiam, nec per impietatem, nec etiam per infidelitatem. Et qui
in tali castro facit permanere suum recolere, intelligere et amare, nullo bono indiget.

65 Qui uendit caritatem, nihil emit; et qui emit imprudentiam,
omne amittit. Et per hoc potest cognosci id, quod est aliquid, et
id, quod non est aliquid. Id, quod est aliquid, est prudentia et
caritas, quae formant uirtuosum recolere, intelligere et amare
de uirtutibus. Et id, quod nihil est, sunt imprudentia et impie-
70 tas, quae deformant recolere, intelligere et amare cum peccatis.

| Plus ualet prudentia in tuo intellectu et caritas in tua M 31ʳ
uoluntate, quam cuncta bona terrena. Et hoc est ideo, quia
propter prudentiam et caritatem potes saluari, et non propter
bona terrena; cum ita sit, quod non sint substantiae spirituales,
75 sed corporales, quae non habent intelligere nec amare.

Si es bonus et uis cognosci, habeas prudentiam; et si uis
multum amari, habeas caritatem. Quoniam prudentia illuminat
bonitatem, in quantum eam facit intelligere; et caritas illuminat
uoluntatem, in quantum eam facit amare. Vnde cum Deus
80 bonus sit per supernam bonitatem, habeas prudentiam et caritatem, ob hoc ut facias amare et intelligere diuinam bonitatem.

Qui habet caritatem, est curialis; et qui habet prudentiam, est
curialis uel facetus et sapiens. Igitur habeas prudentiam et
caritatem, ut sis curialis uel facetus et sapiens per tuum sentire,
85 imaginari, recolere, intelligere et amare. Quoniam curialitas et
prudentia te custodient a peccato, et te defendent a daemone,
qui te tentare non ualebit.

Diximus de prudentia et caritate. Et per hoc, quod de eis
diximus, poterunt cognosci earum essentiae, species et naturae,
90 et processus, quem habent contra imprudentiam et impietatem.
Et propter hoc in fine sermonis deprecemur Deum, quatenus
det nobis gratiam, per quam sciamus sermonem retinere in
nostro recolere, intelligere et amare, et cum ipsis imprudentiam
et impietatem uincere et superare.

---

55 de] *coni. ex textu cat.*; *om. codd. omnes*   **81** et] *coni.*; *om. codd. omnes*   **84**
et sapiens] *coni.*; et prudens *M T*; *om. R M*₁

III.2.6. De prvdentia et sapientia [c i]

[Sermo XXIX]

Si uelis sermocinari de prudentia et sapientia, recolas et dicas earum themata, definitiones et species, et sequaris earum pro-
5 cessum. Per quem normabis et ordinabis tuum sermonem, per tuum recolere, intelligere et amare, imaginari et loqui.

In principio sermonis deprecemur dominum Deum nostrum, quatenus det nobis gratiam, per quam ego uelim et intelligam facere bonum sermonem, et uos, domini et dominae, eum ualea-
10 tis intelligere, et eum uelitis amare propter Deum uenerandum, seruiendum et nostra peccata destruendum.

Si habeas prudentiam et sapientiam, tuus intellectus exstat subiectum earum. Et prudentia est ancilla, et sapientia est domina; cum ita sit, quod prudentia sit materia, de qua sapien-
15 tia electa est, in quantum exstat in requie|ad faciendum bonum T 17ʳ
et uitandum malum.

Prudentia ab|luit intellectum a peccatis. Et sapientia intelli- R 26ʳ
git perfecte bonitatem, et non participat cum malo neque cum peccato, postquam prudentia eligit maius bonum, et uitat maius
20 malum.

Quando prudentia ascendit, sapientia ascendit. Et prudentia ascendit cum prosperitatibus et aduersitatibus. Et sapientia exstat cum prosperitatibus completa, et non cum aduersita-tibus; neque daemon eam ualet tentare neque angustiare, quo-
25 niam in prudentia facta est tentatio et deuicta.

Prudentia facit de terra argentum, et de argento aurum. Et sapientia uescitur illo auro in faciendo sapientias. Et propter hoc est prudentia mercatrix, et emit et uendit; et sapientia est fructus et lucrum,|et exstat in requie. M 31ᵛ
30 Propter prudentiam unies minus bonum maiori, ut sit fortius, et quod maius sit fortius propter minus; sicut bona domini et submissi sui uassalli, quae sunt fortiora tunc, quando in simul uniuntur. Et si istud facias magnam uim sapientiae habebis, in tantum quod omne peccatum superabis; et sapientia erit uia
35 tua, per quam ibis ad perpetuam glorificationem.

Qui habet prudentiam eligit maius bonum in suo amore ante quam bonum minus; et facit minus bonum seruiens maioris. Et sapientia habet pacem ac beatitudinem. Et qui habet impruden-tiam, facit contrarium; et stultitia est infelicitas sua.
40 Prudentia est lumen hominis sapientis; et imprudentia est

XXIX, **18** perfecte] *coni. ex textu cat.*; perfectam *MTRM*₁   **25** in – facta] imprudentia facta *TR*; imprudentia ficta *M*₁   **26** de²] *om. et add. in marg. M*
30 unies] *corr. ex* uinces *M*₁; uinces *MTR*   **32** sui] *recte coni. M*₁; suae *MTR*   **33** uniuntur] *corr. ex* uincuntur *M*₁; uincuntur *MTR*

habitus tenebrosus hominis stulti. Et ob hoc sapientia exstat
lumen bonitatis; et stultitia est tenebrae peccati.

Qui habet prudentiam non est pauper; et qui habet imprudentiam non est diues. Et propter hoc homo stultus, et qui sit
45 hypocrita, fingit se pauperem, ut sit diues pro bonis terrenis uel
pro honoribus, quos affectat; et homo sapiens huius facit contrarium.

Cum prudentia uidebis bona et mala, quae uentura sunt; et
cum prudentia parabis tuum recolere, intelligere et amare ad
50 recipiendum bona et ad uitandum mala. Et quando ueniet
tempus illorum, tu habebis sapientiam, propter quam sapiens
exstiteris. Et homo, habens imprudentiam, facit huius contrarium; et imprudentia induit angustia et malo suum sentire,
imaginari, recolere, intelligere et amare, cum qua angustia et
55 malo uadit ad ignem infernalem ad in perpetuum manere.

Cum prudentia habebis bona et uinces mala; et cum sapientia
acquires bona, et mala non senties. Et cum imprudentia contrarium facies; et de angustia et inopia indues tuum recolere,
intelligere et amare, et mortaliter peccabis. Cum prudentia ad
60 finem boni uadis; et cum sapientia illum finem habes et in eo
permanes. Et si uadis cum imprudentia, ad priuationem boni
uadis, et finem boni desiderabis, et non eum habebis. Et habebis
stultitiam, et in ea permanebis, et cum ea peccabis.

Cum prudentia bonam uitam habebis, dum uiues, et bonam
65 mortem habebis, quando ab hoc saeculo transmigrabis, et in
altera uita cum tua sapientia per in perpetuum sapientiam Dei
contemplabis. Et si habeas imprudentiam, contrarium facies. De
quo contrario indues tuum recolere, imaginari et sentire, et in
perpetuum comedere et bibere affectabis, et numquam comedes
70 neque bibes. Et uelles requiem, et numquam habebis; et uelles
mori, et numquam morieris.

Si loquaris cum homine stulto cum prudentia, eris sapiens; et
si cum eo loquaris cum imprudentia, eris stultus. Igitur stultus
cum stulto facient stultitias. Potest igitur cognoscere in mente
75 tua, quando loqueris cum homine stulto, utrum sis sapiens uel
stultus.

Prudentia et modus sunt sorores et amicae. Quae deseruiunt
sapientiae. Quae format | et illuminat, augmentat et ordinat   R 26ᵛ
sapiens imagina|ri, sentire, recolere, intelligere et amare. Et quia   M 32ʳ
80 homo stultus est plenus malo, homo sapiens non indiget bono.

Cum prudentia nequis facere stultitias; nec cum imprudentia
sapientias. Ecce igitur quod in te est liberum arbitrium, per
quod potes indui bono uel malo.

Sapientia est ita habitus intellectus normati, ut non faciat
85 stultitiam propter suum intelligere uel credere, sicut est caritas
habitus regulatus uoluntatis, ob hoc ut non committat, propter

---

50 et] *T*; *om. MRM₁*   **56** cum] *T*; *om. MRM₁*

suum amare uel abhorrere, peccatum. Potes igitur considerare
et cognoscere tuum liberum arbitrium, cum quo potes facere
sapientias uel stultitias. Et si facias sapientias, facis illas cum
90 illo libero arbitrio, quod Deus tibi dedit. Et si facias stultitias,
facis eas cum alio libero arbitrio, ob hoc quia de nihilo creatus
es. Illud liberum arbitrium non Deus creauit; quoniam si illud
creauisset, non esset Deus sapiens, et consentiret ad faciendum
peccatum. Quod est impossibile; cum ita sit, quod Deus sit
95 superna sapientia, iustitia et bonitas.

Diximus de prudentia et sapientia. Et per hoc, quod de ipsis
diximus, potest haberi notitia de earum essentiis, definitionibus
et speciebus. Quare in fine sermonis deprecemur dominum
Deum nostrum, quatenus det nobis gratiam, per quam diu hunc
100 sermonem recolamus; quoniam obliuisci sermonem tunc statim,
cum factus est, non portat utilitatem neque commodum.

Discurrimus et miscuimus prudentiam per fortitudinem, temperantiam et reliquas uirtutes. Et per hoc dedimus scientiam,
per quam sermocinator, qui uult de prudentia sermocinari, sciat
105 materiam multiplicare.

III.3. DE FORTITVDINE

III.3.1. DE FORTITVDINE ET TEMPERANTIA [D E]

[SERMO XXX]

Quicumque uolens praedicare de fortitudine et temperantia,
5 recolat earum themata, definitiones et species, et textum fortitudinis et temperantiae. Et secundum illum processum faciat
sermonem, compositum de fortitudine et temperantia, et colli-
gat rationes et similitudines a subiecto huius libri.

In principio sermonis deprecabimur nostram dominam, uirgi-
10 nem gloriosam, sanctam Mariam, quatenus det mihi gratiam
dicendi, et uobis audiendi uerba, propter quae ueniamus ad
saluationem. Et propter eius amorem, reuerentiam et honorem
dicamus *Aue Maria*.

Animi fortitudo exstat per recolere, intelligere et amare boni-
15 tatem; et temperantia exstat per aequalitatem recolendi, intel-
ligendi et amandi bonitatem. | Et si tu componas ambas bonita-   T 17ᵛ
tes in unam bonitatem, eris fortis et temperatus contra animi

---

91 hoc] *om. et add. sup. lin.* M_1; *om.* MTR   **92** illud] *corr. ex* eum M_1; eum
MTR   **93** creauisset] *recte coni.* M_1; creauerat MTR   **102** per] *coni.*; et
MTRM₁

XXX, **8** et] *om. et add. sup. lin.* M_1; *om.* MRT

debilitatem et distemperantiam. Et si contrarium facias, in mortali peccato permanebis.

20 Fortitudo animi exstat per magnum recolere, intelligere et amare; quae componunt magnificentiam. Et temperantia exstat per magnam aequalitatem recolendi, intelligendi et amandi; quae componunt magnificentiam. Et si tu componas ambas magnificentias, fortis et temperatus existes contra animi debili-

25 tatem et distemperantiam. Et si contrarium facias, in mortali peccato permanebis et damnatus eris.

Animi fortitudo exstat | per durationem recolendi, intelligendi M 32ᵛ
et amandi constantiam. Et temperantia exstat per aequalem durationem recolendi, intelligendi et amandi constantiam. Et si

30 tu componas ambas constantias, fortis permanebis contra animi debilitatem et distemperantiam. Et si facias contrarium, in mortali peccato persistes.

Per sentire et imaginari potes ordinatus existere ad acquirendum animi fortitudinem et temperantiam, si eas multiplicas

35 cum bonitate, magnificentia et constantia, secundum quod superius diximus. Et non poteris uinci a daemone, nec per senti|re, R 27ʳ
nec imaginari; cum ita sit, quod animi fortitudo sit superius, et animi debilitas sit inferius. Et hoc idem de temperantia et distemperantia, quod est eius contrarium.

40 Animi fortitudo est fortitudo uoluntatis, quae diligit Deum, et fortitudo temperantiae est fortitudo uoluntatis diligens Deum. Et propter hoc animi fortitudo et temperantia per uoluntatem, quae Deum diligit, habent concordantiam. Quae quidem fortitudo uoluntatis per uoluntatem Dei ita adiuuatur, quod daemon

45 neque debilitas animi nec etiam distemperantia possunt contra talem humanam uoluntatem.

Fortitudo animi est fortitudo uoluntatis diligens Deum et fortitudo temperantiae est fortitudo diligens sanitatem. Et qui ambas fortitudines componit in uoluntate sua, non potest uinci

50 nec superari per debilitatem animi nec per distemperantiam.

Fortitudo animi exstat per fortitudinem uoluntatis, quae diligit fore uirtuosa; et fortitudo temperantiae exstat per fortitudinem uoluntatis, quae timet multum comedere et bibere et multum uidere, audire, odorare, palpare, loqui et imaginari.

55 Fortitudo animi exstat per fortitudinem uoluntatis, quae uult diuitias acquirere; et fortitudo temperantiae exstat per fortitudinem uoluntatis, quae diu in hoc saeculo appetit uiuere, ob hoc ut cum multis diuitiis ualeat Deum uenerari atque eidem seruire diu. Vnde cum hoc ita sit, potes igitur cognoscere ligamen

60 uel mixturam fortitudinis animi et temperantiae.

Sicut dedimus exemplum de fortitudine animi et de aequalitate temperantiae per fortitudinem uoluntatis, ita potest exemplificari per fortitudinem intellectus et per fortitudinem memoriae. Et qui omnes tres fortitudines coniungit, exstat fortiter

65 indutus de temperantia et animi fortitudine.

Si tu per fortitudinem intellectus intelligis, quando facis scientiam de fortitudine animi et temperantiae, et per fortitudinem
memoriae illam scientiam recolis, et per fortitudinem uoluntatis
eam diligis, iam daemon neque debilitas animi nec distemperan-
70 tia in te posse non habebunt; cum ita sit, quod scientia de
uirtutibus sit superius, et eius contrarium sit inferius.

Omne, quod diligitur, diligitur propter aliquem finem. Et quia
finis uirtutum est superius, et finis sentiendi et imaginandi est
inferius, propter hoc, quando tentatus eris per daemonem, quod
75 consequaris placitum per sen|tire et imaginari contra fortitudi-   M 33ʳ
nem animi et temperantiam, diligas magis finem uirtutum,
quam finem sentiendi et imaginandi. Et tunc fortis eris per
fortitudinem animi et temperantiam contra earum contraria et
contra daemonem.

80   Diuitiae animae sunt fortitudo animi et temperantia; et diuitiae corporis sunt sentire et imaginari. Et quia anima est superius, et corpus est inferius, potes deuincere cum fortitudine
animi et temperantia fortitudinem uitiorum per sentire et imaginari. Et si facias contrarium, peccas mortaliter, et uadis ad
85 perpetuum tormentum.

Fortitudo magni generis per sentire et imaginari non est ita
magna fortitudo, quemadmodum est fortitudo animi et temperantiae. Et hoc est ideo, quia sentire et imaginari non sunt de
genere moralium uirtutum; cum ita sit, quod ipsa sint instru-
90 menta bono et malo, et fortitudo animi et temperantia sint de
genere uirtutum.

Quando tu es ad mensam, quae est bene ordinata de uictualibus corporalibus, munias tu tunc animam tuam de uictualibus
spiritualibus, quae sunt fortitudo et temperantia. Quae erunt
95 formae, quae informabunt tuum comedere et bibere; quae erunt
materiae sanitatis. Et si contrarium facias, comedes et bibes|ad   R 27ᵛ
fortunam, et poteris effici indigestus et inebriatus, et indues
tuum recolere, intelligere et amare de mortali peccato.

Si tu comedas et bibas temperate, potes habere spem sanita-
100 tis; et si comedas et bibas distemperate, potes spectare infirmitatem, et propter infirmitatem mortem. Et si tu facias comparationem, quam diligas plus, infirmitatem uel sanitatem, et uitam
uel mortem, intellectus tuus illuminabit uoluntatem tuam. Per
quod quidem lumen diliges animi fortitudinem et sanitatem et
105 uitam contra mortem et infirmitatem.

Diximus de fortitudine animi et temperantia; et declarauimus earum themata et processum earumdem. Et propter hoc
in fine sermonis deprecemur dominum Deum nostrum Iesum
Christum, Patrem nostrum, quatenus det nobis animi fortitudi-

110 nem et temperantiam. Et propter eius amorem, honorem ac
uenerationem dicamus *Pater noster*.

III.3.2. DE ANIMI FORTITVDINE ET FIDE [D F]

[SERMO XXXI]

Si tu uelis sermocinari de animi fortitudine et fide, dicas
earum themata, definitiones et species.

5 In principio sermonis deprecabimur dominum Deum nostrum
Iesum Christum, quatenus | det mihi gratiam dicendi, et uobis   T 18ʳ
audiendi et retinendi uerba, quae sunt ad saluationem nostram
ac eius honorem. Et propter reuerentiam, amorem et honorem
dominae nostrae sanctae Mariae dicamus *Aue Maria*.

10 Fortitudo animi est fortitudo recolendi, intelligendi et amandi; et fortitudo fidei est fortitudo credulitatis, recolendi et
amandi. Et propter hoc, quando ambae fortitudines congregantur in unam fortitudinem, et perseueratur multum in illa fortitudine, gignitur uirtus morosa, hoc est, uirtus, in qua homo
15 existit ita fortis, quod non tentatur ad perpetrandum peccatum,
sicut apostoli et martyres, uel sicut multi nostrum, qui praedili-
geremus | decapitari, quam abhorrere uel negare fidem, nec   M 33ᵛ
facere luxuriam, traditionem nec deceptionem.

Sicut tu non ualeres cogere manum tuam, si eam mitteres ad
20 furnum,quin sentiret calorem, ita homo, habituatus de uirtute
morosa, qui est habitus diu perseueratus, non ualeret cogi, quod
committeret peccatum. Et hoc est, quia animi fortitudo et fides
eum tenent in tantum fortem et adiutum, quod daemon neque
sentire et imaginari, non ualerent eum facere recolere, intelli-
25 gere nec amare peccatum contra diuinam trinitatem, incarnationem et alios articulos fidei. Et propter hoc quilibet deberet
assuescere ad acquirendum uirtutes morosas. Propter quas homo uiuit in pace et securus, et non timet, quod tentetur nec
superetur pro peccato.

30 Deus posuit uirtutes in uerbis, herbis et lapidibus. Igitur
posuit uirtutem per fortitudinem fidei et animi ad superandum
peccata et ad faciendum miracula. Et de hoc habemus experimentum, quando aliquis tentatus est ad faciendum peccatum, et
non illud aliquo modo facere uult. Et hoc idem, quando infirma-
35 tur uel est in periculo mortis, et promittit ire ad peregrinationem ad aliquod sanctuarium, habendo fidem, quod ille sanctus
eum adiuuet.

XXXI, **7/8** nostram – honorem] *coni.*; ac honorem nostrum *M T R M₁*   **15**
ad] a *M*   **21** ualeret cogi] *coni.*; ualeres cogere *M T R M₁*   **24** et] *coni.*; *om.*
codd. omnes   **34** illud] *correxi*; eum *M T R M₁*

Fortitudo fidei est ita magna propter credere unum Deum,
quam propter credere in trinitate. Et hoc est ideo, quoniam
40 sicut Dei unitatem non potes sentire nec imaginari, ita diuinam
trinitatem non potes sentire nec imaginari. Et quantam fortitudinem habes propter credere trinitatem, tantam habes propter
credere unum Deum; cum ita sit, quod illam fortitudinem,
quam Deus tibi impendit propter fidem, in quantum est unus,
45 tibi dat, in quantum est in trinitate personarum. Et propter hoc
potes dicere, quod si ualeas probare, quod sit unus Deus, potes |
probare, quod sit diuina trinitas personarum, quae sunt unus R 28ʳ
Deus.

Fortitudo fidei est credere Deum fore incarnatum. Et si
50 tentatus fueris, quod non sit incarnatus, cum ita sit, quod
incarnationem nequeas sentire nec imaginari, propter fortitudinem, quam tibi Deus praebet per fidem, potes intelligere ipsum
posse fore incarnatum, postquam sua uoluntas hoc uelit; quae
infinitum habet posse, infinitam uirtutem et infinitam bonita-
55 tem. Et propter hoc committunt peccatum illi, qui minus credunt Deum fore incarnatum, ob hoc quia nequeunt sentire nec
imaginari incarnationem, nec credunt nec diligunt Deum posse
esse nec debere fore incarnatum.

Iudaei neque Saraceni credunt Deum fore in trinitate perso-
60 narum. Et hoc est, quia timent, quod crederent in tribus diis; et
ob hoc non habent fortitudinem fidei. Christiani credunt in Deo
tres personas esse fortitudine fidei, et sciunt, quod illae sunt
unus Deus, animi fortitudine; sicut sciunt fortitudine animi et
fortitudine fidei, quod in quacumque dignitatum Dei sunt corre-
65 latiua substantialia, essentialia et naturalia; sicut habet diuina
uoluntas uolens, uolitum et uelle, et diuina unitas uniens, uni-
tum et unire; et ita de aliis. Ista correlatiua fortitudinem | animi M 34ʳ
et fortitudinem fidei nequeunt negare. Et propter hoc potes
cognoscere, quomodo per fortitudinem fidei ascendit fortitudo
70 recolendi, intelligendi et amandi.

Fortitudo fidei et fortitudo animi exstant per fortitudinem
obiecti super sentire et imaginari obiectati per recolere, intelligere et amare, et etiam per credere; sicut homo, qui credit,
recolit, intelligit et amat, mundum fore creatum; et quod erit
75 generalis resurrectio hominum; et quod boni saluabuntur, et
mali damnabuntur. Talis homo credit per fortitudinem diuinae
potestatis infinitae, et scit Deum posse creare mundum, postquam scit, Deum habere infinitum posse. Et quia scit, Deum
fore iustum propter infinitam uoluntatem, scit, quod omnes

---

42 propter] *om. et add. in marg.* M   47 probare] *coni.*; credere *M T R M*₁
53 posse] *om. et add. in marg.* M   54 et] *coni.*; *om. omnes codd.*   61 hoc] *om.*
et add. sup. lin. M   62 esse] *coni.*; *om.* M T R M₁   65/66 diuina – et¹] *coni. ex*
textu cat.; *om.* M T R M₁   71 et] est M

80 homines resuscitabuntur et iudicabuntur. Vnde cum hoc ita sit,
potes igitur cognoscere mixturam, existentem per fortitudinem
animi et per fortitudinem fidei; et quomodo per fidem ascenditur ad intelligere, et per intelligere ascenditur ad credere; sicut
homo ascendens per gradarium, ponendo unum pedem in uno
85 gradu, et alium pedem in alio gradu successiue, usque ad supremum gradum.

Propter maiorem credulitatem habet fides maiorem fortitudinem; et propter maiorem iustitiam et reliquas uirtutes habet
maiorem fortitudinem, quam minorem. Et si ei deficiant reli-
90 quae fortitudines aliarum uirtutum, ipsa per se ipsam non
potest habere fortitudinem; cum ita sit, quod sine iustitia non
possit multum distare ab iniuria, et sine prudentia ab imprudentia; et sic de aliis.

Diximus de fortitudine animi et fortitudine fidei; et ostendi-
95 mus modum, per quem una fortitudo adiuuatur per aliam fortitudinem. Ostendimus etiam modum, per quem potest generari
uirtus morosa, quae habet in tantum magnam fortitudinem,
quod non potest deuinci per contrarium ad fortitudinem suam.
Et propter hoc in fine sermonis deprecemur dominum Deum
100 nostrum Iesum Christum, quatenus det nobis fortitudinem fidei
et animi contra fortitudinem peccati. Et quia est Pater noster,
propter eius amorem, reuerentiam et honorem dicamus *Pater
noster*.

III.3.3. De FORTITVDINE ET SPE [D G]

[SERMO XXXII]

Quicumque uelit sermocinari de fortitudine et spe, dicat ea-
rum themata, definitiones | et species; et secundum illas ordinet | T 18ᵛ
5 suum sermonem.   R 28ᵛ

In principio sermonis deprecemur dominum Deum nostrum
Iesum Christum, et dominam nostram sanctam Mariam, quatenus dent mihi gratiam dicendi et uobis audiendi et in opus
ponendi uerba, quae sint ad honorem ipsorum; et propter quae
10 ueniamus ad saluationem. Et propter amorem, reuerentiam et
honorem nostrae dominae sanctae Mariae dicamus *Aue Maria*.

Fortitudo animi exstat per fortitudinem recolendi bonam
uenerationem atque diuitias; et fortitudo spei exstat per fortitudinem recolendi, intelligendi et amandi Deum et suas dignita-
15 tes, et eius opera, ob hoc ut det gloriam et parcat peccata. Et
propter hoc, si tu has duas | fortitudines immisceas et de ipsis   M 34ᵛ

XXXII, **8** dent] *coni.*; det *M T R M*₁   **16** has] *corr. in* habeas *M*; habeas
*R T M*₁   immisceas] *coni.*; immiceas *M R T*; *om. M*₁

unam facias fortitudinem. Cum una fortitudine iuuabis et exfortiabis reliquam fortitudinem, et debilitatem animi superabis et desperationem; cum ita sit, quod fortitudo animi et spes sint
20 habitus positiui, et debilitas animi et desperatio priuatiui.

Fortitudo animi et fortitudo spei exstant per fortitudinem obiecti. Et propter hoc secundum fortitudinem, quae habetur per recolere, intelligere et amare Deum et eius fortitudinem bonitatis, magnitudinis, aeternitatis, potestatis et aliarum digni-
25 tatum, exstat homo fortis contra peccatum per fortitudinem animi et spei.

Tu habes unam fortitudinem propter uisum, et aliam fortitudinem propter auditum; et sic de reliquis sensibus; et hoc idem propter imaginari, propter quod habes aliam fortitudinem. Et si
30 tu imaginaris luxuriam uel iram, per id, quod uidisti uel audisti, et imaginatio inflammat et calefacit carnem tuam ad faciendum luxuriam, uel ad capiendum uindictam, tu uinces illam fortitudinem cum fortitudine recolendi, intelligendi et amandi uirtutes, uidelicet castitatem, patientiam et reliquas; cum ita sit,
35 quod uires uel fortitudines animae et uirtutum sint fortiores, quam uires sentiendi et imaginandi peccata.

Si tu homo, qui commisisti multa peccata, tentatus es per daemonem ad desperationem, habeas fortitudinem spei per recolere, intelligere et amare Deum. Cum qua iuuabis tui animi
40 fortitudinem in tantum, quod Deus cum eius fortitudine et cum tua, quae erit instrumentum eius fortitudinis, uincet fortitudinem tentationis; et dabit tibi fortitudinem recolendi, intelligendi et amandi suam misericordiam; quae habet maiorem fortitudinem, quam fortitudo, quam tu habes ad faciendum
45 peccata.

Spes est fortitudo cum bonitate, et nequit esse fortitudo cum malitia, quae est peccatum. Spes habet magnam fortitudinem cum magna bonitate; et non potest habere magnam fortitudinem cum paucitate bonitatis.
50 Spes in quantum stat in maiori perseueratione, in tantum habet maiorem fortitudinem contra peccatum.

Spes habet maiorem fortitudinem propter intelligere Deum et suam bonitatem, magnitudinem et reliquas eius dignitates, quam propter credulitatem; cum ita sit, quod intellectus sit
55 fortior per intelligere, quam per credere.

Spes est nuntius Deo missus propter credere de Deo uera. Et nequit esse nuntius Deo missus propter credere de Deo falsa; cum ita sit, quod spes cum ueritate habeat fortitudinem ferendi

---

17/18 exfortiabis] *cat.* esforçeras = roborabis   **19** desperationem] *coni.*; desperationes *MTRM₁*   spes] *coni.*; spei *MTRM₁*   **20** desperatio] *coni.*; desperationis *MTRM₁*   **36** uires] *coni.*; *om. MTRM₁*   **41** uincet] *coni.*; uinces *MTRM₁*   **58** habeat] *recte coni. M₁*; habeas *MTR*

a Deo donum, misericordiam et ueniam; et cum falsitate nullam
60 fortitudinem habeat. Nequeunt igitur infideles in Deo spem
habere saluationis, postquam credunt falso modo, negando de
Deo uera.

Si tu diligis magis te ipsum, uel honorem tuum, uel uxorem
tuam, aut filium tuum, uel aliquid aliud, quam Deum et eius
65 honorem, nequis habere fortitudinem spei. | Et propter hoc tu,
existens in tali peccato mortali, credis in Deo spem habere, quod
det tibi diuitias, honores | et saluationem, et non habes spem; et
id, quod credis fore spem formatam cum bonitate, est spes
deformata cum malitia et peccato. Cum qua cum Deo nullam
70 bonam participationem habes; cum ita sit, quod peccatum,
quod committis, ob hoc quia non diligis Deum et suum honorem
super omnia, a te aufert fortitudinem spei.

Fortitudo spei et fortitudo animi gignunt fortitudinem uirtutis morosae. Quae est uirtus, perseuerata per fortitudinem reco-
75 lendi, intelligendi et amandi Deum, se ipsum et proximum
suum. Contra quam uirtutem morosam nullus daemon, nec
etiam omnes daemones neque aliud sentire nec imaginari, potest
habere fortitudinem ad faciendum peccatum; cum ita sit, quod
ipsa sit instrumentum, cum quo diuina fortitudo dat fortitudi-
80 nem cuicumque homini, quod habeat illam uirtutem morosam
contra quodcumque peccatum. Et propter hoc tu, sermocinator,
qui sermocinaris, consulas populo, quod habeat uirtutem morosam, cum qua poterit deuincere cunctam fortitudinem peccati.

Diximus de animi fortitudine et spe. Et ostendimus modum,
85 per quem homo potest habere fortitudinem cum eius fortitudine
contra quodcumque peccatum. Et propter hoc in fine sermonis
deprecemur dominum Deum nostrum Iesum Christum, quatenus cum fortitudine animi et spei det nobis fortitudinem contra
peccata, postquam est Pater noster. Et propter eius amorem,
90 reuerentiam et honorem dicamus *Pater noster*.

III.3.4. DE ANIMI FORTITVDINE ET CARITATE [D H]

[SERMO XXXIII]

Si uelis sermocinari de animi fortitudine et caritate, recolas
earum themata, definitiones et species; et secundum illum pro-
5 cessum ordina tuum sermonem.

In principio sermonis deprecabimur nostrum dominum Deum
Iesum Christum, quatenus det mihi gratiam dicendi, et uobis
audiendi, diligendi, recolendi et intelligendi uerba, quae sint ad

---

70 habes] *correxi*; habet *M T R M₁*   **75** Deum] *coni.*; *om. M T R M₁*   **78**
quod] *om. M*   **83** poterit] *recte coni. M₁*; poteris *M T R*   **85** fortitudinem –
fortitudine] *cat.* força ab lur força

gloriam et honorem ipsius et ad saluationem animarum nostra-
10 rum. Et propter amorem, reuerentiam et honorem nostrae dominae sanctae Mariae dicamus *Aue Maria*.

Cum ita sit, quod animi fortitudo sit uirtus cardinalis, et
caritas sit uirtus theologica, propter hoc, sicut uera oliua immixta in oleastro mouet uim oleastri ad uim et naturam uerae
15 oliuae, ita fortitudo caritatis mouet fortitudinem animi ad finem
amandi Deum super omnia. Et per talem fortitudinem exstat
caritas forma, et animi fortitudo materia, et gignitur uirtus
moro|sa propter longam perseuerantiam, et in tantum, quod T 19ʳ
fortitudo daemonis, sentiendi et imaginandi, non potest contra
20 fortitudinem illius uirtutis.

Sicut substantia cum sua fortitudine mouet fortitudinem accidentium ad suum finem, ita fortitudo caritatis mouet animi
fortitudinem ad suum finem, qui est amare Deum super omnia.
Quem quidem finem mouet cum sua fortitudine fortitudo uo-
25 luntatis. Quam habes tibi ipsi et proximo tuo propter amare
aequaliter te et proximum tuum. Quod quidem amare est ma-
teria, et amare, quod habes Deo, est forma | ipsius. Et si tu fa- M 35ᵛ
cias formam de amare inferiori, et materiam de amare superiori, peccas mortaliter, ob hoc quia facis contra ordinem supra
30 dictum.

Tu nequis cogere tuum recolere et tuum intelligere, quod
habeas maiorem caritatem propter amare te ipsum et proximum tuum, quam propter amare Deum; et potes cogere tuum
uelle. Quae quidem fortitudo est daemonis et imaginationis
35 atque sentiendi. Quae sunt peccatorum fortitudines per uolun-
tatem | priuatam caritate. Vnde cum hoc ita sit, potes igitur R 29ᵛ
cognoscere, qualiter magna est fortitudo, adiuta a fortitudine
animi et a fortitudine caritatis, propter fortitudinem recolendi,
intelligendi et amandi Deum super omnia, et plus, quam omnia.
40 Si tu diligas omne id, quod Deus diligit, habebis ita magnam
fortitudinem per amare, quod superabis omnem fortitudinem
peccati. Et hoc est ideo, quoniam tuum amare erit instrumentum uoluntati Dei, qui te amabit et te iuuabit ad uincendum
omnes fortitudines peccatorum et ad acquirendum omnes forti-
45 tudines uirtutum.

Nequis diligere tantum proximum tuum, sicut te ipsum, sine
fortitudine caritatis, nec sine fortitudine animi. Nec has duas
fortitudines potes habere in tuo amare sine fortitudine, quam
habes propter amare Deum super omnia. Vnde cum hoc ita sit,
50 potes igitur cognoscere, qualiter et quomodo gignis fortitudines peccatorum et uirtutum. Fortitudines uirtutum, secundum
quod superius dictum est; et fortitudines peccatorum, si diligas

---

XXXIII, **14** oleastro] *M*₁; oleastre *M T R*   oleastri] *corr. ex* oleastris *M*₁;
oleastris *M T R*   **28** materiam] *recte coni. M*₁; materia *M T R*   **44/45** peccatorum – fortitudines] *om. R M*₁; *om. et add. in marg. alia manu Z*

magis te ipsum, quam Deum nec proximum tuum, uel magis proximum tuum, quam Deum nec te ipsum.

55 Cum fortitudine imaginandi potes superare et uincere uel multiplicare fortitudinem sentiendi. Vincere potes cum fortitudine imaginandi fortitudinem sentiendi, si tu, quando imaginaris luxuriam, et imaginatio facit calefieri carnem per sentire, tu imagineris castitatem et poenas infernales. Multiplicare potes
60 fortitudinem sentiendi, si tu diligas magis caritatem et animi fortitudinem, quam fortitudinem sentiendi in faciendo peccata.

Cum fortitudine uirtutum superabis fortitudinem sentiendi et imaginandi. Et hoc est ideo, quoniam propter caritatem et animi fortitudinem potes cum fortitudine Dei participare per
65 recolere, intelligere et amare, et non propter fortitudinem sentiendi nec imaginandi. Cum quibus nequis Deum obiectare; cum ita sit, quod Deus non sit sensibilis nec imaginatione apprehensibilis.

Tu habes fortitudinem interficiendi unam gallinam cum manu
70 tua nuda, sed non occidendi unum bouem; quem uales occidere cum lancea. Simili modo tu non habes fortitudinem animi ad superandum peccatum sine fortitudine caritatis, per quam conferas maiorem amorem Deo, quam omnibus rebus.

Nequis contrahere societatem de animi fortitudine et fortitu-
75 dine caritatis, nisi ibi associes for|titudinem prudentiae et iustitiae et aliarum uirtutum. Et hoc est, quoniam fortitudines peccatorum sunt magnae; et in homine, in quo non permanent iustitia nec prudentia, oportet, ut permaneant iniuria et imprudentia; quae sunt peccata.

80 Caritas est uirtus prima. Et hoc est ideo, quia incipit in amando Deum super omnia; cum ita sit, quod Dei amor sit causa efficiens et finalis omnibus creaturis. Et propter hoc, si tu uelis ponere caritatem ultimo, non eam habebis, et eam amittes; et sine ipsa in mortali peccato permanebis.

85 Diximus de fortitudine caritatis et fortitudinis animi; et multum possemus dicere de ipsis. Quare in fine sermonis deprecemur dominum Deum nostrum Iesum Christum, quatenus det nobis gratiam, per quam deueniamus ad saluationem. Et quia est Pater noster, propter suum amorem, reuerentiam et hono-
90 rem dicamus *Pater noster*.

III.3.5. DE ANIMI FORTITVDINE ET SAPIENTIA [D I]

[SERMO XXXIV]

Quicumque uelit sermocinari de animi fortitudine et sapien-

---

58 sentire] *add.* et *M T R M₁*   71 fortitudinem] *add.* caritatis nec *M T R M₁*
82 causa efficiens et] *coni.*; efficiens et causa *M T R M₁*.

tia, recolat earum themata, definitiones et species; et secundum
5 earum processum ordinet suum sermonem.

In principio sermonis deprecabimur dominum Deum nostrum
Iesum Christum, quatenus det mihi gratiam dicendi, et uobis
audiendi et retinendi uerba, quae sint ad | laudem ipsius et   R 30ʳ
nostrae dominae sanctae Mariae. Et propter suum amorem,
10 reuerentiam et honorem dicamus *Aue Maria*.

Fortitudo animi et fortitudo sapientiae, multiplicatae in una
fortitudine per intelligere, recolere, amare, seruire et uenerari
Deum, est ita bona et ita magna fortitudo, quod cum ea potest
deuinci cuncta peccati fortitudo. Et hoc est ideo, quoniam illa
15 fortitudo est instrumentum sapientiae Dei et fortitudini suae
potestatis et suae uoluntatis. Cum quibus Deus uincit et superat
omne peccatum et cunctam daemonis tentationem.

Homo habet maiorem fortitudinem propter imaginari, quam
propter sentire. Et de hoc habemus experimentum; cum ita sit,
20 quod propter imaginari potest homo carnem calefacere. Et
propter intelligere, amare et recolere, habetur maior fortitudo,
quam propter imaginari. Et de hoc habemus experientiam, in
quantum imaginari potes uincere, si sit malum, cum uirtuoso
intelligere, recolere et amare. Et si imaginari sit bonum, potes
25 eum cum anima multiplicare. Hoc idem potes considerare, quod
cum fortitudine animi et sapientiae potes ordinare et regulare
siue normare uoluntatem tuam ad uolendum, et intellectum ad
intelligendum, et memoriam ad recolendum uirtutes contra
peccata; uel uirtutes multiplicare per bonitatem, magnitudinem
30 et per reliquas innatas et naturales uirtutes. Quae exstant et
sunt primae fortitudines, ob hoc quia similes sunt bonitati et
magnitudini et reliquis Dei | dignitatibus.   T 19ᵛ

Fortitudo credendi non est ita fortis, quemadmodum est
fortitudo intelligendi. Et propter hoc potest haberi maior forti-
35 tudo propter intelligere uirtutes, quam propter credere uir-
tu|tes. Et hac de causa homo sapiens diligit magis intelligere   M 36ᵛ
uirtutes, quam credere.

Fortitudo maioris sapientiae et maioris animi exstat per fortitudinem maioris obiecti; sicut homo, qui fortior est in intelli-
40 gendo Deum et eius bonitatem, magnitudinem et reliquas dignitates diuinas, quam in intelligendo humanam bonitatem, magnitudinem et reliquas. Et propter hoc homo sapiens diligit magis
intelligere Deum et eius dignitates, quam se ipsum, nec sua
principia innata naturalia. Et homo stultus huius facit contra-
45 rium.

Homo sapiens ponit maiorem fortitudinem ad acquirendum
uirtutes, cum quibus ualeat honorari, quam ad acquirendum
honorem, neque diuitias temporales. Et dicitur ob hoc sapiens,

---

XXXIV, **12** amare] *coni.*; *om. codd. omnes*   **15** fortitudini] fortitudinis M_1
23 sit malum] *coni.*; sis malus $MTRM_1$ **41** bonitatem] *add.* per *cat.*

quia melius potest Deo seruire cum uirtutibus, quam cum
50 honoribus et diuitiis temporalibus. Et homo insipiens facit huius
contrarium.

Fortitudo animi et fortitudo sapientiae normant fortitudines,
quas habet anima per recolere, intelligere et amare. Et fortitudines animae, ita normatae, normant fortitudinem, quam ima-
55 ginatio habet per imaginari, et fortitudinem, quam habet potentia sensitiua per uisum, auditum, odoratum, gustum, palpatum
et loquelam. Potes igitur intelligere modum, per quem homo,
habituatus de fortitudine animi et sapientiae, qualiter exstat
ordinatus et normatus pro sentiendo, imaginando et ratioci-
60 nando; et per contrarium homo insipiens exstat inordinatus et
non normatus tunc, quando indutus est et habituatus de peccato et fortitudine animi et sapientiae priuatus.

Homo sapiens diligit magis fortitudinem intelligendi, | quam R 30ᵛ
credendi. Et hoc est ideo, quoniam credere est lumen adiuuans
65 fortitudinem intelligendi. Cum qua facit sapientiam, quae est
forma et requies sui intelligere.

Homo insipiens diligit magis credere, quam intelligere, ob hoc
quia credit maiorem uirtutem acquirere propter credere Deum,
quam propter intelligere Deum. Et propter hoc est insipiens,
70 quia per consequentiam diligit magis se ipsum, quam Deum.

Ita decet secundum ordinationem Dei, quod humanus intellectus normetur uel reguletur per fortitudinem sapientiae, sicut
humana uoluntas per fortitudinem caritatis. Cum ita sit, quod
Deus tantum diligat intelligi, quam amari; et tantum amari,
75 quam intelligi. Et hoc est propter suam bonitatem; quae est ita
communis intellectui, quemadmodum est suae uoluntati; et
uoluntati, sicut intellectui. Et hoc idem potest dici de diuina
magnitudine, et de aliis. Et si de hoc esset contrarium, posset
dici, quod in Deo esset maioritas et minoritas; quod est impos-
80 sibile.

Fortitudo sapientiae et fortitudo animi sunt maiores, quando
ambae fortitudines congregantur, quam quando una fortitudo
exstat per se ipsam tantum; sicut fortitudo duorum hominum;
quae est maior fortitudo, quando in simul sunt, quam fortitudo
85 unius hominis tantum. Hoc exem|plum dixi ideo, quia si cum M 37ʳ
unicae uirtutis fortitudine non ualeres uincere fortitudinem
unius peccati, uincis cum duabus uirtutibus fortitudinem illius
peccati; et uinces, et non poteris superari.

Diximus de fortitudinibus seu uiribus animi et sapientiae. Et
90 ostendimus modum, per quem sunt fortiores, quam fortitudo

---

54 fortitudinem, quam] *coni.*; fortitudines quas *M T R M*₁   64 lumen] *corr.*
ex luminis *M*₁; lumens *R*   70 quia] *coni.*; *om. codd. omnes*   75 intelligi] *coni.*;
diligi *M T R M*₁   86 unicae - fortitudine] *coni.*; unicae uirtutes fortitudinem
M T R; unius uirtutis fortitudine, *corr. ex* uincere uirtutes fortitudines *M*₁

sentiendi et imaginandi in ratiocinando. Et propter hoc in fine
sermonis deprecemur dominum Deum nostrum Iesum Christum, quatenus det nobis fortitudinem animi et sapientiae,
postquam est Pater noster. Et propter eius amorem, reueren-
95 tiam et honorem dicamus *Pater noster.*

Diximus modum, per quem sciatur cognosci discursus fortitudinis animi cum aliis uirtutibus, et modum, per quem sciatur
unire unam uirtutem cum alia.
Et modo dicemus de temperantia. Et discurremus similiter
100 cum omnibus uirtutibus secundum modum aliarum.

III.4. DE TEMPERANTIA

III.4.1. DE TEMPERANTIA ET FIDE [E F]

[SERMO XXXV]

Si uelis sermonem componere de temperantia et fide, recolas
5 earum themata, definitiones et species; et secundum eas ordina
tuum sermonem, et norma.
In principio sermonis deprecemur dominum Deum nostrum
Iesum Christum, quatenus det mihi gratiam dicendi, et uobis
audiendi et retinendi uerba, quae sint ad honorum ipsius et
10 profectum animarum nostrarum. Et amore, reuerentia et honore nostrae dominae sanctae Mariae dicamus *Aue Maria.*
Temperantia maxime potest dici propter gustum, hoc est
propter comedere et bibere mensurate; cum ita sit, quod homo
possit temperate uidere, audire, odorare, palpare, loqui, imagi-
15 nari et ratiocinari. Et propter hoc homo per quascumque eius
partes potest existere temperatus. Et potest ordinare, quod
temperantia sit instrumentum ad credendum quattuordecim
articulos sanctae fidei catholicae, quoniam non decet distemperantiam, quae est peccatum mortale, fore in homine, qui credat
20 in unum Deum, Patrem, Filium et Spiritum sanctum creatorem,
recreatorem, glorificatorem, incarnatum per Spiritum sanctum,
et natum, crucifixum, et qui descendit ad inferos, | et inde R 31ʳ
abstraxit Adam, Abraham et prophetas, et qui resurrexit et
ascendit ad caelos, et ueniet in die iudicii ad iudicandum bonos
25 et malos.
Temperantia est instrumentum intellectui in recolendo et
amando in Deo uera et alta; cum ita sit, quod temperantia sit

---

98 unire unam] *coni.*; uinci unicam *M T R*; uinci unam, *corr. ex* uinci unicam
*M*₁
XXXV, 23 Adam] *coni. ex textu cat.*; *om. M T R M*₁   et²] *add.* alios *M T R M*₁

mensura pro aequaliter intelligendo, amando et recolendo. Et
qui cum temperantia non mensurat, non potest altum ascendere
30 ad considerandum Deum et sua alta.

Per temperantiam potest haberi temperata imaginatio in imaginando phantasias, quae colliguntur a sensibus corporalibus;
cum ita sit, quod multa uel parua imaginatio sit inordinatum
instrumentum, quod impedit et corrumpit phantasias, cum |
35 quibus intellectus facit scientias. Et propter multum imaginare T 20ᵣ
accidit aliquando hominem fore insensatum. Et propter parum
imaginari non potest homo bene fungi liberalibus artibus et
mechanicis. Decet igitur hominem habere temperatum imagi-
nari ad exaltandum et ordinandum | uirtutes, cum quibus ualeat M 37ᵛ
40 seruiri et uenerari sancta fides catholica.

Propter multum uel parum uidere, audire, et ita de aliis
sensibus, potest corrumpi uirtus potentiarum sensitiuarum. Et
illis corruptis, non potest homo uirtuose imaginari neque ratiocinari neque sanctae fidei catholicae deseruire, nec eam uenerari.
45 Homo nequit uiuere sine comedere et bibere. Debet igitur
homo, ut uiuat, temperate comedere et bibere; et non est dignus
uiuere, qui detrahit fidei dedecus impendit. Debet igitur uiuere
homo ad seruiendum fidei et eam uenerandum. Quod quidem
temperate exstat per temperatum imaginari et ratiocinari.
50 Maiorem iniuriam facit christianus Deo propter distemperantiam, quam Saracenus neque Iudaeus; et hoc est ideo, quoniam
christianus non potest effici melior et uirtuosior propter credere
fidem catholicam et propter eam uenerandam, quam Saracenus
neque Iudaeus propter credere sectas, in quibus persistunt.
55 Vnde cum hoc ita sit, conuenit igitur christiano maior temperantia, quam. alii cuicumque homini.

Plus ualet temperantia pro rationando, quam pro comedendo
et bibendo, quoniam nobilius exstat propter recolere, intelligere
et amare, quam in sentiendo placitum per gustum; cum ita sit,
60 quod opera animae sunt uirtuosiora uel magis uirtuosa, quam
opera corporis.

Per temperantiam, quae exstat per rationari, mensurabis id,
quod potes expendere, et quod debet expendere propter sentire;
et hoc idem poteris facere per temperatum imaginari. Potes
65 igitur cognoscere modum, per quem potes per temperatum
imaginari et rationari temperare tuum uidere, audire et alios
sensus; cum ita sit, quod causae superiores sint causa inferiorum pro sancta fide uenerando et propter eidem seruiendum.

Quia homo credit fidem, ut intelligat, secundum quod dixit
70 Isaias (7,9) dicens: *Nisi credideritis, non intelligetis*, exstat

---

42 potest] propter *M T*   **46** est dignus] *T*; dignus *M*; dignus est *R M*₁
49 temperate] *coni.*; temperamentum *M T R M*₁; *cat.* atempradament   **58**
nobilius] nobilus *M*   **70** credideritis] *coni.*; credatis *M T R M*₁

principaliter intelligere finis temperantiae. Et credere ueraciter
exstat secundario finis temperantiae; et hoc idem potest dici de
imaginari. Vnde cum hoc ita sit, potes igitur cognoscere gradus,
per quos exstat ordinata temperantia pro fidei seruiendo et
75 eandem uenerando.

Temperantia est filia iustitiae; quae est filia fidei. Et propter
hoc temperantia exstat instrumentum pro iustitia et fide.

Habeas temperantiam ad mensam et habeas fidem in caelis.
De quibus potest dici, quod sunt opera alta, | quae Deus facit R 31ᵛ
80 cum sua bonitate, magnitudine, et aliis dignitatibus in se ipso et
in creaturis.

Per temperantiam consequeris sanitatem per tuum sentire et
imaginari; et per fidem habebis sanctum intelligere, amare et
recolere. Debes igitur cum temperantia seruire et uenerari tuum
85 ratiocinari.

Diximus de temperantia et fide. Et ostendimus modum, per
quem sciant cognosci. Et ut habeamus fidem et temperantiam
deseruiamus Iesu Christo, qui est Pater noster. Et propter eius
amorem, reuerentiam et honorem dicamus *Pater noster*.

III.4.2. DE TEMPERANTIA ET SPE [E G]

[SERMO XXXVI]

Quicumque uelit sermonem facere de temperantia et spe,
recolat | earum themata, definitiones et species; et secundum M 38ʳ
5 illas normet et ordinet suum sermonem.

In principio sermonis deprecemur dominum Deum nostrum
Iesum Christum, et nostram dominam sanctam Mariam, quatenus det mihi gratiam dicendi, et uobis audiendi et retinendi
uerba, quae sint ad gloriam et honorem ipsorum. Et propter
10 amorem, reuerentiam et honorem beatissimae uirginis Mariae
dicamus *Aue Maria*.

Temperantia est instrumentum spei; cum ita sit, quod uirtutes cardinales sint instrumenta, pro quibus Deus dat uirtutes
theologicas. Et propter hoc homo cupiens spem, habeat tempe-
15 rantiam. Et ut habeat magnam spem, habeat magnam temperantiam per sentire, imaginari et ratiocinari; cum ita sit, quod
cum temperantia debeant mensurari opera uidendi, audiendi,
odorandi, gustandi, palpandi, loquendi, imaginandi, intelligendi,
recolendi et amandi.

---

72 idem] *coni.*; *om. omnes codd.*   **73** gradus] *add. et del.* temperantiae *MR*

XXXVI, **5** normet et ordinet] *recte coni.* M₁; norment et ordinent *MTR*
14 homo] *coni.*; *om. omnes codd.*

20 Bonitas Dei est domina temperantiae et spei; quae sunt
bonae uirtutes, causatae per diuinam bonitatem. Et propter hoc
debet quisque habere ad suum posse multum bonam temperantiam et spem.

Magnitudo Dei domina est spei et temperantiae; quae sunt
25 propter eam magnae uirtutes. Et propter hoc homo, qui negligens sit in habendo magnam temperantiam et spem, non impendit honorem diuinae magnitudini. Et sic cum minima occasione
induit se ipsum de distemperantia et desperatione.

Temperantia et spes non habent posse sine diuino posse;
30 quoniam Deus uult, hominem habere posse propter temperantiam et spem. Igitur homo peccator dedecus impendit potestati
Dei, in quantum non curat habere posse siue potestatem temperantiae et spei.

Tu, qui sedes ad mensam et temperas uinum cum aqua, potes
35 considerare per illud signum, quod temperare debes tuum uisum, auditum et reliquos sensus, tuum imaginari et tuum rationari, cum spe; quam habes in Deo, ob hoc ut tibi det, et ut tibi
parcat. Et nisi tu habeas temperantiam, nequis in Deo habere
spem; quoniam non habentem temperantiam decet habere dis-
40 temperantiam; quae est peccatum mortale et contra spem.

Si habeas temperantiam propter comedere et bibere, ponas in
Deo spem, quatenus tibi det diuitias, pro quibus inuenias saporem in comedendo et bibendo, et pro quibus habeas uictualia,
necessaria ad comedendum et bibendum; et totum istud causa
45 sibi seruiendi. Et si tu huius facias contrarium, Deo dedecus
impendis; et poterit esse, quod Deus a te auferat saporem
gustandi, et quod det tibi infirmitatem et ita magnam pauperta-
tem, quod | non habeas neque comedere neque bibere.   T 20ᵛ

Per naturam tua potentia uisiua habet temperatam actionem
50 et passionem, ut habeat temperatum uisum. | Hoc idem potest R 32ʳ
dici de reliquis sensibus. Et ob hoc debes habere temperantiam,
quae est uirtus; et quod cum temperantia habeas spem in Deo
et proximo tuo.

Peccator, non habens temperantiam, et credens in Deo spem
55 habere, habet in Deo spem deformatam; cum ita sit, quod spes
nequeat esse uirtus cum distemperantia, quae est instrumentum
peccati. Et hac credulitate multi decepti sunt, et sunt in |
peccato, et submissi sunt daemoni, per quem erunt semper M 38ᵛ
tormentati et afflicti.

60 Saracenus neque Iudaeus potest in Deo spem habere; et
potest habere temperantiam propter sentire et imaginari et non
propter ratiocinari. Attamen potest habere spem in proximo suo
propter ratiocinari. Et talis spes est subalternata spei superius

---

35 quod – debes] *coni. ex cat.* que deus atemprar; Deum temperasse *M T R M*₁
61 non] *coni.* ; *om. omnes codd.*   **63** spei] spe *M*

dictae; quae quidem spes subalternata non est nuntius ueniae
65 neque saluationis.

Si tu uincias temperantiam et spem, tu soluis distemperantiam et desperationem. Et si tu uincias distemperantiam et
desperationem, tu soluis temperantiam et spem.

Si tu uincias temperantiam et spem cum ligamine uel uinculo
70 magnae perseuerationis, illud ligamen uel uinculum non potest
solui per paucam perseuerationem distemperantiae et desperationis.

Propter temperatum comedere et bibere consequeris sanitatem. Et propter spem, sanitatem consequeris; cum qua uales
75 Deo mittere spem, quatenus det tibi suum amorem, et quod
indulgeat tibi peccata tua.

Homo peccator, qui dum sanus est non uult temperantiam
habere, quam spectat habere in fine mortis, quando infirmatur,
non habet temperatum ratiocinari. Et qui non habet tempera-
80 tum ratiocinari, quod potest maxime habere quando sanus est,
quam quando infirmus est, habet in Deo spem deformatam;
cum ita sit, quod spes nequeat esse uirtus cum distemperantia.

Cum temperantia potes mensurare spem, quam habes in proximo tuo; et cum distemperantia potes eam mensurare. Igitur
85 potes cognoscere modum, per quem potes mensurare tuum
recolere, intelligere et amare tunc, quando habes spem.

Magnus timor non est mensura temperantiae. Et hoc idem
potest dici de magna et multa laetitia. Et hoc idem potes
considerare de magna et multa spe.

90 Quando sedebis ad mensam, et cognosces te temperate come-
disse et bibisse, et si tu comedas et bibas ultra temperantiam, et
habeas spem, quod non impendat tibi malum illud multum et
nimis comedere et bibere, habebis spem ad contingentiam. De
qua spe non meritum consequeris; cum ita sit, quod contingen-
95 tia non sit de genere uirtutis.

Quando infirmaris, medicus consulit te habere temperantiam,
ut habeas sanitatem. Et quando infirmaris per desperationem,
bonus angelus tibi consulit, ut habeas spem, ut habeas sanitatem; de qua induas tuum recolere, intelligere et amare. Et si
100 non credis consilium boni angeli, credis consilium mali angeli; et
credis magis medico, ob hoc ut habeas sanitatem corporalem,
quam bono angelo, qui tibi consulit, ut habeas sanitatem spiritualem.

Diximus et uinximus temperantiam et spem. Per quod qui-
105 dem ligamen, ualebimus habere sanitatem corporalem. Et propter hoc deprecemur dominum Deum nostrum Iesum Christum,
quatenus propter sibi seruiendum det nobis temperantiam et

---

79 non – ratiocinari] *coni.*; *om. omnes codd., et etiam cat.*   **81/82** habet –
distemperantia] *coni.*; *om. omnes codd., et etiam cat. Quod attinet ad coniecturas in lin. 79
et 81/82, cf. supra in eodem sermone lin. 55/56*

spem, postquam est Pater noster. Et propter suum amorem,
reuerentiam et honorem dicamus *Pater noster*.

III.4.3. De temperantia et caritate [E H]

[Sermo XXXVII]

Si uelis sermocinari de temperantia et caritate, recolas earum
themata, definitiones et species; et secundum illum processum
5 normabis tuum sermonem.
In principio sermonis depreca|bimur dominum Deum no- R 32ᵛ
strum | Iesum Christum, quatenus det mihi gratiam dicendi, et M 39ʳ
uobis audiendi et retinendi uerba, quae sint ad seruitium ipsius,
et propter quae saluationem habeamus. Et propter amorem,
10 reuerentiam et honorem beatissimae ac gloriosissimae uirginis
Mariae dicamus *Aue Maria*.
Temperantia et caritas exstant maxime per uoluntatem, ordinatam, normatam et formatam per eas. Et quia sanitas corporalis exstat per temperantiam, et sanitas spiritualis exstat per
15 sanctitatem, debent uincire temperantia et caritas, ob hoc ut
propter illud ligamen uel uinculum homo uiuat cum sanitate et
sanctitate diu in seruiendo Deo, qui Pater est caritatis et temperantiae.
Temperantia est instrumentum per finem caritatis. Quam
20 caritatem Deus impendit humanae uoluntati, sed magis suae
uoluntati, quam alicui uoluntati. Est igitur temperantia materia
et caritas forma, quae informat temperantiam, ob hoc ut corpus
humanum habeat sanitatem.
Propter amare Deum, se ipsum et proximum suum, et amare
25 Deum plus, quam omnia, dat Deus caritatem homini, habenti
temperatum ratiocinari per recolere, intelligere et amare. Et
caritas data est propter multum altum finem, et exstat et est
domina multum alta et uirtuosa, quae requirit habere temperantiam; quae sit eius ancilla et quae teneat temperatum imagi-
30 nari et sentire.
Exstat temperantia proportionata aequalitas per caritatem
per proportionatum uidere, audire, odorare, gustare, palpare,
loqui, imaginari, recolere, intelligere et amare. Talis proportio
defendit homines a daemonis tentatione et a peccatis; et facit
35 stare homines ordinatos et normatos ad seruiendum Deo diu per
caritatem et temperantiam.
Tu habes temperatum uisum per caritatem, si diligas caritatem; et habes temperatum auditum, si diligas caritatem; et sic

---

XXXVII, **9** quae] *om. et add. in marg.* M; quod M₁   **26** Et] *add.* quia M T R M₁
27 data est] *coni.*; est domina M T R M₁; *cat.* es donada (*cat.* dona = domina)

de aliis sensibus. Et hoc est ideo, quoniam temperatum ratio-
40 nari, per quod exstat caritas formata, exstat forma temperati
sentiendi; et hoc idem imaginandi.

Tu habes temperatum uisum, si uideas aliquam pulchram
mulierem, et benedicas Deo, qui eam fecit ita pulchram; et si
audias dici ipsam fore bonam, et benedicis Deo, quia eam fecit
45 bonam, tu habes temperatum | auditum. Et si odores aliquam T 21ʳ
pulchram rosam, et benedicis Deo, quia eam ita pulchram et
bonam fecit et cum ita bono odore, tu habes temperatum
odoratum. Et si tu comedas et bibas secundum quod decet, et
laudas et benedicis Deum, quia tibi dedit illam decentiam siue
50 conuenientiam, tu habes temperatum gustum. Et si palpes uxorem tuam propter castitatem, et benedicis Deum, quia tibi
praebuit castitatem, tu habes temperatum palpatum. Et si tu
loquaris ordinate et cum ueritate, et benedicis Deo, quia tibi dat
illum ordinem et illam ueritatem, tu habes ordinata uerba. Et si
55 tu imagineris bona opera et illa desideras, et benedicis Deo, ob |
hoc quia facit te bona opera imaginari et desiderare, tu habes M 39ᵛ
temperatam imaginationem.

Ecce igitur quod omnia temperata, quae diximus, formantur
per ratiocinari temperatum, caritate habituatum et uestitum.
60 Cum caritate destrues distemperantiam et gignes temperantiam; et cum distemperantia potes corrumpere caritatem; cum
ita sit, quod nequeas habere caritatem sine temperantia.

Propter temperantiam sensibilem non habebis ita magnam
caritatem, quemadmodum propter temperantiam imaginabilem
65 uel imaginatione apprehensibilem. Et propter temperatum ratiocinari habebis maiorem caritatem, quam propter temperatum imaginari. Et hoc est ideo, quoniam caritas est gradata, et
gradus superiores corporis sunt inferiores gradus animae; et
caritas exstat una forma per essentiam indiuisam; sicut anima
70 tua, quae exstat | una forma non diuisa, quae format gradatim et R 33ʳ
naturaliter partes tui corporis.

Pietatem et humilitatem, quae sunt filiae caritatis, nutries
cum temperantia; cum ita sit, quod caritas uiuat cum temperantia, existente caritate forma, et temperantia materia; et
75 existendo caritas melior et maior, quam temperantia. Et caritas
et temperantia in genere bonitatis habent proportionatam participationem.

Qui habet temperantiam in mensa habet caritatem in caelis;
et qui habet caritatem in ianua, ubi permanent pauperes, elee-
80 mosynam petentes, habet temperantiam ad mensam; et qui
habet distemperantiam in mensa, habebit crudelitatem in in-

46/47 et bonam] *coni. ex textu cat.*; *om. omnes codd.*   58 temperata] *coni.*;
temperamenta *M T R M*₁; *cat.* atempraments   68 corporis] *coni.*; *om. omnes codd.*
animae] *coni.*; *om. codd. omnes*   gradus – animae] *cat.* les graus desus son
graus sot ayrans   75 caritas – maior] *coni.*; caritatem meliorem et maiorem
*M T R M*₁

ferno; et qui habet distemperantiam in ieiunio, habet crudelitatem propter hyprocrisim.

Diximus de participatione temperantiae et caritatis. Et prop-
85 ter hoc deprecemur dominum Deum nostrum Iesum Christum,
qui est Pater noster, quatenus det nobis temperantiam et caritatem, cum quibus sibi seruiamus. Et propter eius amorem,
reuerentiam et honorem dicamus *Pater noster*.

III.4.4. DE TEMPERANTIA ET SAPIENTIA [E I]

[SERMO XXXVIII]

Quicumque uelit sermocinari de temperantia et sapientia,
recolat earum themata, definitiones et species; et secundum
5 illas procedat in sua praedicatione.

In principio deprecemur dominum Deum nostrum, quatenus
det mihi gratiam dicendi, et uobis in opere ponendi uerba, quae
sint ad eius seruitium et ad saluationem animarum nostrarum.
Et propter amorem, reuerentiam et honorem beatissimae uirgi-
10 nis Mariae dicamus *Aue Maria*.

Cum sapientia sit maxime per intellectum, et temperantia sit
materia et instrumentum sapientiae, propter hoc temperantia
exstat per intellectum, qui ordinate facit scientiam de temperantia et sapientia. Et propter hoc homo sapiens, temperatus
15 tunc, quando tentatur per distemperantiam et stultitiam, iuuat
se cum temperantia et sapientia per temperatum intelligere,
recolere et amare sanitatem per temperantiam, et sanctitatem
per sapientiam.

Homo scientificus, hoc est multum intelligens et non sapiens,
20 gignit temperantiam propter saporem comedendi et bibendi, et
non causa | habendi sanitatem. Et homo sapiens scientificus   M 40ʳ
gignit temperantiam pro habenda sanitate, ob hoc ut diu ualeat
uiuere et facere opera, cum quibus sapienter Deo seruiat super
omnia, et aequaliter sibi ipsi et proximo suo.
25   Homo scientificus et non temperatus scit, quid est temperantia et distemperantia. Et quando tentatur ad habendam temperantiam uel multiplicandam distemperantiam, consentit propter saporem comedendi et bibendi ad multiplicandum distemperantiam; et uescitur stultitia, et credit uesci sapientia.
30   Homo temperatus et sapiens diligit magis sapientiam, quam
temperantiam; et tunc quando tentatur per glutuniam siue
crapulam, cum maiori sapientia quam temperantia uincit tentationem, quam habet, contra glutuniam siue crapulam. Et homo

---

84 caritatis] *coni.*; crudelitatis *M T R M*₁

XXXVIII, **25** scit] sit *M R*

distemperatus propter comedere et bibere facit huius contra-
35 rium.

Homo temperatus et sapiens exstat temperatus et sapiens per
omnes suas partes naturales, de quibus aggregatus est et compositus, hoc est per omnes sex sensus particulares et per suam
imaginationem; et per suum ratiocinari, quod facit per tempera-
40 tum et sapiens recolere, intelligere et amare; sicut homo, qui
uidet se ipsum uel alterum comedere et bibere temperate; et sic
de aliis sensibus. Et hoc idem de imaginari uictualia, quae
mensurat cum mensuris temperantiae. Et mensurat cum mensuris sapientiae temperata uerba ad temperatam missionem et
45 ad temperatum recolere, intelligere | et amare.   R 33ᵛ

Homo temperatus et sapiens cum magnitudine bonitatis, durationis, potestatis et uirtuosi intellectus et uelle, facit de temperantia et sapientia uirtutem morosam siue moraicam. Cum
qua uincit et destruit stultitiam et crapulam siue glutuniam, in
50 tantum quod non potest tentari per daemonem nec per aliquod
peccatum contra temperantiam et sapientiam.

Homo temperatus et sapiens, quando infirmatur, facit de se
ipso medicum contra distemperantiam et stultitiam. Et homo
crapulosus siue glutus, quando infirmatur, non uult stare consi-
55 lio medici; nec per se ipsum scit habere temperantiam, nec
habere sapientiam.

Homo stultus scientificus, hoc est multum intelligens, cognoscit, quod si comedat et bibat nimis, poterit esse infirmus; et
propter illam infirmitatem poterit mori. Et diligit magis fungi
60 sua libera uoluntate actione sub habitu crapulae siue glutuniae,
quam passione sub habitu temperantiae. Et propter hoc fungitur stultitia, et credit fungi sapientia.

Sapientia hominis est maior propter cognoscere et amare
Deum super omnia. Est igitur temperantia minor propter esse
65 instrumentum sapientiae maiori. Talem maioritatem exigit homo sapiens et temperatus. Et homo stultus et distemperatus
facit contrarium. Et propter hoc, quando tentatur leuiter, consentit ad multiplicandum crapulam et stultitiam.

Ob hoc quia scientia persistit inferius, exstat sapientia supe-
70 rius. Et propter hoc temperantia, quae exstat instrumentum
scientiae, exstat inferius; et temperantia, quae exstat instru-
mentum sapientiae, exstat superius. Istos gradus | cognoscit M 40ᵛ
homo sapiens. Et homo stultus eos non considerat.

Sapientia nutrit hominem sapientem de scientia. Et homo
75 stultus nutrit de stultitia scientiam. Et hoc idem potest dici de
temperantia et glutunia; cum ita sit, quod homo glutus in
tantum, quantum potest considerare magnum placitum per

---

44 sapientiae] *coni.*; temperantiae *M T R M*₁   **48** moraicam] moroicam *R M*₁;
cat. morayga   **50** daemonem] daemon *M*; daemo *R*   **64** minor] *coni. ex textu*
cat.; maior *M T R M*₁   **69** quia] *coni.*; *om. omnes codd.*

comedere et bibere, consentit suo sentire et imaginari contra
sapientiam; et est stultus, et credit esse sapiens.

80 Homo sapiens et temperatus non comedit neque loquitur ad
contingentiam. Et homo glutus et stultus facit contrarium. Et
propter hoc homo sapiens et temperatus in surgendo de mensa
erit sapiens et loquetur cum temperatis uerbis. Et homo glutus
et stultus sentiet suum corpus ponderosum et infirmum, et
85 loquetur ad contigentiam uerba stulta; et si redarguatur de
stultitia, multiplicabit in se ipso stultitiam, et uolet, ut ille, qui
redarguit ipsum, sit stultus et redarguatur.

Homo sapiens et temperatus, sapiens et sanus cubat in lecto
suo; et sapiens et sanus surgit de suo lecto; et sapiens et sanus
90 uadit tota illa die usque ad uesperum. Et homo glutus et stultus
facit huius contrarium.

Homo, qui induit | cappam, sicut per cappam est cappatus, ita   T 21ᵛ
homo sapiens temperatus est de sapientia et temperantia habituatus. Et sicut homo cappatus nequit esse nudus, dum induit
95 cappam, ita homo sapiens temperatus nequit esse glutus neque
stultus, dum de temperantia et sapientia habituatus exstat.
Potes igitur cognoscere hominem habere libertatem et potest
gignere uirtutem uel corrumpere. Et hoc idem de peccato.

Diximus de temperantia et sapientia. Quare in fine sermonis
100 deprecemur dominum Deum nostrum Iesum Christum, qui est
Pater noster, quatenus det nobis temperantiam et sapientiam.
Et propter eius amorem et honorem dicamus *Pater noster*.

Diximus de temperantia. Cum qua discurrimus per reliquas
uirtutes; per quem quidem discursum ipsa potest generari,
105 multiplicari et conseruari.

III.5. DE FIDE

III.5.1. De fide et spe [F G]

[Sermo XXXIX]

Si uelis sermocinari de fide et spe, recolas earum themata,
5 definitiones et species; et secundum illas procedas in tua praedicatione.

| In principio deprecabimur dominum Deum nostrum Iesum   R 34ʳ
Christum, quatenus det mihi gratiam dicendi, et uobis audiendi
et retinendi et in opere ponendi uerba, quae sint ad honorem

---

82 homo – temperatus] *coni.*; *om. codd. omnes*   **83/84** homo – stultus] *coni.*;
glutus ac stultus M_1; *om. M T R*   **86** uolet] *sc.* uellet   ut] *om. et add. sup. lin.*
M_1; *om. M T R*   **93** dum] *coni.*; *om. M T R*; *om. et add. sup. lin.* quia M_1 induit]
duit *M*

10 ipsius et ad saluationem animarum nostrarum. Et propter amorem, reuerentiam et honorem nostrae dominae beatissimae uirginis Mariae dicamus *Aue Maria*.

Maiori fidei conuenit maior spes; et maiori spei conuenit
maior fides; cum ita sit, quod maioritas et communitas sint
15 concordantia fidei et spei.

Maior fides, quae sit, est credere unum Deum in trinitate
personarum; et quod quaelibet persona sit Deus infinitus aeternus; et quod omnes tres personae sint unus Deus tantum,
simplex, indiuisibilis, una essentia, substantia et natura. Ita
20 magnam fidem neque ita altam non habet Iudaeus neque Saracenus, sed christianus tantum. Et propter hoc decet christianum
habere maiorem spem in Deo, quam Iudaeus neque Saracenus.

Christianus credit, | quod Filius Dei cepit carnem humanam a   M 41ʳ
muliere uirgine, de ipsa natus homo Deus, qui per naturam
25 participat cum omni creatura. Propter quam participationem
totus mundus exaltatur in bonitatem, uirtutem et naturam. Ita
altam fidem, nec ita profundam non habet Iudaeus neque Saracenus, nec aliqua alia secta. Et propter hoc ita altae fidei et ita
nobili conuenit maior et nobilior spes.

30 Christianus credit, quod Iesus Christus per subiectum, existentem in ipso instrumentum, faciat esse suum corpus per
hostiam sacratam in multis locis uno tempore, transmutando
panem in carnem et uinum in sanguinem per uirtutem sacramenti, Iesu Christo existente in caelis sine partitione et muta-
35 tione eius essentiae, substantiae et naturae. Ita altam et ita
profundam fidem non habet Iudaeus neque Saracenus, nec aliquis alius homo. Est igitur manifestum et probatum, christianum debere habere maiorem spem in Deo, quam alium hominem. Per quam maiorem fidem et spem est probatum sanctum
40 sacramentum altaris, et quod Deus est incarnatus; quoniam
alias maior fides et maior spes non haberent maiorem concordantiam per diuinam bonitatem, magnitudinem et reliquas diuinas dignitates; quod est impossibile.

Christianus credit, habere Deum, per suam naturam, suam
45 bonitatem, magnitudinem, aeternitatem; et ita de aliis suis
dignitatibus. Propter quam naturam habet opus naturale infinitum et aeternum per quamcumque suarum dignitatum. Sicut in
diuina bonitate, in qua est proprietas paternalis naturalis; per
quam Deus Pater de sua bonitate naturali gignit Deum Filium,
50 naturatum in bonitate. Et ex ambobus procedit Spiritus sanctus, naturatus in bonitate et de bonitate. Et omnes tres personae sunt una bonitas, magnitudo, aeternitas; et sic de aliis. Et

---

XXXIX, **27** non] *coni.*; *om. codd. omnes*   **30/31** existentem] *correxi*; existente
*M T R M*₁   **32** sacratam] *add.* esse *M T R M*₁   **38/39** alium hominem] *correxi*;
alter homo *M T R M*₁   **50** bonitate] *add.* in bonitate *M*

non sunt nisi tres personae. Et omnes tres personae sunt unus
Deus tantum. Et talem fidem ita magnam non habet Iudaeus,
55 neque Saracenus, nec aliquis alius homo, sed christianus tantum.
Est igitur manifestum et probatum, quod christiano conuenit
habere maiorem spem in Deo, quam alicui homini. Probauimus
igitur sanctam diuinam trinitatem, sine qua maior fides et
maior spes non ualerent habere maiorem communitatem nec
60 concordantiam.

Christiani credunt, quod in paradiso habebunt homines sancti
corpus glorificatum, et quod uiuet sine comedere et bibere, et
quod non habebit societatem mulieris, et quod gloriabitur propter uidere corpus Iesu Christi, et propter audire sua uerba; et
65 quod illud corpus, in quo Deus est homo, glorificabit omnes
sanctos in gloria complete. Talem fidem ita magnam, ita altam,
non habent Saraceni, Iudaei, nec aliquis alius homo. Est igitur
manifestum et probatum, quod christianum decet habere maiorem spem in Deo, quam aliquem alium hominem, quod det sibi
70 et quod indulgeat sibi peccata. Et si de hoc contrarium esset,
maior fides et maior spes | non haberent in maiori communitate R 34ᵛ
concordantiam; quod est impossibile.

Probauimus, quod christiano | competit maiorem spem habere M 41ᵛ
in Deo et maiorem fidem, quam alicui alii homini. Et per hoc
75 potest probari, quod christiano competit habere maiorem bonitatem moralem alio quocumque homine et habere magis ordinatum et melius sentire, imaginari, recolere, intelligere et amare
alio quocumque homine. Et hoc idem potest dici, quod competit
sibi habere meliorem et maiorem iustitiam, prudentiam et reli-
80 quas uirtutes, alio quocumque homine.

Probauimus christianum debere habere maiorem fidem et
maiorem spem alio quocumque homine; et quod conuenit sibi
esse meliorem et uirtuosiorem alio quocumque homine. Potest
igitur probari christianum peccatorem per auaritiam, glutuniam
85 et reliqua peccata, pati maiorem poenam in inferno alio quocumque homine. Alias iustitia Dei non esset magna in iudicando
et puniendo fortius hominem maiorem peccatorem, quam hominem minorem peccatorem; quod est impossibile.

Propter maiorem fidem et maiorem spem est homo longius
90 infidelitati et desperationi et alii cuicumque peccato. Vnde cum
hoc ita sit, uideas igitur, tu christianus, qualiter Deus te facit
distare longe per fidem et spem a peccato, in quantum tibi dedit
fidem et spem. Et si tu abneges fidem, et desperes, uideas
quomodo accedis ad sustinendum semper in inferno angustiam
95 et maledictionem.

---

78 homine] *add.* Probauimus christianum debere habere maiorem fidem *T*
93 uideas] uidas *M R*; Iudas, *corr. ex* uidas *M*₁   94 accedis] *correxi*; accidis
M T R; uadis, *corr. ex* accidis *M*₁

Diximus de fide et spe. Et probauimus per fidem et spem diuinam trinitatem et incarnationem,et sanctum sacramentum altaris et glorificationem. Et talis probatio est multum alta et uirtuosa. Et propter hoc deprecemur dominum Deum nostrum
100 Iesum Christum, quatenus propter fidem et spem det nobis saluationem. Et quia est Pater noster, propter eius amorem, reuerentiam et honorem dicamus *Pater noster*.

III.5.2. DE FIDE ET CARITATE [F H]

[SERMO XL]

Quicumque uelit praedicare de fide et caritate, recolat earum themata, definitiones et species; et secundum illas ordinet suum
5 sermonem.

In principio sermonis deprecabimur dominum Deum nostrum Iesum Christum, quatenus det mihi gratiam dicendi, et uobis audiendi et in opere ponendi uerba, quae sint ad honorem ipsius, et ad saluationem animarum nostrarum. Et amore et reuerentia
10 et honore beatissimae uirginis Mariae, dominae nostrae, dicamus *Aue Maria*.

Maiori fidei conuenit maior caritas; et maiori caritati conuenit maior fides. Et propter hoc, propter maiorem fidem et maiorem caritatem, debet haberi maius intelligere in cognoscendo Deum
15 et eius opera. Et si de hoc esset contrarium, sequeretur, quod propter minorem fidem et minorem caritatem haberetur maius intelligere in cognoscendo Deum et eius opera; quod est impossibile.

Maioritas fidei est intelligere unum Deum in trinitate perso-
20 narum; et maioritas caritatis est amare unum Deum in trinitate personarum. Potest igitur cognosci, quod nos christiani debemus et possumus | intelligere et amare unum Deum in trinitate T 22ʳ personarum. | Ita magnum intelligere nec ita magnum amare M 42ʳ non possunt habere Saraceni neque Iudaei nec alii homines;
25 cum ita sit, quod ipsi non credant et abhorreant in Deo trinitatem personarum.

A bona fide et bona caritate sequitur bonum intelligere et bonum amare. Bonum intelligere et bonum amare est, quod in diuina bonitate sint tres personae diuinae bonae, quae sint unus
30 Deus et una diuina bonitas, ob hoc ut Deus habeat in sua bonitate ita bonum opus et ita naturale, quemadmodum est sua bonitas. Et si de hoc esset contrarium, essent bonum intelligere et bonum amare contraria; quod est impossibile.

XL, **20/21** et maioritas – personarum] *om. T*   **21** christiani] *coni.*; *om.* *M T R M*₁, *cf. not. seq.*   **23** personarum] *add.* nos christiani *M T R M*₁   **32** essent] *correxi*; esset *M T R M*₁   **33** contraria] *correxi*; contrarium *M T R M*₁

Magnum intelligere et amare est per magnam fidem et ma-
35 gnam | caritatem, quod Deus mundum creauit. Et si magna fides R 35ʳ
et magna caritas essent per contrarium, sequeretur de necessitate, quod magna fides et magna caritas esset propter mundum
esse aeternum. Per quam aeternitatem sequeretur, Deum non
esse ita magnam causam, et ita magnum finem per bonitatem,
40 magnitudinem et reliquas, quemadmodum est, si mundus est
creatus. Est igitur manifestum et probatum, mundum fore creatum.

Potens intelligere et amare est per potentem fidem et potentem caritatem. Potens intelligere et amare est, quod Deus sit
45 incarnatus. Et si contrarium est uerum, potens fides et potens
caritas est, quod diuina bonitas nolit, quod mundus exaltetur in
ita magno posse et bonitate, quemadmodum esset, si Deus est
incarnatus; quod est impossibile. Est igitur manifestum et probatum, quod Deus est incarnatus.

50 Virtuosa fides et uirtuosa caritas est credere et amare sanctum sacramentum altaris, ob hoc ut dominus Deus noster Iesus
Christus, qui in caelis est, ualeat per illud sacramentum esse uno
tempore in multis altaribus, et quod ualeat cum multis hominibus uno tempore participare et stare. Et si esset uerum contra-
55 rium, uirtuosum credere et uirtuosum amare esset id, per quod
Deus posset nobiscum minus participare et minus miracula
facere; quod est impossibile. Est igitur manifestum et probatum, quod credere sanctum sacramentum altaris est uirtuosum,
et eius contrarium esset uitiosum ad credendum et amandum.

60 Qui credit et habet maiorem fidem et maiorem caritatem,
diligit magis diuinam bonitatem, magnitudinem et reliquas,
quam ille, qui habet minorem fidem et minorem caritatem. Et
propter hoc ille, qui habet maiorem fidem et maiorem caritatem, debet habere maiorem iustitiam et prudentiam et reliquas
65 uirtutes. Vnde cum hoc ita sit, potest igitur cognosci per fidem
et caritatem modus, per quem uirtutes cardinales sunt gradatae,
quaedam superius et quaedam inferius. Et cognitis gradibus,
possunt cognosci et merita maiora et minora. Et cognitis meritis, possunt cognosci gloriae, quas beati habent in gloria.

70 Fides nuda exstat per credere uera de Deo, | quae homo non M 42ᵛ
intelligit. Et congregata fide caritati, ipsa induitur per caritatem
propter maius amare; quod est illuminatum per fidem, quae est
illuminata per caritatem. Ex ambobus luminibus illuminantur
recolere et intelligere. Potest igitur cognosci, qualiter una uirtus
75 illuminat aliam uirtutem super sentire et imaginari per illuminatum ratiocinari, intelligere, recolere et amare.

Illi homines, qui possunt habere maiorem fidem et maiorem
caritatem, si sint peccatores, sunt maiores peccatores, quam illi,

---

50 et amare] *coni.*; *om. codd. omnes*

qui secundum eorum legem non possunt habere ita magnam
80 fidem nec ita magnam caritatem. Illi, qui possunt habere maiorem fidem et maiorem caritatem, sunt christiani. Ergo christiani
possunt esse maiores peccatores, quam Saraceni neque Iudaei, et
quam alii quicumque homines. Vnde cum hoc ita sit, est igitur
manifestum et probatum, quod christiani peccatores patientur
85 maiores poenas in inferno, quam alii aliqui homines.

Peccatum est facere malum et peccatum est non facere bonum, si illud homo facere potest. Ergo uirtus est facere bonum et non facere malum. Vnde cum hoc ita sit, potest igitur
cognosci modus, per quem homo potest facere bonum maius et
90 uitare malum maius propter maiorem fidem et maiorem caritatem.

Diximus de fide et caritate. Et probauimus per maiorem
fidem et maiorem caritatem, quod Deus est in trinitate personarum, et quod mundus est creatus, et quod sanctum sacramen-
95 tum altaris est uerum sacramentum. Et probauimus modum,
per quem uirtutes et peccata gradatae sint; et hoc idem de
meritis et de gloriis et | poenis. Et propter hoc in fine sermonis R 35ᵛ
deprecemur dominum Deum nostrum Iesum Christum, quate-
nus det nobis fidem et caritatem, propter sibi seruiendum eum-
100 que laudandum atque benedicendum. Et quia est Pater noster,
eius amore, reuerentia et honore dicamus *Pater noster*.

III.5.3. DE FIDE ET SAPIENTIA [F I]

[SERMO XLI]

Si uelis sermocinari de fide et sapientia, recolas earum themata, definitiones et species; et secundum illas ordines tuum ser-
5 monem.

In principio sermonis deprecemur dominum Deum nostrum
Iesum Christum, quatenus det mihi gratiam dicendi, et uobis
audiendi et retinendi et in opere ponendi uerba, quae sint ad
eius honorem et ad saluationem animarum nostrarum. Et amo-
10 re, reuerentia et honore beatissimae uirginis Mariae, dominae
nostrae, dicamus *Aue Maria*.

Maiori fidei conuenit maior sapientia; cum ita sit, quod fides
sit lumen, quod illuminat intellectum ad intelligendum. Lumen
fidei est credere unum Deum in trinitate personarum. Et intel-
15 lectus, illuminatus per fidem, facit scientiam de sapientia, quae
est eius habitus. Per quem intelligit, quod si Deus non esset

---

79 eorum] *corr. ex* earum M_1; earum *M T R*   **81** Ergo] *recte coni.* M_1; igitur
M T R   **87** illud] *correxi*; eum *M T R M₁*   Ergo] *coni.*; igitur *M T R M₁*   **92**
per] *coni.*; *om. codd. omnes*   **93/94** personarum] *coni. ex textu cat.*; *om. M T R M₁*

unus in trinitate personarum diuinarum, eius unitas esset sine
natura, et esset uacua atque otiosa aeterne et infinite; quod est
impossibile. De qua quidem impossibilitate facit intellectus sa-
20 pientiam necessariam, et intelligit, quod in uni|tate Dei sunt   M 43ʳ
tres proprietates personales singulares differentes. Quae sunt
diuinae personae, quae sunt unus Deus, scilicet una paternitas,
quae est unus Pater, gignens de se ipso et de eius unitate unum
singularem Filium, qui est singularis filiatio. Et ex ambobus
25 procedit una spiratio, quae est unus sanctus Spiritus
   Christianus credit lumine fidei diuinam bonitatem habere in
se ipsam infinitam et aeternam naturam, ob hoc ne sit otiosa,
uacua neque differens cum diuino intellectu. Qui habet infinitam
et aeternam naturam per infinitum et aeternum intelligens et
30 per infinitum et aeternum intellectum et per infinitum et aeternum intelligere, quod progreditur ex ambobus. Et propter hoc si
sit homo, qui sit subtilis et habeat altum intellectum, adiutorio
Dei facit scientiam, quae est sapientia. Per quam intelligit et
scit, quod in diuina bonitate sunt naturaliter tres personae,
35 uidelicet singularis paternitas, quae est Pater; et de sua bonitate gignit singularem filiationem, quae est Filius; et ex ambobus procedit bonus sanctus Spiritus. Et omnes tres sunt una
singularis bonitas, aeterna et infinita. Talem sapientiam facit
intellectus, cum qua intelligit diuinam trinitatem.
40   Saracenus et Iudaeus credunt, quod Deus sit, et quod sit
bonus et sapiens. Et illa credulitas non est lumen, propter quod
faciant sapientiam, cum qua intelligant in Deo naturam unitatis, bonitatis et reliquarum. Et propter hoc dicunt, quod in Deo
non est natura. Et propter hoc christianus potest eis concludere,
45 quod si Deus non haberet naturam, antequam mundus esset, per
suam unitatem, bonitatem et reliquas esset otiosus | et uacuus,   T 22ᵛ
et patiebatur defectum; quod est impossibile.
   Christianus credit lumine fidei, Deum fore incarnatum. Et per
illud lumen, quod sibi Deus impendit, posset intelligere incarna-
50 tionem. Et facit sapientiam, intelligendo, quod ob hoc quia Deus
incarnatus est, totus mundus exaltatus est; cum ita sit, quod
Deus, in quantum effectus | est homo, et homo participat natura-   R 36ʳ
liter cum qualibet creatura et natura, participat Deus naturaliter cum omni natura. Quam participationem diligit diuina uo-
55 luntas propter magnitudinem suae bonitatis, potestatis, intellectus et uirtutis.
   Aliquae gentes sunt, qui dicuntur Auerroistae, et quae perma-

---

XLI, **18** aeterne] *corr. ex* aeterniter M_1; aeterniter *M T R*   **19** De –
impossibilitate] *om.* T   **22** personae] *add. et M T R* M_1 **40** et quod sit] *coni.
ex textu cat.*; *om. omnes codd.*   **42** faciant] *coni.*; faciat *M T R*; facit M_1 intelligant]
coni.; intelligat *M T*; intelligit *R* M_1 **42/43** unitatis – reliquarum] *coni. ex textu
cat.*; diuinitatem (*cat.* d'unitat), bonitatem et reliquas *M T R* M_1 **44** eis] *coni.*;
ei *M T R*; *om.* M_1

nent maxime apud Parisius, et dicunt, quod secundum cursum
naturae Deus non potest esse per se ipsum nec sine angelo, nec
60 sine motu caeli; quem dicunt fore aeternum per naturam. Attamen dicunt, quod credunt contrarium; cum ita sit, quod ipsi
dicant se esse christianos catholicos. Tales implicant contradictionem, in quantum dicunt, quod credunt Deum esse per se
ipsum, et quod potest facere omnia sine angelo et sine motu
65 caeli, et credunt mundum fore creatum; et ex alia parte dicunt
hoc esse impossibile secundum humanam sapientiam. Isti tales
faciunt scientiam per sentire et imaginari, et non faciunt sapientiam, permanentem superius per ratiocinari per naturam infini-
tae et aeternae bonitatis et per naturalem di|uinam trinitatem, M 43ᵛ
70 superius probatam.

Sicut caritas est habitus, cum quo fit sapientia, per quam
scitur, quod Deo conuenit magis amari, quam aliquod aliud, ita
sapientia est habitus, cum quo scitur, quos Deus debet magis
intelligi et magis sciri quocumque alio, natura sui operis infiniti
75 et aeterni, quod habet per totam suam bonitatem, unitatem et
reliquas. Isti duo habitus sunt alte positi adiutorio fidei, per
quod illuminantur.

Fides et sapientia normant homini suum sentire et imaginari,
et suum ratiocinari in uenerando, seruiendo, laudando Deum et
80 eius opera, et ad acquirendum uirtutes et ad destruendum
peccata. Et propter hoc, tu sermocinator, declares in tua praedicatione supra dictos duos habitus, qui sunt fides et sapientia; et
qui sunt lumina, per quae fiunt bona opera.

Diximus de fide et sapientia. Et ostendimus modum, per
85 quem homo debeat ipsis uti ad seruiendum Deo et eum uenerandum. Et propter hoc deprecemur dominum Deum nostrum
Iesum Christum, quatenus nos faciat perseuerare per fidem et
sapientiam ad seruiendum et uenerandum eum, postquam est
Pater noster. Et eius amore, et reuerentia, et honore dicamus
90 *Pater noster.*

III.6. DE SPE

III.6.1. DE SPE ET CARITATE [G H]

[SERMO XLII]

Quicumque uelit sermocinari de spe et caritate, recolat earum
5 themata, definitiones et species; et secundum illas procedat in
suo sermone.

---

74 quocumque alio] *correxi*; alio quocumque alio *M T R*; alio quocumque *M₁*
80 ad¹] *coni.*; *om. codd. omnes*   84 modum] *coni.*; *om. codd. omnes*   85 debeat]
add. cum *M T R M₁*   88 seruiendum] *add.* sibi *T*   eum] *coni.*; *om. M T R M₁*

In principio sermonis deprecemur dominum Deum nostrum
Iesum Christum, quatenus det gratiam mihi dicendi, et uobis
audiendi et retinendi atque in opere ponendi uerba, quae sint ad
laudem eius et beatissimae uirginis Mariae, eius matris. Et eius
10 amore, reuerentia et honore dicamus *Aue Maria*.

Spes et caritas sunt bonae et magnae uirtutes; et quanto sunt
magnae, tanto participant in genere magno bonitatis. Et sunt
coniunctae et iunctae per ratiocinari. Cum quo homo bonus
15 format suum magnum sentire et imaginari per genus bonitatis
et sanctitatis per bonum et magnum ratiocinari. Et hoc facit
homo christianus, qui recolit, intelligit et amat in Deo bonam et
magnam trinitatem, infinitam propter bonitatem. In qua sperat,
ut det sibi gloriam, et quod indulgeat sibi sua peccata; cum ita
20 sit, quod magnum bonum sit in diuina bonitate, quod Deus
Pater de sua infinita bonitate producat bonum Filium infini-
tum; | et quod ex ambobus procedat bonus sanctus Spiritus R 36ᵛ
infinitus; et quod omnes tres sint infinita bonitas. Tale ratiocinari ita bonum et ita magnum non potest habere aliquis alius
25 homo, qui abhorreat in Deo trinitatem. Et propter hoc homo
christianus, qui diligit diuinam trinitatem, potest habere in Deo
maiorem magnitudinem boni ratiocinandi et boni sentiendi et
imaginandi, quam aliquis alius homo; et a Deo magis donum et
ueniam exspectare, et magis eum potest amare. Vnde cum hoc
30 ita sit, potes igitur cognoscere, tu christianus, te habere ueram
legem; et debes ual|de gaudere, si cum iustitia et reliquis uirtu- M 44ʳ
tibus sis seruitor Dei et suae diuinae bonae et magnae trinitatis.
Et si tu christianus moriaris in peccato mortali, potes cognoscere, quod in inferno fortius tormentaberis alio homine. Ostendi-
35 mus igitur et probauimus sanctam diuinam trinitatem.

Spes et caritas sunt magnae et durabiles uirtutes; et quanto
sunt magnae et durabiles, participant in magno genere uirtutis
et durationis. Et sunt coniunctae et iunctae per magnum uirtuosum ratiocinari. Cum quo homo magnum, durabilem et uir-
40 tuosum sentire format et imaginari propter Deo seruiendum
et eum uenerandum; et cauet sibi peccare; et cum caritate et
spe conatur, in quantum potest, in Deo contemplari.

Spes et caritas sunt uirtutes magnae et potentes; et quanto
sunt magnae et potentes, tanto participant in magno genere
45 potestatis. In quo iunctae sunt et coniunctae propter magnum
ratiocinari. Cum quo formant et ordinant magnum et potens
imaginari et sentire propter Deo seruiendum et eundem uenerandum. Et daemon neque peccatum possunt obicere.

XLII, **8** det] *add.* nobis *MTRM*₁   **16** et¹] *coni.*; *om. MTRM*₁   mihi]
*om. M*₁   **26** diuinam] *coni. ex textu cat.*; *om. omnes codd.*   **29** amare] *coni. ex
textu cat.*; habere *MTRM*₁   **32** Dei et suae] *coni. ex textu cat.*; *om. MTRM*₁
39/40 homo – format] *coni.*; habent magnam durabilem et uirtuosam formam
sentire *MTRM*₁

Spes et caritas sunt magnae uirtutes et amabiles; et quanto
50 sunt magnae, tanto participant in magno genere amabilitatis. Et
per amare sunt iunctae et coniunctae; et formant et ordinant
magnum sentire et imaginari propter Deum seruiendum et
uenerandum, in tantum quod daemon neque peccatum possunt
contradicere.
55   Spes et caritas sunt uirtutes magnae intellectionis uel intelli-
gibilitatis; et quanto sunt magnae, tanto participant per magnum genus intelligendi. Cum quo homo intelligit et ordinat
suum magnum imaginari et sentire in Deum uenerando et sibi
seruiendo. Et daemon neque peccatum possunt contradicere.
60   Spes et caritas sunt magnae uirtutes et uerae; et quanto sunt
magnae, tanto participant in magno genere ueritatis. Cum qua
sunt iunctae et coniunctae per magnum et uerum ratiocinari, id
est magnum et uerum recolere, intelligere et amare. Cum quo
formant et ordinant magnum et uerum imaginari et sentire
65 propter Deo seruiendum et eum uenerandum, et etiam propter
proximum amandum, in tantum quod daemon neque peccatum
possunt contradicere.
Spes et caritas sunt magnae uirtutes et praeparatiuae. Quae
praeparant magnam gloriam omnibus illis, qui habent magnam
70 caritatem, et in Deo ponunt spem; et quae ordinant et magnificant eorum sentire et imaginari propter Deo seruiendum
et eum uenerandum. Et propter hoc, tu christianus, qui credis
Deum fore incarnatum et fore factum hominem propter te
amandum et tibi magnam gloriam praebendum, potes in Deo
75 maiorem spem habere alio quocumque homine, qui non credit
Deum fore incarnatum, nec ipsum hominem fore factum.
Spes et caritas sunt magnae uirtutes et completae; et quanto
sunt magnae, participant in magno genere complementi. Et
subiectum, in quo coniunctionem habent, est complementum
80 ratiocinari. Cum quo homo complet suum magnum sentire et
imaginari propter Deum uenerandum et sibi seruiendum. | Et R 37ʳ
daemon et peccatum contradicere non possunt. Et propter hoc,
tu christianus, qui propter | incarnationem Filii Dei potes habere M 44ᵛ
ita magnam spem et caritatem, exstas fortissime obligatus ad
85 seruiendum Deo, et ad amandum eius opera et proximum tuum.
Et si facias contrarium, exstas magis obligatus alio quocumque
homine ad sustinendum maiores poenas infernales. Igitur tu
praedicator, qui praedicas sermonem supra dictum in continenti
declares eum populo tuo pro posse tuo. Et si bene eum declares,
90 erit magis utilis, quam si non esset ita subtilis.
Diximus de spe et caritate. Et probauimus Deum fore in
trinitate et esse incarnatum. Et ostendimus subiecta, in quibus

---

49/54 Spes – contradicere] *coni. ex textu cat.*; *om. M T R M*₁   **59** possunt
contradicere] *coni.*; contradicere *M T R*; contradicent *M*₁   **82** hoc] *coni.*; *om.*
omnes codd.

spes et caritas sunt magnae, et in quibus sunt iunctae et con-
iunctae. Et propter hoc deprecemur dominum | Deum nostrum T 23ʳ
95 Iesum Christum, quatenus det nobis spem et caritatem, postquam est Pater noster. Et eius amore et reuerentia et honore
dicamus *Pater noster*.

III.6.2. DE SPE ET SAPIENTIA [G I]

[SERMO XLIII]

Si uelis sermocinari de spe et sapientia, recolas earum themata, definitiones et species; et secundum illas norma et ordina
5 tuum sermonem.

In principio deprecemur dominum Deum nostrum Iesum
Christum, quatenus det mihi gratiam dicendi, et uobis audiendi
et retinendi et in opere ponendi uerba, quae sint ad eius honorem. Et reuerentia et honore nostrae dominae ac beatissimae
10 uirginis Mariae dicamus *Aue Maria*.

1. [Bonitas]. Spes et sapientia sunt bonae uirtutes et bona
instrumenta. Cum quibus homo, habens spem in Domino et
sciens Deum et eius opera, facit bona opera propter uenerandum diuinam bonitatem, et eidem seruiendum. Et propter hoc
15 spes et sapientia participant per fidem bonitatis. Cui implicant
et attrahunt finem sentiendi, hoc est finem audiendi, uidendi,
odorandi, gustandi, palpandi, loquendi et finem imaginandi et
ratiocinandi, hoc est recolendi, intelligendi et amandi ad finem
bonitatis, causa uenerandi diuinam bonitatem et eidem seruien-
20 di. Et homo indutus desperatione et insipientia facit contrarium, uidelicet quod peruertit finem sentiendi et imaginandi, et
ratiocinandi ad finem daemonis, carnis et mundi, ob hoc ut Deo
fiat dedecus et eius operibus, contra finem bonitatis. Vnde cum
hoc ita sit, possunt igitur cognosci essentiae spei et sapientiae
25 et modus generationis earum operum. Et hoc idem de desperatione et insipientia; quae sunt peccata mortalia.

2. [Magnitudo]. Spes et sapientia participant per finem magnitudinis, ob hoc quia sunt instrumenta homini, per quae applicat
finem sentiendi, imaginandi et ratiocinandi, per finem magnitu-
30 dinis, hac de causa, ut impendat reuerentiam et honorem diuinae magnitudini. Et daemon, caro et mundus sunt instrumenta
homini, ob hoc ut peruertat finem sentiendi et imaginandi et
ratiocinandi contra finem magnitudinis ad destruendum et in-
honestandum Dei magnitudinem, quam habet in se ipso et eius
35 operibus. Et hoc apparet in illis, qui dicunt, Deum non posse |

XLIII, **22** ut] *coni.*; *om.* M T R M₁   **29** imaginandi et] *coni.*; et imaginandi
M T R M₁   **34** habet] *coni.*; *om.* M T R M₁

esse in trinitate nec fore incarnatum, nec potest mundum crea- M 45ʳ
re, nec homines resuscitare, neque perpetuam gloriam impende-
re. Et etiam quod Deus | non potest esse per se ipsum, neque R 37ᵛ
potest sine angelis et sine motu caeli facere aliqua opera.

40   3. [Aeternitas]. Spes et sapientia sunt uirtutes durabiles, et
participant cum fine durationis. Ad quem finem attrahunt finem
sentiendi, imaginandi et ratiocinandi ad seruiendum fini durationis; cum quo homo, indutus de spe et sapientia, impendat
reuerentiam et honorem diuinae trinitati. Et homo desperatus
45 et insipiens facit huius contrarium; et ob hoc procurat sibi ipsi
poenam infernalem atque aeternam.

4. [Potestas]. Spes et sapientia participant in fine potestatis.
Et propter hoc applicant et attrahunt finem sentiendi, imaginandi et ratiocinandi ad finem potestatis, ut ualeant potestatem
50 Dei uenerari et eidem deseruire. Et homo desperatus et insipiens facit contrarium.

5. [Intellectus]. Spes et sapientia participant cum fine intelligendi. Ad quem finem attrahunt fines sensibiles et finem imaginandi et ratiocinandi ad seruiendum fini intellectus; cum quo
55 fine impendatur reuerentia et honor diuinae sapientiae. Et homo
desperatus et insipiens facit huius contrarium.

6. [Voluntas]. Spes et sapientia participant in fine uoluntatis.
Ad quem attrahunt res sensibiles et amabiles et finem imaginandi et ratiocinandi, ob hoc ut cum fine uoluntatis impendant
60 reuerentiam et honorem diuinae uoluntati. Et homo desperatus
et insipiens facit totum contrarium.

7. [Virtus]. Spes et sapientia participant cum fine uirtutis. Ad
quem finem applicant et attrahunt uirtutem et finem sentiendi
et imaginandi et ratiocinandi, ut cum fine uirtutis impendant
65 reuerentiam et honorem diuinae uirtuti. Et homo desperatus et
insipiens facit totum contrarium.

8. [Veritas]. Spes et sapientia participant per finem ueritatis.
Ad quem finem applicant fines ueritatum sensibiles et imaginatione apprehensibiles et rationabiles; ob hoc ut cum illo fine
70 impendant reuerentiam et honorem diuinae ueritati. Et homo
desperatus et insipiens facit totum contrarium; et est totus
sophisticatus falsificatus; et in perpetuum tormentabitur siue
affligetur per quascumque suas partes.

9. [Gloria]. Spes et sapientia participant in fine gloriandi. Ad
75 quem finem attrahunt fines sensibiles ad gloriam sensibilem, et
imaginandi et ratiocinandi ad seruiendum et uenerandum diuinae gloriae. Et homo desperatus et insipiens facit huius contrarium; et propter hoc sustinebit aeterne cuncti placiti in inferno
inopiam.

---

43 homo] *coni.*; *om. codd. omnes*   **54/59** ad seruiendum – ratiocinandi] *om.*
T   **76/78** diuinae – contrarium] *coni. ex textu cat.*; *om. omnes codd.*

80   10. [Perfectio]. Spes et sapientia participant per finem completum. Ad quem finem attrahunt fines completos per sentire et
imaginari ac ratiocinari ad seruiendum et uenerandum diuinum
complementum. Et homo desperatus, stultus et insipiens facit
contrarium. Et propter hoc erit semper per omnes suas partes
85 in defectu.

Cum spe et sapientia ostendimus fines uirtutum et peccatorum et earum essentias. Et propter hoc, si tu praedices has
subtilitates | ad declarandum populo tuo, erit sermo tuus mul- M 45^v
tum subtilis et utilis.

90   Et propter hoc deprecemur dominum Deum nostrum Iesum
Christum, quatenus det nobis gratiam, per quam recolamus,
intelligamus et diligamus spem et sapientiam, propter eum
uenerandum et seruiendum; et propter peccata destruendum |
et uirtutes acquirendum. Et quia est Pater noster, ob eius R 38^r
95 amorem, reuerentiam et honorem dicamus *Pater noster*.

III.7. DE CARITATE

III.7.1. DE CARITATE ET SAPIENTIA [H I]

[SERMO XLIV]

Quicumque uelit sermocinari de caritate et sapientia, recolat
5 earum themata, definitiones et species; et secundum illas normet et ordinet suum sermonem.

In principio deprecabimur dominum Deum nostrum Iesum
Christum, quatenus det mihi gratiam dicendi, et uobis audiendi
et retinendi et per opus complendi uerba, quae sint ad honorem
10 et reuerentiam ipsius. Et amore, reuerentia et honore beatissimae uirginis Mariae dicamus *Aue Maria*.

1. [Bonitas]. Caritas et sapientia habent aequalem concordantiam in bonitate propter seruiendum et uenerandum aequaliter
diuinam bonitatem, sapientiam et caritatem cum finem sentien-
15 di, hoc est fine uidendi, audiendi, odorandi, gustandi, palpandi et
loquendi, et cum fine imaginandi et fine ratiocinandi, hoc est
fine recolendi, intelligendi et amandi; cum ita sit, quod in Deo
bonitas, caritas et sapientia sint una et eadem essentia, substantia et natura. Vnde cum hoc ita sit, propterea caritas et sapien-
20 tia sunt uirtutes primitiuae creatiuae; quae causant et ordinant
reliquas uirtutes. Et propter ipsas exstat principaliter uirtus

---

87 praedices] *coni.*; qui praedicas *M T R M₁*

XLIV, **18** bonitas – sapientia] *coni.*; sapientia, bonitas, sapientia et caritas
M T R; sapientia bonitas et caritas *M₁*   **19** propterea] *T*; *corr. ex* propter *M₁*;
propter *M R*   **20** creatiuae] causatiuae *T R M₁*

morosa, quae non timet daemonis nec alicuius peccati tentationem.

2.-3. [Magnitudo-Aeternitas]. Caritas et sapientia sunt ae-
25 qualia principia fini sentiendi, imaginandi et ratiocinandi propter seruiendum, uenerandum aequaliter diuinam magnitudinem,
aeternitatem, intellectum et uoluntatem; cum ita sit, quod in
Deo sint una eadem substantia, essentia et natura. Et per hoc
potest sciri et amari diuina trinitas naturalis, quae aequaliter
30 est intelligibilis et amabilis propter caritatem et sapientiam.
Quae sunt instrumenta, a Deo data humanae uoluntati et humano intellectui. Quoniam sicut diuino intellectui conuenit intelligere infinitum et diuinae uoluntati amare infinitum, ita aequaliter conuenit diuinae magnitudini infinitum magnificare et diui-
35 nae aeternitati infinitum aeternare. Quae sunt actus relati ad
personam intelligentem, amantem, magnificantem | et aeternan-   T 23ᵛ
tem; et ad personam intellectam, amatam, magnificatam et
aeternatam. Et intelligere, amare, magnificare et aeternare est
persona, exspirata aequaliter a persona paternali et a persona
40 filiali.

4. [Potestas]. Caritas et sapientia sunt aequalia instrumenta ad
sciendum diuinum posse, intellectum et uoluntatem aequaliter
super omnia. Et sunt instrumenta, cum quibus potest applicari
finis sentiendi, imaginandi et ratioci|nandi propter seruiendum   M 46ʳ
45 et uenerandum aequaliter Deum et eius posse, intellectum et
uoluntatem. Qui cum eius posse potest complere, id, quod potest intelligere et amare. Et cum suo intellectu potest intelligere id totum, quod potest possificare et amare. Et cum sua
uoluntate potest uelle totum id, quod potest possificare et
50 intelligere. Vnde cum hoc ita sit, stulti sunt igitur illi, qui dicunt
Deum non posse incarnatum fuisse, nec posse mun|dum creasse,   R 38ᵛ
nec posse homines resuscitare, nec gloriam aeternam dare hominibus sine comedere et bibere, nec homines peccatores in igne
aeterno facere permanere.

55 5. [Intellectus]. Sicut caritas est instrumentum, quo Deus normat humanam uoluntatem ad faciendum bonum et uitandum
malum, ita sapientia est instrumentum aequale intellectui, cum
quo normat humanum intellectum ad intelligendum sapienter
sine peccato. Hoc non potest dici de scientia; cum ita sit, quod
60 sint multi homines scientiam habentes, cum qua possunt bonum
facere uel malum. Cum caritate et sapientia habent beati aequaliter gloriam caelestem. Quoniam per caritatem diligent Deum
super omnia, et per sapientiam sciunt Deum super omnia. Et

---

26 aequaliter – magnitudinem] *coni.*; diuinam magnitudinem aequaliter
M T R M₁   35 infinitum] *coni. ex textu cat.*; *om. M T R M₁*   37 et²] *coni.*; *om.*
codd. omnes   46 Qui] quae *R*; quia *M₁*   48 possificare] *coni. ex textu cat.*;
possidere *M T R*; posse *corr. ex* possidere *M₁*   49 possificare] *coni. ex textu cat.*;
possidere *M T R*; posse *corr. ex* possidere *M₁*

tota ista aequalitas est ideo, quoniam diuina uoluntas et intel-
65 lectus diuinus sunt aequaliter intelligibiles et amabiles. Vnde
cum hoc ita sit, igitur tu peccator, existens in peccato mortali
propter crudelitatem contra caritatem, et propter scientiam
contra sapientiam, potes considerare, quomodo aequaliter sustinebis poenas infernales spirituales propter non amare, id est
70 abhorrere, et propter peccatricem scientiam facere.

6. [Voluntas]. Caritas est habitus uoluntatis pro amando bonum; et sapientia est habitus intellectus pro intelligendo bonum. Et quia bonitas est earum communitas aequaliter, ob hoc
aequaliter per bonitatem sunt instrumenta aequalia contra pec-
75 catum. Vnde cum hoc ita sit, potest igitur considerari, quod
tantum meritum potest acquiri propter intelligendum diuinam
bonitatem, quantum propter amandum; et hoc idem potest dici
de diuina magnitudine, aeternitate, et aliis.

7. [Virtus]. Cum ita sit, quod sapientia et caritas sint aequales
80 uirtutes pro aequaliter Deum amando, sciendo, uenerando et
seruiendo, tu homo iustus, de caritate et sapientia aequaliter
indutus et habituatus, teneris per iustitiam, quod aequaliter
submittas tuum sentire et tuum imaginari et ratiocinari duobus
habitibus supra dictis, ob hoc ut aequaliter ualeas ipsis uti per
85 sentire, imaginari et ratiocinari.

Daemon, caro et mundus habent potestatem contra caritatem
sine sapientia; et habent posse siue potestatem contra sapientiam sine caritate. Et si tu habeas sapientiam et caritatem in
simul et aequaliter, daemon, caro et mundus non poterunt te
90 tentare nec superare ad faciendum mortale peccatum. Videas tu
igitur, peccator, qualiter deberes Deum fortiter orare, seruire et
uenerari, ob hoc ut caritatem et sapientiam tibi impendere uelit.

Diximus de cari|tate et sapientia. Et ostendimus earum essen-   M 46ᵛ
tias et earum aequalitatem, quam habent per uirtutem contra
95 peccatum.

Et propter hoc deprecemur dominum Deum nostrum Iesum
Christum, quatenus det nobis caritatem et sapientiam propter
ipsum amandum et sciendum eius opera. Et quia est Pater
noster, eius amore, reuerentia et honore dicamus *Pater noster*.

100 Diximus de tertia distinctione huius libri. In qua ostendimus
ligamen uirtutum, unius | cum altera, pro acquirendis uirtutibus   R 39ʳ
et eis fortificandis, una cum altera; et destruendis et superandis
uitiis et peccatis. Talis doctrina est multum alta et profunda. Et
est magna materia ad praedicandum, et ad reddendum populum
105 beneuolum siue philocaptum de uirtutibus contra peccata.

---

70 peccatricem – facere] *coni. ex cat.* pecador scienciejar; peccatorem scientem
facere *M T R*; peccatorum (*corr. alia manu* peccata) scientem facere *M₁*   **84**
ualeas] cum *M T R M₁*   **89** et²] *coni.*; *om. M T R M₁*

IV

De quarta distinctione
[De peccatis compositis]

Ista distinctio diuisa est in uiginti octo sermones. Et est de
5 ligaminibus et coniunctionibus octo peccatorum mortalium, de
quibus locuti sumus in secunda distinctione.

Et est distinctio, in qua potest cognosci modus, quem habent
peccata mortalia ad congregandum, componendum et multiplicandum unum peccatum cum alio, per modum concordandi et
10 contrariandi unum peccatum cum alio.

Et propter hoc, per talem modum declarando populo, potest
praedicari humiliter et subtiliter contra peccata; et fortificari
possunt uirtutes, de quibus locuti sumus in prima et tertia
distinctionibus.

15 Et primo dicemus de auaritia et crapula siue glutunia.

IV.1. DE AVARITIA

IV.1.1. DE AVARITIA ET CRAPVLA [b c]

[SERMO XLV]

Si uelis praedicare de auaritia et crapula, recolas earum
5 themata, definitiones et species; et secundum illas procedas in
tuo sermone.

In principio deprecabimur dominum Deum nostrum Iesum
Christum, quatenus det mihi gratiam dicendi, et uobis audiendi
et retinendi uerba, quae sint ad suum honorem. Et amore et
10 reuerentia ac honore nostrae dominae sanctae Mariae dicamus:
Aue Maria.

Auaritia maxime incipit per uoluntatem, desiderantem honorem, diuitias, contra diuinam bonitatem. Et si eas diuitias desideret, ob hoc ut ualeat habere abundantiam uictualium ad
15 comedendum et bibendum, congregat auaritiam cum crapula.
Et quando de auaritia et crapula exstat habituata et uestita,
attrahit fines sentiendi; qui sunt propter uidere, audire, odorare,
palpare, loqui, imaginari, intelligere, recolere et amare. Et tunc
exstat regina; et reliquae potentiae submittuntur eis. Et homo
20 iustus facit contrarium per largitatem et temperantiam; cum
quibus eius uoluntas exstat regina.

Homo crapulosus et auarus concordat per unum modum
auaritiam et crapulam contra finem bonitatis; et per alium

XLV, **18** recolere et amare] *coni.*; et recolere *M T R M*₁

modum habet per ipsas contrarietatem. Concordat eas, in quan-
25 tum multiplicat cum ipsis peccata contra finem bonitatis. Et
discordat siue uariat eas contra finem requiei. Quoniam homo
auarus dolet et | tristatur, quando expendit in emendo delicata M 47ʳ
uictualia et multa. Et tristatur et dolet propter crapulam; quia
non comedit illa uictualia, et non bibit uina delicata in magna
30 quantitate.

Potest igitur cognosci essentia auaritiae et crapulae, et modus,
per quem sunt formae deformatae, quae exstant instrumenta
homini gluto et auaro; cum quibus deformat formas sentiendi,
imaginandi et ratiocinandi. Quam quidem deformationem habe-
35 bit per omnes suas partes in perpetuo igne infernali, in quo
homo glutus et auarus omni bono indigebit.

Auaritia et crapula habent eandem materiam, quam uocamus
sentire, imaginari et ratiocinari; | quae quidem materia est R 39ᵛ
deformata et infecta de peccatis. Et quando bonus angelus
40 tentat hominem crapulosum et auarum ad largitatem et temperantiam, materia non consentit tentationi, si sit infecta per
longam perseuerantiam. Et propter hoc conuenit homini iusto,
si uelit uincere auaritiam et crapulam, ut habeat magnam |
fortitudinem animi pro uenerando et seruiendo diuinam uolun- T 24ʳ
45 tatem et diuinum posse, et quod in ipsis ponat spem.

Auaritia exstat maxime per imaginatum; crapula per gustum.
Et quando ambae habent concordantiam, imaginatio imaginatur diuitias pro comedendo et bibendo; et crapula est per illam
imaginationem. Et ex multo comedere et bibere accidit infirmi-
50 tas et consumptio diuitiarum. Et ratiocinari non habet potestatem; nec etiam uidere, audire, odorare, palpare, loqui, postquam
imaginari et gustare habent maiorem et fortiorem societatem,
quam ratiocinari, uidere et alii sensus. Et propter hoc tu, qui
praedicas, declares populo supra dictam societatem et fortitudi-
55 nem, exstantem per auaritiam et crapulam. Et si hoc ita facias,
et in tua praedicatione est aliquis homo glutus et auarus, poterit
cognoscere modum, per quem regnant in eo auaritia et crapula
propter multum imaginari et gustare.

Auaritia est magis generale peccatum, quam crapula. Et ob
60 hoc est fortius, quoniam auaritia est contra Dei largitatem; et
crapula siue gulositas non est contra Dei temperantiam; cum
ita sit, quod Deus non habeat temperantiam in se ipso, quamuis
ipse sit causa temperantiae, quam habet homo temperatus.
Vnde cum hoc ita sit, potest cognosci, quod illa peccata, quae
65 sunt contra diuinam uirtutem, sunt fortiora et magis generalia
peccata illis peccatis, quae sunt contra uirtutes morales, quae
acquisitae sunt per accidens.

Homo auarus semper est pauper, quamuis habeat diuitias. Et

---

47 quando] *add.* habent *M T R M*₁

homo gulosus est diues propter finem gustandi; attamen consu-
70 mit diuitias. Et propter hoc unus homo auarus cum alio homine,
qui sit gulosus et non auarus, non potest habere magnam societatem per sentire, imaginari et ratiocinari. Et de homine, qui sit
largus et temperatus, est contrarium.

| Homo auarus et gulosus patitur duas infirmitates et duas   M 47ᵛ
75 tristitias. Propter auaritiam patitur aegrum ratiocinari et imaginari et propter gulositatem patitur aegrum gustare et imaginari. Quoniam propter auaritiam non potest saturare suum
recolere, intelligere et amare; et facit ea de tristitia indui. Et
propter gulositatem patitur infirmitatem propter nimium come-
80 dere et nimium bibere; et sustinet tristitiam, ob hoc quia non
potest magis comedere et bibere.

Diximus de auaritia et gulositate. Et adhuc possemus de eis
multa dicere. Et ostendimus modum, per quem possunt cognosci, et earum opera augmentari. Et etiam per contrarium,
85 per largitatem et temperantiam, possunt destrui, cum fine tamen bonitatis, magnitudinis et aliarum. Et propter hoc deprece-
mur dominum Deum nostrum | Iesum Christum, quatenus nos   R 40ʳ
defendat et custodiat ab auaritia et gulositate, postquam est
Pater noster. Et eius amore, reuerentia et honore dicamus *Pater*
90 *noster*.

IV.1.2. De avaritia et lvxvria [b d]

[Sermo XLVI]

Quicumque uelit sermocinari de auaritia et luxuria, recolat
earum themata, definitiones et species; et secundum illas nor-
5 met et ordinet suum sermonem.

In principio deprecabimur dominum Deum nostrum, quatenus det mihi gratiam dicendi, et uobis audiendi et retinendi et
per opus complendi uerba, quae sint ad honorem suum. Et
deprecemur beatissimam uirginem Mariam, quatenus nos ad-
10 iuuet. Et eius amore, reuerentia et honore dicamus *Aue Maria*.

Auaritia exstat maxime per uoluntatem, et luxuria per palpare. Et hac de causa auaritia est maius siue grauius peccatum,
quam luxuria. Et luxuria et auaritia uniuntur per talem modum, uidelicet, quod uoluntas attrahit finem recolendi et intelli-
15 gendi ad finem sui placiti, et gustare disponit finem sentiendi, id
est finem uidendi, audiendi, odorandi, gustandi, loquendi et
imaginandi. Et hoc idem facit auaritia fini sui placiti. Et per hoc
uniuntur auaritia et luxuria, et componunt earum fines contra
largitatem et castitatem et peruertuntur illos fines ad communi-
20 tatem malitiae; cum ita sit, quod largitas et castitas sint bonae
uirtutes. Quas bonitates non credit homo auarus et luxuriosus
cum auaritia et luxuria.

Auaritia et luxuria per unum modum habent concordantiam, et per alium contrarietatem. Habent concordantiam, in quan-
25 tum homo auarus congregat diuitias, ob hoc ut ualeat multum comedere et bibere; et in quantum magis comedit et bibit, in tantum magis se disponit ad essendum luxuriosum. Habent contrarietatem, in quantum auaritia conqueritur, quando facit missionem siue expensas propter luxuriam; et luxuria flet et
30 tristatur, quando sibi deficit materia, propter parum comedere et bibere, et propter defectum pulchrarum uestium et pulchrae mulieris et instrumentorum et can|sonum, et aliarum rerum M 48ʳ istis similium.

Homo auarus tristatur, quando expendit et non lucratur. Et
35 homo luxuriosus tristatur, quando non habet, cum quo exerceat luxuriam. Et propter hoc homo auarus et luxuriosus nolunt habere societatem. Et si auaritia et luxuria sint in uno homine, duae tristitiae sunt habitus ipsius, propter quas sentit in se magnum laborem de nocte et die.

40 Auaritia est peccatum, quod est fortiter contra restitutionem; et luxuria est peccatum contra contritionem. Et hac de causa homo auarus et luxuriosus in iuuentute et senectute permanet in magna tribulatione.

Homo auarus credit fore largus; et est cupidus, quia finis suae
45 uoluntatis deformat finem sui intelligendi. Et homo luxuriosus intelligit se non fore castum. Et finis suae uoluntatis impedit intellectum, quod non gignat contritionem, confessionem nec satisfactionem de peccato.

Homo auarus multiplicat, pro uidendo pulchras et magnas
50 diuitias, auaritiam. Et homo luxuriosus multiplicat, pro uidendo pulchras mulieres et honorationes, luxuriam. Et propter | hoc R 40ᵛ oculi sunt nuntii auaritiae et luxuriae. Per quos nuntios imagi- natio defert litteras ad ratiocinari, in quo gignuntur auaritia et luxuria.

55 Auaritia multiplicatur pro audiendi loqui de diuitiis et hono- rationibus; et in quantum fortius congregat diuitias, in tantum magis sibi detrahitur et negligitur per gentes. Et homo luxurio- sus pro audiendo loqui de pulchris mulieribus et pro audiendo dancias tripudiatas multiplicat luxuriam. Et propter hoc aures
60 sunt nuntii, portantes litteras ad imaginationem. Quae imagina- tur opera auaritiae et luxuriae, et dat eas litteras ratiocinationi. Quae legit litteras pro recolendo, intelligendo et amando auari- tiam et luxuriam.

Auaritia multiplicatur per gustare, in quantum facit homi-

XLVI, **23** et] *T*; *om. M R M*₁   **35** quo] *om. et add. sup. lin. M*₁; *om. M T R*
55 Auaritia] *coni. ex textu cat.*; auarus homo *M T R M*₁   multiplicatur]
multiplicat *et add. sup. lin.* auaritiam *M*₁   **56** et] *om. et add. sup. lin. M*₁; *om.*
M T R   **59** dancias tripudiatas] *cat.* dançes e balades

65 nem desperare, habendo comedere et bibere; et gustare multiplicat luxuriam propter comedere et bibere nimis. Et propter
hoc gustare est nuntius imaginationi, ad quam defert litteras ab
auaritia et luxuria; opera quorum imaginatio imaginatur, et
praesentat litteras ratiocinationi. Quae legit litteras propter
70 recolere, intelligere et amare delicias, quae considerat per auaritiam et luxuriam. Vnde cum hoc ita sit, igitur tu, qui sermocinaris, potes declarare populo modum, per quem auaritia et luxuria
gignuntur et multiplicantur.

Homo auarus sustinet maiorem poenam et laborem in hoc
75 saeculo, quam homo luxuriosus. Quoniam auarus in placito,
quod desiderat, patitur tristitiam, quia non habet, quod desiderat; patitur tristitiam, quia timet, ne ab eo auferantur diuitiae,
quas pos|sidet, et quod non eas amittat pro faciendo missionem T 24ᵛ
siue expensas. Et homo luxuriosus consequitur delicium, quan-
80 do exercet luxuriam; et sustinet tristitiam, quando senescit et
non potest exercere luxuriam. Et propter hoc homo auarus
sustinebit in inferno maiorem poenam propter|auaritiam, quam M 48ᵛ
homo luxuriosus propter luxuriam.

Homo auarus discurrit suum ratiocinari per arithmeticam et
85 geometriam; et homo luxuriosus per rhetoricam et musicam. Et
propter hoc artes liberales sunt nuntii auaritiae et luxuriae. Qui
portant de ipsis litteras ad imaginationem; quae praesentat
litteras ratiocinari.

Diximus de auaritia et luxuria. Et ostendimus earum essen-
90 tias et earum opera. Per quam quidem ostensionem potest homo
se defendere ab ipsis. Et propter hoc deprecemur dominum
Deum nostrum Iesum Christum, quatenus nos custodiat et
defendat de auaritia et luxuria, postquam est Pater noster. Et
eius amore et reuerentia et honore dicamus *Pater noster*.

IV.1.3. De avaritia et svperbia [b e]

[Sermo XLVII]

Si uelis sermocinari de auaritia et superbia, recolas earum
themata, definitiones et species; et secundum illas ordines tuum
5 sermonem.

In principio deprecemur dominum Deum nostrum Iesum
Christum, quatenus det mihi gratiam dicendi, et uobis audiendi
et retinendi uerba, quae sint ad gloriam et laudem eius. Et

65/66 et gustare – bibere] *om. T*   **70** delicias] *coni. ex cat.* los plaers; delicta
M T R M₁   **76/77** quia – tristitiam] *om. T*   **78** faciendo] *coni.*; factione *M T R*;
factionem *M₁*   **79** delicium] *corr. ex* delictum *M₁*; delictum *M T R*   **86** hoc]
om. et add. sup. lin. M₁; *om. M T R*

amore, reuerentia et honore nostrae dominae beatissimae Ma-
10 riae dicamus *Aue Maria.*

Auaritia exstat maxime per uoluntatem, et superbia per intellectum. Et propter hoc sunt duo reges pro uolendo et ratioci-
nando. | Et memoria est in angustia in retinendo contrarios fines.   R 41ʳ
Quoniam auaritia existente habitu unius hominis, et superbia
15 existente habitu illius hominis, attrahit auaritia ad suum finem
fines sentiendi, hoc est uidendi, audiendi, odorandi, gustandi,
palpandi et loquendi, et finem imaginandi et recolendi; et hoc
idem facit superbia. Et ob hoc omnes illi fines sunt deformati et
a fine, pro quo sunt, deuiati.

20   Auaritia, existens habitus unius hominis, et superbia, existens
habitus alterius hominis, causant discordiam in illis duobus
hominibus. Propter quam discordiam nascitur impatientia, in-
constantia et multa alia peccata, quae facit homo contra se
ipsum et contra proximum suum.

25   Auaritia appropriat ad suum finem honores et diuitias. Et
propter hoc nascitur contrarietas contra concordantiam malae
uoluntatis et falsi intellectus. Et superbia exigit possidere diuitias et honores, quod homo auarus desiderat. Et auaritia exigit
diuitias et honores, quos homo superbus desiderat. Et propter
30 hoc est memoria turbata, quod conseruat contrarias species. Et
hoc idem aduenit ex turbato sentire et imaginari.

Homo superbus propter scientiam habet intellectum superbum. Et si disputetur secum, negat ueritatem et tenet contrarium. Et propter hoc est indiscretus et est obstinax. Et homo
35 auarus, si disputetur secum de diuitiis, et ab eo consilium
exigatur ab aliquo, dat falsum consilium. Et supponit, quod
dicat ueritatem, propter falsam suppositionem. Et hac de causa
exstat obstinax eius uoluntas, et memoria angustiatur per uoluntatem et per intellectum.

40   Auaritia causat impatientiam, | et superbia similiter. Et prop-   M 49ʳ
ter hoc una exigit actionem contra aliam et uitat habere passionem. Et ob hoc nascuntur guerrae, lites, falsitates et traditiones.

Homo gibbosus uel claudicans et consumptus in manibus et
unoculus, id est non habens nisi unum oculum, et ita de aliis
45 uitiis, diligit diuitias et honores, et est auarus, ob hoc ut propter
diuitias et honores non detrahatur siue maledicatur a gentibus
contra sua uitia et suas monstruositates; et qui eum uituperat
et sibi maledicit, nascitur in ipso superbia et incurialitas. Hoc

---

XLVII, **21** habitus] *coni.*; *om.* *MTRM*₁   **12** reges] tendes *R*; testes *M*₁
uolendo et] *coni.*; *om. codd. omnes*   **42** guerrae] *ex cat.* guerra = bellum   **44**
unoculus] *correxi*; mnoculus *MR*; monoculus *T*; in oculis *M*₁   **47** monstruo-
sitates] *correxi*; monstruitates *corr. ex* monstroitates *M*₁; monstroitates *MR*;
monstruitates *T*   qui] *om. M*₁   eum] cum *RM*₁   uituperat et] *coni.*;
uituperatur *MTRM*₁   **48** sibi maledicit] *corr. in* siue maledicitur *M*₁

idem facit homo auarus, qui desiderat diuitias pro habendo
50 honores, ob hoc ut laudetur et ueneretur a gentibus.

Quaesitum fuit a mulo, qui erat filius de asino et de equa, quis
erat eius pater. Et respondit, quod equus erat auunculus eius.
Per hanc figuram potest cognosci superbia in hominibus, qui
sunt de uili genere; et loquuntur frequenter de aliquibus affini-
55 bus, quos habent, qui sunt de nobili genere. Hoc idem potest
cognosci de homine habente auaritiam, qui quando incusatur et
redarguitur de moribus, ipse laudat se, quia est diues, et quia
habet aliquos affines diuites.

Homo superbus est dans sibi uanam gloriam, ob hoc quia
60 diligit magis se ipsum, quam aliquod aliud. Et homo auarus est
pomposus, id est dans sibi uanam gloriam, ob hoc quia diligit
magis diuitias, quam aliud. Et propter hoc uana gloria uexat
illos homines. Et quilibet homo est insipiens, qui uelit habere
societatem cum ambobus supra dictis, et qui eos redarguit de
65 traditione et falsitate.

Homo est superbus propter pulchritudinem; et homo auarus
est superbus propter diuitias. Et propter hoc superbia et auaritia componuntur contra uoluntatem humilitatis et largitatis.

| Homo superbus detrahit cuicumque homini; et homo auarus R 41ᵛ
70 detrahit cuncto homini pauperi. Et propter hoc superbia et
auaritia sunt de genere detrahendi siue maledicendi. Et homo
superbus detrahit homini auaro; et homo auarus detrahit homini superbo.

Homo superbus, si habeat magnam fortitudinem, est superbus
75 propter suam fortitudinem. Et homo auarus, si habeat multas
diuitias, est superbus propter fortitudinem, quam habet propter
diuitias. Et ob hoc ambae fortitudines sunt una contra aliam, et
multiplicant contentiones et inimicitias contra pacem et amicitiam.

80 Homo superbus exstat fortis, si habeat rigiditatem in obsidio-
nibus. Et homo auarus exstat fortis et audax siue rigidus in
lucrando diuitias. Et propter hoc ambae fortitudines exstat per
ratiocinari; et ambae fortitudines conantur et iuuant fortitudines sentiendi et imaginandi.

85 Homo superbus, quando credit ascendere in honorem pro
habendo dominium super gentes, descendit in dedecus; cum ita
sit, quod dominium non conuenit alicui, qui sit contra humilitatem. Et homo auarus, quando credit ascendere in honorem
propter diuitias, descendit in dedecus; cum ita sit, quod diui|-
90 tiae exigant hominem uti eis secundum earum quantitatem, ut M 49ᵛ
ne exstent otiosae.

---

51 qui – equa] *coni. ex textu cat.*; quis erat filius asini; et quaesitum fuit de
equa *M T R M*₁   59 hoc] *coni.*; *om. M T R M*₁   64 qui eos] *correxi*; qui eum
M T R; quoscum *M*₁   78/79 et amicitiam] *coni. ex textu cat.*; *om. codd. omnes*

Homo superbus est contra Deum, in quantum Deus est humilis, benignus et pius. Et propter hoc in homine superbo nascitur
impietas et uilitas siue inhonestas. Et homo auarus est contra
95 Deum; cum ita sit, quod ipse habeat largitatem, et impendat
magna dona, et indulgeat magnas culpas et peccata. Et propter
hoc Deus per suam bonitatem, magnitudinem et alias suas
dignitates est contra hominem superbum et auarum. Et homo
superbus et auarus est contra Deum per suum ratiocinari,
100 sentire et imaginari; et propter hoc praeparat sibi infinitas,
aeternas poenas.

Diximus de auaritia et superbia. Et ostendimus earum essentias et modos, per quos sunt; et quid sunt, et ubi sunt, et quid
ex ipsis eggreditur. Et propter hoc deprecemur dominum Deum
105 nostrum Iesum Christum, quatenus nos defendat ab auaritia et
superbia, postquam est Pater noster. Et eius amore, reuerentia
et honore dicamus *Pater noster.*

IV.1.4. DE AVARITIA ET ACCIDIA [b f]

[SERMO XLVIII]

Quicumque uelit sermocinari de auaritia et accidia, recolat
earum themata, definitiones et species; et secundum illas proce-
5 dat in sua praedicatione.

In principio deprecabimur dominum Deum nostrum Iesum
Christum, quatenus det mihi gratiam dicendi, et uobis audiendi
et retinendi et per opus complendi uerba, quae sint ad eius |
laudem. Et amore, reuerentia et honore beatissimae nostrae T 25ʳ
10 dominae Mariae dicamus *Aue Maria.*

Auaritia exstat maxime per uoluntatem, et accidia per intellectum. Et propter hoc in homine auaro et accidioso auaritia et
accidia contrariantur, quoniam homo auarus est diligens in
multiplicando diuitias, et homo accidiosus est negligens in ac-
15 quirendo illas. Et subiectum earum contrarietatis est per recolere compositum de contrariis similitudinibus et speciebus. Prop-
ter quam contrarietatem turbantur et deform|antur fines sen- R 42ʳ
tiendi, hoc est fines uidendi, audiendi, odorandi, gustandi, palpandi, loquendi et fines imaginandi. Et propter talem contrarie-
20 tatem homo auarus et piger est indiscretus et impatiens, et est
dispositus ad essendum insensatum.

Auaritia approbat diuitias, et uitat sumptus siue expensas. Et
accidia maledicit diuitias, et maledicit sumptus, et flet propter
paupertatem. Et propter hoc accidia est nuda uel uacua omni
25 bono, quia non se habet ad aliquem finem, qui sit de genere
bonitatis.

Auaritia diligit bonum, in quantum diligit diuitias. Et quia
intellectus hominis otiosi siue pigri non se habet ad finem

diuitiarum, inducit uoluntatem ad abhorrendum diuitias per
30 accidens; et exstat uoluntas turbata, in quantum recipit contrarias species. Vnde cum hoc ita sit, potest igitur cognosci, qualiter nascitur accidia, quae est habitus, non se habens ad aliquem
finem boni; et habet se ad finem | mali. Et propter hoc homo M 50ʳ
accidiosus die et nocte permanet in tristitia et flet, quando
35 aliquis homo habet bonum et gaudet, quando habet malum.

Homo auarus uult bonum, in quantum uult diuitias; et non
uult bonum, in quantum eas deuiat uel extrahit a fine, per quem
sunt, et facit eas fore otiosas. Et propter hoc gignit accidiam;
quae est pigrities faciendi bonum. Et propter hoc potest cognos-
40 ci accidia, per quem modum deriuatur ab auaritia, et quare
tristitia deriuatur ab accidia et auaritia.

Auaritia et accidia sunt de genere melancholiae. Quae est de
complexione sicca et frigida; quia frigiditas restringit et non
donat, et siccitas gignit ponderositatem et pigritiem. Et propter
45 hoc homines melancholici de tristitia habituantur. Et hoc idem
potest dici de homine auaro et accidioso.

Homo auarus et homo accidiosus habent in morte societatem,
quia in uita eam habuerunt diu, dum erant sani. Et propter hoc
homo auarus et accidiosus, quando est prope mortem, est otio-
50 sus siue piger ad faciendum restitutionem; et est piger ad
petendum a Deo misericordiam et ueniam, et non contradicit
tentationi daemonis.

Intellectus habet opus per successionem et uoluntas non, sed
quod uult subito id, quod affectat. Et propter hoc homo accidio-
55 sus habet otiosum uel pigrum intellectum ad intelligendum; et
homo auarus habet repentinam siue subitam uoluntatem ad
uolendum diuitias; quae quidem uoluntas habet pigritiem ad
faciendum bonum propter diuitias. Et per hoc potest cognosci
modus, per quem auaritia et accidia componunt species per
60 recolere, sentire et imaginari.

Homo auarus flet, quando non potest lucrari; et flet, quia
expendet et facit missionem. Et si est otiosus, flet, quando uidet
aliquem alium lucrantem, et ridet quando uidet eum amittere.

Cum homine auaro accidioso non contrahas societatem; quo-
65 niam propter auaritiam uolet bona tua expendere et per negligentiam non iuuabit tuam missionem neque suam. Et si secum
uadas ad peregrinationem, cum labore ibis, et | permanebis in R 42ᵛ
hospitio; et si portes denarios, in periculo eris.

In homine auaro et accidioso suum sentire, imaginari et ratio-
70 cinari sunt de uili genere; et dicunt, quod sunt de magno
patriciatu. Et scis quare? Quia peruersi sunt de bono in malum,

---

XLVIII, **37** deuiat] *corr. ex* delitat M_1; delitat R; delirat MT **71** patriciatu]
coni.; patico MT; peractico R; practico M_1; *cat.* paratge = generis nobilitas

et de ueritate in falsitatem, et de pace in guerram, et de
complemento in indigentiam.

Si uelis cognoscere hominem auarum et accidiosum, inquire
75 eum cum tuo sentire et imaginari et ratiocinari, et inuenies eum
in suo sentire, imaginari et ratiocinari. Et si eum uelis corrigere,
caueas tibi, quod propter corrigere eum, ne destruas tuum
sentire et imaginari et ratiocinari.

Ab homine auaro et otioso non exigas consilium, nec sibi
80 credas de aliquo, quod tibi dicat. Quia piger erit contra tuum
bonum, et amabit tuum malum, et amabit ut applices | tuas   M 50ᵛ
diuitias suis. Et si tibi promittat aliquid, non ponas spem, quia
piger erit ad procurandum tuum bonum et gaudebit de tuo
malo.

85 Daemon, mundus et caro sunt camerae et atria siue palatia, in
quibus inhabitant auaritia et accidia; et seruientes sui sunt
sentire, imaginari et ratiocinari. Et in illis cameris et atriis est
omni bono indigentia. Et propter hoc caue tibi, ne illas cameras
et atria intres de die neque de nocte. Et si facias, parabis tuo
90 sentire, imaginari et ratiocinari angustiam, falsitatem, traditionem et incurialitatem.

Diximus de auaritia et accidia. Et per hoc, quod de eis
diximus, potest cognosci id, quod sunt, et per quod sunt, et de
quo sunt. Et possunt cum largitate et diligentia destrui et
95 corrumpi. Attamen deprecemur, quod nos adiuuet Iesus Christus, qui est Pater noster. Et eius amore et reuerentia et honore
dicamus *Pater noster*.

IV.1.5. DE AVARITIA ET INVIDIA [bg]

[SERMO IL]

Si uelis sermocinari de auaritia et inuidia, recolas earum
themata, definitiones et species; et secundum illas norma et
5 ordina tuum sermonem.

In principio sermonis deprecabimur dominum Deum nostrum
Iesum Christum, quatenus det mihi gratiam dicendi, et uobis
audiendi et retinendi uerba, quae sint ad gloriam et reuerentiam
eius. Et amore, reuerentia et honore beatissimae uirginis Mariae
10 nostrae dominae dicamus *Aue Maria*.

Auaritia et inuidia sunt maxime per uoluntatem; cum ita sit,
quod homo auarus et inuidus sine discretione desiderat bona
terrena proximi sui, quae Deus uoluit dare proximo suo et non
sibi. Et propter hoc est inoboediens praecepto, quod Deus facit

---

75 eum cum] *coni.*; eum *MT*; cum *RM₁*   81 et amabit ut] *coni.*; *om. codd.*
omnes   85 et¹] *coni.*; *om. omnes codd.*   88 propter hoc] *coni.*; propter *MTR*;
propterea *M₁*   95 deprecemur] *coni.*; *om. codd. omnes*

15 per Moysen (Ex. 20, 17; Deut. 5, 21), quod homo non inuideat
bona suorum uicinorum, qui sunt eius proximi, in quantum sunt
secum in una specie humana.

In homine auaro et inuido eius uoluntas exstat regina finium
sui sentire, hoc est finis uidendi, audiendi, odorandi, gustandi,
20 palpandi loquendi, et finis imaginandi et recolendi et intelligendi. Et propter hoc de omnibus illis finibus facit uoluntas domi-
cellas suas, et facit eas fore oboedientes fini | sui uelle. Talis R 43ʳ
homo loquitur subito, et sine accordio impendit consilium, et est
inconstans, et de facili irascitur.

25 Si unus homo ad contingentiam, hoc est per accidens, uideat
unum pulchrum equum, et aliquis alius homo audiat loqui de
bonitate illius equi, auaritia et inuidia incipiunt, et pulchritudo
illius equi est earum materia. Et si homo, qui audiat loqui de
pulchritudine equi, uadat uisum equum, tunc auaritia et inuidia
30 intrant in successionem, et multiplicant materiam. Et si imaginatio imaginetur modum, per quem ualeat habere equum per
emptionem, non est peccatum mortale. Et si imaginetur, quod
auferat uel furetur equum proximo suo, multiplicat successio-
nem et materiam. Et hoc idem ratio|cinari, si memoria recolet et M 51ʳ
35 intellectus intelligat modum, per quem possint equum auferre
uel furari, multiplicant uenialia peccata supra dicta, et contra-
dicunt | uoluntati. Si uoluntas non consentit, quod equus aufera- T 25ᵛ
tur uel furetur, remanent peccata uenialia, et non sunt transi-
tiua, et gignitur uirtus per largitatem et legalitatem. Et si
40 uoluntas consentiat, quod equus auferatur uel furetur, peccata
uenialia peruertuntur in peccata mortalia. Et propter hoc talis
homo facit sagacitates et falsitates, propter quas ualeat equum
habere.

Homo auarus et inuidus, si uideat aliquem pinguem altilem
45 uel ueruecem per finem gustandi, et imaginetur, quod eos possit
emere, et uoluntas non eos uult emere, sed uult, quod auferantur et furentur, peccatum mortale impetratur et consummatur
propter auaritiam et inuidiam. Sed si non uult, quod auferatur
neque furetur, attamen uult, quod altilis et ueruex essent sui et
50 non proximi sui, peccatum mortale consummatur et impetratur
propter auaritiam et inuidiam; attamen non est magnum.

IL, **46** eos] *coni.*; eum *MTRM₁*   **46/48** sed – si] *coni.*; *om. MTRM₁Z*;
cf. infra lin. 51 add. in marg. codicis M₁   **48** non] *coni.*; nec *MTR*; *corr. in* sed *M₁*
     49 neque] *corr. in* et *M₁*   attamen] actum, *sed corr. in* et *M₁*   **50** impe-
tratur] *corr. in* perpetratur *M₁*   **51** inuidiam] *add. in marg.* Sed si non uult,
quod auferatur neque furetur, et uult, quod altilis et ueruex essent sui et non
proximi sui, peccatum perpetratur propter auaritiam et inuidiam *M₁. Codex Z*
has coniecturas marginales codicis M₁ in textu (lin. 44/51) induxit, quin uero de sensu
logico correctionum codicis M₁ minime iudicauerit. Alia autem manus textum Z ad textum
codicis M reducere et aliquomodo accomodare uoluit. Textus codicis Z sic ergo apparet:
Homo auarus et inuidus (*corr. ex* inuidiosus), si uidet aliquem (*sup. lin.* pin-

Si homo auarus inuidus uidet aliquem pulchrum lectum et
honorate compositum, et per finem iacendi molliter et per finem
iacendi honorate imaginetur habere illum lectum, sed non quod
55 ematur, sed auferatur uel furtiue accipiatur, et uoluntas consentit, uoluntas applicabit recolere et intelligere ad suum finem et
mouebit memoriam et intellectum ad tractandum, quod lectus
furtiue habeatur uel auferatur, et materia et subiectum erit
palpare.
60 Si homo auarus et inuidus audit aliquem alium hominem
ornate loqui et ornata uerba sua ponere, et ille homo est bene
indutus et ornatus, et est diues et honoratus, auaritia et inuidia
facient communitatem per finem uoluntatis, quae optabit habere illa pulchra uestimenta et ornamenta et honores illius homi-
65 nis. Et quia inuidus est, sustinebit tristitiam et dolorem, in
quantum fortius eum audiet loquentem et ornate uerba sua
ponentem. Et hoc faciet propter intellectum, qui intelliget ipsum nescire ita polite loqui, et ornate uerba sua ordinare.
Auaritia et inuidia sunt de genere malitiae, ob hoc quia sunt
70 contra largitatem et legalitatem; quae sunt de genere boni. Et
ob hoc auarus et inuidus considerat facere malum proximo suo,
et facere bonum sibi ipsi. Et propter hoc est insipiens et decipitur, quia faciendo malum proximo suo facit malum sibi ipsi.
Auaritia et inuidia sunt de genere peruersae | magnitudinis;   R 43ᵛ
75 cum ita sit, quod ipsae destruant et corrumpant largitatem et
legalitatem, quae sunt magnae uirtutes. Et propter hoc homo
largus et legalis nequit uincere auaritiam neque inuidiam per
aequalem uel minorem quantitatem, sed per maius et aequale
ratiocinari, recolendi, intelligendi et amandi.
80 Si auaritia et inuidia diu perseuerauerint, et manserint in
homine auaro et inuido, reddent illum hominem obstinacem
contra legalitatem et largitatem, et contra | finem bonitatis. Et   M 51ᵛ
erit habituatus in tanto malo, quod eius malitia gignet peccatum morosum, hoc est peccatum obstinatum per longam
85 perseuerantiam. Talis homo grauis est ad conuertendum; et
stultus est, qui exigit societatem suam.
Homo auarus deuiat diuitias a fine, propter quem sunt. Et

---

guem) altilem uel ueruecem per finem gustandi, et imaginetur, quod eos possit
emere, et uoluntas non eum uult emere. Sed (*sup. lin.* nec) uult, quod auferatur
et (*sup. lin.* nec) furetur; et (*sup. lin.* attamen) uult, quod altilis et ueruex essent
sui et non proximi sui, peccatum mortale consummatur et perpetratur, propter
auaritiam et inuidiam. (*add. et del. in marg. inf.* attamen non est magnum). *Alia
manu del. sequentia:* Sed si non uult, quod auferatur neque furetur, et uult, quod
altilis et ueruex essent sui et non proximi, peccatum perpetratur propter auaritiam
et inuidiam. Attamen (*corr. ex* tum) non est magnum   **61** ornata – ponere]
cat. arengar; *cf. etiam lin. 66/67 et 68*   **66** ornate] *coni.*; honorate *M T R M*₁   **69**
de – sunt] *coni. ex textu cat.*; *om. codd. omnes*   **70** et legalitatem] *coni. ex textu
cat.*; *om. omnes codd.*   **84** morosum] *coni.*; mortale *M T R M*₁; *cat.* moraygat

homo inuidus inuidet habere, et cupit illas diuitias; et quando
eas habet, deuiat eas a fine, propter quem sunt; et hoc facit ideo,
90 quoniam cum inuidia, quae est peccatum, eas acquisiuit. Et ob
hoc auaritia et inuidia factae sunt amicae, et per finem mali
sunt sorores, et sunt de genere peccati.

Ab homine auaro inuido non exigas consilium de rebus perti-
nentibus largitati et legalitati. Quod si facias, insipiens eris et
95 deceptus eris. Quoniam homo auarus et inuidus habet deformatum ratiocinari, sentire et imaginari; et nescit sibi ipsi nec alii
consulere per finem bonitatis, uirtutis et ueritatis.

Si tu es homo largus et legalis, et uis cognoscere hominem
auarum et inuidum, inquire eum in tuo sentire, imaginari et
100 ratiocinari, et inquire eum in suo uidere, audire, odorare, gustare, palpare et loqui; et cum his sex sensibus nosces eius imaginari et ratiocinari, in quo quidem ratiocinari eum inuenire
poteris.

Diximus de auaritia et inuidia. Et ostendimus earum conse-
105 quentias et earum opera. Et propter hoc deprecemur dominum
Deum nostrum Iesum Christum, quatenus nos defendat ab
auaritia et inuidia, postquam est Pater noster. Et eius amore,
reuerentia ac honore dicamus *Pater noster*.

IV.1.6. DE AVARITIA ET IRA [b h]

[SERMO L]

Quicumque uelit sermocinari de auaritia et ira, recolat earum
definitiones, themata et species; et secundum illas ordinet suam
5 praedicationem.

In principio deprecabimur dominum Deum nostrum Iesum
Christum, quatenus det mihi gratiam dicendi, et uobis audiendi
et retinendi et per opera complendi uerba, quae sint ad eius
honorem. Et amore, reuerentia et honore beatissimae uirginis
10 Mariae, dominae nostrae, dicamus *Aue Maria*.

Auaritia est maxime per uoluntatem. Et ira est dupliciter:
Vno modo per uoluntatem, alio modo per intellectum. Quando
est per uoluntatem, est ira leonina; sicut homo, qui desiderat
aliquod placitum sensitiuum per auaritiam, et impeditur sibi
15 illud placitum sensitiuum, quod desiderat. Alius modus, sicut
homo, qui est iratus, quando aliquis contradicit sibi rationem et
ueritatem secundum uidere, audire, odorare, gustare, palpare,
loqui, imaginari et recolere. Talis ira non est peccatum mortale,
quousque consideratur de uindicta, et multiplicatur illa ultra
20 iustitiam ad damnum proximo suo | siue uicino propter uerbera-   R 44ʳ

---

101 et¹] *coni.*; *om. codd. omnes*

tiones uel uulnera uel propter blasphemias uel minas uel pro
auferendo ab eo bona temporalia. Et tales duae irae sunt de
genere leonino propter sentire, imaginari et ratiocina|ri. Propter   M 52ʳ
quod genus angustiatur et in labore ponitur homo auarus et
25 iratus.

Auaritia applicat uidere ad finem uoluntatis, et iram ad finem
intellectus. Et hoc idem de audire, et aliis sensibus, et de
imaginari et ratiocinari. Et propter hoc ira nascitur in ratiocinari, quod est ita, sicut leo, turbatus et indiscretus, per iram et
30 auaritiam uulneratus, et per eas uulnerat proximum suum.

Auaritia aufert uel furatur bona terrena, et ira aufert libertatem, conscientiam et discretionem, et ponit in periculo, tristitia
et angustia eius subiectum, et in mala uoluntate. Et propter hoc
insipiens est, qui propter rationem redarguit hominem auarum
35 et iratum.

Auaritia est generalius peccatum, quam ira. Attamen ira est
magis periculosum peccatum; cum ita sit, quod ira peruertat
ratiocinari in contrarium eius subito et sine deliberatione. Et
homo auarus facit cum deliberatione successiue peccatum.

40 Homo auarus et iratus habet turbatum intelligere, recolere et
amare; cum qua turbatione turbat sentire et imaginari. Et
propter hoc homo, ita turbatus per auaritiam et iram, est ita,
sicut homo, habens oculos, et non uidet, et habens aures et non
audit. Attamen mouet manus, cum quibus mouet ferrum, quo
45 uulnerat et occidit proximum suum, et non credit committere
peccatum.

Auaritia et ira sunt de genere mali, quia destruunt largitatem
et patientiam; quae sunt uirtutes de genere boni. Et propter hoc
ab homine auaro et irato non exigas consilium, nec secum te
50 socies.

In homine auaro et irato spem non ponas, quae sit per sentire
et imaginari et ratiocinari ad aliquem finem, qui sit de largitate
et patientia et amicitia.

Cum largitate et patientia superabis | hominem auarum et   T 26ʳ
55 iratum. Et si hae duae uirtutes tibi non sufficiant, congreges
alias uirtutes, uidelicet iustitiam et prudentiam; cum ita sit,
quod duo peccata non habeant tantam uim, quantam habent
quattuor uirtutes.

De homine auaro et irato non potes tibi cauere primo motu, in
60 tantum uenit subito eius introitus. Sed potes tibi cauere secundo
motu; cum ita sit, quod secundus motus sit per successionem et
discretionem; quae sunt de genere prudentiae et sapientiae,
largitatis et patientiae.

Homo auarus loquitur de diuitiis et blasphemat largitates. Et

---

L, **33** subiectum] *corr. ex* subiecto M_1; subiecto *MTR*   in] *coni.*; *om. omnes*
codd.   **59** non] *om. et add. in marg.* M_1; *om. MTR*

65 homo iratus loquitur de stultitiis, de uerberationibus, de uulneribus et morte, et minis siue minationibus. Et propter hoc
hominem auarum et iratum respice in manibus, quae faciunt
opus, et audias eius uerba, quae opera consulunt.

Homo auarus et iratus per auaritiam decipit et facit falsita-
70 tes; et per iram cogit, blasphemat, uulnerat et occidit. Et
propter hoc si uelis cognoscere talem hominem, inquire eum
cum tuo sentire in suo sentire, et cum tuo imagi|nari in suo   R 44^v
imaginari, et cum tuo ratiocinari in suo ratiocinari. Et per istum
modum | potes eum cognoscere et inuenire.   M 52^v

75 Quaestio fuit facta crapuloso, de quo sit muscus, et ipse
respondit quod de pane calido et caseo recenti. Et propter hoc
in sua responsione potest cognosci, quod ipse erat crapulosus.
Simili modo potes cognoscere hominem auarum et iratum, quoniam si ab eo petis, quo uadit uel unde uenit, uel ubi moratur,
80 ipse tibi loquetur de diuitiis, de ictibus et minis, uulneribus et
morte.

Quando auaritia incipit, largitas plorat; et quando ira incipit,
patientia plorat. Et propter hoc si in te auaritia et ira incipiunt,
incontinenti plores, et rideas cum largitate et patientia, sapien-
85 tia et prudentia.

Mensura in tuo ratiocinari quantitatem auaritiae et irae; et
hoc idem in tuo imaginari et sentire. Et duplica mensuras
largitatis et patientiae per tuum sentire, imaginari et ratiocinari. Et per talem modum superabis et destrues in tuis partibus
90 auaritiam et iram.

Considera per qualitatem auaritiam et iram, et largitatem et
patientiam. Et inuenies qualitates contrarias, quoniam auaritia
et ira sunt malae qualitates, quae incipiunt cum malo, et uadunt
per malum medium ad malum finem; et largitas et patientia
95 sunt bonae qualitates, quae incipiunt in bono, et uadunt per
bonum medium ad bonum finem. Et si tu ita diu consideres,
largitatem et patientiam gignes in tuo ratiocinari, quod est de
recolere, intelligere et amare; et auaritiam et iram corrumpes et
a tuo ratiocinari eas eicies.

100 Diximus de auaritia et ira. Et ostendimus earum essentias,
uidelicet id, quod sunt, et de quo sunt, et per quod sunt. Et
propter hoc deprecemur dominum Deum nostrum Iesum Christum, qui est Pater noster, quatenus nos custodiat et defendat
ab auaritia et ira. Et eius amore, reuerentia et honore dicamus
105 *Pater noster.*

---

73 suo] tuo *M T*   **75** muscus] *coni. ex cat.* almesch *sc.* narcissus jonquilla;
om. codd. omnes   **92/93** qualitates – malae] *coni. ex textu cat.*; *om. omnes codd.*   **93/**
94 cum – finem] *om. M*₁   **94** medium ad] *coni.*; mediando *M T R*   **94/95** et
largitas – incipiunt] *om. T M*₁

IV.1.7. De avaritia et mendacio [b i]

[Sermo LI]

Si uelis sermocinari de auaritia et mendacio, recolas earum
themata, definitiones et species, et secundum illas ordines tuum
5 sermonem.

In principio sermonis deprecabimur dominum Deum nostrum Iesum Christum, quatenus det mihi gratiam dicendi, et
uobis audiendi et retinendi uerba, quae sint ad eius honorem. Et
amore, reuerentia et honore beatissimae uirginis Mariae, domi-
10 nae nostrae, dicamus *Aue Maria.*

In homine auaro et mendaci habet maiorem uim uoluntas,
quam intellectus; quoniam intellectus sequitur uoluntatem. Attamen dat contritionem de peccato. Et propter magnum uelle,
quod habet uoluntas, in amando diuitias, peruertit intellectum
15 et facit eum considerare modum, per quem ualeat diuitias
congregare, et uitare missionem et ad utendum eis. Quoniam de
operibus uoluntatis et intellectus efficitur thesaurus in memoria.
Et est uoluntas magis regina propter suum uelle, quam intellectus rex propter suum intelligere. Et propter hoc uoluntas in
20 mente attrahit fines intellectus et memoriae | et format in lingua M 53ʳ
et loquela mendacia, ob hoc ut pro illis ualeat diuitias acquirere.

Visus corporalis ueraciter uidet res uisibiles. Et homo auarus
mendax intelligit in mente illas fore ueras, et in loque|la format R 45ʳ
mendacia contra res uisibiles, ut ualeat decipere per emere uel
25 uendere proximum suum.

Verba, quae audit homo auarus mendax, uel quae facit audire
proximum suum, in quantum sunt uerba, uera sunt, et per
naturam ueraciter audita sunt. Attamen homo auarus mendax
facit sacramenta, quando iurat per Deum, per eius caput, uel
30 per filium suum. Quae facit falso modo et cum mendaciis, ut
ualeat peruertere mentem proximi sui. Qui considerat aliqua
alia, quae non sunt uera; quae credit fore uera ratione sacramentorum, quae facit homo auarus mendax proximo suo. Et ita
homo auarus intelligit, quod sunt mendacia uerba, quae dicit, et
35 uult, quod proximus suus credat illa fore uera. Vnde cum hoc ita
sit, ostendimus igitur modum, per quem auaritia et mendacium
incipiunt per audire, et fiunt peccata mortalia in mente.

Homo auarus et mendax furari posset altilem unam, ut eam
comedere ualeat, quamuis habeat unde eam possit emere. Et si
40 accusetur, quod ipse furatus est altilem, ipse iurabit per Deum
et per suum caput uel per filium suum, se non furatum fuisse
altilem. Sed intelligit, recolit et uult, se furaturum fuisse altilem

---

LI, **31** Qui] M_1; quod *M T R*   **32** credit] *coni.*; credat *M T R M₁*   **38**
furari posset] *coni.*; furabitur *M T R M₁*   **39** quamuis habeat] *coni.*; et habebit
M T R M₁   **42** Sed – furaturum] *coni.*; et intelliget recolere et uolet se furatum
M T R M₁

et quod falso modo se periurat. Et propter hoc amabit magis
comedere altilem, quam illos per quos iurat. Potest igitur co-
45 gnosci, quomodo magnum peccatum committit et perpetrat
homo auarus et mendax Deo et illis, per quos iurat. Oportebit
igitur quod secundum magnum peccatum in inferno affligatur.
Quoniam qui Deo dedecus impendit, qui est infinitus et aeternus, propter comedere et propter auaritiam et mendacium,
50 iustum est, ut in inferno sustineat magnas et aeternas poenas.

Homo auarus mendax per finem palpandi dicit mendacia, ut
ualeat mulierem sibi non pertinentem tangere uel iacere in molli
lecto et ornato. Et propter hoc facit contra finem palpandi. Et
ob hoc propter suum palpare in inferno sentiet ignem inferna-
55 lem et aeternum.

Homini pauperi et non habenti comedere, licitum est furari
unum panem, postquam non inueniat impendentem sibi comedere, et si accusetur, et ipse mentiatur, in quantum dicit se non
furatum fuisse dictum panem, uerba, quae dicit, sunt de genere
60 mendacii, sed non sunt de genere auaritia. Et propter hoc tale
mendacium est peccatum ueniale et non mortale. Et si haberet,
unde posset panem emere, essent uerba de genere auaritiae; et
mentiri et iurare essent de genere mortalis peccati.

Homo mendax et auarus imaginatur quomodo ualeat auferre
65 uel furari, ut ualeat diuitias aggregare; et imaginatur mendacium, quod facit instrumentum, ut ualeat auferre uel furari,
quod desiderat. Et propter | hoc, propter tale imaginari, disponit M 53ᵛ
mortale peccatum, quod fit propter auaritiam et mendacium.
Peccatum impetratur in ratiocinari, et memoria reddit species
70 intellectui et uoluntati, et recolit modum, per quem homo
auarus mendax possit committere peccatum.

Homo auarus mendax ad contingentiam considerat aliquas
diuitias et de contingentia | transit ad imaginationem, et multi- T 26ᵛ
plicat species. Et si uideat unum pulchrum castrum nobile,
75 quod emere nequeat nec auferre uel furari, non imaginatur
mentiri propter castrum furari uel emere, eo quia posse sibi
deficit. Attamen si desiderat habere illud posse propter quod
eum ualeret furari uel auferre propter mentiri, generatur mortale peccatum propter mentiri et auaritiam.

80 Ho|minem auarum poteris primitus cognoscere per suam aua- R 45ᵛ
ritiam, quam hominem mendacem per mendacium. Et hoc est
ideo, quoniam tu per uisum, auditum, et alios sensus, et per
imaginari et ratiocinari habebis experimentum de operibus,
quae ipse propter auaritiam facit. Sed per mentiri siue menda-
85 cium non poteris cognoscere ueritatem, quam homo mendax
habet in mente eius. Quae quidem mens tibi uisibilis non est nec

---

53 ornato] *coni.*; honorato *M T R M₁*   58 si accusetur] *coni.*; qui eum accusat
M T R M₁   60 sed] *coni.*; et *M T R M₁*   hoc] *coni.*; *om. omnes codd.*   76 uel]
om. et add. sup. lin. M₁; *om. M T R*

audibilis nec imaginabilis. Et propter hoc decebit te primitus
cognoscere mendacium hominis mendacis propter auaritiam,
quam cognoscere auaritiam per hominem mendacem. Tamen in
90 tantum poterit homo assuetus mentiri, quod ob longam perseuerantiam nosces leuiter hominem mendacem.

Diximus de auaritia et mendacio. Et per ea, quae diximus,
possunt faciliter nosci. Et propter hoc deprecemur dominum
Deum nostrum Iesum Christum, quatenus nos defendat et pro-
95 tegat ab auaritia et mendacio, postquam est Pater noster. Et
eius amore, reuerentia et honore dicamus *Pater noster*.

Diximus de auaritia. Et ostendimus modum, per quem unitur
et componitur cum aliis mortalibus peccatis; per quem quidem
modum potest cognosci eius essentia et eius nascio et exitus uel
100 diminuatio. Et talis notitia magnam confert utilitatem. Quoniam de rebus non cognitis, non potest perfecte caueri nec
defendi.

IV.2. DE GVLOSITATE

IV.2.1. DE GVLOSITATE ET LUXURIA [c d]

[SERMO LII]

Quicumque uelit sermocinari de gulositate et luxuria, recolat
5 earum themata, definitiones et species, et secundum illas ordinet suum sermonem.

In principio deprecabimur dominum Deum nostrum Iesum
Christum, quatenus det mihi gratiam dicendi, et uobis audiendi
et retinendi uerba, quae sint ad eius honorem. Et ob amorem,
10 reuerentiam et honorem beatissimae uirginis Mariae dicamus
Aue Maria.

In homine guloso et luxurioso habent concordantiam gulositas et luxuria per sentire. Et fundamenta illius concordantiae
sunt gustare et palpare. Et parietes sunt uidere et imaginari. Et
15 tectum est per recolere, intelligere et amare.

Vnde homo gulosus et luxuriosus, quando uidet | tabernam uel   M 54ʳ
sardinam salsam uel carnes salsas, ut multum ualeat bibere,
considerat comedere illam sardinam uel illas carnes salsas. Et si
uideat pinguem altilem uel pulchrum piscem, desiderat comede-
20 re fortia salsamenta. Et si uideat aliquam pulchram mulierem,

---

87 decebit] *correxi*; docebit *M T R M*₁   97 auaritia] *add.* et mendacio *M T R M*₁
100 non¹] *om. et add. sup. lin. M*₁; *om. M T R*

LII, 20 fortia salsamenta] *cat.* forts salses

desiderat luxuriari. Et ambo desideria uniuntur et applicantur
imaginationi, quae carnem inflammat. Quae quidem flamma
nascitur et deriuatur a pinguedine, participante cum renibus; de
quibus deriuatur ad genitiua, quae sunt corpora et spiritus, in
25 quibus bullit uel feruet sperma, a quibus egrediuntur uapores et
calores calidi et sicci et humidi, qui calefaciunt et augmentant
uirgam. Et si ratiocinari consentiat per recolere, intelligere et
amare luxuriae conditiones, committitur et fit peccatum mortale. Et hoc idem propter gustare, quod ibi est, et propter multum
30 comedere et bibere. Quod quidem multum est fons et materia,
per quae multiplicatur luxuria propter aquam calefactam. Talia opera in parte sunt naturalia, et in parte sunt moralia. Non
dico, quod tu, qui praedicas populo, dicas ita quemadmodum
sicut scriptum inuenies de eis. Sed quod | dicas eas per similitu-   R 46ʳ
35 dines taliter, quod ualeant intelligere. Quoniam uerba essent
uerecundosa.

Diximus modum, per quem uisus est nuntius et instrumentum gulositatis et luxuriae. Simili modo potest dici de auditu;
quia homo gulosus et luxuriosus, quando audit laudari aliqua
40 bona uictualia, bonum uinum et pulchram mulierem, imaginatio
inflammat carnem secundum quod superius diximus, et ratiocinari facit species et similitudines pro luxuriari, et propter multum bibere et comedere.

Ostendimus modum, per quem auditus est nuntius gulositatis
45 et luxuriae. Simili modo potest dici de affari, hoc est loqui, quod
est sextus sensus, qui de nouo notus est per Raimundum, de
quo fecit unum librum. Quoniam in loqui uerba luxuriae et
gulositatis, propter uerba mouetur imaginatio ad imaginandum
conditiones gulositatis et luxuriae, et calefacit carnem, secun-
50 dum quod superius diximus. Et in ratiocinari gignuntur opera,
et fiunt peccata propter recolere, intelligere et amare opera
luxuriae et gulositatis.

Sicut subiectum et praedicatum conuertuntur, sicut qui dicit:
Homo currit, currit homo; simili modo conuertuntur materiae
55 et formae, hoc est circumstantiae gulositatis et luxuriae. Quoniam homo gulosus et luxuriosus imaginatur res pertinentes ad

---

LII, **47** *Liber de affatu, hoc est de sexto sensu* (Neapoli, 17 Aprilis anni 1294;
Pla 70). Ed. lat. A. LLINARÈS et A.J. GONDRAS, in *Archives d'histoire doctrinale et
littéraire du Moyen Age* 51 (1984) 269-297. Ed. catal. J.M. VIDAL I ROCA, in *Affar*
2 (1982) 13-31 et J. PERARNAU, in *ATCA* 2 (1983) 59-103.

---

21 desiderat] *coni.*; considerat *M T R M₁*   **24** genitiua] *correxi*; genitiuos
M T R M₁; *cat.* genitius   quae] *correxi*; qui *M T R M₁*   corpora] *coni.*; cortices
M T R M₁; *cat.* corsos (escorses/escorçes = cortices)   **27** uirgam] uirguam *M*
31 aquam] *coni.*; aliquam *M T R M₁*   **47** in] *coni.*; *om. codd. omnes*

gustandum et palpandum, et unam in uno tempore, et aliam in
alio; et unam in uno loco et aliam in alio. Et memoria obliuiscitur castitatem, et recordatur luxuriam. Et intellectus non intel-
60 ligit iustitiam Dei, neque uoluntas timet illam. Et habent inclinationem ad placitum gulositatis et luxuriae.

Propter gulositatem efficitur marsupium uacuum denariis, et
eodem modo cerebrum natura propter luxuriam. Et generatur |
paupertas et infirmitas, et generantur angustiae et tristitiae, M 54ᵛ
65 furta, uulnera et multi mali mores.

Homo gulosus et luxuriosus in eius iuuentute, si perseueret
diu in peccato gulositatis et luxuriae, quando senex effectus est,
quamuis multum comedere et bibere non ualeat et non ualeat
luxuriari, remanet senex luxuriosus et gulosus per ratiocinari,
70 uidere, audire, loqui et imaginari. Et qui eum corrigere uult et
redarguere, exstat obstinax et redarguit redarguentem ipsum,
et abhorret amare eum. Et est ita peruersa eius imaginatio,
quemadmodum peruersa est imaginatio illius, qui surgit de
nocte de lecto et uadit aquam sparsum, et nescit ad lectum
75 redire.

Qui continue comedit multa allia et bibit uina fortia, corrumpit cedulam, existentem super frontem in locis, ubi participant
cerebra ante et retro. In qua quidem cedula fiunt impressiones
phantasiarum imaginabilium. Et hoc idem de cedulis anteriori-
80 bus, ubi fiunt impressiones intelligibiles. Et hoc | idem in cedula, R 46ᵛ
quae est retro, ubi fiunt impressiones recolibiles. Et propter hoc
ob nimium calorem et siccitatem turbatur cerebrum, quod est
frigidum et humidum. Propter quam turbationem homo est
stultus et facit stultitias, propter nimium comedere et bibere.

85   Hoc idem potest dici de luxuria. Quoniam si homo longo
tempore recolit, intelligit et amat placita luxuriae, est turbatum
eius cerebrum propter multum intelligere et recolere luxuriam.
Et hoc idem de eius corde propter nimium amare luxuriam. Et
aliquoties, quando uolunt recedere ab eis, nequeunt recedere.
90 Quoniam longa perseueratio nequit destrui per eius paruum
contrarium, nisi Deus adiuuet.

Diximus de gulositate et luxuria. Et ostendimus per duas
species philosophiae, uidelicet per philosophiam naturalem et
philosophiam moralem, qualiter generantur gulositas et luxuria.
95 Et propter hoc deprecemur dominum Deum Iesum Christum,
quatenus nos defendat a gulositate et luxuria, | postquam est T 27ʳ
Pater noster. Et eius amore, et reuerentia et honore dicamus
Pater noster.

---

57 in] *coni.*; *om. codd. omnes*   63 cerebrum] cerebri *corr. ex* cerebrum M_1
67 senex] *T*; *corr. ex* sex M_1; sex *M R*   73 peruersa] *coni.*; *om. codd. omnes*
76 continue] *correxi*; continuat et *M T R M₁*   allia] *coni.*; alta *M T R M₁*; *cat.*
ays   77 cedulam] *hoc est* schedulam; *cat.* sedula   85 si] *coni.*; *om; M T R M₁*
86 luxuriae] *add. et M T R M₁*   90 paruum] *correxi*; parum *M T R M₁*

IV.2.2. DE GVLOSITATE ET SUPERBIA [c e]

[SERMO LIII]

Si uelis sermocinari de gulositate et superbia, recolas earum
themata, definitiones et species; et secundum illas ordines tuum
5 sermonem.

In principio deprecabimur dominum Deum nostrum Iesum
Christum, quatenus det mihi gratiam dicendi, et uobis audiendi
et retinendi uerba, quae sint ad eius honorem. Et ob amorem,
reuerentiam et honorem beatae uirginis Mariae, dominae no-
10 strae, dicamus *Aue Maria*.

Subiectum gulositatis exstat per gustare siue gustum; et
propter hoc potest praedicari de gustare gulositas. Et subiectum
superbiae exstat per intellectum; et propter hoc potest praedicari de intellectu superbo superbia. Et duo subiecta uniuntur
15 per praedica|tiones, quae possunt fieri per sentire et imaginari   M 55ʳ
et ratiocinari contra humilitatem et temperantiam.

Videre delicata uictualia et tabernas est uidere nuntius gulositatis. Et quia homo superbus sibi appropriat placitum sentiendi et imaginandi, superbe uult comedere et bibere. Et non habet
20 contritionem propter multum comedere et bibere et non timet
iustitiam Dei. Et imaginatio multiplicat delicia per diuersas
species, et non imaginatur poenas infernales. Et memoria obliuiscitur gloriam caelestem, et recolit delicias siue placita, quae
acquiruntur propter comedere et bibere. Et uoluntas amat illas
25 delicias, quae exstant per uisum et imaginationem, per comedere et bibere.

Qui audit loqui de delicatis uictualibus et de bono uino,
associat se cum peruerso imaginari et intelligere. Et ad intelligendum applicat recolere et amare, et placitum sentiendi et
30 imaginandi. Et propter hoc talis homo de gustare et intelligere
superbus est contra temperantiam et humilitatem.

Palpare pinguescit per gulositatem. Et si homo se sentiat,
efficiatur non pinguis, et intellectus indiscrete considerat modum, per quem homo ualeat comedere et bibere multum. Et ob
35 hoc generatur gulositas et superbia. Et earum consequentiae
sunt incurialitates, depraedationes contra|abstinentiam et lega-   R 47ʳ
litatem.

Verba dicta et praedicata de gustare et intelligere sunt nuntii,
per quos imaginatio imaginatur obiecta conuenientia gulositati
40 et superbiae. Et memoria obliuiscitur Dei iustitiam, sanitatem,

LIII, **17** et] *coni.*; *om. codd. omnes*   **21** delicia] *coni.*; delicta *M T R M₁*; *cat.*
plaer's; *cf. serm. XLVI, lin. 70*   **23** delicias siue placita] *coni.*; delicta siue placita
M T R M₁   **24/25** illas delicias] *coni.*; illa delicta *M T R M₁*; *cat.* los plaers   **30**
de gustare – intelligere] *om. et add. alia manu in marg. inf.* M; *om. T R M₁ Z*   **31**
est] *om. et add. sup. lin. M₁*; *om. M T R*   **38** de – intelligere] *coni. ex textu cat.*;
om. codd. omnes

temperantiam, humilitatem et abstinentiam. Et uoluntas eligit
delicium gustandi et intelligendi.

Homo gulosus et superbus propter gulositatem dicit uerba
uilia. Et propter superbiam facit minas omnibus illis, qui impe-
45 diunt delicata uictualia, quae sunt materia ad placitum gustandi. Et propter hoc talis homo multoties redarguitur, et sibi
non creditur de aliquo.

Superbia est generalius peccatum, quam sit gulositas; cum ita
sit, quod ipsa fundatur in anima, et gulositas in corpore. Et
50 propter hoc homo gulosus et superbus, si non queat uictualia
habere propter diuitias corporales, propter quas multum ualeat
comedere et bibere, gignit superbiam. Et per superbiam procurat uictualia contra iustitiam et temperantiam. Et facit uoluntatem subiectam ad desiderandum illa, et memoriam ad reco-
55 lendum illa, et peccata impetrantur, sic quod deficiat materia,
uel deficiat placitum gustandi et intelligendi.

Homo pauper diuitiarum non est tantum superbus, si uelit
multum comedere et bibere, quemadmodum est homo diues.
Quoniam pauper habet in potentia desiderare multum comedere
60 et bibere contra temperantiam. Et homo diues habet in actu
superbe multum comedere et bibere. Et propter hoc homo diues
gulosus et superbus est in peiore conditione, quam homo pauper
gulosus et superbus.

Homini guloso et superbo melior esset mors, quam uita;
65 quoniam in quantum longius uiuit, in tantum magis multiplicat
peccata et | infernales poenas. Et propter hoc homo temperatus M 55ᵛ
et humilis in quantum longius uiuit, magis ualet sibi uiuere,
quam mori. Quoniam in quantum magis uiuit in tantum magis
multiplicat sibi gloriam caelestem. Vnde cum hoc ita sit, potest
70 igitur cognosci, quid sit mala mors et malum uiuere et quid sit
bona mors et bonum uiuere.

Homo superbus considerat suam pulchritudinem, si sit pulcher, et diligit magis illam pulchritudinem, quam aliquam aliam
pulchritudinem. Et propter hoc uidetur sibi, quod sit pulchrior
75 alio quocumque homine. Per quodcumque uidere peruersum
peruertit suum intelligere, recolere, imaginari et uidere, et gignit
superbiam, minas et uilia uerba. Et si ille homo est gulosus,
considerat pulchra uictualia et pulchrum uinum; et propter hoc
componit pulchritudinem per superbiam et gulositatem.
80   Homo superbus, si sit fortis fortitudine corporali, diligit magis
eius fortitudinem, quam aliquam aliam fortitudinem. Et propter hoc credit esse fortior alio quocumque homine. Et si homo
ille est gulosus, uult cum sua fortitudine superare uictualia
alterius hominis, ob hoc ut multum ualeat comedere et bibere.

---

42 deliçium] *coni.*; delictum *M T R M*₁; *cat.* lo plaer   62 est] *om. M*   77
uilia] *coni.*; uilitates et *M T R*; uilitates *M*₁ *Z*; *cat.* vilanes

85 Et qui ei defendit uictualia, gignit malam uoluntatem et imaginatur guerras, uulnera, depraedationes et furta, et ponit cor-
pus suum in maxima angustia et mortis | periculo; et Deus et   R 47ᵛ
homines male uolunt eum.

Diximus de gulositate et superbia. Et ostendimus essentiam
90 superbiae et gulositatis, et earum unionem, quam habent per
sentire et imaginari et ratiocinari. Et ostendimus modum, per
quem sciatur de gulositate et superbia praedicare artificialiter.
Et propter hoc deprecemur dominum Deum nostrum Iesum
Christum, quatenus nos defendat a gulositate et superbia, post-
95 quam est Pater noster. Et eius amore, reuerentia et honore
dicamus *Pater noster*.

IV.2.3. DE GVLOSITATE ET ACCIDIA [c f]

[SERMO LIV]

Quicumque uelit sermocinari de gulositate et accidia, recolat
earum themata, definitiones et species; et secundum illas ordi-
5 net suum sermonem.

In principio deprecabimur dominum Deum nostrum Iesum
Christum, quatenus det mihi gratiam dicendi, et uobis audiendi
et retinendi uerba, quae sint ad eius gloriam et honorem. Et ob
amorem, reuerentiam et honorem beatissimae uirginis Mariae
10 dicamus *Aue Maria*.

In homine guloso et accidioso gustare et lenta uoluntas sunt
fundamenta et subiecta gulositatis et accidiae; cum ita sit, quod
de gustare possit praedicari gulositas, et de lenta uoluntate
accidia, quae est pigrities. Et propter hoc gulositas et pigrities
15 sunt duo habitus mixti in homine guloso et accidioso, per quos
homo gulosus piger siue otiosus deuiat finem sui sentire, imaginari et ratiocinari, hoc est finem uidendi, audiendi, odorandi,
gustandi, palpandi, loquendi et imaginandi, re|colendi, intelli-   M 56ʳ
gendi et amandi.

20 Homo gulosus propter gulositatem, si uideat delicata uictualia, est diligens ad habendum et procurandum illa; et est piger
siue otiosus propter lentam uoluntatem. Et propter hoc in
homine guloso et accidioso multum comedere et multum bibere
et pigra uoluntas non contrariantur. Et quando comedit et bibit
25 nimis, uoluntas est diligens ad multum comedere et lenta siue
pigra ad uolendum temperantiam.

In homine guloso et pigro uniuntur gustare et uelle, quando
audit | loqui de delicatis uictualibus, quae habent bonum odo-   T 27ᵛ
rem. Gustare exigit illa, et uoluntas genere pigritiei facit amitti

---

LIV, **14** Et – pigrities] *om. T*   **24** non] *coni.; om. codd. omnes*

30 temperantiam pigritie recolendi, intelligendi et amandi et imaginandi.

Homo gulosus et piger uel otiosus per gustum sentit saporem,
quia sapor placens est ad sentiendum; et uoluntas est diligens
ad amandum saporem, et est pigra ad desiderandum temperan-
35 tiam. Et propter hoc componit in recolere diligentiam et pigritiem; et hoc idem in intelligere et imaginari.

Homo gulosus et piger, quando loquitur de uictualibus, loquitur cum diligentia, quam habet de gulositate. Et propter uerba
sunt imaginari et ratiocinari diligentia ad considerandum deli-
40 cata et multa uictualia; et uoluntas est diligens ad procurandum illa, et est pigra ad procurandum diuitias. Et propter hoc
in tali homine gignitur paupertas, et mala uoluntas contra illos,
qui habent diuitias, propter quas possunt comedere delicata
uictualia.

45 Imaginatio est potentia, quae imaginatur bonitatem panis,
carnis et uini. Et uoluntas desiderat illam bonitatem et fortificat delicium gustandi per diligentiam et amare, et mouet
memoriam | ad obliuiscendum et intellectum ad ignorandum R 48ʳ
temperantiam; cum ita sit, quod uoluntas sit negligens ad
50 amandum temperantiam, quae est uirtus. Et propter hoc talis
uoluntas est ancilla gustandi, quod est eius dominus et rex; et
est abyssus, ubi amittuntur fines sentiendi, imaginandi et ratiocinandi.

Accidia facit lentam imaginationem, et pigrum ratiocinari ad
55 finem bonitatis; et facit diligens imaginari et ratiocinari ad
finem gustandi. Et propter hoc exstat peruersa ad amandum.

Accidia facit pigram imaginationem ad imaginandum, et facit
pigram uel otiosam memoriam ad memorandum, et pigrum
intellectum ad intelligendum, et pigram uoluntatem ad aman-
60 dum magnitudinem bonitatis per spiritualem uoluntatem. Et
uoluntas hominis gulosi facit diligens imaginari et memorare et
intelligere et amare magnitudinem bonitatis corporalis per gustum. Et propter hoc, propter talem uoluntatem peruersam,
homo gulosus propter multum comedere et bibere efficitur indi-
65 gestus, et generat | infirmitatem et pigritiem.   M 56ᵛ

In homine guloso et pigro accidia facit pigrum imaginari,
recolere, intelligere et amare perseuerationem magnae bonitatis
spiritualis. Et facit longam perseuerationem durare in imaginando, recolendo, intelligendo et amando bibere et comedere. Et
70 per talem modum gignitur gulositas morosa; et est euulsa et
eradicatur temperantia ab imaginari et ratiocinari.

In homine guloso et pigro, longo tempore perseuerante in
gulositate, uoluntas aufert posse siue potestatem imaginari,

---

38 cum – gulositate] *coni. ex textu cat.*; diligentiam, quam habet, gulositatis
M T R M₁   60 per] *coni.*; *om. codd. omnes*

recolere, intelligere et amare posse spirituale, ob hoc ut tempe-
75 rantia non habeat aliquod posse, et quod multiplicet posse
imaginandi, recolendi, intelligendi et amandi propter comedere
et bibere. Et per talem modum, gignitur gulositas, composita ex
potestate, perseueratione et magnitudine bonitatis corporalis,
contra temperantiam. Potest igitur cognosci modus, per quem
80 gulositas est fortis diligentia uoluntatis; et temperantia est
debilis ex negligenti uoluntate.

Accidia detrahit temperantiae, et dicit bonum de gulositate;
et diligentia dicit bonum de temperantia et detrahit gulositati.
Et propter hoc ex talibus uerbis potest cognosci homo gulosus
85 et accidiosus, et qui indutus est habitu mali.

Accidia et gulositas sunt de genere incurialitatis; quoniam
propter multum comedere et bibere dicuntur incurialitates, et
propter pigritiem detrahitur hominibus curialibus.

Diximus de gulositate et accidia. Et ostendimus id, quod sunt,
90 et per quid sunt, et de quo sunt, et mala opera, quae propter eas
fiunt. Et propter hoc deprecemur dominum Deum nostrum
Iesum Christum, quatenus nos defendat a gulositate et accidia,
postquam est Pater noster. Et eius amore, reuerentia et honore
dicamus *Pater noster*.

IV.2.4. De gvlositate et invidia

[Sermo LV]

Si uelis sermocinari de gulositate et inuidia, recolas earum
themata, definitiones et species; et secundum|illas norma tuum   R 48ᵛ
5 sermonem.

In principio deprecabimur dominum Deum nostrum Iesum
Christum, quatenus det mihi gratiam dicendi, et uobis audiendi
et retinendi et opere complendi uerba, quae sint ad laudem eius.
Et ob amorem, reuerentiam et honorem beatae Mariae, dominae
10 nostrae, dicamus *Aue Maria*.

In homine guloso et inuido participant maxime gustare et
uelle. Et est principalius peccatum propter uelle, quam propter
gustare; cum ita sit, quod uelle sit radicatum in anima, et
gustare in corpore. Attamen quia gustare importat necessitatem
15 ex natura, et inuidere per accidens, gustare attrahit ad se finem
inuidendi pro uidendo pulchra uictualia fortius, quam pro uidendo pulchras cameras, turres, et castra pro inhabitando. Et
propter hoc imaginatio imaginatur fortius circumstantias gu-

---

83 dicit – temperantia] *coni.*; defert gulositati *M T R M*₁   gulositati] *coni.*;
temperantiae *M T R M*₁

LV, **14** quia] *coni.*; *add.* in *M T R M*₁

stan|di, quam uidendi. Et ob hoc homo, magis gulosus, quam   M 57ʳ
20 inuidus, uendit campos, uineas, hortos et domos propter comedere et bibere et gignit paupertatem. Cum ita sit, quod gustare
sit magis necessarium, quam induere in homine guloso inuido,
imaginatio imaginatur fortius et frequentius delicata uictualia,
quam pulchras uestes. Et quando sibi deficit comedere et bibere,
25 uendit pulchras et nobiles uestes, si eas habeat, ut multum
ualeat comedere et bibere.

Si in homine guloso et inuido habet imaginatio maius posse
propter imaginari pulchras uestes et diuitias, quam propter
imaginari delicata uictualia ad comedendum et bibendum, ex-
30 stat inuidia superna per formam; et gustare exstat per materiam. Et propter hoc talis homo habet maiorem inuidiam de
pulchris et nobilibus uestibus, propter quas reueretur, quam de
delicatis uictualibus ad comedendum et bibendum. Et propter
hoc desiderat comedere pauperes comestiones, ob hoc ut bene
35 induatur et ueneretur a gentibus, quam si esset bene pastus, et
non honoratus per gentes.

Hominem delectat in lucrando. Et si sit gulosus et inuidus,
eum delectat in lucrando, propter quod quidem lucrum ueneretur et ualeat multum comedere et bibere. Et propter hoc talis
40 intentio hominis, multum imaginatione apprehensa, recolita,
intellecta et amata, peruertit finem lucrandi in mortale peccatum, factum propter gulositatem et inuidiam.

Hominem delectat in equitando super pulchrum equum, bene
currentem et bonam ambulaturam habentem. Propter hoc ima-
45 ginatur placitum equitandi. Et si sit inuidus, consequitur placitum in imaginando, qualiter ualeat equum auferre uel furari. Et
non eum uult emere, ob hoc ut sibi nummi non deficiant ad
multum comedere et bibere delicata uictualia, si sit gulosus. Et
ob hoc imaginatio, secundum quod sunt fines diuersi equitandi
50 et gustandi, imaginatur illos, et praesentat eos ad recolere,
intelligere et amare, in quibus gignuntur gulositas et inuidia.

Hominem delectat in uenando. Et si sit homo gulosus et
inuidus, delectat eum in uenando, ob hoc ut | ualeat uenationem   T 28ʳ
comedere, quam capit. Et si sit magis inuidus, quam gulosus,
55 inuidet magis falconem uel asturem uicini sui propter placitum
consequi ex uenatione, quam propter inuidere bacconem, muto-
nem et | altilem eius uicini ad comedendum.   R 49ʳ

Hominem delectat in praebendo. Et si homo, qui est inuidus
et gulosus, consequetur placitum in praebendo, ob hoc ut uene-
60 retur et laudetur, imaginari, intelligere et amare rident; et flent

---

20 et] *coni.*; *om. omnes codd.*   **25** uestes] *add.* et *M R M₁*   **32** reueretur] *corr.*
ex reuerentur *M₁*; reuerentur *M T R*   **39** hoc] *coni.*; *om. codd. omnes*   **44**
ambulaturam] *coni.*; emblatura *M T R*; embladura *M₁*; *cat.* ambladura   **56**
consequi] quod consequitur *M₁*   **56/57** mutonem] *corr. ex* multonem *M₁*;
multonem *M T R*; *cat.* moltó

imaginari, intelligere et amare ex parte gustandi; quod non est
de genere praebendi, sed de genere multum comedendi et bibendi.

Hominem delectat in ludendo ad scaccos et aleas. Et si homo
65 ludens est inui|dus et gulosus, ludit, ut multum ualeat comedere M 57ᵛ
et bibere. Et si ipse lucretur, est gustare rex et inuidia est
regina. Et si in ludo amittat, flet gustare, et inuidia affectat
denarios, quos amittit, et denarios illius, qui suos lucratur. Et
sic placitum gustandi peruertitur in dolorem et tristitiam.

70   Hominem delectat in uenerando proximum suum. Et si homo
est inuidus et gulosus, consequitur placitum in uenerando proximum suum, ob hoc ut eum decipere ualeat, et ualeat multum
comedere et bibere; et talis intentio hominis mouet suum imaginari, recolere, intelligere et amare ad placitum decipiendi et
75 multum comedendi et bibendi. Vnde cum hoc ita sit, potest
igitur cognosci modus, per quem homo gulosus et inuidus fungitur gulositate et inuidia.

Hominem delectat in inuitando proximum suum. Et si homo
inuitatus sit gulosus et inuidus, consequitur placitum in multum
80 comedere et bibere; et tristatur, quia non potest plus comedere
et bibere, et inuidet cyphos argenteos eorum, qui ipsum inui-
tant.

Si uelis cognoscere hominem gulosum et inuidum, inquire eum
per uisum, auditum, odoratum, palpatum, loqui, imaginari, reco-
85 lere, intelligere et amare. Et si non potes eum in eo, in quo
ipsum inquiris, inuenire, aut tu eris gulosus et inuidus, uel ipse
non erit gulosus neque inuidus; cum ita sit, quod gulositas et
inuidia extra terminos supra dictos ualeant minime permanere.

Homini guloso et inuido non commendes tuam pinguem alti-
90 lem, ueruecem, neque bacconem, neque claues caxae tuae, nec
pro eo fide iubeas, nec sit socius tuus.

Homo gulosus inuidus, dum uigilat, stat in angustia uel labore, ob hoc ut multum ualeat comedere et bibere et eius proximum decipere. Et quando dormit, somniat comedere et bibere,
95 et qualiter ualeat eius proximum decipere et cogere.

Diximus de gulositate et inuidia. Et propter hoc deprecemur
dominum Deum nostrum Iesum Christum, quatenus nos custodiat ab earum societate, postquam est Pater noster. Et eius
amore, reuerentia et honore dicamus *Pater noster*.

---

72 hoc] *coni.*; *om. codd. omnes*   **90** caxae] *sc.* capsae; *cat.* caxa   **91** fide] *corr.*
ex fidei M_1; fidei *MTR*

IV.2.5. De gvlositate et ira [c h]

[Sermo LVI]

Quicumque uelit sermocinari de gulositate et ira, recolat
earum themata, definitiones et species; et secundum illas ordi-
5 net eius sermonem.

In principio deprecabimur dominum Deum nostrum Iesum
Christum, quatenus det mihi gratiam dicendi, et uobis audiendi
et retinendi uerba, quae sint ad eius laudem. Et ob reuerentiam
et honorem nostrae dominae sanctae Mariae dicamus *Aue Ma-*
10 *ria.*

De homine guloso et irato potest praedicari gulositas et ira.
Et gustare est subiectum gulositatis et gulositas est habitus
hominis gulosi. Et uelle iratum est subiectum irae et ira est
habitus hominis irati. Vnde cum hoc ita sit, potest igitur cognos-
15 ci, quod gulositas et ira sunt instrumenta et peccata homini
guloso et irato; qui facit cum gu|lositate et ira se ipsum gulosum   M 58ʳ
et iratum.

In homine guloso et irato gulositas et ira | habent societatem;   R 49ᵛ
cum ita sit, quod homo gulosus irascatur, quando non potest
20 multum comedere et bibere; et est iratus, quando nimis comedit
et bibit. Vnde cum hoc ita sit, potest igitur cognosci, quod in
homine temperato et suaui temperantia et abstinentia habent
societatem et concordantiam.

In homine guloso et irato gulositas et ira habent contrarieta-
25 tem. Quae quidem contrarietas est subiectum, et gulositas et ira
sunt praedicata; cum ita sit, quod homo gulosus consequatur
maximum placitum in multum comedere et bibere; et consequitur magnam iram, si non potest multum comedere et bibere.
Vnde cum hoc ita sit, potest igitur cognosci, quod in homine
30 temperato et abstinente temperantia et abstinentia habent concordantiam.

In homine guloso et irato multum comedere et bibere impedit
placitum gustandi et uoluntatis. Et quia uoluntas uult consequi
placitum per gustum, irascitur, quando impeditur sibi placitum
35 per multum gustare. Et ob hoc homo gulosus et iratus blasphemat se ipsum, cum multum comederit et biberit.

Gulositas et ira turbant sentire, imaginari et ratiocinari. Quoniam per multum gustare homo gulosus gignit iram contra se
ipsum, quando sentit poenam, quae sibi aduenit ex nimio gusta-
40 re. Et quia sentire, imaginari et ratiocinare sunt suae partes,
gulositas et ira turbant illas partes, quoniam deuiant eas a fine,
ad quem creatae sunt.

LVI, **28/29** et consequitur – bibere] *coni. ex textu cat.*; *om. M T R M₁*   **31**
impedit] *add.* per M

Homo gulosus et iratus in tantum fortiter uult uidere et
imaginari delicata uictualia; quod uincit siue ligat suum intel-
45 lectum, qui non potest deliberare ad habendum patientiam
neque abstinentiam ad gignendum temperantiam et patientiam.
Et propter eius impedimentum memoria obliuiscitur temperantiam et patientiam et abstinentiam. Vnde cum hoc ita sit, potest
igitur cognosci modus, per quem uoluntas hominis gulosi et irati
50 generat gulositatem et iram.

In homine guloso et irato gulositas et ira sunt de genere
incurialitatis, quia dum multum comedit et bibit, non imaginatur nec recolit neque amat curialitatem, et dicit incurialia
uerba; et si corrigatur per aliquem, irascitur et multiplicat
55 uerba incurialia.

In homine guloso et irato gulositas est timida, et ira est rigida.
Gulositas timida est, ne sibi uictualia deficiant, quae affectat, ut
ualeat multum comedere et bibere. Et ira est rigida in quantum
est habitus hominis irati, qui rigidus est ad auferendum uel
60 furandum uictualia delicata, ut ualeat multum comedere et
bibere.

Homo gulosus et iratus in principio et medio mensae est
hilaris propter gustum; et in fine mensae, quando multum
comederit et biberit, est tristis, quia non potest magis comedere
65 et bibere.

Homo gulosus et iratus non regratiatur proximo suo, qui eum
inuitauit, quando comederit; cum ita sit, quod eius uo|luntatem M 58ᵛ
facit ima|ginari multa et delicata uictualia, quae ille, qui eum T 28ᵛ
inuitauit, sibi non praebuit; et propter hoc irascitur contra eum,
70 qui illum inuitauit.

In homine guloso et irato gulositas et ira laudant impatien-
tiam et detrahunt abstinentiae. Laudant | impatientiam, ob hoc R 50ʳ
quia est opus irae; et detrahunt abstinentiae, ob hoc quia est
contra gulositatem. Vnde cum hoc ita sit, potest igitur cognosci
75 gulositatem et iram habere parentelam, et esse amicas; et inimi-
cas abstinentiae et patientiae.

Homini guloso et irato non commendes tuam altilem pinguem
uel mutonem et bacconem, nec ab eo ueniam exigas; cum ita sit,
quod talis homo non utatur in proximo suo ratione; et cum
80 comederit altilem, mutonem uel bacconem, ipse se excusat. Et si
redarguatur ab aliquo, dicit incurialitates et redarguit.

Homo gulosus et iratus nescit in mensa diuidere comestiones,
quia capit ad se ipsum maiorem partem. Et qui eum redarguit,
minatur et blasphemat illum, qui eum redarguit, ob hoc quia est
85 iratus. Propter quam quidem iram non habet deliberationem ad
essendum doctum uel curialem, neque nescit eius culpam.

---

43 in tantum] *om. M*₁   **45** qui] *correxi*; quod *MTRM*₁   **56** est rigida]
cat. ha ardiment   **57** Gulositas] *coni.*; *om. codd. omnes*   **69** praebuit] praeberit
MTR

Homo gulosus et iratus nescit repetere uerba, quae sibi dicuntur causa eum corrigendi, quia non credit facere erratam. Et ira
ipsum impedit, quia non intelligit uerba, quae sibi dicuntur nec
90 intelligit uerba, quae ipsemet profert tunc, quando se excusat.

Cum homine guloso et irato non contrahas societatem, et
dimitte eum morari in illo loco, in quo eum inuenis, et nolis esse
in suo loco.

Diximus de gulositate et ira. Et ostendimus earum essentias,
95 et malum processum. Et quia sunt habitus taediosi et periculosi,
deprecemur dominum Deum Iesum Christum, quatenus nos
custodiat ab ira et gulositate, ex quo est Pater noster. Et eius
amore, reuerentia et honore dicamus *Pater noster*.

IV.2.6. DE GVLOSITATE ET MENDACIO [c i]

[SERMO LVII]

Si uelis sermocinari de gulositate et mendacio, recolas earum
themata, definitiones et species; et secundum illas ordines tuum
5 sermonem.

In principio deprecabimur dominum Deum nostrum Iesum
Christum, quatenus det mihi gratiam dicendi, et uobis audiendi
et retinendi uerba, quae sint ad eius honorem. Et ob reuerentiam et honorem atque amorem nostrae dominae sanctae Ma-
10 riae dicamus *Aue Maria*.

Homo gulosus et mendax facit se ipsum gulosum et mendacem hoc modo: Potentia gustatiua est naturalis et gustare est
eius opus naturale; et nimis comedere et bibere non est opus
naturale, et est opus per accidens. Quod quidem opus facit homo
15 gulosus, et ob hoc gignit gulositatem, de qua induit suum
ratiocinari. Et hoc idem potest dici de mendacio secundum
suum modum, quia ratiocinari est opus naturale animae rationalis. Et quia homo desiderat magis comedere et bibere id, quod
non pertinet suae naturae, gignit mendacium, si non potest
20 multum comedere et bibere id, quod desi|derat; et habituat   M 59ʳ
suum ratiocinari mendacio.

Ostendimus igitur modum, per quem homo gulosus et mendax gignit gulositatem et mendacium. Et ostendimus id, quod
sunt et per quid sunt. Talis doctrina est multum utilis homini,
25 uolenti se custodire a gulositate et mendacio.

Homo gulosus et mendax facit instrumenta de uisu, auditu,
odoratu, gustu, imaginari et ratiocinari, de quibus facit se ipsum

---

88 facere erratam] *cat.* fer faliment   89 non – nec] *om.* R M₁   95 quia]
qui M₁

LVII, **19/20** non pertinet – id] *coni. ex textu cat.; om. omnes codd.*   27 et]
coni.; om. codd. omnes

gulosum et mendacem. Et de hoc uolumus exempla impendere,
ob hoc ut tu, qui sermocinaris, scias declarare populo modum,
30 per quem gignuntur gulositas et mendacium.

Quidam homo gulosus et mendax uidet aliquem hominem
temperatum et ueracem, uolentem uendere unam pinguem alti-
lem. Homo gulosus et mendax dicet altilem fore non pinguem |
et infirmam, ut habeat bonum forum de altile; et homo, uendens R 50ᵛ
35 altilem, dicet altilem fore bonam et sanam. Et homo, uolens
emere, iurabit falso modo; et homo, uolens uendere altilem,
iurabit uero modo. Erit igitur uisus nuntius unicuique communiter. Et homo mendax deuiabit finem ueritatis; et homo uerax
sequetur finem ueritatis. Est igitur in uolenti emere generatum
40 mendacium, quod deriuatur a gulositate; et generatur ueritas
per uolentem uendere altilem; quae ueritas deriuatur a temperantia.

Quidam homo gulosus et mendax uult emere quandam altilem pinguem; et quidam alius homo gulosus et mendax uult
45 uendere illam altilem. Et quilibet iurabit mentiendo per Deum
uel per caput suum; et incipiet esse inter eos contentio et brica;
quoniam uolens emere altilem uolet eam habere per minus,
quam ualeat; et uolens uendere, uolet de ea habere plus, quam
ualeat.

50 Aliquis homo gulosus et mendax audit loqui de tabernis et
delicatis uictualibus. Et per uerba imaginatur, qualiter ualeat
multum comedere et bibere; et imaginatio multiplicat appetitum gustandi. Et ratiocinari recolit, intelligit et amat illam
multiplicationem, et considerat mendacia in mente, et ponit ea
55 in opere, in lingua et ore per uerba, quae sunt instrumenta
illorum mendaciorum, ut ualeat decipere, furari uel auferre
bona uictualia uel bonum uinum proximo suo.

Homo gulosus et mendax gignit in mente sua gulositatem et
mendacium et ponit eas in opere propter gustare et mentiri. Et
60 si cognoscat suam gulositatem et suum mendacium, committit
maius peccatum, quam alius homo gulosus et mendax, non
noscens suam gulositatem et suum mendacium.

Homo gulosus et mendax palpat panem uel piscem, quem
uult comedere. Et si inueniat panem durum et siccum, et piscem
65 mollem, amittit appetitum gustandi, quia desiderat comedere
panem recentem et piscem durum; | et iurat et mentitur, ut M 59ᵛ
ualeat comedere panem recentem et piscem durum; et sic de
aliis uictualibus. Ostendimus igitur nuntios gulositatis et mendacii, quae exstant per ratiocinari, imaginari et mentiri.

70 In homine guloso et mendaci diuina bonitas est domina, et
creatiua omnium bonorum naturalium illius hominis, qui per

---

28 uolumus] *corr. ex* uolunt M_1; uolunt *MTR*   **47** eam] *correxi*; eum
*MTRM*₁   **69** mentiri] *forsan* sentire

gulositatem et mendacium applicat finem suorum bonorum naturalium, quae habet per sentire, imaginari et ratiocinari, ad finem gulositatis et mendacii; quae sunt habitus mali et peccata mortalia. Et propter hoc diuina iustitia faciet inde uindictam cum malis infernalibus et aeternis.

Diuina magnitudo Dei est creatiua, causatiua omnium magnorum bonorum naturalium, ex quibus homo gulosus et mendax unitur et componitur per totum suum sentire, imaginari et ratiocinari. Et quia talis homo se facit gulosum et mendacem contra diuinam magnitudinem, sunt gulositas et mendacium magna peccata mortalia. Et ex eo Dei iustitia dabit illi tali homini magnas poenas infernales aeternas.

Aeternitas Dei causauit totam durationem hominis gulosi et mendacis. Vnde cum ipse se faciat gulo|sum et mendacem diu, T 29ᵛ iustitia Dei puniet illum hominem ad durabiles poenas infernales.

Potestas Dei est causa potestatis naturalis hominis gulosi mendacis. Vnde quia ipse contra diuinum posse se faciat gulosum et mendacem, iustitia Dei punit eum | cum posse aeterno R 51ᵛ cum igne infernali.

Dei intellectus est causa efficiens et finalis naturalis intellectus. Et quia talis homo induit suum intelligere de gulositate et mendacio, intellectus Dei de eo faciet uindictam, et dabit illum intelligere poenam spiritualem infernalem aeternam.

Voluntas Dei creauit uoluntatem hominis gulosi et mendacis. Et quia talis homo induit suum uelle naturale de gulositate et mendacio, uoluntas Dei uolet, quod uelle naturale illius hominis sustineat poenam spiritualem in igne infernali perpetuo.

Virtus Dei creauit omnes uirtutes naturales hominis gulosi et mendacis. Et quia homo induit suum sentire, imaginari et ratiocinari de gulositate et mendacio, quae sunt uitia et peccata mortalia, diuina uirtus faciet uindictam de illo homine per totum suum sentire, imaginari et ratiocinari cum uitiis infernalibus aeternis.

Veritas Dei creauit ueritatem naturalem hominis gulosi et mendacis. Vnde cum ipse induat eius ueritatem naturalem de gulositate et mendacio, accipiet uindictam ab illo homine per ignem spiritualem et corporalem in inferno aeterno.

Gloria Dei creauit omnes delectationes naturales hominis gulosi et mendacis. Et quia ille habituat omnes suas delectationes naturales de gu|lositate et mendacio, gloria Dei accipiet de M 60ᵛ eo uindictam cum poena dolore et tristitia aeterna in igne infernali.

---

72 bonorum] *recte coni.* T; *om.* M R M₁   112 mendacis] *add.* Et quia ille habituat omnes suas delectationes naturales hominis gulosi et mendacis T

115 Diximus de gulositate et mendacio. Et dedimus notitiam de
eo, quod sunt, per quid sunt, et de quo sunt. Et propter hoc
deprecemur dominum Deum nostrum Iesum Christum, quatenus nos defendat a gulositate et mendacio, ex quo est Pater
noster. Et eius amore, reuerentia et honore dicamus *Pater no-*
120 *ster*.

Per ea, quae dicimus de gulositate et mendacio, potes tu, qui
sermocinaris, declarare populo, quid sint ueritas et temperantia; et quis est earum processus in homine temperato et ueraci.

IV.3. DE LVXVRIA

IV.3.1. DE LVXVRIA ET SVPERBIA [d e]

[SERMO LVIII]

Quicumque uelit sermocinari de luxuria et superbia, recolat
5 earum themata, definitiones et species; et secundum illas normet suum sermonem.

In principio deprecabimur dominum Deum nostrum Iesum
Christum, quatenus det mihi gratiam dicendi et uobis audiendi
et retinendi uerba, quae sint ad eius gloriam et laudem. Et
10 amore, reuerentia et honore beatissimae uirginis Mariae, dominae nostrae, dicamus *Aue Maria*.

Tactus est potentia tactiua et tangere est actus, ab ea progre-
diens; et est bona creatura. Et hominem luxuriosum delectat
tangere mulierem, et maxime si sit pulchra; cum ita sit, quod
15 pulchritudo sit bona creatura. Et quia homo luxuriosus deuiat
finem tangendi et pulchritudinis contra Dei praeceptum, qui
dicit (Ex 20,14; Deut 5,18), hominem non committere luxuriam,
et attrahit placitum tangendi mulierem ad se ipsum. Et ob hoc
gignitur luxuria, quae participat cum superbia per istum mo-
20 dum, uidelicet quod omnis homo est superbus, qui non sit
oboediens Dei praecepto. Et superbia exstat maxime per bonitatem naturalem intellectus, qui est potentia intellectiua, et
habens bonum intelligere naturaliter. Finem cuius intelligere
deuiat homo superbus ad bonum placitum ex tangendo mulie-
25 rem, quando exercet luxuriam; quoniam de intelligere facit
instrumentum, quando considerat exercere luxuriam, et non
timet Deum; neque memoria recolit praeceptum | Dei, et uolun- R 51ᵛ
tas amat exercere luxuriam. Ostendimus igitur modum, per
quem generantur luxuria et superbia.
30 Palpare secundum suam naturam est magna creatura; et

LVIII, **7** audiendi et] *om. M T*   **27** recolit] recolitur *M T R*   **29** et] *om.*
M R

intelligere est adhuc maior creatura secundum eius naturam. Et
ambas magnitudines homo superbus et luxuriosus attrahit et
applicat ad magnum placitum, quod sentit in tangendo mulierem. Et quia ambae magnitudines sunt pro seruiendo magnitu-
35 dini Dei, et homo superbus et luxuriosus eas attrahit ad seruiendum sibi contra magnitudinem Dei, propter hoc homo superbus
et luxuriosus facit superbe se superbum et luxuriosum.

Luxuriari et superbire contrahunt societatem propter durare.
In quantum magis durant, in tantum exstat homo obstinax
40 contra castitatem et humilitatem. Et propter hoc diuina aeter-
nitas facit uin|dictam propter iniuriam, quae sibi facta est per   M 60ᵛ
hominem superbum et luxuriosum; cui praeparat poenas infernales aeternas.

Homo luxuriosus et superbus habet posse naturale. Et quia
45 habituat illud posse de morali posse propter superbiam et
luxuriam accidentaliter, ob hoc ut consequatur placitum in
exercendo luxuriam, facit superbe inoboedienter contra diuinum posse, quod creauit posse et placitum sensuale. Quod
quidem posse diuinum licentiat daemonem, ut ualeat tormenta-
50 re uel affligere hominem luxuriosum et superbum in igne infernali aeterno.

Diuina uoluntas uult, ut sibi seruiant palpare et intelligere,
quae sunt eius creaturae. Et homo luxuriosus superbus attrahit
ad suum delicium uel placitum palpare et intelligere, et etiam
55 imaginari, recolere et amare ad suum placitum, contra placitum
diuinae uoluntatis. Et propter hoc diuina uoluntas accipiet
uindictam de tali homine in igne infernali aeterno, in quantum
facit eum uelle poenam et malum, et habere totius boni indigentiam.

60 Diuina uirtus uult honorari et seruiri ex placito tangendi et
intelligendi uirtuose. Et quia homo superbus et luxuriosus attrahit ad suum placitum uitiose suum palpare et suum intelligere contra diuinam uirtutem, et propter hoc diuina uirtus
faciet stare uitiose in igne infernali aeterno palpare et intelligere
65 hominis luxuriosi et superbi.

Diuina ueritas creauit palpare et intelligere hominis luxuriosi et superbi, qui ea peruertit ad suum placitum superbe false
exercendo luxuriam. Et propter hoc diuina ueritas per iustitiam
accipiet uindictam in die iudicii de tali homine, quem faciet
70 stare false in igne ardenti aeterne.

Homo superbus et luxuriosus consequitur placitum ex sentire,
imaginari et ratiocinari in exercendo superbe luxuriam, ob hoc
ut consequatur placitum ex tactu et intellectu et aliis potestati-

---

32/33 et applicat – placitum] *correxi*; ad magnum placitum et applicat *M T R M₁*
40 contra] *om. et add. sup. lin. M₁*; *om. M T R*   **54** delicium] *corr. M₁*; delictum
M T R   **61** et] *coni.*; *om. omnes codd.*   **66** et] *coni.*; *om. omnes codd.*

bus. Et propter hoc diuina iustitia, quae est diuina gloria, quae
75 creauit placita uel delicia naturalia ex sentire, imaginari et
ratiocinari, puniet hominem luxuriosum superbum per poenam
sentiendi, imaginandi et ratiocinandi in igne infernali aeterno.

Homo, qui sit superbus propter scientiam, et qui impetrat
luxuriam propter scire, et priuat sapientiam, quae est forma
80 scientiae sui sentiendi, imaginandi et ratiocinandi, ut ualeat
luxuriari et superbire, cum placito sui ipsius, contra diuinum
posse, super totum se ipsum tormentabitur in igne infernali
aeterno perpetuo.

Diximus de luxuria et superbia. Et ostendimus | earum ortum R 52ᵣ
85 et ligamen et augmentum. Et ostendimus tormentum, quod
sustinebit homo luxuriosus et superbus in igne | aeterne. Et T 29ᵛ
propter hoc deprecemur dominum Deum nostrum Iesum Christum, quatenus nos custodiat a tormento illo, ex quo est Pater
noster. Et eius amore, reuerentia et honore, | dicamus *Pater* M 61ᵣ
90 *noster*.

IV.3.2. DE LVXVRIA ET ACCIDIA [d f]

[SERMO LIX]

Si uelis sermocinari de luxuria et accidia, recolas earum
themata, definitiones et species; et secundum eas ordines tuum
5 sermonem.

In principio sermonis deprecabimur dominum Deum nostrum
Iesum Christum, quatenus det mihi gratiam dicendi, et uobis
audiendi uerba, quae sint ad eius laudem. Et ob amorem, reuerentiam et honorem beatae Mariae, dominae nostrae, dicamus
10 *Aue Maria*.

Potentia tactiua est bona per naturam; et eius tactus est
bonus per naturam. Et diuina uoluntas uult, quod tactus sit
bonus per habitum castitatis; et homo luxuriosus uult, quod
tactus siue tangere sit bonus per habitum luxuriae, qui est
15 malus habitus, ob hoc quia est habitus contra castitatem. Sicut
propter ferrum calidum potentia tactiua sustineret passionem
ex habitu mali, ita et fortius sustinet passionem propter habitum mali, qui est luxuria. Qui quidem habitus mali deuiat
potentiam tactiuam et eius tangere a bono fine, per quem creata
20 est; et eam disponit ad habitum mali in igne infernali aeterno.
Et quia homo luxuriosus accidiosus est negligens in obiciendo
daemonis tentationi et eius uoluntati, quae habet appetitum ex

---

75 delicia] *corr.* M_1; delicta *M T R*

LIX, **12** per] *coni.*; ad *M T R M₁*   **13** per] *coni.*; *M T R M₁*   **13/14** qui –
castitatem] *coni. ex textu cat.*; *om. codd. omnes*

tangendo mulierem sub habitu luxuriae, propter hoc talis homo
gignit accidiam, quae est habitus mali, ob hoc quia disponit
25 poenam infernalem aeternam.

Potentia tactiua est magna per naturam ; et propter hoc
exigit quod eius tangere sit magnum per naturam. Quod quidem
tangere gignit magnum placitum et dulcitatem, quando homo
tangit mulierem. Et si illud tangere est factum ex habitu luxu-
30 riae, indutum est magno malo, ob hoc quia luxuria est magnum
peccatum, et iustitia Dei, quae est magna, praeparat magnam
poenam in igne infernali aeterno homini, exercenti luxuriam. Et
quia est negligens contra castitatem, quae est magnus habitus
boni, multiplicat peccatum in magnitudinem mali.

35   Potentia tactiua durat per durationem. Et ob hoc exigit, quod
suum tangere duret in placito per tangere mulierem. Et si
tangere duret per habitum luxuriae, diuina aeternitas praeparat
ignem durabilem aeternum potentiae tactiuae et eius tactui. Et
hoc idem facit contra accidiam ; cum ita sit, quod homo accidio-
40 sus sit contra durationem castitatis.

Potentia tactiua habet posse naturale in sentiendo placitum,
tunc quando tangitur mulier. Et homo luxuriosus per accidens
habet potestatem habendi placitum ex tangendo mulierem ;
quae quidem potestas est mala per habitum luxuriae et esset
45 bona per habitum castitatis. Et quia homo accidiosus non uult
habere potestatem in tangendo mulierem per habitum castitatis
et habet potestatem per habitum luxuriae, propter hoc multiplicat peccatum contra diuinum posse, quod praeparat posse uel
potestatem infernalem aeternam, per quam homo luxuriosus et
50 accidiosus infernetur | et aeterne tormentetur.   R 52ᵛ

Placitum, quod habet potentia tactiua in | tangendo mulierem,   M 61ᵛ
procurat intellectus hominis luxuriosi. Et quia posset procurare
placitum tangendi per habitum castitatis, et est negligens contra castitatem, et est diligens per luxuriam, propter hoc diuinus
55 intellectus intelligit talem hominem debere affligi in igne infernali aeterno.

Potentia tactiua habet placitum naturale in tangendo mulierem. Quod quidem placitum diuina uoluntas creauit per finem castitatis. Et quia homo luxuriosus accidiosus peruertit
60 finem illius placiti in finem luxuriae, et est negligens ad destruendum illum finem, et est diligens ad conseruandum finem
luxuriae ; propter hoc multiplicat peccatum contra diuinam
uoluntatem, quae est aeterna. Quae procurat homini luxurioso
et accidioso poenam infernalem aeternam.

---

24 hoc] M_1 ; *om. MTR*   **39** accidiam] *corr. ex* accidentia M_1 ; accidentia
MTR   **44** est] *om. et add. sup. lin.* M_1 ; *om. MTR*   **47** potestatem] *coni.* ;
placitum $MTRM_1$ **54** per] *coni.* ; ad $MTRM_1$ **54/55** diuinus intellectus]
coni. ; diuinum posse $MTRM_1$

65 Potentia tactiua habet placitum naturale in tangendo mulierem. Quod quidem placitum est subiectum commune diuersis
temporibus ad essendum habituatum de castitate uel luxuria.
Quem quidem habitum luxuriae facit homo luxuriosus accidiosus contra habitum castitatis et uirtutis. Et quia est uitiosus,
70 iustitia Dei, quae est uirtuosa, praeparat ignem infernalem
aeternum potentiae tactiuae et eius tactui. Et hoc idem omnibus
sensibus consequentibus, qui consentiunt peccato, scilicet potentiae uisiuae et eius uisui, auditiuae et eius auditui, odoratiuae et
suo odoratui, gustatiuae et eius gustui, affatiuae et eius affari,
75 imaginatiuae et eius imaginari, memoratiuae et eius memorare,
intellectiuae et eius intelligere, uolitiuae et eius uelle.

Non tantum diuinae dignitates accipiunt uindictam de homine luxurioso accidioso cum igne infernali aeterno, immo cum
aliis elementis, et maxime cum priuatione magnae gloriae aeter-
80 nae.

Diximus de luxuria et accidia. Et ostendimus earum processum. Et propter hoc deprecemur dominum Deum nostrum
Iesum Christum, quatenus nos defendat a luxuria et accidia, ex
quo est Pater noster. Et eius amore, reuerentia et honore,
85 dicamus *Pater noster*.

IV.3.3. DE LVXVRIA ET INVIDIA [dg]

[SERMO LX]

Quicumque uelit sermocinari de luxuria et inuidia, recolat
earum themata, definitiones et species; et secundum illas ordi-
5 net eius sermonem.

In principio sermonis deprecemur dominum Deum nostrum
Iesum Christum, quatenus det mihi gratiam dicendi, et uobis
audiendi et retinendi et per opus complendi uerba, quae sint ad
eius honorem. Et ob amorem, reuerentiam et honorem nostrae
10 dominae sanctae Mariae dicamus *Aue Maria*.

Potentia tactiua est bona per naturam; et propter hoc habet
bonum tactum per naturam. Et uoluntas humana est bona
potentia per naturam; et ob hoc habet bonum uelle per naturam. Et ambo actus naturales coniunguntur in simul per placi-
15 tum naturalis tactus, qui est bonus; cum sit ita, quod placitum
bonum sit appetibilis sensualiter et spiritualiter. Vnde | sicut in   M 62ʳ
animali exstant species multae per naturam, sicut caballus,

---

72 sensibus] *coni.*; suis *M T R M₁*

LX, **13** potentia per naturam] *correxi*; per naturam potentia *M T R*; per
naturam et potentia, *corr. ex* per naturam potentia *M₁*   **16** appetibilis] *coni.*;
apparens *M T R M₁*   **17** caballus] gallus, *corr. ex* gaballus *M₁*

grus, homo et alii, ita peccatum, quod est generale, habet subtus
se per accidens multas species; sicut luxuriam, inuidiam etc.
20 Quos quidem habitus generat homo luxuriosus inuidus per tangere mulierem, quam inuidet placito luxuriae. Et quia luxuria et
inuidia sunt habitus mali et contra casti|tatem et legalitatem,   R 53ʳ
quae sunt habitus boni, homo luxuriosus et inuidus praeparat
sibi poenam infernalem aeternam, plenam malo.

25   Potentia uisiua est bona per naturam; et uidere est bonus
actus naturalis. Et hoc idem potest dici de tangere naturali. Et
intellectus intelligit ambos actus propter placitum, quod contrahit per speciem luxuriae et inuidiae. Quas quidem species
gignit contra castitatem et legalitatem cum libero arbitrio, quod
30 habet propter intelligere, quod | posset ponere alte ad conside-   T 30ʳ
randum placitum intelligendi et tangendi per habitum castitatis, et legalitatis. Et propter hoc homo, mouens suum intellectum ad tale intelligere deformatum, gignit peccatum contrac-
tum ad speciem luxuriae et inuidiae, et componit magnum
35 peccatum per accidens contra magnitudinem naturalem. Quae
per accidens sustinebit, intelliget et habebit magnam poenam
infernalem aeternam.

    Ex audire instrumenta, cansones coreatas, sentit placitum per
naturam potentia auditiua; quae consequitur placitum ex audi-
40 re naturali. Et hoc idem potest dici de potentia tactiua. Et
ambo placita componit homo luxuriosus et inuidus. Et memoria
obliuiscitur castitatem et legalitatem, et recolit diu placitum
tangendi mulierem et species conuenientes ad inuidendum illud
placitum. Et propter hoc gignuntur luxuria et inuidia, et ad
45 unum finem applicantur per hominem luxuriosum et inuidum,
qui induit suum audire, tangere et recolere de peccato, inclinato
ad speciem luxuriae et inuidiae. Qui disponit se ipsum ad
sustinendum poenam infernalem perpetuam.

    Potentia gustatiua habet placens gustare, quod homo luxurio-
50 sus et inuidus congregat ad placens tangere. Et quia facit contra
suum naturale posse, disponit illud suum naturale posse ad
sustinendum posse per accidens poenam possibilem infernalem
aeternalem.

    Potentia affatiua est bona per naturam; et eius affari est
55 bonus actus naturalis. Et ob hoc homo luxuriosus et inuidus
loquitur uerba luxuriae. Propter quae uerba inuidet illa, per
quae luxuriam exerceat. Et componit per accidens affari et
tangere. Per quam quidem compositionem gignit luxuriam et
inuidiam. Propter quae quidem uerba et tangere loquetur tam-
60 quam homo rabiosus in igne infernali aeterno.

---

    18 grus] genus, *corr. ex* gens M_1 **30** ponere alte] *cat.* pujar   **35** Quae]
correxi; qui $MTRM_1$ **38** cansones coreatas] cantiones coreatas M_1; *cat.* cansons
e balades; *cf. serm. XLVI, lin. 59*   **44** hoc] *coni.*; *om. codd. omnes*   **54** affari]
correxi; fari $MTRM_1$

Homo luxuriosus et inuidus inuidet uxorem proximi sui uel
uicini sui. Et inuidet eam cum placito imaginandi luxuriam. Et
imaginatio et tactus gignunt luxuriam et inuidiam. Et imaginari
mouet | atque calefacit carnem per tactum uel per tangere. Et M 62ᵛ
65 talis homo disponit suum imaginari et tangere conditionibus
luxuriae et inuidiae; et disponit se ipsum ad imaginandum in
igne infernali perpetuam poenam.

Homo luxuriosus et inuidus ex ui multum imaginandi, inuidendi et tangendi obiecta, placitis luxuriae pertinentia, reddit
70 infirmum suum uidere et eius imaginari, in quantum ei uidetur
mulierem, | quam inuidet, fore pulchriorem, quam sit; et si sit R 53ᵛ
deformis, uidetur ei, eam fore pulchram.

Homo luxuriosus et inuidus reddit infirmum per accidens eius
auditum uel audire, in quantum ei uidebitur omnia placita, quae
75 dici audiet, sub habitu luxuriae fore placentia ad audiendum; et
hoc idem per inuidiam. Et ob hoc uidebitur ei uerba, quae
audiet ad impetrandam luxuriam, fore placentia ad audiendum.
Et hoc idem sequitur per inuidiam ad inuidendum mulierem.

Multi sunt homines, qui sunt luxuriosi et inuidi, et uellent
80 recedere a peccatis; et nequeunt facere, et credunt ita fortiter se
fore ligatos, quod nequeant solui. In quo quidem uidere decipiuntur; cum ita sit, quod qualibet die se ligant ad multiplicandum peccatum; et possent se ipsos soluere, si diligerent magis
Deum, quam placitum, quod habent ad peccandum. Quoniam
85 homo, amans magis Deum, quam se ipsum nec aliquid aliud,
consequitur maius placitum ex amare plus Deum, quam sit
placitum peccandi. Potest igitur homo luxuriosus et inuidus se
soluere a peccato propter magis amare Deum, quam placitum
peccati.

90 Diximus de luxuria et inuidia, quae sunt mortalia peccata,
duplicata in homine luxurioso et inuido. Et propter hoc deprecemur dominum Deum nostrum Iesum Christum, quatenus nos
defendat a luxuria et inuidia. Et eius amore, reuerentia et
honore dicamus *Pater noster*.

IV.3.4. DE LVXVRIA ET IRA [d h]

[SERMO LXI]

Si uelis sermocinari de luxuria et ira, recolas earum themata,
definitiones et species; et secundum illas ordines tuum sermo-
5 nem.

In principio deprecabimur dominum Deum nostrum Iesum
Christum, quatenus det mihi gratiam dicendi, et uobis audiendi

---

66 inuidiae] *correxi*; inuidet *M T R M₁*   **75** habitu] *coni.*; auditu *M T R M₁*
80 se] *coni.*; *om. codd. omnes*   **81** uidere] *forsan* credere; *cat.* cuydar

et retinendi uerba, quae sint ad eius honorem. Et ob amorem,
reuerentiam et honorem beatissimae uirginis Mariae, dominae
10 nostrae, dicamus *Aue Maria*.

Homo luxuriosus et irosus est contra fines decem praedica-
mentorum. Et homo castus et patiens sequitur illos fines ordinate. Et propter hoc, quando accidit hominem luxuriosum et
irosum et hominem castum et patientem se obuiare ad contin-
15 gentiam, hoc est per accidens, in fine tangendi mulierem, homo
luxuriosus et irosus efficitur iniuriosus contra patientem, qui
iustus est. Et si patiens non sit fortis ex maxima uirtute,
efficitur impatiens, et per impatientiam gignit luxuriam. Hoc
idem accidit de marito et uxore aliquoties.

20 Homo luxuriosus desiderat luxuriam exercere | per magnam   M 63ʳ
quantitatem. Et si eam nequit facere per magnam quantitatem,
efficitur iratus; quae ira gignit uoluntatem, quae multum affectat luxuriae placitum.

Luxuria et ira sunt pessimae qualitates, ob hoc quia sunt
25 contra castitatem et patientiam; quae sunt bonae qualitates. Et
propter hoc est insipiens omnis homo castus et patiens, qui sit
notus cum homine luxurioso et iroso; quoniam duo contraria
non sunt de genere societatis nec amicitiae.

Homo luxuriosus et irosus potest nosci ex relatione. Sicut
30 homo uadens de noctibus est suspectus et zeloticus, et qui
turbat eius familiam, et qui amat pulchra uestimenta et audire
instrumenta et loquitur libenter de pulchris feminabus, et si
redarguatur, est iratus et male doctus, et non dubitat facere
neque dicere stultitias.

35 Homo luxuriosus et irosus exigit habere actionem, ut luxuriari ualeat. Et qui sibi actio impediatur, quam desiderat, irascitur.
Per quam quidem iram gignit | bricam, et blasphemat atque   R 54ʳ
minatur, et aliquoties interficit et uulnerat.

Homo luxuriosus et irosus non sustinet passionem sub habitu
40 castitatis neque patientiae. Attamen sustinet passionem sub
habitu luxuriae et irae. Per quam quidem passionem gignit in se
ipso tristitiam, laborem et poenam.

Homo luxuriosus et irosus habituatus est de luxuria et ira. Et
quia ambo habitus sunt de genere peccati, habituat suum senti-
45 re, imaginari et ratiocinari de peccatis. Subtus quos habitus
dolorem et tristitiam sustinet; quos quidem dolorem et tristitiam multiplicat per omnes suas partes. Et quando credit exire
dolorem et tristitiam, non inuenit in se locum neque loca, unde
ualeat exire, | quia ipsemet habituauit se de captione, ubi tenet   T 30ᵛ
50 se captum.

LXI, **30** de noctibus] *cat.* de nits = nocte; *cf. serm. XXV, lin. 59*   zeloticus]
zelosicus R M₁; *cat.* gelos   **32** feminabus] *corr. in* feminis M₁   **36** qui] *coni.*
ex textu cat.; si M T R M₁   **49** ubi] *coni.*; et M T R M₁

Homo luxuriosus et irosus desiderat tempus, quo luxuriari
ualeat. Et quia est iratus, ira turbat suum intellectum, qui
nescit intelligere modum, neque tempus, qui conueniunt luxuriae; et memoria habet turbatum et confusum recolere; et uo-
55 luntas habet turbatum et confusum amare. Et propter hoc talis
homo semper est in angustia et ira, et omne malum considerat.

  . Homo luxuriosus et irosus considerat assituationes, quas potest facere cum muliere, quando exercet luxuriam; quae sunt
nefandae et non pulchrae ad referendum, et nefandae et non
60 pulchrae ad uidendum et considerandum. Attamen homini luxurioso uidentur pulchrae, ob hoc quia habet turbatum intellectum propter luxuriam. Et si mulier uerecundetur de illis et
contradicit sibi, irascitur contra ipsam.

  In omnibus locis homo luxuriosus et irosus non habet oppor-
65 tunitatem exercendi luxuriam; in quibus locis uidetur sibi posse
exercere luxuriam. Quando accidit, quod non eam potest exercere, irascitur et turbatur, et blasphemat se ipsum, et omnes illos,
qui sibi impediunt exercere luxuriam.

  Imaginatio est potentia naturalis, quae per naturam imagina-
70 tur opera naturalia corporalia. Et | quando homo luxuriosus   M 63ᵛ
imaginatur opera luxuriae, imaginatio mouet et calefacit carnem. Qui quidem motus et calefactio est nuntius tactus mulieris, propter quem tactum inflammatur et calefit caro mulieris. Et si consentiat, gignit in se ipsa peccatum luxuriae. Et si
75 non consentiat et contradicat peccato, gignit castitatem. Et
homo luxuriosus gignit in se iram, propter quam blasphemat se
ipsum et mulierem. Et si mulier habet patientiam, multiplicat
castitatem cum animi fortitudine et bona uoluntate.

  Si uelis cognoscere hominem luxuriosum et irosum, petas ab
80 eius societate de moribus suis per omnia praedicamenta superius dicta. Petas etiam a tuo sentire, imaginari et ratiocinari.
Cum quibus eum inuenire poteris et cognoscere in suo sentire,
imaginari et ratiocinari; quoniam luxuria et ira nequeunt tenere
earum secreta uisui, auditui, odoratui, gustui, palpatui, loqui
85 imaginari, recolere, intelligere et amare. Attamen homo luxuriosus et irosus credit tenere secretum; et ob hoc decipitur in eius
credulitate.

  Diximus de luxuria et ira, et earum processu. Et ostendimus
modum, per quem potest de ipsis notitia haberi. Et propter hoc
90 deprecemur dominum Deum nostrum Iesum Christum, quate-

---

53 qui conueniunt] *correxi*; qui conuenit *M T R*; qualiter conuenit *M₁*   **54**
confusum] *add.* suum *M T R M₁*   **60** uidendum] *coni. ex textu cat.*; habendum
M T R M₁   **68** impediunt] *add.* non *M T R M₁*   **72** nuntius] *add.* et *M T R M₁*
86 hoc] *om. M R T*   **88** processu] *corr. T*; processum *M R M₁*

nus nos custodiat a luxuria et ira, ex quo est Pater noster. Et
eius amore, reuerentia et honore dicamus *Pater noster*.

IV.3.5. De lvxvria et mendacio [d i]

[Sermo LXII]

Quicumque uelit sermocinari de luxuria et mendacio, recolat
earum themata, definitiones et species; | et secundum illas ordi-   R 54ᵛ
5 net suum sermonem.

In principio deprecabimur dominum Deum nostrum Iesum
Christum, quatenus det mihi gratiam dicendi, et uobis audiendi
uerba, quae sint ad eius honorem. Et ob amorem, reuerentiam et
honorem nostrae dominae sanctae Mariae dicamus *Aue Maria*.

10 Peccatum est genus; et eius species sunt multae. De quibus
luxuria est una species, et mendacium est alia species. Vnde
sicut per nigredinem multa indiuidua nigrescunt, ita per luxuriam et mendacium efficiuntur multi homines luxuriosi et mendaces.

15 Differentia ponit, quod luxuriari sit unum, et mendacium sit
aliud; et quod unum sit fundamentum de tangere, et aliud sit
fundamentum mendacii, quod est affari, hoc est loqui. Et ambo
fundamenta habent amicitiam et societatem in homine luxurioso et mendaci. Et propter hoc in tali homine luxuria habet
20 multa differentia opera et mendacium habet multa differentia
uerba mendacia.

Proprium est potentiae tactiuae consequi placitum ex tangere
mulierem, sed non est sibi proprium luxuriari neque mentiri. Et
proprium est potentiae uisiuae consequi placitum in uidendo
25 pulchram mulierem, sed non est sibi proprium luxuria neque
mendacium, cum sint habitus acquisiti per accidens, quod est
separabile.

Accidens est genus, et habet multas species. Infra quas luxu-
ria et mendacium sunt | species suae. Et per differentiam habent   M 64ʳ
30 multa differentia accidentia in multis hominibus, quorum sentire, imaginari et ratiocinari habituantur de luxuria et mendacio.
Luxuria et mendacium non sunt propria accidentia, sed sunt
accidentia appropriata propter mores, quos homo appropriat
suo sentire, imaginari et ratiocinari.

35 Homo multum luxuriosus et mendax ita fortiter appropriat
luxuriam et mendacium suo sentire, imaginari et ratiocinari,
quod uidetur sibi, quod sint accidentia propria per naturam. Et

---

LXII, **12** nigrescunt] *cat.* son negregats o ennegrits   **15** unum] *corr. ex* una
*M*₁; una *MTR*   **37** quod²] *om. et add. sup. lin. M*₁; *om. MTR*

propter aliquoties, quando uult se corrigere de luxuriari et
mentiri, uidetur sibi, quod nequeat facere, et stat desperatus et
40 obstinax; et credit, quod sit metzinatus.

Homo luxuriosus et mendax, quando uidet mulierem pulchram et bene ordinatam, ita fortiter diligit luxuriam, quod
credit mulierem fore luxuriosam; et diligit illam. Et si non eam
habere possit ad eius delicium per uera uerba, credit eam habere
45 per mendacia. Et si eam nequit habere cum mendaciis, dicit
mendacia gentibus, et fingit se concubuisse cum ea.

Homo luxuriosus, petens mulierem, dicit mulieri, quod ipse
multum diligit eam. Qui quidem amor non est de genere bonitatis, et est de genere malitiae et peccati. Et talis homo credit
50 ueritatem dicere, et dicit mendacia.

Homo luxuriosus se reddit philocaptum de muliere propter
pulchritudinem, quam uidet in muliere. Et finis illius amoris est
per non pulchra opera et olentia, existentia in instrumentis
naturalibus, cum quibus homo exercet luxuriam. Et propter hoc
55 pulchritudo et ornatus mulieris facit hominem luxuriosum men-
tientem; qui dicit mulieri, quod ipse eam diligit plus, quam
aliquid principaliter.

Homo luxuriosus facit cansones mendaces, cum quibus laudat
mulierem, quam diligit. Laudat eam de bonitate, et consulit sibi,
60 ut sit mala. Laudat eam de curialitate et doctrina, et consulit
sibi, ut sit incurialis, et non docta eius marito, eius affinibus et
uicinis et sibi ipsi, propter incuriale et indoctum sentire, imaginari et ratiocinari. Talis homo est fortiter mendax mulieri, et
fini sui ipsius sen|tiendi, imaginandi et ratiocinandi.   R 55^r

65 In homine luxurioso mentiri est consequentia luxuriae et in
homine mendaci luxuria est consequentia mendacii. Et ob hoc
una consequentia multiplicat aliam in genere peccati mortalis,
subtus quod exstant multa uenialia peccata, quae sunt signa
mortalis peccati hominis luxuriosi et mendacis.

70 Subtus placentia uerba homo luxuriosus tenet secreta multa
mendacia. Quoniam placitum audiendi facit considerare uerba
illa fore uera; cum ita sit, quod placitum et ueritas sint de
genere bonitatis. Et propter hoc homo luxuriosus mendax facit
multas deceptiones et falsitates multas. Et mulieres credunt
75 ipsum fore castum et ueracem.

Homo luxuriosus et | mendax dicit mulieri, quam amat, quod   M 64^v
ipse non potest comedere neque dormire, in tantum erga eam
fert magnum amorem. Et si mulier petat ab eo, utrum ipse amet
eam, ob hoc ut sit bona, uel ob hoc ut sit mala; et si ipse

---

38 quando] *coni.*; quod *M T R*; qui *M*₁   **40** metzinatus] mentiri natus *M*₁;
cat. metzinat *ex* metzinar, emmetzinar = uenenum alicui dare   **44** delicium]
corr. ex delictum *M*₁; delictum *M T R*   **58** cansones] cantiones *M*₁; *cat.* cançons
    60 ut] *om. et add. sup. lin. M*₁; *om. M T R*   **69** peccati] *add. et M T R M*₁

80 respondeat, quod diligit eam, ob hoc ut sit bona, dicet mendacium; cum ita sit, quod ipse eam diligat propter luxuriam, quae
est mala. Et si ipse dicat ueritatem, dicendo, quod ipse diligat
eam, ob hoc ut sit mala, mulier, quae est casta, potest eum
redarguere, in quantum sibi consulit, quod sit mala. Sed si
85 mulier non est bona, habet pietatem de eo, quando audit eum
dicentem, quod propter amorem suum amittit comedere et
dormire. Talis pietas est mala, | et est ornata de falsitate et T 31ʳ
mendacio.

Diximus de luxuria et mendacio. Et propter hoc deprecemur
90 dominum Deum nostrum Iesum Christum, quatenus nos custodiat de luxuria et mendacio, ex quo est Pater noster. Et eius
amore, reuerentia et honore dicamus *Pater noster*.

Diximus de luxuria; et cum ea discurrimus alia peccata. Per
quem quidem discursum potest de ea notitia haberi.

IV.4. DE SVPERBIA

IV.4.1. DE SVPERBIA ET ACCIDIA [e f]

[SERMO LXIII]

Si uelis sermocinari de superbia et accidia, recolas earum
5 themata, definitiones et species; et secundum illas ordina tuum
sermonem.

In principio deprecabimur dominum Deum nostrum Iesum
Christum, quatenus det mihi gratiam dicendi, et uobis audiendi
et retinendi et per opus complendi uerba, quae sint ad ipsius
10 uenerationem. Et ob amorem, reuerentiam et honorem beatae
uirginis Mariae, dominae nostrae, dicamus *Aue Maria*.

Intellectus humanus est potentia bona per naturam; et habet
bonum intelligere per naturam. Et si homo est superbus, eius
intellectus et eius intelligere sunt mali per accidens; cum ita sit,
15 quod intellectus et eius intelligere sint instrumenta homini, ob
hoc ut intelligat Deum et suum honorem principaliter. Et homo
superbus facit de suo intellectu et eius intelligere instrumenta
ad intelligendum principaliter suum honorem. Et ob hoc gignit
superbiam contra humilitatem et ueritatem, et habituat se
20 ipsum et suum intelligere de falsitate; quae est consequentia
superbiae, de qua habituatus est suus intellectus et eius intelli-

---

90 dominum – nostrum] dominum *R*; *om. M T*   94 quem quidem] *coni.*;
quidem *M R*; quem *T M₁*

LXIII, 21 qua] *correxi*; quo *M T R M₁*

gere. Et si homo est accidiosus, habet accidiosum uel pigrum
intellectum et accidiosum intelligere ad cognoscendum honorem
Deo pertinentem et ad cognoscendum honorem pertinentem sibi
25 ipsi et eius proximo. Qui quidem proximus | nequit pacem R 55ᵛ
habere cum homine superbo et accidioso; cum ita sit, quod
ambo non participent in communitate bonitatis, ueritatis et
honoris.

Voluntas humana est bona potentia per naturam, et habet
30 bonum uelle per naturam. Et si homo sit superbus habet uoluntatem et uelle superbum per accidens, et peruertit suam uolun-
tatem et suum uelle in malum contra diuinam bonitatem | et M 65ʳ
contra diuinam uoluntatem, quae est bona, et contra uoluntatem proximi sui, quae est bona, si sit humilis. Et propter hoc
35 gignit superbiam contra Deum et proximum suum et contra se
ipsum. Et si sit accidiosus, habet uoluntatem accidiosam in
amando bonum, et consequitur placitum in amando malum
proximi sui.

Memoria est bona potentia per naturam, et eius memorare est
40 bonum per naturam. Et in homine superbo et accidioso est
memoria superba, et eius memorare est superbum. Et talis
homo est accidiosus ad memorandum bonum et honorem Dei et
eius proximi.

Ostendimus modum, per quem homo est superbus et accidio-
45 sus. Per quam quidem doctrinam potest cognosci ratiocinari
superbum et accidiosum. Quod quidem ratiocinari peruertit in
malum, et in superbiam et accidiam, potentiam uisiuam et suum
uidere, auditiuam et suum audire, odoratiuam et suum odorare,
gustatiuam et suum gustare, affatiuam et suum affari, imagina-
50 tiuam et suum imaginari. Et propter hoc talis homo est totus
plenus malo; cum quo malo uadit ad ignem infernalem, ad
habendum malum aeternum.

Homo superbus et accidiosus attribuit sibi ipsi fines sentiendi,
imaginandi et ratiocinandi, et non Deo, quos creauit causa
55 uenerandi eum et sibi seruiendi; et quod homo sit instrumentum, cum omnibus finibus eius sentiendi, imaginandi et ratiocinandi; et quod Deus, qui est causa efficiens et finalis, intelligatur, ametur et recolatur, ueneretur et seruiatur sibi. Et quia
homo, qui de nihilo uenit, et qui non creatus est sibi ipsi, sed
60 Deo tantum, facit contrarium, propter hoc est superbus, et est
accidiosus ad seruiendum Deo et eius proximo, et est malus et
uult malum. Quod quidem malum est sibi portale ignis infernalis.

22 est] *coni.*; *om. omnes codd.*   **31** superbum] *coni.*; superbam *MTRM*₁   **37**
malum] *om. omnes codd.*   **39** potentia] *coni.*; *add.* et *MTRM*₁   **45** cognosci]
add. talis homo *MTR*; talis hominis *M*₁; *cat.* hom pot conexer   **54** et non
Deo] *coni.*; *om. omnes codd.*   quos] *add. in marg.* Deus *M*₁

Homo superbus et accidiosus, si sit pulcher, est superbus
65 propter suam pulchritudinem; et si sit fortis, est superbus
propter suam fortitudinem; et si sit diues, est superbus propter
eius diuitias; et si sit honoratus, est superbus propter suum
honorem; et si habeat scientiam, est superbus propter suum
scire. Et si sit accidiosus, accidia et superbia sunt in ipso de
70 genere mali. Propter quod malum infert Deo malum, si sibi
impendat aduersitates, et quia sibi non impendit prosperitates.
et irascitur de bono proximi sui, et consequitur placitum de
mali ipsius.

Ab homine superbo et accidioso non exigas consilium, quia
75 ipse non petit; et si sibi impendatur consilium, non credit, et
reputat impendentem pro stulto.

Cum homine superbo et accidioso non uelis disputare; quoniam si tu facias ueram conclusionem, in quantum ipse est
superbus, non concedet tibi ueritatem; et in quantum ipse est
80 accidiosus, infert malum tuae conclusioni.

Homo superbus et accidiosus est inoboediens decem praecep-
tis, quae Deus impendit Moysi; et est | accidiosus ad habendum   M 65ᵛ
contritionem et ad faciendum confessionem et ad faciendum
satisfactionem de suis peccatis.
85 Si tu es homo superbus et accidiosus, et uelis cognoscere
hominem superbum et accidiosum, non | eum poteris cognoscere.   R 56ʳ
Et si sis humilis et diligens ad faciendum bonum, cum humilitate et diligentia, quam habes in faciendo bonum poteris eum
cognoscere cum ita sit, quod unum contrarium possit per suum
90 contrarium cognosci. Et inquire eum in eius sentire, quoniam
per sentire cognosces suum imaginari et ratiocinari. Ecce igitur,
quomodo eum inuenire poteris.

Diximus de superbia et accidia. Et propter hoc deprecemur
dominum Deum nostrum Iesum Christum, quatenus nos defen-
95 dat de eis, ex quo est Pater noster. Et eius amore, reuerentia et
honore dicamus *Pater noster*.

IV.4.2. DE SVPERBIA ET INVIDIA [e g]

[SERMO LXIV]

Quicumque uelit sermocinari de superbia et inuidia, recolat
earum themata, definitiones et species; et secundum illas nor-
5 met et ordinet suum sermonem.

In principio deprecabimur dominum Deum nostrum Iesum
Christum, quatenus det mihi gratiam dicendi, et uobis audiendi

---

82 Moysi] *correxi*; Moysen *MTR*; per Moysen *M₁*   **86** accidiosum] *add.*
et *MTR*; *add. et del.* et *M₁*   **93** hoc] *coni.*; *om. codd. omnes*

et retinendi uerba quae sint ad suum honorem. Et ob amorem,
reuerentiam et honorem nostrae dominae sanctae Mariae dica-
10 mus *Aue Maria*.

Opera, quae faciunt quattuor elementa sunt figurae et signa,
quibus potest cognosci id, quod est superbia, et id, quod est
inuidia. Quoniam ignis dat suum calorem aeri; et aer eum
recipit per appetitum naturalem; et uellet de eo tantum accipe-
15 re, quod calor amitteret suum calorem, et quod ipse haberet
totum. Simili modo Deus dat homini bona naturae propter
sentire, imaginari et ratiocinari, et dat bona gratiae pro diuitiis,
honoribus, scientiis; et sic de aliis. Et homo superbus et inuidus
cognoscit sibi ipsi bona, quae Deus sibi impendit, et non Deo. Et
20 propter hoc est superbus contra Deum. De qua quidem superbia
induit suum sentire, imaginari et ratiocinari. Et inuidet bona
gratiae, quae Deus dat proximo suo, et uellet ea omnia habere.
Et bona naturalia, quae Deus dat proximo suo, uellet magis
habere in magnitudine bonitatis, pulchritudinis, fortitudinis, et
25 sic de aliis gratiis, quas Deus dat proximo suo. Et propter hoc
est inuidus. Et talis homo induit suum sentire | et imaginari de T 31ᵛ
superbia et inuidia.

Superbia exstat maxime per intellectum, quam per uoluntatem, et quam per memoriam; et inuidia exstat maxime per
30 uoluntatem, quam per intellectum, et quam per memoriam. Et
propter hoc memoria recipit aequaliter species, quas faciunt
intellectus et uoluntas. Et propter hoc dicitur, quod ratio magis
peruertitur per intellectum, quam per uoluntatem; et liberum
arbitrium magis peruertitur per uoluntatem, quam per intellec-
35 tum. Et ambae peruersitates sunt aequales species superbiae et
inuidiae.

Deus dedit decem praecepta per Moysen, quae sunt ista (Ex.
20,3-17; Deut. 5,7-21): *Vnum Deum habebis. Sabbatum coles.
Ve|neraberis patrem tuum et matrem tuam. Non accipies nomen* M 66ʳ
40 *Dei in uanum. Non furaberis. Non fornicaberis. Non occides.
Non testificaberis falsum. Non inuidebis uxorem proximi tui. Et
non inuidebis bona proximi tui.* Homo superbus est inoboediens
decem praeceptis; et est inuidus contra praecepta; sicut angelus
malignus, qui propter superbiam et inuidiam uolebat habere
45 honores, tantum Deo pertinentes.

1. Homo superbus | inuidus facit de se ipso Deum, in quantum R 56ᵛ
fines sentiendi, imaginandi et ratiocinandi attribuit sibi ipsi
maxime, quam Deo, amando magis se, quam Deum.

2. Homo superbus inuidus non festat maxime propter uene-

LXIV, **25** quas] *coni.*; quam eas *M T R*; quoniam eas M_1; *cat.* aquelles que
29/30 et quam – uoluntatem] *coni.*; *om. omnes codd.*   **46** superbus] *add.* et
M_1 **47** fines] *coni.*; *om. M T R*; *om. et add. sup. lin.* potentias M_1 **49** superbus]
add. et M_1

50 randum Deum, quam se ipsum. Et habet requiem propter multum comedere, palpare et propter multum se uenerari.

3. Homo superbus inuidus inhonestat et uituperat patrem
suum et matrem suam, in quantum non cognoscit bona naturalia, quae habet per ipsos; quos uellet mortuos esse, ob hoc ut
55 possideret bona gratiae, quae habent.

4. Homo superbus et inuidus accipit nomen Dei in uanum
tunc, quando iurat per Deum, et fit periurus.

5. Homo superbus inuidus superbe inuidet et furatur bona
proximi sui contra Dei praeceptum.
60 6. Homo superbus inuidus cupit mulierem, non sibi pertinentem; et superbe exercet luxuriam contra Dei praeceptum.

7. Homo superbus inuidus occidit proximum suum inuide et
superbe contra Dei praeceptum.

8. Homo superbus inuidus inuide et superbe testificatur fal-
65 sum contra Dei praeceptum.

9. Homo superbus inuidus superbe et inuide inuidet uxorem
proximi sui contra Dei praeceptum.

10. Homo superbus inuidus superbe et inuide inuidet quadru-
pedem, campos et uineas et denarios proximi sui contra prae-
70 ceptum Dei.

Omnibus modis supra dictis et pluribus aliis homo superbus
inuidus est inoboediens praeceptis Dei. Et quia inoboedienter
peruertit fines sui sentiendi, imaginandi et ratiocinandi in malum contra se ipsum et proximum suum, propter hoc iustitia
75 Dei sibi praeparat poenas aeternas contra fines sui sentiendi,
imaginandi et ratiocinandi, habituatas de omnibus malis.

Homo superbus et inuidus redarguit, et non uult redargui;
blasphemat, et non uult, ut blasphemetur; nullum laudat, et
uult, ut laudetur; dat laborem omni homini, et uult habere
80 requiem; consulit, et non uult, ut sibi consilium impendatur.
Tali homini melius fuisset natum non esse.

Diximus de superbia et inuidia. Et propter hoc deprecemur
dominum Deum nostrum Iesum Christum, quatenus nos ab
ipsis defendat, ex quo est Pater noster. Et eius amore et reue-
85 rentia et honore dicamus *Pater noster.*

IV.4.3. DE SVPERBIA ET IRA [e h]

[SERMO LXV]

Si uelis sermocinari de superbia et ira, recolas earum themata,

---

52 inhonestat] *T*; *corr. per puncta ex* inhonestate *M*; inhonestate *R*; *corr. ex*
inhonestate *M*₁   **68/69** quadrupedem] *corr. ex* cadrupedem *M*₁; cadrupedem
M T R; *cat.* caval

definitiones et species; et secundum illas ordina tuum sermo-
5 nem.

In principio deprecabimur dominum Deum nostrum Iesum
Christum, quatenus det mihi gratiam dicendi, et uobis au|diendi   M 66ᵛ
et retinendi et opere complendi uerba, quae sint ad gloriam et
honorem ipsius. Et ob amorem, reuerentiam et honorem nostrae
10 dominae sanctae Mariae dicamus *Aue Maria*.

Homo superbus et irosus superbe et irose uult possidere fines
sentiendi, imaginandi et ratiocinandi in se ipso et proximo suo.
Et propter hoc superbia et ira nascuntur ab illa deuiatione
finium contra humilitatem et patientiam.

15 Quidam scutifer uidet uxorem domini sui pulchram. Et quia
eam uidet longo tempore, si longo tempore imaginetur placitum
tangendi, superbe uult cum ea exercere luxuriam. Et si dominus
sciat et redarguat scutiferum, nascitur in ipso ira contra dominum suum. Quae quidem ira est superba. Et imaginatur contra
20 dominum suum traditionem, falsitatem et malam uolunta|tem.   R 57ʳ

Homo superbus et irosus uult audire uerba, quibus laudetur
plus, quam Deus neque proximus suus. Per istum modum audire est nuntius superbiae, impetratus in uoluntate. Et propter
hoc irascitur, quando non laudatur per aliquem, et redarguitur
25 et uituperatur.

Homo superbus et irosus capit rosam, lilium uel uiolam a
manu proximi sui, ut ualeat eam odorare. Et si proximus sibi
contradicat, gignit iram contra proximum suum; et multiplicat
peccatum per superbum intellectum et per iratam uoluntatem.
30 Homo superbus et irosus contra humilitatem et patientiam
uult comedere et bibere bona proximi sui. Et si sibi fiat contradictio, fit superbus et iratus contra proximum suum.

Homo superbus et irosus inuidet uxorem uicini sui superbe
contra praeceptum Dei, dicentis per Moysen (Ex. 20,14; Deut.
35 5,18): *Non facere fornicationem*. Et si sibi fiat contradictio per
uicinum suum uel per alium, gignit malam uoluntatem et superbiam; et ira multiplicat mortale peccatum.

Homo superbus et irosus loquitur uerba superba. Et si propter uerba sua redarguatur et uituperetur, gignit iram et malam
40 uoluntatem contra illos, qui eum redarguunt, et minatur atque
blasphemat.

Homo superbus et irosus superbe et cum ira imaginatur ea,
quae desiderat, uel quae habet in odio. Et imaginatio mouet
carnem ad superbiam, et uoluntatem ad iram; et uoluntas
45 mouet intellectum ad superbiam et memoriam ad iram. Et
impetrantur mortalia peccata, quae sunt superbia et ira.

LXV, **19** superba] *coni.*; superbia *MTRM*₁   **26** et irosus] *coni.*; *om. codd.*
omnes   **33** et irosus] *coni.*; *om. omnes codd.*   **37** multiplicat] *coni.*; multiplicant
*MTRM*₁   **42** et²] *coni.*; *om. codd. omnes*

Ostendimus modum, per quem homo superbus et irosus deuiat fines sentiendi, imaginandi et ratiocinandi contra fines
humilitatis et patientiae. Et propter hoc talis homo superbe et
50 irose uadit moratum in igne infernali, in quo patietur poenam
propter superbiam et iram aeterne.

Superbia et ira habent communitatem in deformato et peruerso intelligere, amare et recolere. Et omnes hi tres actus
peruersi et deformati peruertunt et deformant discretionem,
55 liberum arbitrium et deliberationem. Et propter deformationem
et peruersio|nem potentiarum superiorum deformantur et per- M 67ʳ
uertuntur potentiae inferiores, quae exstant per sentire et imaginari. Et propter hoc talis homo facit opera bruti animalis, et
dat se ipsum pro sensuali daemoni in igne infernali aeterno.
60   Vicarius superbus et irosus est superbus contra dominum
suum et contra populum. Et propter superbiam et iram imaginatur et pensat falsitates et traditiones contra dominum suum
et eius populum. Et superbia nascitur cum superba uoluntate,
quia uellet dominus esse.
65   Rex uel praelatus superbus et irosus permanet in magno
peccato mortali; cum ita sit, quod persona communis sit magna
persona ad eligendum magnam humilitatem et patientiam, uel
magnam superbiam et malam uoluntatem. Et propter hoc persona communis superba et irosa dat magnum laborem et passio-
70 nem personis particularibus propter superbiam et iram. Et
propter hoc erit in inferno in maiori ira Dei, quam alia persona.

Homo superbus | et irosus emit et uendit superbe et irose. Et T 32ʳ
superbe et irose fungitur liberalibus artibus et mechanicis. Et
propter hoc considerat, in quocumque officio, in quo ipse sit,
75 quomodo fraudes, traditiones | et falsitates fieri possunt.   R 57ᵛ

Homo superbus et irosus ludit et uenatur superbe et irose. Et
propter hoc superbe et irose blasphemat se ipsum et alium.

Nullus homo est in maiori periculo, quam homo superbus et
irosus. Et nullus homo habet peiorem dominum, quam hominem
80 superbum et irosum. Et propter hoc est insipiens homo, uolens
fore submissus homini superbo et iroso; et qui uelit secum
contrahere societatem.

Hominem superbum et irosum poteris cognoscere per suum
sentire, et per tuum. Et cum tua imaginatione cognosces suam,
85 et cum tuo formato et ordinato ratiocinari cognosces suum
inordinatum et deformatum ratiocinari.

Diximus de superbia et ira. Et propter hoc deprecemur dominum Deum nostrum Iesum Christum, quatenus nos defendat a

---

56 potentiarum] *corr. ex* potentia M_1; potentia *MTR*   **60** Vicarius] *cat.*
veguer   **62** pensat] *sc.* cogitat; *cat.* pensa   **63** superba] *corr. ex* superbia M_1;
superbia *MTR*   **74/75** in quo – quomodo] *coni. ex textu cat.*; sint *MTR M₁*
     75 fieri possunt] *coni.*; *om. codd. omnes*   **85** ratiocinari] *add. et MTR M₁*

superbia et ira, ex quo est Pater noster. Et eius amore, reueren-
90 tia et honore dicamus *Pater noster*.

IV.4.4. DE SVPERBIA ET MENDACIO [e i]

[SERMO LXVI]

Quicumque uelit sermocinari de superbia et mendacio, recolat
earum themata, definitiones et species; et secundum illas ordi-
5 net suum sermonem.

In principio deprecabimur dominum Deum nostrum Iesum
Christum, quatenus det mihi gratiam dicendi, et uobis audiendi
et retinendi uerba, quae sint ad eius honorem. Et ob amorem,
reuerentiam et honorem nostrae dominae sanctae Mariae dica-
10 mus *Aue Maria*.

Veritas est primitus obiectum intellectus et postmodum per
uoluntatem amatur, et per memoriam recolitur. Vnde cum mendacium sit contrarium ueritatis, simili modo mendacium est
obiectum intellectus, et per uoluntatem amatur, et per memo-
15 riam recolitur. Et propter hoc intellectus, qui mentitur, est in
tantum superbus | et mendax, quantum est magnum menda-   M 67ᵛ
cium. Quae quidem superbia et mendacium per uoluntatem
amantur et per memoriam recoluntur. Vnde cum hoc ita sit,
ostendimus igitur, qualiter superbia et mendacium in mente
20 nascuntur et uincuntur, et mortalia peccata.

In quantum est superbia magna amare plus aliquid, quam
Deum, in tantum est magnum mendacium, si dicatur aliquid
fore melius Deo. Vnde cum hoc ita sit, potes igitur cognoscere
tu, superbe mendax, qui diligis plus te ipsum uel aliquem alium,
25 quam Deum, quomodo magna est superbia tua et mendacium
tuum; et qualiter propter quas sustinebis magnas poenas infernales aeternas.

Superbia et mendacium incipiunt, nascuntur et sunt in mente
et significantur per uerba. Sunt igitur homines superbi et men-
30 daces fortius propter ratiocinari, quam propter loqui.

Homo mendax uidet naturaliter aliquid, quod est obiectum
uisus sui. Et si ipse dicat, quod non illud uidet, uel quod non
uidit, est maius suum mendacium, in quantum est peccatum
contra diuinam ueritatem, quam non sit magnum posse uisus
35 sui. Et hoc idem est de superbia, quae similis est mendacio.
Potes igitur cognoscere, tu superbus et mendax, quomodo ma-

LXVI, **3** et mendacio] *om. MRM₁*   **21** magna] *coni.*; *add.* est *MTR*; *add.*
est, *sed corr. in* et *M₁*   **32** illud] *correxi*; eum *MTRM₁*   **34** non] *coni.*; *om.*
omnes codd.   **35** quae – mendacio] *coni. ex textu cat.*; *om. omnes codd.*   **36**
superbus] *coni.*; superbe *MTRM₁*

gnae sunt superbia tua et mendacium tuum, et quomodo magnam poenam te deceat pati; cum ita sit, quod Deus sit magnus
iustus.

40   Verbum siue loquela est obiectum naturale auditus. Et si tu
audisti loquelam, et dicas, non eam audiuisse, es mendax; et es
ita superbus, quemadmodum es mendax.

Homo, qui propter multum comedere et bibere gignit peccatum, quod est gulositas, est in tantum superbus et mendax
45 contra temperantiam, in quantum est gulosus per gulositatem;
cum ita sit, quod Deus uelit, hominem habere temperantiam.

Homo luxuriosus est in tantum superbus et mendax contra
finem castitatis, in quantum est luxuriosus contra finem castitatis; cum ita sit, quod Deus fecerit praeceptum (Ex. 20,14; Deut.
50 5,18), hominem non exercere luxuriam.

Homo superbus et mendax, | quando imaginatur mendacium, R 58ʳ
in tantum superbe imaginatur illud, in quantum est mendacium; cum ita sit, quod mendacium sit obiectum intellectus, qui
illud intelligit, et uoluntatis, quae illud amat, et memoriae, quae
55 illud memorat.

Ostendimus discursum superbiae et mendacii, et earum ortum; et hoc per sentire, imaginari et ratiocinari. Per quem
quidem discursum potest cognosci id, quod sunt superbia et
mendacium. Et per talem doctrinam possunt homines sibi ca-
60 uere a superbia et mendacio.

Homo superbus et mendax non est humilis neque uerax et
uult per superbiam et mendacium ascendere ad habendum
honorem et diuitias, et cadit in redargutione et displicito gentis,
et post mortem cadit in ignem infernalem aeternum.

65   Homo superbus et mendax cognoscit mendacium suum in
mente sua et in loquela sua; in qua quidem loque|la illud tenet M 68ʳ
secrete. Et non cognoscit superbiam, quam habet per suum
mendacium; cum ita sit, quod homo superbus habeat deformatum et peruersum intellectum. Et quando redarguitur, redar-
70 guit mentiendo, et non credit fore superbus.

Aduocatus uel iudex uel princeps uel praelatus, si sit mendax,
est in tantum superbus contra officium suum, sicut est mendax
contra officium suum; quoniam ita est per superbiam contra
finem humilitatis, quemadmodum est mendax contra finem
75 iustitiae et ueritatis. Et propter hoc talis homo multum fortiter
affligetur in igne infernali, in quo permanebit superbus et mendax aeterne.

---

38 poenam] *coni.*; *om. codd. omnes*   48/49 in quantum – castitatis] *om.* T
52 illud] *correxi*; eum *MTR*; cum *M₁*   54 illud¹] *corr. ex* eum *M₁*; eum
MTR   illud²] *corr. ex* eum *M₁*; eum *MTR*   55 illud] *corr. ex* eum *M₁*; eum
MTR   66 illud] *corr. ex* eum *M₁*; eum *MTR*   72/73 sicut – suum] *coni. ex*
textu cat.; *om. codd. omnes*

Nullus homo difficilior est ad corrigendum homine superbo et
mendaci. Et nullus homo ita fortiter inquirit bricam, quemad-
80 modum ipse facit. Et omnis homo est in angustia, qui sibi
submissus sit, uel qui sit familiaris suus, uel qui contrahit
secum societatem.

Diximus de superbia et mendacio. Quare deprecemur dominum Deum nostrum Iesum Christum, quatenus nos custodiat a
85 superbia et mendacio, ex quo est Pater noster. Et eius amore,
reuerentia et honore dicamus *Pater noster*.

IV.5. DE ACCIDIA

IV.5.1. DE ACCIDIA ET INVIDIA [f g]

[SERMO LXVII]

Si uelis sermocinari de accidia, et inuidia, recolas earum
5 themata, definitiones et species; et secundum illas normes tuum
sermonem.

In principio deprecabimur dominum Deum nostrum Iesum
Christum, quatenus det mihi gratiam dicendi, et uobis audiendi
et retinendi uerba, quae sint ad gloriam et laudem eius. Et ob
10 amorem, reuerentiam et honorem nostrae dominae sanctae Mariae dicamus *Aue Maria*.

Accidia est contra fines bonorum naturalium; et inuidia est
contra fines bonorum gratiae. Et propter hoc homo accidiosus et
inuidus peccat mortaliter cum accidia et inuidia contra fines
15 sentiendi, id est uidendi, audiendi, odorandi, gustandi, palpandi,
affandi, imaginandi, recolendi, intelligendi et amandi. Quae sunt
per finem diligentiae et legalitatis propter Deum recolendum,
intelligendum et amandum, uenerandum et seruiendum. Et hoc
idem de proximo suo.

20 Homo accidiosus et inuidus, si uideat aliquam pulchram mulierem, inuidet illam ad carnalem delicium ad tangendum. Et
per accidiam est negligens ad contradicendum daemonis tentationi et tentationi sui ipsius, quam habet ex uisu et tactu, et non
timet Deum. Et propter hoc consequitur placitum, si pulchra
25 mulier consentiat. Et si se defendat, infert malam uoluntatem
aduersus | mulierem.   R 58ᵛ

Homo accidiosus inuidus naturaliter consequitur placitum ex
audire uerba placentia. Et inuidet illa, de quibus uerba illa
dicuntur, contra bona naturae et contra bona gratiae, a Deo
30 data proximo suo. Et per genus accidiae consequitur placitum,

---

LXVII, **21** delicium] *coni.*; delictum *M T R M*₁

quando audit dici, aduersitates aduenisse proximo suo; et tri-
statur, quando audit dici, pro|speritates aduenisse proximo suo. T 32ᵛ

Homo accidiosus inuidus consequitur placitum naturale ex |
comedere affatim et ex bibere affatim. Propter quod quidem M 68ᵛ
35 placitum inuidet uictualia uicini sui, quae sunt bona gratiae, per
Deum data. Et per genus accidiae est negligens ad procurandum
et acquirendum uictualia, decentia ad affatim uel abundanter
comedere et bibere. Et propter hoc infert malam uoluntatem
aduersus illos ea habentes; et considerat deceptiones, furta,
40 praedas, ut habeat, cum quo ualeat abundanter comedere et
bibere.

Homo accidiosus inuidus consequitur placitum naturale in
tangendo mulierem. Et est accidiosus ad contradicendum placito luxuriae. Et non habet conscientiam, si mulier amittat bona
45 gratiae, quae habet per bonam famam.

Homo accidiosus inuidus secundum genus accidiae et inuidiae
imaginatur tamquam centrum circumstantias, pertinentes acci-
diositati et inuidiae. Et si ad contingentiam imaginatur circumstantias, non pertinentes recta linea genere accidiae et inuidiae,
50 ex illis circumstantiis abstrahit species et similitudines, et redi-
git eas ad centrum, compositum de accidia et inuidia.

Accidia est contra sanitatem per gustare, in quantum homo
est negligens in considerando uictualia, quae sana sunt ad comedendum; et hoc idem de quantitate eorum. Et per inuidiam
55 desiderat uictualia proximi sui ad comedendum. Et propter hoc
talis homo est pauper, infirmus et inuidus; et uiuit cum dolore
et tristitia.

Homo inuidus inuidet diuitias proximi sui ad habendum honorem. Et quia accidia et inuidia habent in homine accidioso et
60 inuido ligamen, et sunt de genere mali, homo accidiosus dolet et
tristatur, quando noscit proximum suum habere diuitias et
honores.

Homo accidiosus inuidus non recolit, nec intelligit, neque
amat, per genus uirtutum, sed per genus peccatorum. Et prop-
65 ter hoc abstrahit peccata ex auaritia et gulositate; et sic de aliis
peccatis. De quibus multiplicatur accidia et inuidia contra diligentiam et legalitatem.

Homo accidiosus et inuidus non considerat Deum causam
efficientem et finalem. Et propter hoc non eum amat, neque
70 timet. Et si eum timet, timore ignis infernalis eum timet. Et ob
hoc talis homo inuidet illos, qui Deum amant, ob hoc quia bonus
est, et timent Deum, ob hoc quia iustus est. Ergo facit homo
accidiosus et inuidus contrarium. Quod quidem contrarium est

---

31 aduersitates] *correxi*; peruersitates *MTRM₁*   33/34 ex – affatim²] *cat.*
per be menjar e per be beure   44 si] *om. sed not. signo, aliquod in textu deficere*
M   46 inuidiae] *coni.*; luxuriae *MTRM₁*   65 ex] *correxi*; e *M*; et *R*; a *T*;
om. M₁   et] *recte coni. M₁*; *om. MTR*

contra finem, per quem Deus est causa efficiens et finalis. Illud
75 contrarium est ita magnum, quemadmodum est concordantia
hominis diligentis et legalis; qui amat Deum, eo quia est causa
efficiens et finalis.

Deus creauit mundum ad seruiendum sibi et uenerandum et
benedicendum. Et homo accidiosus et inuidus, qui non conside-
80 rat Deum esse causam efficientem et finalem, credit finem mun-
di esse per finem hominis, et non per Deum. Et propter | hoc per M 69ʳ
tale considerari inuidet contra Deum; et est negligens ad ser-
uiendum et uenerandum Deum; et est diligens | ad seruiendum R 59ʳ
et uenerandum se ipsum. Infert igitur talis homo per accidens
85 malum aduersus Deum. Talem malam uoluntatem et ita magnam, quis posset considerare, nominare uel scribere? Et quis
posset considerare illam magnam poenam, quam habebit eius
uoluntas in igne spirituali infernali aeterno?

Si uelis cognoscere hominem accidiosum et inuidum, inquire
90 eum cum tuo uisu in suo uisu, cum tuo auditu in eius auditu,
cum tuo odoratu in eius odoratu, cum tuo gustu in eius gustu,
cum tuo loqui in eius loqui, cum tuo imaginari in eius imaginari,
cum tuo recolere in eius recolere, cum tuo intelligere in eius
intelligere, cum tuo amare in eius amare, cum operibus manuum
95 tuarum in suis, in uiis pedum tuorum in suis. Per talem inquisitionem eum inuenire poteris; et cum eum inueneris, non sis eius
familiaris, nec secum societatem contrahas.

Diximus de accidia et inuidia. Et propter hoc deprecemur
dominum Deum nostrum Iesum Christum, quatenus nos defen-
100 dat ab earum societate, ex quo est Pater noster. Et eius amore,
reuerentia et honore dicamus *Pater noster*.

IV.5.2. DE ACCIDIA ET IRA [f h]

[SERMO LXVIII]

Quicumque uelit sermocinari de accidia et ira, recolat earum
themata, definitiones et species; et secundum illas ordinet suum
5 sermonem.

In principio sermonis deprecemur dominum Deum nostrum
Iesum Christum, quatenus det mihi gratiam dicendi, et uobis
audiendi et retinendi uerba, quae sint ad laudem eius. Et ob
amorem, reuerentiam et honorem nostrae dominae sanctae Ma-
10 riae dicamus *Aue Maria*.

Accidia et ira habent communitatem contra finem uoluntatis
humanae, cuius finis est causa efficiens et finalis diuina uoluntas.
Quoniam finis humanae uoluntatis est, quod sit diligens ad

LXVIII, **12** finis] *recte coni.* M₁; fini *MTR*

amandum, seruiendum et oboediendum diuinae uoluntati et
15 quia humana uoluntas in homine accidioso est negligens contra
suum finem, gignit iram contra diuinam uoluntatem, quae uult,
hominem habere patientiam. Et propter hoc talis homo accidiosus et irosus cum sua uoluntate est contra diuinam uoluntatem
et uoluntatem proximi sui, et exstat cum mortali peccato, cuius
20 accidia et ira sunt species generatae; de quibus homo accidiosus
et irosus habituat atque uestit eius uoluntatem.

Accidia et ira habent communitatem contra finem humani
intellectus, cuius est diuinus intellectus causa efficiens et finalis.
Qui intelligit, humanum intellectum per iustitiam debet habere
25 diligentiam ad intelligendum honorem suum, ex quo eum de
nihilo creauit. Et quia homo accidiosus peruertit finem contra
suum intellectum et contra diuinum intellectum, Deus, qui est
intellectus, licentiat illum hominem | daemoni, carni et mundo. M 69ᵛ
Qui quidem homo habituat suum intellectum de accidia et ira;
30 et permanet in hoc saeculo in tristitia, periculo et dolore, et ibit
in alio saeculo habere ira spiritualem aeternam.

Accidia et ira habent communitatem contra finem memoriae humanae, cuius finis est memoria Dei causa efficiens et
finalis, ob hoc ut recolatur honor et ueneratio Deo pertinentes.
35 Et quia homo accidiosus est negligens et obliuiscitur uenerari
honorem Dei, memoria diuina licentiat daemonem, carnem et
mundum, ut memoria humana patiatur iram et dolorem et
tristitiam in hoc, quod recolit in | hoc saeculo; et uadet ad aliud R 59ᵛ
saeculum ad habendum iram et poenam spiritualem in igne
40 infernali aeterno.

Deus est causa efficiens et finalis imaginationis hominis, ob
hoc ut imaginetur opera, quibus Deus ueneretur et sibi seruiatur
super omnia. Et si homo est negligens contra finem imaginationis, Deus, qui est finis supernus, licentiat daemonem, carnem et
45 mundum, ut homo ille patiatur iram, tristitiam et dolorem in eo,
quod imaginatur in hoc saeculo, et quod uadat in alio saeculo in
infernum, ad habendum iram corporalem aeternam in omni eo,
quod imaginabitur.

Homo accidiosus et irosus, quia est negligens contra finem
50 uidendi, habet iram per uisum.

Homo accidiosus et irosus contra finem audiendi, habet iram
uerba, quae audit.

Homo accidiosus et irosus, quia est contra finem odorandi,
habet iram, quando odorat rosam uel alium florem.
55 Homo accidiosus, quia est negligens contra finem gustandi,
habet iram propter comedere et bibere.

---

24 debet] *coni.*; *om. codd. omnes*   **30** ibit] *coni.*; ira *M T R M₁*   **34** pertinentes]
correxi; pertinenti *M T R M₁*   **38** uadet] *correxi*; uadit *M T R M₁*   **50** habet
iram] odit *M T R M₁*; *cat.* ha ira (aïra = odit); *cf. etiam lin. 51, 54, 56 et 57/58*   **51**
habet – per] odit *M T R M₁*   **54** habet iram] odit *M T R M₁*   **55/56** Homo
– bibere] *coni. ex textu cat.*; *om. omnes codd.*

Homo accidiosus, quia est piger contra finem tangendi, habet
iram per tangere et palpare mulierem, et lectum durum uel
mollem, uel per sentire calorem, frigiditatem; | et sic de aliis.   T 33ʳ
60   Homo accidiosus, quia est piger uel otiosus contra finem
uerborum, irascitur, quando loquitur uerba.

Ostendimus modum, per quem accidia et ira gignuntur, et in
homine accidioso et iroso sustentantur in suo sentire, imaginari
et ratiocinari. Et propter hoc ibit statum in igne infernali
65 aeterno. In quo sustinebit iram mortalem contra fines sui recolendi, intelligendi et amandi, imaginandi, uidendi, audiendi, odorandi, gustandi, palpandi et loquendi. Talem iram ita mortalem
perpetuam, quis posset cogitare, scribere uel loqui ?

Caueas tibi ab homine accidioso et iroso; quoniam si sit
70 otiosus contra bonum suum, non confidas, quod sit diligens pro
bono tuo; et si irascatur contra se ipsum, noscere potes, quod
irascetur contra te, si uadis erga eum, et sis eius familiaris.

Homo negligens propter negligentiam indiget. Propter quam indigentiam irascitur contra Deum, se ipsum et proximum suum.
75   Si uelis cognoscere hominem negligentem et iratum, si eum
redarguas de negligentia et consulas sibi, quod habeat diligentiam in faciendo bonum, erit negligens in reddendo tibi gratias
de consilio, quod sibi das; et irascetur | contra te. Et scis quare ?   M 70ʳ
Ob hoc quia negligentia et ira habent in ipso communitatem in
80 malo et angustia contra bonitatem et requiem.

Diximus de accidia et ira. A quibus nos defendat Iesus Christus, qui est Pater noster. Et eius amore, reuerentia et honore
dicamus *Pater noster*.

IV.5.3. De accidia et mendacio [f i]

[Sermo LXIX]

Si uelis sermocinari de accidia et mendacio, recolas earum
themata, definitiones et species; et secundum illas normes tuum
5 sermonem.

In principio deprecabimur dominum Deum nostrum Iesum
Christum, quatenus det mihi gratiam dicendi, et uobis audiendi
et retinendi et opere complendi uerba, quae sint ad laudem et
honorem eius. Et ob amorem, reuerentiam et honorem nostrae
10 dominae sanctae Mariae dicamus *Aue Maria*.

Homo accidiosus est piger contra largitatem humanae bonita-
tis, quae est effectus diuinae | bonitatis. Et homo mendax est   R 60ʳ
diligens in mentiendo contra humanam bonitatem. Et propter

57/58 habet iram] odit *M T R M*₁   **60** otiosus] *coni.*; econsus *T*; aquosus
*M R M*₁   **63** sustentantur] *correxi*; sustentatur *M T R M*₁   **67** et] *coni.*; *om.*
codd. omnes   **77** gratias] *coni.*; grates *M R T M*₁

hoc pigrities et diligentia habent communitatem in genere mali.
15 Et per hoc potest cognosci modus, per quem accidia et mendacium habent ortum et sustentamentum in homine accidioso et
mendaci.

Homo accidiosus est piger contra largitatem humanae magnitudinis, quae est effectus diuinae magnitudinis. Et homo
20 mendax est diligens in mentiendo contra humanam magnitudinem. Et propter hoc homo accidiosus et mendax est contra
magnificentiam cum pigritie; contra quam magnificentiam est
cum magnitudine mentiendi. Et propter hoc potest cognosci
augmentum accidiae et mendacii contra magnitudinem bonita-
25 tis, et augmentum mali.

Homo accidiosus et mendax est contra durationem humanam; quae est effectus diuinae aeternitatis. Et propter hoc talis
homo, in quantum magis uiuit, multiplicat accidiam et mendacium contra diuinam bonitatem, magnitudinem et aeternitatem.
30   Homo accidiosus et mendax est contra posse humanum, quod
est effectus potestatis diuinae. Et propter hoc est diligens ad
mentiendum contra suum posse naturale.

Homo accidiosus et mendax est contra humanum intellectum,
qui est effectus intellectus Dei. Et propter hoc negligentiam non
35 uult intelligere, et propter mentiri est contra intelligere.

Homo negligens et mendax est contra humanam uoluntatem,
quae est effectus diuinae uoluntatis. Et propter hoc est negligens ad amandum res amabiles, et est diligens ad mentiendum
contra illas.
40   Homo negligens et mendax est contra naturalem et humanam
uirtutem, quae est effectus naturalis diuinae uirtutis. Et ob est
diligens in mentiendo morose uel moraliter.

Homo accidiosus et mendax est contra naturalem et humanam ueritatem, quae est effectus naturalis diuinae ueritatis. Et
45 ob hoc est negligens ad uerum dicere, et est diligens ad mentiendum.

Homo accidiosus et mendax est contra humanam delec|ta- M 70ᵛ
tionem naturalem, quae est effectus naturalis gloriae Dei. Et ob
hoc est negligens contra placita naturalia, et est diligens contra
50 illa in mentiendo. Et propter hoc est contra bona gratiae moralia. Et ob hoc talis homo uadit in ignem infernalem aeternum ad
habendum poenam et malum, in quo est priuatio totius gratiae.
Poenam talis hominis, quis posset cogitare, nominare neque
scribere?
55   Homo accidiosus et mendax, si uideat bona opera, est negli-

---

LXIX, **16** et¹] *coni.*; *om. codd. omnes*   **24** magnitudinem] *coni.*; bonitatem
M T R M₁   **29** et] *coni.*; *om. omnes codd.*   **34** hoc] *coni.*; *om. codd. omnes*   **40**
et²] *coni.*; *om. omnes codd.*   **43** et²]*coni.*; *om. omnes codd.*   **50** illa] *correxi*; illam
M T R M₁

gens contra illa, et si uideat mala opera est diligens ad illa et est
diligens in mentiendo contra ea.

Homo negligens et mendax, si audiat loqui de homini diligenti
in faciendo bonum et in dicendo ueritatem, est negligens in
60 essendo eius amicum, et est diligens ad mentiendum contra
ipsum.

Si teneas unam rosam et odores illam, tuus odoratus non
mentitur, nec est negligens in recipiendo odorem; immo naturaliter est diligens in recipiendo placitum odorem. Et rosa per
65 naturam est diligens et non mentiens in dando suum odorem. Et
homo accidiosus et mendax contra bona naturalia et bona
gratiae facit contrarium. Et propter hoc peccat mortaliter cum
accidia et mendacio; quae sunt sua instrumenta.

Homo accidiosus et mendax est contra genus gustandi, quia
70 accidiosus est contra temperantiam; et mendax est, in quantum
uult uiuere, ut ualeat multum comedere et bibere.

Homo | accidiosus et mendax est contra genus tangendi mulie- R 60ᵛ
rem, quia piger est ad acquirendum castitatem; et mendax est,
in quantum dicit mulieri, quod ipse eam amat bono et magno
75 amore.

Homo accidiosus et mendax est contra suam imaginationem;
quoniam negligens est in imaginando opera, quae imaginari
debet, et est diligens ad mentiendum contra ea. Et propter hoc
talis homo peruertit multoties naturam suae imaginationis, et
80 ad contingentiam euenit stultus; cum ita sit, quod homo extra
suum sensum loquatur uerba ad contingentiam, non memorata,
intellecta neque amata.

Homo accidiosus et mendax est accidiosus et negligens in
ratiocinando, scilicet in eo, quod recolere debet, intelligere et
85 amare; et est diligens in contrario. Et ob hoc accidit et euenit
mendax contra suum ratiocinari.

Diximus de accidia et mendacio. A quibus nos defendat Iesus
Christus, ex quo est Pater noster. Et eius amore, reuerentia et
honore dicamus *Pater noster*.

IV.6. DE INVIDIA

IV.6.1. De invidia et ira [g h]

[Sermo LXX]

Quicumque uelit sermocinari de inuidia et ira, recolat earum

---

56 et – illa] *coni. ex textu cat.*; *om. M T R M₁*   **64** placitum] *coni.*; *om. codd.*
omnes   **72** et mendax] *coni.*; *om. omnes codd.*   **75** amore] *Hic deficit paragraphum*
de affatu

5 themata, definitiones et species; et secundum illas ordinet suum
sermonem.

In principio deprecabimur dominum Deum nostrum Iesum
Christum, quatenus det mihi gratiam dicendi, et uobis audiendi
et retinendi uerba, quae sint ad eius laudem. Et ob amorem,
10 reuerentiam et honorem nostrae dominae sanctae Mariae dicamus *Aue Maria*.

Inuidia est contra largitatem bonitatis tunc, quando homo
uidet bona gratiae, quae | habet proximus suus, quae uellet M 71ʳ
habere contra bonum proximi sui. Et propter hoc nascitur
15 inuidia. Et quia homo inuidus nequit habere illa bona, irascitur
contra se ipsum et proximum suum. Et propter hoc nascitur ira.
Quae est peccatum mortale, ob hoc quia aufert deliberationem
ad humanum intellectum; | et est contra diuinam bonitatem, T 33ᵛ
quae dat bona temporalia, cui uult. Et talis ira est consequentia
20 inuidiae et inuidia est suus antecedens.

Homo gibbosus uel male compositus, quando uidet bona naturalia, quae Deus dat per naturam proximo suo, desiderat habere
illa bona naturalia. Et quando aliquis, habens corpus sincere,
eum redarguit, et negligit eum, quia est gibbosus uel debilitatus,
25 siue male compositus, homo non bene condirectus corpore irascitur contra illum, qui eum negligit, et inuidet bona naturalia
illius. Et propter hoc ira est nuntius et antecedens illius inuidiae; quae quidem inuidia est consequens.

In ludo taxillorum uel scaccorum ludens inuidet denarios
30 alterius, et desiderat eos habere per ludum. Et tunc, quando
amittit, irascitur contra se ipsum et contra proximum suum, et
blasphemat Deum, se ipsum et proximum suum. Et ob hoc
inuidia gignit iram et ira gignit uerba incurialia et bricas.

In consilio publico aliquis homo impendit consilium; et maior
35 pars gentium tenebit illum consilium, quod ipse dat, pro bono.
Et si in consilio est homo inuidus, habebit inuidiam contra
illum, qui impendit bonum consilium. Et propter inuidiam habet iratam uoluntatem. Propter quam quidem iram eius intellectus turbatur et nescit impendere bonum consilium; et consi-
40 lium, quod impendit, est deformatum propter iram | et inuidiam. R 61ʳ
Et quia gentes sibi non credunt de consilio, dicit, quod consilium bonum, datum per hominem legalem et patientem, non
esse bonum. Et propter hoc mouet in consilio litem, et dicit
uerba superbiosa et incurialia.

45 Aliquis homo legalis et patiens tenet rosam, lilium uel uiolam,
uel pomum causa odorandi. Et homo inuidus aufert ab illo
homine illum florem uel pomum causa odorandi. Et talis inuidia
non est peccatum mortale, sed ueniale. Et si homo, a quo ipse

LXX, **13** suus] *coni.*; *om. codd. omnes*   **18** ad] *coni.*; et *M T R M*₁   est] *coni.*;
om. omnes codd.   **31** suum] *coni.*; *om. codd. omnes*   **37** bonum] *coni.*; *om. codd.*
omnes

aufert florem, sibi contradicat, homo inuidus gignit iram; et
50 inuidia peruertitur in mortale peccatum.

Aliquis rex habet aliquem bonum seruientem, patientem et
legalem; et habet unum alium seruientem inuidum, qui detrahit
bono seruitori patienti et legali. Et si rex non credit sibi, habebit
iram contra ipsum et pensabit traditiones, deceptiones et falsi-
55 tates.

Inuidia et ira sunt de genere tristitiae. Et homo tristis, inuidus et irosus, patitur passionem spiritualem, et uult habere
actionem contra hominem patientem et legalem.

Aliquis homo credit articulos fidei, et uellet eos intelligere per
60 sentire et imaginari. Et quia articuli non sunt sensibiles nec
imaginabiles, habet iram, quia non potest eos scire per sentire
et imaginari. Et si aliquis uelit eos | ipsum docere per obiecta   M 71ᵛ
spiritualia, bona propter diuinam bonitatem, magna propter
diuinam magnitudinem, potentia propter diuinum posse, intelli-
65 gibilia propter diuinum intellectum, amabilia propter diuinam
uoluntatem, uirtuosa propter diuinam uirtutem et uera propter
diuinam ueritatem, homo, uolens intelligere articulos per sentire
et imaginari, est iratus et superbus contra illum, et inuidet sua
bona temporalia, et non credit articulos.

70 Recolere, intelligere et amare, per naturam non habent inuidiam neque iram; cum ita sit, quod sint bona naturalia, et
natura rationis disponuntur ad habendum patientiam et legalitatem. Et quia de nihilo creantur, disponuntur ad gignendum
inuidiam et iram. Et homo habet libertatem utendi recolere,
75 intelligere et amare secundum discretionem naturalem dono
gratiae. Et quia de nihilo creatus est, habet libertatem in utendo
contra bona gratiae. Et si utatur contra gratiam, per accidens
habituat se ipsum de inuidia et ira, cum quibus uadit permanere
in ignem infernalem aeternum.

80 Homo inuidus et irosus habet peruersam et deformatam imaginationem; et id, quod ipse facit, facit ad contingentiam sine
deliberatione et discretione. Et propter hoc omnis homo, qui
talis hominis sit familiaris, exstat in periculo, et potest decipi,
tradi et mori per illum hominem inuidum et irosum.

85 Peruersa imaginatio, uel turbata propter inuidiam et iram,
non habet deliberationem ad imaginandum id, quod conuenit
per naturam ad finem gustandi et palpandi. Et propter hoc
quilibet homo, qui imaginetur sub tali habitu imaginationis,
imaginatur ad contingentiam, et cadit in inuidiam et iram.

---

52 detrahit] *correxi*; detrahet *M T R M*₁   **54** pensabit] *cat.* pensara *sc.* cogitabit
58 contra – legalem] *coni.*; tamquam homo patiens et legalis *M T R M*₁   **61**
habet iram] odit eos *M T R M*₁; *cat.* ha ira; *cf. supra serm.* LXVIII, *lin. 5055*   **66**
et] *coni.*; *om. codd. omnes*   **72** rationis] *coni. ex textu cat.*; dispositionis *M T R M*₁
    81/82 sine – discretione] *corr. ex*: siue deliberationem et discretionem *M*₁;
siue deliberationem et discretionem *M T R*

90 Diximus de inuidia et ira; quae sunt mortalia peccata. Et
propter hoc deprecemur dominum Deum nostrum Iesum Christum, quatenus nos ab ipsis defendat, ex quo est *Pater noster*.

IV.6.2. De invidia et mendacio [g i]

[Sermo LXXI]

Si uelis sermocinari de inuidia et mendacio, recolas earum
themata, definitiones et species; et secundum illas ordines tuum
5 sermonem.

In principio deprecabimur dominum Deum nostrum | Iesum R 61ᵛ
Christum, quatenus det mihi gratiam dicendi, et uobis audiendi
et retinendi uerba, quae sint ad eius laudem. Et amore, reuerentia et honore nostrae dominae sanctae Mariae dicamus *Aue*
10 *Maria*.

Inuidia in homine inuido est habitus, per quem homo inuidus
est contra fines bonitatis, magnitudinis, durationis, potestatis,
intellectus, uoluntatis, uirtutis, gloriae et ueritatis; quia omnes
eos inuidet, et cupit sibi contra Deum et proximum suum. Et ob
15 hoc in suo ratiocinari, hoc est recolere, intelligere et amare,
gignit mendacium, quod intelligit, recolit atque amat. Et significat in sua loquela sentire peruerse contra ueritatem, ob hoc
ut id, quod falsum est, uideatur fore uerum. Quod quidem
mendacium est habitus hominis mendacis. Cum quo est men-
20 tiens contra finem bonitatis, magni|tudinis, durationis, potesta- M 72ʳ
tis, intellectus, uoluntatis, uirtutis, gloriae et ueritatis. Et propter hoc inuidia et mendacium habent communitatem et ligamen
in genere mali, et magni et durabilis mali. Et propter hoc homo,
habituatus de inuidia et mendacio, uadit ad ignem infernalem;
25 in quo patietur propter inuidiam et mendacium poenam aeternam.

Inuidia et mendacium sunt contra finem uidendi; cum ita sit,
quod homo inuidus et mendax cupiat bona gratiae, quae Deus
dat eius proximo. Et ob hoc, ut ea ualeat habere sibi ipsi, dicit
30 mendacia et falsitates. Et uisus est nuntius, portans litteras
scriptas de mendacii ad ratiocinari ad impetrandum bona uisibilia temporalia contra iustitiam et ueritatem et contra diuinam
bonitatem. Quae est causa efficiens et finalis horum bonorum
temporalium, uel terrenorum et uisibilium.

35 Homo inuidus et mendax, quando audit loqui de diuitiis et
honoribus, quos habet eius proximus, per inuidiam inuidet et

91/92 Christum] *om. MTR*   **92** nos ab ipsis] nos ab ipsis nos *R*; ab ipsis
nos *M₁*

LXXI, **28** cupiat] *correxi*; capiat *MTRM₁*; *cat.* cobeg

cupit appropriare sibi ipsi contra eius proximum et dicit uerba
mendaciosa, ob hoc ut cum ipsis suum proximum decipere
ualeat et tradere. Et ob hoc audire est nuntius, portans litteras
40 scriptas de mendaciis ad ratiocinari pro impetrando diuitias et
honores contra legalitatem et ueritatem.

Homo inuidus et mendax inuidet et cupit per inuidiam bonum uinum, pinguem altilem et ueruecem et bacconem proximi
sui, ut multum ualeat comedere et bibere. Et dicit mendacia, ut
45 ualeat decipere et furari, quod desiderat. Et gustare est nuntius,
portans | litteras scriptas de mendaciis, ut ualeat impetrare per   T 34ʳ
furtum uel per uim contra iustitiam bona, quae inuidet proximi
sui.

Homo inuidus et mendax inuidet uxorem proximi sui. Et dicit
50 mendacia proximo suo, ut ualeat habere uxorem eius ad suum
placitum tangendi. Quod quidem tangere est nuntius portans
litteras scriptas de mendaciis ad ratiocinari, ut ualeat luxuriam
impetrare.

Homo inuidus et mendax imaginatur modos, uias, falsitates,
55 et sagacitates, ut ualeat eius proximum decipere et bona sua
habere. Et imaginari est nuntius, portans litteras scriptas de
mendaciis ad ratiocinari, ut ualeat impetrare id, quod homo per
inuidiam desiderat contra eius proximum.

Ratiocinari ratiocinatur in mente cum recolere, intelligere et
60 amare. Et eligit litteras, quas sibi portant uisus, auditus, odoratus, gustus, tactus, et imaginatio; et cognoscit, recolit et amat
mendacia; et denuntiat pro affari, hoc est loqui, mendacium sub
forma ueritatis, ut ualeat decipere et furari bona proximi sui. |
Et propter hoc tale ratiocinari uadit ad ignem infernalem, ad   R 62ʳ
65 habendum poenam propter aeternum recolere, intelligere et
abhorrere. Et poenam, quam sustinebit, quis posset cogitare,
scribere et loqui?

Lucifer inuidet honorem | sui creatoris. Et propter hoc peruer-   M 72ᵛ
tit omnes fines sui intelligendi, recolendi et amandi in malum et
70 magnum durabile malum. Et ob hoc habituat totum se ipsum de
inuidia et mendacio. Cum quibus duobus habitibus exstat in
igne infernali spirituali aeterno, et comburit se cum inuido et
mendaci intelligere, recolere et abhorrere Deum, et omnes alios
angelos malignos, et etiam angelos benignos, et omnes homines,
75 et caelum et terram, et omnes creaturas, quarum Deus est causa
efficiens et finalis. Poenam, quam ille angelus malignus et omnes
consequentes patiuntur, quis posset cogitare, scribere uel loqui?

Diximus de inuidia et mendacio. Et ostendimus, quid sunt, et

---

40 ad] *coni.*; et *M T R M*₁   **41** ueritatem] *Hic deficit paragraphum de odoratu*
47 bona] *correxi*; bonam *M T R M*₁   **51/52** Quod – nuntius] *coni. ex textu*
cat.; *om. codd. omnes*   **53** impetrare] *Hic deficit paragraphum de affatu*   **60/61**
odoratus] *coni.*; *om. omnes codd.*   **61** et¹] *coni.*; *om. codd. omnes*   **65** aeternum]
coni.; *om. codd. omnes*   **72** se] *coni.*; *om. omnes codd.*

per quid sunt, et principia, contra quae sunt. Et propter hoc
80 deprecemur dominum Deum nostrum Iesum Christum, quatenus nos de inuidia et mendacio defendat, ex quo est Pater
noster. Et eius amore, reuerentia et honore dicamus *Pater noster*.

IV.7. DE IRA

IV.7.1. DE IRA ET MENDACIO [h i]

[SERMO LXXII]

Quicumque uelit sermocinari de ira et mendacio, recolat ea-
5 rum themata, definitiones et species; et secundum illas ordinet
suum sermonem.

In principio deprecabimur dominum Deum nostrum Iesum
Christum, quatenus det mihi gratiam dicendi, et uobis audiendi
et retinendi atque opere complendi uerba, quae sint ad eius
10 honorem. Et amore, reuerentia et honore nostrae dominae sanctae Mariae dicamus *Aue Maria*.

Potentiae, quae maxime sunt fundamenta irae et mendacii,
sunt humana uoluntas et humana et naturalis ueritas. Quarum
Deus est causa efficiens et finalis, cum eius superna et naturali
15 uoluntate et ueritate. Et quia homo deformat et peruertit eius
naturalem uoluntatem et ueritatem, gignit iram et mendacium.
Quae sunt habitus, cum quibus perpetrat mortalia peccata
contra finem sui ipsius, uoluntatis et ueritatis. Et ob hoc est
iratus et mendax contra proximum suum et contra Deum, qui
20 est causa efficiens et finalis sui proximi.

Sicut homo iratus peruertit eius naturale placitum in tristitiam et passionem per accidens, ita homo mendax per mendacium peruertit ueritatem accidentalem in mendacium. Et propter hoc homo iratus et mendax, quoties utatur ira et mendacio,
25 incidit in tristitiam et passionem. De qua quidem tristitia et
passione est ipse figura et signum, quod sustinebit in inferno
tristitiam et passionem aeternam propter iratum et mendax
recolere, intelligere et abhorrere.

Homo iratus et mendax amittit liberum arbitrium in delibe-
30 rando, utrum dicet ueritatem, uel mendacium. Et ob hoc recolit,
intelligit et amat ad contingentiam, et sub habitu irae mentiendo minatur et facit stultitias.

In homine irato humanus intellectus per iram turbatus est et

---

81 mendacio] *add.* nos *M T*

LXXII, **13** et¹] *coni.*; *om. omnes codd.*   **14** causa] *om. et add. sup. lin.* M₁; *om.*
M T R   **22** homo mendax] *coni.*; *om. codd. omnes*

nequit habere deliberationem, per quam patientiam habeat;
35 neque uoluntas potest | illam patientiam amare; neque memoria M 73ʳ
eam recolere potest. Et hoc idem de mendacio, contra quod
intellectus nequit ueritatem intelligere, neque memoria eam
recolere potest, neque uoluntas amare. Et propter hoc coram
tali homine stare periculosum est; et ponit se in periculo, si cum
40 eo uelit loqui, et qui de ira et mendacio | eum corrigere uoluerit. R 62ᵛ
    Imaginatio humana exigit deliberationem ad imaginandum
ea, pro quibus ualeat fore uirtuosa et meritum acquirere. Quod
quidem meritum acquirere non potest, ex quo recolere, intelligere et amare, quae sunt eius causae, de ira et mendacio habituen-
45 tur. Et propter hoc imaginatio mouetur per similitudines et
phantasias, per quas ira et mendacium ualeant multiplicari.
    Affari, quod est loqui, in homine irato et mendaci peruersum
est de placito in iram, et de ueritate in mendacium. Et propter
hoc decipit proximum suum homo iratus et mendax, et facit
50 eum timidum propter iram, et disponit illum ad mentiendum,
ob hoc ut propter mendacium moueatur ad iram.
    Homo iratus et mendax est contra finem tangendi mulierem.
Et si aliquis sibi contradicat irascitur contra illum, cui minatur
irate et dicit mendacia, ut ualeat luxuriam exercere.
55   Homo iratus et mendax est contra finem gustandi; cum ita
sit, quod irate comedat et bibat. Propter quam iram non habet
deliberationem ad intelligendum, recolendum et amandum temperantiam neque ueritatem; et dicit mendacia, ut ualeat multum comedere et bibere.
60   Homo iratus et mendax, quando sibi quis loquitur ueritatem
et laudat patientiam, consequitur displicitum in audiendo illa
uerba; cum ita sit, quod illa sint contra iram et mendacium, et
propter hoc irate et mentienter est contra illa uerba. Et si
diceretur sibi, quod repeteret ea, nesciret ea repetere, quia non
65 ipsa audit cum deliberato intelligere, amare et recolere, et etiam
imaginari; et quia est mentiens, dicit se scire repetere ea uerba,
et quod ea intellexit.
    Homo iratus et mendax ira et mendacio utitur tunc, quando
uidet proximum suum honorari et esse diuitem et plenum. Et si
70 interrogetur ab aliquo de illo proximo suo, respondet irate et
mentienter, et nescit laudare proximum suum, nec redarguere
se ipsum de eius ira et mendacio.
    Si uelis cognoscere hominem iratum et mendacem, inquire
eum cum patientia et ueritate per suum sentire et per tuum, per
75 suum ratiocinari et per tuum. Et per talem inquisitionem eum
reperire poteris et cognoscere.
    Diximus de ira et mendacio. Et ostendimus id, quod sunt, et

---

39 periculosum] *add.* quid *M T*; *add.* quod *R*; *add.* quod *sed corr. in* quid *M*₁
40 qui] *corr. ex* quid *M*₁; quod *M T R*   42/43 Quod – acquirere] *om. T*
68 mendax] *add.* cum *M T R M*₁

per quid sunt, et ubi sunt. Et propter hoc deprecemur dominum Deum nostrum Iesum Christum, quatenus nos de ipsis
80 custodiat, cum sit Pater noster. Et ob eius amorem, reuerentiam
et honorem dicamus *Pater noster*.

Diximus de quarta distinctione, quae est de mixtione peccato-
rum. | Per quam quidem mixtionem tu, qui sermocinaris, potes M 73ᵛ
ostendere populo, quid sunt mortalia peccata, et quomodo gene-
85 rantur, multiplicantur et ligantur ac fortificantur contra Deum
et contra fines omnium creaturarum. Et talis doctrina est multum alta, utilis et profunda ad destruendum peccata et ad
acquirendum uirtutes.

V

De quinta distinctione
[De uirtutibus cum peccatis compositis]

Ista distinctio diuiditur in sexaginta quattuor sermones, mul-
5 tiplicatos ex octo uirtutibus et octo peccatis per ordinem, mixtis
uirtutibus cum peccatis per contrarietatem, ob hoc ut uirtus
cognoscatur | cum peccato, et quod peccatum | cognoscatur cum
uirtute.
Et talis doctrina est multum subtilis, alta et utilis ad praedi-
10 candum, cum sit necessarium praedicatorem ostendere materiam, per quam uirtus et peccatum contrariantur, et modum,
per quem homo sciat cum uirtute destruere peccatum, et sciat
generare et multiplicare uirtutes.
Tu sermocinator, qui sermocinaris, facias unum sermonem de
15 una uirtute et uno peccato. Et sumas themata uirtutis et peccati, quae inuenies in prima et secunda distinctione, et colligas
rationes ex illis, et etiam de tertia et quarta distinctionibus ad
tuum libitum. Et sic habebis magnum thema et magnam materiam et diuersam ad faciendum tuum sermonem.
20 In hac distinctione nos faciemus multas nouas rationes ad
multiplicandum materiam praedicandi. Et primo faciemus unum
sermonem de iustitia et auaritia; et alius erit de iustitia et
gulositate. Et sic per ordinem usque ad ultimum sermonem
huius distinctionis, qui erit de sapientia et mendacio.
25 Hos sermones intendimus formare cum Dei dignitatibus, quae
sunt supernae, scilicet superna bonitas, magnitudo, etc. Et etiam
cum principiis humanis innatis naturalibus; quae sunt bonitas,
magnitudo, duratio, potestas, intellectus, uoluntas, uirtus, ueritas et gloria. Quae sunt principia *Artis generalis ultimae*. Et

---

V DIST., **29** ultimae] *correxi*; ultimatae *M T R M*₁; *cat.* ultimada

30 etiam discurremus in hac distinctione per sex sensus particulares, et per imaginationem, et per tres potentias animae rationalis; cum ita sit, quod decem sint termini, per quos et cum quibus
fiant uirtutes et peccata.

V.i. DE IVSTITIA

V.i.i. De ivstitia et avaritia [B b]

[Sermo LXXIII]

Si uelis sermocinari de iustitia et auaritia, recolas earum
5 themata, definitiones et species, et eas primo dicas.

In principio deprecabimur dominum Deum nostrum Iesum
Christum, quatenus det mihi gratiam dicendi, et uobis audiendi
et retinendi uerba, quae sint ad eius laudem. Et amore, reuerentia et honore nostrae dominae sanctae Mariae dicamus *Aue*
10 *Maria*.

Iustitia est habitus positiuus, cum quo homo iustus utitur
iuste eius naturalibus potentiis, ob hoc ut actus naturales earum
sint per accidentia iusti. Et ab omnibus illis | iustitia generetur   M 74ʳ
et multiplicetur, uidelicet per iustum uisum, auditum, odora-
15 tum, gustum, palpatum, affatum, imaginationem, recolere, intelligere et amare. Et iniuria, quae est eius contrarium, est habitus
priuatiuus, cum quo homo iniustus iniuriose utitur actibus supra dictis. Quae quidem iniuria est uicina et amica auaritiae;
quae est habitus priuatiuus contra iustitiam; cum ita sit, quod
20 homo auarus peruertat fines potentiarum supra dictarum et
earum actus contra largitatem; quae est uicina et amica iustitiae.

Homo iustus considerat Deum fore iustum, et iuste fore
causam efficientem et finalem naturalis sentiendi, imaginandi et
25 ratiocinandi. Et propter hoc ille homo uult iuste uti per uisum,
auditum et alios actus in Deum uenerando et amando, et eidem
seruiendo. Et quando ille homo iustus tentatur per auaritiam ad
deuiandum a fine iustitiae per uisum uel per auditum, et sic de
aliis actibus, considerat illam deuiationem | fore malam, quod   R 63ᵛ
30 est contra diuinam bonitatem, quae est causa efficiens et finalis;
et etiam est contra humanam bonitatem, propter quam iustitia
bona est. Et ob hoc uincit et destruit tentationem, factam per

---

30 in] *correxi*; cum *MTRM*₁

LXXIII, **5** eas] *corr. ex* es *R*; es *M*   **28** deuiandum] *coni.*; delirandum
MTR; declinandum *corr. ex* delirandum *M*₁; *cat.* desviar   **29** deuiationem]
coni.; delirationem *MTR*; declinationem *corr. ex* delirationem; *cat.* desviament;
cf. infra serm. LXXVI, lin. 86   quod] quia *M*₁

auaritiam. Et si homo non considerat, sicut superius dictum est,
et tentatur per daemonem, per mundum uel carnem, et hoc per
35 suum uisum, odoratum et alios, contra largitatem, tunc ille
homo gignit auaritiam, generatam in suo recolere, intelligere et
amare; cum quibus est iniustus et auarus. Et nuntii sunt sentire
et imaginari. Et talis homo auarus uadit in infernum per in
perpetuum stare. In quo Deus non utitur gratia nec largitate, et
40 utitur aeterne iustitia contra auaritiam. Et subiectum est homo
auarus, qui affligitur in igne infernali propter auarum recolere,
intelligere et amare. Propter quae sustinent tormentum aeternum nuntii auari, qui sunt uisus, auditus etc. Poenam, quam
homo auarus sustinebit magnificenter aeterne et iuste, quis
45 posset cogitare, referre uel scribere?

Iustitia et auaritia in homine nequeunt uno et eodem tempore
permanere; cum ita sit, quod iustitia et auaritia sint habitus
contrarii, et unus est positiuus et reliquus priuatiuus. Attamen
uno eodem tempore possunt esse in homine ambo habitus,
50 existente uno in actu et reliquo in potentia; cum ita sit, quod
homo ualeat uno tempore esse iustus et alio tempore ualeat fore
auarus. Potest esse iustus propter bona gratiae, et potest esse
auarus, quia potest a se ipso priuari iustitiam et auaritiam
generare. Et per talem ordinem homo potest uti libero arbitrio
55 ad acquirendum iustitiam, uel ad amittendum iustitiam propter
auaritiam. Et liberum arbitrium habet duas species. Quarum
una est creatura, a Deo data et creata, ob hoc ut sit instrumentum, cum quo ualeat iustitia generari et uti ea. Et alia species
est priuatiua; et est instrumentum, quod homo facit ab eius
60 fra|gili natura, quae de nihilo creata est. Per quod quidem M 74ᵛ
nihilum habet inclinationem ad peccatum, quod nihilum est, in
quantum est contra aliquid positiue. Et propter hoc talis libertas, quam homo auarus habet ex nihilo, est libertas, per hominem auarum generata; et est instrumentum, cum quo homo
65 facit peccatum.

Homo iustus cum iustitia participat cum Deo, qui est iustus.
Et quia iustitia bona est, ideo participat cum Deo, qui bonus est.
Et quia iustitia magna est, ideo iustus homo per magnitudinem
participat cum Deo, qui magnus est. Et quia iustitia conuenit
70 cum esse, est de genere durationis, propter quam homo iustus
participat per gratiam cum aeternitate Dei, qui est causa efficiens et finalis totius iustae durationis. Et quia homo iustus
potestatem habet utendi cum iustitia, per iustitiam participat
cum diuina potestate. Et in quantum homo iustus intelligit
75 iustitiam, participat cum intellectu Dei, qui est causa iustitiae.

---

48 est] *coni.*; *om. codd. omnes*   **49** habitus] *corr. ex* ambitus M_1; ambitus MTR
51 esse] *om. et add. sup. lin.* M_1; *om. MTR*

Et quia homo iustus amat iustitiam, participat cum uoluntate
Dei, quae iustitiam amat. Et quia homo iustus est uirtuosus, per
iustitiam participat cum Deo, qui est uirtus. Et quia homo
iustus est uerax, participat cum Deo, qui est ueritas. Et quia
80 homo iustus cum iustitia meretur meritum, participat cum Deo,
qui est gloria.

Ostendimus participationes, per quas homo iustus participat
cum Deo per iustitiam. Cum qua est procul ab auaritia. Cum
qua auaritia homo auarus nullam habet participationem cum
85 Deo ne cum homine iusto.

Diximus | de iustitia et auaritia. Et ostendimus modum, per
quem sunt habitus contrarii; et quilibet habitus cognoscitur per
alterum. Propter hoc deprecemur dominum Deum nostrum
Iesum Christum, quatenus nobis det iustitiam per gratiam suam,
90 et nos custodiat ab auaritia, et quia est Pater noster. Suo amore,
reuerentia et honore dicamus *Pater noster*.

V.1.2. DE IVSTITIA ET GVLOSITATE [B C]

[SERMO LXXIV]

Quicumque uelit sermocinari de iustitia et gulositate, recolat
earum themata, definitiones et species; et secundum illas nor-
5 met et ordinet suum sermonem.

In principio deprecabimur dominum Deum nostrum Iesum
Christum, quatenus det mihi gratiam dicendi, et uobis audiendi
et retinendi uerba, quae sint ad eius laudem. Et amore, reuerentia et honore nostrae dominae sanctae Mariae dicamus *Aue*
10 *Maria*.

In praecedenti sermone applicuimus iustitiam auaritiae. Et
secundum modum suum et naturam suam potest applicari
gulositati et re|liquis peccatis. Quoniam sicut crystallum recipit
colorem rubeum, quando ponitur super rem rubeam, recipit
15 colorem uiridem, quando ponitur super uiridem substantiam,
ita una et eadem iustitia in numero est conditionata secundum
auaritiam, et alia secundum gulositatem; et ita de aliis peccatis.
Et ita non oportet repeti in hoc sermone conditiones iustitiae
secundum modum, quem habet cum auaritia. Sed dicemus con-
20 ditiones, quas habet et quae sibi conueni|unt contra gulositatem.
Et sic poterit cognosci, quod iustitia est habitus generalis, qui
potest applicari cum suis conditionibus pluribus et diuersis
speciebus peccatorum.

Gulositas exstat maxime per gustum, qui consequitur placi-
25 tum naturale per comedere et per bibere. Quod quidem placi-

---

LXXIV, **15** super] *add.* rem *M T R*; *add. et del.* rem *M*₁   alia] *corr. in* aliter
*M*₁

tum exigit iustitia fore iustum, ob hoc ut comedere et bibere
sint nuntii temperantiae et sanitatis. Et homo gulosus considerat placitum gustandi. Quod quidem placitum uult multiplicare
per comedere et bibere; et obliuiscitur iustitiam, quae causat
30 mensuras et circumstantias, per quas homo debet comedere et
bibere temperate, ut sane et diu uiuat pro seruiendo Deo et ad
oboediendum eius iustitiae. Et homo gulosus facit contrarium.

Homo gulosus non habet ita magnam fortitudinem ad gignendum gulositatem, quemadmodum habet homo iustus ad gignen-
35 dum iustitiam, quam gignit adiutorio Dei et adiutorio humanae
bonitatis. Quae causant, quod iustitia moralis sit habitus positiuus. Et gulositas, quae est habitus priuatiuus, non habet adiutorium a Deo nec ab humana bonitate. Et propter hoc consequitur magnam culpam homini in gignendo gulositatem et
40 iustitiam negligendo. Propter quam culpam uadit in ignem
infernalem, in quo aeterne sustinebit indigentiam comedendi et
bibendi. Quod quidem aeternum desiderauit, et intelliget, quod
numquam comedet neque bibet. Talem poenam aeternam quis
posset cogitare, loqui neque scribere?
45   Iustitia est magna; et est magna ideo, quia similis est magnitudini Dei, quae eam creauit. Et ob hoc iustitia exigit habere
magnum actum secundarium, qui est infinitiuus. Qui quidem
actus associetur cum magnitudine recolendi, intelligendi et amandi, ob hoc ut gulositas non recolatur neque ametur, et quod
50 intelligatur ipsam fore peccatum mortale. Et si homo iustus non
utatur tali magnitudine, et gignit magnam iniu|riam, associat R 64ᵛ
iniuriam cum gulositate, quae facit habitum magnum. Qui quidem habitus habituat suum recolere, intelligere et amare contra
iustitiam. Vnde cum hoc ita sit, ostendimus igitur modum, per
55 quem cum magnitudine iustitiae destruetur et uincetur parua
gulositas; et cum magnitudine gulositatis potest destrui pauci-
tas iustitiae.

Diu imaginari circumstantias iustitiae, illa duratio est fundamentum durationis iustitiae. Et si homo subito uelit esse gulo-
60 sus, per longam perseuerationem iustitiae homo gignit abstinentiam contra gulositatem. Et hoc conuertitur, si homo diu imaginetur circumstantias gulositatis.

Potestas iustitiae et potestas gulositatis sunt duae potestates
contrariae. Et ob hoc faciunt contraria opera; cum ita sit, quod
65 iustitia sit contra gulosi|tatem, et gulositas contra iustitiam. Et M 75ᵛ
ut melius hoc ualeam declarare, uolo impendere hoc exemplum.
Tu tenes quendam gladium in manu tua, et uis scindere unum
magnum fustem. Si tu percutias magnos ictus, cito scindes
fustem siue baculum. Et si facias modicos ictus, multum tarda-
70 bis scindere baculum. Simili modo si tu uelis destruere gulosita-

---

47 infinitiuus] infinitus *R* ; finitus, *corr. ex* infinitus *M*₁ ; *refertur ad actum iustitiae, qui est* iustificare   **60** per] *om. et add. sup. lin. M*₁ ; *om. MTR*

tem cum iustitia, habeas magnum imaginari, recolere, intelligere
et amare, habituata de iustitia contra gulositatem; et per hoc
leuiter superabis gulositatem. Et si facias contrarium, leuiter
superabis et destrues iustitiam. Vnde cum hoc ita sit, potes
75 igitur cognoscere, utrum sis gulosus et uis destruere gulositatem
cum paruo uelle. Et si habes magnum recolere, intelligere et
imaginari ad multum comedere et bibere, non poteris destruere
gulositatem, nec iustitiam generare, donec illum modicum uelle
conuertas in magnum uelle; quod associes cum magno recolere,
80 intelligere et imaginari contra gulositatem.

Ostendimus igitur secreta, quae homo gulosus ignorat, nec
recolit, nec amat, neque imaginatur; cum quibus gulositas potest destrui et corrumpi.

Diximus de iustitia et gulositate. Et ostendimus earum con-
85 trarietatem. Et propter hoc deprecemur dominum Deum nostrum Iesum Christum, quatenus det nobis iustitiam contra
gulositatem, ex quo est Pater noster. Et eius amore, reuerentia
et honore dicamus *Pater noster*.

V.1.3. DE IVSTITIA ET LVXVRIA [B d]

[SERMO LXXV]

Si uelis sermocinari de iustitia et luxuria, recolas earum
themata, definitiones et species; et secundum illas norma et
5 ordina tuum sermonem.

In principio deprecabimur dominum Deum nostrum Iesum
Christum, quatenus det mihi gratiam dicendi, et uobis audiendi
et retinendi uerba, quae sint ad honorem eius. Et amore, reuerentia et honore nostrae dominae sanctae Mariae dicamus *Aue*
10 *Maria*.

Iustitia Dei potest dupliciter considerari. Primo per aequalitatem suarum dignitatum. Quam aequalitatem habent superne
per sanctam et supernam trinitatem; cum ita sit, quod Deus
Pater, Deus Filius, Deus Spiritus sanctus, sint aequaliter una
15 superna unitas, bonitas, infinita aeternitas et reliqua, unus Deus,
una deitas, una essentia, una substantia et natura. Ista iustitia
diuina essentialis et naturalis uult, quod sit iustitia aequalis et
naturalis in anima rationali per aequale et naturale recolere,
intelligere et amare. Ab hac iustitia aequali et naturali progredi-
20 tur iustitia moralis per accidens, quam | gignit homo tunc,   R 65ʳ
quando intelligit, recolit et amat plus Deum, quam omnia alia.
Et ab hac iustitia descendit et deriuatur alia iustitia, per quam

---

76 si] *coni.*; *om. M T R M*₁   87 est] *om. M R*

homo debet amare tantum proximum suum, quemadmodum et
se ipsum.

25   Contra hanc iustitiam est | homo luxuriosus, qui inuidet uxo-   M 76ʳ
rem proximi sui ad carnale delicium. Quae quidem luxuria
deriuatur ab iniusto recolere, intelligere et amare sub forma
luxuriandi. Et nuntii luxuriae sunt iniusti uisus, auditus, odoratus, gustus, palpatus, affari et imaginari; qui mouentur per
30   iniustum ratiocinari, ut ualeat luxuriam impetrare.

Diximus per quem modum homo iustus gignit iustitiam et
homo iniustus gignit luxuriam, quare homo iustus contra luxuriam possidebit iuste gloriam aeternam propter iustum sentire,
imaginari et ratiocinari; et homo iniustus luxuriosus sustinebit
35   poenam aeternam propter iniustum sentire, imaginari et ratiocinari.

Si tu, qui sermocinaris, uelis habere magnam materiam ad
praedicandum, colligas materiam de sermone iustitiae, quae est
in prima distinctione, et capitulis iustitiae, quae sunt in tertia
40   distinctione. Et hoc idem facias de materia luxuriae, quae est in
secunda distinctione et quarta. Et tunc habebis abundantiam
diuersorum modorum et multorum ad praedicandum de iustitia
et luxuria.

Homo iustus colligit placita naturalia; quae sunt per uisum,
45   auditum, odoratum, gustum, palpatum, affari, imaginari, recolere, intelligere et amare. Et omnes illos induit per accidens de
iustitia tunc, quando gignit castitatem contra luxuriam. Et
homo luxuriosus iniuriosus facit contrarium. Et per hoc potest
cognosci modus, per quem homo iustus gignit iustitiam contra
50   luxuriam; | et homo iniustus gignit luxuriam contra iustitiam.   T 35ᵛ

Homo iustus, qui gignit iustitiam contra luxuriam, gignit
placitum recolendi, intelligendi et amandi castitatem. Et homo
iniustus, quando gignit luxuriam, gignit placitum palpandi mulierem. Et per hoc possunt cognosci duo genera bonitatis. Qua-
55   rum una bonitas exstat superius per animam rationalem et
per iustitiam, quae est eius habitus; et alia bonitas exstat
inferius per placitum tangendi mulierem contra iustitiam, cum
ita sit, quod placitum recolendi, intelligendi et amandi sit seruiens et submissum placito tangendi mulierem contra iustitiam.
60   Et propter hoc homo luxuriosus, quia desiderat bonum placitum tangendi mulierem, et obliuiscitur placitum iustitiae, gignit
iniuriam et peccat sub habitu luxuriae mortaliter, et iniuriatur
diuinae iustitiae. Quae uult, quod placitum iustitiae sit superius,
et placitum tangendi mulierem sub habitu castitatis sit inferius;
65   cum ita sit, quod potentiae animae sint nobiliores, ob hoc quia

---

LXXV, **26** delicium] *coni.*; delictum *M T R M₁*; *cat.* delit; *cf. serm. 53, lin. 23, 25
et 41*   **45** odoratum] *coni.*; *om. omnes codd.*   imaginari] *coni.*; *om. omnes codd.*
57 inferius] *coni.*; *om. omnes codd.*   **63** iustitiae] *add.* et *M T R M₁*

per naturam morantur superius, et potentiae corporis sint minus nobiles, ob hoc quia per naturam stant inferius. Stat igitur
castitas superius per iustitiam, et exstat luxuria inferius per
iniuriam; quae quidem iniuria gignit malum propter luxuriam.
70 Vnde cum hoc ita sit, ostendimus igitur modum, per quem
bonum tangendi mulierem propter luxuriam | peruertit homo   M 76ᵛ
iniustus et luxuriosus in malum, quod est mortale peccatum;
cum quo uadit in ignem infernalem et amittit bonum caelestem.
    Diximus de iustitia et luxuria. Et ostendimus modum, per
75 quem potest cognosci | id, quod sunt, de quo sunt, et per quid   R 65ᵛ
sunt. Et per talem doctrinam potest faciliter destrui luxuria
cum iustitia, et gigni castitas. Et propter hoc deprecemur dominum Deum nostrum Iesum Christum, quatenus nos iuuet ad
generandum iustitiam, quae est contra iniuriam, et ad destruen-
80 dum luxuriam, quae est contra castitatem, ex eo, quia est Pater
noster. Et eius amore, reuerentia et honore dicamus *Pater no-*
ster.

V.1.4. DE IVSTITIA ET SVPERBIA [B e]

[SERMO LXXVI]

    Quicumque uelit sermocinari de iustitia et superbia, recolat
earum themata, definitiones et species; et secundum illas ordi-
5 net suum sermonem.
    In principio deprecabimur dominum Deum nostrum Iesum
Christum, quatenus det mihi gratiam dicendi, et uobis audiendi
et retinendi uerba, quae sint ad gloriam et laudem eius. Et
amore, reuerentia et honore nostrae dominae sanctae Mariae
10 dicamus *Aue Maria*.
    Homo habet decem potentias naturales, ex Dei potestate sibi
praebitas et particulatas, cum quibus facit id, quod facit, scilicet
potentiam uisiuam, auditiuam, odoratiuam, gustatiuam, palpa-
tiuam, affatiuam, imaginatiuam, memoratiuam, intellectiuam et
15 uolitiuam. Et homo superbus cum his potentiis generat superbiam in anima rationali. Quam quidem superbiam disponit cum
potentiis inferioribus, quae sunt de genere sentiendi et imaginandi. Et propter hoc Deus cum sua iustitia causat iustitiam in
homine iusto, qui utitur illa iustitia contra superbiam cum
20 omnibus actibus potentiarum supra dictarum. Et homo habet
liberum arbitrium ad utendum superbia per omnes potentias,
uel iustitia. Et si utatur superbia est culpabilis; propter quam

---

    68 superius] *coni.*; *om. codd. omnes*   inferius] *coni.*; superius *M T R M₁*   **80**
ex eo] *coni.*; et ideo *M T R M₁*

LXXVI, **14** et] *coni.*; *om. omnes codd.*

culpam consequetur poenam aeternam. Et si utatur iustitia possidebit gloriam caelestem aeternam.

25   Homo, si uideat aliquem alium hominem diuitem et honoratum, qui fuerit pauper et de uili genere, si ferat malam uoluntatem contra illum, erit superbus contra Dei iustitiam, quae dederit illi homini bona temporalia et naturalia. Et superbia incipiet per oculos, qui erunt fenestrae; et impetrabitur in
30   uoluntate, et per consequens in intellectu et memoria; cum ita sit, quod uoluntas nequeat fore superba sine superbo intellectu et superba memoria.

Aliquis homo audiet laudari aliquem hominem de diuitiis uel honoribus. Et quia eius auditus est proprius particularis sibi, si
35   obliuiscatur iustitiam, et habeat malam uoluntatem aduersus illum, et uellet laudari de diuitiis et honoribus, gignit superbiam. Et aures sunt fenestrae, per quas superbia | intrat in   M 77ʳ
animam, quae iusta non est. Quae esset iusta, si laudaret et benediceret Deum contra superbiam, ob hoc quia dedit diuitias
40   et honores proximo suo.

Aliquis homo est, qui non sentit odorem; et si uideat odorare pomum, rosam uel alium florem, alium hominem, qui sentiat odorem, si habet iram contra Deum, ob hoc quia non dedit sibi uirtutem ad sentiendum odorem, gignit superbiam contra iusti-
45   tiam Dei, quae libere dat bona gratiae naturalia et moralia, cuicumque uult. Et propter hoc nasus est porta, per quam superbia intrat in animam contra iustitiam, quae nequit stare in | anima illa cum superbia.   R 66ʳ

Aliquis homo, diues uel pauper, si uideat comedere delicatas
50   comestiones aliquem alium hominem, et habet iram et inuidiam, quando uidet comedere illum hominem delicatas comestiones, gignit superbiam contra iustitiam; et gustus est porta.

Aliquis homo uidet aliquam pulchram mulierem, quae sibi non competit pro matrimonio. Si uellet illam ad carnalem deli-
55   cium et obliuiscitur iustitiam Dei, uel si eam recolat et non eam timeat, gignit superbiam in anima; et palpare est porta.

Aliquis homo uidet loquentem in consilio aliquem alium hominem, qui discrete, pulcherrime et ordinate loquitur. Si habeat iram et consequatur displicitum ex uerbis illis, quae audit,
60   gignit superbiam contra iustitiam; et affari et audire sunt fenestrae, per quas intrant superbia et iniuria in animam.

In homine, qui imaginatur superbiae circumstantias, scilicet pulchritudinem corporis et fortitudinem naturalem, imaginari colligit illas circumstantias, et eas praesentat in anima. Et si

33 diuitiis] *corr. ex* uitiis M_1; uitiis MTR 43 habet iram] *coni.*; odiat $MTRM_1$; *cf. supra serm.* LXVIII, *lin.* 5oss   49 homo] *add.* sit MTR 50 habet – inuidiam] *coni.*; odit et inuidet $MTRM_1$; *cat.* a ira e enveja (aïra = odit)
54/55 delicium] *coni.*; delictum $MTRM_1$; *cat.* delit   58/59 habeat iram] *coni.*; illum odiat $MTRM_1$; *cat.* aquell ha ira   62 In homine] *correxi*; homo $MTRM_1$

65 anima illas recipiat contra iustitiam, gignit superbiam; et imaginari est porta.

Aliquis homo considerat diuitias et honorem regis, et honoratum genus illius. Si ille homo consequatur displicitum de bonis
gratiae, quae Deus dedit regi, gignit superbiam contra iustitiam
70 et humilitatem; et considerare est superbum propter recolere,
intelligere et amare. Et considerare est porta et camera, in qua
superbia inhabitat; et peccatum est generatum, cum qua superbia uadit statum in cameram ignis aeterni et amittit cameram
gloriae perpetuae eius recolere, intelligere et amare. Et hoc idem
75 potest dici de eius sentire, et imaginari.

Quilibet homo, diligens magis se ipsum, quam Deum, habet
uoluntatem superbam. Quae quidem uoluntas est contra iustitiam Dei, qui propter iustitiam est dignus amari plus, quam
aliquid aliud. Quae quidem iustitia propter magnam et super-
80 bam uoluntatem, quam habet ille homo, puniet ita fortiter et
aeterne illam uoluntatem, quemadmodum sunt iniuria et superbia illius uoluntatis.

Quilibet princeps uel praelatus, qui cognoscit in se dignitatem, quam habet, propter quam est persona communis, et non
85 noscit eam Deo, peccat ita superbe | et iniuriose, quemadmodum   M 77ᵛ
est deuiatio siue deliratio finis, per quem est ipse princeps uel
praelatus; cum ita sit, quod finis, per quem ipse est princeps uel
praelatus, est, ob hoc ut ipse cum illo fine seruiat Deo et populo
Dei in tantum, quod illum finem non teneat otiosum, nec deuiet |
90 ab eius magna bonitate et dignitate.   T 36ʳ

Diximus de iustitia et superbia. Et ostendimus contrarietatem illorum duorum habituum, et id, quod sunt. Et propter hoc
deprecemur dominum Deum nostrum Iesum Christum, quatenus nos a superbia defendat, et det nobis iustitiam, ex quo est
95 Pater noster. Et eius amore, reuerentia et honore dicamus *Pater
noster*.

V.1.5. DE IVSTITIA ET ACCIDIA [B f]

[SERMO LXXVII]

Quicumque uelit sermocinari de iustitia et accidia, recolat
earum themata, definitiones et species; et secundum illas ordi-
5 net suum sermonem.

In principio deprecabimur dominum Deum nostrum Iesum
Christum, quatenus det mihi gratiam dicendi, et uobis audiendi |
et retinendi uerba, quae sint ad eius laudem. Et ob honorem   R 66ᵛ
nostrae dominae sanctae Mariae dicamus *Aue Maria*.
10   Virtus est genus, habens duas species. Quarum una est uirtus
naturalis, diffusa per decem potentias naturales; quae sunt

---

72 peccatum] *coni.; om. omnes codd.*   **89** deuiet] deuietur *M T R*

potentia uisiua, auditiua, odoratiua, gustatiua, tactiua, affatiua,
imaginatiua, intellectiua, amatiua et memoratiua. Omnes hae
potentiae sunt per bonum uirtuosum naturale. Secunda species
15 est uirtus moralis; quae est iustitia. Quae exigit, omnes potentias naturales fore diligentes ad Deum uenerandum et seruiendum. Et propter hoc iustitia est habitus, gignens diligentiam
uidendi, audiendi et aliorum. Et potentiae naturales sunt instrumenta, quibus utitur homo ad iustitiam generandam diligenter.
20 Et si homo fuerit negligens in utendo potentiis naturalibus,
generat accidiam contra iustitiam. Quae est mortale peccatum,
ob hoc quia priuat diligentiam uidendi, audiendi etc., et corrumpit iustitiam. Vnde cum hoc ita sit, ostendimus igitur, quid est
iustitia, et quid accidia. Et ostendimus subiecta, in quibus
25 permanent.

Humana bonitas exigit hominem fore diligentem propter potentias supra dictas; cum ita sit, quod uirtus naturalis, quae
bona est, sit diligens propter uisum, auditum, et alios. Et ob hoc
iustitia, quae bona est, exigit hominem uidere, audire etc. bono
30 modo et iuste et diligenter. Et propter hoc potentiae et iustitia
sunt de genere bonitatis et diligentiae, ob hoc ut fines potentiarum non amittantur, quia eorum perditio est contra Deum, qui
est causa efficiens et finalis finium naturalium. Et perditio
illorum finium contra diligentiam iustitiae est habitus priuati-
35 uus, qui est accidia, scilicet negligentia. Per quem quidem habitum homo accidiosus consequitur displicitum ex bono, et placi-
tum ex malo. Cum quo quidem malo ibit mo|ratum in igne   M 78ʳ
infernali aeterno, et amittet bonum caeleste et aeternum.

Humana magnitudo naturalis exigit hominem habere ma-
40 gnam diligentiam per uisum, auditum et alios. Quae quidem
diligentia sit per habitum magnae iustitiae. Et accidia est habitus ille, quo utitur homo contra iustitiam. Et ob hoc accidia est
habitus priuatiuus contra magnitudinem iustitiae, quae est habitus positiuus.

45   Humana duratio exigit per naturam hominem fore diligentem
ad utendum diu et iuste finibus uidendi, audiendi et aliorum. Et
si homo cum constantia et perseuerantia utitur illis finibus, est
iustus et iustitia habituatus. Et si sit negligens, iniustus est et
gignit accidiam. Cum qua tenet otiosas omnes potentias natura-
50 les contra fines, per quos sunt; scilicet, quod fines illi sunt
propter Deum uenerandum et eidem seruiendum, et propter
bonum meritum durabile acquirendum.

Humanum posse naturale exigit hominem uti illo posse per
uisum, auditum et alios actus. Et si utatur homo diligenter illo

---

LXXVII, **13** et] *coni.*; *om. codd. omnes*   **18/19** instrumenta] *add.* cum *M T R M*₁
29 etc.] *coni.*; *om. codd. omnes*   **42** quo utitur] *coni.*; cum quo utitur *M T R M*₁
46/47 uidendi – finibus] *coni. ex textu cat.*; *om. M T R*; *add. sup. lin.* et qui hoc
facit *M*₁

55 posse ex intentione, ut ueneretur Deum et eidem seruiat, est
iustus. Et si faciat contrarium est accidiosus.

Humanus intellectus exigit per naturam intelligere, ob hoc ut
Deus et eius opera intelligantur. Et iustitia exigit hominem
intelligere Deum et eius opera cum magna diligentia. Et si homo
60 utatur illo fine, | est iustus. Et si contrarium faciat, est accidio-   R 67ʳ
sus, et committit peccatum, quia est contra finem intelligendi.

Humana uoluntas exigit hominem fore diligentem ad amandum Deum et eidem seruiendum et opera eius amandum. Et si
homo sequatur finem uoluntatis, est diligens et iustus. Et si
65 contrarium faciat, est negligens et iniustus, et peccat per peccatum accidiae contra Deum et eius proximum.

Humana uirtus exigit hominem fore uirtuosus per iustitiam,
ob hoc ut habeat uirtuosum et iustum uisum, auditum etc. in
uenerando et seruiendo Deum. Et si contrarium faciat est acci-
70 diosus et impedit finem uirtutis.

Humana ueritas exigit hominem fore diligentem ad fungen-
dum ipsa ad uenerandum et seruiendum Deum. Et qui ea
fungitur diligenter, est iustus. Et qui contrarium facit, iniustus
est et accidiosus, et mortaliter peccat.

75 Humana delectatio naturalis exigit hominem uti bene bonis
gratiae cum iustitia diligentia et patientia per uisum, auditum
et alios. Et si homo sequatur illum finem, est iustus per iustitiam. Et si contrarium faciat est iniustus et accidiosus, et
mortaliter peccat.

80 Diximus de iustitia et accidia. Et ostendimus earum essentias
et processum. Et propter hoc deprecemur dominum Deum
nostrum Iesum Christum, quatenus det nobis iustitiam, et nos
defendat de accidia, ex quo est Pater noster. Et eius amore,
reuerentia et honore dicamus *Pater noster*.

V.1.6. DE IVSTITIA ET INVIDIA [Bg]

[SERMO LXXVIII]

Quicumque uelit sermocinari de iustitia et inuidia, recolat |
earum themata, definitiones et species; et secundum illas ordi-   M 78ᵛ
5 net suum sermonem.

In principio deprecabimur dominum Deum nostrum Iesum
Christum, quatenus det mihi gratiam dicendi, et uobis audiendi
et retinendi uerba, quae sint ad eius gloriam et honorem. Et ob
amorem, reuerentiam et honorem nostrae dominae sanctae Ma-
10 riae dicamus *Aue Maria*.

Iustitia est habitus, cuius Deus est causa efficiens et finalis, ob

---

76 iustitia] *coni.*; iusta *MTRM*₁   patientia] *coni.*; placentia *MTRM*₁

hoc ut iustitia sit instrumentum homini, cum quo iuste utatur
suis decem potentiis naturalibus propter Deum uenerandum,
laudandum et seruiendum. Quae quidem potentiae dictae sunt
15 in sermone praecedenti, ad quas se habet iustitia contra accidiam, quae species est peccati generalis. Quam quidem iustitiam
intendimus applicari contra inuidiam, quae species est peccati
generalis. Cum qua quidem inuidia homo generat inuidiam et
illegalitatem contra suas decem potentias naturales, et contra
20 eas proximi sui, et etiam contra Deum, qui est causa efficiens et
finalis decem potentiarum naturalium. Vnde cum hoc ita sit,
ostendimus igitur modum, per quem iustitia et inuidia sunt
habitus contrarii. Et subiecta earum sunt potentia uisiua, auditiua, odoratiua, gustatiua, tactiua, affatiua, imaginatiua, intel-
25 lectiua, amatiua et memoratiua.

Iustitia exigit, ut sit de genere bonitatis, ob hoc ut per bonum
et iustum uidere, audire, odorare, gustare, palpare, affari, imaginari, intelligere, amare et recolere impendatur per hominem
Deo reuerentia honorque. Qui quidem Deus mandat et uult, ut
30 ei impendatur per hominem reuerentia et honor, et quod oboe-
diatur eius praeceptis per omnes decem potentias naturales, ex
quibus homo unitur et componitur, et etiam cum omnibus bonis
| gratiae, quae Deus homini impendit. Quae sunt diuitiae, honor, R 67ᵛ
sanitas, genus siue patriciatus et reliquae prosperitates. | Et T 36ᵛ
35 inuidia exigit totum contrarium. Et propter hoc homo inuidus
est contra iustitiam per omnes actus decem potentiarum naturalium, et contra bona gratiae. Et propter hoc inuidia est
habitus, per quem homo est falsus, et non legalis, Deo, sibi ipsi
et proximo suo. Propter quam quidem falsitatem et illegalita-
40 tem inuidia est de genere mali; cum qua homo uadit in ignem
infernalem aeternum, et amittit bonum gloriae aeternae.

Iustitia est habitus magnus, ob hoc ut cum magna iustitia
seruiatur Deo, qui magnus est. Et inuidia est habitus magnus
priuatiuus, ob hoc ut non seruiatur Deo, qui magnus est. Vnde
45 cum homo habeat libertatem ad utendum iustitia uel inuidia, si
exaltet magnitudinem iustitiae per suum uidere, audire et per
alias potentias naturales, uincit et destruit inuidiam, et acquirit
magnam gloriam caelestem aeternam. Et si exaltet in magnitu-
dine inuidiam super iustitiam per uidere, audire, | et alios actus M 79ʳ

LXXVIII, **14/16** Quae – generalis] *om. M₁; om. sed add. alia manu in marg. sup.*
Z   **14** dictae] *corr. ex* decem *Z*; decem *M T R M₁*; *cat.* dites   **16** quae species
– generalis] quae species peccati est generalis *T*   **29** mandat] *forsan* amat; *cat.*
ama   **30** ei] *coni.; del. per puncta M; om. T R M₁*   hominem] *add. in marg.* Deo
M; add. Deo *R M₁*   reuerentia – honor] *coni.;* reuerentia et honorem *M*;
reuerentiam et honorem *T R M₁; add.* ab homine *M T R M₁*   **31** eius] *coni.;* eis
M T R M₁   **33** diuitiae] *coni.;* diuitia *M T R M₁*   **34** patriciatus] *coni.;* paraticum
M T R M₁; cat. paratge; *cf. supra serm. XLVIII, lin. 70*

50 potentiarum naturalium, uadit ad magnam poenam infernalem
aeternam.

Iustitia exigit perseuerantiam et constantiam, ob hoc ut per
durabilem morem et usum inuidiam destruat. Quae quidem
inuidia exigit longum morem contra iustitiam, ut gignat malum
55 contra bonum.

Iustitia habet posse ex posse Dei et ex posse hominis contra
inuidiam per uisum, auditum et alios actus. Et inuidia habet
posse contra iustitiam ex posse hominis, daemonis, mundi et
carnis per uisum, auditum et alios actus potentiarum. Et prop-
60 ter hoc homo habet libertatem ad gignendum iustitiam uel
inuidiam.

Iustitia exigit intelligere iustum per uisum, auditum et alios
actus. Et inuidia per contrarium exigit intelligere iniustum per
uisum, auditum et alios actus.
65 Iustitia exigit amorem iustum per naturales potentias. Et
inuidia exigit amorem iniustum per illas easdem potentias.

Iustitia est species uirtutis, quae est initium generale, ob hoc
ut omnes potentiae naturales habeant actus uirtuosus in possidendo bona gratiae per Deum data. Et inuidia, quae est species
70 peccati generalis, exigit omnes actus potentiarum esse falsos in
possidendo bona gratiae, quae Deus impendit.

Iustitia exigit uera opera et iusta. Vera opera homo faciat per
omnes actus uerarum potentiarum naturalium. Et inuidia exigit
totum contrarium.
75 Per naturam omnes potentiae naturales exigunt delectationem in utendo earum actibus infinitiuis; qui sunt uidere, audire
etc., ob hoc ut homo iuste utatur bonis gratiae. Qui quidem usus
delectabilis est figura et signum gloriae caelestis aeternae. Et
inuidia utitur per contrarium. Qui quidem usus est figura et
80 signum poenae infernalis aeternae.

Si uelis cognoscere hominem iustum et inuidum, inquire iustitiam et inuidiam per decem potentias naturales, et per earum
actus. Et inquire eas in iusto intelligere, amare et recolere, et
etiam imaginari; et etiam per tuum iustum uisum, auditum,
85 odoratum, gustum, palpatum et affatum. Quoniam sine iustitia
nequires inuenire nec cognoscere; cum ita sit, quod inuidia et
iniuria teneant se ipsas secretas et actus potentiarum, ut ualeant generare iniurias, illegalitates, traditiones, deceptiones,
falsitates et alia peccata.
90 Diximus de iustitia et inuidia. Et ostendimus earum essentias
et processum. Quae quidem ostensio est multum | utilis. Et R 68ʳ
propter hoc deprecemur dominum Deum nostrum Iesum Christum, quatenus nos custodiat et defendat ab inuidia, et det

---

52 et constantiam] *coni. ex textu cat.*; *om. codd. omnes*   **53** usum] *add.* et
*M T R M*₁   **62** iustum] *coni.*; iuste *M T R M*₁

nobis iustitiam, ex quo est Pater noster. Et eius amore, reueren-
95 tia et honore dicamus *Pater noster*.

V.1.7. DE IVSTITIA ET IRA [B h]

[SERMO LXXIX]

Si uelis sermocinari de iustitia et ira, recolas earum themata,
definitiones et species; et secundum illas ordines tuum sermo-
5 nem.

In | principio deprecabimur dominum Deum nostrum Iesum M 79ᵛ
Christum, quatenus det mihi gratiam dicendi, et uobis audiendi
et retinendi uerba, quae sint ad eius laudem. Et ob amorem,
reuerentiam et honorem nostrae dominae sanctae Mariae dica-
10 mus *Aue Maria*.

Iustitia est instrumentum, cum quo homo facit se ipsum
iustum; et ira est instrumentum, cum quo homo facit se ipsum
iratum. Et iustitia est habitus, generans pacem; et ira est
habitus, angustiam uel laborem generans. Et ob hoc hi duo
15 habitus sunt contrarii per omnes decem potentias, ex quibus
homo compositus est. Quae sunt: Potentia uisiua, auditiua,
odoratiua, gustatiua, tactiua, affatiua, imaginatiua, intellectiua,
uolitiua et memoratiua.

Iustitia est habitus deliberatiuus, cum quo homo iustus iudi-
20 cat suum uisum ad finem, per quem est. Et ira est habitus non
deliberatiuus, cum quo homo deuiat suum uisum a fine, per
quem est. Et quia potentia uisiua naturaliter gignit placitum ex
uisu, iustitia ex placito naturali, enti per uisum, gignit placitum
siue delicium accidentale, cum quo gignit ex uisu pacem. Et ira
25 facit contrarium. Et propter hoc iustitia gignit pacem contra
iram, et ira gignit guerram contra iustitiam.

Iustitia est habitus discretiuus, cum quo homo discrete audit
uerba. Et ira est habitus non discretiuus, cum quo indiscrete
audit uerba. Sunt igitur iustitia et ira habitus contrarii ex
30 audire uerba.

Potentia odoratiua generat placitum ex odorare placentem
odorem; et generat displicitum ex odorare foetidum odorem. Et
propter hoc potentia odoratiua est instrumentum, cum quo
consequitur homo placitum uel displicitum ex odoratu. Quod
35 quidem placitum et displicitum sunt figurae, per quas possunt
cognosci principia, quae habentur per iustitiam et quae per
iram.

LXXIX, **11** quo] *om. M*   **14** hoc] *om. M T R*   hi] *om. M*₁   **19** deliberatiuus]
conieci; memoratiuus *M T R M*₁   **24** delicium] *recte coni. M*₁; delictum *M T R*;
cat. plaer   **32** foetidum] *coni.*; secundum *M T R*; foetorem *corr. ex* secundum
*M*₁

Potentia gustatiua generat placitum ex gustare dulcem saporem et displicitum ex gustare amarum saporem. Et placitum est
40 de genere iustitiae per accidens; et displicitum est de genere
irae per accidens. Et propter hoc potentia gustatiua est subiectum, per quod significata sunt iustitiae et irae principia.

Potentia tactiua habet duas species per naturam. Per unam
generat placitum, sicut tangere mulierem; et per reliquam gene-
45 rat displicitum, sicut per sentire uulnera, ictus, dolores, famem,
sitim et reliqua. Et propter hoc una earum specierum est de
genere iustitiae, quae generat pacem; reliqua est de genere irae,
quae generat angustiam.

Potentia affatiua est communis iustitiae et irae. Quae quidem
50 communitas per contrarium exstat; et uerba sunt materia.

Potentia imaginatiua per iustitiam est sana; et per iram
infirma est et confusa.

Potentia intellectiua cum iustitia habet deliberationem; et
generat scientiam per intelligere. Et cum ira habet angustiam,
55 et perdit deliberationem intelligendi, et generat ig|norantiam.   M 80ʳ

Potentia uolitiua | per iustitiam diligit iuste et deliberate; et   R 68ᵛ
propter hoc generat amicitiam et pacem. Et cum ira generat
contrarium.

Potentia memoratiua cum iustitia generat successionem ordi-
60 natam; et cum ira generat contrarium.

Ostendimus duos habitus contrarios, qui sunt iustitia et ira, et
subiecta, in quibus permanent. Quae sunt decem potentiae supra dictae naturales. Quae per accidens habent pacem uel con-
cordiam per iustitiam, eo quia iustitia conseruat et ordinat
65 finem, per quem sunt. Et habent angustiam et inimicitiam per
iram, eo quia eas deuiat a fine, per quem sunt. Talis doctrina
utilis est et subtilis in praedicando, eo quia ostendit fontanas et
motus contrarios, existentes per iustitiam et per iram.

Iustitia bona est, eo quia bonum generat; et ira mala est, quia
70 malum generat. Et | bonum, quod iustitia generat, est figura boni   T 37ʳ
caelestis aeterni; et malum, quod generat ira, est figura laboris
infernalis aeterni.

Iustitia est habitus, per quem homo correctionem recipit, et se
ipsum et alium corrigit. Et ira est habitus, per quem homo non
75 recipit correctionem sui ipsius, nec alterius.

Si uelis cognoscere hominem iustum et iratum, inquire eum
per opera decem potentiarum naturalium. Et si inuenias hominem iustum, sis eius familiaris, ut pacem habeas. Et si inuenias
hominem iratum, ne sis eius familiaris, et dimittas eum in ira
80 sua, ut non sustineas angustiam.

Diximus de iustitia et ira. Et ostendimus id, quod sunt et
earum processum, quem habent ex decem potentiis naturalibus

---

67 fontanas] *corr. ex* funtanas M_1; funtanas MR; funtanes T **70** quod]
om. et add. sup. lin. M_1; *om.* MTR

supra dictis, sine quibus esse nequeunt. Et propter hoc deprecemur dominum Deum nostrum Iesum Christum, quatenus nos
85 de ira defendat, impendendo nobis iustitiam, ex quo est Pater
noster. Et eius amore, reuerentia et honore dicamus *Pater noster*.

V.1.8. DE IVSTITIA ET MENDACIO [B i]

[SERMO LXXX]

Quicumque uelit sermocinari de iustitia et mendacio, recolat
earum themata, definitiones et species; et secundum eas ordinet
5 suum sermonem.

In principio deprecabimur dominum Deum nostrum Iesum
Christum, quatenus det mihi gratiam dicendi, et uobis audiendi
et retinendi uerba, quae sint ad eius honorem. Et ob amorem,
reuerentiam et honorem nostrae dominae sanctae Mariae dica-
10 mus *Aue Maria*.

Iustitia est habitus, per quem homo iustus est uirtuosus et
uerax; et mendacium est habitus, per quem homo mendax est
uitiosus et falsus. Et propter hoc iustitia et mendacium sunt
habitus contrarii. Et homo est earum subiectum per omnes
15 decem potentias naturales. Vnde cum homo sit indiuiduum
indiuisibile, de necessitate sequitur, quod si sit iustus, quod non
sit mendax; et si sit mendax, quod non sit iustus. Quoniam si
uno eodem tempore esset iustus et mendax, esset diuisibilis per
accidens; quod est impossibile. Probauimus igitur, hominem uno
20 et eodem tempore non | posse esse subiectum duobus habitibus   M 80ᵛ
contrariis.

Eo quia probauimus, hominem non posse esse uno et eodem
tempore subiectum duobus habitibus contrariis, potest cognosci
multiplicatio, quam facit iustitia in homine iusto per omnes
25 suas decem potentias naturales. Hoc idem de mendacio; quod |
multiplicatur in homine mendaci per omnes illas potentias   R 69ʳ
naturales, quae sunt: Potentia uisiua, auditiua, odoratiua, gustatiua, tactiua, affatiua, imaginatiua, intellectiua, uolitiua et memoratiua.
30 Ostendimus multiplicationem iustitiae et mendacii. Per quam
quidem doctrinam potest cognosci, qualiter multiplicatur peccatum et uirtus in homine. Qui compositus est ex omnibus
decem potentiis naturalibus, et non de plus nec minus. Et
propter hoc homo iustus per omnes suas partes saluabitur; et
35 homo mendax per omnes suas partes damnabitur; cum ita sit,

---

86/87 Et eius – noster] *om. T*

LXXX, **15** homo] *coni.*; hoc *M T R M₁*

quod Dei iustitia superna sit in magnitudine bonitatis et ueritatis; et homo sit ille, qui facit bonum per iustitiam, uel facit malum per mendacium. Igitur in suo numero post mortem resuscitabitur et iudicabitur per Dei iustitiam, quae superna est.
40 Et si homo moriatur iustus, iudicabitur ad gloriam caelestem aeternam. Et si moriatur mendax, iudicabitur ad poenam infernalem aeternam.

Per naturam homo habet uerax uidere, audire, odorare, gustare, palpare, affari, imaginari, intelligere, amare et recolere. Et
45 homo mendax habituat et uestit omnes hos habitus per accidens de mendacio. Et homo iustus per accidens uestit eos de iustitia.

Iustitia habet duas species contra mendacium. Iustitia per primam speciem habituat omnes actus potentiarum naturalium supra dictarum de ueritate in eo homine, qui de ipsa habituatus
50 est. Cum alia specie disponit et ordinat, quod actus potentiarum proximi sui sint iusti et ueraces ad utendum bonis gratiae, sicut ipsa utitur in illo homine, in quo sustentatur. Et mendacium habituat de se ipso et de iniuria omnes actus potentiarum, et disponit et ordinat, quod actus potentiarum proximi sui sint
55 iniusti et mendaces in bonis gratiae.

Iustitia bona est, eo quia disponit, quod actus potentiarum se habeant ad bonum finem. Et mendacium malum est, eo quia disponit, quod actus potentiarum se habeant ad malum finem.

Iustitia magna est, eo quia multiplicatur per omnes actus
60 potentiarum. Et mendacium magnum est, eo quia multiplicatur ex omnibus actibus earum.

Iustitia, dum durat in homine iusto, defendit illum hominem a mendacio. Et mendacium, dum durat in homine mendaci, defendit illum hominem a iustitia.
65 Homo habet potestatem generandi iustitiam, et habet potestatem utendi ea. Attamen nequit habere has duas potestates sine adiutorio potestatis diuinae. Quoniam sicut rosarium, non habens potesta|tem per naturam ad generandum rosam sine adiu- M 81ʳ
torio solis, ita homo non habet potestatem ad generandum
70 iustitiam, nec ea utendi, sine posse diuino; quod donat pro bonis gratiae iustitiam illi homini, ob hoc ut sibi sit instrumentum, cum quo se faciat iustum, et faciat iusta opera contra mendacium.

Homo potest generare mendacium, et cum suo posse potest eo
75 uti. Et posse illud, quod habet, est contrarius habitus priuatiuus | contra posse, quod est habitus positiuus; cum quo potest R 69ᵛ
iustitiam generare. Vnde cum iustitia et mendacium sint habi-

---

36/37 ueritatis] *coni.*; aeternitatis $MTRM_1$ **38** post mortem] *coni. ex textu cat.*; *om. codd. omnes*   **51/55** et ueraces – iniusti] *om.* T   **67** rosarium] *correxi*; rosarius *corr. ex* rosegius M_1; rosegerius MTR; *cat.* roser   **71** sibi sit] *coni.*; sit sibi T; sibi MR; sit M_1 **74** et] *coni.*; *om.* $MTRM_1$ posse potest] *coni.*; potest MTR; posse M_1

tus contrarii, potest cognosci Deum, qui est causa efficiens et
finalis iustitiae, non esse causam efficientem nec finalem menda-
80 cii. Quae quidem causa efficiens et finalis mendacii est homo,
deformans actus potentiarum, ex quibus compositus est, eo quia
eas deuiat a fine, ad quem creati sunt.

Diximus de iustitia et mendacio. Et ostendimus earum essentias supra dictas, et processum, quem habent per contrarium. Et
85 propter hoc deprecemur dominum Deum nostrum Iesum Christum, quatenus a mendacio nos defendat, impendatque nobis
iustitiam, ex quo est *Pater noster*.

Discurrimus cum iustitia per omnia octo peccata mortalia.
Et per hoc dedimus doctrinam, per quam possit cognosci iustitia
90 per suum contrarium, et possint per eam cognosci mortalia
peccata. Et talem modum intendimus tenere per alias uirtutes.

V.2. DE PRVDENTIA

V.2.1. De prudentia et avaritia [c b]

[Sermo LXXXI]

Si uelis sermocinari de prudentia et auaritia, recolas earum
5 themata, definitiones et species; et secundum illas norma tuum
sermonem.

In principio deprecabimur dominum Deum nostrum Iesum
Christum, quatenus det mihi gratiam dicendi, et uobis audiendi
et retinendi uerba, quae sint ad eius laudem et gloriam. Et ob
10 honorem, reuerentiam et amorem nostrae dominae sanctae Mariae dicamus *Aue Maria*.

Prudentia est habitus comparatiuus et positiuus et auaritia
est habitus restrictiuus et priuatiuus. Et propter hoc sunt habitus contrarii per decem potentias naturales, ex quibus homo
15 unitus et compositus est, scilicet potentia uisiua, auditiua, odoratiua, gustatiua, tactiua, affatiua, imaginatiua, intellectiua, uolitiua et memoratiua; et per consequens contrariantur per suos
actus.

Prudentia est habitus comparatiuus, per quem comparatur
20 maius bonum minori, et eligitur maius bonum et uitatur minus
bonum; uitaturque maius malum, et non minus, ut habeatur
maius bonum. Et homo auarus facit per auaritiam contrarium;

---

89 iustitia] *coni.*; *om. omnes codd.*

LXXXI, **20/21** et uitatur bonum] *coni. ex textu cat.*; *om. M T R M₁*   **22** per
auaritiam] *coni. ex textu cat.*; *om. codd. omnes*

cum ita sit, quod prudentia et auaritia sint habitus contrarii,
secundum quod superius probauimus.

25   Secundum instinctum naturalem si homo prudens et homo
auarus uident unum magnum serpentem et unum paruum,
magis timebunt de maiori serpente, quam de minori. Talis maior
timor est signum et figura, quod homo prudens magis timet
amittere maius bonum spirituale, quam | minus bonum terre- M 81ᵛ
30   num. Et homo auarus facit per contrarium. Quoniam homo,
habens prudentiam, de ipsa habituat suam uoluntatem et suum
intellectum et suam memoriam; et propter hoc habet discretionem. Et homo auarus est imprudens; propter quam quidem
imprudentiam timet magis amittere minus bonum terrenum,
35   quam maius bonum spirituale.

Homo de prudentia habituatus consequitur maius placitum, |
si audiat aliquem laudari de prudentia, quam si de diuitiis T 37ᵛ
laudaretur. Et homo auarus consequitur maius placitum per
contrarium.

40   Duo homines uadunt in societate et uident quendam hominem, uolentem uendere duo poma. Ille, qui habet prudentiam,
emet unum pomum, ob hoc ut consequatur placitum ex odorare
eum, et quod per bonum odorem habeat suum seruitium; et
alius cessat emere aliud pomum propter auaritiam. Et propter
45   hoc homo prudens facit, quod sanitas sit finis diuitiarum, et eis
utitur. Et homo auarus facit contrarium. Et ob hoc homo auarus
non utitur diuitiis; utitur igitur paupertate; et in quantum
ditior est, in tantum credit pauperior esse.

Homo prudens utitur bonis gratiae per comedere et bibere, et
50   ob hoc | associat bona gratiae cum bonis naturalibus supra R 70ʳ
dictis. Et homo auarus facit contrarium, quoniam gustum suum
tenet pauperem de bonis gratiae; propter quam paupertatem
efficitur macer, impotens et infirmus.

Duo homines uadunt ad peregrinationem, et ambo sitiunt.
55   Homo, qui prudens est, emit uinum ad bibendum; et emit eum
bonum, ut sanitatem habeat. Et homo, qui auarus est, bibet
aquam; quoniam si emeret bonum uinum, uteretur diuitiis et
implicaret contradictionem, scilicet quod esset prudens et auarus; quod impossibile est. Ostendimus ergo, per sentire sitim,
60   modum, per quem prudentia et auaritia sunt habitus contrarii.

Homo prudens loquitur de uirtutibus cum discretione. Et
homo auarus loquitur de diuitiis cum uitiis et indiscretione. Et
sic per loquelam potest cognosci homo prudens et homo auarus.

Homo prudens imaginatur circumstantias, propter quas sit
65   uirtuosus et sciat uti diuitiis. Et homo auarus imaginatur cir-

---

25 instinctum naturalem] *corr. ex* exstinctum naturale *M*₁; exstinctum naturale
M T R   **30** per] *om. M*₁   **37** diuitiis] *coni.*; uitiis *M T R M*₁   **45** eis] *correxi*;
ea *M T R M*₁   **55** eum] *om. T*   **61** cum] *coni.*; de *M T R M*₁   **62** diuitiis]
add. et *M T R M*₁   **63** sic] *add.* hoc *M R*; *add.* ob *T*

cumstantias, propter quas possit diues esse, et non curat, si non
utatur diuitiis.

Homo, habens intellectum habituatum de prudentia, intelligit
prudenter placitum, quod consequitur ex intelligere; et conse-
70 quitur magis placitum ex intelligere uirtutes, quae sunt bona
naturae, quam ex intelligere diuitias terrenas, quae sunt bona
gratiae; cum ita sit, quod propter possidere uirtutes et propter
eis uti sit magis prope suae naturae, cum ita sit, quod uirtutes
sint formae spirituales, quam consequi placitum ex diuitiis,
75 quae sunt de genere corporali, sicut sunt denarii, campi, uineae,
castra et ciuitates. Et homo auarus facit contrarium; et ita
dimittit maius bonum pro minori. Et homo prudens | dimittit   M 82ʳ
minus bonum et accipit maius.

Prudentia informat uoluntatem ad eligendum citius maius
80 bonum, quam minus, et ad uitandum citius maius malum, quam
minus. Et auaritia deformat uoluntatem per contrarium.

Hoc idem potest dici de memoria, quae recipit per prudentiam phantasias formatas, et per auaritiam deformatas.

Diximus de prudentia et auaritia. Et ostendimus earum pro-
85 cessum, qui est per contrarium. Et propter hoc deprecemur
dominum Deum nostrum Iesum Christum, quatenus nobis det
prudentiam, et ab auaritia nos defendat. Et eius amore, reuerentia et honore dicamus *Pater noster*.

V.2.2. DE PRVDENTIA ET GVLOSITATE [C C]

[SERMO LXXXII]

Quicumque uelit sermocinari de prudentia et gulositate, recolat earum themata, definitiones et species; secundum eas ordi-
5 net suum sermonem.

In principio deprecabimur dominum Deum nostrum Iesum
Christum, quatenus det mihi gratiam dicendi, et uobis audiendi
et retinendi uerba, quae sint ad eius laudem. Et ob amorem,
reuerentiam et honorem nostrae dominae sanctae Mariae dica-
10 mus *Aue Maria*.

Prudentia est bonus habitus comparatiuus positiuus et gulositas est malus habitus superfluitiuus priuatiuus. Et propter hoc
prudentia et gulositas sunt habitus contrarii, qui stare simul
nequeunt in bonis naturalibus, ex quibus homo unitus est et
15 compositus, quae sunt per sentire, imaginari et ratiocinari; nec
etiam potest homo eis simul | uti per bona gratiae, quae sunt   R 70ᵛ
denarii, bestiae, domus, campi et uineae.

---

75 sicut] *coni.*; si *M T R M*₁   85 qui] *M*₁; quod *M T R*

LXXXII, 17 bestiae] *coni.*; bestiare *M T R M*₁; *cat.* bestiar

Dum prudentia facit uel mouet in mente quaestionem, utrum
eliget facere bonum uel malum, et utrum eliget facere maius
20 bonum uel minus, et utrum eliget facere minus malum et uitabit
maius, est in potentia in mente et est peccatum ueniale. Et dum
mouet quaestionem super gustum, gulositas est in potentia et
est ueniale peccatum. Et facta electione bona, prudentia redacta
est in actu; et facta electione mala, gulositas redacta est in
25 actu; et est mortale peccatum. Vnde cum hoc ita sit, ostendimus
ergo modum, per quem generatur prudentia uel gulositas, et
quomodo primitus sunt in potentia.

Prudentia attrahit placitum uidendi pinguem altilem, porcum, bouem uel mutonem ad finem gustandi. De quo quidem
30 placito facit materiam; et facit se ipsam formam, quae informat
finem temperantiae. Et gulositas contra eam potestatem non
habet nec uim. Et si homo capiat partem gulositatis, obliuiscitur
finem prudentiae et temperantiae, et implicat placitum uidendi
gulositati; et mortaliter peccat per multum comedere et bibere;
35 et placitum uidendi fuit nuntius gulositatis.

Homo audit uerba, quae loquuntur de delicatis uictualibus et
illud audire est nuntius communis per placitum naturale pru-
dentiae et gulositati. Et | si prudentia comparat placitum gu-   M 82ᵛ
standi et placitum spirituale ratiocinandi, et facit placitum
40 ratiocinandi causam efficientem et finalem et formalem, et facit
placitum gustandi causam materialem, per tale prudentiare
prudentia consequitur uictoriam, et aperit ianuam caelestem
aeternam. Et si contrarium faciat, gulositas uictoriam habet per
placitum audiendi et aperit ianuam poenae infernalis aeternae.
45 Potentia odoratiua secundum instinctum naturalem non mouet quaestionem, utrum odorabit bonum odorem uel malum
odorem; cum ita sit, quod non consequatur placitum in odorando malum odorem; et consequitur placitum in odorando bonum
odorem. Et propter hoc est figura et signum significans uirtutem
50 morosam, hoc est sapientia, quae est forma prudentiae. Quae
esset uirtus morosa, et non faceret comparationem, per quam
haberetur deliberatio super gustare ad gignendum prudentiam
uel gulositatem.

Potentia gustatiua per naturam est instrumentum placito
55 gustandi, et prudentia et gulositas sunt habitus contrarii, cum
quibus homo potest uti in diuersis temporibus per accidens
super placitum gustandi. Et si uincat prudentia ex placito
gustandi, gignit placitum spirituale, meritorium bono. Et si
uincat gulositas, gignit placitum gustandi corporale et corrum-

---

19 bonum – facere] *om. R M*₁   **33** implicat] *cat.* aplica   **44** et] *coni.; om.*
*M T R M*₁   **45** instinctum naturalem] *corr. ex* exstinctum naturale *M*₁; instinctum
naturale *T*; exstinctum naturale *M R*   **46** bonum] *cat.* plaent = placidum

60 pit placitum spirituale. Quod quidem placitum corporale est
nuntius peccati mortalis, quod est gulositas.

Potentia tactiua non est per naturam electiua ad sentiendum
placitum uel displicitum per tactum; cum ita sit, quod secundum naturam habeat appetitum ad delectationem et non ad
65 poenam. Et propter hoc significat uirtutem morosam, sicut eam
significat potentia odoratiua, secundum quod superius diximus.
Vnde cum hoc ita sit, ostendimus igitur doctrinam, propter
quam homo obligatus est ad uitandum | gulositatem, et ad R 71ʳ
eligendum prudentiam, ob hoc ut sit nuntius et materia sapien-
70 tiae. Quae est habitus non faciens deliberationem, utrum faciet
bonum uel malum; cum ita sit, quod ipsa sit uirtus morosa,
normans et ordinans ita intellectum ad bonum, quemadmodum
facit caritas, quae uirtus est morosa, normans et ordinans uoluntatem.

75   Potentia affatiua habet commune placitum malo et bono. | Et T 38ʳ
propter hoc uerba sunt materia prudentiae et gulositati. Et
homo est factor, qui format uerba ad finem prudentiae uel
gulositatis.

Potentia imaginatiua est commune placitum ad imaginandum
80 circumstantias prudentiae et gulositatis. Et homo prudens est
electiuus et praeuidet modum, per quem ualeat generare prudentiam contra gulositatem. Et si homo est gulosus praeuidet
contrarium.

Diximus de nuntiis communibus prudentiae et gulositati. Et
85 homo est ille, qui transmittit | nuntios ad placitum intelligendi, M 83ʳ
amandi et recolendi. Quod quidem placitum aperit ianuam ad
gignendum prudentiam uel gulositatem.

Ostendimus prudentiam et gulositatem, et earum processum,
quem habent per contrarium. Et propter hoc deprecemur domi-
90 num Deum nostrum Iesum Christum, quatenus det nobis prudentiam, et a gulositate nos defendat, ex quo est Pater noster.
Et eius amore, reuerentia et honore dicamus *Pater noster*.

V.2.3. DE PRVDENTIA ET LVXVRIA [C d]

[SERMO LXXXIII]

Si uelis sermocinari de prudentia et luxuria, recolas earum
themata, definitiones et species; et secundum illas ordina tuum
5 sermonem.

In principio deprecabimur dominum Deum nostrum Iesum
Christum, quatenus det mihi gratiam dicendi, et uobis audiendi
et retinendi uerba, quae sint ad eius laudem. Et ob amorem,

---

77 uel] *coni.*; et *M T R M₁*

reuerentiam et honorem nostrae dominae sanctae Mariae dica-
10 mus *Aue Maria.*

Prudentia est habitus praeparatiuus successiuus contra luxuriam, quae est habitus priuatiuus successiuus contra prudentiam. Et successio et motus amborum habituum contrariorum
sustentatur in diuersis temporibus in decem potentiis naturali-
15 bus, de quibus homo unitus est et compositus. Quae sunt:
Potentia uisiua, auditiua, odoratiua, gustatiua, tactiua, affatiua,
imaginatiua, intellectiua, uolitiua et memoratiua. Et homo est
agens et patiens, habens actionem et passionem per suas potentias naturales et per actus naturales illarum. Et prudentia et
20 luxuria sunt instrumenta sibi per accidens; quoniam cum prudentia se facit prudentem, et cum luxuria se reddit luxuriosum.
Et prudentia est sibi uia gloriae aeternae caelestis; et luxuria
est sibi uia poenae infernalis aeternae.

Potentia uisiua generat placitum ex uidere pulchras mulieres,
25 pulchras uestes, flores, pascua et litora. Et luxuria praeparat
illud placitum ad luxuriandum, et prudentia praeparat illud
placitum ad prudentiare. Et propter hoc luxuria praeparat illud
placitum cum daemonis tentatione, cum carne et cum mundo.
Et prudentia praeparat illud placitum cum praecepto Dei, prae-
30 cipientis (Ex. 20,14; Deut. 5,18), hominem non fore luxuriosum.
Et etiam facit comparationem inter bonum et malum; et eligit
bonum dimittitque malum; et eligit maius | bonum, quod est R 71ᵛ
spirituale, pro minori bono, quod est corporale; et eligit minus
malum, et fugit maius malum. Vnde cum hoc ita sit, ostendimus
35 ergo modum, per quem placitum uidendi est nuntius communis
prudentiae et luxuriae. Et homo est ille, qui mittit nuntium; et
eligit per recolere, intelligere et amare prudentiam uel luxuriam.

Potentia auditiua gignit placitum ex audire loqui de pul-
40 chris mulieribus et de pulchris ornamentis; et hoc naturaliter.
Propter hoc prudentia praeparat per accidens placitum ex au-
dire detractionem luxuriae, et ex audire loqui | de Deo, de M 83ᵛ
uirtutibus; et non uult audire loqui de circumstantiis luxuriae,
quae sunt instrumenta cansones; et uult audire loqui de fine,
45 per quem Deus creauit placitum audiendi; qui quidem finis est
ipsum uenerari, ipsique seruire, et audire missas, horas et sermones.

Potentia odoratiua non est electiua per naturam successiue.
Et propter hoc est figura et signum, quod non debet poni in

LXXXIII, **11** praeparatiuus] *coni.*; priuatiuus *M T R M*₁   **12** priuatiuus] *recte
coni. M*₁; praeparatiuus *M T R*   **19** illarum] *coni.*; quorum est *M T R M*₁; *cat.*
d'aquelles   **23** poenae – aeternae] *coni.*; infernalis aeterna *M T R M*₁   **39**
ex] *coni.*; *om. M T R M*₁   **44** cansones] cantiones *M*₁; *cat.* cançons   loqui de
fine] *coni.*; placitum finis *M T R M*₁; *cat.* parlar (*corr. ex* plaer) de fi

50 deliberatione, utrum faciet se prudentem uel luxuriosum; cum
ita sit, quod homo prudens non debeat facere quaestionem, sed
in continenti habituet se ipsum de prudentia contra tentationem luxuriae.

Potentia gustatiua gignit placitum ex gustu. Et luxuria prae-
55 parat placitum per multum comedere et bibere; et prudentia
praeparat placitum per temperantiam et abstinentiam.

Potentia tactiua naturaliter gignit placitum per tangere mulierem. Et propter hoc luxuria praeparat illud placitum per suas
circumstantias supra dictas; et prudentia praeparat placitum
60 per castitatem et per suas circumstantias supra dictas.

Potentia affatiua gignit placitum per uerba placentia, et displicitum per uerba displicentia. Et propter hoc prudentia consequitur placitum in praedicando de prudentia contra luxuriam;
et luxuria generat contrarium placitum contra prudentiam.
65 Attamen homo est ille, qui eligit placitum, ex quo habet liberum
arbitrium ad eligendum prudentiam uel luxuriam.

Potentia imaginatiua generat placitum uel displicitum per
imaginari; et hoc per naturam. Et prudentia per accidens inten-
dit generare placitum simile placito naturali, ex quo colligit
70 circumstantias et similitudines castitatis; et luxuria facit contrarium. Attamen homo est ille, qui mouet imaginationem ad
imaginandum.

Nuntii prudentiae et luxuriae sunt uidere, audire, etc. Et
homo est ille, qui mittit nuntios ad placitum recolendi, intelli-
75 gendi et amandi prudentiam uel luxuriam. Et ipse est ille, qui
respondet nuntiis, et qui utitur eis, et qui generat prudentiam
uel luxuriam in anima sua et in mente sua.

Diximus de prudentia et luxuria. Et ostendimus earum essentias et processum, quem habent per contrarium. Et propter hoc
80 deprecemur dominum Deum nostrum Iesum Christum, quatenus det nobis prudentiam, et quod a luxuria nos defendat, ex
quo est Pater noster. Et eius amore, reuerentia et honore dicamus *Pater noster*.

V.2.4. De prvdentia et svperbia [C e]

[Sermo LXXXIV]

Quicumque uelit sermocinari de prudentia et superbia, recolat earum themata, definitiones et species; et secundum eas
5 ordinet suum sermonem.

59/60 et – dictas] *coni. ex textu cat.*; *om.* M T R M₁   **69** placito naturali]
correxi; placiti naturalis M T R M₁

In principio deprecabimur dominum Deum | nostrum Iesum R 72ʳ
Christum, quatenus det mihi gratiam dicendi, et uobis audiendi
et retinendi uerba, quae sint ad eius honorem. Et ob amorem,
reuerentiam et honorem nostrae dominae sanctae Mariae dica-
10 mus *Aue Maria*.

Prudentia est habitus comparatiuus appropriatiuus compa-
rans et appropians omnes fines na|turales bonorum gratiae Deo M 84ʳ
et humilitati contra superbiam, quae est habitus comparatiuus
et appropriatiuus comparans et appropians omnes fines bono-
15 rum naturalium et bonorum gratiae homini superbo contra
Deum et humilitatem. Et propter hoc superbia et prudentia
sunt habitus contrarii; per quam quidem contrarietatem potest
cognosci essentia prudentiae et superbiae et earum processus.

Potentia uisiua generat placitum per uisum, tunc quando
20 homo, qui pulcher est, diues, fortis, honoratus et de magno
genere, uidet se ipsum diuitem et honoratum. Et si ille homo
attribuat et appropriet sibi ipsi illud placitum, est superbus
contra Deum et contra humilitatem; et facit comparationem,
quod bonum suum est maius, et omne aliud bonum sit minus. Et
25 prudentia facit contrarium, quoniam ipsa praeparat omnes fines
uidendi ad seruiendum Deo et humilitati; et facit considerare
Deum esse maius bonum omni alio bono.

Potentia auditiua est magna per audire; quod audire est suum
magnum naturale bonum. Et homo superbus appropriat sibi
30 ipsi illud naturale bonum; et ob hoc est superbus. Et prudentia
facit contrarium propter seruiendum Deo; et propter hoc habituat se de prudentia. Et ob hoc audire, quod est magnum
naturale bonum, est nuntius, per quem homo superbus utitur
contra Deum in audiendo loqui de Deo et proximo suo. Et si sit
35 prudens, utitur audire per contrarium.

Potentia odoratiua est comparatiua in quantum est habitus,
per quem eligitur placens odor et uitatur displicens odor. Et
propter hoc significat hominem prudentem esse placidum prop-
ter humilitatem, et hominem superbum fore | non placidum T 38ᵛ
40 propter superbiam, et gignit fastidium cuicumque familiari suo.

Homo prudens comparat plus ualere seruire Deo, quam comedere et bibere. Et homo superbus facit contrariam comparationem. Et ob hoc praeparat sibi ipsi poenam infernalem aeternam.
Et homo prudens praeparat sibi ipsi humilitatem; quae est uia
45 gloriae caelestis aeternae.

Potentia tactiua gignit placitum naturale per tactum. Quod
homo superbus attribuit sibi ipsi contra Deum et contra proximum suum. Et homo prudens facit contrarium.

Potentia affatiua est instrumentum, per quod loquuntur ho-

LXXXIV, **12/14** naturales – fines] *om. M₁; om. sed add. alia manu in marg.* Z
29/30 Et – bonum] *om.* T   **49** loquuntur] *coni.*; loquitur *M T R M₁*

50 mo prudens et homo superbus. Et homo superbus superbe
attribuit sibi ipsi finem loquendi, ob hoc ut propter loqui sit
diues, honoratus et laudatus. Et homo prudens humiliter facit
contrarium, in quantum attribuit finem loquendi ad seruiendum
Deo et honorandum, et ad essendum humilem et legalem proxi-
55 mo suo.

Potentia imaginatiua est communis passio, per quem homo
superbus uel prudens praeparat phantasias propter generandam
prudentiam uel superbiam. Et homo prudens praeparat eas, eo
ut imaginetur humiliter; et homo superbus, ut imaginetur su-
60 perbe.

Homo prudens praeparat omnes circumstantias, quae sunt
uirtutes, eo ut habeat humilem intelligere, | cum quo intelligat | M 84ᵛ
bona naturalia et bona gratiae a Deo data. Et homo superbus R 72ᵛ
praeparat omnes circumstantias, quae sunt uitia, suo intelligere,
65 eo ut intelligat sibi ipsi bona naturae et bona gratiae.

Homo prudens praeparat, appropriat et comparat diuinae
uoluntati omnia bona naturalia et bona gratiae ad seruiendum
diuinae uoluntati, ab ea data, ob hoc ut ille homo habeat
humilem, iustum et oboediens amare. Et homo superbus facit
70 contrarium.

Homo prudens praeparat species et phantasias, quas intellectus et uoluntas ponunt et thesaurizant in memoria, ob hoc ut
cum illis speciebus recolat Deum esse causam efficientem et
finalem omnium bonorum naturalium et bonorum gratiae. Et
75 homo superbus utitur contrariis speciebus in memoria, cum
quibus recolet in igne infernali poenam et malum aeternum.

Ostendimus comparationes et appropriationes, quas habent
prudentia et superbia per contrarium. Et subiecta illius contrarietatis sunt decem potentiae naturales supra dictae, ex quibus
80 homo unitus est et compositus. Et hoc idem de bonis gratiae per
Deum datis, scilicet denarii, domus, campi, uineae, scientia et
alia istis similia.

Diximus de prudentia et superbia. Et ostendimus earum
essentias et processum, quem habent, per contrarium. Et prop-
85 ter hoc deprecemur dominum Deum nostrum Iesum Christum,
quatenus a superbia nos defendat, et impendat nobis prudentiam, ex quo est Pater noster. Et eius amore reuerentia et
honore, dicamus *Pater noster*.

V.2.5. De prvdentia et accidia [c f]

[Sermo LXXXV]

Si uelis sermocinari de prudentia et accidia, recolas earum

---

50 et – superbus] *om. R M*₁   51 hoc] *recte coni. M*₁; *om. M T R*

themata, definitiones et species; et secundum illas ordina tuum
5 sermonem.

In principio deprecabimur dominum Deum nostrum Iesum
Christum, quatenus det mihi gratiam dicendi, et uobis audiendi
et retinendi uerba, quae sint ad eius honorem. Et ob amorem,
reuerentiam et honorem nostrae dominae sanctae Mariae, dica-
10 mus *Aue Maria*.

Prudentia est habitus diligens et accidia est habitus negligens.
Et propter hoc prudentia et accidia sunt habitus contrarii. Et
earum subiecta sunt sensitiuum, imaginatiuum et ratiocinati-
uum. Et ob hoc prudentia praeuidet bona, quae euenire possunt
15 ex uidere, audire, odorare, gustare, tangere, affari, imaginari,
intelligere, amare et recolere; et negligentia de illis bonis non
curat. Et propter hoc si bona eueniant homini prudenti, applicat
ea ad uenerandum Deum atque seruiendum ei et sibi ipsi et
proximo suo. Et si adueniant sibi aduersitates et mala, praepa-
20 rat patientiam, eo ut illas aduersitates ualeat sustinere. Et
accidiosus de prosperitatibus non curat; et si adueniant proximo suo, est iniquus et dolet, et sustinet angustiam propter eas.
Et si aduersitates adueniant proximo suo, gaudet et placet sibi.
Et si sibi adueniant, detrahit Deo, id est maledicit, et maledicit
25 se et proximum suum.

Homo | prudens est diligens in eo, quod significant bruta M 85ʳ
animalia, sicut sunt grus et turdus, | quae in hieme ueniunt de R 73ʳ
terris frigidis ad terras calidas, ut uiuant propter calorem, et
quod non moriantur propter frigus. Et propter hoc homo pru-
30 dens accipit exemplum ab auibus et negligit mundum, et desiderat uenire ad gloriam caelestem perpetuam. Et homo negligens
de illo significato et exemplo auium non curat. Et non curat,
quamuis in hoc saeculo sustineat malum et rancuram, et in alio
similiter.
35 Homo prudens, si infirmatur, praeuidet circumstantias, per
quas posset sanari, et si sanus est, uitat circumstantias, per quas
posset infirmari. Et homo accidiosus de tali prouidentia non
curat, quoniam reputaret hoc ad magnum laborem, si curaret.

Homo prudens, si est diues, praeuidet fines, per quos ualeat
40 diuitias conseruare et multiplicare. Et si sit pauper, considerat
fines, per quos ualeat esse diues. Et homo accidiosus de tali
consideratione non curat, quoniam uidetur sibi, quod inde sustineret magnum laborem, si de ea curare. Et ob hoc, si diues est,
accidit pauper. Et si sit pauper, non facit, quod sit diues; et
45 uiuit tristis et mendicans.

LXXXV, **27** turdus] *coni.*; tortum *M R*; totum *T*; tortae *M₁*; *cat.* los torts
(tords)   **33** rancuram] *om. M₁*; *cat.* rencura = moeror, molestia, fastidium
36/37 sanari – posset] *coni. ex textu cat.*; *om. M T R M₁*

Princeps, qui prudens sit, praeuidet circumstantias, per quas
princeps est, et uitat otiositatem et negligentiam de toto suo
posse, eo ut toto posse Deo seruiat et teneat iustitiam. Et si
propter praeuidentiam et iustitiam sustineat laborem, facit com-
50 parationem inter maius bonum et minus bonum; et eligit maius
bonum, et fugit minus; et eligit minus malum, et uitat maius. Et
princeps accidiosus huius facit contrarium. Poenam, quam talis
princeps sustinebit in igne infernali, quis posset nominare uel
scribere?
55   In Barberia parui porci euellunt radices herbarum magnis
porcis, eo ut magni porci non destruant dentes in euellendo
radices, eo ut faciant strepitum et se defendant a leonibus,
uolentibus comedere paruos illos porcos. Praelatus, de prudentia
habituatus, propter instinctum naturalem, quod porci habent,
60 est diligens in defendendo suum populum. Et ordinat, quod sint
prudentes homines et bene litterati, qui defendant sanctam
fidem catholicam contra daemonem, carnem, mundum et quod
praedicent infidelibus, quod exeant de errore, et quod perue-
niant ad uiam ueritatis. Et praelatus accidiosus de hoc non
65 curat, quoniam reputaret, hoc sibi esse ad magnum laborem, si
de hoc curaret. Poenam et dolorem, quem sustinebit talis praelatus in igne infernali aeterno, quis posset scribere, cogitare nec
loqui?
Prudens sutor praeuidet circumstantias, per quas possit face-
70 re bonos sotulares; et in tantum est diligens ad trahendum
corium sotularis, quantum corium potest sufficere ad faciendum sotulares. Contra similem modum facit homo diues accidio-
sus, qui non operatur tantum bonum, quemadmo|dum facere   M 85ᵛ
posset, cum suis diuitiis. Et ob hoc peccat contra bona gratiae,
75 quae sibi Deus impendit.
Si homo diues negligens tenet otiosum aes suum, multo magis
homo habens scientiam, et sit negligens ad utendum ea, est
negligens contra magnitudinem bonitatis, et contra magnitudinem intelligendi.
80   Homo habens prudentiam praeuidet cum maiori diligentia
diuitias maiores, quam minores, ‖ et si propter diuitias maiores   T 39ʳ R 73ᵛ
sustineat maiorem laborem et passionem, quam propter mino-
res, gaudet. Et homo negligens huius facit contrarium.
Commendes tuum homini diligenti, et admittas suum consi-
85 lium, et sis eius familiaris. Et de homine negligenti facias contrarium.
Diximus de prudentia et accidia. Et ostendimus essentias suas
et processum, quem per contrarium habent. Et propter hoc
deprecemur dominum Deum nostrum Iesum Christum, quate-
90 nus ab accidia nos defendat, impendatque nobis prudentiam, ex

---

59 instinctum naturalem] *corr. ex* exstinctum naturale M_1; exstinctum naturale
MTR

quo est Pater noster. Et eius amore, ac honore dicamus *Pater noster*.

V.2.6. DE PRVDENTIA ET INVIDIA [C g]

[SERMO LXXXVI]

Quicumque uelit sermocinari de prudentia et inuidia, recolat earum themata, definitiones et species; et secundum eas ordinet
5 suum sermonem.

In principio deprecabimur dominum Deum nostrum Iesum Christum, quatenus det mihi gratiam dicendi, et uobis audiendi et retinendi uerba, quae sint ad eius laudem et animarum nostrarum saluationem. Et ob amorem, reuerentiam et honorem
10 nostrae dominae sanctae Mariae dicamus *Aue Maria*.

Prudentia est habitus, per quem homo praeuidet et praeparat placita spiritualia meritoria ad recipiendum gratias a Deo per decem potentias naturales. Quae sunt: Potentia uisiua, auditiua, odoratiua, gustatiua, tactiua, affatiua, imaginatiua, intellectiua,
15 amatiua et memoratiua. Et cum placitis spiritualibus praeparat et praeuidet placita sensitiua in recipiendo et possidendo bona gratiae, a Deo data; quae sunt diuitiae temporales. Et inuidia est habitus, per quem homo praeuidet et praeparat placita sensitiua, quae colligit ex potentiis supra dictis contra fines, per
20 quos sunt, scilicet contra Deum, qui est causa efficiens et finalis illorum placitorum, causa se ipsum uenerandi et seruiendi. Quos quidem fines homo inuidet contra suum proximum, causa se ipsum tantum uenerandi et seruiendi. Et propter hoc prudentia et inuidia sunt habitus contrarii et instrumenta homini eis
25 utenti successiue per potentias supra dictas, unum habitum generando, et alium corrumpendo.

Bonitas est initium prudentiae; cum ita sit, quod prudentia sit bona uirtus. Et malitia est initium inuidiae; cum ita sit, quod inuidia sit malum peccatum. Vnde cum bonitas et malitia sint
30 habitus contrarii, contracta bonitate per prudentiam, et contracta malitia per inuidiam, sunt prudentia et inuidia extremitates, haben|tes infinitam distantiam. Et homo est medium et   M 86ʳ
subiectum, et agens et patiens, illam infinitam distantiam generans, in tantum quod prudentia et inuidia non habent commune
35 initium, in quo concordent; cum ita sit, quod concordantia et contrarietas habeant infinitam distantiam, eo quia unus idem finis nequit eis esse commune subiectum.

LXXXVI, **15** et] *om. MTR*   **24** eis] *coni.*; ere (?) *MTR*; *om. M₁*   **25**
utenti] utendi *R M₁*   ·**31/32** extremitates] *forsan* instrumenta; *cat.* estruments

Prudentia est maior uirtus, quam inuidia peccatum, eo quia
prudentia est possibilis per posse Dei et hominis, et inuidia est
40 possibilis per posse ho|minis et daemonis. Tamen ambo habitus R 74ʳ
sunt aequaliter possibiles ex libertate, quam homo habet ad
eligendum prudentiam uel inuidiam per liberum intelligere,
recolere et amare, et etiam per liberum imaginari, affari, tangere, gustare, odorare, audire et uidere. Et ob hoc potest cognosci
45 hominem habere duas libertates, habentes infinitam distantiam;
cum una generat prudentiam et ea utitur, et cum alia generat
inuidiam et utitur ea. Ista infinita distantia est figura et signum,
quod homo, qui moriatur habituatus de prudentia, possidebit
gloriam caelestem aeternam complete sine poena; et homo, qui
50 moriatur habituatus de inuidia, sustinebit poenam infernalem
aeternam sine gloria. Vnde cum hoc ita sit, potest igitur cognosci, tria saecula esse: Vnum est paradisus, qui completus est
omni bono; aliud est infernus, qui completus est omni malo; et
aliud est hic mundus, in quo est bonum et malum.
55 Prudentia est magnus habitus, eo quia causat magnum meritum boni. Et inuidia est magnus habitus, eo quia causat magnum meritum mali. Et ob hoc quando prudentia causat magnum meritum boni, inuidia praeparat magnum meritum mali;
et quando inuidia causat magnum meritum mali, prudentia
60 praeparat magnum meritum boni. Et homo est subiectum ambarum praeparationum contrariarum. Et ipse est agens et patiens, in tantum quod nullus illorum habituum exit extra eum.
Et propter hoc omnis homo iustus est per prudentiam uel
iniustus per inuidiam.
65 Secundum quod prudentia et inuidia durant in homine, durant in uno habitu in actu; et in alio in potentia. Et si multum
duret prudentia, multiplicatur eius posse, et posse inuidiae
diminuitur. Et hoc idem potest dici de posse inuidiae.
Sicut inuidia contra iustitiam est habitus, cum quo inuidentur
70 bona proximi, ita prudentia est habitus, cum quo homo iustus
est in bonis proximi sui. Et ob hoc prudentia duas branchas
habet iustitiae et inuidia habet duas branchas iniuriae.
Prudentia intelligibilis et amabilis est per hominem prudentem. Et ob hoc praeparat tempus, locum et materiam, quod
75 possit uti prudentia et contradicere inuidiae. Et homo inuidus
facit contrarium.
Diximus de prudentia et inuidia. Et ostendimus earum essentias et processum. Et branchae, rami, folia, quos habent, longi

---

43 liberum] *coni.*; *om. M T R M*₁   **51/52** cognosci] *recte coni.* M₁; *om. M T R*
57/58 Et – mali] *coni. ex textu cat.*; *om.* M T R M₁   **63** omnis] *correxi*; totus
M T R M₁; *cat.* tot = omnis   uel] *coni.*; et M T R M₁   **66** in²] *add.* uno M T R M₁
71 branchas] branchias M₁   **72** branchas] branchias M₁   **73** intelligibilis
et amabilis] *coni.*; intelligenda et amanda M T R M₁

sunt ad referendum, cogitandum et scribendum. Attamen per
80 ea, quae diximus, possunt cogitari, scribi et fari. Sed esset |
sermo multum longus, si ostendere uellemus.   M 86ᵛ

Deprecemur ergo dominum Deum nostrum Iesum Christum,
quatenus det nobis prudentiam, defendendo nos ab inuidia, ex
quo est Pater noster. Et eius amore, reuerentia et honore dica-
85 mus *Pater noster.*

V.2.7. DE PRVDENTIA ET IRA [c h]

[SERMO LXXXVII]

Si uelis sermocinari de prudentia et ira, recolas earum themata, definitiones et species; et secundum eas ordina tuum sermo-
5 nem.

In principio deprecabimur dominum Deum nostrum Iesum
Christum, quatenus det mihi gratiam dicendi, et uobis audiendi
et retinendi uerba, quae sint ad eius honorem. Et ob amorem,
reuerentiam et honorem nostrae dominae sanctae Mariae dica-
10 mus *Aue Maria.*

Diuina bonitas est causa efficiens et finalis cuiusque alius
bonitatis. Et quia prudentia est bona, est habitus factus bonus,
homini datus per diuinam bonitatem, eo ut praeuideat locum, et
tempus | ad faciendum bonum; et quod eum colligat ex actibus R 74ᵛ
15 humanarum potentiarum naturalium, et ex actibus naturalibus
earum; qui sunt: Videre, audire, odorare, gustare, palpare, affari,
imaginari, intelligere, amare et recolere. Et ira est habitus malus
per contrarium, non per diuinam bonitatem causatus. Quoniam
si esset, diuina bonitas esset commune principium prudentiae et
20 irae; quod est impossibile. Per quam quidem impossibilitatem
potest cognosci, prudentiam et iram esse habitus contrarios et
habere infinitam distantiam. Est igitur ira simpliciter initium
non initiatum per diuinam bonitatem, quae non est finis irae.
Est igitur initiata ira per hominem et per daemonem, et non per
25 aliam creaturam. Et subiecta sunt decem actus supra dicti, qui
sunt actus secundarii decem potentiarum naturalium, ex quibus
homo unitus est et compositus. Vnde cum hoc ita sit, ostendimus ergo, quae sunt initia et fontes prudentiae et irae. Talis
doctrina est bona ad praedicandum populo, eo ut cognoscant,
30 quae est essentia et principia prudentiae et irae. Quoniam igno-
ratis principiis, ignoratur et Ars. Et cognita Arte possunt fieri
branchae, folia et rami prudentiae et irae artificialiter.

LXXXVII, **3** recolas] *recte coni.* M₁; recolat *MTR*   **16** earum] *coni.; om.*
MTRM₁   odorare, gustare] gustare, odorare *MTRM₁*   **22/23** Est – non¹]
coni. ex textu cat.; et (*corr. in* non M₁) igitur est (est) *in marg.* M) initium *MTRM₁*
28/30 Talis doctrina – irae] *om.* T

Prudentia est habitus, per quem praeuidentur circumstantiae
futurae contra iram, quae sunt patientia, humilitas et abstinen-
35 tia; et signa sunt loca actuum supra dictorum. Et ira est
habitus, per quem praeuidentur in eisdem locis supra dictis
circumstantiae irae, quae sunt impatientia, superbia et furiosus
motus sine aliqua deliberatione intelligendi, amandi et recolendi. Et ob hoc homo iratus ita se tenet, quemadmodum si esset
40 insensatus. Et homo prudens cum deliberatione intelligendi,
amandi et recolendi se tenet tamquam homo prudens.

Prudentia | est magnum principium, eo quia impetrat ma- T 39ᵛ
gnum meritum ad acquirendum magnam gloriam, et ad uitandum magnam poenam. Et magnitudinis prudentiae est causa
45 efficiens et finalis magni|tudo Dei. Ergo non est causa efficiens M 87ʳ
neque finalis irae, quae magnum peccatum mortale est. Est
igitur principiata magnitudo irae per magnam culpam hominis;
quae causat magnam poenam infernalem. Non esset ergo magna
culpa, nisi esset principiata per hominem, et esset principiata
50 per aliam substantiam, quae non esset homo.

Probauimus ergo, quod ira initiatur ab homine. Attamen ad
eius principium iuuat daemon, qui habet magnam iram.

Homo prudens intelligit fines uidendi, audiendi et aliorum
accidentium; et homo iratus illos fines non intelligit. Et propter
55 hoc prudentia est habitus positiuus deliberatiuus, per quem
homo gignit scientiam; et ira est habitus priuatiuus non deliberatiuus per quem scientia corrumpitur.

Homo prudens amat fines uidendi, audiendi et aliorum accidentium, eo quia habet deliberationem in amando prudentiam
60 et abhorrendo iram, et eo gignit amationem. Et homo iratus
utitur per contrarium, et gignit tantum inimicitiam.

Homo prudens recolit fines uidendi, audiendi, et sic de aliis.
Et homo imprudens et iratus obliuiscitur illos fines. Et propter
hoc prudens homo suo tempore et loco recolit illos fines, et scit
65 uti eis. Et homo imprudens et iratus non habet tempus neque
locum, quo sciat uti eis; cum ita sit, quod de illis finibus
memoriam non habeat.

Videre et audire per naturam habent infinitam distantiam;
cum ita sit, quod uidere nequeat esse | actus aurium; nec audire, R 75ʳ
70 actus oculorum. Et adhuc, et etiam multo magis habent prudentia et ira maiorem distantiam, quamuis distantia non sit per
naturam, sed per accidens. Quia ira est contra dignitates Dei et
contra naturales potentias, ex quibus homo est. Et prudentia est
opus per Deum factum et datum pro instrumento homini, eo ut
75 utatur bonis naturalibus et bonis gratiae.

---

46 est] *coni.*; *om. codd. omnes*   **53/57** Homo – corrumpitur] *coni. ex textu cat.*;
om. omnes codd.

Diximus de prudentia et ira. Et ostendimus earum essentias
et infinitam distantiam, quam habent per contrarium. Et propter hoc deprecemur dominum Deum nostrum Iesum Christum,
quatenus impendat nobis prudentiam, custodiendo nos ab ira,
80 ex quo Pater noster est. Et eius amore, reuerentia et honore
dicamus *Pater noster.*

V.2.8. DE PRVDENTIA ET MENDACIO [c i]

[SERMO LXXXVIII]

Quicumque uelit sermocinari de prudentia et mendacio, recolat earum themata, definitiones et species; et secundum eas
5 ordinet suum sermonem.

In principio deprecabimur dominum Deum nostrum Iesum
Christum, quatenus det mihi gratiam dicendi, et uobis audiendi
et retinendi uerba, quae sint ad eius honorem et nostrarum
animarum saluationem. Et ob amorem, reuerentiam et honorem
10 nostrae dominae sanctae Mariae dicamus *Aue Maria.*

Prudentia est forma uera, et diuina ueritas est causa efficiens
et finalis ipsius; cum ita sit, quod diuina ueritas sit causa
efficiens et finalis omnium aliarum ueritatum. Et materia prudentiae sunt fines naturalium humanarum decem potentiarum,
15 quarum diuina ueritas est causa efficiens et finalis. Et prudentia
est habitus et instrumentum, cum quo homo, habituatus de ea,
colligit illos fines, de quibus facit materiam, quae passionem
sustinet propter formam. Et per passionem materiae conse-
quuntur passionem decem naturales | humanae potentiae, quae   M 87^v
20 sunt: Potentia uisiua, auditiua, odoratiua, gustatiua, tactiua,
affatiua, imaginatiua, intellectiua, uolitiua et memoratiua. Et ob
hoc homo prudens est agens et patiens sub genere ueritatis.
Quae genus est pluribus speciebus, quae sunt formae uerae,
scilicet iustitia, prudentia, fortitudo, temperantia etc. Vnde cum
25 hoc ita sit, ostendimus ergo, quomodo prudentia est una species
ueritatis.

Et per contrarium potest intelligi, quod mendacium est species, quae est forma deformata. Et de eius materia homo mendax colligit et aggregat ex deuiationibus et aduersitatibus fi-
30 nium decem potentiarum naturalium humanarum supra dictarum. Et homo mendax, habituatus de mendacio, habet actiones
et passiones in se ipso. Et actiones deformatae sunt, et passiones
sustinent angustiam; et finis est habitus priuatiuus contra habitum prudentiae, quae est habitus positiuus. Vnde cum hoc ita

---

LXXXVIII, **7** Christum] *om. M*   **18** per] *coni.*; quae *M T R*; *om. M*$_1$ **19**
passionem] passiones *M*$_1$

35 sit, ostendimus per quattuor causas generales essentiam prudentiae et essentiam mendacii, et subiecta, quae sunt decem
potentiae earum.

Prudentia praeuidet suo loco et tempore ueritates, quae se-
quuntur per uidere, audire et per alia accidentia humana, quae
40 testificantur contra | mendacium. Quod quidem mendacium prae-   R 75ᵛ
uidet suo loco et tempore falsos et mendaces testes contra
prudentiam, collectos per contrarium ex fine uidendi, audiendi
et aliorum. Vnde cum hoc ita sit, potest igitur cognosci brica et
strepitus, quem habet homo prudens cum homine mendaci, et
45 arma, quibus nuntii sunt. Et talis doctrina est multum utilis
iuristis.

Potentia uisiua per naturam habet uerum actum, qui est
uidere, tunc quando uidet obiectum uisum, sentitum per uisum;
et hoc idem de potentia auditiua, quae habet uerum audire,
50 quando audit uerba. Et homo prudens generat scientiam ueram,
collectam de ueraci uidere et audire. Et homo mendax facit
mendacium, quod appellat scientiam ueram, collectam per contrarium ex ueraci uidere et audire. Et propter hoc prudentia et
mendacium sunt habitus contrarii per uidere et audire. Et hoc
55 idem per odorare, gustare, palpare, affari, imaginari, intelligere,
amare et recolere.

Viae prudentiae et mendacii sunt actus supra dicti. Et bona
gratiae, quae sunt diuitiae et honores, sunt per Deum data et
sunt materia et subiectum, de quo homo prudens praedicat
60 uera, et homo mendax praedicat de illo mendacia et falsitates.

Collectis ueritatibus praedicatis et collectis mendaciis praedicatis de uidere, audire et aliis, omnes uniuntur in anima, et in
mente reuelantur. Et propter hoc unus idem homo pensat in
mente sua per intelligere, amare et recolere id, quod colligit ex
65 uidere et aliis, et facit in mente sua quaestionem, si reuelabit id,
quod collegit in ore suo per uerba uera uel falsa de eo, quod
uidit et audiuit; et sic de aliis. Et si reuelet per affatum uera,
utitur prudentia suo loco | et tempore; et si reuelet in suo affari   M 88ʳ
falsa contra uera, utitur mendacio, et est mendax.
70 Diximus de prudentia et mendacio. Et propter hoc deprecemur dominum Deum nostrum Iesum Christum, quatenus a
mendacio nos defendat, praebendo nobis prudentiam, ex quo est
Pater noster. Et eius amore, reuerentia et honore dicamus *Pater
noster*.

---

48 sentitum] *coni.*; sentire *M T R M₁*   **55** per] *coni.*; de *M T R M₁*   **57**
quae sunt – data et] *coni.*; sunt per Deum data, quae sunt diuitiae honores
M T R M₁

V.3. DE FORTITVDINE

V.3.1. DE FORTITVDINE ET AVARITIA [D b]

[SERMO LXXXIX]

In sermone, quem faciemus cum fortitudine et cum peccatis,
5 faciemus quaestiones, scilicet:
1. Quid est fortitudo contra auaritiam et quid est auaritia
contra fortitudinem.
2. Et: De quo est fortitudo contra auaritiam et de quo est
auaritia contra fortitudinem.
10 3. Et: Per quid est fortitudo contra auaritiam et per quid est
auaritia contra fortitudinem.
4. Et: Quis est ille, qui generat fortitudinem, et quis generat
auaritiam.
5. Et: Quomodo gignit fortitudinem et quomodo auaritiam.
15 6. Et: Cum quo gignit fortitudinem et auaritiam.
Per has duodecim quaestiones contrarias potest sermocinator
habere magnam materiam ad praedicandum et ad ostendendum
modum, quem habent uirtutes contra peccata, unum contra
aliud, et qualiter nascuntur, augmentantur | et diminuuntur. Et R 76ʳ
20 per talem doctrinam possunt peccatores destruere peccata et
generare uirtutes.
In principio recolas themata, earum definitiones et species; et
secundum eas ordina tuum sermonem.
Et ob hoc deprecemur dominum Deum nostrum Iesum Chri-
25 stum, quatenus det mihi gratiam dicendi, et uobis audiendi et
retinendi uerba, quae sint ad eius | honorem. Et ob amorem, T 40ʳ
reuerentiam et honorem nostrae dominae sanctae Mariae dicamus *Aue Maria.*
1. Fortitudo est uis uel fortitudo uoluntatis fortificata a fini-
30 bus naturalium potentiarum, ex quibus unitus est homo, scilicet
finis uidendi, audiendi, odorandi, gustandi, palpandi, affandi,
imaginandi, intelligendi, amandi et recolendi. Et auaritia est
debilitas uoluntatis, quae non audet uti bonis gratiae, quae sunt
materia usui finium naturalium, quia timet, ne bona gratiae sibi
35 desint. Et propter hoc homines, habentes animi fortitudinem,
sunt ualentes in armis uel strepitu; quoniam omnes fines potentiarum naturalium eos iuuant. Et homines, qui auari sunt, non
sunt ualentes, quoniam omnes fines potentiarum sibi desint.

LXXXIX, **29** fortificata] *corr. ex* fortificare M_1; fortificare MTR **34** quia]
coni.; quae $MTRM_1$ **35** hoc] *add.* duo $MTRM_1$; *cat.* los   **36** ualentes] *cat.*
ardits   in armis uel strepitu] *cat.* en batala   **37/38** non – ualentes] *coni.*;
non ualentes $MTRM_1$; *cat.* son volpels

2. Fortitudo est forma, quae est de finibus potentiarum natu-
40 ralium, et eius materia est de finibus bonorum gratiae, quae
Deus dat. Et auaritia de nullo fine est; et sic non habet materiam, de qua sit, et est habitus priuatiuus; et fortitudo positiuus. Et propter hoc homo, habens fortem animum, habet spem;
et homo auarus habet desperantiam.

45   3. Fortitudo est, eo ut homo sit largus de bonis gratiae, ut non
sit de illis bonis otiosus. Et in homine auaro est auaritia per
contrarium. Et si sit diues, credit fore pauper, eo quia timet uti
bonis gratiae.

4. Deus est ille, qui est causa efficiens et finalis fortitu|dinis;   M 88ᵛ
50 cum ita sit, quod ipse impendat bona gratiae, quae possidet
homo. Et homo est ille, qui est habituatus de fortitudine et
uestitus, ob hoc ut non sit otiosus de diuitiis, quae Deus praebet
ei. Et homo auarus est ille, qui generat auaritiam, eo quia non
utitur diuitiis, quas Deus dat ei, quia non audet, et timore tenet
55 eas otiosas, et deuiat eas a fine, per quem sunt, scilicet de
essendo largum ad seruiendum Deo, sibi ipsi et proximo suo.

5. Homo habet animi fortitudinem, eo quia habet modum ad
utendum diuitiis, quas dat sibi Deus. Et homo auarus non habet
modum ad utendum diuitiis, quia non audet, eo quia habet
60 animi debilitatem.

6. Homo fortis animi, si multiplicet diuitias cum animi fortitudine, multiplicat largitatem. Et homo auarus facit contrarium. Et propter hoc homo, habens animi fortitudinem facit,
quod cum diuitiis diues sit et largus; et si amittat diuitias, facit
65 cum patientia et spe diuitem suum imaginari, intelligere, recolere et amare, et dicit, potestatem Dei et amorem esse uires suas
et diuitias. Et homo auarus facit huius contrarium. Videre est
diues in homine, habente animi fortitudinem, qui illud applicat
ad finem, per quem est. Et uidere in homine auaro est pauper, eo
70 quia ipse deuiat illud a fine, per quem est. Hoc idem potest dici
de diuitia audiendi et aliorum actuum | in homine, qui sit fortis   R 76ᵛ
animi. Et per contrarium potest dici de homine auaro, qui tenet
pauperes omnes actus potentiarum naturalium. Et ob hoc homo
largus est plenus bono et homo auarus uacuus est omni bono; et
75 homo largus habet requiem et homo auarus habet angustiam; et
homo largus est iocundus et homo auarus est tristis; et homo
largus est ualens et homo auarus est non ualens; et homo largus
est liber et homo auarus est submissus; et homo largus amatur
et homo auarus abhorretur; et homo largus laudatur et auarus
80 maledicitur.

58/59 quas – diuitiis] *om. T*   68 illud] *correxi*; eum *M T R M₁*   69/70 Et
uidere – est] *om. T*   70 ipse – illud] *coni.*; deuiat eum *M T R M₁*   77 ualens]
cat. ardit   non ualens] *cat.* volpel

Diximus de fortitudine animi et auaritia. Et ostendimus earum essentias et processum. Et propter hoc deprecemur dominum Deum nostrum Iesum Christum, quatenus det nobis animi
fortitudinem ad seruiendum sibi, et nos ab auaritia defendat, ex
85 quo est Pater noster. Et eius amore, reuerentia et honore dicamus *Pater noster*.

V.3.2. DE FORTITVDINE ET GVLOSITATE [D C]

[SERMO XC]

Sicut crystallus, qui accipit colorem rubeum, si ponatur de-
super colorem rubeum, et accipit colorem croceum, si ponatur
5 super colorem croceum, ita fortitudo habet quasdam conditiones contra auaritiam, et quasdam alias conditiones contra gulositatem. Et hoc idem de aliis uirtutibus et aliis peccatis.
In principio, qui uelit sermocinari de fortitudine et gulositate,
recolat earum themata, definitiones et species; et secundum eas
10 ordinet suum sermonem. Et propter hoc deprecemur dominum
Deum nostrum | Iesum Christum, quatenus det mihi gratiam   M 89ʳ
dicendi, et uobis audiendi et retinendi uerba, quae sint ad eius
laudem. Et ob amorem, reuerentiam et honorem nostrae dominae sanctae Mariae, dicamus *Aue Maria*.
15 Fortitudo animi manutenet fortitudinem temperantiae et fortitudo gulositatis est contra fortitudinem temperantiae. Et propter hoc quicumque uelit, potest uincere, si uelit, cum fortitudine
animi et temperantiae gulositatem. Et si homo tentetur per
gulositatem et temperantiam, in tantum quod ponat in delibe-
20 ratione, utrum eliget generare temperantiam uel gulositatem,
recurrat ad fortitudinem animi, quae est per fortitudinem bonitatis, cuius diuina bonitas est causa efficiens et finalis. Vnde cum
hoc ita sit, ostendimus modum, cum quo potest per fortitudinem diuinae bonitatis deuinci fortitudo gulositatis.
25 Fortitudo animi fortificat fortitudinem temperantiae contra fortitudinem gulositatis cum magna fortitudine Dei. Et
fortitudo gulositatis est contra fortitudinem temperantiae cum
magna fortitudine placiti per comedere et bibere. Et quia fortitudo magnitudinis Dei est maior fortitudine, habita per comede-
30 re et bibere, potest cum animi fortitudine manuteneri fortitudo
temperantiae contra placitum, habitum per comedere et bibere.
Et si non uincatur, est culpa hominis, ex quo eam potest
uincere.

XC, **10** sermonem] *T R M*₁; *om. M*   **25** fortificat fortitudinem] *coni.*; est
fortitudo *M T R M*₁; *cat.* es força força   **32** si non] *coni.*; nisi *M T R M*₁

Homo, habens fortitudinem cum fortitudine aeternitatis Dei,
35 quae est causa efficiens et finalis fortitudinis, potest uincere
fortitudinem gulositatis et daemonis, qui habent initium. Attamen quod dicat Deo, quod in continenti quando tentatur per
gulositatem non tardet eum iuuare, sicut ille, qui dicit (Ps. 69,2):
Domine ad adiuuandum me festina.

40 Fortitudo est uirtus, habens potestatem ex Dei potestate.
Cum qua potestate manutenet | potestatem temperantiae contra   R 77ʳ
potestatem gulositatis. Et potestas gulositatis non est facta per
posse Dei, sed per deformatum posse, quod habet homo per
multum comedere et bibere. Et quia homo non defendit cum
45 diuino posse potestatem temperantiae a potestate gulositatis,
est in culpa, et peccat mortaliter, ex quo potest eam uincere; et
uadit ad ignem infernalem, ubi sustinebit famem et sitim aeternam.

Diuinus intellectus intelligit temperantiam esse bonam uirtu-
50 tem et quod homo cum fortitudine intelligendi, quam Deus dat
sibi, debet iuuare temperantiam contra gulositatem. Et nisi
faciat, intelligit diuinus intellectus hominem habere culpam, et
committit mortale peccatum, et ibit ad infernalem ignem, in
quo intelliget et sustinebit poenam aeternam.

55 Diuina uoluntas diligit temperantiam, eo quia est sua creatura bona. Et ob hoc uult, quod homo habeat animi fortitudinem,
quae est per fortitudinem uidendi, audiendi, odorandi, gustandi,
palpandi, affandi, imaginandi, intelligendi, amandi et recolendi,
ut adiuuet temperantiam contra | fortitudinem gulositatis, quae   M 89ᵛ
60 non est forma amabilis per uisum, auditum, etc.; immo est mala
fortitudo et odibilis. Et ob hoc homo gulosus, qui cum mala
fortitudine uidendi, audiendi et aliorum, non uult uti bona
fortitudine nec iuuare temperantiam, uadit ad ignem infernalem, in quo habebit uelle malum aeternum.

65 Fortitudo animi et temperantia sunt uirtutes; et fortitudo
multum comedendi et multum bibendi est uitium et peccatum.
Et ob hoc est fortitudo contra fortitudinem et fortitudines |
uirtutum sunt fortiores fortitudinibus peccatorum. Et si homo   T 40ᵛ
cum fortitudine uitiorum et peccatorum corrumpit fortitudi-
70 nem uirtutum, uadit ad ignem infernalem, ubi habebit uitiosum,
aeternum et peccans loqui, imaginari, recolere, intelligere et
abhorrere.

Fortitudo animi iuuat fortitudinem temperantiae cum uero
loqui, imaginari, intelligere, recolere et amare. Et homo gulosus

---

34/36 Dei – gulositatis] *coni. ex textu cat.*; *om. et add. sup. lin.* potest uincere
M_1; *om. M T R*   **55** est] *om. et add. sup. lin.* M_1; *om. M T R*   **61** odibilis] *coni.*;
orribilis *M T R* M_1 **74/77** Et homo – amare] *coni. ex textu cat.*; Et fortitudo
multum comedendi et bibendi destruit fortitudinem temperantiae cum falso
loqui, imaginari, intelligere, recolere et abhorrere Z, *add. in marg.* M_1; *om. M T R*

75 cum fortitudine falsitatis et mendacii iuuat gulositatem contra
temperantiam cum falso loqui, imaginari, intelligere, recolere et
amare. Et propter hoc uadit statum ad ignem infernalem, ubi
habebit aeternum mendax loqui, imaginari, intelligere, amare et
recolere.

80 Fortitudo et temperantia sunt uiae gloriae aeternae; et
fortitudo gulositatis per multum comedere et bibere est uia
ignis infernalis, in quo homo gulosus sustinebit poenam aeternam.

Diximus de fortitudine et gulositate. Et ostendimus earum
85 controuersiam, quam ha|bent super temperantiam. Et propter
hoc deprecemur Deum, quatenus det nobis fortitudinem ad
manutenendum temperantiam contra gulositatem, ex quo est
Pater noster. Et eius amore, reuerentia et honore, dicamus *Pater
noster*.

V.3.3. DE FORTITVDINE ET LVXVRIA [D d]

[SERMO XCI]

Si uelis sermocinari de fortitudine et luxuria, recolas earum
themata, definitiones et species; et secundum illas ordina tuum
5 sermonem.

In principio deprecabimur dominum Deum nostrum Iesum
Christum, quatenus det mihi gratiam dicendi, et uobis audiendi
et retinendi uerba, quae sint ad eius laudem, et saluationem
animarum nostrarum. Et ob amorem, reuerentiam et honorem
10 nostrae dominae sanctae Mariae dicamus *Aue Maria*.

Fortitudo est uis uel for|titudo uoluntatis, quae exfortiat R 77^v
suum uelle ad finem, per quem est, et cum fine uidendi, audiendi, odorandi, gustandi, palpandi, affandi, imaginandi, intelligendi
et recolendi ad manutenendum castitatem contra luxuriam. Et
15 luxuria est fortitudo uoluntatis, quae exfortiat uel fortificat
suum uelle contra finem, per quem est, et contra finem uidendi,
audiendi et aliorum contra finem castitatis. Et propter hoc
fortitudo et luxuria contrariantur, et subiectum est castitas.

Homo fortis animi, quando uidet pulchram mulierem et ten-
20 tatur ad carnale delicium, fortificat suam uoluntatem ad aman-
dum castitatem. Et si debi|litat uoluntatem, uictus est; et M 90^r
uidere est nuntius; et generatur luxuria et corrumpitur castitas.

---

77 hoc] *add.* homo gulosus *sup. lin.* M_1 uadit statum] uadit statim M_1; *cat.*
ven estar

XCI, **12** et] *coni.*; *om. omnes codd.*   **20** delicium] *coni.*; delictum MTR;
peccatum uel delictum M_1

Homo fortis animi, si audiat instrumenta, dancias uel cansones tripudiatas et tentatur ad faciendum luxuriam, recurrit et
25 amat bonitatis magnitudinem. Quam si obliuiscatur, uictus est,
et gignit luxuriam, et corrumpit castitatem.

Homo fortis animi, si tentetur per luxuriam contra castitatem, non facit quaestionem utrum faciet luxuriam necne, sed
sequitur naturam, quam habet potentia odoratiua; quae non
30 facit quaestionem utrum odorabit placidum odorem uel foetidum odorem. Quoniam in continenti consequitur placitum in
· odorando rosam, lilium uel uiolam, et non in odorando bestiam
mortuam, ex qua progreditur magnus foetor. Et propter hoc
talis homo cum fortitudine animi manutenet castitatem contra
35 luxuriam.

Homo fortis animi, si comedat multum et bibat multum, et
propter multum comedere et bibere tentatur ad faciendum
luxuriam, amat multum castitatem contra luxuriam, et gignit
castitatem.
40 Homo fortis animi, si tentetur per luxuriam contra castitatem, considerat placitum, quod habetur per luxuriam, et placitum, quod habetur ex generando castitatem, et uitat luxuriam
eligitque castitatem.

Homo fortis animi loquitur uerba pulchra et honesta, quae
45 egrediuntur ex pulchra mente et honesta, in qua permanet
castitas. Et homo luxuriosus, qui debilis est animi, loquitur
uerba uilia et inhonesta, quae progrediuntur ex non pulchra
mente, immo uili, in qua permanet luxuria.

Homo fortis animi, si imaginatur placitum, quod habetur ex
50 tangere mulierem, et sentit per suum imaginari carnem suam
calefieri, stat fortis contra luxuriam; et imaginatur foetorem et
uilia, quae egrediuntur ex instrumentis, cum quibus fit luxuria;
et imaginatur poenas infernales aeternas, in quibus permane-
bunt homines luxuriosi. Et per tale imaginari refrigidat carnem,
55 et uincitur luxuria, et generatur placitum, quod habetur ex
amare castitatem et ex amare gloriam aeternam, cuius sunt uiae
castitas et uirginitas.

Qui intelligit cum fortitudine animi, quid sit castitas, et quid
luxuria, intelligit, quod castitas est amabilis, et luxuria est
60 odibilis. Quoniam per castitatem participat humana uoluntas
cum diuina uoluntate. Quae exigit, hominem habere castitatem
propter eius amorem, et per esse oboedientem diuino praecepto,
quod praecipitur per Moysen (Ex. 20,14; Deut. 5,18), quod homo

---

23/24 dancias – tripudiatas] *coni.*; dancias uel cansones et tripudiatas *M T R M₁*;
cat. dançes, cançons e balades; *cf. serm. XLVI, lin. 59 et LX, lin. 38*   **27/28**
castitatem] *add.* et *M R T M₁*   **28** sed] *coni.*; et *M T R M₁*   **36** bibat] *correxi*;
bibit *M T R M₁*   **55** generatur] *coni.*; generat *M T R M₁*   **59/60** amabilis ...
odibilis] *coni.*; amanda ... odienda *M T R M₁*

non sit luxuriosus. Et ob hoc humanus intellectus consequitur
65 placitum ex intelligere. Quod quidem | intelligere associat cum R 78ʳ
fortitudine uoluntatis; et ambae fortitudines et placita manutenent castitatem contra luxuriam.

Homo animi fortis fortificat suum recolere cum fortitudine
uoluntatis. Et for|tificat fortitudinem uoluntatis cum fortitudi- M 90ᵛ
70 ne recolendi Deum, castitatem et gloriam caelestem aeternam,
et pro recolendo mala aeterna, quae eueniunt propter luxuriam.

Discurrimus fortitudinem animi cum castitate et luxuria per
potentias naturales et per earum actus. Per quem quidem discursum potest cognosci, qualiter gignitur et manutenetur casti-
75 tas contra luxuriam. Et talis doctrina est utilis ad praedicandum, eo ut populus cognoscat, quid sit fortitudo animi, manute-
nens castitatem contra luxuriam; et quomodo eam manutenet,
et cum quo, et per quid eam manutenet; et quale bonum inde
accidit homini, uel quale malum, si castitatem non manutenet.
80 Et propter hoc deprecemur dominum Deum nostrum Iesum
Christum, quatenus det nobis animi fortitudinem contra luxuriam, ex quo est Pater noster. Et eius amore, reuerentia et
honore dicamus *Pater noster*.

V.3.4. DE FORTITVDINE ET SVPERBIA [D e]

[SERMO XCII]

Quicumque uelit sermocinari de fortitudine et superbia, recolat earum themata, definitiones et species; et secundum eas
5 ordinet suum sermonem.

In principio deprecabimur dominum Deum nostrum Iesum
Christum, quatenus det mihi gratiam dicendi, et uobis audiendi
et retinendi uerba, quae sint ad eius laudem et animarum
nostrarum salutem. Et amore, reuerentia et honore nostrae
10 dominae sanctae Mariae dicamus *Aue Maria*.

Fortitudo animi est fortitudo uoluntatis, quae fortificat humilitatem contra superbiam cum fortitudine finis uidendi, audiendi, odorandi, gustandi, palpandi, loquendi, imaginandi, intelligendi, recolendi et amandi. Et fortitudo superbiae est fortitudo
15 uoluntatis contra humilitatem cum priuatione finis uidendi,
audiendi et aliorum actuum supra dictorum. Et propter hoc
superbia est habitus priuatiuus; et fortitudo animi et humilitatis sunt habitus positiui. Potest igitur cognosci modus, per quem
potest deuinci cum animi fortitudine et humilitatis fortitudo

---

72 fortitudinem] *coni.*; cum fortitudine *M T R M₁*   **74** gignitur et] *coni.*; *om.*
omnes codd.

20 superbiae per omnes potentias naturales, ex quibus componitur
homo.

Per fortitudinem uidendi consequitur homo placitum in uidendo pulchra corporalia; et per fortitudinem animi consequitur homo placitum in amando uirtutes; sicut iustitiam, pru-
25 dentiam etc. Et ob hoc consequitur homo placitum maius et
maiorem fortitudinem in amando humilitatem, quam habere
superbiam propter pulchras uestes, per pulchram faciem et per
pulchras diuitias, quae non sunt de genera uirtutem.

Aliquis homo | audit loqui de se ipso, de eius pulchritudine,   T 41^r
30 fortitudine et honore et diuitiis. Et si restringat omnia, quae
habet ad finem sui ipsius, et non ad Deum, qui est causa efficiens
et finalis, gignit superbiam contra humilitatem. Et homo, habens animi fortitudinem facit contrarium, et defendit humilitatem a superbia.

35 Homo, habens animi fortitudinem, sequitur naturam odoran-
di; quae non facit deliberationem | si odorabit placidum odorem   M 91^r
uel foetidum. Et propter hoc | homo, habens animi fortitudinem,   R 78^v
si superbia tangat humilitatem, in continenti odit superbiam et
consequitur placitum in amando humilitatem.

40 Homo superbus est contra humilitatem, tunc quando abundat
in delicatis uictualibus ad comedendum et bibendum. Et homo,
habens animi fortitudinem, contradicit et humiliat se Deo, qui
sibi impendit uictualia, propter quae potest comedere et bibere,
ob hoc ut Deo seruiat.

45 Homo superbus est contra humilitatem, tunc quando inuidet
uxorem proximi sui. Et homo fortis animi, si tentetur per
luxuriam, humiliat se praecepto Dei (Ex. 20,14; Deut. 5,18),
praecipientis hominem non luxuriari. Et cum tali fortitudine
defendit humilitatem a superbia.

50 Homo superbus loquitur uerba superba, quae egrediuntur ex
mente superba, in qua inhabitat superbia. Et homo, habens
animi fortitudinem, loquitur uerba humilia, quae egrediuntur ab
humili mente, in qua inhabitant animi fortitudo et humilitas; et
cum humilibus uerbis uincit uerba superba.

55 Homo superbus frequenter imaginatur suam pulchritudinem,
uel suam fortitudinem, uel suum genus uel honorem aut diuitias
suas. Et propter hoc est superbus contra humilitatem, quam
defendit fortitudo animi a superbia cum humili imaginatione;
cum qua Deo se humiliat, cui regratiatur bona naturalia et bona
60 gratiae, quae sibi impendit.

XCII, **27** et] *coni.*; *om. codd. omnes*   **30** quae] *coni.*; *om. omnes codd.*   **36** quae]
coni.; quod *MTR*; quia, *corr. ex* qui *M₁*   **43** quae] *recte corr.* *M₁*; quas *MTR*
56 uel honorem] *coni. ex textu cat.*; ueneratum *MTRM₁*   **59** Deo] *corr. ex*
Deus *M₁*; Deus *MTR*

Homo superbus, qui habet scientiam, pro intelligendo facit suum intelligere superbum. Et si redarguatur uere, eo quia habet superbum intelligere, non uult consentire ueritati, et exstat obstinax cum suo superbo intelligere. Et homo humilis
65 per fortitudinem animi, si habeat scientiam et recte redarguitur, concedit ueritatem, et exstat humilis, eo quia habet humile intelligere.

Homo superbus habet superbam uoluntatem contra humilem uoluntatem. Quam iuuat animi fortitudo cum fortitudine ma-
70 gnitudinis, bonitatis, durationis etc.

Homo superbus habet superbam memoriam, eo quia ibi ponit superbas species et phantasias. Et quando recolit ea, quae praeterita sunt, recolit superbe et considerat uindictas, et cadit in malam uoluntatem. Et homo, habens animi fortitudinem,
75 defendit humilitatem a superbis speciebus et phantasiis, quas non obmittit recoli per memoriam cum superbia, sed cum humilitate.

Si uelis cognoscere hominem, habentem animi fortitudinem, inquire eum cum humile uidere, audire et aliis; et eum cognos-
80 ces, et in humilitate inuenies. Et si uelis cognoscere hominem superbum, considera, si ipse habeat superbum uidere, audire et alios; et per tales actus eum nosces, et in superbia eum inuenies. Cum qua superbia permanebit in igne infernali aeterno.

Diximus de fortitudine animi et superbia, quae sunt habitus
85 contrarii; et uiae, | quas habent per contrarietatem sunt actus M 91ᵛ decem potentiarum supra dictarum; et humilitas est subiectum.

Et propter hoc deprecemur dominum Deum nostrum Iesum Christum, quatenus nos defendat a superbia, impendatque nobis animi fortitudinem, ex quo est Pater noster. Et eius amore,
90 reuerentia et honore dicamus *Pater noster*.

V.3.5. DE FORTITVDINE ET ACCIDIA [D f]

[SERMO XCIII]

Si uelis sermocinari de fortitudine et accidia, recolas earum themata, definitiones et species; et secundum illas ordina tuum
5 sermonem.

In principio sermonis deprecabimur dominum | Deum no- R 79ʳ strum Iesum Christum, quatenus det mihi gratiam dicendi, et uobis audiendi et retinendi uerba, quae sint ad eius gloriam et laudem. Et ob amorem, reuerentiam et honorem nostrae domi-
10 nae sanctae Mariae dicamus *Aue Maria*.

---

62 superbum] *correxi*; superbiam *M T R M₁*   **73** praeterita] *coni.*; ponderata *M T R M₁*; *cat.* les coses pasades   **79/81** et aliis – audire] *om. T*

Fortitudo est fortitudo uoluntatis, fortificans fines decem potentiarum, ex quibus homo compositus est et unitus, scilicet finem uidendi, audiendi, odorandi, gustandi, palpandi, affandi, imaginandi, intelligendi, recolendi et amandi, ob hoc ut ualeat bonam
15 et magnam diligentiam generare contra malam et magnam
negligentiam. Et accidia est debilitata uoluntas, non amans fines
potentiarum supra dictarum et odiens diligentiam. Et propter
hoc fortitudo et accidia sunt habitus contrarii; et diligentia est
subiectum illorum habituum.

20   Fortitudo fortificat fortitudinem uidendi, ob hoc quia eam
dirigit ad finem, per quem est, scilicet quod uideat bona gratiae,
quae Deus dat, quae sunt diuitiae mobiles et immobiles; et quod
propter illas seruiatur Deo et laudetur et benedicatur. Et accidia est habitus contrarius; per quem est homo accidiosus et
25 piger in laudando Deum et benedicendo, et eidem seruiendo
propter bona a Deo data, quae uidentur. Et propter hoc accidia
aufert per negligentiam uim potentiae uisiuae, et fortitudo fortificat eam. Et propter hoc homo fortis animi uincet hominem
debilem animi in lite.

30   Potentia auditiua consequitur placitum naturale per auditum,
et maxime, si audiat uerba, quae sint fortia in Deo seruiendo. Et
si passionem sustineat, fortitudo fortificat eam, et eam facit
diligentem. Et accidia facit contrarium. Est igitur potentia
auditiua fortis per fortitudinem, et est debilis per accidiam.

35   Potentia odoratiua est per naturam diligens ad odorandum
pomum, lilium, rosam uel uiolam, eo quia habent placidum
odorem. Sicut est diligens ad uitandum foetorem bestiae mor-
tuae, qui est horribilis odor. Et talis potentia est fortis per
naturam in tantum, quod nulla alia potentia potest sibi auferre
40 suam naturalem fortitudinem. Talem fortitudinem sequitur homo, habens animi fortitudinem ex longo more. Et homo accidio-
sus facit contrarium; et ob hoc | consequitur placitum ex malo   M 92ʳ
uicini sui, et consequitur displicitum ex bono illius.

Homo, qui est fortis animi, habet fortem usum in utendo
45 more, quem habet per comedere et bibere; et est diligens ad
acquirendum temperantiam. Et homo accidiosus facit contrarium.

Homo, qui fortis animi est, si tentetur ad luxuriam, fortificat
suam uoluntatem ad essendum diligens in amando castitatem.
50 Et homo accidiosus facit contrarium.

Homo, qui fortis animi est, habet fortia uerba, quae egrediuntur ex forti mente, et est diligens ad finem illorum uerborum. Et homo accidiosus facit contrarium.

XCIII, **17** odiens] *coni.*; odit *M T R M*₁   **27** uim] *coni.*; *om. codd. omnes*   **28**
uincet] *coni.*; uinceret *M T R M*₁

Homo fortis animi habet fortem imaginationem, et cum forti
55 diligentia sequitur fines rerum, quas imaginatur. Et homo accidiosus facit contrarium, quia habet debilem imaginationem, et
imaginatur ad contingentiam. Et propter hoc daemon leuiter
ponit eum in dubitationem, eo quia eum inuenit otiosum; et
facit eum peccare et negligentem permanere.

60   Fortis intellectus habet forte intelligere, et for|tis uoluntas R 79ᵛ
habet forte uelle, et fortis memoria habet forte memorare. Et ex
tribus fortitudinibus generatur fortitudo animi, quae potest dici
fortitudo intelligendi, uolendi et memorandi, sicut potest dici
fortitudo animi. Et illa fortitudo est habitus, qui est fortis
65 uirtus. Cum quo habitu homo est diligens ad sequendum fines
intelligendi, uolendi et memorandi, et etiam imaginandi, affandi
et aliorum. Et homo accidiosus aufert sibi ipsi illam fortitudi-
nem, in quantum negligens est in utendo fine sui | intelligendi, T 41ᵛ
uolendi, memorandi, imaginandi, affandi et aliorum. Et propter
70 hoc uadit permanere cum negligentia in ignem infernalem aeternum. Et homo diligens, eo quia sequitur fines potentiarum
suarum, uadit permanere ad gloriam caelestem aeternam.

Diximus de fortitudine animi et accidia. Et dedimus notitiam
de ipsis et earum processum. Et propter hoc deprecemur domi-
75 num Deum nostrum Iesum Christum, quatenus nos ab accidia
defendat, et nobis impendat animi fortitudinem ad seruiendum
sibi, ex quo est Pater noster. Et eius amore, reuerentia et honore
dicamus *Pater noster*.

V.3.6. DE FORTITVDINE ANIMI ET INVIDIA [Dg]

[SERMO XCIV]

Quicumque uelit sermocinari de fortitudine animi et inuidia,
recolat earum themata, definitiones et species; et secundum
5 illas ordinet suum sermonem.

In principio deprecabimur dominum Deum nostrum Iesum
Christum, quatenus det mihi gratiam dicendi, et uobis audiendi
et retinendi uerba, quae sint ad eius honorem. Et ob honorem
nostrae dominae sanctae Mariae dicamus *Aue Maria*.

10   Fortitudo est forma unita et composita ex finibus decem potentiarum naturalium, ex quibus homo unitus est et compositus. Et materia, quam fortitudo informat, sunt bona gratiae, per
Deum data; | cum quibus fortitudo legalitatem conseruat contra M 92ᵛ
inuidiam; quae totum contrarium facit contra fortitudinem et

---

55 fines] *coni. ex textu cat.*; *om. codd. omnes*   rerum] res M_1 70 infernalem]
coni.; *om. codd. omnes*   74 processum] processu T

15 legalitatem. Et propter hoc fortitudo et inuidia sunt formae
contrariae. Et Dei potestas est causa efficiens et finalis fortitudinis, eo ut sit instrumentum homini, cum quo Deo legalis sit et
proximo suo. Et homo, qui inuidus est, est causa efficiens et
finalis cum daemone inuidiae, eo ut inuidia sit instrumentum,
20 cum quo homo sit falsus et illegalis Deo et proximo suo.

Inuidia est instrumentum, cum quo inuidentur diuitiae, quae
uidentur, et uxor uicini, contra legalitatem. Et fortitudo est
instrumentum, cum quo homo fortis est contra inuidiam, tunc
quando uidet diuitias uicini sui. Et propter hoc potentia uisiua
25 est forma communis et fortitudini et inuidiae; cum ita sit, quod
homo inuidus possit uidere contra legalitatem, et homo fortis
animi possit uidere conseruando legalitatem.

Potentia auditiua potest esse instrumentum homini forti animi uel inuido. Et ex audire loqui de diuitiis et honoribus
30 nascitur tentatio in homine, considerante, utrum erit legalis uel
falsus. Et si uelit esse legalis, est legalis propter animi fortitudinem; et si uelit esse falsus et illegalis, est inuidus propter animi
debilitatem.

Potentia odoratiua secundum suam naturam significat homi-
35 ni, ut sit fortis animi causa generandi legalitatem et causa
destruendi falsitatem et fraudem; cum ita sit, quod potentia
odoratiua non sit deliberatiua in odorando placidum odorem uel
foetidum odorem.

| Per gustum tentatur homo ad essendum legalem uel illega-   R 80ʳ
40 lem. Et si eligat legalitatem, est fortis animi, eo quia diligit
magis temperantiam, quam placitum comedendi nec bibendi. Et
si eligat illegalitatem, facit contrarium, et cognoscit sibi ipsi
bona gratiae, quae sibi Deus impendit, et non Deo. Et ex eo est
habituatus de inuidia.

45   Homo, inuidens uxorem proximi sui, deformat finem palpandi, et gignit illegalitatem contra Deum et proximum suum. Et
homo de fortitudine habituatus facit contrarium.

Homo inuidus attribuit sibi ipsi finem uerborum, quae loquitur. Et propter hoc est falsus et illegalis Deo et proximo suo et
50 etiam sibi ipsi; cum ita sit, quod ipse non sit per finem sui
ipsius, sed per Deum, qui finis est omnium, quae sunt. Et homo
fortis animi facit contrarium contra inuidiam.

Homo inuidus imaginatur falso modo id, quod imaginatur;
propter quam falsitatem gignit fraudes et traditiones. Et homo
55 fortis animi utitur cum sua imaginatione legaliter contra inuidiam.

Intellectus est potentia generans intelligere. Cum quo intelligit rem intellectam, quae est finis intelligendi. Et super illo fine

---

XCIV, **24** hoc] *om. M T*   **27** conseruando] *corr. ex* contra *M*   **35** sit] *recte*
coni. M₁; sis *M T R*

homo fortis animi et homo inuidus sunt contrarii, et nascitur
60 inimicitia inter ipsos.

| Humana uoluntas per naturam habet libertatem in amando M 93ʳ
bonum; quae quidem natura sibi data est per Deum. Et illa
natura conseruat hominem entem de prudentia habituatum, eo
ut propter amorem bonum gignat legalitatem, eo ut cum legali-
65 tate seruiat Deo, sibi ipsi et proximo suo. Et homo inuidus facit
contrarium.

Memoria est potentia communis, per quam homo fortis animi
potest recolere legaliter id, quod recolit. Et homo inuidus potest
recolere falso modo id, quod recolit.

70 Diximus de fortitudine et inuidia. Et per hoc, quod de eis
diximus, potest haberi notitia de earum processu. Et propter
hoc deprecemur dominum Deum nostrum Iesum Christum,
quatenus nos ab inuidia defendat impendatque nobis animi
fortitudinem ad eum uenerandum et seruiendum, ex quo est
75 Pater noster. Et eius amore, reuerentia et honore dicamus *Pater
noster*.

V.3.7. DE FORTITVDINE ANIMI ET IRA [D h]

[SERMO XCV]

Si uelis sermocinari de animi fortitudine et ira, recolas earum
themata, definitiones et species; et secundum illas ordina tuum
5 sermonem.

In principio deprecabimur dominum Deum nostrum Iesum
Christum, quatenus det mihi gratiam dicendi, et uobis audiendi
et retinendi uerba, quae sint ad eius laudem et salutem animarum nostrarum. Et amore, reuerentia et honore nostrae dominae
10 sanctae Mariae dicamus *Aue Maria*.

Fortitudo animi est fortitudo, cum qua uoluntas fortificat se
ad generandum abstinentiam et patientiam contra iram, ob hoc
ut intellectus habeat deliberationem ad intelligendum pro generando scientiam boni uel mali. Et ira est fortitudo, cum qua
15 uoluntas fortificat se contra abstinentiam et patientiam, ob hoc
ut intellectus non habeat deliberationem ad generandum scientiam patientiae et abstinentiae.

Quando aliquis tentatur propter aliqua, quae uidit uel uidet
uel quae uisurus est uel uidere spectat ad essendum iratum,

---

64 amorem] *forsan* amare; *cat.* amar   **68/69** Et – recolit] *coni. ex textu cat.*;
om. codd. omnes

XCV, **9/10** nostrae – Mariae] *coni.*; *om. codd. omnes*   **12** abstinentiam et]
coni.; *om. omnes codd.*   **15** fortificat se] *coni.*; cindetur *M R*; cinditur *T*; animetur
corr. ex audetur *M*₁; *cat.* s'esforça; *cf. lin. 11 huius sermonis et sequentis*

20 animi fortitudo exfortiat et fortificat uolunta|tem ad amandum   R 80ᵛ
patientiam et abstinentiam. Et ira praeparat contrarium eius,
quod uidit uel uidet uel proponit uidere. Et propter hoc homo
habet libertatem ad eligendum animi fortitudinem ad essendum
uirtuosum, uel ad eligendum iram ad essendum uitiosum.

25 Quando aliquis tentatur propter aliqua, quae audiuit uel quae
spectat audire, si fortificet suam uoluntatem cum animi fortitudine, facit scientiam de abstinentia et patientia. Alias ignorat
abstinentiam et patientiam, et induit uoluntatem suam de ira et
ferocitate. Sine qua intellectus non habet libertatem. Et audi-
30 tus est nuntius boni uel mali.

Sicut homo pro odorando malum odorem uel bonum non
ponit deliberationem in odorando bonum odorem uel malum,
sed quod consequitur in odorando bonum odorem placitum et in
uitando malum odorem, ita homo, habens fortem animum, non
35 facit quaestio|nem, utrum erit iratus uel habebit patientiam, sed   M 93ᵛ
quod eligit patientiam; et homo iratus eligit iram et malum.

Homo gulosus in continenti iratus est contra illum, qui sibi
impedit multum comedere et bibere. Et homo prudens facit
contrarium.

40 Homo luxuriosus est iratus contra eum, qui sibi impedit, quod
non exerceat luxuriam. Et homo fortis animi laetatur, quia
superat tentationes, quae sibi adueniunt pro luxuriam exercere.

Homo iratus, quando loquitur uerba, in quantum plura uerba
loquitur, in tantum magis inflammat mentem suam de ira. Et
45 homo fortis animi, in quantum plura uerba loquitur, in tantum
magis inflammat mentem suam de abstinentia et patientia.

Homo iratus id, quod imaginatur, imaginatur ad contingentiam, et ex eo est contra fortitudinem suae imaginationis; cum
ita sit, quod imaginatio sit fortis, quando homo aliquis | imagina-   T 42ʳ
50 tur Deo seruire, qui est causa efficiens et finalis ipsius.

Sicut tenebrae sunt propter absentiam solis uel absentiam
lugoris ignis, ita ira est propter absentiam fortitudinis animi. Et
ex eo humanus intellectus, quando non participat cum fortitudine animi, si tentetur per iram, non habet deliberationem ad
55 gignendum abstinentiam et patientiam; et id, quod intelligit, ad
contingentiam intelligit.

Humana uoluntas est fortis per naturam ad amandum res
amabiles, quae bonae sunt. Et si amet sine animi fortitudine,
amittit fortitudinem suam; et ex ira gignit inimicitiam; et non
60 facit amationem de abstinentia et patientia; et id, quod odit, ad
contingentiam odit.

---

23 habet] *recte coni.* M_1; *om. M T R*   28 abstinentiam et patientiam] *coni.*;
patientiam et abstinentiam *M T R M*₁   29 ferocitate] *coni.*; furosite *omnes codd.*;
cat. ferositat   48 suae] *coni.*; *om. codd. omnes*   52 est] *coni.*; *om. M T R M*₁
animi] *add.* est M_1

Memoria ex animi fortitudine habet forte memorare. Propter quam fortitudinem memorat longe et leuiter praeterita, et in absentia fortitudinis animi obliuiscitur leuiter praeterita, et
65 quando ea uult memorare, non potest, et irascitur.

Fortitudo animi est initium bonum et furor irae est malum initium. Et in quantum fortitudo est magna, in tantum gignit magnam patientiam; et in quantum ira est magna, in tantum gignit magnam impatientiam.

70 Dum animi fortitudo durat, ira non durat; cum ita sit, quod fortitudo animi duret cum patientia. Et dum ira durat | forti- R 81ʳ tudo animi non durat; cum ita sit, quod ira durat cum impatientia.

Fortitudo est habitus fortis, de quo habituatur posse, quod
75 forte est contra iram cum patientia. Et ira est habitus fortis, de quo habituatur posse, quod forte est contra fortitudinem cum impatientia. Et quia fortitudo animi conuenit et concordat cum esse, et fortitudo irae cum non esse, est fortior habitus fortitudo, quam ira. Et ob hoc habet meritum et meretur homo fortis,
80 tunc quando superat iram cum patientia. Et si superet fortitudinem cum ira, habet culpam, eo quia superat eam cum impatilentia. Vnde cum hoc ita sit, Dei iustitia iudicat hominem M 94ʳ fortis animi ad gloriam caelestem aeternam, et hominem iratum ad ignem infernalem aeternum.

85 Diximus de fortitudine animi et ira. Et propter hoc deprecemur dominum Deum nostrum Iesum Christum, quatenus nos ab ira defendat impendatque nobis fortitudinem animi, ex quo est Pater noster. Et eius amore, reuerentia et honore dicamus *Pater noster*.

V.3.8. DE FORTITVDINE ANIMI ET MENDACIO [Di]

[SERMO XCVI]

Quicumque uelit sermocinari de fortitudine animi et mendacio, recolat earum themata, definitiones et species; et secundum
5 eas ordinet suum sermonem.

In principio deprecabimur dominum Deum nostrum Iesum Christum, quatenus det mihi gratiam dicendi, et uobis audiendi et retinendi et opere complendi uerba, quae sint ad eius laudem. Et ob amorem, reuerentiam et honorem nostrae dominae sanc-
10 tae Mariae dicamus *Aue Maria*.

Fortitudo animi est fortitudo uoluntatis, quae conatur cum

---

63 longe et] *coni.*; *om. codd. omnes*; *cat.* longament e leugerament   **66/67** initium ... initium] *forsan* principium; *cat.* començament; *cf. serm. IC, lin. 81 et CII, lin. 48*

XCVI, **11** conatur] *cat.* s'esforça; cf. *lin. 15 serm. antec.*

ueritate contra mendacium. Et mendacium est fortitudo uoluntatis, non habens potestatem contra ueritatem; cum ita sit,
quod ueritas sit habitus positiuus, et mendacium sit habitus
15 priuatiuus. Et propter hoc homo, habens uoluntatem cum animi
fortitudine, superat mendacium, quando illud superare uult
cum ueritate. Et si uelit superare ueritatem cum mendacio,
nequit eam superare; sed dat similitudinem ficto modo, quod
eam superet, eo ut proximum suum ualeat defraudare de bonis
20 gratiae, quae Deus sibi dedit; quae sunt denarii, campi, et
uineae et aliae diuitiae. Et ex hoc talis homo mendax utitur
mendacio contra fines bonorum naturalium, quae sibi Deus
dedit, quae sunt uidere, audire, odorare, gustare, palpare, affari,
imaginari, intelligere, amare et recolere; et uadit in ignem
25 infernalem aeternum permanere.

Homo mendax dicit rem albam fore nigram; et sic mentitur
contra suum uidere. Et homo, habens animi fortitudinem, manutenet ueritatem sui uisus. Et propter hoc animi fortitudo et
mendacium sunt habitus contrarii; et uidere est subiectum
30 contrarietatis.

Homini mendaci mendacium est suum instrumentum contra auditum, qui est eius bonum naturale, et dicit se audisse,
quod non audiuit, et quod id, quod est uerum, est falsum. Ergo
talis homo est contra Deum, qui dedit sibi suum auditum, et est
35 contra se ipsum et proximum suum. Et homo, habens animi
fortitudinem, facit contrarium.

Homo in sua loquela deberet sequi naturam sui odoratus, qui
non facit per naturam deliberationem, si odorabit placidum
odorem uel non placidum, sed quod eligit placidum odorem et
40 uitat foetidum odorem. Et ob hoc homo, habens animi fortitudi-
nem, sequitur naturam sui odoratus. Et homo mendax | facit   M 94ᵛ
contrarium.

Gustare infirmum habet modum mendacii, quoniam mel, quod
est dulce, uidetur sibi amarum; et homini mendaci ueritas, |
45 quae est bona, uidetur mala; et mendacium, quod malum est,   R 81ᵛ
uidetur sibi bonum.

Homo luxuriosus dicit mendacia, eo ut ualeat luxuriam exercere. Et si tentetur ad castitatem, non uult uti animi fortitudine, qua uult uti homo uerax, si tentetur ad luxuriam. Et propter
50 hoc fortitudo et mendacium sunt habitus contrarii; et palpare
est subiectum contrarietatis.

Verbum siue loquela habet duas species, scilicet uerbum uerum et uerbum falsum. Et ambae species nascuntur in mente et
homo est ille, qui facit eas nasci et eas denuntiat per uerbum. Et
55 propter hoc uerbum uerum nascitur in ueritate cum animi

---

16 illud] *correxi*; eum *M T R M₁*   **54** est] *coni.*; *om. codd. omnes*

fortitudine. Et uerbum falsum nascitur in mendacio cum animi
debilitate, propter quam uerbum tremet.

Homo mendax induit de mendacio suam imaginationem, quae
per naturam est uera creatura. Et quia imaginatio est pars
60 hominis per naturam, homo mendax est cum mendacio contra
suam imaginationem per accidens. Et propter hoc talis homo,
quando imaginatur, deformat suam imaginationem; et uidetur
sibi, quod id, quod uerum est, sit falsum, et id, quod falsum est,
sit uerum. Et homo, habens animi fortitudinem, utitur sua
65 imaginatione per contrarium.

Intellectus humanus est uera creatura, et per naturam habet
uerum intelligere. Et quando intelligit ueritatem cum fortitudine ex more, est contra mendacium, et gignit scientiam. Et homo
mendax utitur suo intellectu per contrarium; et ex hoc gignit
70 ignorantiam.

Voluntas est uera creatura per naturam, et propter hoc habet naturale uelle. Quod quidem uelle exfortiat et fortificat
homo uerax cum fortitudine contra mendacium, et gignit ueram
amantiam siue amationem. Et homo mendax, qui induit suam
75 uoluntatem de mendacio, utitur sua uoluntate per contrarium,
et gignit amationem siue amantiam falsitatis.

Memoria est uera creatura per naturam et propter hoc exigit
uerum memorare. Sed homo mendax deformat illud memorare
uerum cum mendacio. Et homo uerax fortificat illud cum forti-
80 tudine. Et propter hoc memoria per unum modum gignit memorationem, et per alium modum non memorationem.

Diximus de fortitudine et mendacio. Et propter hoc deprecemur dominum Deum nostrum Iesum Christum, quatenus impendat nobis fortitudinem contra mendacium, ex quo est Pater
85 noster. Et eius amore, reuerentia et honore dicamus *Pater noster*.

V.4. DE TEMPERANTIA

V.4.1. DE TEMPERANTIA ET AVARITIA [E b]

[SERMO XCVII]

Quicumque uelit sermocinari de temperantia et auaritia, reco-
5 lat earum themata, definitiones et species; et secundum illas
ordinet suum sermonem.

In principio deprecabimur dominum Deum nostrum Iesum
Christum, quatenus det mihi gratiam dicendi, et uobis audiendi
et retinendi et opere complendi uerba, quae sint ad eius laudem

---

60 hominis – naturam] *coni. ex textu cat.*; per naturam hominis *M T R M*₁

10 et animarum | nostrarum salutem. Et ob amorem, reuerentiam M 95ʳ
et honorem nostrae dominae sanctae Mariae dicamus *Aue Ma-*
ria.

Temperantia est habitus, cum quo | homo temperatus mensu- T 42ᵛ
rat materiam, quae est pro bonis gratiae | data per Deum finibus R 82ʳ
15 potentiarum naturalium humanarum per Deum datarum, ex
quibus homo unitus et compositus est per naturam. Et auaritia
est habitus, per quem fit contrarium. Et propter hoc temperantia et auaritia sunt habitus contrarii; et homo est agens et
subiectum, in quo contrariantur.

20 Homo temperatus uidet bona gratiae, quae sibi Deus impendit, scilicet denarios, bestiae, possessiones camporum et uinea-
rum, castra et ciuitates, et mensurat cum aequalitate id, quod
potest et quod debet expendere secundum id, quod pertinet
uisui secundum finem naturalem potentiae uisiuae. Et homo
25 auarus facit contrarium, quia deuiat fines naturalium bonorum
et fines bonorum gratiae, quae Deus impendit; et facit eos stare
otiosos. Et propter hoc uadit permanere cum indigentia in
ignem infernalem aeternum.

Homo temperatus utitur temperantia per auditum, qui tem-
30 perate egreditur de audiente et audibili. Et homo auarus utitur
auditu per contrarium.

Homo temperatus non facit quaestionem utrum se induet de
temperantia uel de auaritia, quia sequitur naturam potentiae
odoratiuae; quae non facit quaestionem, utrum odorabit placi-
35 dum odorem uel foetidum, et eligit odorare placidum odorem, et
uitare foetidum odorem. Et homo auarus eligit per contrarium.

Homo temperatus per gustum mensurat sanitatem cum sanis
uictualibus. Et homo auarus per gustare mensurat male sana
uictualia et pauca, eo ut multiplicet diuitias.

40 Per tactum homo temperatus utitur temperantia et homo
auarus distemperantia.

Homo temperatus utitur temperate uerbis, quae egrediuntur
de temperata mente, et homo auarus facit contrarium.

Homo temperatus utitur temperate sua imaginatione. Et prop-
45 ter hoc colligit temperatas phantasias ex potentiis sensitiuis. Et
homo auarus utitur sua imaginatione per contrarium. Et propter hoc aliqui homines auari, quando amittunt suas diuitias,
eueniunt et efficiuntur insensati, et dicunt stultitias.

Homo temperatus utitur suo intellectu temperate in intelli-
50 gendo intelligibilia, et homo auarus utitur intellectu per contrarium.

XCVII, **21** bestiae] *coni.*; bestiare *M T R M*; *cat.* bestiar; *cf. supra serm. LXXXII,*
lin. 17   **37** mensurat] mensur *M*; mensus *R*   **45** temperatas] *recte coni.* M₁;
temperantias *M T R*   **49/50** in intelligendo] *coni.*; et intelligere *M T R M*₁

Homo temperatus habet temperatam uoluntatem per naturam. Et hoc idem est de homine auaro. Sed homo temperatus
per accidens fortificat uoluntatem suam cum temperantia in
55 amando id, quod amabilis est propter bonitatem, et in odiendo
id, quod odibilis est propter malitiam. Et homo, qui auarus est,
utitur sua uoluntate per contrarium.

Homo temperatus per naturam habet memoriam temperatam, quae habet temperatum memorare per naturam. Et per
60 temperantiam, quae est habitus acquisitus, | iuuat memoriam,   M 95ᵛ
quod habeat bonum memorare, ut ualeat bonum meritum acquirere et in gloria caelesti aeterne permanere. Et homo auarus
utitur memoria per contrarium; et uadit in ignem infernalem
aeternum permanere, in quo memorabit aeternam poenam.

65 Temperantia est habitus spiritualis inuisibilis et auaritia est
habitus spiritualis inuisibilis similiter. Et earum opera sunt
uisibilia per uisum, et audibilia per auditum; et sic de aliis
sensibus. Et intellectus est illa potentia, quae intelligit essentias,
quae sunt temperantia et auaritia; et intelligit qualiter nascun-
70 tur et qualiter operantur, secundum quod superius significaui-
mus.

Temperantia est de genere mag|nitudinis positiue et auaritia   R 82ᵛ
est de genere magnitudinis priuatiue. Et propter hoc temperantia mensurat aequaliter id, quod mensurat et auaritia illegaliter.
75 Vnde cum hoc ita sit, potest igitur cognosci, quare homo temperatus se tenet et reputat pro contento et diuite de bonis gratiae,
quae Deus sibi donat. Et homo auarus se tenet et reputat pro
pauperiore, tunc quando ditior est denariorum et aliarum diuitiarum. Vnde cum hoc ita sit, homo temperatus habet copiam et
80 abundantiam bonorum naturalium et bonorum gratiae. Et homo auarus indiget omnibus bonis; quae indigentia est sibi signum mortale et tristitia et dolor.

Diximus de temperantia et auaritia. Et ostendimus media,
per quae sunt habitus contrarii, et habent opera contraria. Et
85 propter hoc deprecemur Deum, quatenus det nobis temperantiam contra auaritiam, ex quo est Pater noster. Et eius amore,
reuerentia et honore dicamus *Pater noster*.

V.4.2. DE TEMPERANTIA ET GVLOSITATE [E C]

[SERMO XCVIII]

Si uelis sermocinari de temperantia et gulositate, recolas

55/56 amabilis ... odibilis] *coni. ex textu cat.*; amandum ... odiendum *M T R M*₁
61 quod] *recte corr. M*₁; quae *M T R*   **62** et] *coni.*; *om. codd. omnes*   **76/77**
pro – reputat] *coni. ex textu cat.*; *om. M T R M*₁   **82** et²] *coni.*; *om. omnes codd.*

earum themata, definitiones et species; et secundum illas ordina
5 tuum sermonem.

In principio deprecabimur dominum Deum nostrum Iesum
Christum, quatenus det mihi gratiam dicendi, et uobis audiendi
et retinendi uerba, quae sint ad gloriam et honorem nostrae
dominae sanctae Mariae. Et amore, reuerentia et honore totius
10 curiae caelestis dicamus *Aue Maria*.

Temperantia et gulositas sunt habitus contrarii per rectam
lineam. Attamen temperantia est generalior uirtus, quam gulositas peccatum; cum sit ita, quod temperantia possit habere
temperatum uidere, audire, odorare, gustare, palpare, affari,
15 imaginari, intelligere, amare et recolere; et gulositas non habeat
nisi unum particulare subiectum, quod est gustare.

Ex temperantia habetur per naturam temperatum uidere; et
ex gulositate habetur distemperatum uidere. Et propter hoc
uidere est actus communis per accidens, quoniam homo tempe-
20 ratus ex uidendo pinguem altilem non generat inuidiam; et
homo gulosus distemperatus gignit eam, in quantum considerat,
quod ualeat furari uel auferre uicino suo unam pinguem altilem.

Homo temperatus, si audiat loqui de pingui altile, porco, boue
et mul|tone et de bono uino, non gignit inuidiam. Et homo M 96ʳ
25 gulosus gignit eam, quando de praedictis audit loqui.

Odoratus ex placido odore gignit sanitatem et ex foetido
odore infirmitatem. Simili modo homo temperatus cum temperantia gignit sanitatem et homo gulosus cum gulositate gignit
infirmitatem.

30 Gustare est potentia passiua et actiua per naturam. Est
passiua per hominem, qui ea utitur tamquam instrumento; et
est actiua, in quantum homo per eam sentit saporem in comedendo et bibendo. Et propter hoc cum potentia gustatiua potest
quis fore temperatus uel distemperatus in comedendo et biben-
35 do; temperatus cum temperantia, distemperatus cum gulositate.

Potentia tactiua est per naturam passiua et actiua. Passiua, in
quantum est instrumentum homini ad palpandum; et est actiua, in quantum facit hominem sentire placitum in tangendo
40 mulierem, uel dolorem ex calore uel ex frigore uel ex fame uel
ex siti uel infir|mitate. Et propter hoc homo temperatus utitur R 83ʳ
temperantia per palpatum; et homo gulosus per palpatum utitur per contrarium.

Homo temperatus habet temperatam mentem pro temperato
45 intelligere, amare et recolere; cum qua temperata mente gignit
temperatum loqui. Et homo gulosus facit contrarium.

XCVIII, **24** non] *om. add. sup. lin.* M₁; *om.* MTR   **25** eam] *coni.*; *om. omnes*
codd.   **32** saporem] *corr.* M₁; soporem MTR

Homo temperatus utitur temperate sua imaginatione, tunc
quando desiderat comedere et bibere. Et homo gulosus utitur
sua imaginatione per contrarium.
50   Potentia intellectiua per naturam est passiua et actiua. Passiua est, in quantum mouetur per hominem ad intelligendum;
actiua est, in quantum intelligere est suus actus, per quod homo
intelligit. Et propter hoc homo temperatus utitur temperate per
suum intelligere, tunc quando comedit et bibit ad mensam. Et
55 homo gulosus utitur suo intelligere distemperate.
Potentia uolitiua est actiua et passiua. Est actiua, in quantum
est uolitiua; est passiua, in quantum est instrumentum homini,
in quantum eum mouet ad amandum uel abhorrendum. Et
propter hoc homo temperatus utitur temperate sua uoluntate in
60 comedendo et bibendo. Et homo gulosus utitur sua uoluntate
per contrarium.
Memoria est potentia passiua et actiua per naturam. Est
passiua, in quantum homo eam mouet ad recipiendum species,
scilicet phantasias, quas | intellectus gignit per intelligendum uel T 43ʳ
65 credendum, et illa uoluntas gignit pro amando uel abhorrendo;
actiua est, in quantum reddit id, quod recipit, intellectui et
uoluntati. Vnde cum hoc ita sit, potest igitur cognosci, quid sit
temperantia pro memorando in homine temperato et quid sit
distemperantia pro memorando in homine guloso distemperato.
70   Temperantia potest intelligi dupliciter: Temperantia naturalis et temperantia accidentalis et moralis. Et accidentalis, quae
est de genere moris, est similitudo temperantiae naturalis; et
ista | temperantia accidentali utitur homo temperatus contra M 96ᵛ
gulositatem. Et homo gulosus utitur distemperantia contra tem-
75 perantiam naturalem et accidentalem. Et propter hoc gignit in
se infirmitatem animae et corporis, et euacuat bursam denariis.
Diximus de temperantia et gulositate. Et ostendimus id, quod
pro ipsis fit. Et propter hoc deprecemur Deum, quatenus det
nobis temperantiam contra gulositatem, ex quo est Pater no-
80 ster. Et eius amore, reuerentia et honore, dicamus *Pater noster*.

V.4.3. DE TEMPERANTIA ET LVXVRIA [E d]

[SERMO IC]

Quicumque uelit sermocinari de temperantia et luxuria, recolat earum themata, definitiones et species; et secundum illas
5 ordinet suum sermonem.

---

47 temperate] *coni.*; temperata *M T R M*₁   **54** et bibit] *coni.*; *om. codd. omnes*
65 illa uoluntas] *corr. ex* illa uoluntatem *M*₁; illa uoluntatem; illam uoluntatem
T   **78** pro] *om. M*₁

In principio deprecabimur dominum Deum nostrum Iesum
Christum, quatenus det mihi gratiam dicendi, et uobis audiendi
et retinendi uerba, quae sint ad laudem eius. Et ob amorem,
reuerentiam et honorem nostrae dominae sanctae Mariae dica-
10 mus *Aue Maria*.

Temperantia et luxuria sunt habitus contrarii per medium; |
cum ita sit, quod temperantia et castitas concordantiam ha-   R 83ᵛ
beant et affinitatem, et castitas et luxuria habeant contrarietatem et non habeant affinitatem, immo habent infinitam distan-
15 tiam. Et propter hoc si temperantia concordantiam habeat cum
bonis naturae et gratiae, luxuria habet cum illis discordantiam.

Homo temperatus, si uidet pulchram mulierem, considerat
temperantiam et castitatem. Et homo luxuriosus considerat
contrarium. Et propter hoc homo temperatus conseruat finem
20 uidendi, qui bonus est; et homo luxuriosus deuiat finem uidendi.
Quae quidem deuiatio mala est.

Homo temperatus, si audiat loqui de pulchra muliere, desiderat, quod illa sit bona et casta. Et homo luxuriosus desiderat
contrarium.

25 Homo temperatus, si odoret foetidum odorem, considerat
illum foetorem, qui est per luxuriam; et homo luxuriosus eum
obliuiscitur.

Temperantia non est habitus, per quem generetur luxuria. Et
quia homo gulosus gignit gulositatem et homo luxuriosus luxu-
30 riam, luxuria et gulositas sunt affines contra castitatem et
temperantiam, quae consobrinae sunt; et gustare est subiectum
et materia.

Temperantia est forma, per quam palpare temperatum est, et
luxuria est deformata forma, per quam palpare est deformatum
35 et distemperatum.

Affari est sensus temperatus per temperantiam et est distemperatum per luxuriam. Et propter hoc uerba, quae dicit homo
castus et temperatus, et uerba, quae dicit distemperatus et
luxuriosus, non sunt consobrina.

40 Imaginatio est potentia passiua et actiua. Passiua, in quantum
est instrumentum homini, qui cum ea imaginatur; est actiua, in
quantum est de genere naturae actionis, cum qua colligit species
potentiarum sensitiuarum. Et propter hoc homo per imaginationem potest esse temperatus, et potest temperantiam generare;
45 uel potest esse distemperatus pro generando luxuriam. Et si
gignat per temperantiam species, | gignit eas sanas; et si eas   M 97ʳ
gignat per luxuriam, gignit ipsas infirmas. Propter quam infir-

---

IC, **29/30** luxuriam] *add.* et *M T R M₁*   **30** sunt] *corr. M₁;* sint *M T R*   **31**
consobrinae] *cat.* cosines   **34/35** deformatum et] *coni. ex textu cat.; om. codd.*
omnes   **44/45** et potest – distemperatus] *om. T*   **47** per luxuriam] *coni.;* luxuria
M T R M₁

mitatem nescit cognoscere defectum, quem habet luxuria contra
castitatem, et efficitur gulosus.

50   Intellectus cum temperantia habet temperatum intelligere,
per quod intelligit temperate luxuriam et castitatem. Et propter hoc facit scientiam de ambabus; et cognoscit, quod castitas
est bona et luxuria est mala. Et homo luxuriosus utitur suo
intellectu per contrarium; et credit luxuriam esse bonam, et
55 castitatem esse malam.

    Voluntas temperata est per temperantiam successiua, in quan-
tum successiue eligit id, quod amat uel abhorret. Tali uoluntate
utitur homo temperatus in amando castitatem et in abhorrendo
luxuriam; et homo luxuriosus utitur sua uoluntate per contra-
60 rium.

    Memoria, quando recipit species successiue, per quas intellec-
tus facit scientiam per temperantiam habet temperatum memorare; et quia luxuria est contra temperantiam, subito per luxuriam colligit species distemperate. Et propter hoc homini luxu-
65 rioso uidetur, mulierem, quae pulchra non est, fore pulchram; et
illam, quae bona non est, fore bonam; et eam, quae eum non
amat, eum multum amare.

    Eo quia anima rationalis est de tribus potentiis, quae sunt
in|tellectus, uoluntas et memoria, si una earum potentiarum R 84ʳ
70 induatur temperantia, oportet alteram indui; quia si ita non
esset, non concordarent per unitatem essentiae, et potentiae
essent multae et diuersae. Et hoc idem est de luxuria; quoniam
si una earum habituetur, et reliqua. Et propter hoc in una
eadem anima temperantia et luxuria habent infinitam distan-
75 tiam.

    Homo temperatus cum aequalibus mensuris facit id, quod
facit, quas quidem mensuras facit per aequale intelligere, amare
et memorare. Et homo luxuriosus mensurat per contrarium. Et
propter hoc temperantia et luxuria cum aequalitate et cum non
80 aequalitate habent infinitam distantiam.

    Temperantia est per bonum principium et luxuria est per
malum principium. Et propter hoc secundum genus principii
temperantia et luxuria habent infinitam distantiam.

    Temperantia se habet ad bonum finem et luxuria se habet ad
85 malum finem. Et propter hoc per nullum medium temperantia
et luxuria possunt habere concordantiam.

    Temperantia est maior uirtus, quam luxuria sit peccatum;
cum ita sit, quod temperantia se habeat ad finem uidendi,
audiendi odorandi, gustandi, palpandi, loquendi, imaginandi,
90 intelligendi, uolendi et memorandi; et luxuria non se habeat,
nisi particulariter ad placitum tangendi mulierem. Attamen

---

56 per temperantiam] *coni.*; temperata neccessaria *M T R M*₁   **62** per –
habet] *coni.*; et per temperantiam *M T R M*₁   **71** concordarent] cordarent *M R*

omnes actus supra dicti, quando per luxuriam deformantur,
sunt nuntii luxuriae.

Diximus de temperantia et luxuria. Et ostendimus earum
95 essentias et processum. Et propter hoc deprecemur dominum
Deum nostrum Iesum Christum, quatenus det nobis temperantiam contra luxuriam, ex quo est Pater noster. Et eius amore,
reuerentia et honore dicamus *Pater noster*.

V.4.4. DE TEMPERANTIA ET SVPERBIA [E e]

[SERMO C]

| Si uelis sermocinari de temperantia et superbia, recolas M 97ᵛ
earum themata, definitiones et species; et secundum illas ordina
5 tuum sermonem.

In principio deprecabimur dominum Deum nostrum Iesum
Christum, quatenus det mihi gratiam dicendi, et uobis audiendi
et retinendi uerba, quae sint ad eius honorem. Et ob amorem,
reuerentiam et honorem nostrae dominae sanctae Mariae dica-
10 mus *Aue Maria*.

Temperantia et superbia sunt habitus contrarii, et medium,
quo contrariantur, est humilitas. Quae habet concordantiam
cum temperantia et est contra superbiam. Et propter hoc temperantia et superbia habent infinitam distantiam, scilicet quod
15 in nullo possunt habere concordantiam. Et propter hoc homo
temperatus temperat cum temperantia fines suarum decem potentiarum naturalium, scilicet finem uidendi, audiendi, odorandi, gustandi, palpandi, affandi, imaginandi, intelligendi, amandi,
memorandi; et etiam fines bonorum gratiae, quae Deus sibi
20 impendit, quae sunt diuitiae et honores, et etiam uirtutes. Et
homo superbus cum superbia distemperat omnes illos | fines, in T 43ᵛ
quantum eos sibi appropriat, et non Deo nec proximo suo. Et
propter hoc homo superbus nihil tantum amat, sicut se ipsum.
Cum quo amore uadit ad ignem infernalem, ubi peruertitur
25 amor in odium aeternale scilicet quod aeterne abhorrebit magis
se ipsum, quam aliquid aliud.

Homo temperatus temperat suum | intellectum cum humili R 84ᵛ
temperantia, eo ut correlatiua intellectus, quae sunt intelligens,
intellectum et intelligere, sint humilia et temperata pro seruien-
30 do sibi ipsi et proximo suo. Et homo superbus utitur suo
intellectu per contrarium. Quoniam eo quia suus intellectus est

---

96 Christum] *om. M T*

C, **12** quo] *coni.*; per quod M_1; *om. M T R*   **24/25** ubi – aeternale] *coni. ex
textu cat.*; *om. codd. omnes*   **28** intelligens] *coni.*; *om. omnes codd.*

sibi propria potentia et non Dei nec proximi sui, appropriat ad
finem sui intelligendi totum id, quod intelligit. Et propter hoc
propter superbum intelligere est distemperatus in toto eo, quod
35 intelligit per uisum, auditum et alios, et pro possidendo bona
gratiae, quae Deus sibi impendit. Et talis homo uadit ad ignem
infernalem, ubi aeterne habebit superbum et distemperatum
intelligere.

Homo temperatus temperat suam uoluntatem cum humilibus
40 correlatiuis, quae sunt uolens, uolitum et uelle. Cum quibus
temperate et humiliter amat Deum et suum proximum; et cum
bonis suis naturalibus, et cum bonis gratiae sibi seruit et eum
ueneratur. Talis homo uadit ad gloriam caelestem, ubi habebit
uelle temperatum humile et aeternum. Et homo superbus utitur
45 sua uoluntate per contrarium; et eo uadit ad poenam infernalem, ubi habebit distemperatum uelle superbum et aeternum.

Homo temperatus temperat suam memoriam cum humilibus
correlatiuis, quae sunt memorans, memoratum et memorare.
Cum quibus humiliter memorat Deum, se ipsum et proximum
50 suum. Et hoc idem facit in memorando bona sua naturalia et
bona gratiae. Et homo superbus utitur sua memoria per contra-
rium. Et propter hoc uadit | ad ignem infernalem, ubi memora-   M 98ʳ
bit poenam aeternam.

Homini superbo sua imaginatio est sibi propria potentia et
55 non illa proximi sui. Et quia amat magis se ipsum, quam Deum
et proximum suum, id, quod imaginatur, applicat ad finem suae
imaginationis, eo quia uoluntas sua est sibi propria potentia. Et
hoc idem facit ad finem sui intelligendi, et ad finem suae
memoriae, quae est sibi propria potentia; et non applicat ad
60 finem proximi sui nec ad Deum, qui est causa efficiens et finalis
suae imaginationis. Et eo habet distemperatum et superbum
imaginari. Et talis homo uadit ad ignem infernalem aeternum
permanere, ubi habebit distemperatum et superbum imaginari.
Et homo temperatus utitur sua imaginatione per contrarium, et
65 uadit permanere ad gloriam caelestem aeternam, ubi habebit
temperatum et humile imaginari.

Secundum quod dedimus exemplum de temperantia et superbia per quattuor potentias supra dictas, quae sunt intellectus,
uoluntas, memoria et imaginatio, potest dari exemplum per
70 alias potentias inferiores, quae sunt potentia uisiua, auditiua,
odoratiua, gustatiua, tactiua et affatiua. Vnde cum hoc ita sit,
potest igitur cognosci generatio temperantiae et superbiae, et
materia, de qua sunt, et uiae, per quas uadunt.

---

32 Dei – sui] *coni.*; Deus et proximus suus *M T R M*₁   **40** uolitum] *coni.*;
et res, quas quis uult, scilicet res optata *M T R M*₁   **44** et] *coni.*; *om. codd. omnes*
  63 imaginari] *coni.*; memorare *M T R M*₁   **70** inferiores] *coni.*; inferius scriptas
*M T R M*₁

Diximus de temperantia et superbia. Et propter hoc depreca-
75 mur dominum Deum nostrum Iesum Christum, quatenus det
nobis temperantiam, et nos a superbia defendat, ex quo est
Pater noster. Et eius amore, reuerentia et honore dicamus *Pater
noster*.

V.4.5. DE TEMPERANTIA ET ACCIDIA [E f]

[SERMO CI]

Quicumque uelit sermocinari de temperantia et accidia, | reco-   R 85ʳ
lat earum themata, definitiones et species; et secundum illas
5 ordinet suum sermonem.

In principio deprecabimur dominum Deum nostrum Iesum
Christum, quatenus det mihi gratiam dicendi et uobis audiendi
et retinendi uerba, quae sint ad laudem eius. Et ob amorem,
reuerentiam et honorem nostrae dominae sanctae Mariae dica-
10 mus *Aue Maria*.

Temperantia et accidia sunt habitus contrarii, cum ita sit,
quod temperantia sit de genere boni et accidia de genere mali;
et ob hoc habent infinitam distantiam, per quam non possunt
habere aliquam concordantiam. Potest igitur cognosci Deum,
15 qui est causa efficiens et finalis temperantiae, non esse causam
efficientem neque finalem accidiae.

In homine sunt quattuor qualitates, quae sunt de genere
elementorum, scilicet cholera, sanguis, flemma et melancholia.
Item est alia qualitas, quae nominatur uegetatiua. Et in homine
20 temperato, qui diligens est in acquirendo uirtutes cum temperantia, erunt in paradiso caelesti supra dictae qualitates tempe-
ratae in corpore glorificato incorruptibili aeterne. Et in homine,
qui negligens est ad acquirendum uirtutes, erunt supra dictae
qualitates distemperatae in igne infernali | in corpore hominis   M 98ᵛ
25 aeterne, et omni temperantia et concordantia priuatae. Poenam
illius talis hominis humani humani, quis posset cogitare neque
scribere?

Homo temperatus cum temperantia est diligens ad temperandum finem uidendi, audiendi, odorandi, gustandi, palpandi,
30 affandi, imaginandi, intelligendi, amandi et memorandi. Et homo accidiosus est negligens in utendo illis finibus. Et ob hoc
sustinebit in perpetuum in inferno angustiam, tristitiam, dolorem et maledictionem.

---

75 Iesum Christum] M_1; Iesum R; *om. MT*

CI, 8 sint] *correxi*; sunt $MTRM_1$ 18 melancholia] T; *corr. ex* malencholia
M_1; malencholia MR 31 hoc] *recte coni.* M_1; *om. MTR*

Homo temperatus utitur bonis temporalibus, quae sibi Deus
35 impendit temperate; quae sunt bona diuitiarum et honorum. Et
homo accidiosus utitur illis per contrarium. Et propter hoc
patitur tristitiam et dolorem, quando proximus eius habet diuitias et honores, et gaudet, quando indigentiam sustinet et dolorem; cum ita sit, quod temperantia et accidia habeant infinitam
40 distantiam.

Homo temperatus expendit temperate diuitias suas, et considerat id, quod lucratur, et id, quod expendit. Et homo accidiosus facit contrarium. Et propter hoc temperantia et accidia
habent infinitam distantiam.

45 Homo temperatus comedit et bibit temperate; et cum comederit et biberit, loquitur temperate. Et homo accidiosus facit
contrarium, eo quia negligens est in acquirendo temperantiam.

Homo temperatus temperate tangit uxorem suam, eo quia
non est negligens ad acquirendum castitatem. Et homo accidio-
50 sus facit contrarium, eo quia est negligens ad destruendum
luxuriam.

Homo temperatus antequam loquatur, cum temperantia temperat mentem suam, eo ut cum temperantia temperet uerba
sua. Et homo accidiosus est negligens ad temperandum mentem
55 suam et uerba sua, et ob hoc loquitur uerba distemperata,
deformata, et ad contingentiam prolata.

Homo temperatus est diligens ad utendum imaginatione sua
temperate; et ob hoc temperate colligit phantasias | potentia-   R 85ᵛ
rum sensitiuarum. Et homo accidiosus utitur sua imaginatione
60 per contrarium, et eam tenet otiosam; propter quam otiositatem imaginatur ad contingentiam. Et propter hoc daemon, qui
eam inuenit otiosam, mutat eam de uno obiecto in aliud ad
uoluntatem suam in tantum, donec mouit hominem ad peccatum.

65 Intellectus humanus fortis est per naturam Et homo temperatus cum temperantia eum fortificat ad essendum diligentem ad
intelligendum de Deo uera. Et homo accidiosus facit contrarium. Et propter hoc tenet fortitudinem sui intellectus otiosam.
Et quando uult de Deo uera intelligere, nequit intelligere, eo
70 quia diu tenuit fortitudinem sui intellectus otiosam. Et hoc
idem sibi aduenit, si uelit de se ipso audire uera, et de proximo
suo.

Humana uoluntas habet per naturam forte uelle. Et homo
temperatus temperat potestatem uoluntatis suae ad amandum
75 de Deo uera diligenter. Et hoc idem facit ad amandum de se et

---

35 et] *coni.*; *om. codd. omnes*   **41** expendit] *coni.*; disponit *M T R M*₁; *cat.*
despen; *cf. lin. 42*   **43/47** Et propter – contrarium] *om.* T   **55** hoc] *coni.*; *om.*
*M T R M*₁   **58** hoc] *om. sed add. sup. lin. M*₁; *om. M T R*

proximo suo | uera. Et homo accidiosus utitur sua uoluntate per M 99ʳ
contrarium. Et propter hoc, quando uult amare in Deo uera et
in se | ipso et proximo suo, hoc facere nequit, eo quia tenuit diu T 44ʳ
posse suae uoluntatis otiosum.

80   Memoria humana per naturam habet forte memorare. Et
homo temperatus fortificat potestatem memoriae suae cum
diligentia memorandi uera de Deo, de se ipso et proximo suo. Et
homo accidiosus utitur sua memoria per contrarium. Et propter
hoc talis homo frequenter obliuiscitur id, quod memorare uult.
85   Et si moriatur habituatus de accidia, uadit ad ignem infernalem
aeternum; quem quidem ignem memorabit in aeternum.

Diximus de temperantia et accidia. Et propter hoc deprecemur Deum, quatenus det nobis temperantiam, et nos ab accidia
defendat, ex quo est Pater noster. Et eius amore, reuerentia et
90   honore, dicamus *Pater noster*.

V.4.6. DE TEMPERANTIA ET INVIDIA [E g]

[SERMO CII]

Si uelis sermocinari de temperantia et inuidia, memores earum themata, definitiones et species; et secundum eas norma et
5   ordina tuum sermonem.

In principio deprecabimur dominum Deum nostrum Iesum
Christum, quatenus det mihi gratiam dicendi, et uobis audiendi
et opere complendi uerba, quae sint ad eius honorem. Et ob
amorem, reuerentiam et honorem nostrae dominae sanctae Ma-
10   riae dicamus *Aue Maria*.

Temperantia et inuidia sunt contrarii habitus; cum ita sit,
quod temperantia sit de genere boni et inuidia de genere mali.
Et quia bonum et malum infinitam habent distantiam, sequitur,
quod temperantia et inuidia habeant infinitam distantiam. Po-
15   test cognosci igitur, Deum esse causam efficientem et finalem
temperantiae, et daemonem inuidiae.

Homo inuidus, in quantum bona eius naturalia, quarum Deus
causa efficiens est et finalis, sibi appropriata sunt et data per
sanctum Spiritum, appropriat sibi per inuidiam finem suorum
20   bonorum naturalium, scilicet finem uidendi, audiendi, odorandi,
gustandi, palpandi, affandi, imaginandi, intelligendi, amandi et
memorandi. Et | propter hoc est contra Spiritum sanctum, qui R 86ʳ
est primitiua largitudo, cum detur per Deum Patrem et per
Deum Filium, ab ipso exspiratum. Qui quidem Deus Spiritus
25   sanctus uult, fines bonorum naturalium sibi attribui et dari, eo

---

CII, **1** inuidia] accidia *M*

ut ipse ueneretur inde et laudetur et eidem seruiatur. Et hoc
idem de Deo Patre et Deo Filio, qui unus Deus sunt et non
plures. Et homo temperatus facit contrarium eius, quod facit
homo inuidus.

30 Homo inuidus attribuit sibi ipsi bona gratiae, quae Deus
impendit, quae sunt denarii et aliae diuitiae. Et ideo est inuidus,
quia inuidet et cupit id, quod Deus dat; et per accidens sibi ipsi
dat et non Deo, in quantum hoc possidet contra finem, per quem
Deus ipsa impendit.

35 Talis quidem inuidia, quam in se habet inuidus homo, est
figura, quod homo inuidus, si facere posset, de se ipso faceret
Deum; faceret etiam, quod ipse esset causa efficiens et finalis
bonorum gratiae, | quorum Deus est causa efficiens et finalis. M 99ᵛ
Talis homo sic inuidus similis est Lucifero, qui superbus et
40 inuidus fuit, tunc quando Deus eum creauit. Et uoluit, quod ipse
esset causa efficiens et finalis sui ipsius et bonorum omnium
naturalium, de quibus ipse creatus fuit et unitus, quae sunt eius
intellectus, memoria et uoluntas, et eius naturalis bonitas, magnitudo, duratio, potestas, pulchritudo; et sic de aliis suis prin-
45 cipiis innatis. Et quia homo temperatus est contra inuidiam,
utitur temperantia contra id, quod facit homo inuidus; cum ita
sit, quod inuidia et temperantia sint habitus contrarii.

Homo temperatus considerat temperatum principium, medium et finem, eo ut temperatam habeat successionem et mo-
50 tum in bonis gratiae, quae Deus impendit. Et homo inuidus facit
contrarium.

Homo temperatus temperate concordat fines bonorum naturalium et bonorum gratiae ad unum finem, per quem Deo
deseruiat. Et homo inuidus facit contrarium.

55 Homo temperatus utitur aequalibus mensuris, eo quia temperantia est de genere iustitiae. Et homo inuidus per contrarium
utitur.

Si homo temperatus gignat sanitatem ad mensam comedendo
et bibendo, homo inuidus, uidens pulchram mulierem, gignit in
60 animi infirmitatem per inuidiam.

Si homo temperatus temperate per temperantiam expendit,
homo inuidus per inuidiam distemperate expendit.

Si homo temperatus per temperatam mentem gignit uerba
temperata, homo inuidus per distemperatam mentem distempe-
65 rata gignit uerba.

Si homo temperatus temperatam habet imaginationem, homo

---

27 Deo¹] *coni.*; *om. codd. omnes*   **46** temperantia] *coni.*; *om. codd. omnes*   **48**
principium] *coni.*; initium *M T R M₁*; *cat.* començament   **61** expendit] *add.* et
M T R M₁   **64** temperata] *add.* et *M T R M₁*   **66** imaginationem] *add.* et *M T R M₁*

inuidus habet distemperatam; cum ita sit, quod temperantia et
inuidia distantiam habeant infinitam.

Homo temperatus intelligit, amat, memorat temperate et
70 humiliter; homo inuidus intelligit, amat, memorat distemperate
et superbe.

Diximus de temperantia et inuidia. Et per hoc, quod de ipsis
diximus, potest de ipsis haberi notitia et de earum processu. Et
sic deprecemur Deum, quatenus det nobis temperantiam, et ab
75 inuidia nos defendat, ex quo est Pater noster. Et eius amore,
reuerentia et honore dicamus *Pater noster*.

V.4.7. DE TEMPERANTIA ET IRA [E h]

[SERMO CIII]

Quicumque uelit sermocinari de temperantia et ira, recolat
earum themata, definitiones et species; et secundum eas ordinet
5 suum | sermonem.   R 86ᵛ

In principio deprecabimur dominum Deum nostrum Iesum
Christum, quatenus det mihi gratiam dicendi, et uobis audiendi
et retinendi uerba, quae sint ad eius laudem. Et ob amorem,
reuerentiam et honorem nostrae dominae sanctae Mariae dica-
10 mus *Aue Maria*.

Temperantia et ira sunt habitus contrarii; cum ita sit, quod
temperantia sit de genere boni, et ira de genere mali. Vnde cum
bonum et malum infinitam habeant distantiam, temperantia et
ira habent infinitam distantiam. Et propter hoc potest cognosci,
15 Deum esse causam efficientem et finalem temperantiae, et homi-
nem et daemo|nem irae.   M 100ʳ

Temperantia est habitus, temperatam ponens successionem et
motum inter potentiam, obiectum et actum. Et ira est habitus,
ponens contrarium.

20 Intellectus per naturam habet motum temperatum pro intel-
ligente, intellecto et intelligere; et propter hoc gignit scientiam. Et ira est contra illam temperantiam et corrumpit successionem et deliberationem, eo ut intellectus non generet scientiam, et quod ad contingentiam obiecta capiat.

25 Voluntas est potentia, cum temperantia habens deliberationem in amando amanda, et odiendo odienda. Et ira est habitus,
turbans illam deliberationem; et subito facit amari id, quod
odiendum est, et odiri, quod amandum est.

---

67 ita] *coni.*; *om. omnes codd.*   **70** humiliter] *add.* et *MTRM*₁

CIII, **20** motum] *forsan* intellectum; *cat.* enteniment

Memoria est potentia, exigens temperatam successionem, quae
30 sit inter memorans, memoratum et memorare, eo ut temperate
recipiat species phantasiasque, quas in ea ponit intellectus et
uoluntas, et quod memoria eas conseruet et eas temperate
reddat. Et quando memoria habituata est de ira per hominem
iratum, per contrarium utitur. Et hac de causa homo iratus
35 nequit memorare id, quod desiderat, nec amare, nec intelligere;
quia furor irae facit illud eum obliuisci.
Imaginatio est potentia, deliberatiua per naturam. Et per
temperantiam imaginantis, imaginati et imaginari habet deliberationem, per quam temperate repraesentat species et phan-
40 tasias, imaginabiles et collectas ex potentiis sensitiuis, intellectui, uoluntati et memoriae. Et si quis iratus est, utitur imaginatione per contrarium et ad contingentiam imaginatur. Et
propter hoc multi tales homines accidunt et cadunt in ita
magnam tristitiam et iram, quod efficiuntur stulti et insensati
45 ac men|tem capti; et dicunt stultitias, et eas faciunt.   T 44ᵛ
Potentia tactiua exigit temperatam deliberationem, qua homo
temperatus utitur. Et homo iratus utitur subito potentia tactiua
contra temperantiam; propter quod tristis est et iratus propter
res, quas palpat et tangit.
50   Potentia gustatiua exigit temperatam successionem pro comedendo et bibendo, eo ut quis bene masticet id, quod comedit;
et quod suauiter bibat et temperate, eo ut digestio fiat per
temperatam actionem et passionem. Et homo iratus per contrarium utitur. Et cum multum comederit uel biberit, sustinet
55 infirmitatem propter digestionem; et tristis est atque iratus
propter id, quod comedit | uel bibit.   R 87ʳ
Potentia odoratiua est per naturam temperate successiua,
tunc cum odorat placidum odorem. Et quando odorat foetidum
odorem de animali mortuo uel de aere corrupto, perdit suam
60 deliberationem, et infirmatur odoratus. Simili modo potest dici
de homine temperato et de irato.
Potentia auditiua exigit temperatam deliberationem pro audiendo, eo ut quis placitum consequatur de eo, quod dici audit.
Et quando audit sine temperata deli|beratione, potentia audi-   M 100ᵛ
65 tiua generat tristitiam et iram, quando uerba audiuntur uilia.
Et ob hoc non habetur placitum ex loquendo.
Potentia uisiua habet temperatam deliberationem pro uidendo; sine qua temperata deliberatione homo uti nequit placito
per uisum. Sicut quando quis uult uidere solem, tunc quando
70 magnum habet splendorem, uel qui de prope uult magnam

---

38 imaginati et imaginari] *coni.*; imaginati et imaginandi *M R M*₁; imaginari
et imaginandi *T*   **44/45** stulti - capti] *cat.* fols e orats   **64** audit] *coni.*;
mouetur *M T R M*₁; *cat.* hom ou   **65** generat – iram] *coni.*; generatur tristitia
et ira *M T R M*₁   **69** solem] *coni.*; *om. omnes codd.*

flammam ignis uidere, uel qui diu uult uidere rem multum
albam, et sic de aliis uisibilibus rebus. Simili modo est de
homine uidente temperate id, quod uidet subito; cum ita sit,
quod si uideat temperate, potest deliberationem habere ad
75 iudicandum id, quod uidet; et non, si subito uideat.

Mens temperata successiue uerba gignit temperata, quae de
genere placiti sunt et rhetoricae. Et mens distemperata per
contrarium uerba gignit; quae quidem uerba de genere sunt irae
et tristitiae.

80 Si tu uelis cognoscere temperantiam et iram, temperatam
habeas notitiam, cum qua eas perquiras per uias superius dictas.
In quibus et cum quibus eas noscere poteris, quia ipsae per uias
uadunt uidendi, audiendi, odorandi, gustandi, palpandi, affandi,
imaginandi, intelligendi, amandi et memorandi. Et extra istas
85 stare nequeunt, nec inuenire possunt. Talis doctrina multum
utilis est ad praedicandum et ostendendum populo, eo ut ab ira
sibi sciant cauere, et temperantiam acquirere possint.

Diximus de temperantia et ira. Et sic deprecemur Deum,
quatenus nobis temperantiam praebeat in utendo bonis gratiae
90 et naturae contra iram, ex quo Pater noster est. Et eius amore,
reuerentia et honore dicamus *Pater noster*.

V.4.8. DE TEMPERANTIA ET MENDACIO [E i]

[SERMO CIV]

Si uelis sermocinari de temperantia et mendacio, recolas earum themata, definitiones et species; et secundum eas ordina
5 tuum sermonem.

In principio deprecabimur dominum Deum nostrum Iesum
Christum, quatenus det mihi gratiam dicendi, et uobis audiendi
et retinendi et operibus complendi uerba, quae sint ad eius
honorem. Et ob amorem, reuerentiam et honorem nostrae domi-
10 nae sanctae Mariae dicamus *Aue Maria*.

Temperantia et mendacium sunt contrarii habitus; cum ita
sit, quod temperantia sit de genere boni, et mendacium de
genere mali. Et quia bonum et malum infinitam habent distantiam, sequitur, quod temperantiae sit Deus causa efficiens et
15 finalis, et mendacii homo et daemon. Et quia ueritas et mendacium sunt habitus contrarii, sequitur, Deum esse causam efficientem et finalem ueritatis; et quod ueritas et temperantia
concordantiam habeant.

---

73 uidet] *add.* uel *M T R M*₁   86 ab ira] *coni.*; habita *M T R M*₁

CIV, 1 mendacio] *T M*₁; *corr. ex* inuidia *R*; inuidia *M*   16 esse] *coni.*; *om.*
codd. omnes

Humanus intellectus per naturam habet temperantiam intel-
20 ligentis, | intellecti et intelligere. Et temperantia, quae est uirtus, R 87ᵛ
acquisita per hominem temperatum, est habitus et passio, per
quem intellectus consequitur adiuuamen morale ad intelligen-
dum temperate, | tunc quando scientiam gignit. Et si homo M 101ʳ
mendax est, cum mendacio deuiat finem illius intelligendi, et
25 mendacium gignit; quod contra temperantiam est. Et propter
hoc talis intellectus, mendacio habituatus, distemperatum habet
intelligere, et gignit ignorantiam contra scientiam. Et hac de
causa mendacium est mortale peccatum.

Humana uoluntas per naturam habet temperantiam successi-
30 uam pro amante, amato et amare. Et hac de causa amantiam gignit adiutorio temperantiae, de qua moraliter habituata
est. Et si uoluntas habituetur mendacio, gignit non amantiam
contra finem, per quem est; et distemperatur, et committit
mortale peccatum per mendacium.

35 Memoria per naturam habet temperantiam pro memorante,
memorato et memorare. Et si temperantiam habet per accidens
acquisitam, ex illa consequitur adiuuamen ad habendum motum ad memorandum temperate; et gignit recolentiam. Et si
homo habituatus est mendacio, est distemperata memoria per
40 accidens, et mortaliter peccat, et impeditur ad memorandum
ueritatem, et leuiter memorat mendacium.

Imaginatio humana per naturam temperata est ad imaginandum temperate per phantasias. Quas colligit ex potentiis sensitiuis et praesentat eas potentiis supra dictis, eo ut de rebus
45 sensibilibus fiat scientia, amantia et recolentia. Et si homo
habituetur mendacio, utitur per contrarium suo imaginatione
distemperata, expoliata de temperantia; quae habitus moralis
est.

Temperata mens temperata uerba gignit et uera. Et si mens
50 habituetur mendacio, distemperata est et deformata, et uerba
gignit distemperata et mendacia.

Potentia tactiua per naturam habet temperantiam pro palpando et tangendo. Et si homo ea utatur cum mendacio, ille
usus est contra temperantiam.

55 Potentia gustatiua per naturam habet temperantiam in gustando. Et si homo utatur ea cum mendacio, scilicet quod deuiet
eam a fine, per quem est, gignit gustare infirmum.

Si potentia odoratiua alteraretur contra suam naturam, uide-
retur sibi, foetidum odorem fore placidum, et e conuerso, scilicet

---

20 intelligere] *coni.*; intelligendi *M T R M₁*   **24** deuiat] *coni. ex textu cat.*;
donat illum *M T R M₁*   **28** mortale] morale *M*   **36** temperantiam] *correxi*;
temperantia *M T R M₁*   **58** alteraretur] *corr. ex* alternaretur *M₁*; alternaretur
M T R   **59** scilicet] *add.* quod *M T R*

60 placidum odorem fore foetidum. Et talis alteratio esset figura et
signum, quod homo mendax cum mendacio mutat finem temperantiae in falsitatem et distemperantiam.

Potentia auditiua per naturam habet ordinem et temperantiam in audiendo uerba a sono generata. Et si sonus est distem-
65 peratus, sicut sonus magni tonitrui, uel uox leonis, uel hominis
multum irati, non potest ex illo sono generare auditum ordinatum temperatum. Et ex hoc figuratum est, hominem cum mendacio non habere auditum temperatum.

Poten|tia uisiua per naturam habet temperatum uidere. Et si M 101ᵛ
70 uidet fulgur, uel magnum serpentem, uel magnam profundita-
tem siue enbaus, uel magnum splendorem, uel uidet per aerem,
paucum habentem lugorem, nequit temperantiam habere per
uisum. Simili modo ex mendacio | nequit sciri ueritas, quae cum R 88ʳ
temperantia concordantiam habet.

75 Si uelis cognoscere temperantiam et mendacium, inquire eas
cum mente temperata, generata per temperatum memorare,
intelligere et amare per uias supra dictas, in quibus eas poteris
cognoscere et inuenire.

Diximus de temperantia et mendacio. Et propter hoc deprece-
80 mur Deum, quatenus nobis det temperantiam et custodiat nos a
mendacio, ex quo est Pater noster. Et eius amore, reuerentia et
honore dicamus *Pater noster*.

V.5. DE FIDE

V.5.1. DE FIDE ET AVARITIA [F b]

[SERMO CV]

Quicumque uelit sermocinari de fide et auaritia, recolat ea-
5 rum themata, definitiones et species; et secundum eas ordinet
suum sermonem.

In principio deprecabimur | dominum Deum nostrum Iesum T 45ʳ
Christum, quatenus det mihi gratiam dicendi, et uobis audiendi
et retinendi uerba, quae sint ad eius honorem. Et ob honorem
10 nostrae dominae sanctae Mariae dicamus *Aue Maria*.

Fides et auaritia sunt habitus contrarii; cum ita sit, quod
fides sit de genere boni, et auaritia de genere mali. Et hac de
causa fides et auaritia habent infinitam distantiam; per quam
potest cognosci, Deum esse causam efficientem et finalem fidei,
15 et hominem et daemonem auaritiae.

Per fidem credit homo unum Deum. Et homo auarus facit

---

60 alteratio] alternatio *M T*   **71** enbaus] *om. M*₁; *cat.* enbaus *uel* embalç =
praecipitium, abyssus

deum idololatricum de se ipso, eo quia attribuit et appropriat
finem bonorum gratiae, quae possidet; quorum Deus est causa
efficiens et finalis. Et propter hoc fides et auaritia sunt habitus
20 contrarii.

Per fidem creditur sancta diuina trinitas, per quam Deus
Pater et Deus Filius dant de se ipsis Deum Spiritum sanctum;
qui est causa primitiua totius largitatis, entis de genere bonitatis. Et homo auarus per auaritiam est contra illam largitatem,
25 quia de bonis, quae possidet, non est largus Deo, sibi ipsi neque
proximo suo.

Per fidem creditur, Deum esse creatorem totius entis, causa se
laudandi et seruiendi. Et homo auarus per auaritiam credit,
quod id, quod uidet, quod audit, quod odorat, quod gustat,
30 palpat, loquitur, imaginatur, intelligit, amat et memorat, sit pro
uenerando se ipsum et laudando et seruiendo.

Per fidem creditur resurrectio, glorificatio, incarnatio, et alii
articuli consequentes. Et de talibus articulis homo auarus non
curat; et si christianus est, habet fidem sine opere; quam qui-
35 dem fidem tenet otiosam cum auaritia, quae est mortale peccatum.

Fides est habitus, cum quo intellectus ascendit ad intelligendum de Deo uera, quae intelligere nequiret, nisi fides eum
iuuaret; quoniam sic et melius aer illuminatus iuuat ad ui-
40 den|dum, ita fides iuuat ad intelligendum. De tali iuuamine et   M 102ʳ
ascensu homo auarus non curat. Et auaritia deponit eum ad non
credendum de Deo uera, eo quia deformat naturam intelligendi
pro tenendo otiosos fines bonorum gratiae, quibus uti non uult.

Voluntas humana habet naturam amandi, quod ascendit per
45 fidem; cum qua credit, diuinas dignitates esse in superlatiuo
gradu, secundum quod diximus in subiecto huius *Scientiae | et*   R 88ᵛ
Artis praedicandi. Et homo auarus cum auaritia deponit uoluntatem suam in abyssum peccati, eo quia plus amat se ipsum,
quam Deum nec proximum suum.

50 Per memoriam memorantur articuli fidei, sine quibus homo
saluationem minime potest habere. Et si homo est auarus, et
illos memorat, non tantum eos memorat, quantum facit bona
mundana. Et hac de causa deformata est memoria per peccatum
in memorando.

55 Quattuordecim articulos credit homo per fidem esse in ueritate, qui sensibiles non sunt, nec imaginatione apprehensibiles. Et
homo auarus, qui intelligere habet deformatum per auaritiam,

CV, **17** idololatricum] *correxi*; idolatricum *M T R M₁*; *cat.* idolatric   **17/18**
et – gratiae] *forsan* ad suum proprium finem bona gratiae; *cat.* a sa propia fi los
bens de gracia   **38** fides] *coni.* uoluntas *M T R M₁*   **39** sic et melius] *cat.*
enaxi e molt mils   **41** ascensu] assensu *M*   **44** quod] *sc.* amare

dubitat illos articulos esse ueros; eo quia supponit, nullum esse
uerum, nisi tantum sensibile et imaginabile.

60   Fides est habitus, per Deum homini datus ad intelligendum
id, quod non potest intelligere per naturam; et quod id intelligat cum potestate summae diuinae bonitatis, magnitudinis, aeternitatis, potestatis, sapientiae, uoluntatis, uirtutis, ueritatis,
gloriae et complementi. Et propter hoc homo, de fide habituatus
65 et qui scientiam facit de summa diuina bonitate, magnitudine et
aliis, potest articulos fidei probare, et improbare contraria arti-
culorum. Et de tali probatione homo auarus non curat, quia non
altum ponit actus suarum potentiarum, scilicet uidendi, audiendi etc. supra naturam sentiendi et imaginandi. Et hac de causa
70 homini auaro non posset fides probari.

Inter fidem et credulitatem est differentia; cum ita sit, quod
credulitas sit habitus communis, et fides sit habitus specificatus.
Per credulitatem possunt uera credi, et quod id, quod uerum
est, sit falsum, et id, quod falsum est, sit uerum. Et fides est
75 habitus, cum quo possunt uera credi, et non potest credi per
fidem, quod id, quod est uerum sit falsum; nec id, quod est
falsum, sit uerum. Et sic fides et credulitas simpliciter contrariantur. Et homo auarus potest credere, in quantum est habitus
communis. Et hac de causa homo auarus credit, quod sit proprie
80 suum, id, quod Dei est.

Fides est uia paradisi et quattuordecim articuli et decem
praecepta et septem sacramenta sunt branchae fidei. Et quia
auaritia est contra fidem, secundum quod superius probauimus,
est uia inferni, in quo sunt multae branchae poenae, quae sunt
85 per sentire, imaginari, intelligere, abhorrere et memorare aeternas poenas.

Diximus de fide et auaritia. Et sic deprecemur dominum
Deum nostrum, | quatenus nobis fidem conseruet, quam nobis M 102ᵛ
praebuit; et quod nos ab auaritia custodiat, ex quo est Pater
90 noster. Et eius amore, reuerentia et honore dicamus *Pater no-*
ster.

V.5.2. DE FIDE ET GVLOSITATE [F C]

[SERMO CVI]

| Si uelis sermocinari de fide et gulositate, recolas earum
themata, definitiones et species; et secundum eas ordina tuum R 89ʳ
5 sermonem.

---

58 eo] *coni.*; et *M T R M₁*   **73** quod¹] *coni.*; *om. codd. omnes*   **75** per] *coni.*;
om. omnes codd.   **77** credulitas] *in textu cat.* auaricia

In principio deprecabimur dominum Deum nostrum Iesum Christum, quatenus det mihi gratiam dicendi, et uobis audiendi et retinendi uerba, quae sint ad eius honorem. Et ob amorem, reuerentiam et honorem nostrae dominae sanctae Mariae dica-
10 mus *Aue Maria*.

Fides est habitus, cum quo temperatur intellectus ad intelligendum de Deo uera, scilicet quattuordecim articulos, decem praecepta et septem sacramenta, quae et quos tenet sancta mater ecclesia. Et gulositas est habitus, per quem distemperatur
15 intellectus ad intelligendum de Deo uera. Et propter hoc fides et gulositas sunt habitus contrarii.

Fides est lumen uoluntati humanae, propter quod de Deo uera amat, quae sine fide amare nequiret; cum ita sit, quod fides sit habitus adiutiuus. Et quia gulositas impedit uoluntatem
20 propter multum amare comedere et bibere, priuat fidei lumen a uoluntate, et reddit tenebrosum suum amare. Et hac de causa fides et gulositas sunt habitus contrariantes.

Fides est habitus, per quem memoria efficitur sancta in memorando uera de Deo; quam quidem sanctitatem sine fide
25 habere non ualeret. Et quia memoria propter multum memorare placitum comedendi et bibendi sanctitatem amittit, hac de causa fides et gulositas contrarii sunt habitus.

Imaginatio est potentia, cum qua homo imaginatur opera potentiarum sensitiuarum; quae sunt affari, palpare, gustare,
30 odorare, audire et uidere. Quae quidem opera sunt fidei instrumenta, quod credat super operibus imaginatione apprehensibilibus uera de Deo, quae imaginatione apprehendi non possunt, scilicet diuinam trinitatem et incarnationem, creationem et alios articulos. Et gulositas propter multum comedere et bibere red-
35 dit imaginationem infirmam. Et hac de causa est contra fidem, in quantum sibi suum instrumentum impedit, et fides contra gulositatem est.

Propter nimiam comestionem et potationem mens hominis distemperatur; ex qua quidem distemperantia generatur dis-
40 temperata uerba. Et fides temperatam exigit mentem et temperata uerba, ut ualeat de Deo uera illuminare cum mente temperata et uerbis temperatis. Et ob hoc fides et gulositas sunt habitus contrarii.

  Corpus humanum ex comedere et bibere uiuit, et comedere et
45 bibere requirit, eo ut placitum inueniat per gustare. Et fides est habitus, quo anima humana uiuit in supponendo de Deo uera. Et quia gulositas propter nimium comedere et bibere destruit

---

CVI, **27** gulositas] *corr. ex* habitus M_1; habitus contrarii *M R T*   **29** sunt] *recte coni.* M_1; *om. M T R*   **34** bibere] *add.* et M   **39** generatur] generat M_1 **42** gulositas] *correxi*; habitus $M T R M_1$; *add. sup. lin.* gulositatis M_1

potentiam gustatiuam, corpus aegrota|re facit, et destruit fidei   M 103ʳ
subiectum, et non potest animam facere sanam ad credendum
50 uera de Deo. Et propter hoc fides et gulositas sunt habitus, qui
contrariantur.

Homo indigestus propter nimiam | comestionem et ebrius prop-   T 45ᵛ
ter nimiam po|tationem uirtutem amittit odoratiuam. Propter   R 89ᵛ
quam quidem amissionem fides impeditur ad illuminandum
55 humanum intellectum, ut intelligat de Deo uera. Et hac de
causa franguntur et amittuntur motus, successio, continuatio et
participatio potentiarum superiorum et potentiarum inferiorum. Vnde cum hoc ita sit, certum est igitur et manifestum ac
probatum, quod fides et gulositas sunt habitus contrarii. Et
60 ostensus est modus, per quem contrariantur.

Homini guloso placet, quando audit loqui de comestionibus
delicatis atque de bono uino. Et propter hoc impedit habitum,
qui est fides, et lumen pro credendo Deum et opera eius et eius
dignitates; de quibus locuti sumus in subiecto scientiae huius de
65 praedicatione. Per quas quidem dignitates fides est lumen ad
intelligendum, amandum et memorandum uera de Deo. Vnde
cum hoc ita sit, ostendimus igitur modum, per quem fides et
gulositas sunt habitus contrarii.

Homo gulosus consequitur placitum magnum in uidendo pul-
70 chras comestiones et pulchrum uinum. Et ob hoc impedit placitum, quod per fidem debet haberi in supponendo uera de Deo, et
in intelligendo, amando et memorando illa. Et propter hoc fides
et gulositas habitus sunt contrarii. Per quam contrarietatem
fides et temperantia concordantiam habent, et gulositas et tem-
75 perantia discordant. Vnde cum hoc sit ita, potest cognosci igitur
fidem fore uiam gloriae caelestis aeternae, et gulositatem poenae
infernalis aeternae.

Diximus de fide et gulositate. Et ostendimus earum contrarietatem. Et sic deprecemur dominum Deum nostrum Iesum
80 Christum, quatenus det nobis fidem, et quod a gulositate nos
defendat, ex quo est Pater noster. Et eius amore, reuerentia et
honore dicamus *Pater noster*.

CVI, **64/65** *Vid. Prol. huius operis, lin. 45/50.*

---

48 potentiam] *add.* destruit *M T R M₁*   **50** gulositas] *coni.*; habitus *M T R M₁*;
add. sup. lin. gulositatis *M₁*   **55** ut intelligat] *coni.*; *om. codd. omnes*   **59** gulositas]
coni.; habitus *M T R M₁*; *add. sup. lin.* gulae *M₁*   **60** modus] *in textu cat.* materia;
cf. infra serm. CVII, lin. 16 et 72   **67** modum] *in textu cat.* materia   **76**
gulositatem] *correxi*; gulositas *M T R*; *corr. ex* gulositas *M₁*   **79** dominum] *om.*
M T R   **79/80** Iesum Christum] *om. M₁*

V.5.3. DE FIDE ET LVXVRIA [F d]

[SERMO CVII]

Quicumque uelit sermocinari de fide et luxuria, recolat earum themata, definitiones et species; et secundum eas ordinet suum
5 sermonem.

In principio deprecabimur dominum Deum nostrum Iesum Christum, quatenus det mihi gratiam dicendi, et uobis audiendi et retinendi uerba, quae sint ad eius honorem. Et ob amorem, reuerentiam et honorem nostrae dominae sanctae Mariae dica-
10 mus *Aue Maria*.

Ex multum memorare, intelligere, amare et imaginari pulchram mulierem et placitum, quod sentitur in tangendo et palpando eam, generatur luxuria. Et propter obliuisci decem praecepta et quattuordecim articulos fidei et septem sacramen-
15 ta non potest castitas generari, nec luxuria destrui cum fide. Vnde cum hoc ita sit, potest igitur cognosci materia, per quam fides et luxuria sunt habitus contrarii per distantiam infinitam.

Per sermonem | fidei et luxuriae potest cognosci contrarietas M 103ᵛ siue controuersia, quae est inter fidem et luxuriam. Et de illa
20 controuersia potest fieri unus sermo, sicut potest fieri quidam alius sermo, compositus ex sermone siue praedicatione de fide et gulositate. Et propter hoc tu, qui praedicas, si uelis habere materiam magnam ad praedicandum de fide et luxuria, compone unum sermonem ex sermone, facto in prima distinctione de
25 fide, et in secunda ex sermone, facto de luxuria.

Luxuria est habitus impediens credere de Deo | uera; et ob R 90ʳ hoc impedit intellectum, quod est subiectum, et lumen fidei, quod illuminat intellectum, ad intelligendum de Deo uera. Et per tale medium fides et luxuria sunt habitus contrariantes.
30 Voluntas, multum luxuriam affectans, suum amare tenebrosum est, et illuminari nequit lumine fidei, exigentis clarum amare sanctum et uirtuosum. Vnde sicut ignis comburere nequit stuppam balneatam, ita fides nequit illuminare tenebrosum amare de luxuria habituatum ac potatum.
35 Memoria, multum memorans placita luxuriae, plena est phantasiis, quas per luxuriam homo imaginatur. Vnde sicut uas aqua plenum uel uino amplius in se continere non potest, ita memoria plena phantasiis luxuriae non potest in se castitatis phantasias

---

CVII, **24** *Vid. supra serm. V.*   **25** *Vid. supra serm. XI.*

CVII, **15** luxuria destrui] *coni.*; luxuriam destruere *MTRM₁*   **24** unum sermonem] *coni.*; *om. omnes codd.*   **27/28** quod est – intellectum] *coni. ex textu cat.*; *om. codd. omnes*   **30** affectans] *recte coni.* M_1; affectantis *MTRM₁*   **31** illuminari] *corr. ex* luminare M_1; luminari *MTR*   **37** uino] *recte corr.* M_1; uinum *MTR*

continere; quae cum fide participat in genere bonitatis atque
40 uirtutis.

Homo luxuriosus continuat imaginari in placitis luxuriae, et
non uult imaginari poenas infernales aeternas, quae hominem
spectant luxuriosum. Et ob hoc fides illuminare non potest
placita castitatis homini luxurioso, quae imaginari non curat.

45 Homo luxuriosus compedit mentem suam cum habitu, qui est
luxuria. Et hac de causa non uult alia uerba loqui, nisi uerba,
quae de genere sint luxuriae. Et homo est factor, qui cum
luxuria contradicit lumini fidei; quae sanctam exigit mentem,
per quam sancta proferantur uerba de Deo et operibus eius.

50 Per naturam homo consequitur placitum in tangendo mulierem cum luxuria, et non cum castitate. Et ob hoc castitas cum
fide participat, quae supra naturam illuminat; et non participat
cum luxuria, quae placitum non dat super corpus naturae. Et ex
hoc potest cognosci, quod fides et luxuria contrarietatem habent
55 ac distantiam infinitam.

Gustare et luxuriari participant in communitate placiti naturalis. Et gustare et lumen fidei non participant in communi
placito, eo quia fidei placitum supra naturam existit, et placitum gustandi exstat per naturam. Et propter hoc homo luxurio-
60 sus propter placitum comedendi et bibendi est contra placitum
fidei, quod placitum est spirituale et supra corpus naturae.

Odorare est placitum per placitum odorem; et est displicitum, foetidum et non placitum odorando odorem. Et displicitum ex pro corpore naturae. Et ex hoc potest cognosci placitum,
65 | quod est per luxuriam, fore displicitum placiti, quod habetur   M 104ʳ
ex cognoscere et credere de Deo uera.

Audire loqui de placitis, quae ex luxuria habentur, non est de
genere audiendi loqui lumine fidei de Deo et operibus eius.

Videre pulchram mulierem sub habitu luxuriae et uidere pul-
70 chram mulierem sub habitu fidei sunt duo contrarii habitus. Et
unus habitus est de genere boni et supra naturam, et alter est de
genere mali per naturam. Et per hoc potest cognosci materia,
per quam peccatum de nihilo est, et uirtus de aliquo est.

Per fidem supponitur, Deum esse bonum, et esse causam
75 efficientem et finalem eius bonitatem et omnium aliarum bonita-
tum. Ergo est causa boni, quod habetur in tangendo mulierem
per naturam, sed non placiti, quod habetur per luxuriam; cum
sit ita, quod luxuria sit instrumentum malum contra castita-

---

44 quae] qui M_1 **45** compedit] *corr. ex* compendit M_1; comprehendit
MTR; *cat.* compren   **49** de] *coni.*; *om. codd. omnes*   **54** contrarietatem] *corr.*
ex contrariam M_1; contrariam MTR **62** placitum per placitum] *coni.*; placitum
placitum odorando MTR; placitum odorando M_1; *cat.* plaer per plaent   **66**
credere] *coni.*; credendo $MTRM_1$ **70** habitus] *coni.*; actus $MTRM_1$ **75**
finalem] *add.* et $MTRM_1$

tem; quae instrumentum est bonum contra luxuriam. Vnde cum
80 hoc ita sit, potest igitur cognosci, quod Saraceni maximum
dicunt errorem, | in quantum asserunt, Deum esse ita causam R 90ᵛ
efficientem et finalem totius mali, quemadmodum est totius
boni.

Per fidem memorabis, Deum praecipere, te non esse luxurio-
85 sum (Ex. 20,14; Deut. 5,18); et non cupere uxorem proximi tui
(Ex. 20,17; Deut. 5,21); et per luxuriam hoc obliuisceris. Vnde
cum hoc ita sit, potest igitur cognosci, luxuriam esse uiam
tenebrosam, per quam homo luxuriosus uadit et subicitur ad
ignem infernalem aeternum; et fidem fore uiam luminosam, per
90 quam homo oboediens uadit ad caelestem gloriam aeternam.

In caelesti gloria homo beatus non habet fidem, quia in
contemplando Deum intelligit sine fide. Vnde cum fides sit de
genere boni, ergo quomodo erit luxuria, quae est de genere mali,
in caelesti gloria? Quam quidem luxuriam dicunt Saraceni
95 habere in paradiso, qua utentur cum multis mulieribus incor-
ruptis.

Diximus de fide et luxuria. Et ostendimus earum essentias et
controuersias. Per quam doctrinam potest cognosci modus, per
quem homo potest cum lumine fidei luxuriam superare. Et
100 propter hoc deprecemur dominum Deum nostrum, quatenus in
habitu fidei nos conseruet cum castitate contra luxuriam, ex
quo est Pater noster. Et eius amore, reuerentia et honore dicamus *Pater noster*.

V.5.4. | De fide et svperbia [F e]   T 46ʳ

[Sermo CVIII]

Si uelis sermocinari de fide et superbia, recolas earum themata, definitiones et species; et secundum eas ordina tuum sermo-
5 nem.

In principio deprecabimur dominum Deum nostrum Iesum
Christum, quatenus det mihi gratiam dicendi, et uobis audiendi
et retinendi uerba, quae sint ad eius honorem. Et ob amorem,
reuerentiam et honorem nostrae dominae sanctae Mariae dica-
10 mus *Aue Maria*.

Fides est arbor, tres branchas habens ramatas, foliatas, flori-
tas, multum altis et nobilibus fructibus oneratas. Quae sunt
quattuordecim articuli, decem praecepta | et septem sacramen- M 104ᵛ

---

82 est] *coni.*; *om. codd. omnes*   91 habet] *coni.*; ponit *M T R M*₁   quia] *coni.*;
nisi *M T R M*₁   93 Deum] *add.* et *M T R M*₁   97 et²] *recte coni. M*₁; *om. M T R*

CVIII, 6 Deum] *om. M T R*   12 oneratas] honeratas *M T R M*₁; *cat.* caregades

ta; de quibus locuti sumus in subiecto scientiae huius in princi-
15 pio. Per quas in nostra sancta matre ecclesia haec arbor, quae
est fides, non est sensibilis, nec imaginatione apprehensibilis,
quia potentiae, quae inferiores sunt, ascendere non possunt ad
branchas, ramos, folia, flores et fructus, sed tantum ascendunt
potentiae superiores, quae sunt intellectus, uoluntas et memo-
20 ria; quae sunt formae potentiarum inferiorum sensitiuarum et
imaginationis. Et homo superbus est contra hanc arborem, in eo
quod non uult se humiliare ad credendum nec intelligendum
arborem, quae insensibilis est et imaginatione non apprehensibilis. Qui quidem homo superbus considerat suas potentias natu-
25 rales, et bona terrena esse simpliciter sua, et tenet se pro
contento, eo quia potest sentire, imaginari, intelligere, memorare et amare in hoc saeculo, et non curat de alio saeculo, nec de
supra dicta arbore.

Per fidem creditur unus Deus in trinitate, creator, et sic de
30 aliis articulis. Et quia homo superbus non uidet Deum, nec
audit, neque odorat, nec gustat, neque palpat, nec imaginatur,
non uult se humiliare ad credendum nec intelligendum, amandum nec memorandum de Deo uera, quae per fidem credi
possunt, intelligi, memorari et amari, quamuis sentiri nequeant
35 nec imaginatione apprehendi. Hoc idem potest dici de decem
praeceptis et sep|tem sacramentis; quibus homo superbus in-   R 91ʳ
oboediens est, et de ipsis non curat. Talis homo sustinebit in
infernali igne aeterno angustiam atque poenam. Et homo, qui
curat colligere fructum ab arbore supra dicta, caelestem et
40 aeternam gloriam possidebit.

Nisi Deus uoluisset esse in trinitate, nollet uti in se ipso suis
dignitatibus, ob hoc ne haberet ita magnum opus per naturam,
quemadmodum est eiusdem essentia, substantia et natura; et
esset otiosus, negligens et auarus sibi ipsi, et per consequens
45 superbus. Vnde cum hoc sit impossibile, probatum est igitur,
Deum esse in trinitate personarum diuinarum, eo ut faciat ita
magnum opus in sua bonitate et de sua bonitate et per suam
bonitatem, quemadmodum est eius bonitas; et hoc idem de sua
magnitudine, aeternitate, potestate et aliis. Ita altum opus et
50 mirabile homo superbus credere non uult, amare, intelligere nec
memorare.

Eo quia homo superbus est superbia habituatus et uestitus,

CVIII, **14** *Vid. supra Prol. huius operis, lin. 54/81.*

---

15 in] *coni.*; est $MTRM_1$ **17** inferiores] *corr. ex* in flores non M_1; in flores
uero M; in flores non TR **25** terrena] *coni. ex textu cat.*; naturalia $MTRM_1$
33 fidem] TRM_1; fide M **34** et amari] *coni.*; *om. omnes codd.*   **43**
quemadmodum – natura] *coni.*; quemadmodum ipse idem est ad essendum
substantiam et naturam; *cat.* con es sa matexa essencia, substancia e natura; *cf.
infra lin. 48*   **44** et²] *coni.*; *om. codd. omnes*

credit Deum fore superbum, et non fore humiliatum ad capiendum humanam naturam, nec, in quantum hominem, in cruce
55 mori et suspendi.

Qui contra Dei potestatem est, superbus est. Ille enim est
superbus, qui credit, Deum non posse creasse de nihilo mundum,
nec posse resuscitare omnes homines, nec dare gloriam caele-
stem aeternam nec poenam infernalem aeternam; | neque posse M 105ʳ
60 facere nasci hominem ex muliere uirgine sine hominis carnalita-
te; et sic de aliis articulis.

Homo superbus non oboedit decem praeceptis, a Deo per
Moysen datis, quia non habet unum Deum, qui Deus uerus est;
et facit de se ipso Deum, qui falsus est Deus; et non uult
65 celebrare festum, nec patrem et matrem uult uenerari; et sic de
aliis praeceptis. Talis homo Deo inoboediens in inferno per
daemonem tormento oboediet.

Baptisma est sacramentum, a generali peccato hominem mun-
dans, per primos parentes facto et perpetrato. Et homo super-
70 bus actualiter per superbiam peccat, et a se ipso uirtutem
sacramenti priuat, quae est per baptisma.

Homo superbus non credit, Deum posse facere sacramentum
altaris, quod est summum, nec presbyterum esse instrumentum
Deo pro parcendo peccata; et sic de aliis sacramentis. Et prop-
75 ter hoc Deo superbe inoboediens est et non credens; cum ita sit,
quod in Deo suum posse, intellectus et uoluntas, magnitudo,
uirtus et bonitas sint unum idem; ergo si diuina uoluntas uult,
quod Iesus Christus, qui in caelis est uerus Deus et uerus homo,
sit in hostia sacrata in uno tempore et in multis altaribus,
80 potestas potest hoc complere, quae habet ita magnam et ita
bonam uirtutem pro possificando, quemadmodum habet uoluntas pro uelle. Et hoc idem de intellectu, qui tantum intelligere
potest, quantum uoluntas potest uelle, et potestas potest possificare.

85   Diximus de fide et superbia. Et ostendimus id, quod sunt, et
contrarietatem, quam habent. Et ob hoc deprecemur dominum
Deum nostrum Iesum Christum, quatenus nos in fide manuteneat, quam nobis dedit. Et ex quo est Pater noster, et eius
amore, reuerentia et honore dicamus *Pater noster.*

---

53 Deum] *om. sed add. alia manu in marg.* M; *add.* esse M T R M₁   **59** nec –
aeternam] *coni. ex textu cat.*; *om. omnes codd.*   **64** uult] *coni.*; *om. codd. omnes*   **69**
facto – perpetrato] *correxi*; factum et perpetratum M T R M₁   **71** sacramenti]
correxi; sacramentum M T R; et sacramentum M₁   **76** intellectus] *coni. ex textu*
cat.; *om. codd. omnes*   **77** idem] *add.* et M T R M₁   **79** altaribus] *forsan* locis;
cat. locs   **81** uirtutem] *coni. ex textu cat.*; *om. omnes codd.*

V.5.5. DE FIDE ET ACCIDIA [F f]

[SERMO CIX]

Quicumque uelit sermocinari de fide et accidia, recolat earum
themata, definitiones et species; et secundum eas ordinet suum
5 sermonem.

| In principio deprecabimur dominum Deum nostrum Iesum   R 91ᵛ
Christum, quatenus det mihi gratiam dicendi, et uobis audiendi
et retinendi uerba, quae sint ad eius honorem. Et ob amorem,
reuerentiam et honorem nostrae dominae sanctae Mariae dica-
10 mus *Aue Maria*.

Fides est arbor spiritualis in anima humana dono Dei radica-
ta et plantata, de qua in sermone praecedenti tractauimus. Illa
arbor est de sanctitate branchata, ramata, foliata, florita et de
sanctis fructibus onerata. Et quia accidia est mortale peccatum,
15 homo accidiosus non potest ascendere ad illam arborem, et
tenet se pro contento de fructibus potentiarum sensitiuarum et
imaginationis; qui fructus sunt pro seruiendo fructibus sanctitatis. Et hac de causa est negligens, accidiosus et otiosus. Et
homo de fide habituatus diligens est ad colligendum fructus
20 sanctitatis. Et ob hoc fides et accidia habent habitus contrarios
et distantiam infinitam.

In|tellectus habet duas operationes. Quarum una est pro intel-   M 105ᵛ
ligendo, reliqua pro credendo. Et est maior per duas operationes, quam per unam. Et fides est instrumentum intellectui,
25 quod ascendat ad intelligendum id, quod sine fide intelligere
non potest; sicut oculi, qui uidere possunt cum aere illuminato,
sine quo uidere non possunt. Et quia intellectus multum sustinet laborem in ascendendo ad intelligendum, homo accidiosus
uitat illum laborem, et negligens est ad ascendendum intelligere
30 per fidem. Et homo diligens, habituatus de fide, ascendit cum
fide intelligere, secundum quod diximus in prima distinctione in
capitulo fidei.

Voluntas de fide habituata amat intelligere, et praecipit intellectui, quod ascendat per fidem ad intelligendum id, quod sine
35 fide intelligere non potest. Et intellectus hominis diligentis
oboedit uoluntati, et consequitur maius placitum ex intelligendo, quam ex credendo; cum ita sit, quod per intelligere magis
longe sit a dubitatione, quam per credere; et quod sit magis

CIX, **12** *Vid. serm. CVIII, lin. 11/28.*

CIX, **14** onerata] honerata *M T R M₁*; *cat.* carregat   **17** imaginationis] *coni.*;
imaginatione *M T R*; imaginare *M₁*   **18** est] *om. et add. in marg. M₁*; *om. M T R*
et] *coni.*; *om. codd. omnes*   **20/21** habitus – et] *coni. ex textu cat.*; *om. codd. omnes*
35 diligentis] *coni. ex textu cat.*; oboedientis *M T R M₁*   **37** ex] *coni.*; *om.*
M T R M₁   intelligere] *coni.* credere *M T R M₁*   **38** credere] *coni.*; intelligere
M T R M₁

prope ad amandum per intelligere, quam per credere. Et homo,
40 qui est accidiosus, utitur sua uoluntate per contrarium.

Memoria per intelligere maiorem consequitur diligentiam,
quam per credere, in memorando ea, quae desiderat memorare.
Et propter hoc memorat diuinas dignitates, de quibus locuti
sumus | in subiecto libri huius. Et fides est eidem instrumentum, T 46ᵛ
45 sibi species illuminans, per quas cum intelligere memorat articulos fidei, decem praecepta et septem sacramenta. Talis memoria est diligens ad memorandum arborem sanctam. Et homo
accidiosus habet memoriam negligentem e conuerso.

Homo diligens, de fide habituatus, habet imaginationem for-
50 tem ac diligentem, cum qua phantasias colligit potentiarum
sensitiuarum; et eas repraesentat potentiis superioribus intel-
lectiuis, habituatis de fide, eo ut diligenter utantur imaginatione. Et homo accidiosus et negligens utitur sua imaginatione per
contrarium.

55 Homo fide habituatus diligentiam habet in loquendo uerba
sancta, per quae ualeat significare sanctam catholicam fidem, eo
ut intelligatur, ametur et memoretur. Et homo otiosus negligens
de talibus uerbis non curat et abhorret et negligit omnes eos,
qui de fide sancta proferunt uerba.

60 Homo, | fide habituatus, diligens est ad seruiendum sanctae R 92ʳ
ecclesiae Romanae per fidem aedificare per totum id, quod
potest uidere, audire, odorare, gustare et palpare. Et homo
accidiosus est per contrarium negligens, et otiosus exstat contra
finem uidendi, audiendi, odorandi, gustandi, et palpandi. Et
65 uadit ad ignem infernalem aeternum permanere.

Praelatus et rector accidiosus est negligens ad uenerandum
sanctam fidem catholicam cum suis potentiis naturalibus et
cum terrenis bonis, quae sibi Deus | impendit. Et ii tales, qui non M 106ʳ
utuntur potestate, quam eis Deus praebuit, detrahunt illis, qui
70 faciunt id, quod possunt, ad uenerandum, augmentandum et
multiplicandum possessionem sanctae fidei Romanae.

Princeps, imperator, rex et marchesius otiosus, accidiosus et
piger ad uenerandum sanctam catholicam fidem, iniuriosus est,
imprudens et negligens contra sanctam catholicam fidem. Ergo
75 talis homo peccator ascendere ad arborem non ualebit; quae
fructus suos colligi non permittit ab homine non sanctae uitae.
Ergo si ad illam arborem ascendere non ualebit, oportebit eum
cadere in ignem infernalem aeternum.

Sancta fides catholica duas uires habet. Quarum una est per
80 scientiam; cum ita sit, quod nulli homines ita fortes ualeant esse
quemadmodum christiani. Secunda uis est, quod nulli clerici

43/44 *Vid. supra Prol., lin. 40/53.*

---

59 proferunt] *corr. ex* proferuntur M_1; proferuntur *MTR*   **74** et] *coni.*; *om.*
codd. omnes

tantum thesaurum habent, uillas, castra, ciuitates et honores,
quantum habent clerici christiani; ergo qui uires praedictas
continent otiosas. Propter quam quidem otiositatem sunt tot
85 Saraceni, Iudaei, schismatici idololatrici. Illi clerici die iudicii,
quid facient, et quo uadent? Dominum Deum nostrum Iesum
Christum, qui bonos et malos iudicabit, decipere, tangere non
ualebunt. Ergo dum uiuunt tales clerici, qui electi sunt ad
uenerandum, manutenendum et defendendum sanctam fidem,
90 non sint accidiosi, negligentes, nec otiosi, quoniam habenti tempus et tempus spectanti, tempus deficit.

Diximus de fide et accidia. Et de ipsis notitiam dedimus, et
de earum controuersia. Et propter hoc deprecemur dominum
Deum nostrum Iesum Christum, quatenus nobis fidem manute-
95 neat contra accidiam, ex quo est Pater noster. Et eius amore,
reuerentia et honore dicamus *Pater noster*.

V.5.6. De fide et invidia [F g]

[Sermo CX]

Si uelis sermocinari de fide et inuidia, recolas earum themata,
definitiones et species; et secundum eas norma et ordina tuum
5 sermonem.

In principio deprecabimur dominum Deum nostrum Iesum
Christum, quatenus det mihi gratiam dicendi, et uobis audiendi
et retinendi uerba, quae sint ad eius honorem, gloriam et laudem. Et ob amorem, reuerentiam et honorem nostrae dominae
10 sanctae Mariae dicamus *Aue Maria*.

Fides et inuidia | sunt formae contrariae; cum ita sit, quod   R 92ᵛ
humanus intellectus per fidem habituetur et disponatur ad
intelligendum uera de Deo; et per inuidiam deformatur ad
intelligendum de Deo uera. Et hoc potest cognosci per duos
15 ramos fidei, contentos in decem praeceptis, tunc quando dicit
(Ex. 20,17; Deut. 5,21): *Non concupisces uxorem proximi tui, nec
bona sua.*

Inuidia est habitus, subtus quem homo inuidus facit de se ipso
Deum idololatricum, in quantum uult id esse suum, quod est
20 Dei et proximi sui. Et ob hoc uolun|tas eius non habet disposi-   M 106ᵛ
tionem nec uim ad amandum Deum, nec proximum suum. Et
uoluntas hominis, fidem habentis, uult contrarium inuidiae.

Per fidem memoratur Dei dignitates esse in superlatiuo gradu, secundum quod continetur in subiecto libri huius. Et per
25 inuidiam obliuioni traduntur. Et propter hoc homini inuido

---

85 idololatrici] *correxi*; idolatrici *M T R M*₁; *cat.* ydolatrics

CX, **13** de Deo] *coni.*; *om. M T R M*₁   **14** duos] *coni. ex textu cat.*; *om. M T R M*₁

nulla possunt uera probari de Deo; cum ita sit, quod fides et
inuidia sint formae contrariantes.

Homo fide habituatus per fidem imaginatur species potentiarum sensitiuarum; et homo, inuidia habituatus, imaginatur
30 species potentiarum sensitiuarum contra fidem. Et ob hoc per
unas easdem species fides et inuidia sunt formae contrariantes.
Vnde cum hoc ita sit, potest ergo cognosci materia, per quam
fides et inuidia habent distantiam infinitam.

Fides est forma actiua, cum qua formantur uerba; et est
35 forma passiua, in quantum est instrumentum homini ad utendum ea in formando uerba, de Deo praedicata et de operibus
suis. Et per inuidiam homo inuidus uerba praedicat de Deo per
contrarium.

Homo inuidus concupiscit uxorem proximi sui. Et propter hoc
40 est contra suam potentiam tactiuam, et contra finem eiusdem.
Et quia fides et castitas participant in genere bonitatis, et
inuidia et luxuria participent in genere mali, sunt fides et
inuidia formae contrariantes.

Homo inuidus inuidet pinguem altilem, bouem et ueruecem
45 uicini sui. Et homo, fidem habens, non ea inuidet. Et hac de
causa potentia gustatiua est subiectum et materia, in quo et qua
fides et inuidia sunt contrariae formae, existente fide forma,
finem sui subiecti informante; et inuidia existente forma, finem
illius subiecti deformante. Vnde cum hoc ita sit, potest igitur
50 cognosci materia, per quam fides, quae uirtus est, et inuidia,
quae est peccatum, sunt formae contrariantes.

Potentia odoratiua per placidum odorem est forma, quae in
subiecto, in quo est, sanitatem format. Et per foetidum odorem
deformat sanitatem illius subiecti, et infirmitatem gignit. Et
55 propter hoc tale exemplum est figura et signum, per quem uel
per quod potest cognosci contrarietas et contrarii fines, quae est
uel qui sunt inter fidem et inuidiam. Per quam quidem notitiam
potest cognosci inuidia, quam multi habent contra alios homines, dicentes fidem esse instrumentum, cum quo humanus intel-
60 lectus potest intelligere Deum in trinitate, incarnatum, et sic de|
aliis branchiis fidei; de quibus locuti sumus in sermone, qui est   R 93ʳ
de fide et superbia.

Homo inuidus inuidet et concupiscit id, de quo audit loqui,
quod sit de genere bonitatis, magnitudinis, uirtutis et ueritatis;
65 et uellet, quod esset suum, et non Dei, nec proximi sui. Et homo,
habens fidem, uult per contrarium; quoniam per fidem uult non

---

CX, **62** *Vid. supra serm. CVIII.*

56/57 quae – sunt] *coni.*; quae est *MT*; qui sunt *RM₁*; *cat.* que han   **67**
quod¹] *coni.*; *om. omnes codd.*   **68** suo] *coni.*; *om. codd. omnes*

esse nisi unicum Deum, et quod totum id, quod est, sit Dei; et
tantum diligit in proximo suo, quantum in se ipso.

| Homo inuidus totum id, quod uidet in proximo suo pul- M 107ʳ
70 chrum et bonum, uellet fore suum. Et propter hoc in uicino suo
non amat nec timet Deum. Et homo, habens fidem, utitur per
contrarium. Et sic homo, habens fidem, uadit mansionem habere
apud Deum et cum Deo in gloriam caelestem aeternam. Et
homo, inuidiam possidens, uadit ad ignem infernalem aeternam
75 permanere. Et quia fides et inuidia habent distantiam infinitam,
locus hominis, fidem habentis, et locus hominis, inuidiam habentis, in alio saeculo habent distantiam infinitam.

Ostendimus uias, per quas uadunt homines, fidem habentes, et
homines, inuidiam possidentes. Per quam doctrinam potest co-
80 gnosci homo, habens fidem, et homo, habens inuidiam. Et talis
doctrina multum utilis est ad sermocinandum populo, eo ut
fidem ualeat conseruare, | et cum fide inuidiam destruere et T 47ʳ
corrumpere.

Diximus de fide et inuidia. Et propter hoc deprecemur domi-
85 num Deum nostrum, quatenus nobis fidem conseruet contra
inuidiam, ex quo est Pater noster. Et eius amore, reuerentia et
honore dicamus *Pater noster*.

V.5.7. DE FIDE ET IRA [F h]

[SERMO CXI]

Quicumque uelit sermocinari de fide et ira, recolat earum
themata, definitiones et species; et secundum eas ordinet suum
5 sermonem.

In principio deprecabimur dominum Deum nostrum Iesum
Christum, quatenus det mihi gratiam dicendi et uobis audiendi
et retinendi uerba, quae sint ad eius honorem. Et ob amorem,
reuerentiam et honorem nostrae dominae sanctae Mariae, dica-
10 mus *Aue Maria*.

Fides est forma, informans et fortificans humanam uoluntatem supra uires suas ad amandum de Deo amanda, et ira forma
deformans et debilitans uoluntatem ad amandum de Deo amanda. Et propter hoc fides et ira sunt formae contrariantes, quae
15 in humana uoluntate contrariantur et etiam habent distantiam
infinitam.

Fides est forma, intellectum humanum fortificans et formans
ad intelligendum supra uim suam de Deo uera. Et ira est forma,
humanum intellectum deformans et debilitans supra uim suam
20 ad intelligendum de Deo uera. Et propter hoc humanus intellectus est subiectum, in quo fides et ira contrariantur, et in quo
habent distantiam infinitam.

Fides est forma, humanam memoriam formans et fortificans

ad memorandum supra uim suam uera de Deo. Et ira est forma,
25 humanam memoriam debilitans et deformans, per quam nequit
supra uim suam uera de Deo memorare.

Per | definitionem, datam de fide et ira per potentias supra R 93ᵛ
dictas, possunt cognosci earum actus et opera. Et per cognitio-
nes actuum et operum possunt cognosci essentiae earum; et
30 quod fides est uirtus et ira peccatum.

Fides est forma, formans et fortificans imaginationem ad
i|maginandum uera de Deo. Et ira est forma per contrarium; M 107ᵛ
quoniam ira deformat imaginationem; quae non potest praesen-
tare species potentiarum sensitiuarum potentiis spiritualibus,
35 quae non possunt deliberare ad generandum scientiam cum
imaginatione. Et quia potentiae spirituales participant cum fide
per genus bonitatis et uirtutis ac deliberationis, et ira non, et
hac de causa fides et ira sunt formae contrariantes.

Fides est forma, formans et fortificans potentiam affatiuam
40 ad affandum de Deo uerba uera. Et ira est forma, deformans et
deliberans potentiam affatiuam, quae per ipsam amittit suam
deliberationem et ordinem ad loquendum de Deo uera.

In potentia tactiua fides et ira contrariantur. Quoniam per
fidem applicatur potentia tactiua ad seruiendum Deo per omnes
45 ramos fidei, qui sunt in sermone de fide et superbia. Et per iram
deuiatur finis potentiae tactiuae contra seruitium Dei.

In potentia gustatiua fides et ira contrariantur. Quoniam in
ipsa homo, habens fidem, est uirtuosus; et homo, habens iram, in
ipsa permanet uitiosus et in mortali peccato.

50 Potentia odoratiua est exemplum et signum contrarietatis,
quae est inter finem et iram. Quia potentia odoratiua sana est
pro odorando placidum odorem, et infirma est odorando foetidum odorem. Simili modo potentiae spirituales, spirituales habent sanctitates et sanitates, et per iram habent contrarium.

55 In potentia auditiua fides et ira contrariantur; quoniam homo
habens fidem credit uera, quae de Deo audit; et per iram credit
contrarium. Et si per iram crederet de Deo uera, non essent
fides et ira formae contrariantes.

In potentia uisiua fides et ira sunt formae contrariae; quo-
60 niam per fidem habetur deliberatio ad faciendum uerum iudicium de rebus uisibilibus; et ira, quae est forma tenebrosa
subitosa et sine deliberatione, est instrumentum, per quod fit
falsum iudicium de rebus uisibilibus.

Quattuor sunt causae generales, scilicet efficiens, forma, mate-
65 ria et finis, per quas cum fide fit deliberatio in utendo eis ad

---

CXI, **32** de Deo] *coni.*; *om. codd. omnes*   **33** quae] *coni.*; quod *M T R M*₁   **49**
uitiosus] *coni. ex textu cat.*; ritxosus *M T R M*₁   **65** deliberatio] *corr. M*₁; cum
deliberatione *M T R*   **65/66** ad faciendum] *coni.*; et facere *M T R M*₁

faciendum de ipsis et cum ipsis scientiam. Et per iram fit contrarium.

Quinque sunt uniuersalia, scilicet genus, species, differentia, proprietas et accidens. Et de istis homo, habens fidem, facit
70 scientiam; quoniam per fidem ea supponit et credit et successiue per operationes potentiarum sensitiuarum et imaginationis et potentiarum superiorum spiritualium intelligit uniuersalia quinque; quae per naturam realia sunt, et per scientiam intentionabilia. Et per iram contrarium sequitur.

75 Per fidem habetur notitia de decem praedicamentis, cum sit, quod fides sit instrumentum ad intelligendum illa; quae sunt substantia, quantitas, qualitas, relatio, actio, passio, habitus, situs, tempus et locus. Et per iram corrumpitur scientia illorum; cum ita sit, quod ira sit lumen tenebrosum, et fides sit
80 lumen | clarum et uirtuosum.   M 108ʳ

Per fidem uenitur ad bonam fortunam; cum ita sit, | quod ipsa R 94ʳ
sit de genere boni. Et per iram itur ad malam fortunam; cum ita sit, quod ipsa sit de genere mali.

Per fidem participatur cum iustitia, prudentia etc.; cum fides
85 sit cum ipsis de genere uirtutum. Et per iram participatur cum auaritia, gulositate, et aliis uitiis; cum ita sit, quod ira sit cum ipsis de genere peccati. Et propter hoc homo iratus uadit iratus permanere in ignem infernalem aeternum.

Ostendimus controuersias fidei et irae. Attamen non dicimus,
90 quod sermocinator dicat populo eo modo, quo nos diximus, quia intelligere non posset, sed quod dicat id, quod intelligere potest populus.

Diximus de fide et ira. Et sic deprecemur dominum Deum nostrum Iesum Christum, quatenus nobis conseruet fidem con-
95 tra iram, ex quo est Pater noster. Et eius amore, reuerentia et honore dicamus *Pater noster*.

V.5.8. DE FIDE ET MENDACIO [F i]

[SERMO CXII]

Si uelis sermocinari de fide et mendacio, recolas earum themata, definitiones et species; et secundum eas ordina tuum sermo-
5 nem.

In principio deprecabimur dominum Deum nostrum Iesum Christum, quatenus det mihi gratiam dicendi, et uobis audiendi et retinendi uerba, quae sint ad eius honorem et nostrarum

---

66/67 Et – contrarium] *om. et add. alia manu in marg.* M; *om.* R T M₁ Z   **71**
per operationes] *coni.*; operibus M T R M₁   **72** et] *coni.*; *om. omnes codd.*   **90**
dicat] *om. et add. sup. lin.* M₁; *om.* M T R   **94** fidem] *coni.*; *om. codd. omnes*

animarum salutem. Et ob amorem, reuerentiam et honorem
10 nostrae dominae sanctae Mariae dicamus *Aue Maria*.

Fides est forma, humanum intellectum fortificans et formans
ad credendum et intelligendum uera de Deo, scilicet quattuordecim articulos, decem praecepta et septem sacramenta. Et
mendacium est forma, humanum intellectum deformans et de-
15 bilitans contra quattuordecim articulos, decem praecepta et
septem sacramenta. Et propter hoc fides et mendacium sunt
formae contrariae, habentes distantiam infinitam.

Fides est forma, formans et fortificans humanam uoluntatem
ad amandum in Deo uera, quae sunt quattuordecim articuli,
20 decem praecepta et septem sacramenta. Et mendacium est
forma, deformans et debilitans humanam uoluntatem, quae
abhorret in Deo quattuordecim articulos, decem praecepta, et
septem sacramenta.

Fides est forma, formans et fortificans humanam memoriam,
25 quae memorat de Deo uera, quae sunt quattuordecim articuli,
decem praecepta et septem sacramenta. Et mendacium est forma, deformans et debilitans humanam memoriam, obliuiscens in
Deo quattuordecim articulos, decem praecepta et septem sacramenta.

30 Per definitiones supra dictas potest cognosci, quid sit fides; et
quid mendacium; et quae est earum controuersia, et quae sunt
earum subiecta, in quibus sustentantur, et de ipsis praedicantur
et nominantur.

Secundum quod fides et mendacium contrariantur in tribus
35 potentiis spiritualibus supra dictis, contrariantur in potentia
imaginatiua, affatiua, tactiua, gustatiua, odoratiua et uisiua.
Vnde cum hoc ita sit, potest igitur cognosci, hominem fore
subiectum, in quo | fides et mendacium habent | distantiam M 108ᵛ T 47ᵛ
infinitam.

40 Per fidem conseruantur fines potentiarum supra dictarum; et
per mendacium obliuioni | traduntur. Et propter hoc fides est R 94ᵛ
uirtus et mendacium mortale peccatum.

Homo, de mendacio habituatus contra fidem, eo quia nequit
sentire nec imaginari quattuordecim articulos, decem praecepta
45 et septem sacramenta, negat eos et ea, et dicit eos et ea non esse
ueros nec uera. Et homo, habens fidem, affirmat, eos fore ueros;
et considerat, quod si non essent ueri, quod Deus esset nobilior
et uerior pro eo, quod negat mendacium de Deo, quam pro eo,
quod fides affirmat de Deo; quod est impossibile.

50 Homo, habens fidem, habet fortius intelligere et fortius amare
et fortius memorare per fidem, quam per mendacium, quod

CXII, **16** et¹] *coni.*; *om. codd. omnes*   **22** et] *coni.*; *om. codd. omnes*   **36** et]
coni.; *om. omnes codd.*   **43** habituatus] *add.* est M_1 **47** non essent] *coni. ex textu*
cat.; boni non essent et $MTRM_1$

contra fidem est. Et hac de causa homo, habens fidem, credit et
intelligit in Deo uera contra mendacium.

Homo per fidem contra mendacium habituatur et uestitur de
55 uirtutibus, de quibus locuti sumus in prima distinctione. Et
homo, habituatus et uestitus de mendacio contra fidem, est
nudus et expoliatus illis; et uestitur et habituatur de uitiis, de
quibus locuti sumus in secunda distinctione. Et hoc significatum
est humano intellectui ad intelligendum, et humanae uoluntati
60 ad amandum, et humanae memoriae ad memorandum.

Homo per fidem non amittit in Deo nec per Deum nec de Deo
aliquid. Et homo, habens mendacium contra fidem, totum amittit. Et propter hoc homo, habens fidem, credit et intelligit uera
de Deo contra mendacium.

65   Per fidem potest credi et cognosci, Deum esse causam efficientem et finalem omnis entis. Et per mendacium, quod contra
fidem est, potest credi et cognosci, Deum non esse causam
efficientem et finalem omnis, quod est. Vnde cum hae duae
controuersiae sint contradictoriae, potest fidem christianorum
70 cognosci esse ueram, et per mendacium, quod contra eam est,
esse in homine mortale peccatum, quod in bonitate nihil est.
Propter quod quidem mendacium uadit homo mendax ad infernum aeterne mendax permanere. Et propter fidem uadit homo
uerax ad gloriam caelestem aeterne uerax permanere.

75   Cum diuinis dignitatibus de quibus in subiecto huius scientiae
locuti sumus, poteris cognoscere fidem catholicam esse ueram;
et mendacium, quod contra eam est, esse de genere falsitatis, et
contra diuinas dignitates, quae de necessitate uerae sunt.

Diximus de fide et mendacio. Et propter hoc deprecemur
80 dominum Deum nostrum Iesum Christum, quatenus nobis manuteneat fidem contra mendacium, ex quo est Pater noster. Et
eius amore, reuerentia et honore dicamus *Pater noster*.

V.6. DE SPE

V.6.1. DE SPE ET AVARITIA [G b]

[SERMO CXIII]

Si uelis sermocinari de spe et auaritia, recolas earum thema-
5 ta, definitiones et species; et secundum eas ordina tuum ser-
mo|nem.   M 109ʳ

In principio deprecabimur dominum Deum nostrum Iesum

CXII, **75** *Vid. supra Prol., lin. 40/53.*

---

67 fidem] *corr. alia manu in marg. ex* mendacium *M*   **70** per] *coni. ex textu
cat.; om. omnes codd.*   **71** esse] *recte coni. M₁; om. M T R*   **72** in homine] *om.
M₁*   **73/74** uadit – uerax] *T*; uadit homo uerax uadit *M*; homo uerax uadit
R M₁

Christum, quatenus det mihi gratiam dicendi, et uobis audiendi
et retinendi uerba, quae sint ad eius laudem. Et ob amorem,
10 reuerentiam et honorem nostrae dominae sanctae Mariae dicamus *Aue Maria*.

Spes est instrumentum spirituale, cum quo homo informat
suas potentias naturales, et possidet bona terrena, | et cum ea   R 95ʳ
ascendit ad Deum et spectat ab ipso donum, adiuuamen et
15 ueniam. Et auaritia est habitus spiritualis, cum quo homo deformat suas potentias naturales et bona, quae possidet, terrena, et
descendit ad daemonem, carnem et mundum, et non spectat a
Deo dona, iuuamina nec uenias.

Spes est instrumentum humano intellectui, qui intelligit ita
20 bonum Deum esse per suum opus naturale, quemadmodum per
suam essentiam naturalem; quod quidem opus est sua sancta
trinitas. Et propter hoc talis intellectus non inclinatur ad desperationem nec ad auaritiam. Et ascendit ad Deum et spectat a
Deo magnum donum, ueniam et iuuamen.

25 Per spem ascendit humana uoluntas ad amandum diuinam
trinitatem tantum, quantum diuinam essentiam; et spectat,
quod Deus reddat eam amorosam siue philocaptam cum dono
amoris, eo ut cum amare ei ualeat deseruire et eundem uenerari.
Et auaritia in homine auaro est instrumentum per contrarium.
30 Et propter hoc eius uoluntas non uult impleri.

Spes est instrumentum, cum quo homo ponit ad Deum suum
memorare, cum quo memorat quattuordecim articulos, decem
praecepta et septem sacramenta. Et propter hoc non potest
descendere ad desperandum. Et homo auarus descendit per
35 auaritiam per contrarium. Et propter hoc cum toto eo, quod
memorat, est auarus et non potest in Deo spem habere.

Spes est instrumentum, cum quo homo, eam possidens, ordinat suam potentiam imaginatiuam ad imaginandum totum id,
quod conueniat largitati.

40 Homo spem habens seruit Deo cum eius potentia tactiua. Et
homo auarus facit per contrarium.

Homo spem habens, cum eius potentia gustatiua seruit Deo,
sibi ipsi et proximo suo. Et homo auarus facit contrarium.

Homo habens spem, loquitur uerba, quae sunt de genere spei.
45 Et homo auarus loquitur uerba, quae sunt de genere auaritiae.

Potentia odoratiua est potentia temperata odorando placidum odorem, et distemperata odorando foetidum et non placidum odorem, ad significandum, quod homo temperatus est per
spem, et distemperatus per auaritiam.

50 Potentia auditiua est pro audiendo uerba, quae sint de genere
spei. Et propter hoc spes est instrumentum, cum quo potentia

CXIII, **14** ab – donum] *coni.*; a donis *MTR*; *om. M*₁   **24** magnum] *coni.*;
gratiam *MTRM*₁; *in cod. cat.* grā *sc.* gran *seu* gracia   **29** auaritia] *M*₁; *add.* est
MTR   **46** odorando] *coni.*; odorandi *MTR*; ad odorandum *M*₁

auditiua attingit suum finem in Deo; et cum auaritia eum amittit.

Homo, habens spem in Deo, si indigeat in eo, quod uidet oculis
55 corporalibus, cum oculis sui intellectus ad eum ascendit, | et M 109ᵛ
spectat in eo, quod sibi det, et eum adiuuet, et quod sibi
indulgeat. Et homo auarus utitur sua potentia uisiua per contrarium.

Homo auarus, in quantum ditior est, in tantum maiorem
60 spem habet in hominibus, quod sibi impendant honorem propter diuitias suas. Et contrarium sequitur, quoniam magis blas-
phematur et inculpatur homo diues auarus, quam pauper auarus. Et per spem bonam sequitur contrarium.

Homo auarus est ita pauper, quod non habet Deum, se ipsum
65 nec proximum suum. Et in homine, | in Deo spem ponente, R 95ᵛ
contrarium sequitur.

Homo auarus habituatur de tristitia. Et homo habens largitatem pro Deo habituatur de iocunditate.

Homo auarus subtus auaritiam gignit peccata actualia morta-
70 lia. Et homo spem habens habet actus uirtuosus contra auaritiam.

Homo auarus frequenter plorat. Et homo spem habens frequenter ridet; cum sit ita, quod spes et largitas concordent in
bonitate.

75   Homo auarus sub habitu auaritiae nequit esse legalis. Et
homo spem habens non potest esse falsus, nec illegalis.

Homo auarus ita frequenter memorat bona temporalia, quod
quando est ad mortem, non usus est in memorando spem. Et
homo spem habens facit per contrarium.

80   Homo auarus sub habitu auaritiae ignorat satisfactionem, nec
a Deo donum, ueniam nec iuuamen exspectat. Et homo, habens
spem, utitur per contrarium.

Si uelis cognoscere hominem auarum, inquiras eum per omnes
suas potentias naturales; quae sunt potentia uisiua, auditiua,
85 odoratiua, gustatiua, tactiua, affatiua, imaginatiua, intellectiua,
amatiua et memoratiua. Et per opera earum eum reperies et
cognosces. Et hoc idem facere poteris de homine spem habente.

Si uelis cognoscere hominem auarum, inquiras eum in finibus
bonorum gratiae, quae Deus impendit, scilicet diuitiae, denarii,
90 bladum, uinum et alia. Quos quidem fines homo auarus deuiat |
ab intentione, per quam Deus eos dat. Et homo habens spem T 48ʳ
utitur finibus illis pro seruiendo Deo, uenerari et benedicere.

Diximus de spe et auaritia, quae sunt instrumenta contraria.
Et propter hoc deprecemur dominum Deum nostrum Iesum
95 Christum, quatenus spem nobis manuteneat contra auaritiam,

---

65 suum] *coni.*; *om. codd. omnes*   81 a] *correxi*; de *M T R M*₁   exspectat] *om.*
sed add. alia manu in marg. M; *om.* R; petit *M*₁   90 alia] *correxi*; aliae *M T R M*₁
94/95 Iesum Christum] *om. M R T*

ex quo est Pater noster. Et eius amore, reuerentia et honore dicamus *Pater noster*.

V.6.2. De spe et gvlositate [G C]

[Sermo CXIV]

Quicumque uelit sermocinari de spe et gulositate, recolat earum themata, definitiones et species; et secundum eas ordinet
5 suum sermonem.

In principio deprecabimur dominum Deum nostrum Iesum Christum, quatenus det mihi gratiam dicendi, et uobis audiendi et retinendi uerba, quae sint ad eius laudem et gloriam, et animarum nostrarum salutem. Et ob amorem, reuerentiam et
10 honorem nostrae dominae sanctae Mariae dicamus *Aue Maria*.

Spes est instrumentum, cum quo homo habet spem in Deo, ut eum adiuuet, et sibi impendat, et sibi | indulgeat. Est consobrina M 110ʳ temperantiae, in quantum est secum de genere uirtutis. Et sic cum spe et temperantia potes gulositatem superare. Quae a Deo
15 nullum consequitur adiuuamen, et quae est desperationis consobrina, in quantum est secum de genere peccati, et est instrumentum corporale, eo quia eius finis est sentire placitum per comestionem et potationem.

Quoniam spes bona est, debet spectari ab ea bonum donum,
20 bonum adiuuamen et bona uenia. Et quia gulositas est malum instrumentum, non potest cum ea spectari bonum donum, bonum iuuamen et bona uenia. Ergo stultus est gulosus, | in Deo R 96ʳ spem ponens.

Spes est maxima uirtus, cum qua homo, qui magnus est
25 uirtute, debet in Deo spem habere magnam, ut sibi det magnum donum, et quod sibi det magnum iuuamen, et quod sibi indulgeat. Et quia gulositas maximum peccatum est, homo gulosus stultus est, si credit in Deo spem habere.

Spes est per uirtuosum intelligere, amare et recolere Deum et
30 eius opera. Et quia homo gulosus habet uitiosum intelligere, amare et recolere, exstans uitiosus non potest in Deo spem habere; quoniam si haberet, sequeretur spem et gulositatem non esse instrumenta contraria; quod est impossibile.

Homo habens spem, eius spes est eius nuntius, quando aliquo
35 indiget pro seruiendo Deo, sibi ipsi et proximo suo. Et homo gulosus, habens gulositatem, eius gulositas est suus nuntius ad

CXIV, **11** habet] *correxi*; habens *M T R M₁*   **15** est] *coni.*; *om. codd. omnes*
19 bona] *coni.*; *om. omnes codd.*   **22** bona uenia] *correxi*; bonam ueniam
M T R M₁   **29/32** Spes – habere] *coni. ex textu cat.*; *om. M T R M₁*   **34** aliquo]
correxi; alicuius *M T R M₁*   **35** suo] *coni.*; *om. codd. omnes*

furandum pinguem altilem, porcum, bouem et mutonem. Ergo
bene stultus est homo gulosus, credens gulositatem fore conso-
brinam spei.

40   Si ad Deum spem mittas, ut det tibi, et ut te adiuuet, et ut
tibi indulgeat, spes te tenebit hilarem, et diuitem tuum memorare, intelligere et amare; attamen cum tali conditione, quod
bona, quae ad te de Deo portabit, ponas ad uenerandum eum, et
sibi seruiendum super omnia; quia alias illa spes non esset uerus
45   nuntius, et haberet cum gulositate affinitatem.

Spes est uirtus, quam Deus dat; et sperare est actus spei. Et
homo gulosus, non potest habere sperare, ex quo spem non
habet. Et credit, quod quando ipse uelit habeat sperare et spem;
quod est impossibile; quoniam si possibile esset, non daret Deus
50   spem, nec daret cum spe donum, ueniam nec iuuamen.

Si transmittas ad Deum spem, mittas eam cum contritione,
confessione et satisfactione. Et si transmittas secum suspirare
et flere, erit magis honorata societas. Quae nuntii non sunt de
genere gulositatis. Igitur homo gulosus cur credit in Deo spem
55   habere?

Si transmittas ad Deum spem, conferas Deo magnum amorem, magnum intelligere, magnum memorare; et intelligas peccata tua esse magna, et magnam habeas uoluntatem abhorrendi
illa. De toto hoc gulosus homo non curat, et magnam habet
60   spem et magnum placitum comedendi et bibendi.

Si transmittas spem Deo, noscere scias, amare et memorare,
quid sit spes et quid sit Deus; alias nescis uti spe. Et iam | homo   M 110ᵛ
gulosus memorat, intelligit et amat spem, per quam spectat
placitum comedendi et bibendi, et cognoscit, memorat et amat
65   placitum, quod consequitur per comestionem et potationem.

Transmittas spem cum Dei concordantia et tui. Quoniam spes
non uadit per contrarietatem ad Deum. Ergo homo gulosus,
qualiter credit Deo spem mittere sine concordantia Dei et sui
ipsius?

70   Spes habet nuntios, sine quibus non uult fore nuntium tuum
Deo. Qui quidem nuntii sunt oratio, bona intentio, eleemosynae,
peregrinationes, et alii nuntii iis similibus. Vnde cum homo
gulosus tales non habeat nuntios, ergo cur credit transmittere
spem Deo?

75   Spes est communes diuitiae homini diuiti et pauperi, homini
iusto et peccatori. Attamen quod peccator poeniteat suorum
peccatorum. Et homo gulosus, qui non poenitet suae gulositatis,
ad quid credit esse diues per spem?

---

53 Quae] *coni.*; *om. codd. omnes*   56 transmittas] *recte corr.* M_1; tramittas *M T R*
60 et] *coni.*; *om. codd. omnes*   70 sine – tuum] *coni. ex textu cat.*; suos, quos
non uult fore nuntios tuos *M T R M₁*   73 transmittere] *coni.*; mittere *M T R M₁*
76 peccator] *coni.*; peccatores *M T R M₁*   77 gulosus, qui] gulos quae *M*;
gulosus quae *R*; gulosus, quem *T*

Viae spei sunt uidere, audire et alii actus naturalium poten-
80 tiarum, ex quibus homo unitus est et compositus. Et homo
gulosus | omnes hos actus transmittit ad placitum gulositatis. Et R 96ᵛ
propter hoc spes et gulositas habent distantiam infinitam.

Homo gulosus uult uiuere, eo ut ualeat comedere et bibere
multum. Et homo habens spem uult comedere et bibere, ut
85 possit uiuere in uenerando Deum, laudando, et eidem seruiendo.
Et propter hoc finis spei et finis gulositatis habent distantiam
infinitam.

Spes et iustitia consobrinae sunt. Et propter hoc si tu habes
iuste in Deo spem, Deus dabit tibi iuste ueniam, donum et
90 iuuamen; et nisi faceret, iustitia et spes non essent affines; quod
est impossibile. Ergo quare homo gulosus credit iuste in Deo
spem habere, ipso stante de gulositate habituato?

Diximus de spe et gulositate. Et sic deprecemur dominum
Deum nostrum, quatenus nobis spem manuteneat contra gulosi-
95 tatem, ex quo est Pater noster. Et eius amore, reuerentia et
honore dicamus *Pater noster*.

V.6.3. De spe et lvxvria [G d]

[Sermo CXV]

Si uelis sermocinari de spe et luxuria, recolas earum themata,
definitiones, et species; et secundum eas norma et ordina tuum
5 sermonem.

In principio deprecabimur dominum Deum nostrum Iesum
Christum, quatenus det mihi gratiam dicendi, et uobis audiendi
et retinendi uerba, quae sint ad eius laudem et animarum
nostrarum salutem. Et ob amorem, reuerentiam et honorem
10 nostrae dominae sanctae Mariae dicamus *Aue Maria*.

In sermone iustitiae et spei continetur, quod habent concordantiam in genere bonitatis; ergo luxuria et iniuria habent
concordantiam in genere mali. Ergo spes et luxuria sunt habitus
contrariantes. Et quia bonitas conuenit cum esse et malum cum
15 non esse, potest cognosci, quod cum spe et iustitia potest destrui
et uinci luxuria et iniuria ab homine. Et si | non destruat, non M ɪɪɪʳ
uult facere uel nescit facere. Et si facere nolit, peccat mortaliter.
Et si nesciat facere, decet sermocinatorem ostendere populo
modum, per quem sciat facere. Qui quidem modus stat per
20 potentias superiores, cum quibus fortior est homo, quam cum
potentiis inferioribus.

CXV, **11** *Vid. supra serm. XXI.*

---

79 et] *coni.*; *om. omnes codd.*   **81** transmittit] *coni.*; mittit *M T R M*₁

In sermone de prudentia et spe continetur, quod concordantiam habent, et quod luxuria et imprudentia concordant. Potest
igitur sermocinator ostendere populo cum sermone prudentiae
25 et spei modum, per quem sciat uincere imprudentiam et luxuriam.

In sermone de fortitudine animi et spe continetur, quod
concordantiam habent. Potest igitur ostendi cum sermone fortitudinis et spei modus, per quem homo sciat destruere luxuriam
30 et animi debilitatem.

In sermone de temperantia et spe continetur, quod concor-
dantiam habent. Potest igitur cum illo ser|mone ostendi populo   T 48ᵛ
modus, per quem sciatur destrui luxuria et distemperantia.

In sermone de fide et spe continetur, quod concordantiam
35 habent. Potest igitur ostendi cum illo sermone populo modus,
per quem sciatur destrui luxuria et incredulitas.

In sermone de spe et caritate continetur, quod concordantiam
habent. Potest igitur cum illo sermone os|tendi populo modus,   R 97ʳ
per quem homo sciat destruere luxuriam et animi crudelitatem.

40 In sermone de spe et sapientia continetur, quod habent concordantiam. Potest igitur cum illo sermone ostendi populo modus, per quem sciatur destrui luxuria et insipientia.

In sermone auaritiae et luxuriae continetur, quod habent
concordantiam. Potest ergo cum illo sermone ostendi modus,
45 per quem luxuria et auaritia concordantiam habent contra
iustitiam et spem.

In sermone de gulositate et luxuria continetur, qualiter concordantiam habent. Per quem quidem sermonem potest cognosci modus, per quem gulositas et luxuria concordantiam habent
50 contra temperantiam et spem.

In sermone de luxuria et superbia continetur, quod concordantiam habent. Potest igitur ostendi cum illo sermone modus,
per quem luxuria et superbia habent concordantiam contra
humilitatem et spem.

55 In sermone de luxuria et accidia continetur, quod habent
concordantiam. Potest igitur ostendi cum illo sermone modus,
per quem luxuria et accidia concordantiam habent contra diligentiam et spem.

---

22 *Vid. supra serm. XXVII.*   **27** *Vid. supra serm. XXXII.*   **31** *Vid. supra
serm. XXXVI.*   **34** *Vid. supra serm. XXXIX.*   **37** *Vid. supra serm. XLII.*   **40**
Vid. supra serm. XLIII.   **43** *Vid. supra serm. XLVI.*   **47** *Vid. supra serm. LII.*
51 *Vid. supra serm. LVIII.*   **55** *Vid. supra serm. LIX.*

CXV, **23** quod] *recte coni.* M₁; quia *M T R*   **27** spe] *correxi*; spei *M T R* M₁
31 spe] *recte corr.* M₁; spei *M T R*   **44** Potest] *conieci*; pone *M T R*; ponitur
M₁   ostendi] *coni. om. codd. omnes*   **46** iustitiam] *corr. ex* castitatem *M*   **50**
temperantiam] *corr. ex* castitatem *M*   **57/61** et accidia – luxuria] *om. T*

In sermone de luxuria et inuidia continetur, quod habent
60 concordantiam. Potest igitur ostendi cum illo sermone modus,
per quem luxuria et inuidia concordantiam habent contra legalitatem et spem.

In sermone de luxuria et ira continetur, quod habent concordantiam. Cum quo sermone potest ostendi modus, per quem
65 luxuria et ira concordantiam habent contra patientiam et spem.

In sermone de luxuria et mendacio continetur, quod habent
concordantiam. Potest igitur cum illo sermone ostendi modus,
per quem luxuria et mendacium concordantiam habent contra
ueritatem et spem.

70 Ex sermonibus superius allegatis potest sermocinator habere
magnam materiam ad monstrandum | controuersias, quae sunt   M iii^v
inter uirtutes et peccata. Et talis doctrina est multum utilis ad
monstrandum populo, ut sciat cognoscere modum, per quem
uirtutes generantur uel peccata; et per quem cum uirtutibus
75 deleantur et destruantur peccata.

Sicut ostendimus modum, per quem sciat homo sermones
allegare, eo ut cum spe ualeat luxuriam destruere, sic possunt
allegari ad faciendum sermonem de spe et superbia; et sic de
aliis, per omnes sermones, compositos de uirtutibus et uitiis.

80 Diximus de spe et luxuria. Et ostendimus earum controuersias. per allegationes sermonum. Et propter hoc deprecemur
dominum Deum nostrum Iesum Christum, quatenus in spe nos
conseruet contra luxuriam, ex quo est Pater noster. Et eius
amore, reuerentia et honore dicamus *Pater noster.*

V.6.4. DE SPE ET SVPERBIA [G e]

[SERMO CXVI]

Quicumque uelit sermocinari de spe et superbia, recolat earum themata, definitiones et species; et secundum eas ordinet
5 suum sermonem.

In principio deprecabimur dominum Deum nostrum Iesum
Christum, quatenus det mihi gratiam dicendi, et uobis audiendi
et retinendi uerba, quae sint ad eius honorem. Et ob amo|rem,   R 97^v
reuerentiam et honorem nostrae dominae sanctae Mariae dica-
10 mus *Aue Maria.*

Ita potest dici spem esse arborem secundum modum suum,
quemadmodum diximus in sermone de fide et superbia, fidem
esse arborem. Et quia fides et spes concordantiam habent, et
superbia et desperatio, propter hoc potest dici superbiam esse
15 arborem contra arborem fidei et spei. Et branchae, rami, folia,

---

59 *Vid. supra serm. LX.*   **63** *Vid. supra serm. LXI.*   **66** *Vid. supra serm.*
LXII.

flores et fructus ambarum arborum contrariarum sunt per potentias naturales, de quibus compositus est homo et unitus.
Quae sunt: Potentia uisiua, auditiua, odoratiua, gustatiua, tactiua, affatiua, imaginatiua, intellectiua, amatiua et memoratiua, in
20 quibus spes et superbia habent distantiam infinitam.

Christianus, in Deo sperans et eius operibus, potest maiorem
spem habere, quam Iudaeus, Saracenus, et quam alius homo. Et
hac de causa spes christiani habet magis infinitam distantiam a
superbia, quam spes alius cuiusque hominis. Et hoc potest
25 cognosci per decem praecepta, quattuordecim articulos et septem sacramenta.

Humanus intellectus per spem consequitur fortitudinem. Cum
qua conatur ad intelligendum uera de Deo. Et cum superbia,
quae arbor mali est, amittit uim suam; et non habet uim ad
30 intelligendum de Deo uera.

Voluntas superba non habet fortitudinem ad amandum uera
de Deo; et sic non habet fortitudinem ad habendum in Deo
spem. Et propter hoc uoluntas humilitatem habens habet fortitudinem, cum qua spem amat.

35 Memoria superba non habet fortitudinem ad memorandum
uera de Deo. Et memoria humilis habet fortitudinem ad memorandum uera de Deo; et propter hoc potest in Deo spem
habere, cum qua Deum memorat et eius opera. Et ex hoc potest
cognosci, quod superbia et spes per memoriam habent distan-
40 tiam infinitam.

Propter superbum intellectum, super|bam uoluntatem et su-   M 112ʳ
perbam memoriam, superbit imaginatio. Per quam quidem imaginationem superbia est contra spem, quae cum humilitate
concordat. Et per talem imaginationem superbam desperatio
45 generatur.

Ex imaginatione superba consequuntur homines superbi et
habent superba uerba. Et ex humili imaginatione habent humilia uerba. Et quia spes et humilitas concordantiam habent, et
superbia et desperatio, spes et superbia habent per uerba di-
50 stantiam infinitam.

Per superbiam est potentia tactiua superba et per spem est
humilis. Et hac de causa homines, qui peccauerunt per palpare,
leuiter in desperatione cadunt, quando recordantur peccata,
quae per luxuriam commiserunt. Et quia spes et desperatio sunt
55 habitus contrariantes, homo humilitatem habens, quando memorat peccata, quae commisit per tactum, leuiter sperat in Deo,
ut sibi indulgeat peccata sua.

CXVI, **36/37** Et – Deo] *coni. ex textu cat.*; *om. M T R M*₁   **38** cum qua] *coni.*;
pro eo cum quo *M T R M*₁   **42/43** imaginationem superbia] *coni.*; superbiam
*M T R M*₁   **44** superbam] *coni.*; superba *M T R M*₁   **48** spes] *T*; *om. et add.*
alia manu in marg. M; *om. R M*₁   et humilitas] humilitas *M R*; *add. sup. lin.* et
spes *M*₁

Per superbiam gustatiua potentia efficitur superba. Et propter hoc homines superbi, quando memorant peccata, quae com-
60 miserunt per gulositatem, leuiter incidunt in desperationem;
cum ita sit, quod superbia et desperatio habeant concordantiam,
ex quo humilitas et spes habent concordantiam.

Homo superbus habet potentiam odoratiuam superbam; | cum   R 98ʳ
ita sit, quod ipsa sit una pars essentiae humanae. Et propter hoc
65 homo, habens potentiam odoratiuam superbam, quando memorat peccata, quae commisit per odoratum rosarum, ambrae,
pomorum, liliorum et uiolarum, leuiter incidit in desperationem.
Et homo habens humilitatem persistit fortis per spem contra
desperationem.

70 Per superbiam potentia auditiua superbit. Et propter hoc
homo superbus, quando memorat peccata, quae commisit per
auditum, leuiter incidit in desperationem. Et homo habens potentiam auditiuam humilem, quando memorat peccata, quae
commisit per auditum, conatur cum spe contra superbiam et
75 desperationem.

Per superbiam potentia uisiua efficitur superba. Et propter
hoc homo superbus, quando memorat peccata, quae commisit
per uisum, leuiter incidit in desperationem. Et homo, habens
potentiam uisiuam humilem, quando memorat peccata, quae
80 commisit per uisum, leuiter sperat in Deo, ut sibi indulgeat, sibi
impendat et eum iuuet.

Si uelis cognoscere uias spei et superbiae, inquiras eas per
potentias supra dictas, et de eis notitiam consequeris.

Diximus de spe et superbia. Et ostendimus earum controuer-
85 siam et uias, per quas uadunt. Et sic deprecemur dominum
Deum nostrum Iesum Christum, quatenus spem nobis manuteneat contra superbiam, ex quo est Pater noster. Et eius amore,
reuerentia et honore dicamus *Pater noster*.

V.6.5. DE SPE ET ACCIDIA [G f]

[SERMO CXVII]

Si uelis sermocinari de spe et accidia, recolas earum themata,
definitiones et species; et secundum eas ordina tuum sermonem.
5 In principio deprecabimur dominum Deum nostrum Iesum
Christum, quatenus det mihi gratiam dicendi, et uobis audiendi
et retinendi uerba, quae sint ad gloriam et laudem eius. Et ob
amorem, reuerentiam et honorem nostrae | dominae sanctae   M 112ᵛ
Mariae dicamus *Aue Maria*.

---

66 ambrae] *coni.*; ambri *M R T*; arborum *corr. ex* amborum *M₁*; *cat.* ambre
78/80 leuiter incidit – uisum] *om. T*   80/81 sibi impendat] *coni.*; *om. codd.*
omnes

10   1. Quia Deus bonus est, debet homo a Deo spectare bonum
donum; attamen quod homo sit bonus faciendo opera bona.

2. Quia Deus magnus est, debet et potest homo a Deo exspectare magnum iuuamen; attamen quod homo sit magnus in
faciendo opera magna ad seruiendum Deo.

15   3. Quia Deus aeternus est, potest et debet homo a Deo aeter-
nam ueniam exspectare; attamen quod homo perseueret | in   T 49ʳ
seruiendo Deo.

4. Quia Deus potens est, debet homo a Deo exspectare posse
pro seruiendo sibi.

20   5. Quia Deus est intellectus, debet homo a Deo intelligere
exspectare ad intelligendum eum.

6. Quia Deus amor est, debet homo exspectare a Deo amorem
ad amandum eum.

7. Quia Deus uirtus est, debet ab eo exspectari uirtus, cum
25 qua fiant opera uirtuosa.

8. Quia Deus est ueritas, debent ab eo uera opera exspectari.

9. Quia Deus gloria est, debet ab eo gloria exspectari ad
contemplandum eum et eidem seruiendum.

Taliter debet spes in Deo haberi. De tali modo et talibus
30 operibus non curat homo accidiosus, quia hoc sibi ad magnum
laborem reputaret, si de eo curaret. Et propter hoc spes et
accidia sunt habitus contrarii, habentes | distantiam infinitam.   R 98ᵛ

Quando aliquis intelligit, quod bonis terrenis indiget, et desiderat de illis abundantiam habere pro seruiendo Deo, et me-
35 moria memorat Dei potestatem et opera eius, Deus creat spem
et dat eam pro instrumento homini, eo ut eam habeat pro
intelligere, amare et memorare spem. Et quia homo accidiosus est negligens ad intelligendum, amandum et memorandum
Deum et eius opera, non sperat in Deo, et leuiter incidit in
40 desperationem; quae procedit et nascitur ex negligenti intelligere, amare et memorare cum daemonis adiutorio.

Homo negligens piger est ad habendum spem, et propter hoc
pigram habet imaginationem. Et homo diligens in seruiendo
Deo, et qui in eo sperat, habet diligentem imaginationem. Et
45 propter hoc homo habens spem et homo habens desperationem
habent per imaginationem distantiam infinitam.

Homo habens spem loquitur diligenter de Deo et operibus
suis. Et homo accidiosus accidiose et incommode loquitur de
Deo et operibus eius.

50   Potentia tactiua per hominem diligentem est instrumentum
homini, per quod in Deo speret. Et si homo est accidiosus,
potentia tactiua est negligens et contrarium instrumentum temperantiae.

Potentia gustatiua diligens est per naturam ad sentiendum

CXVII, **48** incommode] *coni.*; sompnulenter *MTR*; somnolenter M_1; *cat.* ab
endenyament

55 placitum per comedere et bibere. Et homo gulosus est diligens,
eo quia ualeat comedere et bibere. Et est negligens ad habendum in Deo spem.

Potentia odoratiua per naturam est diligens ad odorandum
placitum odorem et ad uitandum foetidum odorem. Et sic est
60 exemplum et signum, hominem debere esse diligentem ad habendum spem in Deo et ad uitandum accidiam, quae mortale
peccatum est.

Homo habens in Deo spem, habet auditum diligentem in
audiendo loqui de Deo et de operi|bus eiusdem. Et homo acci- M 113ʳ
65 diosus habet auditum per contrarium.

Homo in Deo sperans diligens est ad laudandum et benedicendum Deum, quando uidet bonas et pulchras creaturas. Et homo
accidiosus utitur sua potentia uisiua per contrarium.

In sermone de spe continetur, quod spes tres habet species. Et
70 in sermone de accidia continetur, quod accidia habet quattuor
species. Et propter hoc potest cognosci per species spem et
accidiam habere distantiam infinitam.

Spes est maius et melius instrumentum homini in Deo speran-
ti cum iustitia, prudentia et aliis uirtutibus, quam per se ipsam
75 tantum. Et hoc idem potest dici de accidia. Quae est maius et
peius instrumentum cum auaritia, gulositate et aliis peccatis,
quam per se ipsam tantum. Et ex hoc potest cognosci, per quem
modum accidia et spes habent maiorem contrarietatem et distantiam.

80 Nulla spes ita distat a peccato accidiae, quemadmodum distat
spes boni christiani. Et hoc potest cognosci in sermone de spe et
superbia.

Diximus de spe et de accidia. Et propter hoc deprecemur
dominum Deum nostrum quatenus nobis spem manuteneat
85 contra accidiam, ex quo est Pater | noster. Et eius amore, R 99ʳ
reuerentia et honore dicamus *Pater noster*.

V.6.6. DE SPE ET INVIDIA [G g]

[SERMO CXVIII]

Quicumque uelit de spe et inuidia sermocinari, recolat earum
themata, definitiones et species; et secundum illas ordinet suum
5 sermonem.

In principio deprecabimur dominum Deum nostrum Iesum

CXVII, **69** *Vid. supra serm. VI.*   **70** *Vid. supra serm. XIII.*   **81/82** *Vid.*
supra serm. CXVI.

55/56 Et – bibere] *coni. ex textu cat.*; *om. omnes codd.*   **61/62** mortale – est]
est mortale peccatum *T*   **62** est] *om. M R*   **83** spe et] *coni.*; *om. codd. omnes*

Christum, quatenus det mihi gratiam dicendi, et uobis audiendi
et retinendi et opere complendi uerba, quae sint ad gloriam et
laudem eius et animarum nostrarum salutem. Et ob amorem,
10 reuerentiam et honorem nostrae dominae sanctae Mariae dicamus *Aue Maria.*

Spes est instrumentum, cuius Deus causa efficiens est et
finalis. Quod Deus homini donat, eo ut in eo spectet, quod sibi
impendat, et eum adiuuet et eidem indulgeat. Et inuidia est
15 instrumentum, quod est de genere idololatriae. Quoniam homo
inuidus cum inuidia desiderat Deum et eius opera et creaturas
cum operibus earumdem esse ad seruitium ipsius et honore. Et
propter hoc non sperat in Deo, quoniam ipse de se ipso deum
facit cum inuidia. Vnde cum hoc ita sit, potest igitur cognosci,
20 quid sit spes et quid inuidia, et medium, per quod sunt contraria
instrumenta et habentia in eo distantiam infinitam.

Deus intelligit, humanum intellectum debere intelligere, quod
in ipso speret, ut sibi det et eum adiuuet atque eidem indulgeat.
Et hac de causa dat sibi spem. Et homo inuidus non intelligit
25 debere in Deo sperare.

Diuina uoluntas uult, quod humana uoluntas speret in ea, ut
sibi det et eam adiuuet et eidem indulgeat. Et uoluntas hominis
inuidi, plus se amantis, quam Deum, uult, quod Deus sibi det et
eum adiuuet, et sibi indulgeat. Et propter hoc credit habere
30 spem, et non habet ueram spem.

Memoria Dei memorat se ipsam et opera eius. Et hac de causa
memorat | ipsum debere creare spem, et quod eam det humanae M 113ᵛ
memoriae, eo ut in eo spem ponat, quod sibi det et eum adiuuet
eidemque indulgeat. Et memoria inuidi hominis, quando aliquo
35 eget, memorat Deum et eius opera, et credit in eo sperare; et
nullam habet spem, quoniam eius spes non legitima immo
spuria est ac deformata.

Per tres potentias spirituales supra dictas exempla dedimus,
per quae potest cognosci, quid sit spes et quid inuidia, et
40 qualiter nascuntur, et de quo sunt, et per quid sunt et ubi sunt,
et qualiter crescunt earum opera, et qualiter minuuntur, et
earum controuersia.

Homo inuidus id, quod imaginatur, ad suum honorem et suum
finem imaginatur, eo quia considerat ipsum esse causam efficien-
45 tem et finalem imaginationis suae. Et homo in Deo sperans
considerat Deum esse causam efficientem et finalem imaginationis suae et creaturarum, quas eiusdem amore imaginatur.

Homo sperans in Deo praedicat uerba de quattuordecim
articulis fidei, de decem praeceptis, et de septem sacramentis.
50 Et propter hoc cum uerbis a Deo praedicatis utitur spe, quam in

---

CXVIII, **15** est – idololatriae] *correxi*; est genere idolatriae *M T R*; generat
idolatriam *M*₁   **45/47** Et – suae] *coni. ex textu cat.*; *om. M T R M*₁

Deo habet. Et inuidus homo uerba habet contraria, cum quibus
utitur | inuidia.   R 99ᵛ

Homo inuidus concupiscit uxorem uicini uel proximi sui; et
ob hoc utitur inuidia. Et homo in Deo sperans bono amore
55 diligit uxorem uicini sui, eo quia Deus est causa efficiens et
finalis illius.

Homo inuidus concupiscit uineam uel campum uicini sui, et
pinguem altilem, porcum uel mutonem ac bouem illius. Et homo
in Deo sperans diligit in Deo et pro Deo et amore Dei campum,
60 uineam, pinguem altilem, porcum, bouem et mutonem uicini
sui.

Homo inuidus quando odorat pomum, rosam, lilium uel uiolam, consequitur placitum per odoratum; per quod quidem
placitum transit ad desiderandum placitum ad habendum uxo-
65 rem uicini sui ad lectum suum. Et homo in Deo sperans, quando
tentatur ad odorandum placidum odorem, ascendit ad habendum placitum in Deo et spem, quod sibi det, eum adiuuet et sibi
peccata indulgeat, quae per luxuriam commisit.

Homo inuidus consequitur placitum in audiendo loqui de
70 diuitiis honoribusque; quoniam in concupiscendo talia consequi-
tur placitum, cum quo utitur | inuidia. Et homo sperans in Deo,   T 49ᵛ
quando audit loqui de Deo et eius operibus, consequitur placitum, cum quo spe utitur.

Homo inuidus, quando uidet aliqua pulchra, propter placi-
75 tum, quod consequitur in uidendo illa, uult ea habere et uult
dominum fore eorum; et propter hoc utitur inuidia. Et homo in
Deo sperans utitur per uisum spei in quantum laudat et benedicit Deum, qui creauit ita pulchras creaturas, quae ita placidae
sunt ad uidendum.

80 Spes est bona creatura et est instrumentum ad faciendum
opera bona. Et inuidia est malefactura hominis et daemonis et
est malum instrumentum ad faciendum opera mala.

Per spem magnam distat homo ab inuidia magna. Et per
magnam inuidiam distat homo a magna spe. Propter | quod   M 114ʳ
85 potest cognosci fidem christianorum fore ueram, per quam habetur spes magna in Deo et operibus eius. Contra quam fidem
nulla alia fides potest esse magna, neque uera.

Diximus de spe et inuidia. Et ita deprecemur humiliter dominum Deum nostrum, quatenus nobis spem manuteneat contra
90 inuidiam, ex quo est Pater noster. Et eius amore, reuerentia et
honore dicamus *Pater noster.*

---

62 rosam] *coni. ex textu cat.*; *om. codd. omnes*   67 placitum – spem] *coni.*; in
Deo sperare *MTRM₁*; *cat.* plaer en Deu e haver esperança

V.6.7. DE SPE ET IRA [G h]

[SERMO CXIX]

Si uelis sermocinari de spe et ira, recolas earum themata, definitiones et species; et secundum eas ordina tuum sermonem.
5 In principio deprecabimur dominum Deum nostrum Iesum Christum, quatenus det mihi gratiam dicendi, et uobis audiendi et retinendi uerba, quae sint ad eius gloriam atque laudem et nostrarum animarum salutem. Et ob amorem, reuerentiam et honorem nostrae dominae sanctae Mariae dicamus *Aue Maria*.
10 Spes est instrumentum a Deo creatum, homini datum, eo ut cum spe principaliter Deo deseruiat, et secundario sibi ipsi et proximo suo. Et ira est instrumentum et factura hominis et daemonis, eo ut principaliter Deo non deseruiat,| secundario sibi R 100ʳ ipsi et proximo suo. Et hac de causa spes et ira sunt habitus
15 contrarii et habentes distantiam infinitam.
Cum Deus bonus sit, et spes sit pro seruiendo sibi, decet spem esse bonam. Et quia spes est datum instrumentum homini pro seruiendo Deo, decet hominem utentem spe esse bonum. Cum ira sit malum instrumentum et homo iratus ea utatur, decet
20 hominem iratum esse malum. Vnde cum hoc ita sit, sunt igitur spes et ira instrumenta contraria, quae per bonitatem et malitiam habent distantiam infinitam.
Cum Deus sit magnus, et spes sit pro seruiendo sibi, decet spem esse magnam. Et quia ira est contra seruire Deo, non est
25 magna. Sunt igitur spes et ira instrumenta contraria, quae per magnitudinem et in magnitudine habent distantiam infinitam. Et quia spes in christiano bono est, et in ipso est maior, quam in alio homine, est igitur manifestum et probatum, fidem christiani boni, cum spe concordantiam habentis, esse bonam et ueram; et
30 omnem fidem isti contrariam esse falsam.
Cum Deus sit aeternitas, et spes sit pro seruiendo Deo, decet hominem spem habentem aeternitati deseruire,.et quod meritum eius sit aeternum. Et quia ira est instrumentum contra spem, homo iratus ira utens cum ira non deseruit aeternitati. Et
35 propter hoc sustinebit in igne infernali iram aeternam. Sunt igitur spes et ira instrumenta contraria, quae per aeternitatem habent distantiam infinitam.
Intellectus humanus per spem deliberat ad intelligendum bonum uel malum. Et quia ira contra spem est, intellectus
40 iratus non deliberat nec deliberationem habet ad intelligendum bonum uel malum. Et propter hoc ira ad contingentiam utitur.

CXIX, **10** datum] *corr. M*₁; deditum *MTR*   **24** non] *coni.*; *om. codd. omnes,*
etiam cat.   **40** iratus] *coni.*; humanus *MTRM*₁

Voluntas humana cum spe se ipsam laetificat, et se ipsam diuitem reddit. Et cum ira contrarium facit. Et sic spes et ira sunt | in uoluntate humana contraria instrumenta; quae in ipsa   M 114ᵛ
45 habent distantiam infinitam.

Memoria humana per spem meretur esse instrumentum ad memorandum Deum et opera eius cum successione et motu memorantis, memorati et memorare. Et si habituata est de ira, est instrumentum per contrarium. Et propter hoc spes et ira,
50 quae sunt contraria instrumenta, habent in memoria distantiam infinitam.

Imaginatio per spem fortis est et sana; et habet deliberationem ad imaginandum res imaginatione apprehensibiles pro seruiendo Deo. Et imaginatio per iram debilis est, et non sana;
55 et est instrumentum contrarium contra spem. Et hac de causa spes et ira habent in imaginatione distantiam infinitam.

Potentia affatiua per spem fortificatur et uirtuosificatur in loquendo. Et per iram contrarium est. Propter quod homo, habens spem, format, colorat, rhetorificat uerba sua. Et homo,
60 habens iram, loquitur per contrarium.

Potentia tactiua per spem ordinatur ad finem, per quem est. Et per iram inordinatur contra finem, per quem est.

Potentia gustatiua per spem temperatur ad finem, per quem est. Et per iram distemperatur contra finem, per quem est.
65 Potentia odoratiua per spem non amittit finem, per quem est. Et per iram eum amittit.

Potentia auditiua per spem consequitur placitum in audiendo loqui de Deo et operibus eius. Et per iram tristitiam consequitur, quando au|dit loqui de Deo et operibus suis.   R 100ᵛ
70 Quando potentiae intellectiuae informant sensitiuas, spes informat potentiam uisiuam ad finem, per quem est; cum ita sit, quod ipsa informet potentias intellectiuas ad finem, per quem sunt. Et quia spes et ira sunt habitus contrariantes, ira deformat potentiam uisiuam contra finem, per quem est.
75 Qui uelit cognoscere iram contra spem, et spes contra iram, inquirat controuersiam per uias supra dictas.

Diximus de spe et ira. Propter quod deprecemur dominum Deum nostrum, quatenus spem contra iram nobis manuteneat, ex quo est Pater noster. Et eius amore, reuerentia et honore
80 dicamus *Pater noster*.

44 humana] *coni.*; *om. codd. omnes*   48 memorare] *coni.*; memorandi *M T R M₁*
63/64 ad – est¹] *coni.*; *om. codd. omnes, etiam cat.*   64 per quem est] *coni.*; *om. codd. omnes*

V.6.8. De spe et mendacio [G i]

[Sermo CXX]

Quicumque uelit sermocinari de spe et mendacio, recolat
earum themata, definitiones et species; et secundum eas ordinet
5 suum sermonem.

In principio deprecabimur dominum Deum nostrum Iesum
Christum, quatenus det mihi gratiam dicendi, et uobis audiendi
et retinendi uerba, quae sint ad eius honorem. Et ob amorem,
reuerentiam et honorem nostrae dominae sanctae Mariae dica-
10 mus Aue Maria.

Spes est instrumentum, cum quo a Deo exspectantur uera et
magna. Et mendacium est instrumentum, cum quo non spectan-
tur a Deo uera neque magna. Et ob hoc spes et mendacium sunt
contraria instrumenta, habentia distantiam infinitam per poten-
15 tiam uisiuam, auditiuam, odoratiuam, gustatiuam, tactiuam,
affatiuam, imaginatiuam, intellectiuam, amatiuam et memo|ra-   M 115ʳ
tiuam; quae bona sunt naturalia. Et etiam sunt habitus contrarii per bona gratiae, quae sunt per diuitias temporales. Et extra
hos terminos spes et mendacium non habent subiectum, in quo
20 contrarientur.

Mendacium est instrumentum, cum quo homo dismentitur se
ipsum et proximum suum, et etiam Deum, in quantum attribui-
tur Deo cum mendacio id, quod in ipso non est; et negatur in
Deo id, quod in ipso est. Sicut Auerroistae, dicentes Deum non
25 esse in trinitate, nec etiam incarnatum, nec mundum esse creatum per ipsum, nec esse causam efficientem et finalem alterius
uitae. Dicentes, inquam, Deum non posse esse sine angelis, sine
caelo, nec posse facere aliquid in hoc saeculo sine motu caeli. Et
homo habens spem loquitur per contrarium de Deo uera et
30 magna, scilicet quattuordecim articulos, decem praecepta et
septem sacramenta.

Ita homo mentitur cum suo intellectu, quemadmodum intelligit ueritatem, et negat illam per uerba, quando mentitur, dicendo id, quod uerum est, non esse uerum. Propter quod talis
35 intellectus deformatus est, et a fine, per quem est, deuiatus. Et
contra talem intellectum est intellectus, in Deo spem habens,
cum qua de Deo uera et magna intelligit.

| Homo mendax mentitur cum uoluntate mendaci, quae gignit   T 50ʳ
mendacium spirituale, et quae etiam gignit mendacium sensuale
40 per mendacia uerba. Et uoluntas uera, in Deo sperans, utitur
per contrarium mendaciis.

CXX, **15** gustatiuam, tactiuam] *correxi*; gus tactatiuam *M*; gustatiuam *TR M*₁
24 Auerroystae] atheistae *M*₁   **28** saeculo] *add.* nec *M T R M*₁

Homo mendax mentitur cum mendaci memoria, quando memorat uera spiritualiter, et mouet linguam ad proferendum
uerba falsa et sensibilia. Cum tali memoria homo mendax non
45 potest in Deo sperare; cum ita sit, quod spes sit de genere
ueritatis.

Homo mendax de imaginatione facit instrumentum mendax. |
Et homo, in Deo sperans, utitur imaginatione tamquam instru-   R 101ʳ
mento ueraci.

50 Homo mendax uerba mendacia gignit, quae abstrahit a uera
mente. Et homo, spem in Deo habens, de uera mente uerba
ueracia gignit.

Homo mendax abstrahit a potentia tactiua, quae uera est per
naturam, mendacia opera. Et homo, in Deo sperans, utitur
55 potentia tactiua contra mendacium.

Homo mendax utitur potentia gustatiua cum mendacio. Et
homo, in Deo sperans, utitur potentia gustatiua cum ueritate.

Homo mendax non sequitur naturam potentiae odoratiuae,
quae non gignit mendacium odorando. Et homo, in Deo sperans,
60 sequitur naturam potentiae odoratiuae, in quantum exspectat a
Deo uera et magna.

Homo mendax, si audiat narrari aliqua uerba, refert id, quod
audiuit, in contrarium. Et homo, sperans in Deo, id, quod audit,
in ueritate refert.

65 Homo mendax mentitur cum potentia uisiua, uidens uera, et
dicit non ea uidisse. Et homo, in Deo sperans, ueritatem dicit
cum potentia uisiua. Propter quod facit concordantiam inter
potentiam uisiuam et spem.

Ostendimus uias naturales, per quas controuersiam habent
70 spes et mendacium.

Nunc dicemus de uiis, quae sunt per diuitias. Quae | per   M 115ᵛ
naturam non sunt, sed sunt per bona gratiae, quae Deus dat.

Honor ditatio est; quem dicit mendacium non esse ditationem; et spes dicit eum esse ditationem; cum ita sit, quod
75 dedecus siue inhonor sit paupertas.

Mendacium dicit denarios esse ditationem homini eos multum
amanti. Et spes dicit ipsos non esse ditationem, nisi amentur
principaliter pro uenerando Deum et eidem seruiendo.

Mendacium dicit campos, uineas, castra, uillas et ciuitates
80 esse diuitias hominis ea possidentis. Et spes dicit ea supra dicta
non esse diuitias, nisi possideantur intentione Deum uenerandi
et seruiendi.

Mendacium dicit laudem et honorem esse diuitias. Et spes
dicit respondendo non esse diuitias, nisi sint pro uenerando
85 Deum et eidem seruiendo.

---

71 dicemus] *om. et add. alia manu in marg.* M; dictum est R M₁; *om.* T   **73**
quem] *coni.*; quam M T R; quando M₁   **74** sit] T M; *om.* M R

Mendacium dicit scientiam esse ditationem. Et spes respondet dicens, quod uerum est, quod scientia est ditatio, cum conditione scilicet, quod habeatur scientia pro cognoscendo Deum, et pro faciendo ipsum cognosci illis, qui eum non cognoscunt.

90 Mendacium dicit amorem, quem homo habet aduersus Deum, esse ditationem. Et spes concedit, quod mendacium uerum dicit, hoc supposito, quod homo diligat Deum super omnia; quod si ita non esset, quod homo non amaret Deum super omnia, ille amor paupertas diceretur.

95 Diximus de spe et mendacio. Et propter hoc deprecemur dominum Deum nostrum, quatenus nobis spem manuteneat contra mendacium, ex quo est Pater noster. Et eius amore, reuerentia et honore dicamus *Pater noster*.

V.7. DE CARITATE

V.7.1. De caritate et avaritia [H b]

[Sermo CXXI]

Si uelis sermocinari de caritate et auaritia, recolas earum
5 themata, definitiones et species; et secundum eas ordina tuum sermonem.

In principio deprecabimur dominum Deum nostrum Iesum Christum, quatenus det | mihi gratiam dicendi, et uobis audiendi R 101ᵛ et retinendi uerba, quae sint ad eius laudem et animarum
10 nostrarum salutem. Et ob amorem, reuerentiam et honorem nostrae dominae sanctae Mariae dicamus *Aue Maria*.

Quicumque uelit cognoscere controuersias et infinitam distantiam, quam habent caritas et auaritia, intelligat, si sunt, quid sunt, de quo sunt, per quid sunt, quot sunt, quales sunt, quando
15 sunt, ubi sunt, quomodo sunt et cum quo sunt. Extra has decem uias non possunt cognosci nec inueniri, quia extra eas esse non possunt.

Sine caritate homo non posset magis amare Deum, se ipsum et proximum suum. Vnde cum aliqui homines diligant Deum
20 super omnia, ergo est caritas. Et sine auaritia nullus amaret plus bona temporalia, quam Deum et quam se ipsum et proximum suum. Vnde cum sint aliqui homines, plus amantes bona temporalia, quam Deum et quam se ipsos et proximum eorum, ergo est auaritia in illis.

CXXI, **14** quales] *coni.*; quae *M T R M*₁   **15** et] *coni.*; *om. omnes codd.*   **22/ 23** bona temporalia] *om. et add. sup. lin.* M₁; *om. M T R*   **23** ipsos] *correxi*; ipsum *M T R M*₁   proximum eorum] *correxi*; proximum suum *M R*; proximos suos *T M*₁

25 Caritas est similitudo bonae uoluntatis, cum qua di|ligit omne M 116ᵛ
bonum. Et auaritia est similitudo malae uoluntatis, quae tenet
otiosas diuitias temporales, quoniam eas deuiat a fine suo.

Caritas est de similitudine bonitatis, magnitudinis, durationis,
potestatis, intellectus, et maxime de similitudine uoluntatis. Et
30 auaritia est de dissimilitudinibus bonitatis, magnitudinis et aliarum, et maxime de dissimilitudinibus uoluntatis.

Caritas est eo, quia Deus eam creauit et dedit homini bono, eo
ut cum caritate diligat Deum, se ipsum et proximum suum. Et
auaritia est eo, quia facta est per hominem et daemonem, eo ut
35 homo diligat magis bona temporalia, quam Deum, se ipsum et
proximum suum.

Caritas est habitus, habens ita magnam quantitatem, quanta
conuenit ad amandum Deum et eius opera super omnia, et ad
amandum se ipsum et proximum suum. Et auaritia est habitus,
40 habens ita magnam quantitatem, quanta conuenit ad amandum
plus bona temporalia, quam ad amandum Deum, se ipsum et
proximum suum.

Caritas est bona, magna, durabilis, potens, intelligibilis, amabilis, uirtuosa, uera et quae est uia gloriae caelestis aeternae. Et
45 auaritia habet qualitates contrarias qualitatibus supra dictis, et
est uia poenae infernalis aeternae.

Caritas est primitus in potentia, in quantum est creatura,
quae Dei potestate potest esse; et deportatur etiam in actum,
quia Deus eam creauit et eam homini dedit. Et auaritia est in
50 potentia in homine, eo quia potest deuiare bona temporalia et
tenere illa otiosa; et fertur ad actum tempore, quo homo utitur
ea contra fines bonorum temporalium, quae tenet otiosa.

Caritas est in homini plus amanti Deum et eius opera super
omnia et amanti etiam se ipsum et proximum suum. Et auaritia
55 habet locum in homine per contrarium. Et propter hoc caritas
et auaritia non possunt esse uno tempore nec in uno loco in
homine.

Caritas est cum modo bonitatis, magnitudinis et aliorum
principiorum naturalium innatorum. Et auaritia est cum malo
60 modo intellectus, uoluntatis, | memoriae, imaginationis, affandi, R 102ʳ
palpandi, gustandi, odorandi, audiendi et uidendi.

Caritas est cum Deo et homine, habente bonum intelligere,
bonum amare, bonum memorare, bonum imaginari, bonum affari, bonum palpare, bonum gustare, bonum odorare, bonum audi-

---

26 omne] *correxi*; totum *MTRM*₁; *cat.* tot   **38/39** et ad – suum] *coni.*; *om.*
*MTRM*₁   **39** auaritia est] *om. sed add. in marg.* M   **39/40** habitus – quantitatem]
coni.; *om. codd. omnes, etiam cat.*   **42** suum] *coni.*; *om. codd. omnes*   **44** uia] *om. et*
add. in marg. M; *om.* T   gloriae] gloria *MTR*   **52** temporalium] *coni.*; *om.*
codd. omnes   **59** principiorum] *coni.*; initiorum *MTR*; *corr. ex* uitiorum *M*₁

65 re et bonum uidere. Et auaritia est cum homine et daemone, et
cum malo intelligere, uelle, memorare, imaginari et aliis.

Soluimus decem quaestiones. Per quas potest cognosci caritas
et auaritia, et earum controuersia et distantia infinita; eo quia
nullum habent genus, in quo ualeant concordare:

70   Caritas laetitiam gignit, et auaritiam tristitiam.
Caritas generat pacem, et auaritia guerram.
Caritas requiem generat, et auaritiam laborem et angustiam.
Caritas legalitatem generat, et auaritia illegalitatem.
Caritas generat amicitiam, et auaritia ini|micitiam.   M 116ʳ

75   Caritas generat patientiam, et auaritia impatientiam.
Caritas generat humilitatem, et auaritia superbiam.
Caritas generat pietatem, et auaritia impietatem.
Caritas generat ditationem, et auaritia paupertatem.
Caritas | generat sanitatem, et auaritia infirmitatem.   T 50ᵛ

80   Caritas generat cognitionem, et auaritia ignorantiam.
Caritas generat curialitatem, et auaritia incurialitatem.
Caritas generat bonam intentionem, et auaritia suspectionem.

Diximus de caritate et auaritia et earum controuersias ostendimus. Et propter hoc deprecemur dominum Deum nostrum,

85 quatenus nobis manuteneat caritatem ad amandum eum super
omnia, et ad abhorrendum auaritiam et alia peccata, ex quo est
Pater noster. Et eius amore, reuerentia et honore dicamus *Pater
noster*.

V.7.2. DE CARITATE ET GVLOSITATE [H C]

[SERMO CXXII]

Quicumque uelit sermocinari de caritate et gulositate, recolat
earum themata, definitiones et species; et secundum eas ordinet

5 suum sermonem.

In principio deprecabimur dominum Deum nostrum Iesum
Christum, quatenus det mihi gratiam dicendi, et uobis audiendi
et retinendi uerba, quae sint ad eius honorem. Et ob amorem,
reuerentiam et honorem nostrae dominae sanctae Mariae dica-

10 mus *Aue Maria*.

Homo habens caritatem sex habet fortitudines contra gulositatem. Et homo gulositatem habens quattuor habet fortitudines
contra caritatem. Et primo dicemus de sex fortitudinibus caritatis. Postea de quattuor gulositatis:

15   1.Deus est fortitudo caritatis, in quantum caritatem facit
forte instrumentum, eo ut cum caritate homo fortis persistat
supra fortitudinem uoluntatis humanae naturalis, eo ut uolun-

---

73 auaritia] *recte coni.* M₁; accidia *M T R*

tas cum Dei fortitudine et fortitudine caritatis, quae sibi est R 102ᵛ
instrumentum ad amandum, diligat Deum super omnia.

20   2. Secunda fortitudo est per fortitudinem hominis; | qui forti-
tudinem habet ad mouendum suam uoluntatem ad amandum
caritatem.

3. Tertia fortitudo est, quod uoluntas fortitudinem habet, ut
ualeat amare.

25   4. Quarta fortitudo est, quod uoluntas habet fortitudinem ad
amandum per fortitudinem instrumenti, quod caritas est; cum
ita sit, quod uoluntas possit plus amare cum instrumento, quam
sine instrumento.

5. Quinta fortitudo est, quod bonus angelus fortificat uolunta-
30 tem humanam, quando uult amare cum caritate.

6. Sexta fortitudo est, quod uoluntas habet fortitudinem cum
temperantia per caritatem, quando amat temperantiam contra
gulositatem, quae contrarius habitus est temperantiae.

1. Prima fortitudo, quam habet gulositas, est fortitudo daemo-
35 nis fortificantis humanam uoluntatem ad amandum gulositatem.

2. Secunda fortitudo est, quod homo habet fortitudinem | cum   M 117ʳ
gulositate, quae est instrumentum ad amandum placita, quae
per gulositatem habentur.

40   3. Tertia fortitudo est fortitudo uoluntatis, quae naturalem
fortitudinem habet in amando placitum pro comedendo et bibendo.

4. Quarta fortitudo est per fortitudinem instrumenti, quod est
gulositas.

45   Sex fortitudines sunt fortiores, quam quattuor. Et propter
hoc potest cognosci, uirtutem magis posse, quam peccatum.
Attamen si homo et daemon multiplicant et magnificant quattuor praedictas fortitudines, per accidens magis possunt, quam
sex. Propter quod sex fortitudines et quattuor praedictae sunt
50 aequales mensurae per libertatem. Sine qua non haberet deliberationem homo, nec liberum arbitrium ad utendum caritate
uel gulositate; et iustitia Dei non haberet subiectum dandi
saluationem propter caritatem, nec dandi damnationem propter
gulositatem.

55   Caritas est uirtus spiritualis et gulositas est peccatum corporale, eo quia est per potentiam gustatiuam. Et propter hoc
caritas magis potest cum temperantia, quam gulositas cum
distemperantia.

Humanus intellectus magis potest intelligendo cum uolunta-
60 te, quae caritatem amat, quam quando amat gulositatem.

CXXII, **29** bonus angelus] *om. sed add. alia manu in marg. M; om. T R M₁*   **37**
quod] quia *R M₁*   habet] *om. et add. in marg. inf. M;* habeat *T*

Voluntas magis potest in amando intellectum, qui caritatem intelligit, quam in intellectu, gulositatem intelligenti.

Memoria maiorem habet fortitudinem in memorando caritatem, quam in memorando gulositatem.

65 Ostendimus, qualiter potentiae spirituales ascendunt, quando obiectant caritatem. Et propter hoc caritas est gradarium, cum quo ascendunt, et gulositas est gradarium, per quod descendunt. Et per talem ascensum et descensum potest cognosci, hominem ascendere cum caritate ad gloriam caelestem aeternam, et homi70 nem descendere cum gulositate ad ignem infernalem aeternum.

Ille scit, quod caritatem habet, qui cum caritate gulositatem abhorret. Et ille scit, gulositatem habere, si scit, quod magis diligit gulositatem, quam caritatem.

Ille scit, quod est bonus, si scit, quod ipse diligat caritatem, et 75 non diligat gulositatem. Et ille scit, quod malus est, si scit, quod magis diligat gulositatem, quam caritatem.

Qui scit, quod habet magnum amare per caritatem, scit, quod habet maius amare, quam ille, qui scit, quod gulositatem amat. Et ratio, per quam est, | existit in eo, quia caritas altum et nobile R 103ʳ 80 obiectum et instrumentum est, et gulositas est obiectum et instrumentum per contrarium.

Ille scit, quod habet maius intelligere, si Deum intelligat cum caritate, quam si intelligat hominem cum gulositate. Et ratio, per quam est, existit in eo, quia caritas est instrumentum per 85 Deum creatum, et gulositas est instrumentum et factura hominis et daemonis.

Ille scit, quod habet maius memorare, si memoret caritatem, quam si memoret gulositatem. Et ratio, per quam est, stat in eo, quod caritas est maius obiectum in uirtute, quam gulositas in | 90 peccato.   M 117ᵛ

Caritas consobrina est patientiae, et gulositas impatientiae.

Caritas est affinis humilitatis, et gulositas superbiae.

Caritas amicatur sanitati, et gulositas infirmitati.

Caritas uicina est curialitatis, et gulositas incurialitatis.

95 Caritas est affinis scientiae, et gulositas ignorantiae.

Caritas est instrumentum diues, et gulositas est instrumentum egenum.

Caritas est instrumentum bonum, et gulositas est instrumentum turpe.

100 Caritas est instrumentum, quod Deus facit per bonum finem;

---

71 scit] *corr. ex* sit M_1; sit *M T R*   **79** ratio] *coni.*; rationem *M T R M₁*   est] *coni.*; *om. codd. omnes*   in] *coni.*; *om. codd. omnes*   **80** est¹] *om. M*   **83** hominem – gulositate] *coni.*; hominem gulositate *M T R*; cum gulositate *corr. ex* hominem gulositatem M_1 ratio] *coni.*; rationem *M T R M₁*   **84** existit] *coni.*; *om. codd. omnes*   **88** quam] *corr.* M_1; quod *M T R*   ratio] *coni.*; rationem *M T R M₁* est] *coni.*; *om. codd. omnes*

et gulositas est instrumentum, quod homo et daemon faciunt per malum finem.

Qui caritatem habet, non indiget bono; et qui habet gulositatem, indiget omni bono.

105 Caritas est de genere nobili, et gulositas est de genere uili.

Diximus de caritate et gulositate. Et propter hoc deprecemur dominum Deum nostrum, quatenus nobis manuteneat caritatem ad amandum eum et seruiendum contra gulositatem, ex quo est Pater noster. Et eius amore, reuerentia et honore dica-

110 mus *Pater noster*.

V.7.3. De caritate et lvxvria [H d]

[Sermo CXXIII]

Si uelis sermocinari de caritate et luxuria, recolas earum themata, definitiones et species; et secundum eas ordina tuum

5 sermonem.

In principio deprecabimur dominum Deum nostrum Iesum Christum, quatenus det mihi gratiam dicendi, et uobis audiendi et retinendi uerba, quae sint ad eius honorem. Et ob amorem, reuerentiam et honorem nostrae dominae sanctae Mariae dica-

10 mus *Aue Maria*.

Caritas est instrumentum et uirtus, cum quo efficiuntur omnes actus potentiarum naturalium uirtuosi. Et luxuria est instrumentum et uitium, per quod efficiuntur uitiosi. Et propter hoc caritas et luxuria sunt contraria instrumenta; quae per

15 amare, intelligere, memorare, imaginari, affari, palpare, gustare, odorare, audire et uidere habent in homine contrarietatem et distantiam infinitam.

Caritas non crescit, neque diminuitur uel decrescit, sed actus per eam crescunt et diminuuntur; cum ita sit, quod uoluntas

20 humana non crescat neque diminuatur, sed crescit uel diminuitur eius amare. Hoc idem potest dici de luxuria; quae non crescit nec diminuitur, sed augmentatur uel diminuitur eius | actus, secundum quod uoluntas uult multum uel parum ea uti.   T 51ʳ

Diuina uoluntas infinita est, et quod infinitum est non crescit

25 neque decrescit. Et eius amare infinitum est; cum ita sit, quod sit unum idem cum diuina uoluntate. Et sic hac de causa diuinum amare non crescit, neque decrescit. Et creauit caritatem, | quae non crescit, neque decrescit uel diminuitur; sed   R 103ᵛ crescit uel decrescit actus eius, eo quia non est unum idem cum

30 caritate. Hoc idem potest dici de luxuria; quae est factura hominis et daemonis.

---

105 nobili] *coni.*; abili *MTR*; habili *M₁*; *cat.* linatge gentil

Deo non necessaria est caritas, in quantum caritas instrumentum est. Quoniam si esset, posset cognosci, quod per instrumentum posset crescere uel decrescere siue diminui eius amare.
35 Potest igitur cognosci, quod uoluntas humana potest plus | amare per caritatem, uel minus amare; cum ita sit, quod poten-   M 118ʳ
tia humana potest magis operari per se et cum instrumento, quam sine instrumento; et hoc audiendo bonum uel audiendo malum, in bono cum caritate, in malo cum luxuria.
40   Sicut diximus de caritate per uoluntatem, potest dici per intellectum, per memoriam, imaginationem et per alias potentias naturales.

Vnde cum hoc ita sit, per hoc, quod diximus, possunt cognosci controuersiae, quas habent caritas et luxuria; et homo est
45 subiectum illarum controuersiarum. Propter quod potest cognosci, cunctum hominem per caritatem ire ad gloriam caelestem aeternam, et per luxuriam ad poenam infernalem aeternam.

Qui caritatem amat, Deum amat; et qui caritatem odit, Deum
50 odit. Et amantem caritatem Deus amat, et odientem caritatem Deus odit. Et quia caritas et castitas in homine amicantur, potest cognosci, quod Deum odit, qui luxuriam amat et qui castitatem abhorret. Et propter totum hoc diuina uoluntas recipit nullam mutationem; quoniam quod infinitum est et
55 aeternum, non potest mutari nec alterari.

Caritas est instrumentum spirituale, et luxuria corporale. Et quia caritas est superius, et luxuria inferius, stultus est homo ille, qui propter luxuriam caritatem amittit; et sapiens est, qui caritatem amat, et luxuriam abhorret.
60   Deus praecipit homini (Deut. 6,5), ut eum diligat tamquam dominum toto corde suo et tota anima sua et tota mente sua et totis uiribus suis. Ergo praecipit, hominem caritatem habere, quoniam sine ipsa non posset oboediens esse praecepto Dei. Et quia Deus praecipit per Moysen (Ex. 20,14; Deut. 5,18), homi-
65 nem non exercere luxuriam, est igitur manifestum et probatum, quod homo habens caritatem luxuria priuatus est; et quod homo habens luxuriam priuatus est caritate. Et in hoc passu potest cognoscere homo luxuriosus, quod deceptus est, credens Deum amare, et non eum amat.
70   Caritas pulchra est, et luxuria non est pulchra.
Caritas utilis est, et luxuria damnosa.
Caritas bona est, et luxuria mala.
Caritas Dei est, et luxuria daemonis.
Cum caritate est homo liber, et cum luxuria captiuus.

CXXIII, **36** amare¹] *add.* quam *M T R*; *add. et del.* quam *M*₁   **66** homo] *coni.*; *om. omnes codd.*   **67** homo] *coni.*; *om. codd. omnes*

75   Caritas est habitus splendidus, et luxuria tenebrosus.
     De caritate potes praedicare uerba pulchra, et de luxuria
foetida uerba et non pulchra.
     Cum caritate habes pulchrum amare, et cum luxuria non
pulchrum amare.
80   Cum caritate habes pulchrum intelligere, cum luxuria non
pulchrum.
     Cum caritate habes pulchrum memorare, et cum luxuria non
pulchrum.
     Cum caritate habes pulchrum imaginari, et cum luxuria non
85 pulchrum.
     Cum caritate | habes pulchrum palpare, et cum luxuria non   R 104ʳ
pulchrum.
     Cum caritate habes pulchrum affari, et cum luxuria non
pulchrum.
90   Cum caritate habes bonum gustare, et cum luxuria non bonum.
     Cum caritate habes placidum odorem, et cum luxuria foeti-
dum.
     Cum caritate habes iustum audire, et cum luxuria iniustum.
95 | Cum caritate habes pulchrum uidere, et cum luxuria iniurio-   M 118ᵛ
sum.
     Diximus de caritate et luxuria. Et propter hoc deprecemur
dominum Deum nostrum, quatenus nobis manuteneat caritatem contra luxuriam, ex quo est Pater noster. Et eius amore,
100 reuerentia et honore dicamus *Pater noster*.

V.7.4. DE CARITATE ET SVPERBIA [H e]

[SERMO CXXIV]

     Quicumque uelit sermocinari de caritate et superbia, recolat
earum themata, definitiones et species; et secundum eas normet
5 suum sermonem.
     In principio deprecabimur dominum Deum nostrum Iesum
Christum, quatenus det mihi gratiam dicendi et uobis audiendi
et retinendi uerba, quae sint ad eius gloriam et laudem et
animarum nostrarum salutem. Et ob amorem, reuerentiam et
10 honorem nostrae dominae sanctae Mariae, dicamus *Aue Maria*.
     Caritas est uerbum spirituale, cum quo homo loquitur supra
fortitudinem naturalem de sua uoluntate, amante Deum dominum nostrum et eius opera super omnia. Et superbia est uerbum spirituale, cum quo homo loquitur superbe de eius decem

---

97 caritate] *correxi*; castitate *M T R M₁*

15 potentiis naturalibus et de actibus earum. Propter quam quidem superbiam humana uoluntas diligit supra uires eius plus se
ipsam et eius opera, quam Deum nec cuncta alia. Et propter hoc
caritas et superbia in humana uoluntate habent controuersiam
et distantiam infinitam.

20   Caritas est instrumentum, cum quo homo amorose loquitur
uerba amorosa de domino Deo nostro, de eius humanitate,
suprema bonitate, magnitudine et aliis. Et fortitudine amoris
humanus intellectus fortificatur ad essendum illuminatum ad
intelligendum unitatem diuinam, supremam bonitatem, magni-
25 tudinem et alias. Et de tali supremitate homo superbus non
curat et exstat eius intellectus tenebrosus ad intelligendum
peccatum suum.

   Caritas est instrumentum, cum quo illuminatur de amore
humana memoria ad memorandum supra uires suas sanctam
30 diuinam trinitatem, incarnationem et alios articulos sanctae
fidei catholicae, decem praecepta et septem sacramenta. Et
memoria superba de tali memoratu non curat, sed quod memorat superbe hominem, in quo est, et eius potentias naturales et
bona temporalia.

35   Superbia est instrumentum, cum quo homo desiderat superbe
esse finem sui ipsius, et non Dei; cum ita sit, quod superbia non
exigat dominum Deum nostrum esse supra ipsum, sed sicut
oleum, habens naturam natandi supra aquam, ita uult stare
supra Deum, et super omnia alia quaecumque. Et caritas utitur
40 per contrarium. Et propter hoc cum caritate homo ascendit
superius ad caelestem gloriam aeternam; et cum luxuria | des-   R 104ᵛ
cendit inferius in infernum ad poenam aeternam.

   Superbia reddit superbam potentiam uolitiuam ad amandum,
et intellectiuam ad intelligendum, et memoratiuam ad memo-
45 randum, imaginatiuam ad imaginandum, affatiuam ad affan-
dum, | tactiuam ad tangendum, gustatiuam ad gustandum odo-   M 119ʳ
ratiuam ad odorandum, auditiuam ad audiendum et uisiuam ad
uidendum. Et propter hoc quilibet homo superbus uadit superbe ad infernum, in quo erit superbus aeterne. Et caritas est
50 instrumentum per contrarium contra superbiam et eius amato-
res.

   Superbia est instrumentum, cum quo homo superbe utitur
bonis gratiae, quae Deus impendit. Et caritas est instrumentum,
cum quo homo humiliter utitur bonis gratiae, quae Deus dat. Et
55 propter hoc superbia et caritas in bonis gratiae contrariantur, et
habent distantiam infinitam.

   Caritas est de genere bonitatis, et superbia de genere mali est.

   CXXIV, **47** et] *coni.*; *om. omnes codd.*   **50/51** amatores] *sed alia manu corr. in*
ualitores *M*; ualitores *TRM₁*; *cat.* ualedores

Caritas est de genere magnae bonitatis, et superbia de genere magnae malitiae.

60 Caritas est de magna legalitate, et superbia de magna falsitate.

Caritas est de genere magnae ueritatis, et superbia de genere magni mendacii.

Caritas est de genere magnae patientiae, et superbia de genere 65 magnae impatientiae.

Caritas est de genere magnae pacis, et superbia de genere magnae angustiae uel laboris.

Caritas est de genere magnae gloriae, et superbia de genere magnae poenae.

70 Caritas est de genere magnae laetitiae, et superbia de genere magnae tristitiae.

Caritas est de genere magnae securitatis, et superbia de genere magni periculi.

| Caritas et iustitia amicantur; et superbia et inoboedientia T 51ᵛ
75 amicantur.

Caritas et prudentia affines sunt, et superbia et imprudentia affines sunt.

Caritas et honor affines sunt, et superbia et dedecus consobrinae sunt.

80 Caritas et animi fortitudo uicinae sunt, et superbia et animi debilitas uicinae sunt.

Caritas et temperantia amicae sunt, et superbia et distemperantia amicae sunt.

Caritas et fides sorores sunt, et superbia et haeresis sorores 85 sunt.

Caritas et spes sorores sunt, et superbia et desperatio sorores sunt.

Caritas et sapientia sorores sunt, et superbia et stultitia sunt sorores.

90 Caritas et saluatio affinitatem habent, et superbia et damnatio similiter.

Si uelis cognoscere hominem caritatiuum et superbum, inquiras eos per uias supra dictas; cum ita sit, quod contrarium per contrarium cognoscatur; et per unam concordantiam co-95 gnoscatur alia concordantia; et per contradictionem cognoscatur unum esse, aliud non.

Diximus de caritate et superbia. Et propter hoc deprecemur dominum Deum nostrum, quatenus caritatem nobis manute-

---

58 superbia] *corr. ex* luxuria M_1; luxuria *M T R*   65 magnae] *om. sed add. sup. lin.* M_1; *om. M T R*   68 de genere²] *coni.*; *om. omnes codd.*   72/73 de genere] *coni.*; *om. omnes codd.*   76/78 et imprudentia – superbia] *coni. ex textu cat.*; *om. M T R M₁*   89 sorores] *coni.*; fratres *M T R M₁*   95/96 cognoscatur] *corr.* M_1; cognoscitur *M T R*

neat contra superbiam, ex quo est Pater noster. Et eius amore,
100 reuerentia et honore dicamus *Pater noster*.

V.7.5. DE CARITATE ET ACCIDIA [H f]

[SERMO CXXV]

Si uelis sermocinari de caritate et accidia, recolas earum
themata, definitiones et species; et secundum eas ordina tuum
5 sermonem.

| In principio deprecabimur dominum Deum nostrum Iesum   R 105ᵉ
Christum, quatenus det mihi gratiam dicendi, et uobis audiendi
et retinendi uerba, quae sint ad eius laudem et animarum
nostrarum salutem. Et ob amorem, reuerentiam et honorem
10 nostrae dominae sanctae Mariae dicamus *Aue Maria*.

| Caritas est instrumentum, quod est similitudo diuinae uolun-   M 119ᵛ
tatis et humanae. Et est similitudo Spiritus sancti, progredientis
a Deo Patre et Deo Filio; quam caritatem donat Deus Spiritus
sanctus homini, eo ut leuiter et diligenter cum caritate diligat
15 Deum super omnia, et quod cum caritate leuiter et diligenter
diligat tantum proximum suum, quantum se ipsum. Et propter
hoc caritas est instrumentum humanae uoluntati, quod diligat
supra suam naturalem bonitatem, magnitudinem et alias similitudines diuinarum dignitatum. Et accidia est instrumentum per
20 contrarium, cum quo habet homo piger pigram et illeuem uoluntatem, et abhorret et odit bonum diligitque malum.

Nullum lignum siue fustis ita leuiter natat super aquam,
quemadmodum facit lignum uocatum sure. Et sic caritas, in
quantum est instrumentum, simile est dicto sure, quoniam ho-
25 mo caritatiuus, id est caritatem habens, habet leuem intellectum ad intelligendum Deum et eius opera. Et cunctae prosperitates uel aduersitates uidentur sibi leues et faciles ad seruiendum Deo, sibi ipsi et proximo suo. Et accidia est tamquam
plumbum, quod est ponderosum, cum qua est homo piger et
30 ponderosus ad faciendum opera bona, quae homo piger accidiosus apprehendere minime potest.

Memoria humana cum caritate est diligens, etiam facilis, ad
memorandum Deum et eius opera et fines potentiarum naturalium, et etiam bonorum terrenorum. Et quia accidia est instru-
35 mentum ponderosum, pigrum, et non leue, homo accidiosus
habet memoriam pigram et negligentem, quae obliuiscitur fines
potentiarum naturalium, et etiam bonorum gratiae.

CXXV, **17** uoluntati] *add. et* M T R M₁   **20** piger] *coni.*; *om. omnes codd.*
illeuem] leuem M₁; *i.e.* non leuem, ponderosam; *cat.* fexuga   **23** sure] *sc.*
suberis cortex; *cat.* suro; *hisp.* corcho

Per naturam homo consequitur placitum per imaginationem.
Et caritas multiplicat placitum illud superius, et facit hominem
40 diligentem ad imaginandum. Et accidia est instrumentum per
contrarium.

Amor et non amor, id est odium, sunt diuersi habitus, et
diuersa instrumenta. Et propter hoc cum caritate ponit amor
superius suum amare ad Deum. Et accidia cum non amore, hoc
45 est odio, illud deponit. Et hac de causa homo cum caritate est
diligens ad loquendum uerba philocapta, id est amorosa; pro
quibus efficitur philocaptus uel amorosus Deo et operibus eius.
Et accidia est habitus per contrarium.

Per naturam potentia tactiua consequitur placitum in tan-
50 gendo. Sicut homo patiens frigus, et consequitur placitum, quan-
do potest ad ignem calefieri; | et si sitiat, consequitur placitum R 105ᵛ
in bibendo uinum frigidum uel aquam frigidam, ita per accidens
caritas est instrumentum, dans placitum in tangendo res palpa-
biles ad uenerandum Deum et eidem seruiendum. Et accidia est
55 habitus per contrarium.

Per potentiam gustatiuam homo habet naturaliter placitum
in gustando pro comedendo et bibendo. Et per caritatem ascen-
dit homo superius supra naturam, et consequitur pla|citum in M 120ʳ
amando temperantiam, quae est instrumentum placidum supra
60 placitum comedendi et bibendi. Et homo accidiosus est piger et
negligens ad acquirendum placitum, quod habetur supra comedere et bibere; et stat placito inferiori, stanti per comedere et
bibere.

Potentia odoratiua per naturam est diligens ad sentiendum
65 odorem placidum progredientem ex almesco uel pomo, rosa, lilio
uel uiola; et est diligens ad uitandum foetidum odorem, progredientem ex animali mortuo uel ex aere corrupto. Et caritas
exstat ad similitudinem placidi odoris. Et accidia exstat ad
similitudinem foetidi odoris.

70 Per naturam homo consequitur placitum in audiendo. Et
caritas portat hoc placitum ad audiendum uerba amoris uirtuosi. Et accidia per contrarium displicitum.

Potentia uisiua per naturam gignit placitum, quando homo
uidet pulchra; sicut uidere pulchrum hominem, pulchram mu-
75 lierem, pulchram chlamydem, pulchrum equum, pulchrum castrum et pulchram arborem. Et illud placitum, quod habetur
per uisum, cum caritate colligitur ad amandum Deum super
omnia et supra naturam pulchrarum rerum. Et si homo consequitur displicitum per naturam in uidendo res non pulchras,
80 sicut uidere leprosum uel senem aegrum male indutum, pauperem et hominem non directum, caritas portat et sustinet displi-

---

45 illud] *correxi*; eum *MTRM*₁   **65** almesco] *sc.* musco; *cat.* almesc; *hisp.*
almizcle; *cf. supra serm.* L, *lin. 76*   **75/76** pulchram – arborem] *om. cat.*

citum illud, et non transportatur in displicitum et sustinetur
cum placito superiori supra dicto. Et accidia est instrumentum
per contrarium.

85   Diximus de caritate et accidia. Et propter hoc deprecemur
dominum Deum nostrum, quatenus nobis manuteneat caritatem contra accidiam, ex quo est Pater noster. Et eius amore,
reuerentia et honore dicamus *Pater noster*.

V.7.6. De caritate et invidia [Hg]

[Sermo CXXVI]

Quicumque uelit sermocinari de caritate et inuidia, recolat
earum themata, definitiones et species; et secundum eas ordinet
5 suum sermonem.

In principio deprecabimur dominum Deum nostrum Iesum
Christum, quatenus det mihi gratiam dicendi, et uobis audiendi
et retinendi uerba, quae sint ad eius honorem. Et ob amorem,
reuerentiam et honorem nostrae dominae sanctae Mariae dica-
10 mus *Aue Maria*.

Caritas est instrumentum uoluntati, cum quo illuminat se
ipsam de amore, et amifi|cat intellectum et memoriam; et om-   R 106ʳ
nes tres potentiae illuminantur ad amandum, intelligendum et
memorandum Deum et eius opera supra uires suas. Et inuidia
15 est instrumentum, cum quo homo concupiscit, amat, intelligit et
memorat supra uires suarum þotentiarum se ipsum contra
Deum et proximum suum. Et propter hoc caritas et inuidia
contrariantur, et habent distantiam infinitam.

Potentia uisiua per naturam consequitur placitum in uiden-
20 do pulchra. Et caritas transportat illud placitum superius ad
amandum res pulchras | uisibiles; et transportat superius et   M 120ᵛ
multiplicat placitum ad amandum Deum, qui creauit pulchras
creaturas. Et de illo gradu ascendit superius magis, et diligit
Deum, eo quia bonus est et pulcher. Et inuidia est habitus per
25 contrarium; | cum ita sit, quod homo inuidus per inuidiam   T 52ʳ
appropriat placito sui ipsius placitum, quod consequitur in
uidendo.

Potentia auditiua per naturam consequitur placitum in audiendo placentem sonum instrumentorum et placentia uerba. Et
30 caritas de placito in placitum ascendit superius, eo ut homo
habeat maius placitum in Deo et in intelligendo Deum et eius
opera, quam aliquid aliud. Et inuidia est habitus per contrarium; cum ita sit, quod inuidia sit instrumentum, per quod

---

CXXVI, **11** uoluntati] *coni.*; *om. codd. omnes*   **12** amificat] *cat.* enamora   **16**
se ipsum] *correxi*; sibi ipsi *M T R M₁*

homo inuidus attribuit sibi ipsi placitum, quod consequitur per
35 auditum.

Consequi placitum ex odorando placidum odorem, est placitum significans placitum, quod habetur per caritatem. Et homo
inuidus habet placitum per contrarium.

Potentia gustatiua per naturam consequitur placitum ex co-
40 medendo et bibendo. Et homo, caritatem habens, colligit cum
caritate similitudinem illius placiti et cum illo ascendendo ponit
ad amandum Deum uoluntatem, intellectum ad intelligendum
Deum et memoria ad memorandum Deum. Et homo inuidus
cum inuidia utitur per contrarium, et dat gloriam sibi ipsi ex
45 placito, quod consequitur ex comedendo et bibendo.

Potentia tactiua per naturam consequitur placitum in tangendo et palpando. Per quod quidem placitum homo caritatiuus
ascendit cum caritate ad placitum spirituale superius, quod
consequitur ex amando, intelligendo et memorando Deum et
50 eius opera. Et inuidia est instrumentum, cum quo homo inuidus
retinetur inferius; et remanet ad habendum placitum per tactum et palpatum feminae, pulchri lecti et mollium uestium; et
de placito superiori non curat.

Potentia affatiua per naturam consequitur placitum in af-
55 fando. Et homo caritatiuus per illud placitum sensuale cum
caritate ascendit ad placitum spirituale, et loquitur in mente
contemplando Deum et opera eius, amando, intelligendo et
memorando. Et homo inuidus cum inuidia retinetur, et remanet
inferius, et attribuit sibi ipsi placitum, quod consequitur ex
60 loquendo.

Potentia imagi|natiua per naturam consequitur placitum ex   R 106ᵛ
imaginando; cum ita sit, quod placitum per naturam multiplicetur per potentiam, obiectum et actum. Et illud placitum imaginandi, quod per naturam est, est materia et subiectum placito,
65 quod habetur per caritatem superius obiectando Deum et eius
opera. Et inuidia est habitus per contrarium.

Ostendimus, qualiter per naturam ascendit placitum per sentire et imaginari, et qualiter cum caritate colligitur et praesen-
tatur placito superiori, quod est pro amando, intelligendo et
70 memorando Deum et opera eius. Et ostendimus, | qualiter per   M 121ʳ
inuidiam homo inuidus consequitur placitum in placito sentiendi et imaginandi, per amare, intelligere et memorare se ipsum et
opera sua. Et per hoc, quod diximus de duobus contrariis
habitibus, potest cognosci, qualiter caritas generatur, et qualiter
75 manutenetur. Et hoc idem de inuidia. Et quomodo sunt et ubi

---

35 auditum] *corr. ex* uisum M   **52** feminae, pulchri] *coni. ex textu cat.*; *om.*
M T R M₁   mollium] *coni.*; multarum *M T R M₁*; *cat.* moles   **54** consequitur]
coni.; *om. M T R M₁*   **54/55** affando] *add.* habet *M₁*   **55** per – sensuale] *coni.*
ex textu cat.; sine ualle (!) *M T R M₁*   **72** et¹] *coni.*; *om. codd. omnes*   per –
memorare] *coni. ex textu cat.*; amandi, intelligendi et memorandi *M T R M₁*

sunt uiae suae. Et ostendere talia populo est utilis doctrina. Non
tamen dico, quod ostendatur subtiliter, ita quemadmodum nos
scripsimus, quoniam non intelligeretur per uniuersum populum,
sed quod taliter tractetur et tradatur, quod intelligatur. Et hoc
80 ueraciter, et sine iactantia et hypocrisia; quae non sunt de
genere doctrinae supra dictae.

Totum id, quod Deus creauit, creauit ad cognoscendum ipsum, amandum et memorandum. Et homo non potest ad illum
finem deuenire sine caritate, quae sit instrumentum, cum quo
85 homo ascendendo ponat ad illum finem suum uidere, audire,
odorare, gustare, palpare, affari, imaginari, intelligere, amare et
memorare. Et hac de causa Deus dat caritatem, quae est instrumentum ascendendi ad illum finem. Et inuidia est instrumentum hominis et daemonis, per quod homo deponit inferius et
90 deuiat suum uidere, audire etc. a fine superiori; et etiam finem
bonorum gratiae sibi appropriat, in quantum potest. Et homo
caritatiuus Deo reddit, qui ea donat.

Diximus de caritate et inuidia. Et propter hoc deprecemur
dominum Deum nostrum, quatenus caritatem nobis manute-
95 neat contra inuidiam, ex quo est Pater noster. Et eius amore,
reuerentia et honore dicamus *Pater noster*.

V.7.7. De caritate et ira [Hh]

[Sermo CXXVII]

Si uelis sermocinari de caritate et ira, recolas earum themata,
definitiones et species; et secundum eas ordina tuum sermonem.
5   In principio deprecabimur dominum Deum nostrum Iesum
Christum, quatenus det mihi gratiam dicendi, et uobis audiendi
et retinendi uerba, quae sint ad eius laudem et animarum
nostrarum salutem. Et ob amorem, reuerentiam et honorem
nostrae dominae sanctae Mariae dicamus *Aue Maria*.
10   Caritas est habitus sanctus, per sanctum Spiritum datus animae rationali, eo ut habeat sanctum amare, intelligere et memo-
ra|re. Et ira est habitus per contrarium contra sanctum amare,   R 107ʳ
intelligere et memorare, eo ut faciat hominem errare.

Caritas est habitus, ex quo potentiae sensitiuae et imaginatio
15 habent sancta opera, scilicet sanctum uidere, audire, odorare,
gustare, palpare, affari, imaginari, per sanctum amare, intelligere et memorare. Et ira est habitus per contrarium.

Caritas est habitus, informans fines bonorum terrenorum ad
utendum illis bonis ad acquirendam sanctitatem et ad facien-
20 dum opera bona; cum ita sit, quod caritas et sanctitas sint de
uno genere. Et ira est habitus per contrarium.

CXXVII, **19** et] *coni.*; *om. codd. omnes*

Caritas et sanctitas faciunt humanam uoluntatem laetam et
sanctam. Et ira est habitus per contrarium.

Cari|tas et sanctitas generant in humano intellectu discretio- M 121ᵛ
25 nem et deliberationem. Et ira est habitus per contrarium.

Caritas est habitus sanctus, generans in memoria humana
sanctum et laetum memorare. Et ira est habitus per contrarium.

Caritas est habitus sanctus, generans sanctum et subtile imaginari. Et ira est habitus contrarius.

30 Caritas est habitus sanctus, generans sancta uerba. Et ira est
habitus per contrarium.

Caritas est habitus sanctus, faciens potentiam tactiuam sanctam contra culpam. Et ira est habitus per contrarium.

Caritas est habitus sanctus, faciens potentiam gustatiuam per
35 temperantiam sanctam. Et ira est habitus per contrarium.

Caritas est habitus sanctus, faciens potentiam odoratiuam
sanctam per odoratum. Et ira est habitus per contrarium.

Caritas est habitus sanctus, faciens potentiam auditiuam sanctam per auditum. Et ira est habitus per contrarium.

40 Caritas est habitus sanctus, faciens potentiam uisiuam sanctam per uisum. Et ira est habitus per contrarium.

Ostendimus uias, per quas caritas et ira sunt habitus contrariantes, et subiecta, in quibus habent distantiam infinitam. Et
propter hoc potest cognosci, cunctum hominem per caritatem
45 esse sanctum; et uadit ad gloriam caelestem aeternam cum
omnibus suis partibus naturalibus. Et per iram uadit ad ignem
infernalem aeternum cum omnibus suis naturalibus partibus.

Et per talem doctrinam potest cognosci, quod erit hominum
resurrectio generalis; quoniam si non esset, non essent uera
50 signa supra dicta; et iustitia Dei non haberet subiectum, in quo
haberet uerum iudicium; quod est impossibile.

Caritas est habitus, per quem homo delectatur in amando
Deum per quattuordecim articulos, decem praecepta, septem
sacramenta, septem dona sancti Spiritus et per septem opera
55 misericordiae. Et ira est habitus per contrarium.

Caritas est habitus, per quem homo cum amore et placito
sustinet passionem et aduersitates pro seruiendo Deo. | Et ira est T 52ᵛ
habitus per contrarium.

Caritas est instrumentum, cum quo generatur confessio, et
60 contritio et satisfactio peccatorum. Et ira est habitus per contrarium.

Caritas est bona cum Dei bonitate; et ira est mala cum
malitia daemonis, mundi et carnis.

Caritas est magna per Dei magnitudinem; et ira est magna
65 per magnitudinem daemonis, carnis et mundi.

| Caritas durat in paradiso per aeternitatem Dei; et ira durat R 107ᵛ
in inferno per iustitiam Dei.

---

67 per iustitiam] *coni.*; iustitia *M T R M*₁

Caritas est potens Dei potestate; et ira potens est potestate
daemonis, carnis et mundi.

70 Per caritatem homo sapiens est, et per iram insipiens.
Per caritatem homo amabilis est, et per iram odibilis.
Per caritatem homo uirtuosus efficitur, et per iram uitiosus.
Per caritatem homo uerax est, et per iram mendax.
Per caritatem acquiritur pax, et per iram labor.

75 Per caritatem homo legalis est, et per iram traditor et illegalis.
Per caritatem homo curialis est, et per iram incurialis.
Diximus de caritate et ira. Et propter hoc deprecemur |
dominum Deum nostrum, quatenus caritatem nobis manute-   M 122ʳ

80 neat contra iram, ex quo est Pater noster. Et eius amore,
reuerentia et honore dicamus *Pater noster*.

V.7.8. De caritate et mendacio [H i]

[Sermo CXXVIII]

Quicumque uelit sermocinari de caritate et mendacio, recolat
earum themata, definitiones et species; et secundum eas ordinet
5 suum sermonem.

In principio deprecabimur dominum Deum nostrum Iesum
Christum, quatenus det mihi gratiam dicendi, et uobis audiendi
et retinendi uerba, quae sint ad eius laudem. Et amore, reuerentia et honore nostrae dominae sanctae Mariae dicamus *Aue*
10 *Maria*.

Tres sunt potentiae animae rationalis. Et quia sunt differentes per naturam, sunt in numero tres. Et quia sunt una essentia
pro anima, sunt omnes tres per naturam una anima. Quae anima
nuda est per naturam; et hoc idem de sua uoluntate, intellectu
15 et memoria. Et quando induuntur caritate, est caritas per unum
modum in uoluntate, et per alium in intellectu, et per alium in
memoria. Et caritas est unus habitus et non multi in anima una;
et est uestis spiritualis. Et uoluntas amat bonum per caritatem,
et non malum. Et intellectus sub forma caritatis intelligit bo-
20 num; et non consequitur culpam, si malum intelligat. Et·hoc
idem de memoria. Et propter hoc caritas spargit ramos suos per
omnes potentias naturales; quae nudae sunt per naturam, et de
caritate induuntur per accidens. Quae quidem potentiae sunt
imaginatiua, affatiua, tactiua, gustatiua, odoratiua, auditiua et
25 uisiua. Et propter hoc caritas per omnes decem potentias naturales est una arbor spiritualis, branchata, ramata, foliata, florita
et granata. Et mendacium est alia arbor, per totum contrarium.

CXXVIII, **27** granata] *cat.* granat; *arbor granata = arbor, in qua fructus maturescunt*

Humana uoluntas est per naturam uera potentia; et hoc idem
de intellectu et memoria. Et quaelibet earum per naturam nuda
30 est. Et ueritas acquisita est unus habitus, quo tres potentiae
praedictae induuntur. Et quia habitus est unus, dictae tres
potentiae de illo habitu acquisito induuntur. Per quem quidem
habitum imaginatio induitur de ueritate. Et hoc idem de poten-
tiis sensitiuis. | Et mendacium est alia arbor, quae per contra-   R 108ʳ
35 rium est; qua arbore potentiae naturales induuntur. Et ex hoc
potest cognosci, quod in homine caritas et mendacium sunt
arbores contrariantes, et habent distantiam infinitam.

Bona terrena, quae sunt diuitiae et honores, sunt materia et
subiectum, in quo et per quod caritas et mendacium sunt uestes
40 contrariae, habentes infinitam distantiam. Quoniam per caritatem homo ueraciter utitur fine, per quem sunt bona terrena. Qui
quidem finis est Deum laudari, uenerari et eidem oboedire et
seruire. Et mendacium est uestis per contrarium.

Caritas est causa et finis uerae mentis; et mens caritate
45 induta est causa et finis uerborum. Et mendacium est habitus
per contrarium.

Per | caritatem homo amat Deum super omnia. Sed eum   M 122ᵛ
amare non potest, nisi amet suam bonitatem super alias quascumque bonitates, et eius magnitudinem super alias magnitudi-
50 nes, et eius aeternitatem super omnes alias durationes, et eius
potestatem super omnes alias potestates, et suum intellectum
super omnes alios intellectus, et suam uoluntatem super omnes
alias uoluntates, et suam uirtutem super omnes alias uirtutes, et
suam ueritatem super omnes alias ueritates, et suam gloriam
55 super aliam quamcumque gloriam. Et mendacium est habitus
per contrarium.

Non amat cum caritate, qui non amat in diuina bonitate
intelligere ita naturale opus per trinitatem, quemadmodum est
naturalis essentia diuinae bonitatis. Et hoc idem potest dici de
60 magnitudine diuina et aliis. Et propter hoc mendacium est
habitus, cum quo odiuntur et abhorrentur opera, quae diligun-
tur in Deo cum caritate.

Qui amat, quod Deus incarnatus est, amat cum caritate maius
opus, quod Deus facere ualeat in creatura. Et odiens, quod Deus
65 sit incarnatus, odit cum mendacio melius opus, quod Deus
facere ualeat in creatura.

Is amat cum caritate, qui amat Deum mundum creasse. Et
ille odit cum mendacio, qui odit Deum mundum creasse.

Ille amat cum caritate, qui amat Deum posse resuscitare
70 omnes homines et eundem posse dare gloriam aeternam hominibus bonis, et hominibus malis poenam aeternam. Et ille, qui
talem potestatem Dei odit, Deum cum mendacio odit.

---

38 et¹] *coni.*; *om. omnes codd.*   **58** intelligere] *om. et add. alia manu in marg.* M;
et in ipsa intelligat *T*; *om.* R M₁

Is amat, cum caritate, qui amat prudentiam, iustitiam et alias
uirtutes. Et is amat cum mendacio, qui amat auaritiam, gulosi-
75 tatem et cetera peccata.

Caritas est habitus diues, et mendacium est habitus pauper.

Caritas est habitus laetus, et mendacium est habitus tristis.

Caritas est habitus, per quem homo est ualens; et mendacium
est habitus, per quem homo non ualens et | piger est.   R 108ᵛ
80 Caritas est habitus, per quem homo consolatur; et mendacium est habitus per contrarium.

Caritas est habitus boni consilii, et mendacium impendit
malum consilium.

Diximus de caritate et mendacio. Et sic deprecemur humiliter
85 dominum Deum nostrum, quatenus nobis manuteneat caritatem ad ipsum uenerandum et sibi seruiendum contra mendacium, ex quo Pater noster est. Et eius amore, reuerentia et
honore dicamus *Pater noster*.

V.8. DE SAPIENTIA

V.8.1. DE SAPIENTIA ET AVARITIA [1 b]

[SERMO CXXIX]

Si uelis sermocinari de sapientia et auaritia, recolas earum
5 themata, definitiones et species; et secundum eas ordina tuum
sermonem.

In principio deprecabimur dominum Deum nostrum Iesum
Christum, quatenus det mihi gratiam dicendi, et uobis audiendi
et retinendi uerba, quae sint ad eius gloriam et laudem. Et ob
10 amorem, reuerentiam et honorem nostrae dominae sanctae Mariae dicamus *Aue Ma\ria*.   M 123ʳ

Humanus intellectus est potentia nuda, in quantum non potest intelligere supra suam naturam Deum et eius opera, donec
Deus det sibi sapientiam. Quae est instrumentum, cum quo
15 intelligat supra suam naturam, Deum et opera eius. Et auaritia
est instrumentum, per hominem factum cum adiutorio daemonis, eo ut non utatur fine bonorum gratiae, quae Deus dat ad
conseruandum naturam suam et naturam proximi sui. Et propter hoc sapientia et auaritia sunt habitus contrariantes. Et bona
20 gratiae sunt materia et subiectum, ubi habent distantiam infinitam.

Sapientia est instrumentum, quod non est per naturam, cum
quo humanus intellectus iuuat humanam uoluntatem, quod
diligat supra naturam suam Deum et opera eius, eo ut quamdiu

CXXIX, **14** det] *correxi*; dat *M T R M*₁   **20** ubi] et *M*₁

25 intellectus intelligit Deum et opera sua, quod uoluntas ascendat
supra suam naturam ad amandum Deum et opera sua. Et
auaritia est habitus per contrarium, eo ut homo auarus cum
auaritia diligat supra suam naturam bona gratiae, et non ascendat supra suam naturam ad amandum Deum et opera sua
30 iuuamine intellectus.

Sapientia est instrumentum, cum quo iuuatur memoria, quod
ascendat supra suam naturam ad memorandum Deum et opera
sua. Et auaritia est instrumentum per contrarium, eo ut impe-
diat intel|lectum, quod non adiuuet cum sapientia memoriam, T 53ʳ
35 quod ascendat supra suam naturam ad memorandum Deum et
opera eius; sed quod descendat ad memorandum bona gratiae
supra suam naturam.

Ostendimus, qualiter tres potentiae animae ascendunt cum
sapientia ad contemplandum Deum et opera sua; in quibus sunt
40 diuina trinitas, incarnatio, creatio et ceteri articuli. Et hoc idem
de decem praeceptis, et septem sacramentis, et de septem donis
Spiritus sancti. Et ostendimus modum, per quem auaritia est
instrumentum impediens ascensum et deponens potentias ad
utendum bonis temporalibus contra finem illorum; cum ita sit,
45 quod homo auarus non audeat | comedere neque bibere, secun- R 109ʳ
dum quod sibi requirit natura sua, nec audeat oboedire praecepto Dei, praecipienti hominem tantum amare proximum suum,
quantum se ipsum.

Sapientia est instrumentum, quod defendit hominem non
50 facere stultitias. Et auaritia est instrumentum, cum quo stultitiae fiunt. Et propter hoc homo sapiens cum sapientia utitur sua
imaginatione ordinate. Et homo auarus utitur illa contra ordinem.

Homo sapiens cum sapientia loquitur sapienter, et homo
55 auarus cum auaritia loquitur stulte et contra largitatem.

Homo sapiens utitur tactiua potentia sapienter, et homo
auarus cum auaritia utitur per contrarium.

Homo sapiens potentia gustatiua utitur sapienter, et homo
auarus cum auaritia ea utitur stulte.

60 Homo sapiens potentia odoratiua utitur sapienter, et homo
auarus | cum auaritia utitur e conuerso.   M 123ᵛ

Homo sapiens cum sapientia utitur potentia auditiua sapienter, et homo auarus utitur illa e conuerso.

Homo sapiens cum sapientia utitur potentia uisiua sapienter,
65 et homo auarus cum auaritia utitur per contrarium.

Ostendimus uias, per quas homo sapiens ascendit cum sapientia ad ea utendum sapienter, et homo auarus cum auaritia
descendit ad utendum ea stulte. Et propter hoc, qui uult inquirere et inuenire hominem sapientem et hominem auarum, inqui-

---

33/34 impediat] *corr. ex* impendat M_1; impendat *M T R*   **43** deponens] *coni.*;
deponit *M T R* M_1

70 rat eos per uias supra dictas. Et extra eas inueniri non possunt,
nec sine ipsis cognosci. Et hac de causa talis doctrina est utilis
ad praedicandum.

Homo sapiens utitur scientia sapienter, et homo auarus utitur
ea stulte. Et propter hoc sapiens, in quantum magis scit, et
75 scientia est sibi materia ad essendum magnum sapientem; et
homo auarus, in quantum magis scit, et scientia est sibi materia
ad essendum multum stultum.

Sub habitu sapientiae nullus homo potest facere stultitias.
Nec sub habitu auaritiae nullus homo potest sapientias facere.
80 In quantum homo magis est sapiens, in tantum potest magis
intelligere, amare et memorare Deum et opera sua. Et in quantum magis auarus est, in tantum magis distat ab intelligere,
amare et memorare Deum et opera eius.

Diximus de sapientia et auaritia. Et sic deprecemur domi-
85 num Deum nostrum quatenus nobis sapientiam impendat contra auaritiam, ex quo est Pater noster. Et eius amore, reuerentia
et honore dicamus *Pater noster*.

V.8.2. DE SAPIENTIA ET GVLOSITATE [IC]

[SERMO CXXX]

Quicumque uelit sermocinari de sapientia et gulositate, recolat earum themata, definitiones et species; et secundum eas
5 ordinet suum sermonem.

In principio deprecabimur dominum Deum nostrum Iesum
Christum, quatenus det mihi gratiam dicendi, et uobis audiendi
et retinendi uerba, quae sint ad laudem eius. Et ob amorem,
reuer|entiam et honorem nostrae dominae sanctae Mariae dica- R 109ᵛ
10 mus *Aue Maria*.

Homo cum temperantia mouet quaestionem ad mensam: Vtrum
comedet magis uel minus. Et si sapiens est, cognoscet per
sapientiam, quantum debet comedere et bibere; et non magis,
neque minus. Et hac de causa sapientia est altior et communior
15 uirtus, quam temperantia, et mouet temperantiam contra gulositatem. Et homo gulosus non facit quaestionem ad mensam, si
comedat magis uel minus; sed comedit et bibit, quantum potest.
Et propter hoc gulositas est instrumentum, per quod homo
gulosus comedit et bibit supra fortitudinem et uim suae poten-
20 tiae gustatiuae, et gignit cum gulositate infirmitatem et paupertatem.

Gulositas est fons, ex quo progrediuntur placita, quae habentur ex uidendo pinguem altilem, et ex audiendo loqui de pingui

---

71 cognosci] *correxi*; cognoscere *MTRM₁*

altile, de bono uino, et ex odorando illud, et ex disponendo
25 luxuriam, et ex loquendo de | delicatis uictualibus, et ex imagi-   M 124ʳ
nando illa, et ex intelligendo, amando et memorando placita,
quae sentiuntur per gustum. Et omnia ista placita sunt riui,
egredientes a fonte, qui est per placitum gustandi. Et sapientia
cum iustitia destruit fontem gulositatis, et omnes riuos ab ea
30 progredientes.

Gulositas cum stultitia est contra prudentiam, quae est ancilla sapientiae. Et sapientia cum prudentia est contra gulositatem.

Gulositas cum animi debilitate est contra temperantiam. Et
35 sapientia cum animi fortitudine est contra gulositatem.

Homo gulosus cum gulositate impedit humanum intellectum
ad intelligendum de Deo uera et magna. Et propter hoc est
contra fidem, habentem concordantiam cum sapientia, eo ut
sapienter homo credat et intelligat de Deo uera et magna. Et
40 propter hoc sapientia cum fide est contra gulositatem.

Homo gulosus cum gulositate deuiat suam uoluntatem, quod
non diligat de Deo magna, sed quod diligat et speret magna
placita per comedere et bibere. Et sapientia ordinat uoluntatem,
quod diligat spem ad spectandum de Deo magna.

45 Gulositas impedit memoriam ad memorandum caritatem. Et
sapientia eam dirigit ad memorandum caritatem contra gulositatem, quae erigit memoriam ad memorandum placitum, quod
homo consequitur per comedere et bibere.

Sapientia est contra gulositatem cum magnitudine bonitatis;
50 et gulositas est contra sapientiam cum magnitudine malitiae.
Gulositas est contra sapientiam cum superbia; cum ita sit, quod
homo gulosus non timeat Deum, qui temperantiam amat, et
odiat gulositatem. Et homo sapiens cum sapientia uult humilitatem contra superbiam et contra gulositatem.

55 Homo sapiens est diligens ad generandum temperantiam contra gulositatem. Et homo gulosus est diligens ad generandum
gulositatem contra temperantiam.

| Homo sapiens percutit gulositatem cum legalitate; et homo   R 110ʳ
gulosus percutit legalitatem et sapientiam cum inuidia.

60 Homo gulosus percutit sapientiam cum ira, quia non potest
multum comedere et bibere; et homo sapiens cum sapientia et
patientia percutit gulositatem et iram.

Homo sapiens cum sapientia percutit gulositatem et mendacium; et homo gulosus percutit cum gulositate et mendacio
65 ueritatem et sapientiam.

Ostendimus lites et bricas, quas faciunt gulositas et sapientia,
et loca in quibus fiunt, et ubi sunt ipsae lites. Et talis doctrina
est bona ad praedicandum populo, eo ut sciant, ubi habent lites
et qualiter habent ipsas lites in homine sapientia et gulositas.

70 Ad omnes lites, quas facit homo contra gulositatem cum
sapientia, iuuat Deus, eo quia est causa efficiens et finalis sapien-

tiae. Et omnibus litibus, quae fiunt contra sapientiam, iuuat
daemon. Et eo est homo fortior per sapientiam | contra gulosita-   M 124ᵛ
tem, quam per gulositatem contra sapientiam. Quare homo
75 culpabilis est, quia non superat gulositatem cum sapientia. Et
nisi esset fortior cum sapientia, quam per gulositatem, non esset
culpabilis, si non superaret gulositatem cum sapientia.

Gulositas per longum morem est peccatum obstinax. | Et   T 53ᵛ
sapientia per longum morem est uirtus morosa, contra quam
80 nemo tentari potest per gulositatem.

Sapientia est per Dei sapientiam, et gulositas est per daemonis sapientiam. Et homo stat in medio, qui habet libertatem ad
utendum bona uel mala sapientia. Et propter hoc homo cum
Deo utitur sapientia, et cum daemone gulositate.

85   Et sapientia daemonis est sapientia mali, eo ut cum industria
inducat hominem gulosum ad poenam infernalem, ubi patietur
famem et sitim aeternam. Et sapientia, quae habetur per Dei
sapientiam, est bona, eo ut homo per ipsam sit sapiens in
paradiso aeterno.

90   Diximus de sapientia et gulositate; et ostendimus earum
controuersias. Et qui eas cognoscere uel inuenire uult, inquirat
eas per loca supra dicta. Et propter hoc deprecemur dominum
Deum nostrum, quatenus nobis impendat sapientiam contra
gulositatem, ex quo est Pater noster. Et eius amore, reuerentia
95 et honore dicamus *Pater noster*.

V.8.3. DE SAPIENTIA ET LVXVRIA [I d]

[SERMO CXXXI]

Si uelis sermocinari de sapientia et luxuria, recolas earum
themata, definitiones et species; et secundum illas ordines tuum
5 sermonem.

In principio deprecabimur dominum Deum nostrum Iesum
Christum, quatenus det mihi gratiam dicendi, et uobis audiendi
et retinendi uerba, quae sint ad gloriam et laudem eius. Et ob
amorem, reuerentiam et honorem nostrae dominae sanctae Ma-
10 riae dicamus *Aue Maria*.

Sapientia percutit luxuriam cum castitate; et luxuria percutit
sapientiam cum stultitia. Et adiutores sunt utriusque | partis   R 110ᵛ
decem potentiae humanae, ex quibus homo compositus est. Et
castrum sapientiae est humanus intellectus; et castrum luxu-
15 riae est potentia tactiua.

CXXX, **74** sapientiam] *coni.*; superbiam *M T R M*₁   **85** industria] *cat.* maestria
87 Et] *coni.*; *om. codd. omnes*   **88** homo] *coni.*; *om. omnes codd.*   **91** uult] *coni.*;
uolet *M T R M*₁

Humanus intellectus, habituatus de sapientia, intelligit castitatem esse bonam, et luxuriam esse malam. Quoniam cum castitate est homo oboediens Dei praecepto, quod bonum est. Quod
praecepit hominem non facere luxuriam (Ex. 20,14; Deut. 5,17);
20 per quam quidem luxuriam est homo inoboediens Dei praecepto.
Et quia bonum et malum nullam habent concordantiam, sapientia et luxuria contrariantur, et habent distantiam infinitam.

Humana uoluntas cum caritate iuuat sapientiam contra luxuriam, et humana uoluntas cum crudelitate iuuat luxuriam con-
25 tra sapientiam.

Memoria, de spe habituata, iuuat sapientiam cum spe contra luxuriam, in quantum memorat beatitudinem, quam habebunt homines sapientes in paradiso, et poenam, quam habebunt
in inferno homines luxuriosi. Et memoria, non habituata de spe,
30 iuuat luxuriam, in quantum | memorat placita, quae per luxu-   M 125ʳ
riam sentiuntur.

Imaginatio, imaginans uilia opera, quae faciunt homines luxu-
riosi | cum mulieribus, et imaginans infernales poenas, et imagi-
nans gloriam paradisi, et imaginans mortem, iuuat sapientiam
35 contra luxuriam. Et imaginatio, imaginans delicia, quae per
luxuriam sentiuntur, et calefaciens et inflammans carnem, iuuat
luxuriam contra sapientiam.

Potentia affatiua, loquens uerba orationis et castitatis, bonitatis et legalitatis et amicitiae inter maritum et uxorem, iuuat
40 sapientiam contra luxuriam. Et potentia affatiua, loquens uerba
cansonum et dansarum, deceptionum et falsitatum, traditionum
et mendaciorum, quae sunt de genere mali, iuuat luxuriam
contra sapientiam.

Potentia tactiua, quae sequitur finem, per quem est, iuuat
45 cum matrimonio sapientiam. Et potentia tactiua cum placitis,
quae per luxuriam sentiuntur, iuuat luxuriam contra sapientiam.

Potentia gustatiua cum temperantia iuuat sapientiam contra luxuriam; et per multum comedere et bibere iuuat luxuriam
50 contra sapientiam.

Potentia odoratiua cum placido odore pomi, rosae, lilii uel
uiolae, iuuat luxuriam contra sapientiam. Et sapientia cum
foetore, quem scit in operibus, quae per luxuriam fiunt, est
contra luxuriam.

CXXXI, **18/20** quod – praecepto] *coni. ex textu cat.*; *om. et add. alia manu (eadem
manu Z) in marg.* et per luxuriam inoboediens *MZ*; *om. TRM*₁   **27** beatitudinem]
coni.; benedictionem *MTRM*₁; *cat.* benauyrança   **29** in] *om. M*   **35** delicia]
coni.; delicta *MTRM*; *cf. serm. LIII, lin. 23, 25 et 41*   **41** cansonum – dansarum]
correxi; cansionum dantiarum *M*; cantionum dantiarum *T*; cansiones et dantiarum
R; cantiones et dantiarum *M*₁; *cat.* cançons, dançes e balades; *cf. supra serm.
XLVI, lin. 59, LX, lin. 38 et XCI, lin. 23/24*

55 Potentia auditiua cum eo, quod audit loqui de Deo, de bonis
moribus, de paradiso, de inferno et morte, iuuat sapientiam
contra luxuriam. Et cum eo, quod audit per instrumenta, per
nominationem pulchrarum mulierum et pulchrorum hominum,
et per uerba luxuriae, iuuat luxuriam contra sapientiam.

60 Potentia uisiua per uisionem pulchrarum mulierum et pulchrorum hominum, et pulchrarum uestium, iuuat sapientiam.
Quae scit, quod Deus illas pulchritudines creauit, eo ut homo
sciat, ipsum esse pulchrum, et habere bonas dig|nitates, cum   R III^r
quibus habet pulchrum intelligere, pulchrum amare et pul-
65 chrum memorare. Et potentia uisiua per contrarium iuuat cum
pulchritudinibus uisibilibus luxuriam contra sapientiam.

Sapientia iuuat cum iustitia castitatem, et luxuria cum iniuria
est contra castitatem.

Sapientia cum prudentia iuuat castitatem, et luxuria cum
70 imprudentia est contra castitatem.

Sapientia cum animi fortitudine est contra luxuriam, et luxuria cum animi debilitate est contra sapientiam.

Sapientia, quae scit fidem et articulos, decem praecepta, et
septem sacramenta, et septem dona Spiritus sancti, cum eo,
75 quod scit, iuuat per fidem castitatem. Et homo luxuriosus cum
eo, quod nescit de praedictis, luxuriam iuuat.

Sapientia cum patientia percutit luxuriam, et cum impatientia luxuria sapientiam percutit.

Sapientia cum abstinentia luxuriam percutit, et luxuria, quia
80 abstinentiam non habet, percutit sapientiam.

Sapientia cum humilitate luxuriam percutit, et luxuria cum
superbia percutit sapientiam.

Diximus de sapientia et luxuria. Et propter hoc deprecemur
dominum Deum nostrum Iesum Christum, quatenus nobis im-
85 pendat sapientiam contra luxuriam, ex quo est|Pater noster. Et   M 125^v
eius amore, reuerentia et honore dicamus *Pater noster*.

V.8.4. DE SAPIENTIA ET SVPERBIA [1 e]

[SERMO CXXXII]

Quicumque uelit sermocinari de superbia et sapientia recolat
earum themata, definitiones et species; et secundum eas ordinet
5 suum sermonem.

---

56 morte] more *M R*   **60** uisiua] *recte corr. T*; uisi *M R M*₁   per uisionem]
coni.; om. codd. omnes   **61** et] *om. M T*   **77** percutit] *coni.*; peruertit *M T R M*₁
79/80 quia – habet] *coni.*; quia abstinentiam non *sed del.* quia *et add. alia manu,
in marg.* non habet *M*; quia abstinentiam non habente *T*; abstinentiam non
habentes *R*; abstinentiam non habens *corr. ex* abstinentiam non habentes *M*₁
84 Iesum Christum] *recte coni. M*₁; *om. M T R*

In principio deprecabimur dominum Deum nostrum Iesum
Christum, quatenus det mihi gratiam dicendi, et uobis audiendi
uerba, quae sint ad eius laudem et animarum nostrarum salutem. Et ob amorem, reuerentiam et honorem nostrae dominae
10 sanctae Mariae dicamus *Aue Maria*.

Homo sapiens consequitur placitum, in quantum scit omnes
fines potentiarum naturalium et bonorum gratiae esse Dei, et
pro uenerando ipsum, laudando et seruiendo. Et homo superbus
credit scire omnes illos fines esse ad uenerandum ipsum, laudan-
15 dum et seruiendum. Et propter hoc sapientia et superbia sunt
instrumenta contraria, et fines sunt materia et subiectum, in
quo contrariantur et habent distantiam infinitam.

Intellectus per naturam consequitur placitum per intelligere.
Et homo sapiens cum sapientia multiplicat illud placitum in
20 intelligendo Deum et opera sua, et in quantum magis intelligit
Deum et eius opera, magis multiplicat suum placitum; cum ita
sit, quod per multum intelligere magis prope sit Deo, quam per
parum intelligere. Et homo superbus credit quod illud placitum,
quod habet in intelligendo esset per se ipsum intelligere et per
25 opera sua.

Voluntas humana consequitur placitum per naturam per amare. Et homo sapiens multiplicat illud placitum cum sapientia in
amando Deum et eius opera; et in quantum fortius Deum diligit
et opera ipsius, in tantum fortius multiplicat amorem, et magis
30 prope est Deo. Et homo superbus in quantum fortius diligit se
ipsum et opera sua, | et non curat amare Deum nec opera sua, in   R III^v
tantum magis distat a Deo; et etiam magis prope est ad poenam
infernalem aeternam.

Memoria humana consequitur placitum per naturam ex me-
35 morando. Et homo sapiens multiplicat illud placitum ad memorandum Deum et opera eius. Et in quantum magis memorat
Deum et opera eius, in tantum magis prope est Deo, et plus
habet de sapientia. Et homo superbus in quantum memorat
magis se ipsum et opera sua, et non curat Deum memorare nec
40 opera sua, in tantum magis procul est Deo, et est superbior.

Homo sapiens per naturam consequitur placitum cum imaginatione contra placitum superbiae. Et homo superbus consequitur placitum cum imaginatione contra placitum, quod per
sapientiam est.

45 Homo sapiens consequitur placitum in loquendo uerba sa-
pientia | contra uerba superba. Et homo superbus consequitur   T 54^r
placitum ex loquendo uerba superba contra sapientia uerba.

CXXXII, **21** Deum – opera] *coni.*; in Deo et eius operibus *M T R M*₁   magis]
coni.; *om. omnes codd.*   **23/25** quod – intelligere et] *coni. ex textu cat.*; *om. codd.*
omnes   **36/37** Et – eius] *coni. ex textu cat.*; *om. codd. omnes*   **45** in loquendo]
corr. in marg. ex ex audiendo *M*   uerba] *add. et del.* loqui *M*

Homo sapiens consequitur placitum in utendo potentia tactiua sapienter. Et homo superbus consequitur placitum in utendo
50 potentia tactiua superbe.

Homo sapiens consequitur placitum in utendo potentia gusta-
tiua sapienter. Et homo superbus | consequitur placitum in   M 126ʳ
utendo potentia gustatiua superbe.

Homo sapiens consequitur placitum in utendo potentia odora-
55 tiua sapienter. Et homo superbus consequitur placitum in utendo potentia odoratiua superbe.

Homo sapiens consequitur placitum in utendo potentia auditiua sapienter. Et homo superbus consequitur placitum in utendo potentia auditiua superbe.

60 Homo sapiens consequitur placitum in utendo potentia uisiua
sapienter. Et homo superbus consequitur placitum in utendo ea
superbe.

Homo sapiens consequitur placitum in utendo diuitiis sapienter, Et homo superbus consequitur placitum in utendo eis su-
65 perbe.

Homo sapiens consequitur placitum in utendo paupertate
sapienter, et homo superbus consequitur placitum in utendo ea
superbe.

Homo sapiens consequitur placitum in utendo honore humili-
70 ter, et homo superbus in utendo eo superbe.

Homo sapiens percutit superbiam cum iustitia, et homo superbus percutit sapientiam cum iniuria.

Homo sapiens percutit superbiam cum prudentia, et homo
superbus percutit cum imprudentia sapientiam.

75 Homo sapiens percutit superbiam cum animi fortitudine, et
homo superbus percutit sapientiam cum animi debilitate.

Homo sapiens percutit superbiam cum temperantia, et homo
superbus percutit sapientiam cum distemperantia.

Homo sapiens percutit superbiam cum fide, et homo superbus
80 percutit sapientiam cum incredulitate.

Homo sapiens percutit superbiam cum spe, et homo superbus
percutit sapientiam cum desperatione.

Homo sapiens percutit superbiam cum caritate, et homo
superbus percutit sapientiam cum impietate.

85 Homo sapiens percutit superbiam cum patientia, et homo
superbus | percutit sapientiam cum impatientia.   R 112ʳ

Homo sapiens percutit superbiam cum ueritate, et homo
superbus percutit sapientiam cum mendacio.

Homo sapiens percutit cum bonitate superbiam, et homo
90 superbus percutit sapientiam cum malitia.

---

76 superbus] *correxi*; auarus *MTRM₁*   77 sapiens] *recte coni.* *T*; superbus
MRM₁   83 sapiens] *recte coni.* *T*; superbus *MRM₁*

Homo sapiens percutit superbiam cum discretione, et homo superbus percutit sapientiam cum indiscretione.

Homo sapiens percutit superbiam cum contritione, et homo superbus de contritione non curat.

95 Homo sapiens percutit superbiam cum confessione, et homo superbus de confessione non curat.

Homo sapiens percutit superbiam cum satisfactione, et homo superbus de satisfactione non curat.

Lites sapientiae et superbiae, quas superius diximus, debent 100 praedicari populo, eo quia si tententur per superbiam contra sapientiam, poterunt cognoscere, ex qua parte uenit superbia contra sapientiam.

Diximus de sapientia et superbia. Et sic deprecemur dominum Deum nostrum, quatenus det nobis sapientiam contra 105 superbiam, ex quo est Pater noster. Et eius amore, reuerentia et honore dicamus *Pater noster*.

V.8.5. De sapientia et accidia [1f]

[Sermo CXXXIII]

Si uelis sermocinari de sapientia et accidia, recolas earum themata, definitiones et species; et secundum eas ordina tuum 5 sermonem.

In principio | deprecabimur dominum Deum nostrum Iesum M 126ᵛ Christum, quatenus det mihi gratiam dicendi, et uobis audiendi et retinendi uerba, quae sint ad eius gloriam et laudem et animarum nostrarum salutem. Et ob amorem, reuerentiam et 10 honorem nostrae dominae sanctae Mariae dicamus *Aue Maria*.

Sapientia et accidia sunt habitus contrarii, contrariantes et contradicentes super decem potentias naturales et super bona gratiae. Et quia sunt hominis instrumenta, illud instrumentum, cum quo homo uult magis uti, consequitur uictoriam contra 15 aliud. Et adiutores sapientiae sunt diligentia, iustitia, prudentia et ceterae uirtutes. Adiutores accidiae sunt stultitia, auaritia, gulositas et cetera peccata. Et Dei iustitia est iudex, iudicans hominem sapientem ad gloriam caelestem aeternam, si ad mortem sapiens moriatur, et iudicans ad poenam infernalem aeter- 20 nam, hominem, qui in puncto mortis accidiosus decedit. Et quia iudicia sunt magna, sapientia et accidia habent magnam contrarietatem et distantiam infinitam.

---

100 tententur] *correxi*; temptetur *M T R M*₁

CXXXIII, **13** hominis] *corr. ex* homines *M*₁; homines *M T R*   **15** adiutores] *corr. ex* iutores *M*₁; iutores *M T*; iutore *R*

Homo sapiens utitur supra naturam intellectus cum sapientia
et diligentia in intelligendo Deum et eius opera et eius sanctam
25 trinitatem, incarnationem et alios articulos, decem praecepta et
septem sacramenta et septem dona sancti Spiritus et septem
opera misericordiae. Ista talia humanus intellectus intelligere
non posset per suam naturam, nisi sapientia et diligentia essent
sibi instrumenta. Contra quae instrumenta humanus intellectus
30 intelligere non posset | per suam naturam, quia accidia et stulti-   R 112ᵛ
tia non sunt ei instrumenta ad intelligendum.

Sapientia et diligentia participant cum humana uoluntate,
sapientiam amante, et quae habet diligentiam in amando id,
quod scitur per sapientiam; et propter hoc sapientia est lumen
35 uoluntatis. Et negligentia et stultitia participant cum uoluntate,
negligente in amando sapientiam, et diligente ad odiendum
hominem diligentem, et ad odiendum id, quod per sapientiam
scitur.

Sapientia et diligentia participant cum humana memoria,
40 quae diligens est ad memorandum id, quod per sapientiam
scitur. Et stultitia et accidia participant cum humana memoria,
quae negligens est ad memorandum id, quod cum sapientia
scitur.

Sapientia et diligentia participant cum imaginatione tunc,
45 quando eis instrumentum est ad imaginandum. Et accidia et
stultitia participant cum imaginatione tunc, quando est instrumentum contra sapientiam et diligentiam.

Sapientia et diligentia participant cum potentia affatiua tunc,
quando quis loquitur sapienter et diligenter. Et accidia et negli-
50 gentia participant cum illa potentia, tunc quando quis loquitur
accidiose et stulte.

Sapientia et diligentia participant cum potentia tactiua tunc,
quando homo ea utitur diligenter et sapienter. Et accidia et
stultitia participant cum illa potentia tunc, quando quis ea
55 utitur e conuerso.

Sapientia et di|ligentia participant cum potentia gustatiua   M 127ʳ
tunc, quando homo ea utitur temperate. Et accidia et stultitia
participant cum illa potentia per contrarium.

Sapientia et diligentia participant cum potentia odoratiua
60 tunc, quando homo ea utitur sapienter. Et accidia et stultitia
participant cum ipsa per contrarium.

Sapientia et diligentia participant cum potentia auditiua tunc,
quando auditur diligenter et sapienter. Et accidia et stultitia
participant cum eadem per contrarium.

65   10. Sapientia et diligentia participant cum potentia uisiua

---

29 humanus intellectus] *coni.*; *om. codd. omnes*   **30** quia] *coni.*; sine quo
M T R M₁   **31** sunt] *coni.*; essent *M T R M₁*   ei] *coni.*; eis *M T R M₁*

tunc, quando uidetur sapienter et diligenter. Et accidia et stultitia participant cum illa potentia per contrarium.

Sapientia et diligentia participant cum iustitia tunc, quando
homo utitur bonis gratiae iuste. Et accidia et stultitia partici-
70 pant cum iniuria tunc, quando homo illis utitur iniuriose.

Sapientia et diligentia participant cum prudentia, quando
homo ea utitur prudenter. Et accidia et stultitia per contrarium.

Sapientia et diligentia participant cum animi fortitudine pro
diuitiis et honoribus. Et accidia et stultitia per contrarium.

75 Sapientia et diligentia participant cum temperantia, quando
homo utitur diuitiis cum mensura. Et accidia et stultitia per
contrarium. Et sic de aliis uirtutibus | et peccatis, | secundum R 113ʳ
modum suum.

Diximus de sapientia et accidia. Et sic deprecemur dominum
80 Deum nostrum, quatenus det nobis sapientiam contra accidiam,
ex quo est Pater noster. Et eius amore, reuerentia et honore
dicamus *Pater noster*.

V.8.6. DE SAPIENTIA ET INVIDIA [I g]

[SERMO CXXXIV]

Quicumque uelit sermocinari de sapientia et inuidia, recolat
earum themata, definitiones et species; et secundum eas ordinet
5 suum sermonem.

In principio deprecabimur dominum Deum nostrum Iesum
Christum, quatenus det mihi gratiam dicendi, et uobis audiendi
et retinendi uerba, quae sint ad eius gloriam et laudem, et
animarum nostrarum salutem. Et ob amorem, reuerentiam et
10 honorem nostrae dominae sanctae Mariae dicamus *Aue Maria*.

Sapientia et legalitas se manutenent contra inuidiam et illegalitatem. Et adiutores cuiusque partis sunt uidere, audire, odorare, gustare, palpare, affari, imaginari, intelligere, amare et memorare. Et materia et subiectum sunt bona gratiae, quae Deus
15 dat, scilicet diuitiae et honores. Et homo mouet guerram et
litem, et adiutores, cum quibus magis et frequentius utitur
homo, ut uictoriam consequatur.

Homo sapiens et legalis utitur sapienter et legaliter potentia
uisiua contra inuidiam et illegalitatem. Et considerat omnia
20 uisibilia fore facta ad uenerandum, seruiendum et laudandum
Deum. Et homo inuidus et illegalis considerat contrarium; quo-

---

77 peccatis] *add.* et *M T R M*₁

CXXXIV, **17** ut] *coni.*; et *M T R M*₁   consequatur] *coni.*; consequuntur
*M T R M*₁   **28** illegalis] *coni.*; *om. codd. omnes*

niam omnia concupiscit ad laudandum, seruiendum et uenerandum se ipsum.

Homo sapiens et legalis considerat, quod placitum, quod
25 consequitur per auditum, consequatur pro habendo | placitum in   M 127ᵛ
laudando, uenerando Deum et seruiendo. Et homo inuidus et
illegalis considerat per contrarium, et est Deo inoboediens, praecipienti homini, quod non sit inuidus, eo ut non sit illegalis et
traditor proximo suo.

30   Homo sapiens et legalis se manutenet sapienter et legaliter
cum odorare. Et homo inuidus et illegalis facit contrarium.

Homo sapiens et legalis se manutenet cum gustare contra
hominem inuidum et illegalem. Et homo inuidus et illegalis facit
contrarium.

35   Homo sapiens et legalis se manutenet in palpando contra
hominem inuidum et illegalem. Et homo inuidus et illegalis facit
contrarium.

Homo sapiens et legalis se manutenet sapienter legaliter in
loquendo contra hominem inuidum et illegalem. Et homo inui-
40 dus et illegalis utitur per contrarium.

Homo sapiens et legalis se manutenet sapienter et legaliter
per imaginari contra hominem inuidum et illegalem. Et homo
inuidus et illegalis utitur per contrarium.

Homo sapiens et legalis utitur sapienter et legaliter | cum suo   R 113ᵛ
45 intellectu contra hominem inuidum et illegalem. Et homo inuidus et illegalis utitur per contrarium.

Homo sapiens et legalis se manutenet sapienter et legaliter
cum uoluntate eius contra inuidiam et illegalitatem. Et homo
inuidus et illegalis se manutenet e conuerso.

50   Homo sapiens et legalis se manutenet sapienter et legaliter
cum memoria eius. Et homo inuidus et illegalis utitur per
contrarium.

Homo sapiens et legalis, quando uendit uel emit, utitur iustitia. Et homo inuidus et illegalis utitur iniuria.

55   Homo sapiens et legalis eligit cum prudentia maius bonum, et
uitat maius malum. Et homo inuidus et illegalis eligit per
contrarium.

Homo sapiens et legalis se manutenet cum animi fortitudine.
Et homo inuidus et illegalis utitur cum animi debilitate.

60   Homo sapiens et legalis se manutenet cum temperantia. Et
homo inuidus et illegalis se manutenet cum distemperantia.

Homo sapiens et legalis se manutenet sapienter et legaliter
cum fide, quae instrumentum est, cum quo sapienter et legaliter
credit et intelligit Deum et opera eius. Et homo inuidus et
65 illegalis utitur e conuerso.

---

56 malum] *recte coni.* T; bonum *MRM₁*   **60** legalis] *recte coni.* T; *corr. ex*
illegalis *M₁*; illegalis *MR*   **64** eius] *coni.*; *om. codd. omnes*

Homo sapiens et legalis spectat cum spe habere placitum in gloria caelesti aeterna. Et homo inuidus et illegalis de illo placito non curat et spectat habere placitum in bonis terrenis, cum quibus facit traditiones et fraudes.

70 Homo sapiens et legalis utitur cum caritate sapienter et legaliter in amando Deum super omnia. Et homo inuidus et illegalis utitur stulte et illegaliter contra caritatem, eo quia diligit magis se ipsum, quam Deum et quam omnia alia.

Homo legalis et sapiens se manutenet sapienter et legaliter 75 contra auaritiam. Et homo inuidus et stultus se manutenet cum auaritia per contrarium.

Homo sapiens et legalis se manutenet | sapienter et legaliter M 128ʳ contra gulositatem. Et homo inuidus et illegalis se manutenet cum gulositate per contrarium.

80 Homo sapiens et legalis se manutenet sapienter et legaliter contra luxuriam. Et homo inuidus et illegalis se manutenet stulte et illegaliter contra castitatem.

Homo sapiens et legalis se manutenet sapienter et legaliter cum humilitate. Et homo inuidus et illegalis se manutenet stulte 85 et illegaliter et false cum superbia.

Homo sapiens et legalis se manutenet sapienter et legaliter cum diligentia. Et homo inuidus et illegalis se manutenet stulte et pigre contra diligentiam.

Homo sapiens et legalis utitur sapientia et legalitate contra 90 inuidiam et falsitatem. Et homo inuidus et illegalis utitur inuidia et falsitate contra sapientiam et legalitatem.

Homo sapiens et legalis utitur cum patientia contra iram. Et homo inuidus et stultus utitur per contrarium.

Homo sapiens et legalis utitur cum ueritate contra menda- 95 cium. Et homo inuidus et illegalis utitur per contrarium.

Diximus de sapientia et inuidia. | Et sic deprecemur dominum Deum nostrum, quatenus det nobis sapientiam contra inuidiam, ex quo est Pater noster. Et eius amore, reuerentia et honore dicamus *Pater noster*.

V.8.7. DE SAPIENTIA ET IRA [1 h]

[SERMO CXXXV]

Quicumque uelit sermocinari de sapientia et ira, recolat earum themata, definitiones et species; et secundum eas ordinet 5 suum sermonem.

---

74 sapiens] *coni.*; uerax *MTRM*₁   82 stulte – castitatem] *coni. ex textu cat.*; cum luxuria e contrario *MTRM*₁   91 et falsitate] *coni.*; *om. codd. omnes*

CXXXV, 1 De – ira] *om. M*

In principio deprecabimur dominum Deum nostrum Iesum
Christum, quatenus det mihi gratiam dicendi, et uobis audiendi
et retinendi uerba, quae sint ad eius laudem. Et amore, reuerentia et honore nostrae dominae sanctae Mariae dicamus *Aue*
10 *Maria*.

Sapientia est forma, formans intellectum habentem scientiam
ad utendum sapienter scientia, quae est materia et subiectum
sapientiae ad habendum patientiam contra iram, quae deformat
scientiam, quod non sit materia neque subiectum sapientiae
15 contra patientiam. Et propter hoc homo sapiens cum deliberatione, quando per iram tentatur, habet abstinentiam, eo ut
patientiam ualeat generare.

Sapientia est forma, formans humanam uoluntatem, eo ut
patientiam diligat contra iram, quae deformat humanam uolun-
20 tatem, eo ut non diligat patientiam.

Sapientia est forma, formans humanam memoriam, eo ut
quando homo tentatur per iram, memoret patientiam. Et ira
deformat humanam memoriam, eo ut quando tentatur per iram,
non memoret patientiam neque abstinentiam.

25   Homo sapiens conatur cum sapientia et cum patientia contra
iram et impatientiam. Et homo iratus conatur contra sapientiam et patientiam cum ira et impatientia. Et si homo magis
conetur cum sapientia et cum patientia, superat iram et impatientiam. Et si magis conetur cum ira et impatientia, sapientiam
30 et patientiam uincit. Et ex hoc potest cognosci, quod homo
libertatem habet | ad habituandum se ipsum de sapientia et   M 128ᵛ
patientia, uel de ira et impatientia.

Per hoc, quod superius diximus, potest solui quaestio, quae
est de praedestinatione, contra eos, qui dicunt, quod si quis sit
35 praedestinatus oportet de necessitate, quod saluetur; et si | sit   T 55ʳ
praescitus, oportet de necessitate, quod damnetur. Et sic dicunt,
quod non oportet hominem facere bonum nec uitare malum. Et
si ipsi ueritatem dicerent, non esset uerum, quod superius diximus de libertate, quam habet homo ad habendum fortitudinem
40 cum sapientia et cum patientia contra iram et impatientiam;
nec esset uerum, quod haberet fortitudinem cum ira et impatientia contra sapientiam et patientiam. Quod est impossibile,
cum ita sit, quod de duabus fortitudinibus experimentum habeamus ita spiritualiter per scientiam, quemadmodum habemus
45 | corporaliter experimentum, quod ignis est calidus per calorem   R 114ᵛ
et quod aqua frigida est per frigus.

Solutio de praedestinatione debet solui populo, quia daemon
plures homines tentat cum praedestinatione, qui facerent bo-

---

20 non] *coni.*; *om. codd. omnes*   **22/24** Et – patientiam] *om. T*   **36** praescitus]
corr. ex praedestinatus M_1; praecisus *M T R*   **40/41** cum sapientia – fortitudinem]
om. T

num et malum uitarent, si scirent solutionem supra dictam,
50 quae facta est per demonstrationem et experimentum.

Intellectus humanus intelligit successiue per naturam, quando
scientiam generat, quae generata est supra naturam. Et propter
hoc generat scientiam cum sapientia, quae instrumentum est
supra naturam. Et propter hoc homo sapiens cum sapientia
55 conseruat libertatem et naturam sui intellectus. Et homo iratus
facit contrarium cum ira, quae est instrumentum supra naturam.

Humana uoluntas amat successiue per hominem sapientem.
Et ob hoc uoluntas, associata cum sapientia, generat amantiam
60 uel amorem, cum quo amat patientiam contra iram. Et homo
iratus cum ira generat impatientiam contra patientiam.

Humana memoria successiue memorat, eo ut generet recolentiam, quando associata est cum sapientia. Et propter hoc memorat abstinentiam contra iram et impatientiam. Et homo iratus
65 utitur memoria per contrarium. Et hac de causa, quando iratus
est, utitur ira, non memorando patientiam nec sapientiam. Et
id, quod faciet, per contingentiam est, non habendo sapientiam
neque scientiam.

Homo sapiens cum sapientia illuminat suum uidere, audire,
70 odorare, gustare, palpare, affari, imaginari, intelligere, amare et
memorare. Et homo iratus generat tenebrosum suum uidere,
audire, etc. Et propter hoc in homine sapiente, dum sapiens est,
nequit nasci stultitia, ira nec impatientia; nec in homine irato,
dum iratus est, possunt nasci sapientia et patientia. Vnde cum
75 hoc ita sit, potest cognosci, quod sapientia et ira habent in
homine secundum loca supra dicta distantiam infinitam.

Homo sapiens utitur sapienter bonis gratiae, quae Deus impendit; et homo iratus utitur stulte illis. Et propter hoc bona
gratiae sunt materia et subiectum, in quo sapientia et ira
80 habent distantiam infinitam.

Homo | sapiens percutit iram cum sapientia, iustitia, pruden- M 129ʳ
tia, fortitudine, temperantia, fide et spe et caritate; et dum ita
percutit eam, ira nullam habet fortitudinem. Et homo iratus
percutit sapientiam cum auaritia, gulositate et aliis peccatis; et
85 dum eam ira percutit, sapientia uicta est, et nullam habet
fortitudinem. Et hac de causa sapientia et ira habent distantiam
infinitam.

Diximus de sapientia et ira. Et propter hoc deprecemur
dominum Deum nostrum Iesum Christum, quatenus det nobis
90 sapientiam contra iram, ex quo est Pater noster. Et eius amore,
reuerentia et honore dicamus *Pater noster*.

---

74 et] *coni.*; *om. omnes codd.*   **89** Iesum Christum] *recte coni.* M₁; *om.* M T R

V.8.8. De sapientia et mendacio [1 i]

[Sermo CXXXVI]

| Si uelis sermocinari de sapientia et mendacio, recolas earum themata, definitiones et species; et secundum eas ordines tuum
5 sermonem.

In principio deprecabimur dominum Deum nostrum Iesum Christum, quatenus det mihi gratiam dicendi, et uobis audiendi et retinendi uerba, quae sint ad eius honorem, et animarum nostrarum salutem. Et ob amorem, reuerentiam et honorem
10 nostrae dominae sanctae Mariae dicamus *Aue Maria*.

Sapientia est habitus et instrumentum, cum quo normantur et ordinantur actus potentiarum naturalium ad finem, per quem sunt, sapienter et ueraciter. Qui quidem actus sunt uidere, audire, odorare, gustare, palpare, affari, imaginari, intelligere,
15 amare et memorare. Et mendacium est habitus et instrumentum, cum quo homo stulte et mentienter utitur illis actibus.

Bona gratiae, quae Deus impendit, quae sunt honores et diuitiae, sunt materia et subiectum, in quo sapientia et mendacium contrariantur, et habent distantiam infinitam.
20 Homo sapiens utitur scientia sapienter et ueraciter. Et homo mendax utitur scientia mentienter et stulte. Et propter hoc scientia est materia et subiectum, in quo et cum quo sapientia et mendacium sunt instrumenta contraria, quae in homine habent distantiam infinitam.
25 Homo sapiens per sapientiam credit ueritatem, quam intelligere non potest. Et si multum est sapiens, intelligit per id, quod credit; cum ita sit, quod intelligere et credere sint maiora, quam credere uel intelligere tantum. Et homo mendax, quando non potest intelligere, credit, quod id, quod uerum est uel ueritas, sit
30 mendacium; et quod id, quod mendacium est, sit ueritas. Et si fortiter est mendax, intelligit ueritatem, et dicit illam ueritatem esse mendacium.

Homo sapiens cum ueritate illuminat uoluntatem ad amandum, et memoriam ad memorandum ueritatem; cum ita sit,
35 quod sapientia sit lumen spirituale, et mendacium est actus tenebrosus, cum quo homo mendax utitur contra sapientiam.

Homo mendax negat in Deo diuinam trinitatem, eo quia considerat, quod si Deus esset in trinitate, et eius substantia esset composita ex multis essentiis. Et homo sapiens considerat, Deum esse in trinitate, eo ut eius diuinae dignitates habeant
40 ita magnum opus per naturam diuinam, quemadmodum est earum essentia | et substantia, eo ut non sint otiosae nec sine   M 129ᵛ
natura diuina, stante diuina substantia simplici et procul cuncto

---

CXXXVI, **43** diuina¹] *in marg. M*   simplici] *correxi*; simplice *MTRM*₁

accidente infinite et aeterne. Et Deus Pater de tota sua substan-
45 tia generat totum suum Filium Deum, et ex ambobus procedit
Deus Spiritus sanctus; et omnes tres personae aeternae et
infinitae sunt multae et tres per numerum earum, et sunt una
substantia, una essentia, et una natura, et non multae substantiae nec multae essentiae nec multae naturae. Quoniam in essen-
50 tia, substantia et natura simpliciter aeterna et infinita et sine
omni accidente, | non potest recipi nec esse aliqua compositio.

Homo mendax dicit Deum non posse incarnatum esse nec de
femina stante uirgine posse natum fuisse. Et hoc dicit, quia
incarnationem non intelligit supra naturam sentiendi et imagi-
55 nandi. Et homo sapiens credit supra naturam sentiendi et imaginandi. Et scit, quod Deus potest facere se ipsum hominem,
cum ita sit, quod in Deo eius uoluntas, suus intellectus et sua
potestas sint unum idem per essentiam et per naturam. Et
propter hoc potest tantum complere per suam potestatem,
60 quantum potest uelle sua uoluntas, et quantum potest intelligere intellectus eius, et bonificare sua bonitas, et magnificare sua
magnitudo.

Homo mendax mentitur, in quantum dicit, mundum non esse
creatum, et quod aeternus est. Et hoc dicit, quia non potest
65 intelligere per naturam humanam, quod aliquid posset de nihilo
esse. Et homo sapiens intelligit supra naturam, quod Deus per
naturam suae potestatis, intellectus et uoluntatis, potest de
nihilo facere creaturam.

Homo mendax dicit, quod homo non potest resuscitari, nec
70 potest durare in caelo aeterne, nec in inferno in igne aeterne. Et
uerum dicit secundum corpus humanae naturae; sed non dicit
uerum secundum corpus diuinae naturae. Et homo sapiens, qui
considerat Deum habere potestatem supra naturam humanam,
dicit sapienter et ueraciter, quod Deus | potest cum sua natura T 55ᵛ
75 supra corpus humanae naturae. Et ex hoc potest cognosci, quae
sunt controuersiae hominis sapientis, et hominis mendacis. Et
tales controuersiae debent praedicari populo, eo ut caueat a
mendacio, et quod habeat sapientiam.

Diximus de sapientia et mendacio. Et propter hoc deprece-
80 mur dominum Deum nostrum, quatenus det nobis sapientiam
contra mendacium, ex quo est Pater noster. Et eius amore,
reuerentia et honore dicamus *Pater noster*.

DE FINE HVIVS LIBRI.

Nullus sermo melior est nec fructuosior, quam sermo, qui

---

44 aeterne] *add.* stante *M T R M*₁   52 esse] *coni.*; etiam *M T R M*₁   55 et]
coni.; *om. codd. omnes*

factus est per naturam intelligendi Deum et opera eius; et per
quem intelligitur, quid sunt uirtutes, et quid peccata; et per
5 quod ueniunt, et unde ueniunt; et quod sciatur cognosci concordantia, quae est inter uirtutem et uirtutem, et quae est inter
peccatum et peccatum; et controuersia, quae est inter uirtutem
et peccatum. Vnde cum hic *Liber de sermonibus* sequatur supra
dictum processum, | potest cognosci utilitas huius libri.   M 130ʳ
10   Subiectum huius libri est ita magnum, quemadmodum est
significatum in prologo libri huius. Et secundum quod subiectum est magnum, possunt de ipso praedicari multi sermones
magni et nobiles.
    Sermones huius libri sunt tribus modis:
15   Sermones, qui de facili possunt intelligi per gentes simpli-
ces, non habentes magnam scientiam.
    Alii sermones sunt subtiliores, qui debent praedicari homi-
nibus, scientiam noscentibus per comparatiuum gradum.
    Et alii sunt sermones, qui sunt magis superius, qui debent
20 praedicari hominibus, scientiam habentibus | in superlatiuo gra-
du.
    Et sic sermones huius libri sufficientes sunt cunctis hominibus
secundum comparationem supra dictam.
    Sermones huius libri sunt maxime per duas scientias; quae
25 sunt philosophia et theologia. Et quia philosophia est lumen, per
quod ascenditur ad theologiam, debet praedicari populo per
philosophiam, lumine cuius sciat ascendere ad intelligendum
theologiam, et cognoscendum Deum et opera eius. Quoniam per
cognitionem, habitam de Deo et operibus eius, efficitur homo
30 philocaptus de Deo et operibus eius; et se assuescit ad memorandum Deum et opera eius; et assuescit etiam suum uidere,
audire, odorare, gustare, palpare, affari, imaginari, ad uenerandum, seruiendum et laudandum Deum, et ad utendum eius
amore, ueneratione et honore bonis gratiae, quae ipse dat.

35   Finiuit Raimundus librum istum in ciuitate Maioricensi, mense
Ianuarii anno incarnationis Domini 1312 ad honorem domini nostri Iesu Christi et adiutorio et amore Spiritus sancti.
    Ob hoc ut hic liber defendatur et custodiatur a malis homini-
bus, commendauit Raimundus librum istum domino Deo no-
40 stro Iesu Christo et dominae nostrae sanctae Mariae.

De Fine, **3** est] *coni.*; *om. codd. omnes*   **4** intelligitur] *coni.*; intelligit *MR M*₁;
homo intelligit *T*   **12** possunt] *recte corr. M*₁; potest *MTR*   **36** 1312] *not. in
marg.* 13 *M*   **37** nostri] *M*₁; *add.* Dei *MTR*   **40** Mariae] *add.* finito libro sit
laus et gloria Christo. Amen *MRM*₁

LIBER DE SEPTEM DONIS
SPIRITVS SANCTI

In Ciuitate Maioricarum, 1313 II

LIBER DE SEPTEM DONIS
SPIRITVS SANCTI

CODEX

M = München, Bayerische Staatsbibliothek, clm 10495, f. 161va-167va

LIBER DE SEPTEM DONIS SPIRITVS SANCTI[a]

DE SEPTEM DONIS SPIRITVS SANCTI[b]
DE SEPTEM DONIS SANCTI SPIRITVS[c]
LIBER COMPOSITVS EX SEPTEM DONIS PER SPIRITVM SANCTVM
DATIS[d]
SERMONES DE SEPTEM DONIS, QVAE SPIRITVS SANCTVS DEDIT[e]

---

a = Clausula finalis huius operis; MAYER 210; SALZINGER 86; PASQUAL I,
     318; 373; HLF 232; OT 170.3; GL gd[4]; AV 184; WADDING-SBARALEA
     337; CA 134; LLINARÈS 204; PLA 227; CRUZ HERNÁNDEZ 171; BONNER
     IV, 64
b = VILETA 84; LO IV, 51.3
c = Ms. M, fol. 1r
d = Inuocatio operis
e = Prol. lin. 9/10

Deus gloriose, qui totius, quod est, dominus es, et qui es dignus plus amari, memorari et intelligi super omnia, amore
tuo, reuerentia et honore,
Incipit Liber iste, compositus ex septem donis, per Spiritum
5   sanctum datis.

[Prologvs]

Cum Spiritus sanctus sit diuina persona, sibi ipsi data per
Deum Patrem et Deum Filium, ex quibus ipsa infinite et aeterne procedit, dignum est, quod faciamus sermones de septem
10 donis, quae Spiritus sanctus dedit.
Quae sunt: (1) Sapientia, (2) scientia, (3) intellectus, (4) consilium, (5) fortitudo, (6) pietas et (7) timor.
Cognitis septem donis, quae Spiritus sanctus dedit, potest
cognosci Spiritus sanctus; cum ita sit, quod per donum possit
15 cognosci dator. Et qui datorem cognoscit, potest cognoscere et
dona; quae sibi conuenerunt ad dandum pro cognoscendo dona
illa. Et debet dator amari, intelligi, memorari, laudari, honorari
et seruiri. Et propter hoc iustum est, quod fiant sermones de
donis, per Spiritum sanctum datis, ut populus sciat amare,
20 intelligere et memorare Deum, et Spiritum sanctum uenerari,
laudare et seruire.

[Sermo I]

De sapientia

Quicumque, uolens de sapientia sermocinari, faciat ipsius definitionem, de qua faciat thema sermonis.
5   In principio deprecabimur Spiritum sanctum, scilicet quatenus det mihi gratiam dicendi, et uobis audiendi et in opere
ponendi uerba, quae sint ad gloriam et honorem ipsius et ad
saluationem animarum nostrarum. Et amore, reuerentia et honore dominae nostrae sanctae Mariae, dicamus *Aue Maria*.
10 Sapientia est donum, quod Spiritus sanctus dat homini, ut
sapienter sciat intelligere et uti bonis gratiae, per Spiritum
sanctum datis; quae sunt diuitiae et honores.
Pro eo quia sapientia est donum, datum et regulatum humano
intellectui, homo, de sapientia habituatus, regulat et ordinat
15 uoluntatem suam, suam memoriam et potentias inferiores; quae
sunt: (1) Potentia uisiua, (2) auditiua, (3) odoratiua, (4) gustati-

Prol., **1** es¹] estis *M*   es²] *om. M*   **2** intelligi] intelligere *M*   **3** tuo]
uestro *M*   **15** potest] possunt *M*   cognoscere] cognosci *M*

I, **3** ipsius] *om. M*

ua, (5) tactiua, (6) affatiua et (7) imaginatiua; et omnes actus
earum; qui sunt: (1) Videre, (2) audire, (3) odorare, (4) gustare,
(5) palpare, (6) affari et (7) imaginari; et etiam intelligere,
20 amare et memorare. Et propter hoc in homine sapienti, regulato
et ordinato, insipientia et stultitia stare nec intrare potest.

Sapientia est forma, quae est de similitudine amandi et me-
moran|di, quae opera sapientia sunt. Quae homo sapiens generat,   M 162ʳ
quando intelligit, amat et memorat sapienter obiectum sapien-
25 ter intellectum, amatum et memoratum.

Sapientia est ideo, quod homo sapienter utatur potentiis, ex
quibus ipse est, supra dictis, in intelligendo, amando et memorando Deum super omnia. Et stultitia, quae est contra sapientiam, est per contrarium. Et propter hoc potest cognosci sapien-
30 tia per suum finem, et per contrarium, et cognosci finis, per
quem Spiritus sanctus dedit eam.

Si Spiritus sanctus dat sapientiam, pro eo ut cum sapientia
sapienter ametur et memoretur, ergo Spiritus sanctus dat sapientiam, pro eo ut sapienter intelligatur. Et si Spiritus sanctus
35 sapientiam dat, pro eo ut per hominem memoretur et ametur
plus, quam aliquid aliud, ergo dat sapientiam, pro eo ut intelligatur super omne, quod est. Vnde cum hoc ita sit, ergo male
dicunt illi, qui dicunt, quod homo non debet Spiritum sanctum
intelligere, nec etiam Deum Patrem nec Deum Filium, sed quod
40 tantum debent credi; cum ita sit, quod credulitas non sit ita
altum opus, quemadmodum est intelligere; quia intelligere et
dubitare habent distantiam infinitam, et credere et dubitare
non habent distantiam infinitam.

Spiritus sanctus dat sapientiam ob hoc, ut sit instrumentum
45 homini, cum quo faciat sapientia opera, quae sine sapientia
facere non ualeret. Quoniam sicut igni datur calor, ut sit sibi
instrumentum naturale pro calefaciendo, ita per Spiritum sanctum data est sapientia homini, ut sibi sit morale instrumentum
et habitus humano intellectui, cum quo intelligit supra uires
50 suas et supra naturam suam Deum et opera eius.

Sapientia est forma scientiae. Quae quidem scientia est subiectum suum. Quoniam scientia sine sapientia non habet infinitam distantiam stultitiae; cum ita sit, quod multi homines
habeant scientiam per liberales artes uel mechanicas et per ius
55 et per medicinam, et nescirent ipsis uti sine sapientia sapienter.
Et qui non utitur scientia sapienter, utitur ea stulte.

Sapientia est habitus spiritualis, quem quis uidere non potest
nec tangere, quia non habet colorem nec figuram nec quis eam
audire potest, quia ipsa non loquitur; nec quis eam odorare

---

17 et¹] *om. M*   **21** et²] nec *M*   **28** Deum] *om. sed add. alia manu in marg.*
M   **49** habitus] habitum *M*   **58** nec] *om. M*   quia – figuram] *om. M*   **59/**
60 quis – potest¹] audire *M*

60 potest, quia odorem non importat; nec quis eam gustare potest,
quia saporem non continet; nec quis cum ea loqui potest, quia
ipsa non loquitur; nec quis eam imaginari potest, quia non
habet colorem nec figuram. Ergo quid est?

Sapientia non est obiectum aliquarum potentiarum inferio-
65 rum, sed tantum est obiectum potentiarum superiorum. Et sicut
est intellectus, qui eam intelligere potest, et uoluntas amare, et
memoria memorare possunt.

Sapientia uiuit et durat in homine, sicut gratia Spiritus sancti,
qui eam dat, uiuit in homine, in quantum eam intelligit, amat et
70 memorat. Et si homo intelligit sapientiam et memorat, et non
eam amat, sapientia moritur, quia stare non potest in homine
sine amore; cum ita sit, quod Spiritus sanctus, sapientiam dans,
amore Patris et Filii procedit.

Diximus de sapientia. Et ostendimus, quomodo Spiritus sanc-
75 tus dat eam; et ostendimus id, quod est ipsa, de quo est et per
quod est. | Et propter hoc deprecemur Spiritum sanctum, quate-   M 162ᵛ
nus det nobis sapientiam, ex quo est Pater noster. Et eius
amore, reuerentia et honore dicamus *Pater noster*.

[Sermo II]

De scientia

Quicumque uelit sermocinari de scientia, faciat et ponat ipsius definitionem; quae quidem definitio sit thema sermonis.

5   In principio deprecabimur Spiritum sanctum, quatenus det
mihi gratiam dicendi, et uobis audiendi et in opere ponendi
uerba, quae sint ad gloriam et honorem ipsius et animarum
nostrarum salutem. Et amore, reuerentia et honore dominae
nostrae sanctae Mariae dicamus *Aue Maria*.

10 Scientia est habitus, per quem scitur id, quod scitur. Et est
habitus generalis, qui per Spiritum sanctum datur populo suo.
Qui quidem populus regulatus existit et ordinatus per scientiam, regulatam cum uirtutibus contra peccata. Cum qua scientia sciatur haberi usus de bonis temporalibus, per Spiritum
15 sanctum datis.

Scientia, in quantum est generalis, habet subtus se multas
species, quae sunt:

Scientia infusa, cuius Spiritus sanctus magister est sine medio
illi, cui ipsam dat.

20 Septem sunt scientiae, quae artes liberales nuncupantur, quas

---

64 non] *om. sed add. alia manu in marg.* M   **67** possunt] *om.* M   **68** sicut]
sic M   **69** dat] *add.* quemadmodum M   **73** Patris – procedit] *om.* M

II, **12** existit] existat M

Spiritus sanctus dat cum medio, ut magistri sint instrumenta,
per quae Spiritus sanctus det artes. Quae sunt: (1) Grammatica,
(2) Logica, (3) Rhetorica, (4) Musica, (5) Arithmetica, (6) Geometria et (7) Astronomia.

25 Spiritus sanctus dat scientiam cum uirtutibus contra peccata,
contra schismatem et infidelitatem.

Spiritus sanctus dat scientiam principibus, qualiter regnare
sciant; et militibus, quomodo sciant manutenere iustitiam, ut
pax sit in terra.

30 Dat Spiritus sanctus scientiam iuristis, ob hoc ut iura cognoscant, quae decent et conueniunt ad iustitiam tenendam. Dat
Spiritus sanctus scientiam medicis, ut sanitatem sciant procurare.

Dat Spiritus sanctus politicam, ut politica sit instrumentum,
35 per quod populus sciat ordinare ciuitatem per priuilegia et
bonos mores, per uias, plateas et per alia, competentia ciuitati.

Dat Spiritus sanctus scientiam patrifamilias, ob hoc ut sciat
gubernare et ordinare familiam suam, uxorem suam et filios
suos nutrire.

40 Dat Spiritus sanctus scientiam, habentem subtus se multas
species. Quae sunt artes mechanicae, sicut scribania, mercatoria,
nauigatio, piscatoria siue piscatio, capentoria siue fusteria, fer-
raria, agricultura, pastoria; et sic de aliis artibus mechanicis.
Sine quibus homo uiuere ordinate non ualeret, nec usum habere
45 bonorum gratiae, quae Spiritus sanctus dat, quae sunt denarii,
campi, uineae, bestiae, et alia istis similia.

Scientias, quas Spiritus sanctus dat, dat cum bonitate, magnitudine, duratione, potestate, intellectu, amore, uirtute, delecta-
tione et ueritate. Et hoc facit, eo quia bonus est, magnus,
50 durabilis, potens, sapiens, uirtuosus, uerus et gloriosus. Et propter hoc decet illos, qui scientias addiscunt, quas ipse dat, esse
bo|nos, et quod eius amore faciant opera magna, durabilia et   M 163ʳ
bona, potentia, scientifica, amorosa, uirtuosa, uera et gloriosa.
Propter quae opera sanctitatem acquirant. Propter quam digni
55 sunt ad utendum scientiis, quas Spiritus sanctus dat.

Dat Spiritus sanctus scientias, quae sunt boni mores, cum
quibus sciatur uti bene, magnifice, durabiliter, potenter et uirtuose per uidere, audire, odorare, gustare, palpare, affari, imaginari, intelligere, amare et memorare.

60 Si homo auarus accipit scientiam, a Spiritu sancto intellectus
accipit scientiam. Et Spiritus sanctus dat eam intellectui, eo ut
intelligat largitatem contra auaritiam. Et propter hoc homo
auarus culpam habet. Et culpabilis est, quia scientiam accipit a
Spiritu sancto, et ea cum auaritia utitur.

---

26 schismatem] cismaticam *M*   **30** hoc] *om. sed add. in marg. M*   **34**
politicam] polencam *M*   politica] poletica *M*   **46** bestiae] bestiare *M* (*cf. op.*
205, serm. XCVII, *lin. 21*)   **55** quas] quae *M*

65 Spiritus sanctus dat saporem per comedere et bibere. Et si
homo gulosus utitur illo sapore cum gulositate, per illum usum
est contra Spiritum sanctum, qui creator et dator est saporis
illius.

Spiritus sanctus dat placitum per tangere. Et si homo luxu-
70 riosus utitur placito illo cum luxuria, peccat mortaliter contra
Spiritum sanctum.

Spiritus sanctus dat pulchritudinem homini et mulieri; et dat
diuitias et honoratum genus. Et si homo superbus est, peccat
contra Spiritum sanctum mortaliter cum superbia.

75 Spiritus sanctus uult hominem fore diligentem ad acquirendum uirtutes et ad uitandum peccata et ad postulandum ab eo
ueniam et ad habendum contritionem. Et si homo est negligens,
mortaliter peccat.

Spiritus sanctus non uult hominem fore inuidum de bonis
80 gratiae, quae ipse dat. Et uult patientiam dare homini, qui
iratus est. Et uult dare uerba ueracia homini proferenti mendacia uerba. Et si homo talis acceptare recusat dona sua, mortaliter peccat, et uadit ad poenam infernalem aeternam.

Diximus de scientia. Et propter hoc deprecemur Spiritum
85 sanctum, quatenus det eam nobis, ad ipsum uenerandum et
seruiendum. Et eius amore, reuerentia et honore dicamus *Pater
noster*.

[Sermo III]

De intellectv

Quicumque uelit sermocinari de intellectu, ponat eius definitionem; quae sit thema ipsius sermonis.
5 In principio deprecabimur Spiritum sanctum, quatenus det
mihi gratiam dicendi, et uobis audiendi et in opere ponendi uerba, quae sint ad eius laudem et animarum nostrarum salutem.
Et amore, reuerentia et honore dominae nostrae sanctae Mariae
dicamus *Aue Maria*.
10 Intellectus est potentia, cui competit intelligere. Dat igitur
Spiritus sanctus intellectum humanum, ob hoc ut intelligat
intellectum, id est rem intellectam, quod est proprium obiectum
intellectus. Et dat ei fidem, ut fides adiuuet intellectum ad
intelligendum Deum et opera eius. Quoniam sicut homo uidere
15 non posset sine aere illuminato, ita humanus intellectus non
posset intelligere Deum nec opus, quod in se ipso habet, sine
lumine fidei; cum ita sit, quod Deus inuisibilis sit et inimagina-
bilis. Vnde cum hoc ita sit, ergo male | dicunt illi, qui dicunt, M 163ᵛ

III, **8** dominae – Mariae] *om. M*

homines in uita ista non posse intelligere Deum, nec sanctam
20 trinitatem, nec alios articulos fidei.

Spiritus sanctus dat intellectum humanum per maiorem finem.
Ergo dat eum, pro eo ut intelligat Deum et eius sanctam trinitatem, quae est maior finis, per quem intellectus est nobilior
finis, per quem intellectus dari possit per Spiritum sanctum. Et
25 si Spiritus sanctus daret intellectum humanum, ob hoc ut intelligeret finem nobiliorem, et intellectus illum intelligere uel apprehendere non ualeret in hac praesenti uita, in qua Spiritus
sanctus intellectum dat, sequeretur, quod Spiritus sanctus non
daret ordinate nec sancte intellectum humanum; quod est im-
30 possibile. Per quam quidem impossibilitatem potest cognosci,
quod in hac praesenti uita humanus intellectus dono gratiae,
quod Spiritus sanctus dedit, sancte et ordinate et possibiliter
potest intelligere sanctam diuinam trinitatem.

Intelligere est actus naturalis intellectus; et credere est in-
35 strumentum, quod Spiritus sanctus dat intellectui, ut possit
intelligere naturaliter; cum ita sit, quod potentia nuda non
possit habere actum naturalem sine instrumento.

Intellectus per naturam potest facere scientiam de rebus
corporalibus cum potentiis inferioribus, quae sunt potentia uisi-
40 ua, auditiua, gustatiua, tactiua, affatiua et imaginatiua. Et non
oportet fidem sibi fore instrumentum; cum ita sit, quod intellectus sit nobilior in natura bonitatis, magnitudinis, potestatis,
durationis, uirtutis et aliarum, et potentiarum inferiorum. Sed
non potest scientiam facere de Deo, nec de angelo, quin et nisi
45 fides sit sibi instrumentum ad intelligendum Deum et angelos,
qui sunt superiores per bonitatem, magnitudinem, durationem,
potestatem et uirtutem, quam intellectus humanus. Vnde cum
hoc ita sit, potest igitur humanus intellectus intelligere lumine
fidei Deum Patrem, Deum Filium et Deum Spiritum sanctum;
50 et hoc dono et ordinatione et sanctitate, quam Spiritus sanctus
dedit humano intellectui.

Spiritus sanctus dat intellectui humano naturam, quae habeat
maiorem concordantiam cum uoluntate per intelligere et per
credere. Et propter hoc uoluntas humana potest magis amare
55 id, quod intelligit intellectus, quam id, quod credit, secundum
comparationem intelligendi et credendi. Vnde cum hoc ita sit,
male dicunt ergo illi, qui dicunt, quod non debet homo in uita
ista intelligere diuinam sanctam trinitatem, eo ut inde consequatur maius meritum per fidem; quod amitteret, si diuinam
60 sanctam trinitatem intelligeret. Et isti tales sunt contra Spiritum sanctum, in quantum diligunt magis acquirere meritum,
quam intelligere Spiritum sanctum.

Intellectus habet infinitam distantiam per intelligere cum

---

45 Deum] *om. M*   **49** et] *om. M*

ignorantia; et cum credulitate prope est dubitationi. Et propter
65 hoc intellectus humanus habet maius donum per Spiritum sanctum, quando det sibi gratiam, quod intelligat, quam quod credat.

    | Spiritus sanctus dat intellectui fidem, eo ut credat ueritatem,   M 164ʳ
quam intelligere non potest, quia non est dispositus intelligere
70 alta de Deo; sicut intellectus hominis mcchanici, carpentoris uel
fabri. Sed si homo est naturalis et theologus, potest Spiritus
sanctus dare maiorem gratiam intellectui illius pro intelligendo,
quam pro credendo; cum ita sit, quod credere sit, ob hoc ut sit
intelligere. Quod quidem credere est instrumentum ad intelli-
75 gendum; et intelligere non est instrumentum ad credendum. Et
hoc significauit Isaias propheta, quando dixit: *Si non credideri-*
tis, non intelligetis (Is. 7, 9).

    Intellectus est sanctior, quando intelligit bonitatem, quam
quando credit. Ergo accipit maius donum per Spiritum sanc-
80 tum, quando diuinam bonitatem intelligit, quam quando credit
eam. Et hoc idem potest dici de aliis diuinis dignitatibus et de
diuina trinitate.

    Sermo iste non est proportionatus populo, quia eum intellige-
re non ualeret. Et est proportionatus litteratis hominibus, per
85 scientiam naturalem habituatis et theologam.

    Diximus de intellectu, quem Spiritus sanctus dat, et eius
opere. Et propter hoc deprecemur Spiritum sanctum, quatenus
det nobis gratiam, per quam eum intelligere ualeamus, ex quo
est Pater noster. Et eius amore, reuerentia et honore dicamus
90 *Pater noster.*

[Sermo IV]

De consilio

    Quicumque uolens de consilio sermocinari, ponat eius defini-
tionem, quae sit thema sermonis.
5   In principio deprecabimur Spiritum sanctum, quatenus det
mihi gratiam dicendi, et uobis audiendi et in opere ponendi
uerba, quae sint ad eius honorem et animarum nostrarum salutem. Et amore, reuerentia et honore dominae nostrae sanctae
Mariae dicamus *Aue Maria.*
10   Consilium est instrumentum, cum quo homo habet sanctum
intelligere, amare et memorare, imaginari, affari, loqui, gustare,
odorare, audire et uidere. Sine tali instrumento homo non potest
uti sancte suis decem potentiis naturalibus. Dat igitur Spiritus

---

    66 quod] quando *M*   **69** dispositus] disposita *M*   **76/77** credideritis]
creditis *M*   **85** theologam] *sc.* theologicam   **87** opere] opus *M*   sanctum]
om. M

In principio deprecabimur dominum Deum nostrum Iesum
10 Christum, quatenus det mihi gratiam dicendi, et uobis audiendi
et retinendi uerba, quae sint ad laudem et gloriam eius, et
animarum nostrarum salutem. Et amore, reuerentia et honore
dominae nostrae sanctae Mariae dicamus *Aue Maria.*
Deus dat iustitiam bonam, ut sit homini instrumentum, cum
15 quo faciat bonum et iustum opus ad dandum comedere pauperibus. Quia nisi esset bonum et iustum, non esset opus misericordiae, et non posset esse opus misericordiae sine bonitate et
iustitia, quas | Deus dat ad essendum instrumentum homini,   M 168ʳ
cum quo faciat opus misericordiae. Quoniam sicut faber clauum
20 facere non ualeret, nisi martellus esset sibi instrumentum ad
faciendum clauum, ita non posset fieri opus misericordiae, quin
instrumentum sit bonum et iustum.
Misericordiam habet ille, qui eam intelligit, amat et memorat.
Et non eam habet ille, qui eam intelligit et memorat, et non eam
25 amat, quamuis faciat opus misericordiae. Sicut presbyter, qui
sanctitatem non habet, si malus est et iniustus; et quamuis
faciat sacrificium altaris, si illud intelligit et memorat et non
illud amat, non habet sanctitatem, quamuis eam habeat, in
quantum est instrumentum.
30 Dare comedere pauperibus intelligitur dupliciter: Comedere
corporale et comedere spirituale. Corporale, sicut dare panem,
carnes, pisces, et alia similia istis. Comedere spirituale, sicut
dare bonum exemplum de uirtutibus, et procurare, quod ipsi
uirtuosi sint, ut eorum animae uiuant de uirtutibus, sicut corpus
35 uiuit de uictualibus corporalibus supra dictis.
Homo bonus, et qui sit iustus, si uult facere opus misericordiae in dando comedere pauperibus, oportet quod det uictuale
illud contra mortalia peccata; quia non decet tam dignum opus
fieri cum mortali peccato, quod est contra sanctitatem miseri-
40 cordiae et bonae iustitiae. Et propter hoc non sufficit sibi facere
misericordiam in dando comedere pauperibus, quod inde ueniat
ad saluationem, nec quod fugiat poenam aeternam. Tamen sufficit sibi ad hoc, quod non sustineat ita magnam poenam; quia
bonum, quod facit, est de genere bonae iustitiae.
45 Homo bonus et iustus, faciens misericordiam magis Dei amore, quam amore sui ipsius nec proximi sui, facit se ipsum bonum
et iustum. Et Dei iustitia respondet sibi bene et iuste, et ponit
eum in uia saluationis aeternae. Diximus de dando comedere
pauperibus. Et propter hoc deprecemur Deum, quatenus det
50 nobis gratiam, per quam demus comedere pauperibus corporaliter et spiritualiter, ex quo est Pater noster. Et eius amore,
reuerentia et honore dicamus *Pater noster.*

---

18 quas] quam *M*   **26** et²] *om. M*   **27** illud] eum *M*   **28** illud] eum
M   non – sanctitatem] *om. M*   eam] *om. M*   **43** sustineat] sustinet *M*

[Sermo II]

De dando potvm pavperibvs

Quicumque uelit sermocinari de dando potum pauperibus, faciat sermonem cum definitione magnae prudentiae; quae sit
5 thema sermonis.

In principio deprecabimur dominum Deum nostrum Iesum Christum, quatenus det mihi gratiam dicendi, et uobis audiendi et retinendi uerba, quae sint ad eius laudem, et animarum nostrarum salutem. Et amore, reuerentia et honore dominae
10 nostrae sanctae Mariae dicamus *Aue Maria*.

Prudentia est magnum instrumentum, quae docet, quod magnum bonum eligatur et magnum malum uitetur; et quod diligatur magis magna utilitas, quam parua; et quod odiatur magis magnum malum, quam paruum. Et ob hoc illi, qui uolunt
15 dare potum pauperibus, dant cum magna prudentia pauperibus, quia prudentia erit eis magnum instrumentum praeparatiuum ad dandum magnum potum uirtutis et salutis.

Potare | pauperes potest intelligi dupliciter: Potus corporalis M 168ᵛ
et potus spiritualis. Corporalis, sicut dare uinum uel aquam.
20 Potus spiritualis, sicut dare exemplum de se ipso populo de uirtutibus.

Vinum significat laetitiam, et corpus fortificat, et facit bonum sanguinem. Et aqua significat albedinem et puritatem; quoniam cum ea panni, qui labe pleni sunt, id est non pulchri, albi et
25 nitidi fiunt. Et bladum sine aqua crescere non potest. Et propter hanc talem significationem debent potari pauperes de materiali potu per prudentiam magnam.

Potus spiritualis, datus per bonum exemplum de se ipso, in essendo uirtuosum uel in ostendendo et docendo populo uirtutes
30 contra mortalia peccata, est exemplum multiplicatiuum electiuum, per magnam prudentiam datum. Quia prudentia est magnum lumen, quod docet multiplicare per artes mechanicas medium, quod est inter principium et finem. Sicut mercator, qui lucratur denarium cum obolo, et cum uno denario duos dena-
35 rios. Et sic de aliis artibus mechanicis. Et nisi magna prudentia esset, artes mechanicae non fuissent. Est igitur prudentia multiplicatiua electiua.

Et exemplum est gradatiuum, per quod ascenditur ad faciendum comparationem de bonis terrestribus caelestibus. Et dili-
40 git magis homo acquirere uirtutes, quam diuitias terrenas; quoniam uirtutes sunt diuitiae, cum quibus ascendit homo ad eli-

---

II, **4** sermonem] *om. M*   cum] *om. sed add. in marg. M*   **24** labe] tabe *M*
30 multiplicatiuum] multiplitiuum *M*   **33** principium] initium *M; cat.*
començament   **38** exemplum] *om. M*   **41** ad] *om. M*

gendum magis uenerari, seruire et amare, intelligere et memorare Deum et opera eius super omnia alia, quam diuitias terrenas;
cum ita sit, quod Deus sit melior, maior, durabilior, et sic de
45 aliis dignitatibus, super omnia alia; et diuitiae terrenae sunt
communes uiae, cum quibus potest tendi ad paradisum uel ad
infernum. Vnde cum hoc ita sit, qui uult facere eleemosynam
misericordiae in dando potum pauperibus, faciat eam cum magna prudentia pauperi, qui indigebit uino et aqua, uel qui
50 uirtutibus indigebit et in mortalibus peccatis permanebit.

Diximus de modo, per quem debet dari pauperibus potus per
modum magnae prudentiae. Et propter hoc deprecemur Deum,
quatenus det nobis prudentiam magnam in potando pauperes,
ex quo est Pater noster. Et eius amore, reuerentia et honore
55 dicamus *Pater noster*.

[Sermo III]

De indvendo pavperes

Quicumque uelit sermocinari de induendo pauperes, ponat
definitionem de perseuerata animi fortitudine, quae est thema
5 huius sermonis.

In principio deprecabimur Deum, quatenus det mihi gratiam
dicendi, et uobis audiendi et retinendi uerba, quae sint ad eius
laudem. Et amore, reuerentia et honore dominae nostrae sanctae Mariae dicamus *Aue Maria*.
10   Fortitudo animi est instrumentum perseuerabile, cum quo
opera fiunt perseuerabilia. Et est instrumentum fortificatiuum
perseueratiuum aliis instrumentis. | Quae sunt: Iustitia, pruden-   M 169ʳ
tia; et sic de aliis.

Induere pauperes potest intelligi dupliciter: Induere corporale
15 et induere spirituale. Induere corporale, sicut induere pauperes
de panno laneo uel lineo. Tales uestes sunt necessariae corpori
pauperis, ut non sustineat nuditatem neque frigus. Et propter
hoc homo diues, si uelit facere misericordiam de uestibus corporalibus, faciat cum fortitudine perseuerata animi pro Deo ser-
20 uiendo et pro seruiendo pauperi, sicut proximo suo. Alias non
faceret opus misericordiae, si eum indueret. Et si eum induere
uult, et tentatur per daemonem de non induendo ipsum, iuuat
eum contra tentationem animi fortitudo et perseueratio, et
maxime Deus, qui iuuat suum instrumentum, quod creauit et
25 dedit homini, ut cum eo possit facere opera misericordiae.

---

43 quam – terrenas] *om. M*

III, **10** quo] *om. M*

Induere spirituale est, quando induitur pauper de ueste spirituali; sicut iustitia, subtus quam fiunt opera iusta; et prudentia,
cum qua fiunt opera discreta; et sic de aliis habitibus uirtuosis.
Hoc pro tanto dico, quod si homo, pauper uirtutum, nescit se
30 ipsum induere de uirtutibus, quod homo, diues uirtutum, iuuet
eum ita fortiter et perseueranter, quod homo pauper diues fiat
per iustitiam, prudentiam et alias uirtutes. Et tale opus misericordiae spirituale est nobilius opere misericordiae, quod factum
est pro induendo pauperes de uestibus panni. Quoniam quamuis
35 quis de panno induatur, nec per hoc in paradisum uadit, nec
fugit poenas inferni. Et uadit, si induatur de uestibus spiritualibus.

Ille, qui pauperem induit opere misericordiae, induit illum
perfecte ut se ipsum, si intelligit, amat et memorat opus miseri-
40 cordiae; et si ille, qui induitur, amat, memorat et intelligit
induentem eum sicut se ipsum, intelligit, amat et memorat opus
misericordiae. Et si ille, qui induit, non intelligit, nec amat, nec
memorat misericordiam cum instrumento, cum quo induit, non
est misericors in quantum sibi ipsi; et est misericors in quantum
45 facit opus misericordiae. Et si ille, qui induitur opere misericordiae, non memorat, intelligit nec amat misericordiam, induitur
de panno, et non de ueste spirituali; et non consequitur meritum in recipiendo indumentum panneum.

Hoc dico propter aliquas gentes, dicentes, quod pauperes sunt,
50 et induuntur de panno per homines diuites, et non induuntur
per habitus spirituales; et credunt meritum consequi, in quantum se faciunt pauperes, et recipiunt uestes de panno. Quod
quidem meritum non acquirunt nec consequuntur, quia sunt de
genere hypocrisis.
55 Diximus de induendo pauperes. Et sic deprecemur Deum,
quatenus det nobis gratiam, per quam faciamus opera misericordiae, ex quo est Pater noster. Et eius amore, reuerentia et
honore dicamus *Pater noster*.

[Sermo IV]

DE COLLIGENDO SIVE HOSPITANDO PAVPERES

Quicumque uolens sermocinari de hospitando pauperes, faciat
sermonem cum definitione temperantiae potentis; quae est the-
5 ma sermonis.
In principio deprecabimur Deum, quatenus det mihi gratiam
dicendi, et uobis audiendi et | retinendi uerba, quae sint ad   M 169ᵛ

---

32 tale] talis M   **35** in] *om.* M   **41/42** intelligit – misericordiae] *om.* M
46 intelligit] *om.* M

gloriam eius et animarum nostrarum salutem. Et amore, reuerentia et honore nostrae dominae sanctae Mariae dicamus *Aue*
10 *Maria.*

Hospitari pauperes intelligitur dupliciter, scilicet hospitatio
corporalis et hospitatio spiritualis. Hospitatio corporalis appel-
latur, quod pauperes habeant lectos, in quibus iaceant. Et hospitatio spiritualis est, quod admittantur cum pietate, per quam
15 hospes pietatem habeat de paupertate illorum. Per quam quidem pietatem uoluntas, intellectus et memoria hospitis habeant
piam et potentem concordantiam pro aequaliter memorare,
intelligere et amare misericordiam. Quia si intellectus intelligeret misericordiam, et memoria eam memoraret, et uoluntas non
20 eam amaret, misericordia non haberet instrumentum spirituale,
in quo esset, quamuis hospitator hospitaretur pauperes, dando
eis lectos in hospitio suo.

Posito, quod hospitator non habeat tot lectos, quot sibi essent
necessarii ad hospitandum multos pauperes, et ipse uelit hospi-
25 tari plures pauperes, quam possit hospitari, ipse hospitatur in
uoluntate sua illos, quos hospitari non possit in lectis corporalibus; cum ita sit, quod ipse illos hospitari desiderat, in eo quod
desiderat potestatem habere. Et cum illo desiderio aequat, hoc
est, aequale facit, suum memorare, et intelligere. Et omnes tres
30 actus potentiarum sunt unum instrumentum aequale, cum quo
hospitator hospitatur spiritualiter pauperes, quos hospitari non
potest corporaliter.

Si hospitator cognoscit aliquem pauperem, quem hospitatur,
esse in mortali peccato, illum non debet hospitari amore Dei,
35 quia homo, qui in mortali peccato est, nullum ius habet in eo,
quod Dei sit; et propter hoc hospitator facit opus misericordiae
corporaliter et non spiritualiter. Et si eum hospitaretur spiritualiter, et quod pauper esset in peccato mortali, amaret illum,
qui contra Deum est; et faceret opus misericordiae cum sua
40 uoluntate, et non cum suo intellectu, qui intelligit, quod nullus
debet colligi in hospitando, qui uoluntatem habeat contra uoluntatem diuinam. Hoc idem potest dici de memoria.

Hoc dico, pro eo quod misericordiam spiritualem nullus habere potest, sine aequali posse temperato ad memorandum, intelli-
45 gendum et amandum opus misericordiae pro aequaliter memorando, intelligendo et amando Deum, qui illos diligit, qui ipsum
diligunt; et non diligit eos, immo odit, qui ipsum non diligunt.

Diximus de opere misericordiae pro hospitando pauperes. Et
propter hoc deprecemur Deum, quatenus det nobis gratiam, per
50 quam pauperes hospitemur eius amore, ex quo est Pater noster.
Et eius amore, reuerentia et honore dicamus *Pater noster.*

IV, **20** eam] eum *M*   amaret] amabat *M*

[SERMO V]

DE VISITANDO INFIRMOS

Quicumque uelit sermocinari de uisitando infirmos, faciat
sermonem ipsum cum definitione fidei et | sapientiae; quae sunt   M 170ʳ
5 unitatae uirtutes ad essendum unum instrumentum ad credendum et intelligendum Deum et opera eius. Quae quidem definitio sit thema sermonis.

In principio deprecabimur Deum, quatenus det mihi gratiam
dicendi, et uobis audiendi et retinendi uerba, quae sint ad eius
10 laudem. Et amore, reuerentia et honore dominae nostrae sanctae Mariae dicamus *Aue Maria.*

Aliqui homines infirmantur corporaliter et spiritualiter. Corporaliter, sicut per febrem, dolorem, uulnus et alia istis similia.
Spiritualiter, sicut per errores, sicut Saraceni, Iudaei, Tartari,
15 gentiles; et sic de aliis. Et sicut multi christiani, qui infirmantur
per peccatum mortale.

Deus uult homines diuites facere opera misericordiae in uisitando infirmos pauperes; cum ita sit, quod bona gratiae, quae
diuitiae sunt, debeant esse communia tempore necessario diuiti-
20 bus et pauperibus. Et sic idem de medicis; quibus Deus dedit
scientiam medicinalem, eo ut cum ipsa misericordia utantur in
curando infirmos pauperes. Et nisi faciant, sunt ita de eorum
officio auari, quemadmodum est homo diues auarus de diuitiis
suis.

25 Aliqui homines infirmantur, qui credunt Deum non esse, uel
Deum non esse in trinitate, nec ipsum esse incarnatum, nec
mundum esse creatum, nec resurrectionem esse hominum; et sic
de aliis articulis fidei. Tales homines infirmos spiritu debent
uisitare homines sapientes, scientes sanctam fidem catholicam;
30 de qua sunt accidiosi et auari, nisi faciant. Et propter hoc nos
uolumus dare aliqua exempla, per quae potest monstrari ueritas
fidei.

1. Ad probandum Deum esse, arguimus sic:

Praesupponimus magnum bonum esse et magnam ueritatem
35 Deum esse. Et si contrarium sit, sequitur magnum bonum esse
et magnam ueritatem Deum non esse; quod est impossibile.
Manifestum est igitur et probatum, Deum esse.

Bonum concordat cum esse et malum cum non esse. Et si
Deus est, est magis boni, quam mali. Et si Deus non est, est
40 magis mali, quam boni; et malum concordat cum esse et bonum
cum non esse; quod est impossibile.

Si Deus est, infinita substantia est; et si Deus non est, omnis
substantia finita est. Vnde cum infinitas concordantiam habeat

---

V, **4** sapientiae] *i.e.* intellectus   **34** et] *om. M*

cum esse et finitas cum non esse, ergo infinita substantia est, in
45 qua nullum accidens est. Et illa substantia infinita est Deus.

2. Ad probandum trinitatem arguimus ita:

Infinita substantia est. Et si est in ipsa infinita trinitas, est in
ipsa infinita bonitas, magnitudo, aeternitas, potestas, etc. Et si
trinitas in ipsa non est, infinita et aeterna otiositas est; et est
50 substantia uacua et sine natura infinite et aeterne; quod est
impossibile. Probatum est igitur diuinam trinitatem esse.

Illud, quod melius est, facit opus melius. Deus est melior; ergo
Deus habet opus melius. Illud opus melius dicimus diuinam
trinitatem.

55 Omne maius | et melius facit opus maius et melius. Deus est   M 170ᵛ
maior et melior; ergo Deus facit opus maius et melius. Illud
opus maius et melius uocamus trinitatem.

Nullum posse est infinitum sine opere infinito. Deus est posse
infinitum; ergo Deus habet opus infinitum. Illud opus infinitum,
60 quod Deus Pater habet in gignendo Deum Filium, et quod ambo
habent in inspirando Deum sanctum Spiritum, est diuina trinitas.

3. Ad probandum incarnationem ita arguimus:

Omne melius facit creaturam meliorem. Deus est melior; ergo
65 Deus facit creaturam meliorem. Illa creatura est melior, quae
cum diuina natura est una persona; quae est Iesus Christus,
Deus homo.

Omne maius et nobilius facit creaturam meliorem et nobiliorem. Deus est maior et nobilior; ergo facit creaturam maiorem
70 et nobiliorem. Illa creatura maior et nobilior est Iesus Christus,
homo Deus.

Praesuppono magnum bonum esse, et magnam ueritatem
Deum esse incarnatum. Et si contrarium est, magnum bonum
est et magna ueritas, Deum non esse incarnatum. Et sequitur,
75 quod in quantum minus Deus participat in bonitate, magnitudine et ueritate cum sua creatura, in tantum est maius bonum et
maior ueritas; quod est impossibile. Est igitur manifestum et
probatum, Deum esse incarnatum.

4. Ad probandum mundum esse creatum, arguimus sic:

80 Praesupponimus, quod sit magnum bonum et magna ueritas
mundum esse creatum. Et si contrarium est, magnum bonum et
magna ueritas est, quod non creetur. Quod est impossibile, quia
non esset aliud saeculum, nisi solum mundus iste; nec esset
Deus incarnatus nec aliquis homo remuneratus.

---

45 infinita] *corr. in marg. ex* finita M   47 infinita] *corr. ex* finita M   **49**
infinita] *corr. ex* finita M   **52** Deus – melior] *om.* M   **55** Omne] totum M;
cat. tot = omne   **64** Omne] totum M; *cat.* tot = omne   melior] melius M
65 Deus] *om.* M   **66** Iesus] *om.* M   **68** Omne] totum M; *cat.* tot = omne
75 in²] *om. sed add. sup. lin.* M   **76** et¹] *om.* M

85 Illud posse est latius, quod potest quid de nihilo creare. Deus
habet posse latius; ergo Deus potest facere quid de nihilo.
Creatus est igitur mundus de nihilo.

Omne posse, quod sit unum idem cum infinito uelle, potest
mundum creare de nihilo; cum ita sit, quod hoc possit uelle et
90 debeat uelle ad satisfaciendum suo infinito posse et uelle. Deus
est infinitum posse et uelle; ergo creauit de nihilo mundum.

5. Ad probandum, quod sit generalis resurrectio, arguimus sic:
Nullus iudex est iustus, qui iudicet partem hominis, et non
totum hominem. Deus est iudex iustus; ergo iudicat totum
95 hominem. Totum hominem Deus non iudicaret, nisi esset resurrectio generalis. Erit ergo resurrectio generalis.

Totus homo facit bonum uel malum. Ergo totus homo obliga-
tur ad recipiendum iudicium boni uel mali. Erit ergo resurrectio
generalis.
100 Ille, qui melior est et maior, facit opus pro meliori fine et
maiori. Deus est melior et maior; ergo Deus operatur pro
meliori fine et maiori. Per talem consequentiam probatur, quod
erit generalis resurrectio hominum.

Ostendimus, quomodo uisitandi sunt infirmi, qui deficiunt in
105 fide. Et ille est infirmus, | qui fidem scit, et non eam docet M 171ʳ
infirmos. Et hoc idem potest dici de uirtutibus; quae sunt:
Iustitia, prudentia, et aliae; et de mortalibus peccatis. Quas
uirtutes et peccata debent docere illi, qui eas et ea sciunt; cum
ita sit, quod dederit Deus praeceptum per Moysen: *Dilige Deum*
110 *toto corde tuo et totis uiribus tuis, et proximum tuum sicut te*
ipsum (Deut. 6, 5). Et propter hoc deprecemur Deum, quatenus
det nobis gratiam, per quam infirmos uisitemus, ex quo est
Pater noster. Et eius amore, reuerentia et honore dicamus *Pater*
noster.

[Sermo VI]

De visitando incarceratos

Quicumque uelit sermocinari de uisitando incarceratos, faciat
ipsum sermonem de uirtute et spe, ut consolentur et iuuentur.
5 Et hoc sit thema sermonis.

In principio deprecabimur dominum Deum nostrum Iesum
Christum, quatenus det mihi gratiam dicendi, et uobis audiendi
et retinendi uerba, quae sint ad eius honorem, et animarum
nostrarum salutem. Et amore, reuerentia et honore dominae
10 nostrae sanctae Mariae dicamus *Aue Maria*.

---

88 Omne] totum *M*; *cat.* tot = omne   **91** creauit] creatum *M*   **98/99**
Erit – generalis] *om. M*

Aliqui homines incarcerantur per dominium curiae saecularis,
quae est hominis iustitia; et alii per dominium curiae spiritualis,
quae est Dei iustitia. Tales homines, qui per curiam saecularem
incarcerantur, debent iuuari cum uirtutibus bonorum gratiae,
15 quae sunt diuitiae et amici. Et per talem modum debent uisitari
et consolari, et poni in spe.

Illi homines, qui incarcerantur per Dei iustitiam, ipsis existentibus in mortali peccato, debent uisitari cum uirtute, quae spes
est, ut non desperent. Et ad monstrandum modum uisitatio-
20 nis arguimus ita:

Ille, qui est melior, maior, durabilior, potentior, sapientior,
amorosior et uirtuosior, potest magis indulgere, quam aliquis
homo peccare. Deus est ille; ergo Deus potest plus indulgere,
quam homo peccare. Ergo nullus debet desperare.

25 Nullum hominem, qui a peccato eggrediatur et efficiatur iustus
pro magis intelligendo, amando et memorando Deum, quam
aliquod aliud, Deus, qui iustus est, potest damnare. Aliqui
homines sunt tales; ergo Deus eos damnare non potest. Ergo illi
non debent desperare.

30 Nullum hominem, habentem bonam et magnam contritionem,
et facientem bonam, magnam et ueram confessionem et satisfactionem, potest Deus damnare. Aliqui homines sunt illi; ergo
tales desperare non debent.

Ostendimus modum, per quem debent homines incarcerati
35 uisitari. Et propter hoc deprecemur dominum Deum nostrum,
et ipsos uisitemus, ex quo est Pater noster. Et eius amore,
reuerentia et honore dicamus *Pater noster.*

[SERMO VII]

DE SEPELIENDO MORTVOS

Quicumque uelit sermocinari de sepeliendo mortuos, sermoci-
netur cum definitione caritatis et ueritatis; quae sit thema
5 sermonis.

In principio deprecabimur dominum Deum nostrum, quatenus det mihi gratiam dicendi, et uobis audiendi et retinendi
uerba, quae sint ad eius laudem, et animarum nostrarum salu-
tem. Et amore, reuerentia et honore | dominae nostrae sanctae M 171ᵛ
10 Mariae dicamus *Aue Maria.*

Sepelire mortuos potest intelligi secundum litteram, et secundum allegoriam.

VI, **12** quae – iustitia] *om.* M   **26** intelligendo] indulgendo M   Deum]
add. et M   **27** potest] *om.* M   **29** debent] habent M

VII, **8/9** et – salutem] *om.* M

Secundum litteram; sicut homines mortuos, qui amicos non habent, qui eos sepeliant, uel inueniuntur in uia mortui. Et per
15 hoc facit opus misericordiae, qui eos sepelit Dei amore.

Homines, qui mortui sunt, secundum allegoriam intelliguntur, illi, qui in mortali peccato sunt. Et eorum peccata mortalia tenentur secreta, ut non diffamentur, et a gentibus non negligantur, quia mala fama est instrumentum, quod multum mali
20 facit. Et qui tales homines tenet secretos, utitur caritate et ueritate in proximo suo, et acquirit bonam famam.

Homo mortuus in mortali peccato, mortua est in ipso eius bonitas naturalis, naturalis magnitudo; et sic de aliis principiis innatis. Et homo sciens tales mortuos, et non reuelat gentibus,
25 uiuit cum ueritate et caritate. Quae sunt sibi instrumenta, cum quibus facit opera bona et diligit proximum suum.

Hic sermo et alii possunt prolongari et multiplicari secundum *Artem maiorem praedicandi*.

Diximus de modo, per quem et secundum quem debent mor-
30 tui sepeliri.

Et propter hoc deprecemur Deum, quatenus det nobis gratiam, ad sepeliendum mortuos tempore necessitatis, ex quo est Pater noster. Et eius amore, reuerentia et honore dicamus *Pater noster*.

35   Ad laudem domini nostri Dei finiuit Raimundus librum istum in ciuitate Maioricae mense februarii anno Domini 1312 incarnationis domini nostri Iesu Christi..

Summa, quam fecit Raimundus in ciuitate Maioricae. Centum octuaginta sermones. Anno 1312 incarnationis domini no-
40 stri Iesu Christi.

---

22 mortuus] mortuos *M*   **34** noster] *add. et rep.* Et – noster (*lin. 33/34*) *M*
38 quam] quod *M*   **39** octuaginta] *recte* octuaginta duo   **40** Christi] *add.* laus tibi sit Christe, quoniam liber explicit iste *M*

INDICES

Enumerationem formarum, concordantiam formarum et indicem formarum a tergo ordinatarum inuenies in fasciculo 38 seriei A *Instrumentorum lexicologicorum latinorum*.

INDEX LOCORVM S. SCRIPTVRAE (¹)

---

(1) Numerus primus numerum operis, numerus romanus sermonis numerum, numerus arabicus lineam designat.

INDEX NOMINVM LOCORVM ET PERSONARVM

INDEX TITVLORVM OPERVM RAIMVNDI

INDEX GENERALIS